SEBASTIÁN ROA (1968), aragonés de nacimiento y valenciano de adopción, compagina su labor en el sector público con la escritura. En 2010 recibió el premio Hislibris al mejor autor español de novela histórica. Es autor de las novelas *Casus Belli* (2007), *El caballero del alba* (2008; Ediciones B, 2016), *Venganza de sangre* (ganadora del certamen de novela histórica Comarca del Cinca Medio 2009; Ediciones B, 2012), y la Trilogía Almohade, integrada por *La loba de al-Ándalus* (Ediciones B, 2012), *El ejército de Dios* (Ediciones B, 2015) y *Las cadenas del destino* (Ediciones B, 2016; Premio Cerros de Úbeda del Certamen Internacional de Novela Histórica a la mejor novela publicada). Su última novela publicada es *Enemigos de Esparta* (Ediciones B, 2019).

roasebastian.blogspot.com.es
Facebook: *www.facebook.com/SebastianRoaAutor*
Twitter: *@sebastian__roa*

Papel certificado por el Forest Stewardship Council®

Primera edición: octubre de 2013
Quinta reimpresión: julio de 2020

© 2012, Sebastián Roa
Publicado por acuerdo con Susana Alfonso Agencia Literaria
© 2013, Penguin Random House Grupo Editorial, S. A. U.
Travessera de Gràcia, 47-49. 08021 Barcelona

Printed in Spain – Impreso en España

ISBN: 978-84-9872-879-8
Depósito legal: B-2.887-2018

Impreso en Rodesa
Villatuerta (Navarra)

BB 2 8 7 9 B

Penguin
Random House
Grupo Editorial

MAXI

La loba de al-Ándalus

Sebastián Roa

MAXI

Una salus victis nullam sperare salutem.
(La única salvación de los vencidos es no esperar salvación alguna.)

VIRGILIO, *Eneida*, II, 354

Virgilio era un hombre sabio, y tal vez por eso su cita ha llegado hasta nosotros. Y nos viene de perlas, porque no somos más que vencidos. Derrotados por una sociedad que aplasta nuestra cultura y la condena al olvido. Un admirador de Virgilio, Silo Itálico, nos advirtió que abandonar toda esperanza de salvación resulta un estímulo formidable. Al escribir esta novela, doy por perdidas mis esperanzas, pero no así el propósito de honrar cuanto pueda a mis antepasados. Gracias, pues, a ellos, a los que vencieron y a los que fueron derrotados. Gracias a celtas, iberos, romanos, visigodos, andalusíes, cristianos... Gracias a quienes se alzaron contra la injusticia y a quienes se mantuvieron fieles a sus juramentos. Gracias a Homero, por presentarme a Héctor y Andrómaca, y a quienes escribieron durante milenios para preservar mi pasado. Gracias a Ambrosio Huici Miranda, el arabista que empeñó años de su vida para traernos, a mí y a millones como yo, el conocimiento de los siglos pretéritos. Gracias a quienes me acompañan en la derrota constante de la vida. Gracias a mi familia, por supuesto. Sobre todo a Ana y Yaiza, mis banderas de batalla más allá de patrias y leyes. Gracias a mis compañeros del grupo literario del Cuaderno Rojo, que me leen, aconsejan y animan, y especialmente a Marina López, de la Universidad Jaime I de Castellón, por las horas de sueño perdido con el manuscrito de esta novela y por contagiarme su entusiasmo. Gracias a los impagables consejos del *wanax* Josep Asensi. Gracias a las mesnadas que me ayudaron a aguantar los embates enemigos en la Biblioteca Pública de Valencia, en la Biblioteca Valenciana de San Miguel de los Reyes, en el Archivo del Reino de Valencia, la Biblioteca de Humanidades de la Universidad de Valencia, el Instituto de Estudios Turolenses y el Archivo Histórico Provincial de Teruel. Gracias a los recreacionistas de Fidelis Regi, Feudorum Domini, A. C. H. A., Aliger Ferrum y Arcomedievo, que me mostraron otras formas de usar mis armas. Gracias a mis compañeros de trabajo, los que se baten en vanguardia día a día y que disculpan mis ausencias medievales. No espero salvación alguna para ninguno de ellos, y por eso he escrito esta novela.

Aclaración previa sobre las expresiones y citas

A lo largo de la escritura de esta novela me he topado con el problema de la transcripción del árabe al castellano. Hay métodos académicos para solventarlo, pero están diseñados para especialistas y artículos científicos más que para autores y lectores de novela histórica. A este problema se ha unido otro: el de los nombres propios árabes, con todos sus componentes; o el de los topónimos y sus gentilicios, a veces fácilmente reconocibles para el profano, otras no tanto. He intentado hallar una solución que nos acerque a la pronunciación real y que al mismo tiempo contribuya a ambientar históricamente la novela. Así pues, he transcrito para buscar el punto medio entre lo atractivo y lo comprensible, he simplificado los nombres para no confundir al lector, he traducido cuando lo he considerado más práctico y me he abandonado al encanto árabe cuando este me ha parecido irresistible. En todo caso, me he dejado guiar por el instinto y por el sentido común, con el objetivo de que primen siempre la ambientación histórica y la agilidad narrativa. Espero que los académicos en cuyas manos caiga esta obra y se dignen leerla no sean severos con esta licencia.

De cualquier forma, y para aligerar este problema y el de otros términos poco usuales, se incluye un glosario al final. En él se recogen esas expresiones árabes libremente adaptadas y también tecnicismos y locuciones medievales referentes a la guerra, la política, la toponimia, la sociedad...

Por otro lado, aparte de los epígrafes, he tomado prestadas diversas citas y les he dado vida dentro de la trama, a veces sometiéndolas a ligerísimas modificaciones. Se trata de fragmentos de los libros sagrados, de poemas árabes y andalusíes, de trovas y de otras obras medievales que el lector detectará al verlos escritos en cursiva. Tras el glosario se halla una lista con referencias a dichas citas, a sus autores o procedencias y a los capítulos de esta novela en los que están integradas.

PREFACIO

El sexto reino

Deja que te muestre, a ti, que ahora abres este libro, una época de muerte y desolación. Pero también de pasión y poder. De ambición, de lealtad y de traición. De amistad, de odio y de amor. Y de muchas otras cosas, salvo paz. No es paz lo que hallarás si sigues leyendo. Así pues, ¿deseas seguir? Bien. Permite, entonces, que te cuente adónde te quiero llevar.

Nos acercamos a la mitad del siglo XII y la Península Ibérica está dividida en dos partes marcadas por su distinta religión. Al norte se agrupan los reinos cristianos... Pero luego te hablaré de ellos. Vayamos ahora al sur, donde perviven los territorios musulmanes: lo que otrora fue el califato de Córdoba, descompuesto después en los primeros reinos de taifas, más tarde unidos de nuevo bajo el cetro almorávide.

Ah, ¿te cuento de los almorávides? Unos fanáticos vomitados por el desierto africano. Los enemigos del legendario Cid Campeador. Llegan a un al-Ándalus enfermo y fragmentado, y unen a todos los musulmanes peninsulares bajo su mando. Pero los almorávides, que vienen de sojuzgar a gran parte del Magreb, no están dispuestos a soportar la relajación de costumbres de los andalusíes. Por eso arrasan con todo y hacen gala de su exaltación religiosa. Se alzan con el poder absoluto y relegan a los hispanomusulmanes a los puestos más bajos de su sociedad.

Sin embargo, es difícil resistirse a la buena vida en el vergel de al-Ándalus. Mujeres bellísimas, jardines lujuriosos, música que subyuga, vino que enloquece, poesía que enamora... Los almorávides se ablandan, se dejan llevar y empiezan a transigir. Se vuelven débiles. Aunque eso no es suficiente para los hispanomusulmanes oprimidos: la población andalusí no se siente a gusto gobernada por los almorávides. Por eso empiezan las revueltas, muchas veces apoyadas por los cristianos del norte. Es la vida: todo imperio nace, crece, llega a su apogeo y decae. Los almorávides no son distintos, pero su caída se va a ver precipitada por algo que no sale de la libertina tierra de al-Ándalus ni de los molestos reinos cristianos. Al sur, en África, ha surgido un nuevo movimiento rígidamente musulmán. Su fundamentalismo es mucho mayor que el de los almorávides, y además está consiguiendo reunir un potente ejército entre las tribus nómadas del desierto y las montañas. Son los almohades, los unitarios, los creyentes. Están dirigidos por un visionario llamado Ibn Tumart, que se cree el Mahdi: el Mesías que ha de salvar al islam de su decadencia. A la muerte del Mahdi, toma el relevo del poder almohade un hombre cruel y decidido, el primer califa del nuevo orden, Abd al-Mumín. Abd al-Mumín se hace llamar príncipe de los creyentes y gobierna con mano dura. Dictamina la superioridad racial almohade sobre las demás tribus africanas, así como sobre los andalusíes y los árabes y, por supuesto, el resto de los seres humanos. El ejército de Abd al-Mumín recorre todo el norte de África y se hace con las antiguas posesiones almorávides. Aplasta, incendia, decapita y crucifica. Y ahora mira al norte, a esa península al otro lado del Estrecho. A al-Ándalus.

Cuando los almohades cruzan a la orilla europea, se encuentran con los desvencijados restos del imperio almorávide. En poco tiempo se hacen con importantes ciudades del sur, como Córdoba, Jaén y, sobre todo, Sevilla, que pasa a ser su capital a este lado del Estrecho. Pocos son los reductos almorávides que sobreviven. No hay tiempo para más. Las tribus sometidas del Magreb se rebelan una y otra vez, y los almohades deben regresar para apaciguar sus posesiones africanas. Se van. Dejan para más tarde lo que queda de la Península Ibérica. Volverán, te lo aseguro...

Tal vez quieras saber qué hay más allá de Córdoba, Jaén y Sevilla. ¿Has oído hablar de la época de los cinco reinos? En muchos libros de historia llaman así a este momento. Se refieren a los cinco estados en los que se dividía la parte de la Península que aún no estaba bajo el poder almohade: los reinos de Portugal, León, Castilla, Navarra y Aragón —entendido ya este último como la unión del reino de Aragón y el condado de Barcelona—. Pero cuidado. Tal vez a estas alturas no te salgan las cuentas. Falta algo. Un sexto reino. Uno que, por cierto, supera en tamaño y riqueza a alguno que otro de los que he enumerado en el quinteto de estados cristianos. Este sexto reino, casi hundido en las tinieblas del olvido histórico, representa el momento brillantísimo de una civilización única e irrepetible. Una auténtica utopía llena de contradicciones. Al frente de ella, un rey andalusí al que un papa se refirió como «el rey Lope, de gloriosa memoria», mientras que sus correligionarios musulmanes de África lo tildaban de demonio cruel y sanguinario. Este rey no llegó al trono por herencia, sino por sus propios méritos. Descendiente de tagríes, militares de frontera curtidos en mil batallas, de origen muladí y admirador del arrojo cristiano, consiguió hacerse con un reino que comprendía las actuales provincias de Castellón, Valencia, Alicante y Murcia, además de parte de las de Tarragona, Teruel, Cuenca, Albacete, Jaén y Almería. Sus conquistas lo llevarían mucho más lejos, y el esplendor que llevó a su reino hizo que durante siglos se continuara usando la moneda que acuñó en sus cecas. Lo que se sabe de este reino está manchado por la propaganda almohade o por el desprecio cristiano, y quizá lo único seguro es el sobrenombre por el que su monarca pasó a la historia: el rey Lobo.

Pero basta de cháchara. Es hora de que conozcas el sexto reino.

Primera Parte

(1151-1158)

Reyes, sed bien avisados,
que partir e disminuir
es menguar e dividir
los reynos e principados.
¿Quién falló grandes venados
en pequeño monte e breña?
En agua baxa e pequeña,
non mueven grandes pescados.

Fernán Pérez de Guzmán,
Amonestación al emperador don Alfonso

1

La sangre de su sangre

Verano de 1151. Tierras de Segura, señorío de Hamusk

Zobeyda siempre había sentido fascinación por los augurios, y ahora iba a conocer uno, quizás el más importante de su vida.

Alargó el puño derecho e, incapaz de detener su temblor, extendió el dedo índice hacia delante. Frente a ella, la vieja, armada con una aguja, sonrió antes de punzar con tino la yema de la joven. Zobeyda dejó escapar un gritito inconsciente, pero el goterón de sangre le produjo un imprevisto placer. Aquella lágrima roja se alargó hasta caer en el centro de la olla humeante y despertó las burbujas que dormitaban en su interior. Una segunda gota siguió a la primera, y luego llegó una tercera. La vieja hizo desaparecer la aguja entre sus ropajes negros y bastos, acercó la cara al pote y dejó que la humareda acariciase su ajada piel. Se pasó la lengua por los labios agrietados y entornó los ojos. Luego, sin separar la vista del fondo del perol, asintió con lentitud.

—La sangre de tu sangre... Sí, la sangre de tu sangre.

—¿Qué significa...?

—Shhh —se quejó la vieja sin apartar la mirada del puchero—. La sangre de tu sangre. Eso es lo que unirá este lado con el otro.

—No sé qué quiere decir eso.

—Yo tampoco. Solo leo lo que el destino me deja ver.

Maricasca, la bruja, levantó por fin la vista del perol. Su mirada despertó una náusea en Zobeyda.

—Te pago con largueza, vieja. Esperaba algo más.

—¡Pues no hay más, morita!

La joven apretó los labios.

—Muestra respeto, bruja. Estás ante una reina.

—Aaay, tú, una reina... No hay reinas moras. No desde el tiempo de tu profeta. Hasta una vieja ignorante como yo sabe eso. Además, ya te lo he dicho: es la sangre de tu sangre la que unirá este lado con el otro. Tal vez vea coronas también. Tronos y palacios. Pero ¿a ti? A ti no te he visto aquí dentro.

Maricasca dijo aquello con voz firme, pero los ojos entornados y la nariz arrugada añadían un punto de burla a sus palabras. Zobeyda se asomó al interior del perol e intentó interpretar aquellos pétalos blancos que flotaban destrozados en el agua. La yema del huevo de cárabo que Maricasca había vertido se deshacía lentamente en jirones ambarinos y dibujaba grumos, revueltas y tirabuzones que bajaban hasta el fondo del pote y volvían a subir con reventar de burbujas. La joven buscó con la mirada en aquel caos humeante.

—¿Dónde está la sangre?

Maricasca apuntó con su dedo sarmentoso.

—Pues ahí, agarrada a la yema del huevo.

—No veo nada. No hay coronas, ni tronos. No veo lados que deban unirse.

La bruja frunció el ceño y añadió a su piel una miríada más de arrugas. Se inclinó de nuevo sobre el perol.

—Creo que ya lo tengo. Sí, sí... Ya lo entiendo. Yo veo cosas porque soy la bruja. Y tú no. Tú solo eres una morita con ínfulas. ¿Me vas a pagar o no?

Zobeyda suspiró. Aquella vieja bruja era insoportable. Si no fuera por la fama que tenía... Devolvió la vista al potingue espumoso. Intentó de nuevo hallar algún significado en aquel batiburrillo de trozos de pétalo de lirio, cáscaras de huevo y hojas de enebro, cantueso y alhucema. Y sobre todo trató de interpretar aquello de la sangre de su sangre. Unir este lado y el otro. ¿Qué significaba toda esa palabrería? Retiró la cara del vaho al notar un leve vértigo. El humo subía en lentas volutas, se estrellaba mansamente contra el techo rocoso de la gruta y resbalaba por entre las rendijas como si tuviera vida propia. Las dos mujeres, una vieja y arqueada y la otra joven y esbelta, se hallaban en lo más profundo de la cueva, iluminadas por las llamas vacilantes de dos hachones a medio quemar. La luna nueva había dejado la vega del río a oscuras, pero los campesinos de la aldea cercana, que jamás visitaban a la bruja Maricasca en su arreñal, habían hecho una enorme hoguera al otro lado del cauce para celebrar la llegada del verano. El resplandor del fuego llegaba atenuado a la gruta, abierta a media ladera y renegrida por años y años de puchero, lumbre y candela.

—¿Cómo puedo saber el significado de tu vaticinio? —preguntó Zobeyda—. ¿Por qué no puedes decirme más?

—Ayyy, que Judas me confunda... Ya te lo he dicho. Yo veo las hierbas y te las leo —respondió la vieja sin levantar su vista nublada del cazo humeante—. Las hierbas escriben el porvenir, y aquí solo pone eso: la sangre de tu sangre unirá este lado y el otro.

Zobeyda se levantó con un movimiento rápido y anduvo hacia la salida de la cueva. Estaba mareada, sin duda por aquella maldita pócima y por el humo de los hachones que iluminaban la gruta. Miró afuera, hacia la cercana aldea. En el lado opuesto del arreñal, donde el río, brillaba con fuerza la hoguera encendida por los campesinos. Hasta Zobeyda llegaron apagados los cánticos y las risas. Pero ella no escuchaba las obscenas letras de las canciones. Solo pensaba en el extraño augurio de Maricasca. Repasó una vez más las instrucciones que la bruja le había dado unas semanas atrás: las hierbas necesarias, dónde cortarlas, qué noche y con qué mano debían recogerse; el día entero en ayunas que Zobeyda tenía que pasar; el mucho cuidado en que el huevo fuera de cárabo, o de *carabo*, así, sin esdrujulear, como Maricasca decía; ah, y las cruces: que por muy morita que fuera, Zobeyda debía hacerse tres cruces antes de entrar en la cueva. Y las tres cruces se las había hecho, por supuesto. Pensó que tal vez eso de ser mahometana había podido torcer el sortilegio, por mucho que dijera saber la bruja. Sangre de su sangre. Aquello podía interpretarlo. Pero lo de unir un lado y el otro... ¿Eso era un augurio? ¿Y qué auguraba?

—Soy musulmana, vieja —le dijo a Maricasca sin volverse—. ¿No será por eso todo tan confuso? He venido aquí para conocer el destino, no para llevarme preguntas sin respuesta.

Se oyó una risita apagada y cavernosa, y Zobeyda sintió un escalofrío.

—Todas las preguntas tienen respuesta. Cosa tuya será encontrarla. O no. Y la sangre no sabe de moros ni de cristianos —contestó Maricasca con voz pastosa—. Además, que tú ya eras infiel de niña, y mira si erré entonces. ¿A que no? ¿A que no erré?

—No —reconoció Zobeyda.

—Y que oye, que si por eso fuera, tú eres morita lo mismo que yo cristiana: de aquí —se tocó los labios con un dedo—. Y el huevo este no era de *carabo*, era de dragón. O parecido.

La joven sonrió por el comentario de la bruja. De más la conocía.

—Pero es que no lo entiendo. Algo hemos hecho mal...

—Ya, ya. Lo mismo me dijiste de niña. Y mírate ahora.

Zobeyda se volvió en ese momento. La hoguera de la vega dejó de reflejarse en sus ojos grandes y negros, y su mirada se hundió en la penumbra ahumada de la caverna.

—¿Por qué ves cosas que yo no veo? —preguntó a la vieja, que se encorvaba sobre el perol espumante—. ¿Por qué lo viste entonces?

La anciana se irguió con dificultad y agarró su garrota, apoyada en una de las ennegrecidas rocas de la cueva. Caminó venciéndose a la izquierda y llegó hasta el borde de la gruta. Se detuvo junto a Zobeyda y extendió la mano arrugada y sarmentosa hacia la hoguera que los lugareños habían encendido.

—Por la misma razón por la que ellos me rehúyen —respondió—. Porque soy Maricasca, la bruja del arreñal, y sé leer en las hojas y en los troncos de los árboles, en las piedras del río y en los lamentos de los gatos.

La vieja empalmó la última palabra con un remedo de maullido y este con una carcajada que resonó bajando la ladera pedregosa, cruzó el arreñal y se metió por entre las cabañas de la aldea. Por un momento, las risas y gritios de los campesinos se acallaron y solo se oyó la brisa, que agitaba las hojas de los chopos cercanos. Un par de figuras se acercaron con premura y pisando fuerte sobre el terreno áspero.

—Mi señora, ¿va todo bien? —preguntó una voz masculina.

—Todo bien, capitán —se apresuró a contestar Zobeyda.

Las dos siluetas volvieron a ser tragadas por la oscuridad y la mujer miró a la anciana, tan encorvada sobre sí misma que su tamaño apenas alcanzaba el de una niña. La joven reflexionó unos instantes y un brillo de triunfo iluminó sus ojos negros.

—Ahora yo también comprendo. Creo. Mi hijo Hilal. Sangre de mi sangre. Cuando crezca, él conquistará ciudades. Ceñirá corona y ocupará su trono. Unirá reinos enteros. Eso quiere decir, ¿verdad?

La vieja encogió sus huesudos hombros.

—Piensa lo que quieras. El tiempo dirá si te equivocas. O a lo mejor mueres antes de que el vaticinio se cumpla, que también puede ser.

—Es suficiente, vieja bruja —sonó la voz de quien había contestado como capitán de la guardia. La vieja intentó taladrar la oscuridad, pero solo pudo ver una figura que se confundía con la noche—. Mi señora vivirá largos años. Verá nacer a muchos más hijos. E incluso a sus nietos. Guarda tus malos presagios para los porqueros de esa aldea.

—Ah, no. Que la morita me ha prometido buenos dineros. —Maricasca señaló a Zobeyda con el cayado—. Y si hay dineros, Maricasca lee las hierbas.

—Dinero tirado. —El capitán de la guardia habló de nuevo sin dejarse ver—. Tus augurios son tan oscuros que podrían significar cualquier cosa. Además, para cuando sepamos algo con certeza, tus huesos estarán mondos. —La voz había ido cobrando un tono sarcástico—. Si por mí fuera, no te pagaría ni un dinar.

—¡Basta! —interrumpió tajante Maricasca, y extendió la palma de la mano hacia Zobeyda—. No me gusta lo que dice ese hombre. Quiero mis dineros ya. Morabetinos de tu rey, morita.

La joven hizo un gesto de rabia, rebuscó entre sus sayas y sacó una bolsita tintineante que la bruja se apresuró a agarrar. Luego, con una agilidad mucho mayor que la que había demostrado hasta ese momento, Maricasca desapareció en el interior de la gruta.

—Eres una loca o realmente estás borracha de tanto aspirar hierbajos, vieja bruja. —El capitán se acercó hasta la boca de la cueva. Al salir de la sombra descubrió sus ropas oscuras, pero la bruja ya no podía verlo—. Mi señora te hará despellejar viva. ¡Sal aquí y revela tus acertijos!

—No, déjala. —Zobeyda alzaba una mano ante el hombre—. Es así como funciona esto. También fue así cuando yo era niña.

El capitán extendió el brazo cuando su señora hizo ademán de descender la ladera, y esta lo cogió y se apoyó en él para alejarse de la gruta.

—La sangre de mi sangre —repitió el augurio en un susurro— unirá este lado y el otro.

Día siguiente. Camino de Segura

—La sangre de mi sangre...

Zobeyda repitió la frase una vez más. Había perdido la cuenta de qué número hacía aquella ocasión. Paseaba la mirada por la orilla del río sembrada de olmos, y su mente vagaba acunada por el suave sonido del agua que se deslizaba valle abajo. Era pronto aún; el sol apenas había rebasado las copas de los álamos y fresnos más altos. Abú Amir adelantó su caballo y lo hizo andar al paso junto al carro a medio cubrir de Zobeyda. Ella miró a su amigo, aunque no lo vio, y una vez más movió sus labios lentamente pero sin emitir sonidos, repitiendo en silencio la enigmática profecía de la vieja Maricasca.

Zobeyda, veinte años de tentación andalusí, era, a poco que se cavilase, la mujer más hermosa que aquella tierra había dado en generaciones. Ya de niña, sin necesidad de criada ni esclava que la aderezase, era capaz de sacar partido de su tremenda belleza hasta convertirse en algo que a la fuerza debía de ser pecaminoso, fuérase del credo que se fuera; ahora, con la veintena cumplida y un parto doble en sus caderas, sabía hacerse aplicar la justa cantidad de alheña, de hojas de añil, de polvo de antimonio o aceite de narciso. Nada era casual o distraído en ella: cada mirada de reojo, cada gesto que apartaba una trenza a un lado, cada lento parpadeo. Tenía la tez clara de su estirpe, de ascendencia cristiana y norteña, pero su pelo era negro como el de sus súbditas de raza bereber. Sus ojos oscuros y almendrados llenaban su cara, atraían las miradas y traspasaban los corazones. No había varón, fiel o infiel, que pudiera resistir el encanto de Zobeyda si ella se decidía a asaetearlo con su vista. Bajo el suave óvalo de su rostro, el cuello daba paso a un busto bien cumplido, al gusto musulmán, y a la par desafiante, al gusto cristiano. Zobeyda era insolente, cosa sabida por más que todos lo callaran ante ella, y no gustaba de cubrir sus encantos con velos o ropas anchas.

Aquella mañana, libre ya de las toscas sayas del día anterior —necesarias por otra parte para ocultar su condición a los campesinos—, Zobeyda vestía un sedoso brial, a la costumbre cristiana que su esposo había llevado a palacio; y aunque sus trenzas oscilaban libres, se coronaba con una pequeña diadema de gladiolos, sus flores preferidas. Recostada sobre los mullidos almohadones que recubrían el carruaje, mostraba con descuido una pierna hasta la rodilla, dejaba colgar el pie descalzo a un lado y lo mecía al ritmo con el que traqueteaban las ruedas por la senda rumbo a Segura. El tobillo, rodeado de argollitas que tintineaban con cada bache y guijarro que tomaban, era delgado y mostraba una piel firme, sin rastro de imperfección a lo largo del empeine.

—No sé por qué crees en esas patrañas, niña —le reprochó Abú Amir—. Además, no te queda bien caer en supercherías.

Zobeyda escapó de sus divagaciones y dedicó una sonrisa luminosa a quien se había hecho pasar la noche anterior por capitán de su guardia.

—Ahora me saldrás con el sermón de siempre, ¿verdad?

—Hace tiempo que sé que eres tan piadosa como yo, niña. Es decir: nada. —Abú Amir miró hacia delante y se aseguró de que no eran escuchados por la auténtica guardia de la reina. Tan solo el criado que tiraba de las mulas podía oírlos, pero su fidelidad, como la del resto de los sirvientes personales de la mujer, estaba fuera de duda—. Y también sé desde hace mucho que eres demasiado lista para creer en supersticiones. Nunca he entendido ese defecto tuyo. Fiar en augurios y en buenaventuras. ¿No te da vergüenza?

Zobeyda fingió ofenderse y se llevó la mano a la boca, irreverentemente descubierta por el velo que caía a un lado de su cuello.

—Te haré despellejar vivo —imitó la voz de Abú Amir al amenazar a Maricasca. Ambos rieron con discreción.

—Es bueno que te diviertas, ya lo sabes —continuó él con sus reproches—, pero te repito que no es propio de una reina emplear tanto tiempo y esfuerzo en los delirios de una vieja cristiana loca. Y esos talismanes que llevas. Y los amuletos. Ah, por favor.

Zobeyda tocó por instinto la bolsita parda que colgaba entre sus pechos, rellena de dientes de zorro para esquivar el mal de ojo.

—Entonces, ¿no debo creer en la bruja? ¿Y cómo explicas que su vaticinio de hace años se cumpliera al pie de la letra?

Abú Amir miraba hacia el camino mientras mantenía su corcel al paso, avanzando junto al carro tirado por mulas en el que viajaba la reina Zobeyda. Hizo un gesto con la mano para quitar importancia al comentario de su señora.

—No sé nada de ese vaticinio de hace años. Jamás me lo has contado. Pero sin duda, si acertó entonces, fue también por casualidad. Quizá buen tino y conocimiento de la gente. Además, sé que tú misma no acabas de creerte estas engañifas. Y si no, ¿por qué me has hecho acompañarte a ver a esa loca del demonio?

—Pues precisamente para lo que no estás haciendo. —Zobeyda siguió con la vista la corriente del río—: Aclararme lo que yo no entienda.

—Ah, era eso... Pues bien, te lo explicaré de inmediato: una vieja chiflada quiso cocer un huevo con beleño y cuatro hierbajos más. Al momento, y como suele ocurrir con el beleño, la bruja aspiró el humo venenoso y se sumió en el trance, o cayó en una pesadilla, o se dejó llevar por la ilusión de la borrachera..., como tú prefieras, niña. Todo lo demás es delirio puro, y los he visto mejores en alguna que otra fiesta de las que da tu esposo en palacio.

—Ah, como quieras. Así pues, la bruja estaba borracha. Y sin embargo, desde la Sierra Morena a las montañas de la Idúbeda, Maricasca tiene fama de acertar siempre.

—No andamos faltos de gente ignorante en al-Ándalus, es verdad. Al menos Maricasca es tan lista como para aprovecharse de ello. Una virtud admirable.

Zobeyda hizo un gesto de fastidio, tiró de la tela que cubría el carro y se ocultó de la vista de Abú Amir. Habló desde dentro una vez más.

—Maricasca estaría ya muerta, despeñada o degollada por los campesinos cristianos de esa aldea si no fuera porque siempre acierta y vienen a verla de todo al-Ándalus tanto fieles como infieles. Cuando yo era niña, mi padre me llevó hasta ella y pagó una fortuna a la bruja para que me hiciera un vaticinio. Y no se equivocó.

La comitiva se había detenido para la oración del mediodía. Tras limpiarse en las frescas aguas del río, soldados y criados llevaban a cabo el rito girados hacia levante mientras las mulas, desenganchadas del carro, abrevaban con tranquilidad y espantaban las moscas a coletazos. Zobeyda se había recostado a la sombra de un chopo sobre un ancho paño bordado. A través de los sauces podían verse ya las tierras rojizas plagadas de olivos que precedían al cerro en el que se elevaba Segura. Abú Amir, por su parte, estaba sentado sobre una piedra al borde del río y jugueteaba con una rama de majuelo que sumergía en la corriente.

Muhammad ibn Áhmed ibn Amir at-Turtusí, al que todos conocían como Abú Amir, era un hombre de gran atractivo físico y en la plenitud de su vida. Había nacido en Tortosa treinta y un años antes, y ejercía la ciencia de la curación; los varones de su familia hasta lo que podía recordarse habían sido médicos de renombre, y además no les había faltado ocasión de ejercitarse en la medicina de guerra gracias a los choques casi constantes que se vivían con los infieles del norte. De hecho, la proximidad de la frontera y los roces con los cristianos habían llevado a Abú Amir, hombre dado a la buena vida y las pocas complicaciones, a abandonar Tortosa y trasladarse a Murcia. Allí, por su incuestionable inteligencia, se había convertido en uno de los médicos más solicitados y exitosos de la ciudad. Además frecuentaba los círculos intelectuales y muy pronto adquirió un fuerte crédito entre la clase dominante, merced no solo a sus dotes como galeno sino también a su fama como filósofo, a su maña para componer versos y a su memoria para recitar poemas ajenos. Así había sido como, apenas cinco años antes, Abú Amir había conocido a Ibrahim ibn Hamusk, el padre de Zobeyda. Por aquel entonces, Hamusk se había rebelado contra el poder almorávide en Socovos, donde prestaba sus servicios como jefe militar, y estaba a punto de hacerse con el gobierno del lugar mediante un rápido y certero golpe de mano que lo convirtió en señor de Segura y de todo el territorio circundante, rico en bosques, rico en leña, rico en corrientes de agua. Todo su señorío dependía de la madera que, a través de los ríos que nacían en la sierra de Segura, era transportada hasta las grandes ciudades.

Pero antes incluso de la rebelión de Hamusk, conocedor este de la fama de Abú Amir en Murcia, le invitó a trabajar a su servicio y encargarse de la enseñanza de su única hija, Zobeyda, a cambio de un estipendio tan generoso que al médico no le quedó más remedio que aceptar. Y a Abú Amir no le había disgustado su nueva ocupación. Hamusk era un líder firme, a veces incluso demasiado, y aunque era tan dado a las supersticiones como su hija, comulgaba con muchas de las ideas poco ortodoxas que tenía el médico. Ambos coincidían en su no poco desprecio por la beatitud y en un gran amor por los placeres de la vida. Aquellos «defectos» eran fruto de los años de dominación almorávide, excesivamente dura, restrictiva y aburrida: eso era algo que tanto Hamusk como Abú Amir asumían, y no solo no se avergonzaban de ello: como muchos andalusíes de aquella época feliz, se enorgullecían de buscar el placer y de renegar de las ataduras de antaño.

En cuanto a Zobeyda, la niña había destacado pronto como una doncellita muy astuta que absorbía las enseñanzas del médico a gran velocidad y se interesaba por materias que la ley almorávide vetaba a la mujer. Así, poco a poco, Abú Amir se había ido convirtiendo en el mejor confidente de la joven Zobeyda bint Hamusk y, con el tiempo, ella dejó de ser aquella niña ávida de enseñanzas y curiosa por la vida para convertirse en una espléndida belleza andalusí. Aun con todo, el médico jamás había dejado de verla con el cariño que el buen maestro tiene por la alumna aventajada.

Además, no eran lances amorosos lo que le faltaban a Abú Amir. El médico poeta era un imán para las mujeres por su tez morena enmarcada por una fina barba negra, su gran altura y hombros anchos, pero sobre todo por su apariencia sosegada y amable, que no abandonaba siquiera en los momentos de mayor disipación. De todos, eso sí, era conocida su fama de libertino. Gustaba de rondar, escribir versos a las doncellas y de beber vino en público. Actitud muy criticada por los imanes y alfaquíes; pero esos mismos detractores eran incapaces de derrotarle en los duelos de ingenio y argumentación que llevaban a cabo en las plazas y mezquitas, y que Abú Amir remataba con algún verso sardónico e hiriente para los guardianes de las viejas costumbres, pues

No des crédito a las palabras de los profetas.
Son falsedades que ellos mismos compusieron.
La gente vivía tranquila hasta que vinieron
y con su sinrazón los atormentaron.

Este descaro no hacía sino engrandecer su fama para con los hombres y su atractivo para con las mujeres; un atractivo, por cierto, que no menguaba a pesar de la incipiente barriga que Abú Amir se miraba con cierta preocupación divertida.

—Nunca te he contado esto, Abú Amir, porque sé que deploras la forma en que me dejo llevar por la superstición —empezó a explicar Zobeyda tras un largo silencio cuando calculó que los soldados y sirvientes habían concluido su oración—. Sabes que no cedo al dogma, como tú me enseñaste, y que adoro solo aquello que puedo ver y tocar. También me has enseñado que los niños graban a fuego en sus corazones las lecciones más intensas que reciben en su tierna edad.

—Todo esto me está sonando a disculpa, niña —objetó él, aunque se dispuso a escuchar con atención a su alumna y amiga.

—Maricasca llevaba años siendo vieja cuando fui a visitarla de niña, y ya entonces estaba encorvada como una parra. Mi padre me trajo a verla antes de que tú entraras a nuestro servicio, y lo hizo tanto para consultarle acerca de mi futuro como para saber del suyo propio. En ese momento ya estaba tramando lo de su rebelión contra los almorávides.

»Maricasca gozaba de fama en la región. Se decía que era una cristiana que había vivido hacía tiempo en Granada, y que junto a muchos otros mozárabes había sido recogida por la expedición del viejo rey de Aragón al que llamaban Batallador. Desde Granada, y con miles de huidos, empezó la peregrinación de vuelta al norte, pues el rey Batallador quería repoblar con ellos las villas tomadas a los almorávides.

»Maricasca ya ejercía la brujería en Granada, aunque como vivía entre cristianos y lo disimulaba bien, no padeció molestias por los almorávides a cuenta de sus sacrilegios. Eso sí, mientras viajaba con la caravana del rey Batallador hacia el norte, le dejaron claro que de brujerías, en Aragón, nada. No sé qué tormentos o malquerencias le llegaron a prometer si se atrevía a vivir de ensalmos y sortilegios en tierra de cristianos, pero el caso es que al final se separó de sus paisanos mozárabes y fue dando tumbos hasta el arreñal de esa aldeúcha en la que la visitamos ayer. Ya viste que allí viven tan solo cuatro porquerizos cristianos y sus familias; eso venía de perlas a los quehaceres de la vieja Maricasca, que rápidamente crio fama de buena adivinadora en el terreno. Fama, por cierto, que llegó hasta oídos de mi padre.

»Como sabes, los cristianos tienen mucha inclinación hacia ensalmos y buenaventuras: se ve que todo lo que no consiguen rezando a los cientos de santos que esculpen quieren ganarlo a base de hechizos y encantamientos.

—Lo sé —asintió Abú Amir con una sonrisa irónica, y señaló con la rama de majuelo a Zobeyda—. No solo los cristianos.

—Mi padre, como también sabes —ella ignoró la insinuación—, es descendiente de muladíes.

—Ya. Yo también nací en la frontera. Casi todos los tagríes de las marcas son de origen muladí.

—Tagríes, sí. Guerreros de frontera... Y mi esposo y mi padre, como tagríes que fueron, conservan muchas de las supersticiones que les legaron sus antepasados cristianos. Al igual que es difícil deshacerse de los conocimientos grabados a fuego en la niñez, cuesta librarse de las creencias desleídas en la sangre.

»Y creer en supercherías es distinto según quien seas. Las decisiones que toman un campesino o un pastor pueden arruinar una cosecha o malograr un rebaño, pero lo que dispone un jefe militar tagrí salvará vidas o acarreará muertes al día siguiente. Por eso mi padre, al igual que otros muchos guerreros de las marcas, acostumbraba a someter sus decisiones a todo tipo de consejos, reflexiones, agüeros y amuletos.

»Cuando, en tiempos de la rebelión contra los almorávides, mi padre tomó la decisión de hacerse con Socovos, sacó antes a su familia de allí y nos llevó a un lugar seguro: una aldea cristiana sin nombre, olvidada de casi todos, en cuyo arreñal vivía una tal bruja Maricasca a la que, de paso, quería consultar el porvenir. Aquel día acompañé al tagrí Hamusk a la cueva de la vieja mientras mi madre, recelosa, permanecía con los cristianos. No recuerdo si lo que Maricasca usó fue huevo de cárabo u hojas de beleño, pero al término de su sortilegio aconsejó a mi padre derrocar a sus amos almorávides. Después, aquella vieja clavó en mis ojos los suyos, blanquecinos y hundidos, y me lo dijo: "Niña, tú reinarás sobre moros, hebreos y cristianos".

»Al día siguiente, sin más esperar, mi padre cabalgó hacia Socovos, repartió las órdenes a los oficiales de su confianza y quebró el estandarte almorávide del castillo. Después recorrió todas las fortalezas de la comarca para recoger la adhesión de los demás guerreros andalusíes y encabezó la resistencia. Durante tres años mantuvo en jaque a la guarnición almorávide de Segura, hasta que Mardánish llegó al poder en Murcia.

»Recuerdo muy bien aquellos días. Mi madre y nosotros habíamos regresado a Socovos y vivíamos en constante espera, temerosos de que los antiguos amos africanos vinieran a recobrar lo que consideraban suyo.

—Y esa fue la época en la que tu padre requirió mis servicios —apuntó Abú Amir.

—Así es. Tú no parecías temer que los almorávides regresaran. Y no regresaron: el que llegó fue Mardánish, precedido de un séquito espectacular. Mi padre le agasajó con banquetes y regalos, y nos hizo conocer a aquel hombre que se hacía llamar rey de Murcia y Valencia. Yo tenía dieciséis años entonces. Mi padre, que se negaba a seguir muchas de las tradiciones solo por no imitar a los almorávides, se negaba a recluirnos a mi madre y a mí en nuestras habitaciones, pero desde luego no dejaba que nos prodigáramos mucho fuera del castillo. Sin embargo, el día en el que Mardánish vino desde Murcia, mi padre se preocupó de que las sirvientas me peinaran y adornaran mi rostro y mi pelo. Me hizo lucir las mejores sedas de que disponíamos y me presentó orgulloso como «su princesa Zobeyda». Mardánish llegó vestido al modo cristiano. Ah, cómo me impresionó. Tan imponente. Tan alto y tan fuerte, muy atractivo... Su mirada de halcón se volvió mansa cuando se encontró con la de mi padre, y ambos se saludaron con efusión, como si fueran hermanos. Luego Mardánish se fijó en mí... ¿Era acaso una casualidad?

—En aquella época, Mardánish acababa de llegar al poder en Murcia y Valencia —habló Abú Amir al notar que Zobeyda se había quedado en silencio, embelesada por su propio recuerdo—. No es de extrañar que te causara honda impresión. Los nobles andalusíes de Denia, Orihuela, Játiva... Los de la misma Murcia y los de Valencia. Todos querían emparentar con él, tanto por propio interés como por el entusiasmo de sus hijas: nada menos que un rey andalusí, dueño de un reino que nada tenía que envidiar a los que los soberanos cristianos poseen en el norte. Además, la fama militar de su familia era inmensa. Todo lo que me estás contando ahora ya lo sabía yo, pero desconocía que así se cumplía el oráculo de la vieja Maricasca.

—Pues eso es lo que ocurrió —contestó Zobeyda—. Mardánish aceptó de sumo grado el ofrecimiento de mi padre y nos casamos. De ese modo pasé a reinar sobre moros, hebreos y cristianos.

—Y ese mismo año, fortalecido Hamusk con la nueva alianza con Mardánish, se hizo con Segura. Así el vaticinio de la bruja se verificó en su totalidad.

—Me educaste bien y me has enseñado muchas cosas útiles, tanto en Socovos como después, cuando, ya desposada con Mardánish, me acompañaste a Murcia. He seguido tus consejos y me abstengo de entregar mi vida a un destino escrito por Dios. Pero reconoce que la sabiduría mágica de Maricasca es algo inexplicable para ti —desafió Zobeyda a Abú Amir—. Nadie diría de la hija de un líder musulmán que podría llegar a gobernar sobre sus súbditos. Como mujer de un líder mahometano, mi sitio está en el harén, con el resto de las mujeres, tejiendo y dando a luz hijos que engrandezcan el nombre de mi marido. Pero Mardánish ha demostrado ser aún más irreverente con los viejos tabúes que mi propio padre. No hay casi diferencias entre una reina cristiana del norte y yo. Entre mis súbditos hay musulmanes, hebreos y cristianos, todos los que moran en Valencia, Denia, Murcia, Cuenca, Lorca, Alcira, Orihuela...

—Está bien, niña, está bien —reconoció su derrota Abú Amir con una amplia sonrisa, y arrojó la rama de majuelo a la corriente—. Puede que entre el vaticinio de esa vieja y la realidad haya una cierta... correspondencia. Pero eso no me hará cambiar de opinión respecto al resto de supercherías. Sobre todo esta última por la que tanto has pagado. Sangre de tu sangre y lados que se unen. Qué sarta de tonterías.

Zobeyda se levantó y alisó con las manos su suave túnica mientras fingía un gesto de enojo. A poca distancia, la comitiva preparaba una mesa colocando tableros sobre caballetes de madera y los sirvientes empezaban a sacar las provisiones para comer junto al río.

—Mi padre es un descreído y un insolente en todo cuanto no entiende; mi esposo lo es aún más y todavía parece que se jacta de ello; pero ninguno de ellos te alcanza, Abú Amir.

Segura se alzaba en lo más elevado de un risco, enseñoreada de cerca tan solo por las águilas que sobrevolaban los dominios de Ibrahim ibn Hamusk. A sus pies, el frondoso valle custodiaba un tesoro de encinas y pinos, motivo de la riqueza que desbordaba el señorío del padre de Zobeyda. Las huertas se alternaban con los olivos ya desde lo más profundo, trepaban por el monte y rodeaban la ciudad que había crecido en torno a la inexpugnable alcazaba. En la distancia, la impresionante mole de una montaña argentina se erguía al sur y reflejaba destellantes los rayos del sol.

La comitiva subía penosamente el sendero a pesar de que Zobeyda, para no retrasar la marcha, se había puesto a caminar junto a Abú Amir, que tiraba de las riendas de su montura. Varios grupos de hortelanos adelantaban al séquito con miradas de curiosidad, reconocían a la hija de su señor Hamusk y saludaban respetuosamente.

—¿Has tenido algo que ver tú en esta entrevista?

La pregunta llegó de sopetón; Zobeyda se la soltó a Abú Amir mirándole de repente a los ojos, como si quisiera cogerle por sorpresa. Él sonrió.

Abú Amir había llegado a Segura procedente de Murcia una semana antes acompañando al séquito de Mardánish. Este llevaba consigo también a su favorita, Zobeyda, con sus sirvientes y doncellas de compañía, al más puro estilo de las comitivas reales cristianas. Mardánish se reunió con su suegro y aliado, Hamusk, y juntos partieron hacia poniente para encontrarse con el poderoso emperador Alfonso, rey de León y Castilla, en el asedio que los cristianos llevaban a cabo en Jaén. Zobeyda, que había pedido expresamente ir con Mardánish hasta Segura, se había quedado allí con sus criados, con su corte de doncellas y con Abú Amir, con el secreto deseo de consultar a Maricasca acerca de su descendencia, para después regresar a Segura y esperar que Mardánish y Hamusk volvieran de Jaén.

—El emperador Alfonso ha tenido como aliados a los señores andalusíes durante toda su vida —respondió de inmediato el médico—. Mardánish y tu padre ya se entrevistaron con el emperador en Zurita hace dos años. Yo no estuve allí, pero tu esposo me pidió consejo antes de acudir. ¿Qué ocurre? ¿No te gusta que tratemos con los reyes del norte?

Zobeyda, que miraba al suelo del camino para no pisar ninguna piedra, hizo un mohín.

—Me gustan más que los almorávides, desde luego, y también me gusta lo que he oído acerca del emperador. Pero no me agrada que mi esposo se someta a otros señores.

—A nadie le gusta someterse. Ni siquiera pensar que puede haber quien se crea superior a nosotros, ¿no es eso?

Zobeyda asintió.

—Mi esposo no me hace partícipe de sus asuntos de política con los cristianos, desde luego, y tú tampoco te desvives por contarme cuáles son sus planes; pero no estoy sorda ni tonta, y veo en qué pilares quiere apoyar Mardánish su reinado.

—Y ahora que podemos hablar sin la... molesta presencia de tu esposo, pretendes que yo confirme tus sospechas, ¿eh, niña?

Zobeyda sonrió con cara de jovencita traviesa. Aquel único gesto servía para desmontar toda defensa, aunque Abú Amir no tuviera ningún inconveniente en hablar con ella de temas reservados a los varones de la corte.

—Sé que es necesario contar con el emperador. —Ella jadeaba levemente por el esfuerzo de la subida—. Él puede ser nuestro principal valedor. También sé que no ha pedido nada a cambio de la amistad de Mardánish. Quien me molesta es el príncipe de Aragón. No comprendo por qué hemos de pagarle parias. ¿A cambio de qué? ¿De qué nos vale su amistad?

—No es esa la pregunta que debes hacerte. Pregúntate más bien: ¿qué nos depararía su enemistad?

Zobeyda se volvió súbitamente y detuvo la marcha. De forma automática todos los sirvientes y los soldados de la guardia, pendientes del más mínimo movimiento de la favorita, pararon también y refrenaron a las mulas que tiraban de los carruajes. Todos quedaron expectantes, lo suficientemente retirados para no resultar indiscretos pero atentos para reanudar la marcha o cumplir cualquier mandato de su señora.

—Abú Amir, hombre al que admiro —dijo Zobeyda como si se dispusiera a soltar una reprimenda—. Tú eres de Tortosa, ciudad que Ramón Berenguer, príncipe de Aragón, conquistó por las armas hace tres años. Tortosa era propiedad de Mardánish. Luego ese cristiano se apoderó de Lérida y de Fraga, también villas de mi esposo. ¿Cómo eres capaz de no odiar profundamente al príncipe de Aragón, que ha violado la paz de tu tierra? Y en cuanto al propio Mardánish, ¿por qué no acudió con sus tropas a proteger a los súbditos de la Marca Superior? ¿Qué ocurrirá si Ramón Berenguer gusta de seguir conquistando el reino de mi esposo?

Abú Amir, que aprovechaba la pausa en la subida para tomar aire a pulmones llenos, inspiró con fuerza y miró a su alrededor, al precioso laberinto de valles y paredes rocosas que salpicaban la sierra de Segura, ahora extendida a sus pies como una alfombra de plata y verde.

—Niña, la política es complicada. El ascendiente que el emperador tiene sobre el príncipe de Aragón no es muy vigoroso, pero sí lo suficiente para que las ambiciones de este se mantengan dentro de límites tolerables. Para la conquista de Tortosa, Ramón Berenguer consiguió bula de su papa católico. Enfrentarse a eso es ganarse la enemistad de toda la cristiandad. Y aun hoy, si tu esposo se opusiera con las armas a Ramón Berenguer, el emperador Alfonso no tendría otro remedio que valer al príncipe. Ambos son líderes cristianos, unidos por su fe. Y si de alguna manera los súbditos de León y Castilla pudieran mantenerse atados por la voluntad del emperador y mirar hacia otro lado, dime: ¿de verdad crees que tu esposo podría resistir el empuje de Ramón Berenguer, que ahora ha unido bajo su égida su condado de Barcelona con el poderoso reino de Aragón?

»No, tu esposo sabe perfectamente cuáles son las ambiciones de Ramón Berenguer: las mismas que han tenido todos los reyes de Aragón y todos los condes de Barcelona. Si realmente estás tan interesada en la política, aprende a ver en qué aguas debes pescar y en cuáles has de abstenerte de hacerlo. El reino de tu esposo ha de mantenerse y crecer mirando al mediodía, a las plazas abandonadas por los almorávides. Eso conservará la amistad de Mardánish con el emperador Alfonso y también contendrá al príncipe de Aragón en la Marca Superior. Eso y el dinero que tu esposo paga en parias a Ramón Berenguer.

Zobeyda arrugó la nariz antes de echar a andar lentamente. Todo el séquito la imitó de inmediato.

—No me gusta comprar mi libertad con dinero, Abú Amir.

2

Juramentos de lealtad

Día siguiente. Sitio de Jaén

La alcazaba de Jaén ocupaba un cerro alargado y estrecho, y dominaba todo cuanto estaba al alcance de la vista. De sus mismas piedras nacía la muralla que bajaba de la colina y circundaba la ciudad. A trechos que eran más o menos largos en función de las irregularidades del terreno, se alzaban torreones de maciza presencia, algunos de los cuales mostraban todavía los signos de recientes obras. La ciudad estaba acostumbrada a los asedios desde años atrás, y los recién llegados almohades acababan de añadirle un toque de solidez. La medina lucía esplendorosa, aun encerrada a cal y canto tras las murallas. Los alminares que sobresalían dejaban resbalar sobre sus azulejos el sol de la mañana y lanzaban matices dorados hacia el campamento cristiano que sitiaba la ciudad. En tiempos mejores debió de haber un bonito arrabal, pero los sucesivos asedios habían terminado por hacer imposible la vida extramuros. Ahora solo quedaban restos ennegrecidos que servían de parapetos y puestos de guardia para las tropas norteñas.

Mardánish observaba las murallas de Jaén desde la entrada de su pabellón. Miraba con los ojos entornados para defenderse del sol que ya empezaba a dibujar su arco tras aquella alcazaba repleta de estandartes blancos con leyendas coránicas. Mardánish era alto, lo suficiente como para sobresalir de entre quienes le rodeaban. Veintisiete años, anchas espaldas y gesto firme, como correspondía a un guerrero tagrí. Estaba muy orgulloso de su origen y de su linaje, todo él repleto de soldados andalusíes de frontera, pero no tenía reparo alguno en vestir como un cristiano. De hecho, salvo por el estandarte que presidía su tienda, negro y regido por una estrella plateada de ocho puntas, nadie habría dicho que era mahometano. Se equipaba como un caballero del norte: loriga y almófar, espada ceñida al cinto y crespina en la cabeza. A su derecha, un escudero sostenía la lanza, adornada por un estandarte negro, y el yelmo cónico con un alargado nasal; a su izquierda, otro soportaba el escudo, alargado y en forma de lágrima y con la misma estrella de ocho puntas pintada en plata sobre el campo negro.

Pero sin duda lo que más llamaba la atención de semejante guerrero mahometano era su tez, clara como podría ser la de un leonés, y su pelo castaño, casi rubio, al igual que su barba perfectamente recortada. Mardánish no tenía inconveniente en alardear de que su prosapia estaba emparentada con las mejores familias yemeníes y tampoco en afirmar que su origen era muladí; y que su último ancestro cristiano había sido un tal Martín, cuyo nombre aplicado a sus descendientes había sido caprichosamente arabizado como Mardánish. Ninguna otra memoria quedaba de sus ascendientes politeístas, salvo que uno de ellos, en algún momento pretérito, había entrado al servicio de los Banú Hud de Zaragoza cuando la ciudad era todavía la cuna de esplendor que había asombrado a gentes de todas las religiones. Antes, mucho antes de que fuera conquistada por el rey Batallador, Alfonso de Aragón.

—¿Por qué te preparas para combatir?

Mardánish se volvió y saludó a su suegro, Ibrahim ibn Hamusk. El señor de Segura llegaba desde su propio pabellón, alzado junto al de su aliado y yerno. Venía vestido con una ligera túnica de seda de Susa, apropiada para los calores de la temporada pero demasiado lujosa para un campamento militar; calzaba babuchas de piel y cubría su cabeza con un estrafalario bonete adornado con plumas de faisán. Hamusk contaba ya cuarenta y un años, pero se le veía tan fogoso como si tuviera diez menos. Su barba era larga y tornaba ligeramente ya al gris, al igual que su cabello, largo y abundante. No era tan alto como Mardánish, aunque su porte era sin duda el de un combatiente acostumbrado a los rigores de la guerra, y ello a pesar de la redondez que ya adquiría su abdomen y los muchos anillos de oro que adornaban sus dedos. Aun así había preferido no aderezarse como guerrero, sino como noble andalusí. Consideraba que su valor como soldado estaba más que demostrado, pues no en vano había pasado la mayor parte de su vida luchando a sueldo para unos y otros, tanto cristianos como almorávides. Incluso al lado de estos últimos en cierta época había pasado el Estrecho y, siendo aún muy joven, los había ayudado a reprimir los primeros focos de insurrección almohade.

—Estamos en un campamento militar —explicó Mardánish a su suegro para contestar a su pregunta—. No quiero que estos cristianos nos tomen por lo que no somos. Ellos están acostumbrados a vernos como un pueblo ocioso, dado a los placeres mundanos, gustosos solo de la poesía, del vino, de las mujeres... Es lo que piensan de nosotros.

—¿Y acaso no es así? —le interrumpió Hamusk, y prorrumpió en una sonora carcajada que hizo volverse a todos los que andaban por allí, a las afueras del campamento cristiano.

Mardánish sonrió como cortesía. Lo que más le molestaba de su suegro era el modo tan estruendoso que tenía de reír y hacerse notar.

—Sabes, amigo mío, que me doy al placer como el que más —admitió Mardánish—. Pero disfruto mejor del vino y las mujeres cuando estoy en palacio si antes he cumplido en el campo de batalla. No vengo aquí como cortesano del emperador, sino como guerrero del Sharq al-Ándalus. No quiero que esos —señaló a un grupo de peones cristianos que acarreaban bolaños— piensen que solo servimos para pagarles parias y cederles el paso por nuestros territorios. Me considero tan dueño de estas tierras como ellos y, a mi juicio, esos almohades son tan enemigos míos como suyos.

Hamusk dio una fuerte palmada en la espalda de Mardánish e hizo resonar la cota de malla.

—¡Bien dicho, yerno! Y ahora vayamos a ver a nuestro emperador, pues nos estará esperando.

Anduvieron por entre las tiendas cristianas, todas ellas adornadas por sobrios estandartes. Mardánish abría camino; tras él, Hamusk, y los seguían los dos sirvientes que portaban las armas del primero; jóvenes que, con ojos asustados, miraban a los fieros guerreros leoneses y castellanos que salían de sus pabellones a medio armar. Un tercer escudero se afanaba por esquivar las cuerdas y estacas clavadas en tierra mientras guiaba al destrero de Mardánish, un caballo de guerra precioso, totalmente negro, de cuya silla colgaba una aljaba repleta de flechas y un fardo alargado. Las conversaciones se acallaban en los corros cuando pasaban los dos nobles andalusíes, y eran foco de todas las miradas, algunas de curiosidad, otras de aceptación e incluso unas pocas de desprecio. Llegaron a la tienda del emperador, erigida en medio de un mar de pabellones. Alguien había acercado varios hermosos caballos hasta allí, y los sirvientes aguardaban junto a ellos con lanzas y escudos preparados. Un muchacho de no más de diecisiete años y porte distinguido permanecía en pie a la entrada del pabellón, con los brazos levantados, mientras un criado le ceñía el talabarte alrededor de la loriga. Miró embobado a Mardánish y, de repente, una luz de comprensión alumbró su cara.

—¡Tú debes de ser... —le señaló y mostró una generosa sonrisa— nuestro rey amigo, Mardánish!

El andalusí también sonrió. La forma de gesticular del joven le resultaba claramente familiar.

—Y tú debes de ser el joven Sancho. —Mardánish hizo una ligera inclinación de cabeza.

—¡Rey Sancho para ti, infiel! —escupió un enorme caballero que salía en ese instante del pabellón imperial.

Mardánish congeló su sonrisa en la cara y clavó sus claros ojos en aquel titán de cabeza afeitada. El solo peso de su loriga habría bastado para aplastar a un enemigo, y hasta tenía que agacharse para pasar bajo el dintel de la tienda del emperador Alfonso. El joven Sancho puso una mano en el pecho del gigante y este se frenó.

—Él también es rey, Álvar —explicó el muchacho.

Mardánish tensó sus mandíbulas y apretó con fuerza el pomo de su espada. Hamusk, al percibir que la ira subía desde el corazón de su yerno, se interpuso entre él y el gigante rapado y soltó una de sus sonoras carcajadas. Señaló a Mardánish y habló al tal Álvar, que mostraba una dentadura de mastín mientras sonreía con fiereza.

—Créeme, cristiano, tú serías aceptado en una mezquita antes que este «infiel».

Aquello distrajo lo suficiente al gigante, que no acababa de comprender las palabras de Hamusk, y entre tanto el emperador salió de su pabellón alarmado por los gritos. El rostro de Alfonso de León, cercado por una recia barba negra, se relajó al ver que Hamusk reía sonoramente, y su boca se alargó en una sonrisa sincera al reconocer a Mardánish. El emperador, que iba armado, se apresuró a estrechar la mano del rey del Sharq.

—Amigo mío Mardánish, sé bienvenido a mi real.

El andalusí inclinó la cabeza aunque sostuvo la franca mirada de Alfonso.

—Disculpad que no viniera a veros anoche, mi señor. Llegamos tarde y preferí no molestaros.

—Mi mayordomo me informó cumplidamente, no temas. Pero esta noche cenarás conmigo... Oh, amigo Hamusk. —El emperador soltó la mano de Mardánish y apretó con fuerza la de su suegro. El joven Sancho, que no había abandonado su gesto alegre, se adelantó medio paso.

—Padre...

—Ah, sí. —El emperador retrocedió un paso y señaló al joven—. Mis queridos amigos: mi primogénito Sancho, al que ha poco he distinguido como rey de Nájera. Le pedí que se quedase con su recién estrenada esposa, la princesa Blanca de Navarra, pero no consintió en dejarme solo en esta campaña.

El joven acentuó aún más su sonrisa, que enseguida contagió a Mardánish. Tras Sancho, el gigante seguía plantado sin apartar la vista del rey del Sharq. El emperador se apercibió rápidamente de la tensión que se había creado entre los dos guerreros.

—Amigos míos, permitid que os presente a mi fiel Álvar Rodríguez, señor de Meira e hijo del difunto conde de Sarria. —Ni el titán ni el rey andalusí se inmutaron, aunque ambos mantuvieron el hilo tenso y metálico que unía sus miradas. El emperador decidió romper de inmediato el momento—. Pero no nos demoremos más... —Apuntó con el dedo al hermoso caballo de guerra de Mardánish—. Me disponía a recorrer nuestras posiciones con Sancho y Álvar. Mardánish, ¿me harías el honor de acompañarnos?

—Por supuesto, mi señor.

—Amigo Hamusk, dispón de mi tienda, puesto que no te veo con ánimo de montar ahora. —El emperador gritó hacia el interior de su pabellón, donde se afanaban sus sirvientes—. ¡Agasajad al señor de Segura con larguezal! ¡Dadle de comer y beber!

Hamusk agradeció el gesto con una sonrisa forzada, pues no tenía pensado que la reunión fuera a celebrarse a caballo y recorriendo el cinturón de asedio. No le agradaba perderse lo que hubiera que hablar, pero asintió respetuosamente y entró en el pabellón imperial. Todos los demás montaron y embrazaron sus escudos. Alfonso abrió la marcha e invitó a Mardánish a cabalgar a su lado. Dejaron atrás las tiendas, los establos de campaña y los olivares. Tras ellos, a poca distancia, desfilaban Álvar Rodríguez y el joven Sancho. Una no muy nutrida escolta seguía a los cuatro en columna junto con los escuderos. Nadie se había cubierto con yelmo ni empuñaba lanza. Pronto llegaron a la línea de asedio.

El sitio de Jaén era completo. Soldados gallegos, leoneses y castellanos estaban divididos por su origen, dirigidos por sus propios líderes y responsabilizados de sus albergadas, los parapetos y empalizadas que defendían cada posición. El emperador señaló a Mardánish los lugares asignados a la milicia de Ávila, a la que tenía en gran estima, dijo, por el valor de sus hombres. Se oían martillazos y los abulenses iban y venían con cordajes y listones de madera.

—He puesto en juego un manto con pedrería para quienes consigan adelantarse montando un almajaneque —explicaba Alfonso—. Hay algunos ingenieros genoveses en el ejército, y la mejor forma de que los guerreros los ayuden es una recompensa. Yo pensaba que los de Ávila ganarían el premio, pero anoche don Álvar me dijo que la milicia de Toledo ya lo había terminado. Están un poco más adelante.

—Ese Álvar... —Mardánish se giró a medias sobre la montura—. Creo que no le agrada mi presencia.

—Ah, no prestes atención a sus impulsos. Es un gran guerrero, no un político. Hace cuatro años me asistió en la toma de Almería y se distinguió por delante de todos. Tiene mucho valor, te lo aseguro. Yo mismo le vi quebrar las filas de enemigos con su maza y sembrar el terror entre los almerienses; pero algunos de sus mejores hombres cayeron a manos de los sarracenos. Por eso los odia, y aún no se ha dado cuenta de que tú no eres como esos bereberes fanáticos.

—Desde luego es enorme. Todo un titán. —Mardánish se fijó con disimulo en los anchos hombros del gigante, en los trazos rectos y bruscos de su mandíbula y en el grosor de sus brazos y piernas. Álvar Rodríguez llevaba el yelmo colgado del arzón, y almófar y crespina echados hacia atrás. La cabeza totalmente afeitada confería a su gesto una ferocidad que recordó al andalusí la de un toro bravo a punto de embestir.

—Todos lo conocen como el Calvo. Es nieto de Álvar Fáñez. Ya sabes, el compañero del Cid. Yo creo que se siente abrumado por la fama guerrera de su abuelo hasta tal punto que le irrita que la gente lo nombre ante él. Eso le obsesiona. No hace más que escuchar a los juglares y memorizar esas canciones de amores y duelos que nos traen desde el norte... Le gustaría ser el protagonista de uno de esos poemas, lo sé. Quiere ganarse un sitio en las crónicas a golpe de maza, y precisamente por eso confío en don Álvar. No he de andar detrás rogándole que me asista como me pasa con otros barones. No bien huele a contienda, Álvar el Calvo se presenta ante mí armado y dispuesto.

—En cuanto al joven Sancho, parece un digno heredero de su padre.

El emperador sonrió.

—Gracias, amigo Mardánish. Será un buen caballero. Ojalá sea también un buen rey.

—Un buen emperador —corrigió con suavidad el andalusí.

—No, no. Digo bien. Aún no lo hemos formalizado, pero tengo casi decidido que Sancho será rey de Castilla. —El emperador gesticuló discretamente para pedir a Mardánish que lo siguiera y arreó un poco a su montura; consiguió aumentar de forma discreta la distancia que los separaba del resto de los jinetes. Bajó la voz para seguir confiándose—. El sueño del imperio hispánico no puede pasar aún de ahí, amigo Mardánish. No ahora. Tal vez en el futuro, cuando este mundo haya cambiado... Mucho después de que tú y yo lo hayamos abandonado. Por eso dividiré mis dominios entre Sancho y mi hijo segundo, Fernando.

—Mi señor Alfonso, no quisiera en absoluto contrariaros, pero ¿acaso no debilitará eso la fuerza de vuestros hijos?

El emperador calló durante un largo rato. Miró a Mardánish mientras seguían avanzando hasta las posiciones toledanas. Estaba seguro de que todos los príncipes y reyes hispanos se alegrarían de que León y Castilla continuaran su camino por sendas distintas. Cada uno intentaría por su cuenta, no le cabía duda, sacar partido de esa temida debilidad. Pero aquel extraño rey sarraceno, Mardánish... Él no se alegraba de que el frustrado sueño hispánico se dividiera. Al contrario, lamentaba que una fuerza tan poderosa como el imperio de Alfonso detuviera su camino.

—A veces, mis barones y obispos me reprenden con cariño por contar con tu amistad, amigo Mardánish, y sin embargo tengo que reconocer que eres a mi corazón más caro que muchos de mis hermanos de fe —admitió el emperador con un extraño brillo en los ojos—. Esta noche, mientras cenemos, te haré una confesión, te pediré una disculpa y te prometeré una esperanza.

Mardánish enarcó las cejas ante las confusas palabras del emperador Alfonso. Abrió la boca para suplicarle una explicación, pero en ese instante un sonido grave retumbó como si un trueno conmoviera la tierra en una noche de tormenta. Todos los jinetes miraron hacia el origen de aquel ruido y sus vistas fueron atraídas por una blanquecina nube de polvo que se elevaba desde las murallas de Jaén. Al mismo tiempo llegó hasta sus oídos un estruendo cocinado a base de vítores, aplausos y chillidos de triunfo.

—Ahí están, tal como os dije, mi señor —habló con su potente vozarrón Álvar Rodríguez, el Calvo—. Las milicias de Toledo han puesto a funcionar su esfuerzo y ya martillean los muros infieles. Es cuestión de tiempo que los africanos almohades pidan clemencia.

El griterío se extendía por las posiciones de sitio. El emperador Alfonso colocó su mano sobre los ojos para detener la herida de los rayos del sol y también se dejó contagiar por la felicidad. Allá, sobrepasadas las albergadas y en tierra de nadie, algunos infantes tiraban de un almajaneque al que habían adosado unas pequeñas y macizas ruedas. Varios más, provistos de enormes planchones de madera que usaban a guisa de escudos, protegían a los conductores de la máquina de asedio. Un par de arrapiezos, sirvientes de mesnada de no más de quince años, corrían cómicamente mientras transportaban en una parihuela un bolaño mayor que sus dos cabezas juntas.

—Amigo Álvar, ve y felicita a esos bravos toledanos, pero ordénales que lleven su máquina tras los manteletes. Y que esperen a que el resto haya levantado las suyas. No quiero que todos los malditos demonios arqueros de Jaén suban a la muralla y acribillen a esos valientes.

—Sí, mi señor —respondió al punto el Calvo, y picó espuelas para salir despedido hacia el almajaneque toledano. Tras las albergadas, los guerreros animaban a sus compañeros a quebrar la muralla y lanzaban maldiciones e insultos destinados a los almohades cercados. Como anuncio de que los temores del emperador eran más que fundados, una solitaria flecha salió disparada desde la muralla y voló con muy poco tino hasta clavarse a buena distancia de la máquina. Ello no sirvió sino para que los toledanos redoblaran sus burlas. El caballo del emperador Alfonso piafó, percibiendo por sus tablas en algaradas y sitios que aquello pintaba cuando menos regular.

—Están muy cerca de las murallas —murmuró Sancho con preocupación.

—No temas —intentó calmarle Mardánish—. Hace falta mucho tiempo para concentrar un número suficiente de arqueros. Podrán salir de la franja de peligro.

Sancho asintió con alivio y vio que Álvar el Calvo hacía aspavientos para mandar que los toledanos se retiraran tras las defensas de madera. Luego entornó los ojos para fijarse en el lugar en el que al parecer había impactado el primer y único bolaño disparado por la máquina de guerra. Todavía flotaba sobre él una débil nube albina, pero era evidente que provenía del mampuesto añadido. Aquel sector de muralla estaba junto a una de las puertas de Jaén, la que daba al camino de Granada. El camino, arañado ante ella por años y años de pisadas y rodadas, bordeaba por unas varas la alta pared y giraba abruptamente hacia el sur. En ese punto, los muros volvían a trepar por el risco para llegar a confundirse con la recia mole de la alcazaba.

De repente, la puerta empezó a abrirse.

—Increíble —reconoció Sancho—. Estos nuevos enemigos son unos inconscientes. Van a salir para comprobar los daños, ¿no?

El caballo azabache de Mardánish resopló cuando este, tenso, tiró de las riendas.

—Cuidado, mi señor —advirtió.

—¡Don Álvar, fuera de ahí! —El emperador se aupó sobre los estribos.

El Calvo no lo oyó. Al griterío de burla y triunfo que salía de cientos de bocas en las líneas de asedio se sumaban ahora los desafíos por la apertura de la Puerta de Granada.

Las dos hojas terminaron de desplazarse y varios jinetes ataviados de blanco salieron bajo el arco de herradura. Montaban caballos oscuros y esbeltos, con jaeces también negruzcos, sin adorno alguno, y los arrearon de inmediato y a todo galope hacia el almajaneque toledano. Los infantes que portaban los planchones de madera, y que por fortuna estaban retrocediendo sin perder la cara a Jaén, avisaron a gritos a sus compañeros.

Sin una sola voz de concierto, el emperador Alfonso, su hijo Sancho y Mardánish se lanzaron a socorrer a los toledanos. Desprovistos de yelmos y lanzas, puesto que no habían tenido tiempo de pedírselos a sus escuderos, se inclinaron sobre los cuellos de sus monturas. Vieron cómo Álvar se apercibía enseguida del peligro. El gigante, que llevaba su escudo indolentemente colgado del tiracol, lo embrazó y se protegió con él, se subió el almófar y a continuación tomó una horrenda maza de guerra que llevaba colgada del arzón.

Los almohades habían terminado de salir de Jaén y cargaban directos hacia el almajaneque. Eran cinco y parecían volar, con la liviana tela de sus vestiduras flotando tras ellos. Embrazaban escudos redondeados y empuñaban ligeras jabalinas. Como si aquello fuera un plan preconcebido, algunos cedieron velocidad hasta que formaron línea con los demás. Frente a ellos, Mardánish observó con una pizca de angustia que no conseguirían llegar hasta los toledanos antes que los almohades. En cuanto al resto del ejército, algunos valientes salieron corriendo y abandonaron las tiendas, pero sus posibilidades eran aún menores. Álvar Rodríguez gesticuló, ahogada su voz por el griterío y el ruido de las cabalgaduras. A sus órdenes, los toledanos que portaban los planchones clavaron la rodilla en tierra y formaron una improvisada muralla de madera. Los demás se resguardaron tras ellos y empezó el rosario de persignaciones y manos unidas, encomiendas a Dios y promesas a todos los santos.

Álvar el Calvo, campeón de los ejércitos cristianos. Depositario de uno de los más bravos linajes que vio nacer el mundo, caballero probado, seguidor del código:

> *En Dios cree, a Dios ama, a Dios adora,*
> *honra a los nobles y a las damas,*
> *y ante los presbíteros ponte en pie.*

¿Y qué mejor forma de honrar a Dios que enviando a unos cuantos infieles al infierno?

Por eso el Calvo rodea ahora al grupo de atemorizados infantes y carga en solitario contra los enemigos. Encajado entre los arzones, los pies afirmados en los estribos. Fija la mirada, férrea la voluntad. La visión de Álvar Rodríguez, que parece uno de los jinetes del Apocalipsis, levanta un aullido general en las filas del asedio. Mardánish, mientras tanto, ha colgado su escudo del arzón y pugna por desatar los lazos que mantienen cubierto el fardo alargado que lleva en la silla. Se da cuenta en este momento, con inusitada claridad, de que aquellos almohades están haciendo una salida suicida. ¿Qué pueden conseguir? ¿Acabar con unos pocos cristianos imprudentes? Ni siquiera tienen oportunidad de destruir el almajaneque, y mucho menos de arrastrarlo hacia sus murallas. Un escalofrío recorre la espina dorsal del rey andalusí al vislumbrar que aquella maniobra es poco menos que una inmolación pública. Pero el relámpago de reflexión se hunde pronto en la tiniebla roja, la que precede al combate. Álvar el Calvo está a punto de cerrar con el enemigo. Su cuerpo se encoge, aunque sigue pareciendo un gigante recubierto de hierro. Mardánish arroja al vuelo el trapo con el que lleva cubierto su arco. Sin dejar de espolear a su caballo, extrae una flecha del carcaj, colgado a su derecha, la cala en la cuerda y empieza a tensar. El caballo se porta con nobleza. Aguanta el galope a pesar de que su dueño deja que las riendas pendan atadas a su muñeca.

Más allá, el choque es el de una ola salvaje que rompe contra un saliente rocoso. Álvar Rodríguez ha cargado recto contra el centro de la línea montada almohade, con su enorme escudo pintado de verde ante él, usando su propio peso y el de su formidable destrero como un proyectil viviente. Un guerrero sarraceno se quiebra contra aquella mole acorazada y sale despedido hacia atrás, totalmente desmadejado. En la lejanía, a Mardánish le parece que el Calvo es un dardo que atraviesa una plancha de mimbre. Al refrenar a su montura, el caballero cristiano eleva una cortina de polvo y guijarros, y su caballo se queja del tirón con un bufido. Pero el noble bruto patalea, recobra pie y da la vuelta para encarar de nuevo a los almohades, que bien se diría que han ignorado la feroz y solitaria carga de ese guerrero loco y gigante. Ahora Álvar debe cobrar de nuevo velocidad y lanzarse hacia sus enemigos, que siguen aproximándose a los del almajaneque.

Los toledanos se agachan al ver venir a los cuatro jinetes africanos; se encogen hasta casi hacerse invisibles; desaparecen tras los planchones de madera. A unas varas queda el almajaneque, olvidados ya los vítores y las burlas. Los almohades elevan sobre sus cabezas las jabalinas que portan y frenan con envidiable coordinación a un par de cuerpos de los infantes. Las armas salen despedidas a un tiempo, rasgan el aire, ávidas de carne, y se clavan en las maderas. Un aullido de dolor se alza y sobrevuela la llanura cuando uno de los infantes siente que horadan su brazo y ve aparecer una punta de hierro ensangrentada ante su cara. Con la carne y el hueso aún cosidos al planchón, se deja caer hacia atrás y siembra el pánico entre sus compañeros. La desbandada es ya un hecho cuando los almohades desenfundan sus espadas. Ahora, más de cerca, puede verse que llevan la frente cubierta por la tela de su turbante. Bajo él relucen los ojos, rodeados de una piel oscura cuyo tono se acentúa aún más por la blancura de sus ropas; y miran desencajados, fieros, diríase que nublados por la locura.

Mardánish, que ha seguido al galope, considera que está ya a una distancia adecuada. En ese momento, los almohades vuelven a arrancar, aplastando con los talones los ijares de sus monturas. El andalusí refrena a la suya y termina de tensar, inspira con rapidez y suelta a medias el aire. Justo en ese instante, el emperador y Sancho lo sobrepasan a todo galope, y a lo lejos, Álvar Rodríguez eleva su maza sobre la cabeza para chocar por segunda vez con sus enemigos.

La primera flecha deja atrás un chasquido seco y vuela libre. Cruza entre dos caballeros raudos —un emperador y un rey— y traspasa el aire. Silba como debe de silbar la parca cuando teje la última pulgada de mortaja. Su punta de hierro atraviesa la cota entrelazada que un almohade viste bajo la ropa, horada la piel y se clava en el cuello. Cercena su vida de golpe.

Al mismo tiempo, el mazazo de Álvar el Calvo destroza la madera de un escudo almohade, y su dueño grita de dolor al sentir que se rompen los huesos del brazo. El chillido también se quiebra unos instantes después, cuando la maza aplasta el yelmo anudado de blanco, se hunde en su cráneo y nubla los ojos del guerrero. El joven Sancho, más fogoso que su padre, llega hasta el penúltimo almohade y se enlaza con él en un intercambio de espadazos. Los caballos giran nerviosos y ambos jinetes se manejan con valor, se defienden y atacan por turnos. Una segunda flecha corta el aire y el quinto almohade, indeciso entre encajar el embate de Álvar Rodríguez o el del emperador Alfonso, cae como un fardo con el cuello igualmente atravesado.

Mardánish baja el arco, con la tercera flecha ya calada, y aguanta la respiración mientras observa el duelo entre Sancho y el almohade superviviente. El mismo emperador Alfonso hace un gesto a don Álvar para que no se inmiscuya en el combate; la quietud se traslada desde aquel lugar, sembrado ya de cadáveres sarracenos, y llega hasta las líneas cristianas. Varios guerreros chistan y piden silencio, y los que venían a la carrera se detienen entre murmullos. Solo se oye ahora el resonar del hierro contra la madera: un golpe, otro; un choque de espadas, un giro y un nuevo revés; un caballo piafa y un jinete aprieta sus rodillas en torno a los costillares de su montura. Todos pueden ver el rostro del emperador congestionado, a la espera del desenlace. Sin duda se encomienda en silencio al Criador y hace votos para donar un sinfín de posesiones a este o aquel monasterio. Pero no parece ser Dios quien decide la contienda: al retroceder tras una de las acometidas, el almohade se da cuenta de que alrededor yacen sus compañeros, alfombrado el suelo de blanco y rojo, mientras un pavoroso círculo de cristianos ávidos de sangre musulmana se arremolina poco a poco y circunda el escenario. Sancho jadea; respeta la pausa del bereber pero aprieta los dientes, enrabietado por la lucha, deseoso de hundir su espada en el corazón del enemigo.

Por fin, el almohade deja caer su arma y el escudo redondo, pasa un pie sobre la silla y se deja resbalar hasta caer a tierra. Hinca las rodillas, mira al cielo y empieza a implorar en una lengua desconocida hasta para Mardánish.

A buen seguro el resto del ejército cristiano tuvo que conformarse con galletas y, con algo de suerte, carne en salazón y vino aguado. En el pabellón del emperador Alfonso, sin embargo, se había preparado un excelente banquete para agasajar a los invitados de honor. Tanto Mardánish como su suegro, Hamusk, compartirían mesa con el soberano más poderoso de la Península, y otro tanto haría el enorme Álvar Rodríguez. Fuera, durante buena parte del día, los toledanos habían celebrado el episodio de la Puerta de Granada y el almajaneque. Se habían alzado vítores y brindis hasta que muchos de los peones, totalmente borrachos, se habían trasladado al lugar en el que permanecía prisionero el almohade capturado por el joven Sancho.

Durante la cena, todos se abstuvieron de hablar de otra cosa que no fueran las proezas de Álvar el Calvo y de cómo había desmontado a dos sarracenos tal que si fueran peleles; y de Mardánish y su espantosa precisión con el arco; y, cómo no, del valor demostrado por Sancho al medirse cara a cara con un guerrero que, según se contaba ahora, era mucho más fuerte, alto y diestro que él, y al que había rendido al tercer tajo de través con su espada.

—Lo mío no ha sido nada. —El primogénito del emperador se sentía abrumado al ver cómo aquel combate a caballo crecía y crecía con cada rumor, alimentándose a sí mismo hasta convertirse en algo digno de cantarse en un poema—. Ese infiel se ha rendido porque estaba rodeado y no tenía escapatoria, fuera o no el vencedor en la lid.

Para Mardánish, la acción de Sancho no carecía de mérito. El joven noble era risueño y sus ojos transmitían sinceridad e hidalguía, pero su cuerpo no era el de un gran guerrero, e incluso su tez parecía algo demacrada. El rey del Sharq sospechó que quizá padeciese alguna enfermedad, aunque en aquellos momentos no se manifestara.

—La salida almohade ha sido suicida. —Mardánish sostenía una copa argentina repleta de vino castellano—. Pese a ello, esos jinetes no eran voluntarios fanáticos, sino guerreros experimentados de una de esas tribus masmudas. Lo más granado de los almohades. Como prueba, recordadlo todos, han maniobrado con precisión para formar la línea al galope, e incluso han atacado coordinados. Cierto es que no tenían oportunidad alguna, pero ese valor desesperado y esa pericia en la lucha hacen que tu victoria no sea una nadería. Sancho —miró a los ojos al joven—, has luchado como un héroe antiguo..., uno de esos cuyas gestas se narran en las epopeyas. Bravo. Alzo mi copa por ti.

El joven se emocionó visiblemente y no supo qué responder. El emperador, que presidía la mesa montada con una larga plancha de madera sobre caballetes, se puso en pie y rubricó el brindis del andalusí.

—Qué buenas palabras, amigo Mardánish. Yo también brindo por Sancho. ¡Gloria para él!

Los demás comensales se alzaron y repitieron el grito del emperador. Álvar se impuso a todos con su vozarrón y acabó con el contenido de su copa de un solo trago. Frente a él se hallaba el segundo hijo del emperador Alfonso, Fernando, que apenas contaba catorce años. Y a pesar de su corta edad lucía una mirada madura con la que examinaba a cada comensal. El jovencísimo Fernando repitió el brindis, pero sus labios apenas rozaron el metal plateado ni se mojaron con el caldo castellano, frío para aliviar los calores estivales de la noche jienense. Sobre la mesa de campaña quedaban los restos de faisán andalusí cocinado con setas, canela y dátiles, los pasteles de ganso y pavo real a medio comer y un pichón del que todavía se disponía a dar cuenta Álvar el Calvo. Un par de escanciadores corrían alrededor de los invitados y rellenaban las copas de vino. Todos aceptaron su parte excepto Fernando, que puso la mano sobre el recipiente mientras volvía a sentarse.

—Sancho no ha sido el único héroe hoy. —El emperador aguantó su copa a un lado y esperó a que uno de los servidores acabara de rellenársela—. Mis dos buenos camaradas, Mardánish y Álvar Rodríguez: bravo también por vosotros. Me enorgullezco de contar con ambos no solo como amigos, sino también como fieles aliados.

El vino volvió a inundar los gaznates para consagrar el nuevo brindis. Únicamente el joven Fernando permaneció quieto, absteniéndose de beber y sentado mientras los demás seguían de pie, en un gesto que podría haberse considerado de mal gusto de no ser por su mocedad. Tenía la vista fija en su hermano Sancho; entornaba los párpados y ladeaba la cabeza. Parecía que calculara cómo había sido posible que el joven rey de Nájera hubiera aguantado más de dos acometidas del infiel ahora cautivo. De aquel..., ¿cómo lo había llamado Mardánish?, masmuda. Un masmuda fanático y suicida.

—¡Yo quiero decir algo, mi señor! —Álvar reclamó con un gesto que le llenaran la copa una vez más—. No hemos hecho sino cumplir con nuestro deber, pues además de amigos y aliados vuestros, buen emperador Alfonso, somos vuestros servidores. ¡Y quiero dirigirme a ese hombre!

El último grito, atronador, lo había soltado el Calvo mientras señalaba a Mardánish, que aguantó la fiera mirada del gigantón de cabeza rapada.

—Dime pues —le retó a continuar el rey andalusí.

—Tú —dijo el Calvo al tiempo que un sirviente se ponía de puntillas para verter el vino desde una jarra en la copa del titán—, a quien hoy he ofendido gravemente al considerarte poco digno de estar aquí: me has demostrado cuán equivocado estaba. Te pido perdón y te suplico que me cuentes entre tus amigos a partir de hoy, y te advierto que al igual que tú me has socorrido en un peligroso trance, yo también iré a valerte cuando lo necesites y empeñaré mi vida en ello. Y eso lo juro delante de todos estos nobles señores y de Dios todopoderoso.

Álvar el Calvo apuró la copa mientras Hamusk dejaba la suya sobre la mesa y aplaudía con entusiasmo. Mardánish aceptó el brindis con una ancha sonrisa, bebió aquel vino consagrado con el juramento del imponente guerrero e hizo una respetuosa inclinación de cabeza.

—No he hecho sino tratar de emular el valor que he visto en ti, Álvar Rodríguez, al enfrentarte en solitario a cinco enemigos carniceros. —El rey del Sharq miró a los francos ojos de aquel coloso cristiano, de un frío color gris, gélido como las brumas norteñas—. Reconozco tu juramento y te ofrezco otro tanto. Que este lazo no se rompa hasta que uno de los dos caiga muerto.

El Calvo, al que los vapores del vino empezaban a enturbiar el juicio, abandonó su sitio en la mesa y la rodeó para abrazar con fuerza a Mardánish. El rey del Sharq abarcó como pudo la espalda del gigante y resopló al sentir la titánica fuerza de Álvar Rodríguez. El emperador rio distendidamente mientras Hamusk soltaba una de sus estridentes carcajadas. Las risas fueron imitadas por los demás salvo Fernando, e incluso los escanciadores sonrieron a pesar del tremendo trabajo que les estaba dando aquel paladín de cabeza afeitada. El Calvo regresó a su silla y todos tomaron asiento.

—Como nos estamos sincerando, amigo Mardánish —habló ahora el emperador—, tengo yo también algo que decirte.

—Pues lo cierto es que esta mañana me habéis intrigado, mi señor —contestó Mardánish—. Me habéis prometido una confesión, una disculpa y una esperanza. Pero no me habéis ofendido, así que no veo por qué...

Alfonso alzó su mano para que el rey del Sharq le dejara hablar. El resto de los comensales, incluido Fernando, prestó atención.

—Una confesión, amigo Mardánish: a principios de año tuve vistas en el castillo de Tudilén, cerca de Tudela, con el príncipe de Aragón, don Ramón Berenguer. En esa reunión hablamos de nuestros proyectos, y claramente me expuso algo que, por otra parte, ya sabía: su intención de tomar para sí todas las tierras en las que ahora reinas, y que él considera como suyas por futuro derecho de conquista.

Mardánish chascó la lengua y recorrió con el dedo índice el borde plateado de su copa, recogió una gota de líquido rojo y la sacudió descuidadamente.

—Permitidme corregiros, mi señor: eso no es una intención. Es un hecho. El príncipe de Aragón ya ha sustraído de mis dominios Lérida, Tortosa, Fraga y Mequinenza. Sus barones mueven algaras por las tierras de mi Marca Superior y, a pesar de todo, ese violento Ramón Berenguer admite como bien ganadas las parias que debo abonarle anualmente por lo que él llama *su tutela y protección*. Hace dos años, antes de que Lérida cayera en su poder, la ciudad despachó emisarios que se presentaron en mi corte y exigieron el cumplimiento de mi deber de señor. Reclamaron mi defensa contra las artes de Ramón Berenguer. Yo solo pude apartar la vista de sus ojos, que me quemaban. Los despedí con regalos y parabienes, y con la promesa de que podrían instalarse en el lugar que escogieran de mi reino: en cualquiera excepto en alguno de los que el príncipe de Aragón ya había profanado con su presencia.

El emperador Alfonso, apesadumbrado, frunció el ceño.

—Entonces te será más duro aceptar mi disculpa ahora, amigo Mardánish, pues en esas mismas vistas acordamos el reparto de las tierras que ambos conquistaremos a los ismaelitas, y no pude sino bendecir sus intenciones al estirar hacia el mediodía, hacia tu reino, los dominios que un día han de pertenecer a sus herederos: los del reino de Aragón y el condado de Barcelona.

El joven Sancho se llevó una mano a la boca y puso cara de no poder entender cómo su padre, que honraba a Mardánish como a un buen súbdito, podía al mismo tiempo repartirse sus tierras como quien reparte lo saqueado en una cabalgada. Su hermano Fernando, que se dio cuenta enseguida del estupor de Sancho, rio quedamente y habló como si él fuera el primogénito, y no un segundón que todavía no había superado la adolescencia.

—Mucho te queda por aprender de política, hermano.

Mardánish asintió en silencio.

—¿Y qué otra cosa podíais hacer, mi señor? —intervino ahora Hamusk—. ¿O acaso el príncipe de Aragón habría renunciado a sus ambiciones si ese acuerdo no hubiera existido? Bien habéis hecho en decidirlo así, pues bajo vuestra sombra habrá de actuar Ramón Berenguer, y de corazón sabemos que jamás permitiréis que lleve sus conquistas demasiado lejos.

—Así será mientras nuestro emperador viva, sin duda —dijo Álvar Rodríguez, que a pesar de su voz ya algo densa y sus ojos brillantes parecía seguir la conversación con solicitud, y miró a Alfonso de León—. Rezo a Nuestro Señor porque vuestra vida, mi emperador, sea larga. Muy, muy larga. Pero un día tocará a su fin, pues el Criador os llamará a su lado para recompensaros como merecéis. ¿Qué ocurrirá entonces con él? —El Calvo señaló al rey del Sharq al-Ándalus con dedo seguro.

—Esa es la promesa que había de venir tras la confesión y la disculpa, amigo Mardánish —respondió el emperador—. Pues prometo y hago prometer a mis hijos, aquí presentes, que en mi ausencia harán cumplir esta garantía: jamás León ni Castilla actuarán contra mi amigo, rey legítimo de Murcia y de Valencia, y le valdrán cuando se halle en peligro. Y jamás le reclamarán precio alguno ni le impondrán tributo por su amistad. —Alfonso se puso en pie y alzó su copa una vez más. Miró alternativamente a sus hijos Sancho y Fernando—. Prometedlo por vuestro honor.

Sancho se levantó enseguida. Fernando tardó un poco más a pesar de que su gesto había cambiado. Aunque ambos gozaban ya del tratamiento de reyes, las palabras de su padre indicaban que él era considerado como un futuro heredero, pues le hacía prometer junto con su hermano por León y por Castilla. Aquello era como una confirmación del rumor que se paseaba por toda Galicia, por las dos Asturias, por las Extremaduras, por la Trasierra... El rumor de que el segundón, Fernando, heredaría una parte de aquel imperio.

—¡Prometemos! —gritaron los dos al unísono.

Mañana siguiente

Mardánish se desperezó con lentitud y reclamó agua a uno de los criados. La mañana vivía ya, ajetreada y monótona a la vez, fuera del pabellón andalusí. Soldados que venían o iban al cambio de guardia en cada posición de las albergadas, forrajeadores que llegaban cargados de grano para las monturas y caza para los hombres, sirvientes que acarreaban pucheros, y algún que otro mercachifle de los que siempre acompañan a los ejércitos en campaña y buscan su particular negocio vendiendo cacharros. La noche había durado mucho y el vino había corrido en el pabellón del emperador Alfonso hasta que el alba clareó por levante. Mardánish había sido el último en retirarse, junto con el propio emperador y Álvar Rodríguez, el Calvo, mientras que Sancho y Alfonso se habían excusado hacia medianoche. Hamusk se había ido poco después, alegando que tenía asuntos que tratar con el cautivo almohade.

Mardánish elevó la vasija servida por uno de sus sirvientes y dejó que el agua llenara su boca y la desbordara, que resbalara por su piel y mojara su cuello. Tenía una sed espantosa con trazas de no ir a calmarse nunca, y un persistente dolor agujereaba su cabeza y le irritaba. Despidió al sirviente cuando vio acercarse a su suegro, que parecía no padecer resaca alguna.

—Buenos días, mi querido yerno. ¿O debería decir buenas tardes?

Mardánish respondió con un gruñido. Como siempre, Ibrahim ibn Hamusk iba perfectamente ataviado para reforzar la imagen de gran señor que quería dar ante los cristianos.

—¿Qué tal anoche con el prisionero? —preguntó Mardánish mientras aceptaba un albaricoque de la bandeja que ahora le alargaba un criado.

—Pues ahí viene el joven Sancho, que estuvo presente durante mi interrogatorio. Él te contará qué suculentos testimonios arrancamos al cautivo.

Sancho sonreía con media boca. Saludó afablemente a Mardánish pero su cara se contrajo al dar los buenos días a Hamusk. Aquello no pasó desapercibido para el rey del Sharq, que conocía los métodos de su suegro para con los cautivos.

—Sancho, amigo, pareces descompuesto. Demasiada carne anoche, sin duda —bromeó el señor de Segura.

—Y demasiada sangre, sí.

Mardánish tampoco pasó por alto el cruce de miradas de reproche. Se imaginó enseguida la escena: el cautivo masmuda torturado con saña por su suegro mientras Sancho, demasiado joven y hecho a la vida cómoda de la corte castellana, se aterrorizaba ante las mil diabluras que era capaz de imaginar Hamusk para sacar información a un prisionero.

—¿Recuerdas a Dardush, el renegado de Carmona? —preguntó el señor de Segura a Mardánish.

—Creo que sí, ¿no es ese tipo al que conocimos el año pasado, el que vino a refugiarse al Sharq después de la revuelta contra los almohades?

—Ese. Salvó la cabeza por muy poco. Su testimonio no se diferencia mucho del de otros huidos del yugo masmuda —Hamusk se dirigía ahora a Sancho sin abandonar su sonrisa sardónica—, pero Dardush nos enseñó algo: que los almohades mueren por su doctrina. La llaman Tawhid. Tiene que ver con su fastidiosa obsesión de que Dios es único, algo que repiten una y otra vez, y fue lo que los motivó a masacrar a los almorávides en África. Sin miramientos. Es algo nuevo aquí. Pues bien: algunos de los seguidores del Tawhid hacen auténtica profesión de fe como mártires. El cautivo nos confesó antes de morir que él también se había juramentado junto con los otros cinco jinetes que salieron ayer por la Puerta de Granada.

—De modo que lo mataste —apuntó Mardánish.

—Ah, no me eches a mí toda la culpa. Los toledanos estuvieron la tarde entera martirizándole. El hombre al que los almohades hirieron en la salida ha perdido el brazo y ya no podrá cultivar la tierra en Toledo, así que los cristianos se tomaron su revancha con el cautivo. Cuando yo me ocupé anoche de él, ya estaba bastante destrozado, yerno. De hecho tuve que emplearme a fondo, porque el pobre era casi ya ajeno al dolor.

—También nos habló de los *talaba* —intervino Sancho, a quien todos aquellos términos le sonaban extraños—. Por lo que dijo el cautivo, podrían ser el origen del problema.

—Los *talaba*... —repitió Mardánish mientras arrojaba el hueso del albaricoque y cogía otro. Con un gesto invitó a sus dos interlocutores a servirse de la bandeja que sostenía el lacayo—. Sí. Dardush nos habló de ellos cuando vino desde Carmona. Pero los *talaba* son solo una parte del problema. Una especie de fisgones sagrados que recorren las ciudades y buscan a pecadores que contradigan el dogma del Tawhid. Inspeccionan todos los escritos, las obras de arte, los comentarios en las calles, los rezos en las mezquitas... Incluso forman los tribunales. Aun con todo, son solo un escalón más en la escalera de esos fanáticos. Acabando con unos cuantos no matas el problema.

—Cierto —corroboró Hamusk—. El cautivo nos explicó ayer, entre llantos y ruegos para que acabara con su vida, que los *talaba* se educan en una *madrasa* especial de Marrakech, y que son miles. El califa de los almohades, Abd al-Mumín, los envía a todos los rincones del imperio que ha formado en África, y también ha mandado algunos aquí, a al-Ándalus.

—¿Debemos temerlos? —preguntó con cierto candor Sancho.

Hamusk soltó una de sus estentóreas risotadas.

—Yo no temo a nadie por muy santo que sea. El Tawhid no libró al cautivo de ayer de sangrar como un cordero en el sacrificio.

—Su rigidez representa un problema para ellos mismos —intervino Mardánish de forma más templada que su suegro—. Se dice que los almohades cuentan con un poderoso ejército salido de los cientos de tribus que habitan los montes y los desiertos de África. Pero también se dice que sufren continuas rebeliones entre los pueblos a los que han sojuzgado. El Tawhid es duro. La gente no admite de grado su dominio, y al parecer los *talaba* se ven obligados a purgar en cada ocasión a los levantiscos. Saltar el Estrecho y plantarse en al-Ándalus puede ser fácil cuando te invitan a casa, como pasó con los almorávides, pero ahora la historia es diferente: estos almohades nos encontrarán dispuestos a defender nuestra tierra.

»En primavera, Abd al-Mumín mandó llamar mediante escritos a todos los andalusíes que gobernaban las ciudades alzadas contra los almorávides, y les exigió que se presentaran ante él y le reconocieran como único califa. A mí también me escribió. Naturalmente, no fui. No reconozco a ese zarrapastroso como califa. Es más, nuestras monedas siguen acuñándose con mención a la soberanía del califa de Bagdad, y todos los viernes se le invoca en las oraciones de las mezquitas. Yo no me doblegaré ante estos fanáticos, y si se les ocurre acercarse a mis dominios, los aplastaré. Sé que contaré con ayuda para ello. ¿Estás de acuerdo con eso, Sancho?

—Por supuesto —respondió al punto el joven hijo del emperador—. Tal como prometimos anoche, lucharemos juntos contra el enemigo común.

Mardánish sonrió y mordisqueó el segundo albaricoque, y entonces se oyeron unas voces a cierta distancia. Un soldado castellano llegó a la carrera y se dirigió a Sancho.

—Mi señor, una delegación de infieles que dice venir de Valencia. Piden ver a su rey.

Mardánish, Hamusk y Sancho se miraron entre sí.

—Ese eres tú, amigo Mardánish —señaló el hijo del emperador.

Los tres anduvieron hacia el lugar del que procedía el tumulto. Varios infantes retenían a punta de lanza a dos andalusíes desprovistos de armas, uno de los cuales discutía acaloradamente con quien mandaba a los centinelas cristianos. Al ver acercarse a Mardánish, ambos emisarios clavaron la rodilla en tierra e inclinaron la cabeza.

—Mi señor, que Dios sea contigo —saludó el que llevaba la voz cantante mientras los cristianos acallaban sus bravatas y observaban intrigados al rey del Sharq—. Perdónanos por traerte noticias funestas, pero obedece este ruego y acompáñanos de vuelta a Valencia, pues el ingrato y cruel Ibn Silbán se ha amotinado en el alcázar. Ha proclamado su sumisión a Abd al-Mumín y dice haber mandado emisarios para que los almohades vengan a posesionarse de la plaza.

—¿Cómo? —Mardánish enrojecía por momentos—. ¿Quién es ese tipo? ¿Y mi ejército de Valencia? ¿Y mi hermano?

—Mi señor, tu hermano pudo huir del alcázar, aunque varios de sus más allegados fueron degollados por los rebeldes como muestra de adhesión al credo almohade. Ibn Silbán es uno de los capitanes de la guardia, pero no sabemos su origen. Dicen que procede del mediodía, que luchó en África como mercenario. Mi señor, parte del ejército le ha rendido pleitesía, pero otros te siguen siendo fieles en Valencia. Ven a liberarla antes de que los almohades pretendan ganar por la fuerza la más hermosa joya de al-Ándalus.

Mardánish apretó los puños hasta que sus nudillos se tornaron blancos. Luego miró a Sancho.

—Debo partir de inmediato.

—Por supuesto —asintió el hijo del emperador—. Iré a avisar a mi padre. ¿Precisas algo, buen amigo?

Mardánish negó con la cabeza mientras tomaba ya el camino de vuelta a su tienda.

Un sirviente preparaba el corcel de viaje mientras otros ultimaban los preparativos para llevar en carros la impedimenta. Ni Mardánish ni Hamusk habían acudido al campamento en calidad de comandantes militares, por ello no llevaban tropas consigo. Su única intención era reunirse con el emperador y empezar a tratar la estrategia común en el valle del Guadalquivir. Ahora esos planes deberían aguardar.

—Iré directamente hacia Valencia —informaba Mardánish a Hamusk mientras comprobaba por sí mismo su silla de montar—. Te ruego que viajes a tu castillo de Segura y mantengas allí a mi favorita Zobeyda. Pero mándame a Abú Amir de inmediato: necesitaré de su consejo. Él suele tener buen ojo para estas cosas.

—Descuida. Y recuerda: mano dura. Si castigas esta traición como se debe, mantendrás la lealtad de tus súbditos. Sé blando y caerás del trono enseguida.

—¡Amigo Mardánish! —se oyó la voz del emperador, que llegaba a rápidos pasos acompañado de sus escuderos y de Sancho—. Ya conozco la noticia. Es espantoso.

—No os preocupéis, mi señor —trató de tranquilizarle Mardánish—. Los almohades son lentos y torpes. Tardarían años en movilizar un ejército para posesionarse de Valencia. Además, no creo que quisieran dejar a su espalda plazas como Murcia, Denia o Almería. Solo temo por la ciudad y su gente. Espero acabar con esta aventura sin que la sangre corra por las calles y se vierta en el Turia.

—¡Si ha de correr sangre, que sea la de ese traidor amotinado!

El vozarrón de Álvar Rodríguez sobresaltó tanto a Alfonso como a Mardánish. El Calvo llegaba a caballo y tras él venían dos sirvientes tirando de las riendas de un segundo corcel y de un destrero. Era evidente que el cristiano se disponía a emprender también el viaje.

—Veo lo que pretendes, Álvar, pero pienso que nuestro señor Alfonso te necesita aquí —advirtió Mardánish.

Álvar Rodríguez miró con gesto interrogante al emperador. Este se pellizcó la barbilla y reflexionó durante un instante.

—El asedio de Jaén durará meses... Dada la solidez de esas murallas, no pienso que ni una docena de almajaneques sirva para derribarlas ni hoy ni mañana. No: tener Valencia asegurada es ahora más importante que conquistar Jaén. Ve pues, amigo Álvar: cumple con los juramentos y auxilia a nuestro aliado, el rey del Sharq.

»Amigo Mardánish, era mi intención que habláramos con calma de nuestros pasos para el próximo año, pero las circunstancias mandan.

—Permitid que me ocupe ahora de Valencia y fijad una cita a vuestro gusto a finales del verano, mi señor —ofreció Mardánish.

—Eres generoso hasta en la adversidad... ¿Te parece bien Lorca?

Mardánish asintió.

—Enviadme a vuestros emisarios a Valencia para concretar la fecha y acudiré a Lorca. En cuanto a Álvar, acepto agradecido cuanta ayuda pueda darme, pero a condición de que su hueste quede aquí, en Jaén, para valer al emperador.

—De acuerdo —respondió el Calvo, que transmitió la orden a uno de sus escuderos. Este desapareció a la carrera. El emperador Alfonso hizo una inclinación de cabeza para despedirse de Mardánish y sonrió a Álvar Rodríguez.

Después, ambos partieron a caballo seguidos de sus escuderos y sirvientes y de los dos emisarios valencianos, tan impacientes estos que ni a limpiar sus cuerpos del polvo del camino ni a refrescarse accedieron. Los dos nobles cabalgaron hasta perder Jaén de vista y solo entonces acomodaron la marcha para que la comitiva pudiera darles alcance. Mardánish tensaba los músculos de la mandíbula y sus ojos destellaban de cólera. El Calvo vio la necesidad de apaciguar el ánimo del rey del Sharq.

—He oído hablar de Valencia —habló con voz más modulada Álvar Rodríguez—. En mi familia siempre se la ha tenido en gran estima desde tiempos de mi abuelo. ¿Es tan hermosa como dicen?

Mardánish inspiró con profundidad y sonrió un poco forzadamente. Luchó contra sí mismo para abstraerse de los negros pensamientos y contestó al Calvo.

—Solo cuando hayas visto con tus propios ojos la Joya del Turia comprobarás por qué tus ancestros admiraban Valencia. Es como una mujer. Una hermosa y altanera. La naturaleza la viste como una suave túnica vestiría a una hurí. Sus campos gozan de fertilidad por los trabajos de siglos. Almendros y frutales, inmensos cultivos de arroz y azafrán, olivos, vides... Jamás hace demasiado frío ni demasiado calor, y siempre puedes aprovechar las tardes para refrescarte con jarabe de limón o agua de horchata mientras paseas a la sombra de los naranjos o gozas del aroma a jazmín.

—Un vestido para una mujer hermosa... Buen símil —reconoció Álvar.

—Y por encima de esas ricas vestiduras, los arrabales adornan Valencia como un collar de perlas ornaría la garganta suave y delgada de una virgen. Las barcas recorren la orilla del mar y suben hasta la ciudad por el río, generoso e implacable a la vez. En la *musalá* nos deleitamos con juegos y justas, y gozamos de las alamedas para buscar el solaz con nuestros amigos y un buen vino, o encontramos la intimidad para el amor, al que anima mucho la noche valenciana.

»Después de arrebatar a esa dulce virgen su túnica y de despojarla de su collar, disfrutarás de su entrega en las calles abarrotadas de tiendas, mezquitas, posadas, puestos y baños, y llegarás hasta mi alcázar, en el que guardo tesoros de todo el orbe.

»Amo a Valencia doblemente, porque además de ser para mí esa virgen de piel suave y olor a azahar, es la ciudad más querida para el corazón de mi esposa favorita, Zobeyda. Mi mujer gusta de pasar el día en nuestro palacio, no muy lejos del alcázar, pero por las noches pide siempre salir de las murallas. Se ha hecho construir una pequeña *munya* en el arrabal de Marchalenes y acude allí para librarse de las noches de calor. Con el tiempo edificaré en su lugar un palacio digno de su belleza.

Álvar Rodríguez, amante de trovas y cantares, escuchaba embelesado las palabras de Mardánish. Aparte de algún que otro juglar extranjero, no estaba acostumbrado a que los caballeros del norte se expresaran en tales términos. Aquella forma de hablar le habría resultado cómica de no ser porque había presenciado la habilidad del rey del Sharq en combate.

—Tu esposa Zobeyda es la hija del Mochico, ¿no es así?

Mardánish logró sonreír a pesar de la pena que le embargaba por lo sucedido en Valencia. Se decía que Ibrahim ibn Hamusk debía su apellido, con el que se conocía a todo su linaje, al apodo de un antepasado suyo, cristiano a sueldo de los Beni Hud, al que le faltaba media oreja por un espadazo enemigo. La gente solía llamarle Mocho o Mochico, y aunque a Hamusk le irritaba profundamente que le recordaran el episodio, corría de boca en boca entre sus sirvientes y conocidos.

—Zobeyda no se parece nada a él —pareció justificarse Mardánish.

—Ya, perdona. Sé que vosotros no soléis hablar de vuestras mujeres. Con los cristianos no ocurre eso.

Mardánish pareció ofenderse un poco por el comentario.

—Olvida lo que crees saber acerca de nosotros. Hemos vivido demasiado tiempo bajo el yugo de los almorávides. Ahora que nos hemos librado de ellos deseamos disfrutar de la vida. Tal es nuestro carácter que solamente con él estuvimos a punto de librarnos de los camelleros africanos. Me gusta hablar de mis esposas y, sobre todo, me enorgullezco de Zobeyda. Es la criatura más bella que existe sobre la tierra. Si realmente Dios decide nuestro destino, sin duda fue Él quien quiso que la hija de Hamusk, con la que me casé para sellar un pacto de alianza, fuera una mujer hermosa e indómita. La conocerás un día, sin duda, porque, al contrario que mis otras esposas, se niega a permanecer en sus habitaciones, oculta del mundo tras una celosía. Ya su padre, irreverente hasta la saciedad, la educó como a una cristiana. Es descreída y jamás me obedece, lo que la hace más atractiva a mis ojos y, por cierto, a los ojos de los demás. No sería la primera garganta que cortara porque un hombre posase sus lujuriosos ojos sobre Zobeyda.

»Ya la verás. Mi amada tiene un cabello negro e interminable que sus doncellas cepillan varias veces al día. Gusta, como yo, de vestir al modo cristiano, y aunque cumple con el deber de la limosna de modo harto generoso, jamás se la ha visto acudir a una mezquita. Sí frecuenta los baños, todos los que puede y con mucha insistencia, pues dice que allí encuentra la calma que necesita y los afeites precisos para mantenerse joven y bella para mí. Jamás dirías que me ha dado dos hijos: Hilal y Zayda. Tiene una mirada que subyuga y el sabor de sus labios es mejor que cualquier vino. Es esbelta como una pantera y sus caderas volverían loco a cualquier hombre. Su nuca es dócil y su piel, fina, y su busto parece cincelado sobre mármol, pero cuidado: su fragilidad es falsa.

Álvar Rodríguez estaba asombrado. Lo que creía saber era totalmente contrario a lo que le estaba contando Mardánish. Pero, sobre todo, el rey del Sharq había conseguido despertar la curiosidad del Calvo acerca de semejante beldad, Zobeyda bint Hamusk.

3

La Joya del Turia

Unas semanas después. Afueras de Valencia

El verano se consumía irremediablemente. El momento de la cita señalada con el emperador Alfonso se acercaba, pero nada o poco más se había avanzado en el problema de Valencia. Mardánish había establecido su real en la pequeña *munya* de Marchalenes, el lugar al que Zobeyda gustaba de ir en las noches calurosas. Había ordenado a las tropas valencianas leales que completaran un círculo alrededor de la ciudad para ejercer un cerco en regla. Sin embargo, se trataba de un asedio extraño: el objeto era capturar e interrogar a todo el que consiguiera salir de Valencia y, sobre todo, evitar emisarios destinados a poner la ciudad a disposición de cualquier señor afín o no a los almohades.

La situación en el interior de las murallas no debía de ser apacible. En cuanto Mardánish ordenó colocar estandartes con la estrella de ocho puntas en lugares bien visibles desde la muralla, los valencianos atrapados en la ciudad empezaron a ingeniárselas para abandonar la trampa. La mayor parte de ellos, asustados, llegaban prometiendo que no habían servido al usurpador. Otros, los menos, pretendían ganar gloria proponiendo planes para entrar y recobrar la ciudad. Pero había un problema: en los momentos siguientes al alzamiento de Ibn Silbán, este había ejecutado a varios funcionarios del gobierno de Mardánish, y había jurado hacer lo mismo con quien no le prestara obediencia inmediata. Naturalmente, todos se habían adherido sin fisuras evidentes. Los huidos coincidían en señalar que un clima de terror recorría la ciudad; que cada vez era más difícil abandonar Valencia. Ibn Silbán contaba con adeptos sinceros, andalusíes convencidos por algunos ulemas radicales que, escandalizados por el estilo de vida que había puesto de moda Mardánish, deseaban volver al islam primordial, a las costumbres pías que, según se decía, preconizaban esos bereberes lejanos que se hacían llamar almohades.

Mardánish, por su parte, dejaba pasar el tiempo sin saber qué hacer. Pretendía solucionar la crisis con el menor número de perjudicados, porque no quería dar una razón al pueblo de Valencia para odiarle. Pero ¿cómo tomar la ciudad al asalto si una vez dentro no iba a saber quién estaba con Ibn Silbán y quién contra él?

Aparte de las soluciones peregrinas y ávidas de gloria efímera de algunos alunados, el rey del Sharq recibió otras propuestas que acabó desdeñando o que no sirvieron de nada. Un capitán de su ejército pensó en entrar en plena noche y, aprovechando su amplio conocimiento de la ciudad, buscar a Ibn Silbán y cortarle el cuello. Al despertar del día siguiente todo se presentaría como algo consumado y la normalidad volvería de inmediato. Sin embargo, Mardánish sabía que el usurpador no podía estar solo en su conspiración y temía que sus partidarios desencadenaran un baño de sangre. Otro valenciano propuso ofrecer dinero en grandes cantidades a parte de la guarnición rebelada y exigir que se volvieran contra el usurpador y sus hombres. En este caso no podía haber error, puesto que los sobornados debían de conocer de primera mano a sus compañeros de rebelión. Mardánish lo consideró y decidió probar suerte: hizo traer desde Alcira una buena cantidad de oro y consiguió entrar en contacto con algunos soldados levantiscos de los que guardaban las murallas. Establecido el pago, los presuntos sobornados se quedaron con el oro y las puertas de Valencia permanecieron cerradas. El rey del Sharq no montó en cólera solo porque sabía que el dinero gastado no saldría de Valencia, pero el que le había propuesto el plan acabó haciendo de aguador para la tropa mientras durase el asedio.

En cuanto al hermano de Mardánish, Abú-l-Hachach, encargado por aquel del gobierno de Valencia, se había limitado a ponerse a buen resguardo y observar cómo el traidor Ibn Silbán se erigía en nuevo amo de la ciudad. A nadie había sorprendido, pues todo el mundo sabía de la incapacidad de Abú-l-Hachach para hacer frente a las crisis reales. Muchos se maravillaban de que aquel inepto pudiera ser hermano de un hombre tan decidido, igual en la guerra que en la corte, como Mardánish. Álvar Rodríguez, por su parte, pasaba el día recorriendo la huerta, los arrabales, la Albufera, las playas y las alquerías. Admirando los jardines, las fuentes, los paseos y a las preciosas valencianas de ojos oscuros. Gozaba de los alrededores de la ciudad como solo podía hacerlo alguien acostumbrado a los fríos y oscuros bosques del norte y a las mujeres de tez blanquecina. En los contornos de Valencia, el Calvo cayó en una languidez que le hizo comprender en cierto modo qué había impulsado a generaciones de cristianos a codiciar aquella parte de al-Ándalus, y qué llevaba a sus dueños a defenderla con uñas y dientes.

Un día, cuando el calor ya no provocaba que los ropajes se pegaran a la piel y se podía dormir sin padecer cientos de picotazos de los mosquitos, se presentaron los emisarios del emperador Alfonso y citaron a Mardánish en la alcazaba de Lorca para dos semanas después. El rey del Sharq mandó de vuelta a los mensajeros con la confirmación de su asistencia, pero la proximidad de la cita le puso nervioso, de forma que decidió acabar cuanto antes con el engorroso problema de Valencia. Sus socios genoveses y pisanos empezaban a impacientarse: necesitaban sus oficinas de negocio dentro de la ciudad, precisaban de la actividad de los mercados y, sobre todo, temían que Valencia fuera a caer realmente en manos almohades. Con el solo hecho de que la rica ciudad saliera de la posesión de Mardánish, esos comerciantes italianos, al igual que muchos de sus colegas castellanos, mallorquines y barceloneses, perderían una gran cantidad de dinero.

Mardánish estaba a punto de ordenar el asalto y encomendarse a la suerte, pero entonces apareció por el camino de Murcia una comitiva bellamente engalanada. A su cabeza venían los guardias destinados al servicio de Zobeyda, la favorita del rey del Sharq. Cuando avisaron a este, las carretas se habían detenido a las puertas de la *munya* de Marchalenes. Cuatro doncellas, de escandalosa hermosura y bien ataviadas, habían creado un pasillo para la favorita, quien saludaba con cariño a los servidores del lugar. Llegaba vestida al modo cristiano, con brial encordado de color pálido, ceñidor de orifrés que remarcaba la curva de sus caderas, y un fino velo enganchado a su nuca y que colgaba hasta la cintura como simple complemento a su cabello, insolente y suelto, perfumado con aceite de algalia, salpicado de sus acostumbrados gladiolos y mecido por la brisa que soplaba desde el Mediterráneo. Un sano color cobrizo se había posado en su piel, prueba de que los días en Segura no habían transcurrido en encierro.

—Pero ¿qué haces tú aquí? —fue el destemplado saludo de bienvenida del esposo a la esposa.

—Para mí es también un placer verte de nuevo, mi señor y rey. —Zobeyda se adelantó teatralmente y cogió la mano de Mardánish, la atrajo hasta sus labios y depositó en ella un largo beso.

—Di instrucciones para que permanecieras en Segura. No solo eso: le dije a tu padre que me mandara a Abú Amir, y ni siquiera se ha acercado por aquí —se quejó Mardánish—. ¡Estoy rodeado de estúpidos y lo necesito!

—Fui yo quien retuvo a Abú Amir —confesó Zobeyda—. Sabía que si él partía sin mí, yo me quedaría en Segura hasta tu vuelta. Me ha costado mucho convencer a mi padre para que me permitiera marchar, pero no puedo dejar que Valencia sufra. Por eso he venido personalmente. Abú Amir viene conmigo.

—No quieres que Valencia sufra y por eso vienes. No te entiendo.

—¿Cómo es que todavía no has reducido la ciudad? —preguntó ella.

—No sé cómo hacerlo sin desatar una matanza. Entre los que resisten dentro los hay que me han traicionado, pero también hay muchos, la mayoría, que siguen allí por miedo. No puedo saber quiénes son unos y otros. Al principio desertaron soldados y escapó gente por los postigos, pero ese desgraciado de Ibn Silbán debió de darse cuenta y aumentó la vigilancia. Los últimos en salir dijeron que varios valencianos habían sido prendidos al intentar huir; el traidor Ibn Silbán los decapitó y colgó sus cabezas sobre cada puerta y portón de la ciudad. Ha arriado mis estandartes y declara que ha abrazado el Tawhid. Sé que en las oraciones de las mezquitas se proclama el nombre de Abd al-Mumín. Ese perro ha empezado su propia purga, reduciendo a prisión y ejecutando a quienes otros traidores como él han denunciado por su tibieza religiosa o malas costumbres. Cuando entre en Valencia, ¿qué veré? ¿Cómo sabré quién es un alevoso y quién está muerto de miedo?

Abú Amir, que se había acercado mientras Mardánish desgranaba sus penas, escuchó con atención y tiró de su barba al tiempo que se mordía el labio inferior.

—Está claro que la solución ha de llegar desde dentro —opinó.

Todos guardaron silencio. En ese instante apareció Álvar Rodríguez y, aunque ignoraba lo que sucedía, supo de inmediato que aquella mujer que discutía con Mardánish no podía ser otra que la famosa Zobeyda bint Hamusk. El Calvo vaciló un instante, pues estaba convencido de que las esposas musulmanas no podían dejarse ver ante extraños; pero cayó de inmediato bajo el hechizo natural de la mujer y se adelantó, clavó la rodilla en tierra e inclinó la cara hacia el suelo. En sus retinas grises se habían grabado las negras pupilas de Zobeyda y un extraño cosquilleo le corría ahora por la espina dorsal. Aquella mujer era como las que cantaban las trovas llegadas de más allá de los Pirineos. Las damas por las que los guerreros se sometían y partían en busca de reliquias imposibles. Era como si cada poema recitado por los juglares en Toledo, en Burgos o en León cobrara sentido.

—Mi señora Zobeyda, permite que rinda aquí y ahora la pleitesía que se te debe. Soy Álvar Rodríguez, hijo del conde de Sarria, señor de Meira, vasallo de Alfonso de León y desde ahora tu siervo. Dispón de mí como gustes.

Zobeyda sonrió encantada ante la presentación de aquel titánico caballero. Sus ojos brillaron de admiración al descubrir el rostro enmarcado por la mandíbula cuadrada, los ojos fieros y aquel gesto cuya fuerza despedía un atractivo animal. Su cabeza no tenía un solo pelo, lo que en lugar de desmerecer su apostura la incrementaba, y sus hombros eran tan anchos que no habría podido esconderse tras un caballo. En cuanto a Mardánish, después de lo que el emperador Alfonso le había contado, no le extrañó semejante presentación por parte del guerrero cristiano. Cuando el Calvo se puso en pie, Zobeyda miró hacia arriba asombrada.

—El caballero Álvar Rodríguez está aquí como amigo y aliado mío —explicó el rey del Sharq—. Es un luchador excelente, pero de poco me sirve su habilidad si no hay forma de hallar quién es el enemigo real dentro de Valencia.

Ella asintió, pero se abstuvo de dirigirse directamente a Álvar. Un súbito vahído de vergüenza la asaltó y pidió permiso para retirarse al interior de la *munya*, lo que hizo seguida de inmediato por su corte de doncellas, casi tan hermosas como la propia Zobeyda. Una de las jóvenes era una eslava de piel muy blanca y cabellos rubios; la segunda, una persa de voluptuosos encantos; la tercera, una bellísima negra de mirada felina, y la última parecía una cristiana pelirroja. El Calvo, entusiasmado por el desfile de preciosidades, estrechó la mano que le ofrecía Abú Amir. El andalusí habló admirado:

—El señor de Segura nos habló de tus hazañas ante las murallas de Jaén, pero no podíamos imaginar que estuviera hablando de un gigante auténtico...

—Abú Amir —Mardánish recuperó su gesto hastiado—, has desobedecido mis órdenes y, por añadidura, traes contigo a Zobeyda. Mi generosidad tiene un límite y tú te empeñas en traspasarlo.

—Te pido perdón, mi señor, pero ya sabes que es imposible negar nada a tu favorita. Recibí tus órdenes de boca de Ibrahim ibn Hamusk, que viva largos años, pero tu amada me prohibió abandonar Segura sin ella. La bella Zobeyda ha pasado medio verano tejiendo sus redes, como tú sabes que acostumbra, para convencer a su padre de que la dejara marchar. Intenté hacerle ver que era imprudente, que conseguiría enojarte. Incluso le propuse viajar a Murcia para ver a los pequeños Hilal y Zayda, que llevan ya meses sin sentir el calor de su madre. Al final, y en mi afán de cumplir cuanto antes, yo mismo colaboré con ella para que Hamusk se convenciera y pudiera venir a reunirme contigo. Castígame como merezco, mi señor, pero sé comprensivo.

—Ah, basta de palabrería. Debo salir de inmediato para Lorca porque he de reunirme con el emperador. —Mardánish palmeó en el hombro al Calvo—. Quédate si lo deseas, amigo mío, y cuida de que todo se haga como corresponde. Informa a mi hermano Abú-l-Hachach de cualquier pormenor, pero no esperes que él te saque de apuros. En cuanto a ti —señaló a Abú Amir—, te encomiendo de nuevo el cuidado de mi esposa: que no haga ninguna otra tontería. Mejor aún: que no abandone esta *munya* hasta mi regreso. Y piensa cómo expugnar Valencia sin que el Turia se desborde de sangre. Cuando vuelva de Lorca, tengas o no la solución, forzaré las puertas de la ciudad y la tomaré. Está decidido.

Otoño de 1151

Zobeyda dejó pasar poco tiempo. El justo para que el frescor que volaba desde los montes entrara en Valencia y las hojas empezaran a caer para alfombrar las alamedas de rojo y ocre. Aunque al principio se guardó de buscar complicaciones a Abú Amir, pronto dejó de resistirse a su impulso natural:

abandonó en solitario la *munya* de Marchalenes para pasear descalza por la orilla del Turia, ligeramente recrecida con las aguas que caían sobre las sierras del interior.

—*¡Oh, habitantes de al-Ándalus, qué suerte tenéis: agua, sombra, ríos y árboles!*

Zobeyda sonrió al reconocer la voz de Abú Amir. Se mordió el labio inferior hasta que recordó la continuación del verso.

—*El paraíso eterno solo está en vuestro país; si yo pudiese escoger, con este me quedaría...*

—*No temáis entrar en el infierno, pues ello no es posible después de haber estado en el paraíso* —completó el erudito maestro.

—Es uno de mis poemas favoritos —reconoció ella.

—Por supuesto. Casa muy bien con tu temperamento. Desobedeces a tu marido como solías hacer con tu padre, ignoras toda norma y buscas el abrazo de la vereda arbolada y el arrullo del Turia. —Abú Amir señaló las murallas de Valencia, al otro lado del río—. Ahí está tu paraíso.

Zobeyda aspiró con avidez el aroma de las violetas de Persia que una brisa repentina le llevó, posiblemente desde alguno de los jardines cercanos al arrabal de Marchalenes.

—No entiendo cómo ese Ibn Silbán y sus seguidores son capaces de ignorarlo. ¿Y cómo pueden desconocerlo los propios almohades? ¿Qué pretenden? ¿Que renunciemos a todo esto por sus absurdas normas? ¿Habría querido Dios, sea quien sea, que pusiésemos un velo ante nuestros ojos para no ver toda esta maravilla? ¿Para qué crear tanto placer si no se puede disfrutar de él?

—Que no te oigan hablar así o tendrás problemas —advirtió el consejero—. Y yo también los tendré, puesto que...

—... puesto que no hago sino repetir tus enseñanzas y tu propia filosofía.

—No todos ven el mundo como tú y yo, niña.

Ella volvió a inspirar y cerró los ojos para concentrarse en sus otros sentidos y atrapar cada pequeña brizna de esencia traída por el viento. Las hojas levantaron un murmullo al arrastrarse; creaban el contrapunto perfecto para el correr del agua en el Turia, y la brisa resbalaba sobre la piel tersa y cuidada de la joven hasta arrancarle un estremecimiento.

—¿Qué crees que pasará? —Zobeyda volvió a contemplar las murallas de la ciudad.

—Si perdemos Valencia, todo se vendrá abajo. —Abú Amir recorrió también con la mirada la línea pétrea de las defensas al otro lado del río—. No precisamente por los almohades, que son lentos hasta la exasperación. Tu esposo debe conseguir pronto la sumisión de la ciudad o el príncipe de Aragón tendrá la excusa perfecta para descender desde sus dominios y conquistar Valencia. Es un deseo que ha latido en la sangre de los aragoneses desde hace generaciones. Si cae Valencia, todo lo que queda de la Marca Superior se vendrá abajo a continuación. Mardánish no podrá resistir semejante pérdida aunque la resplandeciente Murcia siga en su poder.

—Eso no responde a mi pregunta. Quiero saber qué pasará según tú.

—Tu esposo piensa como yo, así que luchará por todos los medios para recuperar Valencia. Cuando regrese de Lorca entrará a sangre y fuego en la ciudad. Ese loco de Ibn Silbán no se someterá, a juzgar por cómo se ha comportado hasta ahora, luego la pérdida de vidas será espantosa. Después, a Mardánish no le quedará otro remedio que limpiar la ciudad para expulsar todo foco de rebelión, tal como se dice que hacen los almohades en África. Las pérdidas sumirán a Valencia en la tristeza... Pero siempre es mejor eso que pecar de pasividad y dejar que Ramón Berenguer se enseñoree de la Joya del Turia.

Zobeyda bajó la mirada y removió con sus delicados y desnudos pies algunas de las hojas que alfombraban la ribera. Su piel, tostada por el sol mediterráneo y adornada con motivos de alheña, se entremezcló con el ocre amarillento del lecho otoñal.

—No es posible que los rebeldes ignoren todo eso. Su motín no puede prosperar. Por eso no consigo explicarme qué los mueve a empecinarse.

—Es el miedo, niña —explicó Abú Amir con su siempre cadenciosa y grave voz, perfectamente modulada—. Si se es lo bastante persuasivo, cualquiera puede convencer a cualquiera de que todas estas maravillas son en realidad tan efímeras como el brillo de una chispa en medio de un incendio, y entonces habrá sembrado el temor. Los crédulos temen los tormentos a que serán sometidos por Dios, que les exige una corta vida de sacrificio, de martirio, a cambio del eterno premio del paraíso. Los placeres mundanos que tanto aprecias son para ellos la perdición, un breve instante de felicidad que no puede compararse con la eternidad en el vergel divino. Esos —Abú Amir señaló a las siluetas de los centinelas de Ibn Silbán, recortadas en lo alto de los adarves valencianos— están coaccionados por ese miedo. Algunos de ellos, seguro, lamentan no disfrutar de los placeres terrenales, pero otros admitirán de grado su abstinencia, pues dice el Libro que *los verdaderos creyentes son aquellos cuyos corazones están penetrados de terror cuando se pronuncia el nombre de Dios*. Unos y otros, sin embargo, ignoran que en realidad sus amos ansían el poder, que no sucumben de terror al articular el nombre de Dios y que no solo no renunciarán a los gozos del mundo, sino que se revolcarán en ellos como el cerdo se revuelca en la inmundicia.

—¿Y no se dan cuenta los crédulos de la ambición que mueve a quienes los guían?

—Ah, tanto los almohades como Ibn Silbán y el resto de los fanáticos y parásitos saben alentar a sus tropas: para ellos nosotros somos infieles y pecadores. *Poned pues en pie a todas las fuerzas de que dispongáis y escuadrones fuertes para intimidar a los enemigos de Dios y a los vuestros. Todo lo que hayáis gastado en la senda de Dios os será pagado.* Está escrito. Y es fácil y rentable saber usar el miedo, niña.

Zobeyda apretó los puños sin dejar de mirar a Valencia por sobre la senda líquida que separaba el arrabal de la ciudad.

—Mi esposo te ha encomendado que idees una forma de salvar Valencia de la destrucción. ¿Qué propones?

Abú Amir negó con la cabeza, apesadumbrado por la dificultad de aquella misión.

—Es muy difícil, niña. Me he informado: ese tal Ibn Silbán es un tipo con carisma. Hacerse con Valencia le resultó tan fácil como encaramarse a un puesto en el mercado y empezar a dar voces prometiendo las llamas del infierno a quien no se sometiera a las leyes inmutables de Dios. Sus hombres, varios soldados de confianza llegados desde la Marca Superior tras el desastre de Tortosa y Lérida, prendieron y masacraron a los funcionarios de confianza de Mardánish y se encomendaron al califa almohade. Mucho es lo que se cuenta de Abd al-Mumín, de cómo extermina tribus enteras en África y de cómo extiende el Tawhid, degollando a quien no se reduce. Arreglar esto precisa de usar esas mismas armas. Alguien con tanto carisma o más que ese usurpador debe convencer a los indecisos de que la muerte no les llegará desde la ira de Abd al-Mumín, sino que será el propio Mardánish quien se verá obligado a entrar a punta de espada en Valencia, y que el rebelde Ibn Silbán opondrá un escudo humano inmenso a la furia de tu esposo. Si no es así, Ramón Berenguer será quien entre en la ciudad, y a él poco le importará que los valencianos sean más o menos creyentes.

»Pero no conozco a nadie que pueda convencer de tal modo. Tu esposo ha perdido influencia desde que se dejó arrebatar las ciudades del norte por el príncipe de Aragón. Muchos de los que hoy viven en Valencia son vencidos de esas batallas, emigrados de Lérida, Fraga, Mequinenza y Tortosa.

—¿Y tú? —Zobeyda le apuntó con la barbilla—. Eres célebre por todo el Sharq gracias a tu habilidad con la palabra. Has vencido a ulemas y alfaquíes y les has hecho tragar sus argumentos; por si fuera poco, eres de Tortosa: uno más de los huidos de la Marca Superior.

Abú Amir hizo un gesto de desdén.

—Mi fama de orador es superada por la de libertino. Todo el mundo sabe que me doy al placer del vino sin mesura; que no considero una indignidad permanecer soltero a mis años, sino que alardeo de ello; que a pesar de todo disfruto de infinidad de tálamos; y hasta se dice, no sin razón, que no acudo a las mezquitas, sinagogas e iglesias a rezar, sino a reírme de los candorosos que malgastan sus vidas implorando la muerte. No. Quien deshaga lo hecho por

Ibn Silbán ha de ser alguien que inspire confianza, incluso amor, y que sepa lanzar contra el rebelde sus propios argumentos. ¿Tú conoces a alguien así?

La mujer reflexionó unos instantes.

—Hay que hacerlo —concluyó al fin—. Veremos si encontramos a ese alguien. Por de pronto necesitaremos información. Hemos de saber dónde están los fieles a Ibn Silbán.

—Hay gente que escapó de Valencia después de que él se hiciera con el poder. No creo que sientan muchas ganas de volver después de las ejecuciones, pero si se les ofreciera una recompensa...

Zobeyda asintió con firmeza.

—Quiero ver hoy mismo a los más avispados de quienes escaparon de Valencia. Necesito a gente que sepa reconocer a Ibn Silbán y a sus partidarios, y también a quienes se adhirieron a él tras las ejecuciones. Debo saber quién le sigue por convicción y quién por miedo. También preciso de gente que conozca las poternas más discretas, que sean capaces de moverse con discreción... Y es necesario que me cuentes todo lo que sepas acerca de esos fanáticos almohades, de sus métodos, de su forma de vida. De su doctrina... Ese Tawhid.

—Pero ¿qué dices, niña? No te obedeceré, por supuesto —atajó Abú Amir con media sonrisa—. No quiero que tu esposo me mande despellejar cuando regrese de Lorca. Sus órdenes no incluían que tú urdieras un plan para recuperar Valencia. Además, está su hermano Abú-l-Hachach...

—Olvida a mi cuñado Abú-l-Hachach, tan medroso que ni siquiera he visto su cara desde que llegué. Y en cuanto a ti, claro que obedecerás, Abú Amir. Imagina asistir al regreso de Mardánish y tener que decirle que te desentendiste y dejaste que su favorita, en solitario, ideara un plan para recuperar Valencia. —Zobeyda imitó el gesto irónico de su maestro—. Nada puede salir mal. Tú mismo lo has dicho: la pérdida de la ciudad acarrearía tarde o temprano la caída de todo el reino. Además, no debemos tener miedo. Si nuestro reino fuera a hundirse, la bruja Maricasca estaría en un error. Y ella nunca falla.

Unos días después. Ciudad de Valencia

La media luna lucía en todo su esplendor dominando un cielo estrellado, y una tenue cortina de humedad hacía temblar cada lucero sobre la ciudad dormida. Varias sombras oscuras se deslizaban sigilosas por las callejas prietas y apagadas de Valencia. Guiadas con seguridad, se alargaban en una fila serpenteante que evitaba todos aquellos angostillos a medio iluminar por el astro de la noche. La callada comitiva había atravesado el cementerio cercano a la Puerta de la Culebra y, tanteando la muralla en la media negrura de la noche, había dado con una poterna cubierta de hiedra que los amantes furtivos solían usar para citarse a escondidas junto a las tumbas. Aquel lugar, desconocido para los rebeldes procedentes de la Marca Superior, había visto salir a no pocos evadidos de Valencia, huidos para no quedar bajo el cetro del traidor Ibn Silbán y la insoportable doctrina del Tawhid.

En cualquier otro momento del año, en una Valencia libre y despreocupada, el olor a pan recién cocido inundaría cada rincón, y los más madrugadores recorrerían ya las callejas para acudir a las huertas próximas o abrir sus puestos. Ahora, en cambio, solo se podía oler el miedo. Así, con la tensión agarrada a cada fibra, la fila de furtivos dio un rodeo para evitar la mezquita aljama y se plantó a una calle del alcázar. El que parecía hacer de guía se dejó relevar y otra figura, enlutada como el resto, se aproximó a una esquina y se asomó con cuidado, observando a los guardias armados que protegían la entrada principal del palacio, frente a la amplia plaza que separaba el alcázar de la gran mezquita. Zobeyda bint Hamusk retiró suavemente la capucha negra que cubría su cabeza y se fijó en los estandartes blancos repletos de leyendas coránicas que adornaban las torres del alcázar. Ibn Silbán había sustituido las banderas negras con estrellas de ocho puntas para gritar a los cuatro vientos su adhesión a los almohades. La favorita se volvió con la rabia titilando en sus ojos negros.

—¿Cuándo es el maldito cambio de guardia? —preguntó a una de las figuras embozadas.

—Enseguida. Justo antes de la oración del alba —respondió una voz masculina.

Otra de las siluetas, la más voluminosa de todas, abandonó su lugar a la cola de la comitiva y se acercó hasta la esquina que ocupaba Zobeyda.

—¿Cómo podemos estar seguros de que todos los guardias del exterior nos prestarán oídos? —La voz de Álvar Rodríguez, aun en susurros, se impuso hasta hacer temer a todos los visitantes furtivos que alguien los oyera—. ¿Y si han cambiado sus costumbres desde que los evadidos salieron de Valencia?

—¿Por qué iban a cambiarlas? —opuso Zobeyda sin dejar de mirar a la puerta del alcázar, asomando apenas la cabeza—. Conforme pase el tiempo, Ibn Silbán se sentirá más temeroso de ser traicionado. Sé lo que se sufre en su posición porque vivo con un rey. Ha procurado que dentro del alcázar permanezcan sus fieles y se asegura de que aquellos en quienes no confía plenamente monten guardia en el exterior. Es lo lógico. Al mismo tiempo, esos guardias de la puerta tienen que estar percibiendo cómo el traidor erige una muralla de miedo para unirla a esa otra de piedra. La usa para separarse a sí mismo y a los suyos del resto de Valencia. Que te lo explique Abú Amir, pues por lo visto es lo que hacen siempre los almohades.

El Calvo se dio la vuelta e interrogó con la mirada a otro de los furtivos agazapados y vestidos de negro. Abú Amir gruñó por lo bajo antes de empezar a hablar, demostrando que le contrariaba sobremanera que él, que distaba mucho de ser un hombre de acción, hubiera sido arrastrado por Zobeyda a aquella aventura que no podía salir bien por mucho que la bruja Maricasca profetizase y hechizase. Empezó a recitar todo lo que había aprendido en los días previos sobre aquellos fanáticos africanos.

—Los almohades se reúnen en las ciudades a las que someten y viven separados por muros. Procuran hacerse con las alcazabas o las partes mejor defendidas y allí instalan a todos sus funcionarios, a los gobernadores, a los temibles *talaba*, a los hijos de estos y a los demás: alfaquíes, jeques, ulemas... Dibujan un círculo dentro del cual están ellos, y dejan a todos los demás fuera. Imitan ese círculo en todo lo que hacen. El califa se rodea de lo que llaman el Consejo de los Diez, y creen que todos los hombres del mundo deben servir como esclavos a esos elegidos. Zobeyda no deja de tener razón: el propio Abd al-Mumín se encargó de eliminar a quienes podían representar un obstáculo para la consolidación de su poder en África. Sin inmutarse. Y eso que algunos de ellos incluso eran familiares suyos. La situación de Ibn Silbán es aún más angustiosa, pues está rodeado de enemigos y el auxilio que espera es poco menos que la sombra de una ilusión.

—Atención. —La favorita alzó una mano para detener la charla y exigir que el grupo se preparase—. Llega el relevo de la guardia.

Álvar el Calvo movió su brazo bajo el manto negro y agarró la empuñadura de su espada, especialmente forjada para él y adecuada a su gran tamaño y fuerza. La hoja se desnudó apenas unas pulgadas y el bravo guerrero murmuró una queda oración cuyas palabras habían perdido el sentido a fuerza de ser repetidas.

Un capitán de la guardia apareció a la cabeza de una columna doble de lanceros, doce guerreros equipados con cotas de malla y grandes escudos rectangulares. El paño blanco que envolvía sus yelmos cónicos se extendía también y velaba sus rostros en el frío de la madrugada, lo que les daba un aspecto fiero. Venían desde el sur de la ciudad. Tal vez desde uno de los cuarteles improvisados fuera del alcázar. Marcaban el paso impecablemente, y los centinelas cambiaron sus gestos de agrio aburrimiento por la alegría del guardián que se dispone a ser relevado. En unos instantes, apareció el capitán de servicio saliente y se encaró con el entrante, cambiaron las consignas y comentaron la ausencia de novedades durante la noche. En poco tiempo, ambos capitanes recorrerían los puestos cambiando a cada centinela, y todo el grupo saliente abandonaría el perímetro del alcázar con paso rápido a pesar del agotamiento de la trasnochada. Era el momento señalado. Zobeyda, audaz como un leopardo, echó con ambas manos hacia atrás su manto negro para hacerlo caer a su espalda y dobló la esquina. En la quietud de los instantes previos a la amanecida, su movimiento alertó a todos los guardianes, entrantes y salientes, que se quedaron pasmados ante aquella aparición.

Zobeyda disimuló su respiración entrecortada por el miedo; clavó sus negros ojos alternativamente en ambos capitanes, con los párpados teñidos con kohl para dar mayor profundidad a una mirada que ya de por sí era un abismo imposible de evitar. Caminaba decidida, con un cadencioso tintineo al hacer vibrar los brazaletes que ornaban sus muñecas y tobillos. Había recogido su pelo negro en dos largas trenzas y cubierto estas con un velo que, no obstante, volaba tras ella incapaz de alcanzar la ligereza de su dueña. Dejaba tras de sí un perfume que se mezcló de inmediato con el frescor de la madrugada. Sus ropajes ocultaban toda su piel excepto la cara y las manos, pero no podía evitarse que el tejido se adhiriera a su cintura. Álvar Rodríguez admiró extasiado cómo Zobeyda contoneaba las caderas con cada uno de sus firmes pasos. Aspiró con fuerza el aroma de la mujer y su mano se relajó sin querer sobre la empuñadura de su espada. Abú Amir sonrió, aun muerto de miedo, al ver la reacción del cristiano. Los guardias permanecían paralizados. Incluso los dos centinelas salientes del portón, cansados por toda aquella noche en vela a sus espaldas, creyeron ser testigos de la aparición de un ángel. Durante aquellos días de motín, la famosa censura almohade de las costumbres había llegado con fuerza y todas y cada una de las mujeres atrapadas en Valencia debían velar su rostro, enclaustrarse y salir de casa solo en caso estrictamente necesario. Fuera había quedado la moda mardanisí, con todas aquellas doncellas destocadas y provocativas paseando por el mercado o acudiendo despreocupadas a los baños, con los ulemas escandalizados y las tabernas repletas de buen vino.

El capitán del relevo acertó a dar un par de pasos y entornó los ojos cuando Zobeyda abandonó por fin las penumbras al aproximarse a los hachones que iluminaban la entrada del alcázar. El hombre reconoció en los rasgos de la mujer la belleza por todos tan admirada. En cualquier otro tiempo, en cualquier otro lugar, un simple soldado jamás habría podido reconocer a una esposa del rey, guardada en el harén como el más preciado tesoro. Pero en el Sharq al-Ándalus de Mardánish se había roto con los viejos tabúes.

—Mi... Mi señora Zobeyda —balbuceó—. ¿Qué...?

Ella se plantó ante el capitán y sonrió como si acabara de hallar a su hermano tras una larga ausencia.

—Esforzado soldado valenciano, veo que me has reconocido. Sí, soy Zobeyda, esposa de tu señor Mardánish, y vengo a reclamar tu servicio como súbdito y como fiel guerrero del Sharq. Estoy desvalida, amigo mío, y me acojo a tu protección. Dime: ¿oirás mis súplicas o me entregarás al traidor Ibn Silbán?

El capitán, visiblemente nervioso, miró al resto de los presentes y, al encontrar en sus rostros la misma estupefacción, se dejó atrapar de nuevo por el hechizo negro de los ojos de Zobeyda.

—¿Qué... suplicas, mi señora?

—¿Cómo te llamas, amigo mío? —preguntó ella sin dejar escapar al hombre de su influjo—. Dime tu nombre para que sepa quién va a ser mi campeón.

—Abú Marwán... Me llaman Abú...

—Bien. —Zobeyda sentía que el sudor mojaba las palmas de sus manos y oía el tamborileo de su corazón, que quería abandonar el pecho—. Noble Abú Marwán, suplico tu amparo para que la sangre no inunde Valencia y yo misma no sufra la muerte hoy mismo.

»Escúchame. Escuchadme todos, soldados de Valencia: el traidor Ibn Silbán ha arrebatado la ciudad a su legítimo dueño, mi esposo, para entregársela al cabrero africano Abd al-Mumín. Yo, que soy una de vosotros por la voluntad de Dios, he visto prosperar Valencia bajo la dirección de Mardánish, he oído las risas de vuestros hijos cuando juegan en sus calles, he olido el aroma del pan recién horneado en sus mañanas y el de la flor del jazmín en sus noches. Cuando Mardánish fue elevado al gobierno del Sharq, cesaron años de guerras y rebeliones, concluyeron las muertes y todos pudimos al fin tener nuestra porción de felicidad. Los cristianos no nos molestan ya, pues aquellos que no nos temen por nuestro poder nos aprecian por nuestra amistad. Un solo peligro amarga nuestros sueños: los almohades.

»Los almohades, a quienes ninguno de vosotros ni yo misma hemos visto aún, llegan de lo más abrupto de las montañas africanas, de sus más profundos desiertos, donde han forjado a fuego un gobierno miserable que dominan a golpe de látigo y tajo de espada. Los hombres de Marrakech o Tinmal no son libres: son los esclavos de Abd al-Mumín, criados en tan insufrible miseria que anhelan el martirio en la creencia de que así, muertos, hallarán mayor placer que en vida. Y yo os digo que en poco se equivocan, pues ¿no es mejor estar muerto que ser un esclavo sin otro fin que dar gloria al cabrero africano Abd al-Mumín? Y también os digo, sin embargo, que si esos esclavos de piel oscura supieran en qué paraíso vivimos nosotros, afortunados, abandonarían a ese tirano y correrían a abrazarnos y a prometernos amistad. En lugar de eso, atenazados por el miedo y la ignorancia, ¿sabéis lo que hacen? Acarrean consigo permanentemente una bolsita con arena de su desierto pedregoso para que, cuando llegue el cercano momento de su muerte, los sepulten bajo su propia tierra. Dime, amigo Abú Marwán, ¿cambiarías tú el tacto de la piel de una valenciana por el de una roca en lo más profundo del desierto africano? ¿Opinas que será mejor esperar con ansia la muerte para poder gozar del paraíso, o alargar cada momento de vida en Valencia para disfrutar de sus innumerables placeres? ¿Entregarás la Joya del Turia a un cabrero ignorante para que arrase cada jardín, cada palacio, cada huerto... y erija en su lugar un cementerio lleno de tierra africana?

El capitán se removió incómodo en su loriga.

—Pero, mi señora..., Ibn Silbán asegura que Abd al-Mumín, el príncipe de los creyentes, llegará de todas formas; su poder será incontenible, mucho mayor que el de todos los reyes cristianos juntos. El filo de su espada caerá sobre todos aquellos que no se hayan sometido a él, pues el mismo Dios, alabado sea, es quien ha determinado que el príncipe de los creyentes...

—¡Hablas como uno de esos fanáticos, amigo Abú Marwán! —Zobeyda puso una mano sobre el hombro del capitán, lo que tuvo el efecto esperado de doblegar un poco más su resistencia. Ella era consciente no solo del influjo de su belleza, sino también del aura que su persona transmitía como esposa favorita de Mardánish—. El poder de ese príncipe cabrero es el miedo. Si cada uno de sus esclavos pudiera despojarse de la costra de espanto, nada le impediría volar libre. ¿Cuál sería entonces el poder incontenible de Abd al-Mumín? ¿El respaldo de los pocos cobardes que hubieran sido incapaces de curarse de su terror? Pero, óyeme, frente a él tendría a todo un ejército de hombres valientes dispuestos a defender su tierra. Más te digo, y lo hago con la fuerza de la razón que el Tawhid desprecia: si todos los muertos por la espada de Abd al-Mumín de entre sus propios seguidores pudieran levantarse, formarían un ejército mucho mayor del que jamás reunirá con sus acólitos vivos y dispuestos al martirio.

—No hace falta que los almohades lleguen hasta aquí —intervino el otro capitán, cuyo sopor se había despejado de repente, aunque dos bolsas violáceas colgaban bajo sus ojos—. Ibn Silbán amenaza con decapitar a quienes le traicionen y reducir a la miseria a sus mujeres e hijos. La vida de los míos está en sus manos y no la cambiaré por esas bonitas palabras.

Zobeyda se encaró con el inconformista, a todas luces mucho más correoso que el tal Abú Marwán. Su mirada no estaba subyugada por la belleza femenina, sino por el miedo al Tawhid. Miedo. Tal vez contra aquel escudo fuera mejor usar esa misma arma.

—Y dime, prudente capitán, ¿quién se tomará la venganza sobre tu familia una vez que el tirano Ibn Silbán y sus compinches hayan desaparecido?

El guerrero bajó la cabeza, guardó silencio y calibró la respuesta que debía dar a Zobeyda. Los demás guardianes, por su parte, murmuraron entre ellos. Una tenue claridad empezaba a teñir de turquesa el cielo por levante, la brisa fría se levantó y arrastró algunas de las hojas muertas que tapizaban los jardines de Valencia.

—Los fieles a Ibn Silbán están dentro. —Abú Marwán señaló al alcázar—. Pero algunos de sus hombres viven entre nosotros, por toda Valencia. Vigilan día y noche.

—¿Sabéis quiénes son? —Zobeyda no disimuló el tono rabioso.

—Sí, claro. Sus fortunas han aumentado desde que Ibn Silbán se hizo con el gobierno mientras que los demás nos empobrecemos. Además, gustan de alardear de su nueva posición y atemorizan a todos con la amenaza de una denuncia.

—¿Y acaso no gustarán también de mostrarse como fieles creyentes en el Tawhid, dignos de ser llamados ellos mismos almohades?

—Por supuesto. Y algunos andan por ahí con varas y azotan a quienes ven incumpliendo alguna de las leyes de Dios. Mi propia esposa fue fustigada en el mercado el otro día por andar medio develada —aseguró uno de los soldados, animado por la seguridad que mostraba Zobeyda.

—Muy bien —continuó ella—. ¿Acaso no es hoy viernes?

Todos asintieron. El capitán inconformista fue el último en hacerlo, pero señaló a la cercana aljama. Comprendía lo que insinuaba la favorita del rey.

—Hoy, cuando el sol luzca bien alto, estarán todos vestidos con sus mejores galas en la mezquita.

—Entonces tenemos tiempo. —Zobeyda alzó la barbilla y paseó su mirada por la de cada uno de los soldados—. Haced el cambio de guardia, como de costumbre, y todos aquellos que os disponíais a dormir en vuestros hogares, manteneos despiertos para recobrar la libertad y curar a vuestras familias de la amenaza que pende sobre ellas. Buscad a vuestros compañeros y amigos, armaos y acudid aquí para la *jutbá*, cuando todos los traidores estén reunidos en la mezquita aljama para mostrar su adhesión a Ibn Silbán. El resto de vosotros, de guardia en el alcázar, procurad que nadie entre ni salga cuando el imán esté dando sus alaridos en el *mimbar*.

Uno de los soldados, que lucía una barba incompleta y canosa, salió de entre las filas y se adelantó escandalizado.

—¿Deseas, mi señora, que entremos armados a la mezquita un viernes en plena *jutbá*? Dios no tendrá piedad del que cometa semejante sacrilegio. Y además, ¿cómo es que tú, una mujer, viene hasta nosotros para ordenarnos irrumpir en un lugar sagrado y ofender a personas principales? Más aún: ¿para qué levantarnos contra Ibn Silbán si después tu esposo nos prenderá por haber prestado obediencia al rebelde?

Los propios capitanes miraron al soldado y reprobaron sin palabras su intromisión y, sobre todo, el tono con el que acababa de dirigirse a Zobeyda.

—Es el momento de decidir, guerrero —le intimidó ella con su mirada—. Si la espada de los traidores es el miedo y su defensa es la fe, aplastemos su defensa y arranquemos esa espada de sus manos muertas. Hoy, a mediodía, Valencia será libre y nada tendrán que temer vuestras familias.

»Yo, una mujer, te lo mando, sí. Pero recuerda que esta mujer se ha atrevido a entrar en Valencia arriesgando su cuello mientras que tú, un hombre, no has sido capaz por ti mismo de liberar a los tuyos y salvar tu piel. En cuanto a Dios, ensalzado sea, Él, perfecto y misericordioso, fue quien colmó Valencia de dones que acarician el espíritu y los puso en nuestras manos, mientras que tu amada mezquita es obra de hombres como tú, imperfectos y temerosos. Ocultar el jazmín y el azahar de Valencia con tierra del desierto para alojar el cadáver corrupto de un cabrero es el mayor sacrilegio: es manchar los dones de Dios para erigir los vergonzosos tributos humanos a su propio orgullo. Por lo demás, te garantizo que nada te sucederá si muestras ahora fidelidad a Mardánish. Necesito saber, pues, si cumpliréis mi ruego.

Abú Marwán asintió mientras apretaba los puños. Poco a poco fue imitado por todos los demás. El último en hacerlo fue el de la barba canosa. Zobeyda se acercó a él y le obligó a mirarla a los ojos. Abú Marwán habló a su espalda:

—Mientras el imán dirija su discurso a los fieles, entraremos y prenderemos a Ibn Silbán y sus acólitos.

—Y yo, una mujer, irrumpiré en plena *jutbá* con vosotros para demostraros, sobre todo a ti, amigo mío —se dirigió Zobeyda al receloso soldado de barba entrecana—, que la señora de Valencia no esquiva el peligro y que se enfrentará tanto a la fe como al miedo de esos fanáticos.

Unos días después. Lorca

La alcazaba de Lorca, al igual que la de Jaén, dominaba un cerro a cuyos pies se extendía la medina, amurallada y perfectamente pertrechada. La ladera rocosa obligaba a extender los muros a su capricho, pero al mismo tiempo convertía el otero en un lugar casi inexpugnable. Era imposible no enamorarse de aquella filigrana de piedra y dejar de admirar su recia hermosura, enriscada y orgullosa, que dominaba tanto las serpientes escarpadas que corrían hacia norte y sur como la fértil llanura de al-Fundún, plagada de higueras, olivos y manzanos, bien regada por el Guadalentín y cruzada por un laberinto de acequias. Lorca era, como otras muchas ciudades del Sharq al-Ándalus, un inexpugnable tesoro. El Egipto de occidente, regado por su propio Nilo. El guardián meridional del reino de Mardánish.

Dos días llevaba ya allí el de León, reunido con el rey del Sharq para tratar el asunto de Guadix, que tanto interés despertaba en el emperador. Alfonso, sabedor de que la mente de su aliado estaba lejos, en la levantada ciudad de Valencia, no quería apabullar a Mardánish con odiosas y largas sesiones oyendo propuestas de la curia o planes de batalla de los señores castellanos. Sin embargo, al tercer día, fue el mismo rey del Sharq quien consideró que ya había terminado el plazo de la charla amigable y trivial, obligatoria antes del tratamiento de los negocios de interés. Apenas probaba bocado en los banquetes que se ofrecían a los cristianos, pues no dejaba de pensar en los trastornos que le ocasionaría la pérdida definitiva de Valencia. De modo que aquella mañana, tras presentarse ante el emperador para desayunar con él, abordó sus preocupaciones con firme determinación.

—Mi señor, está de más que tenga secretos con vos. Temo al príncipe de Aragón y no dudo de que caerá sobre Valencia si no consigo devolverla a mi sumisión. Es la oportunidad que esperaba Ramón Berenguer, y lo imagino mirando al sur con las fauces entreabiertas, saboreando ya la captura de la Joya del Turia.

Ambos mandatarios compartían vino caliente, leche, queso y fruta sentados a ambos lados de una mesa bien surtida mientras los sirvientes, discretamente apartados, los observaban atentos a cualquier requerimiento. Tenían previsto reunirse con los barones cristianos que habían acompañado al emperador a Lorca, así como con el caíd de la ciudad, Ibn Isa, de absoluta confianza para el rey del Sharq.

—Amigo Mardánish, si es necesario, contarás con mis huestes para expugnar Valencia. Las pondré a tus órdenes y podrás hacer que extiendan sus pabellones en torno a la ciudad. Estoy seguro de que a la vista de nuestros dos ejércitos, ese traidor de Ibn Silbán se rendirá y suplicará tu perdón.

Mardánish inclinó la cabeza en gesto de agradecimiento, pero no disimuló que aquello no remediaba sus temores.

—El tal Ibn Silbán se comporta como uno de esos almohades. ¿Recordáis el modo en que aquellos jinetes suicidas salieron de Jaén y cabalgaron hacia la muerte? Sí, por supuesto que lo recordáis. Bien, pues tal vez Ibn Silbán no se arredre a la vista de los ejércitos de León y Castilla y los míos propios, y pretenda convertir Valencia en un erial de muerte antes que devolvérmela.

—Hallaremos una solución, no temas. Ese tipo pactará, ya lo verás. Y yo negociaré de nuevo con el príncipe de Aragón si es preciso. Necesito en ti a un aliado fuerte, Mardánish. Debemos apoyarnos el uno en el otro. Por eso he decidido prestarte a mis mejores guerreros para que el año que viene ganes Guadix. Con Almería en mi poder y la presencia de tu suegro Hamusk en Segura, habremos construido una muralla que atemorizará a esos africanos. Tal vez Jaén sea más dura de lo que pensaba, y empiezo a temer que no caerá tampoco en esta ocasión, pero cerca de allí cuento con Úbeda y Baeza, y los caminos de Sierra Morena están también cubiertos por la fortaleza de Calatrava. Como sabes, se la cedí a esos caballeros templarios que me auxiliaron en la conquista de Almería.

Mardánish asintió de mala gana. No le gustaban aquellos hombres que se decían frailes y guerreros. Milicia de Cristo. Demasiado parecidos a los almohades por muy extremas que fueran sus diferencias. De todas formas, el plan del emperador no le disgustaba.

—Me haré con Guadix, y no se trata de una pobre ciudad, por cierto. Me gustaría contar para ello con vuestro vasallo Álvar Rodríguez si os parece bien, mi señor.

—Cuenta con él si es su deseo y el tuyo. Sabía que apreciarías su valía. Además te haré llegar las mesnadas de otros súbditos míos. Nada te exijo a cambio, salvo que los mantengas a tu costa. El botín de Guadix te resarcirá de todo gasto, estoy seguro, y ambos habremos ganado.

Mardánish sintió el pequeño goce de saber que mandaría una poderosa hueste cristiana, lo que le ayudó a apartar por un momento la tristeza que le embargaba por el asunto de Valencia. Pese a todo, le extrañó el empeño que mostraba el emperador. Inspiró despacio antes de sincerarse.

—Decidme, mi señor: ¿por qué ese interés en que tapone la ruta al Sharq? El camino que pasa por Guadix lleva directamente a mis tierras, no a las vuestras.

Alfonso se levantó y anduvo por la estancia, situada en lo más alto de la torre de la alcazaba de Lorca. Su mirada se coló por un estrecho ventanal orientado al mediodía.

—Como te acabo de decir, amigo Mardánish, debemos apoyarnos el uno en el otro. Confío en el ardor de mis hombres, en su valentía en la batalla... Pero mis barones son veleidosos. Con el tiempo, y cuando yo falte, mis hijos se encontrarán con poderosos clanes que dominan territorios inmensos; condes y señores codiciosos, dispuestos a valer al rey solo a cambio de honores y tenencias, es decir, de acrecentar su propio poder. Y cuanto más poder tengan, más querrán. Más difíciles serán de contentar. Más tentados a escapar de la lealtad real. Más inclinados a rechazar los repartos. Más cercanos a arrebatar al vecino lo que le sea dado. Mucho me temo que no pocos dejarán de mirar al enemigo común y, guiados por su ambición, atenderán a sus propias rivalidades, cristianos contra cristianos. No es eso lo que interesa a nuestro negocio ni al negocio de Dios. Necesito guerreros cuya vista esté fija, como la de un halcón cazador, en el adversario auténtico. No di Calatrava al Temple por casualidad. Sé que el futuro de nuestra lucha está en esos frailes guerreros. En ellos y en las otras Órdenes. Son leales a Dios ante todo, y esa es la herramienta perfecta. Con tales soldados en nuestro bando, podemos asegurar la defensa de las fortalezas de frontera y formar un ejército capaz de derrotar a nuestros enemigos. Aun así, estamos lejos de contar con un número suficiente de esos guerreros. Las órdenes creadas en Tierra Santa empiezan a asentarse también aquí, pero no es suficiente; sin duda deberemos recurrir a otras nuevas que iremos formando con el tiempo. Estoy seguro de que esos hombres llegarán a ser la punta de nuestra lanza...

—Pero hasta que ese momento llegue —completó Mardánish—, yo deberé interponerme ante nuestros enemigos.

El emperador, que había hablado sin apartar la vista del ventanuco, se volvió a su aliado y se encogió de hombros.

—Por ahora no será preciso que des muchas dentelladas. Esto será más bien como cuando el león ruge y mueve iracundo su melena para amedrentar a los enemigos. Mis agentes me informan de que Abd al-Mumín gobierna un imperio inestable. —Alfonso caminó de nuevo hacia Mardánish. Se sentó de lado, apoyó un codo en la mesa y se pasó la mano despacio por la poblada barba negra—. Ese... príncipe de los creyentes, como se hace llamar, aún no ha sofocado una revuelta a levante del Magreb cuando otra tribu díscola se le alza a poniente. Además me dicen que se mueve con una lentitud exasperante. Rebaños inmensos de secretarios, escribanos y correos rodean la corte del califa; cada paso es meditado y consultado hasta la saciedad. El camino que uno de nuestros ejércitos recorre en una semana lo hace una hueste almohade en un mes. No lo veo como una amenaza cercana, amigo Mardánish, pero no quiero engañarte: algún día ese cabrero loco arreglará sus asuntos en África y querrá ocuparse de los nuestros aquí. Cuando ese momento llegue, quiero que ante él se extienda un muro de fortalezas y ejércitos que no le permita respirar.

»Imagina las lanzas empuñadas de occidente a oriente: portugueses, leoneses, castellanos y andalusíes unidos bajo un mismo estandarte y dispuestos a derrotar a esos almohades. Y al amparo de esas lanzas, a millas de distancia, nuestras mujeres e hijos disfrutarán tranquilos de la paz y la prosperidad. ¿No es lo deseable, amigo Mardánish?

Ahora fue Mardánish quien se levantó. Meditó las palabras del emperador. Él tenía sus propios agentes, y también le llegaban las nuevas de las ciudades de al-Ándalus que ya estaban en poder de los almohades. Las noticias de Arcos, Jerez, Niebla, Sevilla o Córdoba coincidían, al igual que las que llegaban del otro lado del Estrecho: el califa Abd al-Mumín tenía la inequívoca intención de seguir los dictados de su fe y extenderla por todo el orbe, empezando por unificar los territorios de la Península. No había diferencia para el califa almohade entre los infieles cristianos, los rescoldos almorávides y los orgullosos e independientes andalusíes. Eso significaba que para él todo el territorio al sur de Yábal al-Burtat era un gran campo de batalla en el que estaba obligado a luchar. Pero no era menos cierto que hasta ese momento solo pequeños contingentes de almohades habían llegado a al-Ándalus. Los problemas de Abd al-Mumín en África retenían allí a sus ejércitos, compuestos por una amalgama de cabilas bereberes, tribus árabes, esclavos negros y blancos, mercenarios reclutados más allá de las fronteras orientales, y almorávides y andalusíes renegados, además de los siempre numerosos y vociferantes voluntarios *ghuzat*, hordas de fanáticos que buscaban el martirio y que luchaban siempre en primera fila, agotando al enemigo a fuerza tan solo de recibir puñaladas y tajos. Aquellas cavilaciones le hicieron volar hasta Valencia, que en ese momento también estaba bajo la amenaza de un fanático.

Mardánish espantó los pensamientos que le devolvían a la Joya del Turia como quien ahuyentara a un insecto molesto, y regresó al plan del emperador. A las posibilidades de que fructificara. En la carrera para hacerse con al-Ándalus, los almohades llevaban cierta ventaja en el mediodía. Málaga estaba demasiado lejos del alcance del gran líder cristiano y también del de Mardánish. Era cuestión de tiempo que cayera en poder almohade. Granada también era una fruta jugosa y apetecible, pero era imposible acceder a ella sin poseer antes Guadix y Baza. Ambas ciudades estaban bajo el gobierno de un reyezuelo andalusí, Ibn Milhán, al que sus agentes llamaban el Jardinero por las estupendas obras con las que había embellecido su pequeño reino. Ibn Milhán no reconocía por el momento a los almohades y tampoco había querido negociar con Mardánish ni con Castilla. Guadix se había convertido en la espina de una rosa que se clavaba con profundidad en el corazón del Sharq hasta casi alcanzar aquellos campos que ahora se veían desde el ventanuco de la torre de Lorca.

—Guadix y Baza deben caer —aseguró Mardánish—, y nos colocaremos a las puertas de Granada. Yo aguardaré allí vuestro próximo paso, mi señor.

—Hemos de movernos poco a poco. Que Abd al-Mumín no nos preste demasiada atención. Con Guadix en tu poder, habremos cerrado la trampa y será cuestión de tiempo. Yo me aproximaré también a Jaén y Córdoba. Despacio. Hasta que sea demasiado tarde para que puedan reaccionar. Entonces se verán cercados. No podrán salir de sus ciudades sin temer nuestra cólera.

—Me habéis prometido mesnadas, mi señor, pero no me vale cualquiera. Necesito a los mejores. —La voz de Mardánish, aunque amable, sonaba firme entre las duras paredes de la torre de Lorca—. Y quiero la garantía total de que el príncipe de Aragón no hostigará mis territorios de la Marca Superior.

—Tendrás lo mejor —prometió el emperador con entusiasmo creciente—. Ya cuentas con el Calvo, pero además convenceré al caballero Pedro de Azagra para que se ponga a tu servicio. Es un esforzado navarro, y su padre, Rodrigo, me mostró gran lealtad en Almería. Su mesnada es impresionante... También te enviaré a la gente del conde de Urgel, que me profesa sincera amistad. Si puede ser, su hijo primogénito servirá a tus órdenes.

Mardánish sonrió. Rodrigo de Azagra y Armengol de Urgel eran probados paladines que, a pesar de no ser castellanos ni leoneses, habían servido con lealtad y honor al emperador. Había oído hablar de sus mesnadas, nutridas y veteranas. Unidas a sus fuerzas y a las de su suegro, Hamusk, Mardánish mandaría sobre un ejército invencible.

—En cuanto al príncipe de Aragón...

Las palabras se ahogaron en la garganta de Mardánish. Voces airadas resonaban por las escaleras de la torre, y eran respondidas por otra que enseguida le resultó familiar al rey del Sharq. La puerta de la estancia se abrió, y un acalorado soldado lorquino se asomó y miró con timidez a ambos soberanos.

—Mis señores, un hombre dice tener nuevas urgentes para el rey Mardánish... Se identifica como el consejero Abú Amir...

—¡Que pase de inmediato! —tronó el rey del Sharq. Aquella interrupción y la noticia de que Abú Amir se hallaba en Lorca devolvieron a Mardánish a la amargura que constreñía su corazón por el alzamiento de Valencia. ¿Qué hacía allí su principal consejero, en lugar de aguardar su regreso y cuidar de Zobeyda? Esta vez sería inflexible con él, tan dado a desobedecerle que empezaba a pensar que si quería que cumpliera algo, debería ordenarle lo contrario.

Abú Amir entró en la sala jadeante por el esfuerzo de subir el empinado y estrecho tramo de escaleras, a lo que debía añadirse la previa trepada desde la medina a la alcazaba de Lorca. Sin saludar siquiera, el médico se abalanzó sobre una jarra de vino que reposaba en la mesa y bebió. El líquido rojizo resbaló por las comisuras de sus labios, mojó su barba recortada y salpicó los ropajes llenos de polvo del camino. El emperador Alfonso observaba divertido la escena mientras Mardánish enrojecía de ira por momentos.

—Mi señor... —acertó a mascullar por fin Abú Amir—, vengo reventando monturas solo para darte la noticia: Valencia es tuya de nuevo.

Abú Amir estaba acostumbrado a alimentarse de manjares, escogidos siempre entre las primicias y cocinados a su gusto exclusivo; a dormir en mullidos lechos en los que siempre lo acompañaban las bellezas más envidiadas de Murcia, Valencia, Játiva o Denia; a beber los vinos más dulces y los más aclamados, servidos siempre en copas de plata cordobesa... Mardánish lo sabía y, por eso, valoraba en su justa medida el hecho de que el médico hubiera abandonado sus placeres para recorrer a uña de caballo la distancia que separaba Valencia de Lorca. Y Abú Amir sabía que Mardánish, que lo conocía mejor que nadie aparte de la propia Zobeyda, valoraría su *hazaña* lo suficiente como para no descargar su ira sobre él cuando se enterase de la serie de tropelías que su favorita había cometido, desobedeciendo los mandatos del rey del Sharq y haciendo, de paso, que el propio Abú Amir incumpliera también las órdenes recibidas.

El emperador Alfonso, recostado en su asiento, escuchaba con atención el relato del médico, desgranado mientras recuperaba fuerzas en la mesa.

—Tu esposa es audaz como un águila, mi señor. Indomable como una potra salvaje. Cuando empezó a repartir órdenes, nadie pudo resistirse. El cristiano Álvar Rodríguez se plegó a sus mandatos enseguida, rendido como está a sus pies. A mí me amenazó con aventurarse en solitario dentro de Valencia, de modo que no me quedó más remedio que desobedecerte y acompañarla. Prefiero mil veces que tus propias manos acaben con mi vida a permitir que tu amada Zobeyda sufra algún daño. Ella está sana y salva ahora, de modo que recibiré con gusto tu castigo.

Mardánish sonrió. Aquellas tretas de su médico y consejero eran insalvables.

—¿No convenció también a mi hermano Abú-l-Hachach? —preguntó el rey del Sharq, cuyo alivio rivalizaba con el entusiasmo por saber cómo había resuelto la situación Zobeyda.

—Tu esposa ni siquiera informó al gobernador Abú-l-Hachach de lo que pretendía hacer. Perdóname y perdónala a ella, pero no lo considera capaz.

Mardánish asintió. El ojo político de su favorita empezaba a mostrar visos de infalibilidad.

—Continúa.

—Zobeyda me obligó a aleccionarla. Tuve que investigar acerca del Tawhid y, después, explicárselo todo sobre los almohades y sus métodos. Luego ella tejió su estrategia como haría uno de esos oradores griegos de la Antigüedad. Al mismo tiempo, vio con ojo de rapaz cuál era el punto débil de Ibn Silbán y adivinó de inmediato cuándo y dónde debía atacarle. Escogidos lugar y tiempo, tu favorita ordenó al Calvo que aprestara a tus jeques, y las tropas se prepararon y se mantuvieron a la espera para entrar en Valencia. Después Zobeyda encabezó un pequeño grupo en el que me incluyó, para mi horror. Uno de los evadidos nos guio por una poterna discreta y llegamos hasta el alcázar, justo en el cambio de guardia del amanecer del viernes. Zobeyda se había hecho adornar como si fuera una diosa pagana. Tú ya la conoces, y si lo desea, puede hacer que su belleza confunda los sentidos.

Mardánish asintió sonriente, aun dentro del pasmo de saber que su favorita se arriesgaba hasta tal punto. Zobeyda usaba todos los recursos a su alcance, empezando por su aguda inteligencia y siguiendo por su sin par hermosura. Sabía de sus dotes de persuasión, pero no había llegado a pensar que pudieran emplearse para menesteres tan delicados. Abú Amir siguió contando cómo la favorita se adelantó en solitario y desplegó las alas para obnubilar a sus presas; relató la conversación que Zobeyda había mantenido con los soldados de la guardia del alcázar. Luego se aclaró la garganta con un largo trago de vino y siguió hablando:

—Permanecimos ocultos, confundidos con la gente, hasta mediodía. Durante ese tiempo mi corazón estuvo a punto de romperse. La alegría que otrora reinaba en Valencia se había desvanecido. Los hombres se apresuraban silenciosos y con la mirada baja por las calles, y las mujeres, veladas y encogidas, apenas salían de sus casas. Solo los fieles a Ibn Silbán, vara en mano, recorrían la ciudad con mirada desafiante. Pero las palabras de tu amada no habían caído en saco roto. La chispa de Zobeyda quemaba Valencia. Se extendía por todas partes como las ondas en un estanque: de forma callada, en susurros al oído del vecino, en billetes deslizados bajo las puertas. A lo largo de la mañana, los acólitos del traidor fueron desapareciendo. Luego supimos que, a la sombra de las callejas y en los rincones más oscuros, habían sido capturados por la chusma, reducidos y llevados a la fuerza a patios y casas particulares, y linchados hasta morir.

»A mediodía nos acercamos a la mezquita. Ibn Silbán y los suyos por fin abandonaron la seguridad del alcázar y ocuparon los primeros lugares en la aljama. Poco a poco fueron llegando todos los que habían prestado su apoyo al traidor. Tras ellos, agazapados en las esquinas, se reunían los valencianos hartos de la opresión, muchos de ellos miembros del ejército. El imán comenzó su *jutbá* y Zobeyda dejó volar el cabello al viento. Fue como un símbolo, como una señal convenida. Entre quienes acechaban la mezquita aljama había muchas mujeres, algunas armadas con cuchillos y estacas afiladas. Tu favorita entró guiando a toda esa gente en el templo e interrumpió el sermón. Los aullidos de protesta inundaron la mezquita y algunos vacilaron, pero ya nada podía parar lo que ocurrió. Zobeyda exigió que se respetara la vida del traidor Ibn Silbán, aunque no quiso o fue incapaz de evitar que los valencianos descargaran su ira contra los demás. La sangre corrió a ríos por el suelo de la mezquita y muchos de los rebeldes perecieron allí, convertidos en pingajos. Otros fueron arrastrados a la *musalá* y muertos a pedradas, apuñalados o destrozados a golpes. A algunos los ahogaron en el río. Tu ejército, preparado y atento, entró en la ciudad y se desparramó por las calles. Tu favorita ordenó que los estandartes almohades fueran arrancados del alcázar, y de nuevo ondea la estrella de los Banú Mardánish. Valencia entera aclama a Zobeyda.

Mardánish devolvió orgulloso la sonrisa que le dedicaba el emperador Alfonso, pero no pudo evitar que un escalofrío prolongado le recorriera la espalda al pensar en el grave peligro que había corrido su favorita.

—¿Te das cuenta, Abú Amir, de que tu señora Zobeyda podría estar ahora muerta, o peor aún, entre las sucias manos de ese traidor de Ibn Silbán?

—Yo mismo le hice ver que era muy arriesgado, pero ¿crees que se arredró? Oh, cuando se adelantó en solitario para hablar con los soldados... No lo habrías creído. Todavía me pregunto si era real lo que vi cuando se puso a la cabeza del asalto a la mezquita aljama. Parecía un arráez que guiara a sus tropas.

—Pero ¿dónde has encontrado ese tesoro de esposa, amigo Mardánish? —preguntó el emperador Alfonso, que no podía ocultar su admiración—. Por lo que cuenta este hombre, vale por toda una corte de barones. Por Dios, Nuestro Señor, que quiero conocer a esa dama.

Mardánish suspiró. A fin de cuentas, sus males habían pasado y Valencia estaba otra vez en su poder. Además, Zobeyda bint Hamusk le había librado de un plumazo de la sombra amenazante de Ramón Berenguer. Una mujer había defendido su reino sin necesidad de dirigir una campaña militar, y ahora él se veía libre para extender sus dominios en el Sharq sumando las prósperas ciudades de Baza y Guadix. Al año siguiente estaría a las puertas de Granada.

—Sé qué pasa por tu mente, mi señor. —Abú Amir, que había permanecido sentado y largándose tragos de vino mientras hablaba, se levantó ahora y se puso frente a Mardánish—. En Zobeyda tienes un gran apoyo, y sería sabio por tu parte aprovechar sus cualidades, que no encontrarás en hombre alguno en este reino. Sin embargo, lo que ha ocurrido en Valencia conmoverá el Sharq y traspasará sus fronteras. Ahora más que nunca deberás cuidarte de tus enemigos. Nuestras costumbres se han relajado tras librarnos de los almorávides, pero el hecho de que tu favorita actúe como lo ha hecho pondrá en tu contra a no pocos hombres de Dios. Y por si eso fuera poco, la profanación de la mezquita aljama es un sacrilegio como no se recuerda otro en al-Ándalus. Tus enemigos almohades también se enterarán pronto de lo sucedido. Para ellos eres poco menos que un infiel, ya lo sabes, pero a partir de ahora pasarás a representar al propio Iblís.

Mardánish miró alternativamente a Alfonso y a Abú Amir. Su pecho se henchía de amor por Zobeyda, e imaginaba qué pensaría el califa Abd al-Mumín cuando supiera lo ocurrido. Aquello sirvió para endurecer más aún su convicción: Zobeyda misma era su modo de vida, el orgullo por un reino que estaba construyendo a su manera, sin obedecer a señor alguno, fuera cristiano o musulmán. Caminó hasta el ventanuco orientado al mediodía y su vista se perdió entre los nubarrones negros que se adivinaban a lo lejos. Los almohades se aproximaban y amenazaban con destruir los sueños de Mardánish, pero él protegería el Sharq. Protegería a Zobeyda.

4

Duelo en Guadix

Primavera de 1152. Sitio de Guadix

La alcazaba de Guadix florecía sobre el jardín de su medina, eso nadie podía ponerlo en duda. Y lo que nadie dudaba tampoco era que su defensa se había convertido en algo imposible. Bien parecía que el régulo Ibn Milhán hubiera querido pintar un fresco: aprovechaba el tapial rojo de murallas y torres, y lo combinaba con el verdor feraz de los árboles, enredaderas y plantas colgantes con las que había adornado varias almenas. Además, a diferencia de lo que ocurría con Jaén o Lorca, la alcazaba de Guadix no se elevaba del mismo modo majestuoso sobre la medina. Donde debía erigirse una fortaleza, brotaba una bonita ciudad inundada de frondas y parras, y en lugar de torreones almenados, eran cipreses los que afloraban orgullosos hacia el cielo. Un cielo que en una jornada como aquella, despejada y fresca, permitía divisar hasta las más lejanas montañas del Yábal Shulayr, coronadas de nieve apenas unos días antes.

Ahora, un impresionante asedio venía a sumar los colores de los pabellones y estandartes al abanico de jardines que adornaban la medina y el ya abandonado arrabal. Allí se habían reunido fuerzas venidas desde el condado de Urgel, desde las villas navarras propiedad de los Azagra, vasallos gallegos y toledanos leales a Álvar Rodríguez, el ejército de Hamusk y las huestes de Lorca, Murcia, Orihuela, Elche, Denia, Alicante y Cartagena. Las tiendas se amontonaban entre los terrosos montículos que flanqueaban Guadix, en las orillas del río que regaba el valle y sobre las huertas del arrabal, casi todas destrozadas por el abuso de la numerosa milicia que había acudido al lugar. Alrededor de las murallas de la medina, también rojizas y de aspecto no muy recio, el ejército sitiador había dispuesto un espacio de seguridad constantemente vigilado.

Aquel día era el primero en el que los adalides del ejército se iban a reunir al completo. El último en llegar había sido el propio Mardánish, que mandó por delante a sus jeques pero se detuvo en la cercana Baza para calcular el precio de tomarla por anticipado. Finalmente había decidido que la caída de Guadix precipitaría sin remedio la de su hermana menor y, por eso, se había limitado a dejar junto a Baza un destacamento de caballería con la única misión de dar aviso en caso de novedades.

La tienda de Mardánish no desmerecía del pabellón imperial que Alfonso de León ordenara alzar en Jaén. El alto estandarte se mecía al viento que llegaba fresco desde el sur, y la estrella plateada lucía sobre su campo negro como oscuro presagio para los atemorizados pobladores de Guadix. Dentro de la tienda, multitud de alfombras y tapices ocultaban cada pulgada de espacio y daban la sensación de que los asistentes al consejo de guerra se hallaban en realidad en un lujoso palacio andalusí. Mardánish ordenó servir vino y observó a sus comandantes mientras alzaban las copas y vertían en sus gaznates aquellas primeras libaciones.

Álvar Rodríguez, el Calvo, como conde de Sarria y amigo ya íntimo de Mardánish, ocupaba un lugar de honor a la derecha del rey del Sharq. Naturalmente, él era el más voluminoso de cuantos se hallaban en el consejo, y su cabeza recién afeitada sobresalía hasta casi tocar el techo del pabellón. Contemplaba orgulloso a los nuevos compañeros cristianos cuya presencia había prometido en el otoño anterior el emperador Alfonso. Como guerrero de probada caballerosidad, el Calvo estaba deseando medir sus fuerzas junto a ellos y superarlos en la lid.

Frente a Álvar Rodríguez se erguía Armengol, el hijo primogénito del conde de Urgel. Este se había hecho vasallo del emperador Alfonso, deseoso de buscar nuevos horizontes que su norteño señorío había agotado junto a los Pirineos, y pretendía aprovechar los fuertes lazos familiares que le unían con Castilla. El joven Armengol igualaba en edad a Mardánish y a Álvar Rodríguez, y aunque de porte fibroso, su tamaño era menor que el de ambos. No obstante, se le tenía por astuto estratega y buen conductor de tropas, algo demostrado en las ocasiones en las que había luchado a las órdenes del emperador Alfonso. Ahora miraba con sus ojos claros, pequeños y penetrantes a Mardánish, del que tanto había oído hablar, y se disponía a escuchar con atención mientras se pasaba con frecuencia la mano por el pelo, negro y peinado a la perfección, como si quisiera calibrar constantemente la horizontalidad de su flequillo sobre el rostro anguloso, no exento de atractivo, pero de pómulos demasiado marcados. Levantó la copa hacia el rey del Sharq y fue el primero en hablar:

—Por Guadix, que caerá pronto en nuestras manos.

Todos bebieron e hicieron un gesto común de aprobación ante el buen sabor del vino, obtenido en el propio arrabal de la ciudad cercada.

—¿Se ha hablado ya con Ibn Milhán? —preguntó Mardánish para dar comienzo al consejo.

—En tu ausencia, los jefes del ejército delegaron en mí para ese menester. El que había hablado ahora era Pedro Ruiz de Azagra. El noble navarro tenía treinta y dos años, lo que le convertía en el más veterano del consejo tras Hamusk. Al igual que Armengol de Urgel, el de Azagra era constante valedor del emperador según la costumbre de su padre, Rodrigo, señor de Tudela, Estella y Gallipienzo, y junto al propio Álvar Rodríguez, héroe de la conquista de Almería, habida por los cristianos cinco años atrás. El navarro gozaba de buena presencia gracias a su cuerpo endurecido en el fragor del combate y, sobre todo, por la práctica de la caza, su afición predilecta. Lucía barba mediada sobre el rostro de gesto franco, y su cabello claro y muy corto destacaba sobre la tez tostada por el sol, lo que demostraba la querencia del noble a pasar mucho tiempo alejado de la comodidad. Mardánish había forjado un inmediato lazo de simpatía mutua con el navarro, mientras que la mirada neutra de Armengol de Urgel constituía una muralla que el rey del Sharq no se atrevía aún a penetrar.

—¿Y bien?

—Ibn Milhán no ha querido ni verme —continuó Azagra—. Actúa como liebre encamada en la espesura, convencida de que así evitará el acoso de los sabuesos y se salvará del cazador. Ha mandado para dialogar a uno de sus visires, un tal Ibn Tufayl. Tipo listo, dicho sea de paso. Se niega a entregar Guadix y Baza, y ofrece el pago de parias a cambio de la retirada del ejército. He tenido la osadía de negarme, perdóname por ello, y entonces ha ofrecido licenciar, con paga a cargo de Guadix, a todo nuestro ejército. Imagina qué riquezas guarda ese Jardinero dentro de la ciudad.

—También te has negado, adivino —sonrió Mardánish.

—Así es. No es necesaria mucha astucia para mirar las murallas de la villa y darse cuenta de que no tiene oportunidad alguna. Todas esas riquezas serán nuestras de un modo u otro. De esta forma se lo he explicado a ese visir, y entonces me ha confesado que tenía orden de negarse a la rendición. Ibn Milhán te admira, Mardánish, pero al mismo tiempo te desprecia y se niega a ser tu vasallo. Te tiene por infiel, y dice que tu reino acabará por enfermar a todo al-Ándalus. Opina que los almohades son una opción mejor que tú.

El rey del Sharq chascó la lengua. Había confiado en que el tamaño de su ejército le permitiría conseguir Guadix sin violencia. Ganar una ciudad por las buenas era mucho más rentable que hacerlo a hierro, fuego y muerte.

—Entonces no hay salida posible salvo continuar el asedio y arreglar esto por las armas —intervino Hamusk, vestido como siempre con sus multicolores y estrafalarias prendas. El suegro de Mardánish se frotó las manos, ávido de un combate que ya echaba de menos. Al hacerlo, los anillos de sus dedos repiquetearon como crótalos de danzarina. El navarro Azagra volvió a hablar:

—Ibn Milhán lo ha previsto, y amenaza con quemar Guadix antes que dejar que la tomemos. Asegura que ha plantado tantos árboles y que los jardines son tan frondosos, que la hoguera se podrá ver desde Marrakech y que el propio Abd al-Mumín vendrá a castigar tus pecados, Mardánish.

Hamusk rio estentóreamente.

—El Jardinero es al menos un tipo gracioso.

—Dudo mucho que cumpla esa amenaza —habló por fin el último asistente al consejo, un joven andalusí llamado Óbayd. Se trataba del descendiente de una vieja y rica familia de murcianos, emparentado con Mardánish al casar a su hermana Fátima con el rey del Sharq cuando este llegó al poder. Fátima había sido la primera esposa de Mardánish y había dado a luz a su primogénito, Abd Allah, pero la muchacha no pudo resistir el parto y murió a la mañana siguiente. El débil pequeño no sobrevivió ni un día a su madre. Aquello no fue tenido por buen augurio, pero Mardánish era un tagrí y no le arredraban las dificultades. Por eso se había apresurado a buscar nueva mujer. Una que le hiciera olvidar el mal trago y devolviera la confianza al pueblo. Y así encontró a Zobeyda. A pesar de todo, el joven Óbayd ocupaba el puesto de arráez de las fuerzas de Mardánish, un cargo de honor que le granjeaba la simpatía de las estirpes más rancias de la nobleza murciana. Azagra asintió ante la afirmación de Óbayd, lo que pareció complacer mucho a este. Con apenas veinte años, sentía fuertes deseos de ser apreciado por los demás adalides y también de demostrar su valía en la lucha.

—¿Por qué, jovencísimo Óbayd, dudas de que el Jardinero vaya a cumplir su palabra? —Hamusk, que no perdía ocasión de zaherir al arráez, enfatizó la palabra *jovencísimo*.

Óbayd apretó los dientes antes de contestar. Aunque se guardaba de comentarlo en público, y mucho menos ante Mardánish, para él había supuesto casi una ofensa la llegada de Zobeyda a la corte al poco tiempo de morir Fátima. Óbayd no podía evitar el pensamiento de que ahora el pequeño Hilal era el heredero de Mardánish, y aunque las muertes de su hermana y su sobrino no se debían más que a la fatalidad, todo lo relacionado con Zobeyda le irritaba. Y por sobre todo, el enojoso Hamusk, que además parecía notar su animadversión y la alimentaba con frecuentes comentarios malintencionados. Mardánish había tomado otras dos esposas tras Zobeyda, pero ninguna de ellas representaba nada para Óbayd. Zobeyda sí. Zobeyda era lo que su hermana pudo ser y no fue. El joven arráez elevó la barbilla e hizo caer hacia atrás su cabello, que dejaba crecer libre según la costumbre musulmana que ni Mardánish ni Hamusk respetaban.

—Ibn Milhán convierte Guadix en un vergel y llena la ciudad de filósofos como ese Ibn Tufayl, de quien he oído hablar como un hombre culto e inteligente. Ama tanto su posesión que se ofrece a pagar parias a otro andalusí antes que entregarla, cosa que jamás antes había visto. ¿Cómo iba a quemar Guadix alguien así?

—Cierto —se limitó a aceptar Armengol de Urgel.

—No he acabado con lo que tenía que decir —intervino Azagra al notar la malquerencia entre Óbayd y Hamusk—. Tal vez no sea necesario poner a prueba al Jardinero. Ibn Tufayl, por su cuenta y riesgo, me ha propuesto dirimir el pleito mediante tres combates singulares. Dice que si hay que derramar sangre, que no sea mucha..., y sobre todo que no sea la de él. Tiene que consultarlo con su señor Ibn Milhán; mañana al amanecer sabremos si acepta.

Mardánish, esperanzado, asintió.

—¿Condiciones?

—Tres campeones de Guadix contra tres campeones de nuestros ejércitos. Lucharán a pie ante las murallas, uno contra uno siguiendo las reglas del honor. Quien quede en pie reclamará el triunfo y el cumplimiento del pacto: si vencemos nosotros, Guadix será tuya, Mardánish, pero deberás dejar que todos sus pobladores marchen en paz y libertad a donde les plazca, incluidos tus dominios. Si vencen ellos, nos retiramos de la ciudad y tú te comprometes a no volver a atacarla mientras Ibn Milhán viva.

—No es buen trato —opinó Hamusk—. Nuestra ventaja es aplastante. No debemos dejar esto en manos de la suerte o en la habilidad de tres guerreros.

—No es tan malo —terció Armengol de Urgel con una media sonrisa aviesa—. Si vencemos, la ganancia está asegurada; además nos habremos evitado un largo asedio y, es cierto lo que dice ese Tufayl, el derramamiento de sangre. Si perdemos, solo hace falta cumplir la última de las condiciones.

Todos se miraron extrañados.

—¿Qué última parte? —preguntó el joven arráez Óbayd.

—No podremos atacar Guadix mientras Ibn Milhán viva. Pues bien, basta con que ese Jardinero deje de vivir para que el pacto pierda su validez. Entonces nos haremos con la ciudad por la fuerza.

Armengol rubricó su propuesta acabando con el rojo líquido que contenía su copa.

Ibn Tufayl era un hombre de mirada serena. Vestía una larga túnica de lana, y su barba crecía hasta el pecho y le daba el aspecto de un venerable anciano. Se hallaba plantado en la tierra de nadie, el espacio vacío entre las murallas escarlatas de Guadix y las líneas del ejército de asedio. Frente a él se abría en amplio semicírculo la hueste compuesta por cristianos y musulmanes de las distintas compañías de Mardánish, encabezada por él mismo y aguardando en callada reunión el comienzo del lance, si es que al final el reyezuelo Ibn Milhán accedía a ello. La voz de Ibn Tufayl, suavemente moderada y en un árabe culto, se abrió camino en el silencio que presidía el arrabal desmantelado.

—¡Mi señor, Áhmed ibn Muhammad ibn Milhán, al que Dios alargue la vida muchos años, te reta a ti, tirano Mardánish, a que destaques de entre tu miserable ejército a tres paladines! ¡Que se adelanten a pie y armados y que prometan cumplir las condiciones del duelo!

El rey del Sharq, impávido ante los insultos, ahogó un grito de alegría por que el Jardinero hubiera aceptado el juicio de armas. Ahora no tenía más que reclutar a tres paladines. Se dio la vuelta y miró a las apretadas filas de combatientes. Todos, como él, iban ataviados para la batalla, y sostenían un bosque inmenso de lanzas con las puntas de hierro encarando el cielo y los pendones aún enrollados. Un murmullo señalaba que las palabras árabes de Ibn Tufayl estaban siendo traducidas a las distintas lenguas de los guerreros allí presentes.

El primero en salir de entre la multitud fue el arráez Óbayd. El muchacho vestía larga loriga ceñida por una banda verde cuyos extremos colgaban a un lado, y llevaba el pelo orgullosamente recogido en una trenza que descansaba sobre su hombro derecho. No se cubría con almófar, así que su cara morena y agraciada quedaba visible, pero su cabeza estaba protegida por un yelmo normando, cónico y puntiagudo, de cuyo borde pendía una cortina de malla para proteger el cuello y la nuca. Empuñaba su escudo en forma de cometa y portaba en el flanco una espada aún envainada que pendía del tahalí cruzado. Su voz salió recia de la boca.

—¡Yo lucho si tú me lo permites, mi señor!

Mardánish sonrió ampliamente, ufano de que el primer voluntario fuera un andalusí. De inmediato, irritado por no haber reaccionado antes, apareció Álvar Rodríguez empuñando una enorme maza de guerra y con el escudo colgado a su espalda. Su cráneo rasurado relucía al recibir los rayos del naciente sol, pues el yelmo colgaba del cinturón por las correas. Se puso junto a Óbayd, significando con su presencia que era el segundo duelista.

—Falta uno —requirió Mardánish, dispuesto a situarse él mismo junto a su cuñado y el Calvo si nadie atendía con rapidez. No fue necesario. Un hombre de armas salió de entre las tropas de Azagra con escudo embrazado y hacha sujeta con mano férrea. El navarro avanzó y se colocó al lado de Óbayd.

El rey del Sharq se volvió y enfrentó en la distancia a Ibn Tufayl.

—¡Mis paladines están dispuestos! ¡Prometo que los tres lucharán con honor!

Un creciente murmullo se movió como el oleaje entre las filas del ejército. Los comentarios de admiración se cruzaban con los peregrinos pretextos que cada uno inventaba para explicar por qué no se había presentado voluntario para el trío de campeones. Pero todos los bisbiseos cesaron cuando la puerta de Guadix se abrió lentamente tras el visir Ibn Tufayl. Un hombre apareció a pie y empezó a cruzar la tierra de nadie. No era un guerrero espectacular, ni de gran altura ni hercúleo. Tampoco llevaba armas relucientes y adornadas, como era hábito entre los paladines del islam. Y aun así las miradas confluyeron en él. Un murmullo que no se podía interpretar pareció flotar desde la ciudad cercada. ¿Decepción? ¿Lamentos por la cercana derrota? ¿Oraciones, tal vez? Hasta los sitiadores sintieron compasión por aquel pobre enemigo, el único que se ofrecía a luchar por Guadix y por las propias gentes que atestaban las almenas floridas.

El guerrero, cubierto de una loriga rasgada a trozos, avanzaba con paso firme y empuñaba una espada desenfundada. Llevaba en el brazo izquierdo una adarga de madera recubierta de cuero, de la que colgaban algunos lazos y penachos de desvaídos colores, y su cabeza estaba cubierta por un yelmo abollonado. Parecía el único superviviente de una batalla infernal, e incluso podían verse las muescas en la hoja de su arma y los cortes que cruzaban su adarga. Llegó hasta Ibn Tufayl y le murmuró al oído. El visir mostró su sorpresa con un respingo y miró a las murallas. Luego vaciló durante un instante, pero se encogió de hombros y se dirigió a Mardánish de nuevo.

—¡Nadie en Guadix se atreve a luchar, lo cual me avergüenza! ¡Solo este valiente se enfrentará a tus abominables guerreros uno tras otro, tirano! ¿Lo aceptas?

Mardánish, a cuyas palabras estaban atentos todos los componentes del ejército y los pobladores de Guadix, contestó con cortesía.

—¿Tres de mis paladines contra ese hombre solo? ¡No es justo! ¡Uno contra uno y que Dios decida!

—¡Dios está de nuestra parte, tirano, y tú ya has prometido por tus hombres! —espetó de inmediato Ibn Tufayl—. ¡Este valiente se medirá con tus tres paladines y observarás cómo los desgraciados van cayendo bajo su espada! ¡Nuestro será el triunfo, tuya, la vergüenza y de Dios, la gloria! ¡Espero que te quede el honor suficiente después de eso como para irte y no aparecer jamás por los campos de Guadix!

Mardánish bajó la cabeza. Si el astuto visir lo confiaba todo a un único hombre, debía de tratase de alguien excepcional. Habló de modo que solo le oyeran los tres campeones que formaban a su espalda.

—Sería una vergüenza fracasar...

—¡Sería una vergüenza no luchar! —le cortó el navarro, y salió corriendo hacia la tierra de nadie mientras blandía su hacha y soltaba alaridos. El ejército estalló en un sinfín de vítores para animar al guerrero, y se produjo un pequeño tumulto al intentar cada cual cobrar buena posición para asistir a la lid en primera fila.

El paladín de Guadix se separó de Ibn Tufayl con media docena de pasos laterales, adelantó el pie izquierdo y alzó la adarga ante sí. Su espada se mantenía baja en una posición retrasada y sus ojos se entornaban al calcular la distancia que le restaba al navarro. En cuanto a este, la súbita arrancada le llevó a penetrar en la tierra de nadie. Balanceaba el escudo y el hacha al bracear y, de cuando en cuando, saltaba para esquivar los cimientos arrasados de alguna de las casas del arrabal. Álvar Rodríguez ahuecó la mano izquierda en torno a la boca para gritar:

—¡Más despacio! ¡Calma, o llegarás derrengado!

Pero era inútil. El griterío del ejército apagaba los avisos del Calvo, y el guerrero navarro solo podía oír un murmullo tras él mientras su corazón bombeaba sangre y todo su cuerpo se estremecía con el peso de la cota de malla, el gran escudo alargado y la voluminosa hacha de guerra. Acalló sus aullidos y empezó a jadear antes de llegar a distancia de cierre con el paladín de Guadix.

El joven Óbayd dio la espalda al encuentro de ambos luchadores, desenfundó su espada y se puso frente a Álvar Rodríguez.

—Permíteme ir en segundo lugar.

El Calvo observó al muchacho, cuyos ojos brillaban por la tensión del momento. Adivinó en ellos la necesidad de hazañas que él ya había vivido con intensidad. Óbayd, como arráez de Mardánish, necesitaba ganar fama y respeto entre la inmensa multitud de hombres de armas que allí se reunían.

—Acude con calma y vigila sus movimientos —aconsejó Álvar—. Olvida a todos los que estamos aquí y concéntrate en la lucha.

Óbayd asintió ante las recomendaciones del gigante. En ese momento llegó hasta ellos el eco del primer golpe de combate. El navarro había descargado su hacha con fuerza y dejándose llevar por la inercia de la carrera, y el de Guadix había interpuesto su adarga en oblicuo, con la intención de desviar el golpe más que de detenerlo. El hacha resonó al impactar en tierra, y el cristiano trastabilló arrastrado por el peso del arma. Entonces el paladín de Ibn Milhán, en un gesto de arrogancia, abrió los brazos y extendió a los lados adarga y espada mientras encaraba a la muchedumbre del ejército de Mardánish. Tras él, el soldado navarro se recomponía de su traspié y se daba la vuelta. Sus hombros subían y bajaban por el esfuerzo de la carrera, y mantenía el escudo de lágrima peligrosamente bajo mientras el hierro de su arma tocaba casi el suelo. Óbayd comprendió por qué el Calvo le había aconsejado calma.

El de Guadix encaró al navarro y fintó un par de veces. En la primera ocasión, el cristiano retrocedió, pero en la segunda quiso contraatacar con un hachazo de través. El musulmán se limitó a inclinar el cuerpo hacia atrás y esquivó con limpieza el paso del hierro.

Los gritos de ánimo del ejército sitiador empezaron a transformarse en murmullos de desencanto. La salvaje arrancada del navarro, que parecía ir a embestir a su adversario y acabar con él a la primera arremetida, se estaba convirtiendo en un espectáculo penoso: el cristiano se había consumido con el inútil esfuerzo de la carrera y ahora no podía sacar partido al peso asesino de su arma, convertida en un lastre. Mientras tanto, el paladín de Guadix permanecía fresco y dejaba que el navarro cediera fuerzas. Así pareció por fin comprenderlo este, porque se agazapó en ademán defensivo. Sin embargo, el luchador musulmán, cuya baza estaba ya claramente expuesta, no permitió que el cristiano descansara. Fintó una vez, haciendo respingar al navarro; fintó una segunda, y en esta ocasión el cristiano no se dejó engañar; la tercera finta no fue tal. La hoja de la espada andalusí describió un arco vertical y cayó sobre el canto superior del escudo navarro, elevado en un agónico intento por parar el súbito ataque. El siguiente golpe, velada la visión del guerrero, llegó a ras de suelo y tajó su pierna izquierda. El movimiento había sido realizado con elegancia por el andalusí, tras recuperar el tajo vertical y flexionar las piernas para buscar la parte expuesta del enemigo. El navarro, sin fuerzas para gritar, cayó y su hacha rebotó contra el suelo de aquella tierra de nadie. Los vítores se elevaron ahora desde las almenas de Guadix y su paladín hizo un nuevo gesto de desafío hacia el ejército de Mardánish.

Óbayd traga saliva con dificultad. Una punzada de miedo recorre su piel y eriza su vello mientras el sudor le recorre las manos y cae por el arriaz de su espada. Observa la hoja, bellamente labrada, impoluto el filo en toda su recta extensión. Hamusk, a la diestra de Mardánish, adivina lo que pasa por la mente del arráez.

—Adelante, *jovencísimo* Óbayd —anima con sorna el señor de Segura—. Acaba con ese desgraciado.

El arráez levanta la vista. En la tierra de nadie, Ibn Tufayl sigue el duelo como espectador privilegiado. El paladín de Guadix, terminado su alarde ante el ejército sitiador, enfunda su espada, extrae una daga y se inclina sobre el vencido. Álvar Rodríguez aparta la mirada. No quiere ver cómo el musulmán levanta el almófar del navarro para degollarlo y acabar el negocio. En lugar de ello, advierte el temblor que las manos de Óbayd empiezan a mostrar. El Calvo deja pender la maza de la correa que la une a su muñeca derecha, tira del almófar forrado de piel y se cubre el cráneo afeitado. Se cala el yelmo y, mientras lo enlaza bajo la barbilla, inclina la cara y la acerca al oído del arráez.

—Déjame a mí.

El muchacho no contesta. Prefiere caminar hacia la tierra de nadie; pausadamente, como le ha aconsejado el conde de Sarria, sobreponiéndose al miedo a morir y pensando solo en la gloria que tanto anhela. Su respiración entrecortada suena lejana a sus propios oídos, y siente cada latido del corazón. La muralla rojiza se torna gris y todo se oscurece. El mundo se reduce ahora a aquel guerrero guadijeño que limpia la daga ensangrentada en el cuero que recubre su adarga. Las tornas han cambiado. El ejército sitiador calla y los más negros presagios lo invaden. Todas las riquezas de Guadix y Baza, que antes consideraban prácticamente ganadas y repartidas, quedan ahora lejos del alcance de Óbayd y sus compañeros. Por el contrario, las murallas de la ciudad hierven de entusiasmo. Algunos estandartes ondean al ser balanceados por sus dueños, y los insultos y burlas cruzan el aire sobre el rostro sonriente y burlón del guerrero de Guadix. Óbayd, que no oye las carcajadas ni las injurias, se fija un instante en esa cara. En su gesto tranquilo. El arráez apenas puede contener su terror, pero el enemigo no da muestras de él. Eso desconcierta a Óbayd. A su mente acuden como sombras raudos pensamientos que se obliga a desterrar. Tentaciones de detenerse, retroceder y excusarse. Un súbito mareo, tal vez... Pero no puede hacerlo. No debe. Todas las miradas están puestas sobre él. Se pasa por la cara el dorso del puño que aferra la espada. Suda. A torrentes. ¿Lo ven los demás? ¿Acaso no son capaces de oír el retumbar de su corazón? Es el sonido del miedo. Óbayd se obliga a mantener la mirada fija en la del enemigo. Él sigue sonriendo, como si el duelo fuera un mero trámite. Tal vez lo es.

El arráez llega al lugar de la lucha, a la derecha del cadáver del primer paladín. Aunque ha querido evitarlo, acaba de mirar directamente al charco de sangre que crece bajo el guerrero navarro. La tierra parece negarse a absorber el líquido, que corre en dirección a Óbayd. Una súbita aprensión ataca al muchacho. Sus ojos quedan atrapados bajo el charco oscuro que crece y crece. Ese hombre estaba vivo hace apenas un instante, y ahora...

—Ese presuntuoso de Óbayd está acabado —presagia Hamusk desde las filas de Mardánish. No hay rastro de pena en la voz del señor de Segura—. Esperemos que nuestro amigo Álvar nos saque de este apuro, o seremos el hazmerreír de todos.

El rey del Sharq, a su lado, desvía la atención del inminente duelo entre su cuñado y el paladín de Guadix.

—Tal vez deberías haberte presentado tú voluntario para luchar.

Hamusk aprieta los dientes ante el comentario de su yerno, pero el duelo vuelve a atraer la atención de todos. Acaban de cruzarse las espadas de los dos duelistas. El primero en atacar ha sido el de Guadix. Lo ha hecho sin fuerza, con la clara intención de medir a su rival. Óbayd levanta el escudo, para sin dificultad y devuelve el golpe. Todo muy trivial. Se suceden algunas estocadas y tajos abiertos, claros, directos. Uno golpea y el otro detiene y, a continuación, cambian sus papeles. Siguen los pasos de una danza que va cobrando velocidad a medida que se suceden los ataques. El Calvo comprende de inmediato la intención del guerrero enemigo. Con el navarro se ha limitado a aprovechar su fatiga, ha dejado que se cansara antes de entrar en combate y luego no le ha permitido recuperarse para ganar el terreno perdido. Ahora, con Óbayd, el de Guadix pretende que el arráez se confíe, que entre en el juego del duelo simple y limpio. Y parece claro que en aquellos instantes el muchacho gana firmeza: se le ve golpear, defender, encadenar espadazos, detener los intentos de su adversario. Álvar Rodríguez nota que la desazón crece en su interior. Tiene forma de vacío. Una nada que sube desde el estómago y se detiene en la garganta. Él es guerrero experimentado. Conoce el sabor del miedo, tanto propio como ajeno; es capaz de verlo en la mirada de un enemigo, en su forma de moverse y de respirar. Sabe reconocerlo en sí mismo también. Y sabe dosificarlo, saborearlo y, si es necesario, tragarlo. Ahora el cristiano observa esa experiencia en el paladín de Guadix, y ve que el joven arráez Óbayd se siente superior al navarro caído, y tal vez incluso capaz de derrotar a su oponente. El Calvo sabe que se equivoca. En cualquier momento, cuando el arráez se haya hundido por completo en el ritmo impuesto por el de Guadix, este le sorprenderá. Y Álvar no quiere que eso ocurra. Siente simpatía por Óbayd. Por la forma que ha tenido de aceptar el duelo y por cómo ha vencido al pánico inicial. Álvar Rodríguez empieza a avanzar. Tímidamente al principio para no llamar la atención de nadie, con más celeridad después, al ver que todos mantienen sus miradas fijas en el duelo entre los dos andalusíes.

De repente, el intercambio de golpes, que había alcanzado una cadencia rápida y acompasada, se trunca. El de Guadix se arroja hacia Óbayd e impacta con su adarga en el escudo del arráez. El muchacho, pillado por sorpresa, se ve impelido hacia atrás, y el paladín enemigo le lanza una fuerte lluvia de tajos desde todas direcciones que obligan a Óbayd a mover su escudo a un lado y a otro: lo sube para detener un golpe y lo baja para atender al siguiente movimiento del de Guadix; lo cruza ante sí para evitar una estocada y retrocede para no verse arrollado y llevado al suelo; mueve de nuevo su defensa para interceptar un repentino tajo de través... Entonces, el paladín enemigo salta con la pierna por delante y patea con nervio inusitado el escudo de Óbayd. El arráez pierde pie, cae hacia atrás y vuela por encima de los terrones de alguna abandonada huerta del arrabal; se desploma sobre el suelo con resonar de hierro, y Álvar Rodríguez ahoga un juramento. Un gruñido de triunfo escapa de la garganta del de Guadix, y descarga un potente golpe con la espada sobre el torso ahora descubierto del arráez. El filo no puede romper la cota de doble malla, pero el muchacho se encoge sobre sí mismo y deja escapar todo el aire de sus pulmones al sentir el hierro de las anillas clavándose en la carne a través del jubón.

En ese momento, llega Álvar Rodríguez con su maza de guerra empuñada y llama la atención del de Guadix.

—¡Has vencido esta lid! ¡Yo soy el siguiente! —Avanza para interponerse entre su enemigo y el cuerpo magullado de Óbayd.

El de Guadix no ha visto venir al gigantesco Álvar Rodríguez. Desiste momentáneamente de rematar al joven arráez y retrocede sin perder la cara al cristiano. Su respiración está acelerada, pues el duelo con Óbayd ha sido largo para lograr la confianza del muchacho. Se dispone a darse un respiro al ver que tiene ante sí a un guerrero formidable que le sobrepasa con claridad en tamaño y fuerza. Sin duda, piensa el de Guadix, se trata de la última y mejor baza del ejército sitiador. El Calvo se detiene junto a Óbayd y lo protege con su presencia. Hace resbalar el escudo por encima del hombro y lo embraza con un gesto hábil y mil veces repetido. Mantiene la maza baja.

Tras él, el joven arráez se retuerce de dolor. La espada del enemigo ha hundido la loriga y tal vez incluso tenga algún hueso roto. Álvar Rodríguez escucha ausente los lamentos, pero sabe que ahora no es solo su vida la que depende de que él triunfe en el tercer y último duelo. Vuelve el extraño sentimiento de simpatía hacia el muchacho caído. Como si salvar su vida fuera mucho más importante que conquistar Guadix y Baza enteras.

—Has luchado con honor y tu derecho es acabar con la vida de este hombre —el Calvo habla al vencedor aunque señala con la maza al derrotado arráez—, pero te pido que la respetes si ganas el último combate.

El de Guadix observa extrañado al cristiano. Sigue agazapado tras su adarga, ganando el precioso tiempo que le permitirá recuperarse antes de medir fuerzas y habilidad con aquel gigante.

—¿Habría podido esperar lo mismo de él? —habla por fin el paladín andalusí en un aceptable romance—. De haber vencido, yo estaría ya muerto. Y si tú me derrotas, también me matarás.

Álvar Rodríguez, fiel a su condición de caballero, imbuido de cortesía poética, alza la voz para que el venerable Ibn Tufayl, que permanece cerca del lugar del duelo, le oiga.

—¡Te prometo que respetaré tu vida en caso de derrotarte! ¡Promete tú que respetarás la de mi amigo vencido!

—No te creo —repone de inmediato el de Guadix—. No cumplirás tu promesa. Y aunque así fuera, los amigos de ese hombre —señala al navarro muerto, que ahora, con el trajín del segundo duelo singular, ha quedado algo alejado hacia las murallas— reclamarán venganza.

—Debes creer en mí. Soy Álvar Rodríguez, conde de Sarria, y de nada me sirve vivir sin honra. Yo podría haber atacado sin permitir que te recuperaras; pero no sería justo, pues ya te has medido con dos paladines. Para mí no hay honor ni gloria en vencer a un hombre derrengado, y mucho menos en incumplir mi palabra. Ese hombre —el Calvo apunta con su maza a Ibn Tufayl— es testigo de mi promesa. ¿Qué más debo hacer para que creas en mí?

El paladín andalusí reflexiona unos instantes, que se alargan mientras termina de recobrar el aliento. Mira a los ojos grises del Calvo, resplandecientes de ira pero francos como el agua limpia. Lo que ve en ellos es tan convincente que sus dudas se disipan.

—Sea —dice, y avanza resueltamente hacia Álvar.

Los dos paladines alzan sus escudos y se aproximan. A su alrededor se ha formado un triángulo en el centro de la tierra de nadie: en un vértice termina de desangrarse el cadáver del guerrero navarro; más allá permanece atento y callado el visir Ibn Tufayl y, entre ambos, en el tercer ángulo, se retuerce de dolor el arráez Óbayd. En lo alto de las murallas de Guadix, los sitiados disminuyen su fervor al comparar las figuras de los combatientes. No es de extrañar. El Calvo aventaja en tamaño con mucho al andalusí, aunque la rapidez está de parte de este. En las filas de Mardánish, el rey del Sharq asiste preocupado al último duelo. Dos de sus hombres yacen derrotados y el enemigo ha demostrado hasta el momento una astucia sin par. Tensa los músculos de la mandíbula y resopla. Espera que el Calvo pueda hacer valer su tremendo tamaño y su fuerza descomunal.

El primer mazazo de Álvar Rodríguez rasga el aire. Lo lanza en horizontal, en busca de la cabeza de su adversario. Este retrocede, sabedor de que no puede oponer nada a aquella arma pesada y maciza. Al no encontrar su objetivo, el Calvo permite a su brazo girar por encima de la cabeza y avanza mientras encadena un segundo golpe. El de Guadix se mueve deprisa. Se desplaza a los lados y atrás, con lo que obliga al cristiano a moverse también. A ojos de todos parece estar repitiéndose el primer duelo con el navarro. Pero Álvar Rodríguez es un guerrero veterano. Sabe que para sus enemigos solo hay dos opciones: mantenerse lo suficientemente alejados o, por el contrario, aprovechar su menor tamaño y rapidez para colarse en su guardia y atacarle muy, muy de cerca. Además ha visto luchar ya dos veces a aquel paladín de Guadix, y sabe que semejante campeón escogerá la segunda opción. Él está ya esperándole.

La decisión se demora en llegar. Al igual que ha ocurrido con el navarro muerto, el andalusí confía en ablandar primero a su enemigo cristiano con la fatiga, por lo que evita el contacto al tiempo que revolotea a su alrededor. El Calvo, empero, no se deja llevar. Mantiene el ritmo de sus mazazos, aprovecha cada giro, se abstiene de atacar con furia total, controla en todo momento cualquier posibilidad. Sabe que es así como se vence: evitando el fallo y buscando el del contrario. O provocándolo.

El Calvo se detiene, gruñe y asienta ambos pies en tierra. Tose un par de veces y lanza un nuevo mazazo, esta vez descontrolado. Pasa a mucha distancia de su enemigo, pero el peso de la maza le arrastra a la izquierda y le hace girar, con lo que descubre su costado como una diana grande y cubierta de mallas. El de Guadix reacciona como un gato. Ni siquiera se permite alegrarse del fallo del adversario. No hay tiempo para eso. Ahora es momento de matar, luego ya vendrán las alharacas. Se arranca con un alarido, seguro de no errar el tajo ante objetivo tan claro. Pero Álvar, lejos de moverse dominado por su arma, ha continuado girando sobre sí mismo. El enorme escudo de lágrima reaparece ante el rostro del paladín andalusí justo cuando está a punto de alcanzar el objetivo, y precisamente por ello no puede interponer su propia adarga. El cazador es cazado. La bloca del Calvo impacta con fuerza en la cara del de Guadix y dobla el nasal del yelmo. Sus pies se elevan y, durante un momento, parece que el cuerpo del andalusí flota en el aire junto a Álvar. Luego se desploma como un fardo y levanta una pequeña nube de polvo a su alrededor.

Un atronador chillido de victoria se alza en las filas del ejército sitiador. Las lanzas suben y se despliegan los pendones. Unos y otros se felicitan por el resultado del último duelo. Álvar Rodríguez, jadeante, aleja de un puntapié la espada del de Guadix y se acuclilla junto a él. El andalusí ha perdido la consciencia y sangra con profusión por la nariz, aplastada por la pieza metálica del nasal. El cristiano mira hacia sus filas y cree ver la expresión de alivio en la cara de Mardánish. No es para menos. Ha empezado luchando por salvar a Óbayd, pero ha terminado peleando al filo de su propia supervivencia. Susurra para sí mientras intenta controlar el temblor de sus piernas.

—Por poco. Por muy poco.

Mardánish fue el primero en acercarse a la carrera. Se aproximó antes de nada a Óbayd, que yacía hecho una madeja a unas varas. Habló en voz baja al joven arráez mientras le tomaba una mano, le felicitó por su valor y le animó con palabras de agradecimiento y elogios a su coraje. Luego miró al Calvo.

—He dado mi palabra a este guerrero de que se respetaría su vida —dijo Álvar.

Con eso fue suficiente. El rey del Sharq asintió y se dirigió pausadamente hacia donde seguía en pie Ibn Tufayl. La cara del visir ya no mostraba gesto de desafío, sino de desencanto. Aguardó en el lugar mientras el ejército sitiador se mantenía apartado, celebrando el triunfo pero a la espera de las órdenes de su líder. Solo Hamusk cruzaba la tierra de nadie en dirección a Mardánish. Ibn Tufayl habló sin asomo de temor.

—Guadix te será entregada, así como sus tierras. —El visir hizo un movimiento de abanico con el brazo—. Dispondrás de todas sus riquezas. Queda por ver si tú cumplirás tu palabra.

—Aunque me has llamado tirano, viejo, te demostraré que la palabra de Mardánish vale tanto como la que más. Vuelve ahora a Guadix y que tu señor Ibn Milhán disponga todo para que me sea entregada. Aquel que lo desee podrá abandonar la ciudad con las posesiones más preciadas que pueda reunir hasta el atardecer, pues no tengo necesidad de oro. Entregad vuestras joyas a los almohades y decidles que el Sharq al-Ándalus considera como su bien más preciado la libertad, y que renuncia a las riquezas. Quien así lo quiera puede permanecer en Guadix. Su vida y su hacienda están garantizadas y su única obligación será reconocerme como señor. En cuanto a vuestros guerreros, todo el que se atreva puede alistarse en mis filas. Los demás serán desarmados y partirán como cualquier otro ciudadano.

»Ah, y a ti, Ibn Tufayl, te ofrezco un puesto en mi corte. ¿Qué dices?

El visir cruzó la mirada con la de Mardánish durante unos instantes. Señaló al paladín inconsciente derrotado en el suelo.

—El guerrero cristiano ha prometido respetar su vida —apuntó.

—No solo eso. Si lo acepta, ese hombre pasará a formar parte destacada de mi ejército.

Ibn Tufayl asintió.

—Antes del atardecer se habrá cumplido tu voluntad. Abriremos las puertas y empezaremos a salir. Yo no te acompañaré a tu corte, pues hace tiempo que deseo conocer en persona a esos almohades de quienes tanto se habla.

—No puedo creerlo. —Mardánish señaló las copas de los cipreses, que sobresalían tras las murallas adornadas con plantas trepadoras—. No es cabal que cambies esta belleza por la desolación almohade.

Ibn Tufayl no disimuló su desprecio.

—*Los placeres de la vida son efímeros* —señaló al cielo con el índice derecho—, *hay que pensar en la vida futura y temer a Dios.*

El visir se marchó sin más. La decepción que podía haber sentido Mardánish quedaba bajo una gruesa capa de satisfacción por el resultado del duelo final. En ese instante, Hamusk llegó hasta él.

—No estás actuando bien, yerno —le reprochó mientras examinaba la línea de las almenas repletas de enredaderas—. Esto servirá como ejemplo a otras ciudades. Un ejemplo muy malo. La gente no capitula sino por miedo, y lo que estás demostrando es una debilidad impropia de un rey. Tú debes llegar y arrasar, masacrar a tus adversarios y saquear. Que todos los enemigos sepan que deberán someterse de inmediato o morir. Nada de pactos y duelos singulares. Eso son estupideces cristianas.

Mardánish miró a su suegro como si no lo conociera.

—Por nuestras venas corre tanta sangre cristiana que no veo el problema. Además, míralos. —Señaló al ejército de asedio, aún dominado por la euforia—. Son ellos los que están aquí como vencedores. Cristianos. Hace apenas cien años seguían encerrados en sus cuevas, ocultos en montañas. ¿De verdad piensas que sus *estupideces cristianas* no sirven de nada?

Hamusk rezongó algo por lo bajo y señaló al paladín de Guadix, que empezaba a removerse a los pies de Álvar Rodríguez.

—Da al menos un ejemplo con él. Que todos conozcan las consecuencias de enfrentarse por las armas a nosotros. Déjamelo a mí. Lo crucificaré a la puerta de Guadix, y así los que se vayan al sur podrán contar a los almohades cómo las gastamos con...

—Ni hablar. El conde de Sarria ha dado su palabra y debemos respetar la vida de ese guerrero. Es más, pienso hacer que lo curen mis médicos y le ofreceré luchar por mí. Es un soldado admirable.

Hamusk rio a su estilo, y la carcajada, estridente y enojosa, llenó la tierra de nadie de burla.

—Los ulemas tienen razón: todo está al revés en el Sharq al-Ándalus. Las mujeres aplastan las rebeliones a degüello y los hombres perdonan a sus enemigos. Eres incauto. Yo soy quien te dice ahora que los mires. —Hamusk apuntó a las filas del ejército sitiador—. Los mismos que ahora te aclaman como su líder te traicionarán mañana, justo cuando todos aquellos a los que vas a dejar irse de Guadix marchen contra ti junto con esos cabreros africanos. Entonces te arrepentirás de lo que vas a hacer hoy.

5

El paraíso en la tierra

Primavera de 1153. Murcia

A la vista de las murallas, Mardánish suspiró. Allí estaba su capital, Murcia. Y dentro, su favorita, sus hijos, su palacio, su gente. Ardía en deseos de verlos a todos y de mostrarlos con orgullo a sus nuevos amigos cristianos. Quería que estos se sintieran cautivados por la belleza de su reino. Enseñarles cuánta opulencia guardaba y tentarlos con ella.

Atrás quedaban la frontera sur, pacificada y segura, y los enemigos convertidos en aliados. El más importante, sin duda alguna, el paladín de Guadix. Este resultó ser un veterano mercenario al que todos llamaban al-Asad, *el León*. El tipo había batallado a sueldo de los almorávides en África, y de allí le venía la fama de hábil y astuto luchador. Sin embargo, el empuje almohade le había obligado a cruzar el Estrecho y, atraído por las riquezas de Guadix, se había establecido en dicha ciudad. Mardánish se alegró de que al-Asad aceptara su propuesta. La nariz le quedó deformada, con un feo corte allí donde el nasal se había hundido en la piel, pero a él no pareció importarle mucho, tal vez porque aquello le daba un aspecto aún más fiero; y a la gente de su jaez, eso era sabido, nunca le venía de más una cicatriz que enrabiara su porte. Esa misma era la causa de que al-Asad, de piel tostada y áspera, de cabello abundante, negro y rizado, gustara de vestir siempre aquella loriga medio rasgada, de embrazar la adarga cubierta de cicatrices y empuñar la espada sin afilar. Lo único que cuidaba era su daga, con la que afirmaba haber degollado a centenares de enemigos. Impresionado por su pasado y por la forma de luchar ante las murallas de Guadix, Mardánish hizo caso omiso a su suegro, que continuaba empeñado en dar un escarmiento usando a al-Asad como ejemplo. El guerrero fue puesto al mando de la guarnición de la ciudad, que ahora pasaba a ser la punta de lanza de Mardánish en el sur, dirigida justo hacia la dubitativa Granada. En cuanto a Ibn Tufayl, tomó el rumbo del mediodía para encontrarse con los almohades, al igual que su señor Ibn Milhán. El hermano del Jardinero, que gobernaba en Baza por él, rindió de inmediato la villa y del mismo modo prefirió el camino del sur. El reino de Mardánish crecía, y las tierras de ambas ciudades aportaban al Sharq las riquezas de sus viñas, olivos, frutales y moreras.

Así las cosas, el emperador Alfonso, que había permanecido en su admirada Lorca con idea de unirse al cerco de Guadix, se vio sorprendido por el rápido desenlace, en nada parecido a su permanente incapacidad para hacerse con Jaén. Asegurada pues la frontera oriental con la línea entre Almería, Guadix y Segura, volvió a finales de año a Toledo acompañado por la mayor parte del ejército empleado por el rey del Sharq, enriquecidos los guerreros por una generosa paga y por el saqueo de las tierras circundantes a Guadix, Baza e incluso Granada. Al viajar de vuelta a sus dominios, el emperador Alfonso recorrió las tierras de Mardánish y fue aclamado en cada aldea.

Pero no todo eran buenas nuevas y felicidad. Unos días después de despedirse de Alfonso de León, Mardánish recibió en Lorca la noticia de que Ramón Berenguer, el príncipe de Aragón, había reanudado sus campañas en las proximidades de Lérida y atacaba las plazas que aún quedaban en poder musulmán. Aquello irritó al rey del Sharq, pues parecía que cada ganancia en el sur se correspondía con una pérdida en el norte; pero le dolía aún más que sus vasallos de la Marca Superior se sintieran abandonados mientras él luchaba por engrandecer su reino en el mediodía. Así pues, tomó la decisión de trasladarse al norte y visitar sus fortalezas más avanzadas en la Marca, especialmente la de Albarracín, que consideraba crucial para mantener su defensa frente a Ramón Berenguer.

A punto de entrar la primavera y dominada ya totalmente la nueva frontera del sur, tanto Pedro Ruiz de Azagra como Álvar Rodríguez acompañaron al rey del Sharq a Murcia con una pequeña hueste. Mardánish deseaba pasar allí unos días con su favorita Zobeyda antes de marchar al norte de su reino, donde había prometido emocionantes jornadas de caza al navarro. Y si Valencia era la Joya del Turia por su belleza, a Murcia se la conocía como al-Bustán, la Huerta. Tanta era su feracidad. Tanta, su fortuna. Azagra y el Calvo quedaron encantados con la capital del Sharq al-Ándalus. La ciudad hervía de riqueza ya antes de llegar a ella. Un dique río arriba retenía el Segura y lo encauzaba por dos grandes acequias, y estas después se dividían como arterias surgidas del corazón del Sharq. Los canales fragmentaban la tierra en parcelas plagadas de pinos, álamos y sauces, y los caminos estaban atestados de comerciantes que o bien recorrían la ruta hacia cualquiera de los puertos de la costa, o bien marchaban hacia el interior, a Castilla, o bien viajaban a abastecer de riquezas llegadas del otro lado del mar a Chinchilla, Elche, Lorca o Caravaca. Dentro de las murallas de Murcia, tanto el Calvo como Azagra se admiraron de la vitalidad de la ciudad y supieron por qué recibía su sobrenombre: las huertas muradas la desbordaban. Los murcianos, al saber que su rey entraba en la villa después de muchos meses de ausencia, le prodigaron un recibimiento florido. Los pobladores se agolpaban a ambos lados de las atestadas y estrechas calles, arrojaban pétalos de rosa a la pequeña comitiva, bendecían el nombre de su rey y saludaban risueños a sus acompañantes. Álvar Rodríguez ya había disfrutado de la hospitalidad de Valencia, y ahora observaba con diversión el asombrado rostro de Pedro de Azagra, para quien todo era nuevo e inesperado. Allí, incluso lo que creían saber resultaba falso; según la ley musulmana, las mujeres libres no podían mostrarse; tenían la obligación de permanecer en el hogar, recluidas tras paredes sin ventanas y, en caso de salir, debían conducirse siempre por calles poco frecuentadas y evitar el gentío y los mercados. Y eso siempre con el rostro cubierto. Solo en el cementerio tenían permitido despojarse del *litam*. Pero nada de aquello valía en el Sharq al-Ándalus de Mardánish. Pedro de Azagra sonreía azorado a las jóvenes, todas de piel reluciente y hermosura deslumbrante, que caminaban un trecho junto a cada caballo y parecían prometer su amor mientras un suave aroma de agua de manzana flotaba tras ellas. Era como si en aquella ciudad se celebrara la belleza y todos estuvieran obligados a mostrarla. Los comerciantes decoraban las entradas de sus tiendas con la orfebrería más exquisita, y los dones de la tierra lucían coloridos en cestas apiñadas en cada puesto ambulante. Higos de Málaga, cerezas tempranas de Granada, plátanos de Almuñécar. Género que llegaba de toda la Península, cristiana o musulmana, y de allende el mar. Mardánish les explicó sobre la marcha que el zoco no era suficientemente grande para reunir todos los puestos, así que los comercios se alternaban con las viviendas y los palacetes a lo largo y ancho de Murcia. Los dos cristianos pudieron ver cómo las bienvenidas les llegaban también desde las altas celosías, de las que escapaban risas adolescentes. Algunos de aquellos altillos habían sido abiertos y, contra lo prescrito, ventanales luminosos mostraban concurridos grupos de mujeres que asomaban sin pudor alguno sus rostros y cabellos. Los niños corrían al lado de las monturas y estiraban los brazos para ofrecer a los recién llegados una fruta o una flor, y los hombres, elegantemente vestidos, se inclinaban al paso de la comitiva. Azagra pudo ver los jubones amarillos que, por propia voluntad, solían llevar los judíos, agrupados entre los mahometanos y jubilosos igualmente por la llegada de su rey. También pudo observar los crucifijos de madera que pendían de las gargantas de no pocos hombres y mujeres que, aun con todo, parecían por el porte musulmanes. Los comerciantes italianos sonreían del mismo modo desde las ventanas de sus oficinas y alhóndigas, y a través de ellas podían verse los muros interiores de aquellas mansiones, repletas de mercancía almacenada y decoradas con tapices y murales que habrían hecho palidecer los salones reales de los palacios de Navarra o Castilla.

Cuando por fin entraron en el alcázar, tanto Álvar Rodríguez como Pedro de Azagra se lanzaron a hablar con entusiasmo de la prosperidad de Murcia. El navarro no paraba de admirarse de la belleza morena de las muchachas y preguntaba al Calvo si las valencianas eran tan hermosas. En esa discusión estaban cuando, en uno de los salones del alcázar, trinaron los gritos de los chiquillos.

Las ayas de los pequeños dejaron en el suelo a dos de ellos, un niño y una niña de unos tres años, de cabellos rubios y tez clara que de inmediato corrieron hacia Mardánish. El niño adelantó a su hermana y se lanzó en brazos de su padre, que lo acogió con una risotada. Enseguida ocupó el brazo libre con la pequeña. Los dos cristianos observaron el tremendo parecido de los críos entre sí y el Calvo reconoció de inmediato en los rasgos de la niña la belleza inigualable de Zobeyda.

—Os presento a mis dos pesadillas, Hilal y Zayda —mostró orgulloso Mardánish a sus hijos—. Ambos nacieron a la vez.

—¿Tu heredero? —preguntó Azagra.

—Eso deberá ganárselo. Aunque si Hilal tiene la mitad de carácter que su madre, creo que no habrá duda. Pero ved, pues aparte de Zobeyda, tengo dos mujeres y varias concubinas, todas ellas sanas y fuertes. Me han dado ya otros dos hijos, y pienso engendrar más aún.

Las demás ayas le presentaron a dos bebés llamados Gánim y Azzobair, a los que besó en la frente. Cambió unas palabras con las nodrizas y, tras repartir algunas órdenes, quedó de nuevo a solas con Álvar Rodríguez y Pedro de Azagra. Varios sirvientes situados junto a las puertas las fueron abriendo al paso de los tres hombres hasta que llegaron al *maylís* del alcázar, un espacioso y oblongo salón de banquetes provisto de una larga mesa a cuyo alrededor se extendían sillas de madera labrada. El lugar de honor, en la cabecera de la mesa más alejada de la entrada, lo ocupaba un estrado sobre el que había un suntuoso trono de ébano. A lo largo de cada pared corría un banco que rodeaba la estancia, alicatado con cerámica esmaltada de suaves colores y cubierto de cojines ricamente bordados. El techo se extendía en una bóveda presidida por una imponente estrella de ocho puntas, de la que brotaban nervios plateados que a su vez se deshacían en otros y se perdían en un sinfín de estrellas menores, cientos de ellas, que decoraban el techo a modo de cielo. Aquel motivo geométrico, conformado por la unión de dos cuadrados, podía verse en todas las paredes como raíz de las líneas de arabescos que se entrecruzaban. Tanto el Calvo como Azagra quedaron hipnotizados por la constante repetición de motivos que se proyectaban hasta el infinito y creaban una agradable sensación de armonía. Para rematar aquella placentera languidez, las celosías se alternaban con ventanales ciegos ocupados por brillantes superficies vidriadas, lo que creaba un juego de luces y reflejos que confundía y enviaba los furtivos rayos de sol hacia arriba y a los muros. Así, si ahora destellaba la enorme estrella de los Banú Mardánish, después lo hacían los grandes tapices de seda de Valencia y terciopelo armenio. El Calvo y Azagra observaron extasiados las escenas lascivas bordadas en alfombras y lienzos, pues en ellas se mostraba a cazadores desnudos que asaeteaban ciervos y a jóvenes muchachas que se bañaban en arroyos mientras criaturas extrañas y de rostro humano, pero con atributos de animal, hacían sonar raros flautines.

El rey del Sharq dio un par de palmadas y dos criados se acercaron a la carrera.

—Vino y algunas golosinas para mis invitados. Avisad a Abú Amir. Que venga a mi presencia.

—Es impresionante, por santa María —reconoció Pedro de Azagra—. Tanto lujo raya en el pecado.

Mardánish sonrió ante el comentario.

—No te apures, amigo mío. Hay varias iglesias cristianas en Murcia. Podrás ir allí a pedir perdón por tanto gozo.

Álvar Rodríguez rio mientras pasaba la mano por la suave superficie de la mesa de madera y descubría pequeñas estrellas de ocho puntas de marfil incrustadas en la superficie. Mardánish se sentó en una de las sillas bajas e invitó a sus dos compañeros a hacerlo junto a él.

—La ciudad que he visto al venir hasta este palacio rezuma prosperidad —siguió Azagra, que no abandonaba su sorpresa—. No creo que tenga mucho que envidiar a Roma o Tolosa.

—Ah, exageras, amigo Pedro. —Mardánish hizo un gesto para quitar importancia a todo cuanto le rodeaba—. Esto es casi como un sueño. Algo efímero. Una bella paloma a la que acechan un halcón, un gato montés y un cazador. Sus plumas se dispersarán y caerá atravesada a picotazos, dentelladas o flechazos.

—No puede ser —intervino Álvar Rodríguez—. Nosotros lo evitaremos. Este sueño durará siempre...

—Me gustaría creer eso. —La voz musical de Abú Amir resonó en el salón y sorprendió a los tres guerreros—. Pero las noticias que llegan del norte parecen indicar lo contrario.

Álvar el Calvo se apresuró a estrechar la mano de Abú Amir y se lo presentó a Pedro Ruiz de Azagra. Luego el médico y consejero se inclinó largamente ante su señor y tomó asiento al tiempo que varios sirvientes llegaban con botellas de vidrio dorado, de las que escanciaron vino aromatizado con jengibre en copas de plata. También llevaron bandejas con galletas de sésamo, buñuelos de harina y pasteles de almendra.

—¿Es que hay más noticias de la Marca Superior? —se interesó Mardánish cuando los sirvientes abandonaron la sala.

—Así es —confirmó Abú Amir—. El príncipe de Aragón ha tomado Mora y Miravete, en la ribera del Ebro, y amenaza la fortaleza de Prades.

El rey del Sharq golpeó con el puño sobre la mesa.

—Lo hace poco a poco, poco a poco... —masticó las palabras—. Maldito perro. De nada sirven las palabras del emperador Alfonso, ni las parias que pagamos por su *protección*. Sin duda sabía que yo me hallaba al sur, en Guadix...

—Era de esperar —opinó Abú Amir—. Todos éramos conscientes de que esas plazas caerían. Cuando Ramón Berenguer tomó Tortosa, la suerte de las ciudades del Ebro quedó sellada. Y a poniente es peor, aunque por el momento se ve frenado por Albarracín.

»No puedes impedir que Prades sea rendida, pero aún puedes mantener a Ramón Berenguer al norte. Sus ataques son restringidos, con pocas fuerzas. Se limita a llegar y hacerse en el momento oportuno con una o dos poblaciones. Renuncia a moverse con un gran ejército por tu territorio, supongo que para evitar el enfrentamiento.

—¿Qué propones?

—Envía fuerzas a la Marca. Sé que piensas dirigirte a Albarracín para dejarte ver por tus vasallos. Bien. Pero haz algo más. Acantona fuerzas allí y demuestra al príncipe de Aragón que a partir de ahora deberá luchar. Lo dijo el poeta: *a menudo se tiene en poco al león cuando está recostado*. Escucha:

»En Valencia vive Abd al-Wahid al-Ansarí, antiguo cadí de Lérida, un hombre justo y letrado. Al igual que yo, huyó de su tierra por culpa de Ramón Berenguer. Ponlo al frente de tus tropas en Albarracín y Alpuente y mantén bajo su mando un ejército. Tú ahora podrás disponer de guerreros cristianos, así que no te costará destacar a tus vasallos mahometanos a la Marca Superior.

—Pero Granada... —empezó a protestar Mardánish, que pensaba iniciar enseguida la campaña para hacerse con la ciudad del Darro.

—Si Albarracín cae, toda la Marca Superior se habrá perdido. El príncipe de Aragón lo sabe, y tú también.

El rey del Sharq dio un nuevo puñetazo en la mesa, se levantó y anduvo cabizbajo a lo largo de la sala, hacia el trono reservado para él en los banquetes.

—He dispuesto de un hermoso ejército para conquistar Guadix —sus palabras resonaron en las paredes ornamentadas—, pero no puedo contar con él para Granada. El emperador Alfonso tiene sus propias preocupaciones...

—Puedes contar conmigo, ya lo sabes —se alzó en toda su altura Álvar Rodríguez.

—Lo sé, amigo mío. Pero por desgracia no es suficiente. —Mardánish miró desde la distancia a Pedro de Azagra. Este carraspeó y dio un trago al vino aromático.

—Debes convencer a tus aliados cristianos —opinó Abú Amir—. Y has de ofrecer buena paga a sus huestes. No de inmediato, puesto que tus posesiones del mediodía no parecen correr peligro ahora mismo, pero llegará el día en que necesites más tropas. Por de pronto viaja a la Marca Superior, mi señor, tal como habías pensado. Hazte ver por tus vasallos y promételes que instalarás allí un ejército para defenderlos del príncipe de Aragón. Estimula sus corazones, reparte donativos y premia a los desposeídos. Que sientan tu presencia.

Mardánish asintió desde la lejanía del extremo de la sala.

—Mañana mismo saldremos hacia la Marca Superior.

El *maylís* de banquetes del alcázar de Murcia era el lugar en el que Mardánish preparaba sus fiestas, una de sus debilidades y la razón de que muchos ulemas radicales predicaran contra él. El propio Abú Amir, tan experto en todo lo que apuntara al placer, se encargaba sistemáticamente de organizar los convites y de articular la elegancia de la corte. En aquellas fiestas solía presentar, además, todo un espectáculo para deleitar los sentidos. Abú Amir gustaba de las bailarinas, con las que diseñaba danzas y representaciones, y no pocas veces las hacía aparecer desde dentro de pequeñas estructuras de madera que semejaban castillos o embarcaciones, o las colaba en el salón por sorpresa desde rincones secretos. Uno de esos rincones estaba tras el tapiz del baño de Diana. El motivo, tan irreverente como todo lo que rodeaba a Mardánish, mostraba a la antigua diosa pagana completamente desnuda, poseedora de un cuerpo escultural, derramándose agua por encima de un hombro y rodeada de ninfas mientras, escondido tras un árbol, Acteón la espiaba y se disponía a ganarse su ira.

Cuando Mardánish, Abú Amir, Pedro de Azagra y Álvar Rodríguez abandonaron la sala de banquetes, Zobeyda, que había escuchado toda la conversación oculta tras el tapiz, retrocedió por un oscuro y angosto pasillo hasta desembocar en un corredor y en un patio dominado por una fuente de varios caños que vertía su agua en un estanque diseñado como estrella de ocho puntas. A su alrededor, las higueras se alternaban con granados y parras, y los arrayanes cubrían a trechos los soportales. Entre los árboles, desde la fuente, cuatro canalillos llevaban el líquido hacia los laterales del patio para simbolizar los cuatro ríos del paraíso con su contenido de agua, vino, leche y miel. Zobeyda se encontraba en las dependencias del harén, la parte destinada a residencia de las esposas del rey.

—De nuevo buscando problemas.

Zobeyda se volvió, sorprendida por el comentario. Encubierta por el bosque de columnas de mármol que rodeaban el patio, se hallaba Tarub, una de las concubinas de Mardánish y madre del pequeño Gánim. Eso la convertía en *umm walad*, una mujer que, a pesar de ser esclava, alcanzaba en prerrogativas a las esposas libres del rey.

—Ah, por favor, Tarub, no me importunes ahora con tus naderías.

La concubina traspasó con la mirada a Zobeyda, a quien consideraba una presuntuosa con ínfulas de reina cristiana. Se acercó a ella y anduvo a su alrededor, se mordió el labio inferior y envidió, como siempre, la abrumadora belleza de la favorita. Tarub también era hermosa, pero su figura había acusado el esfuerzo de llevar en su vientre y dar a luz a Gánim. Sin embargo, lo que más afectaba a su belleza era el permanente gesto de cólera.

—Piensas que puedes hacer lo que te plazca, pero tu dominio se limita al lecho de Mardánish. Nunca ha habido soberana en al-Ándalus, Zobeyda. Ni en África. Solo santas y sabias, y esas se guardaban muy bien en casa. Me avergüenzas. Nos avergüenzas a todas, tú y esas cuatro zorras que te sirven. Desiste ya de comportarte como un hombre y ocupa tu lugar.

—No eres quién para darme órdenes, esclava. Ni lecciones tampoco. Ocupa tú tu lugar con los eunucos y las otras concubinas, y déjame a mí vivir mi vida.

Tarub resopló de ira. Zobeyda la había recibido con desdén cuando llegó al alcázar, y no le importaba recordarle que no era una mujer libre, sino un objeto que Mardánish usaba para su solo disfrute. Que no era como las mujeres libres del rey, y ni de cerca podía compararse con ella, una noble andalusí que además ostentaba el título de favorita. Junto a la misma Zobeyda, las otras dos esposas legítimas, Lama y Layla, ocupaban lujosas estancias del harén, mientras que las concubinas vivían todas en una sola habitación en un rincón del patio. Tanto Tarub como las demás habían sido aceptadas como parte de tratos de amistad con familias principales de Murcia y Cartagena. Para colmo, en los últimos tiempos, Mardánish apenas requería a Tarub a su lecho. El rey no tenía obligaciones más que con sus mujeres libres, pero el hecho de que visitara a las otras concubinas y no a Tarub sumía a esta en la frustración. Una frustración que se traducía en odio hacia las otras esclavas y hacia las esposas libres. Y ese odio se desbordaba cuando se trataba de Zobeyda y de sus dos hijos. Ello le ocasionaba continuos arranques de cólera que colmaban la paciencia de Mardánish. El propio Gánim, a pesar de ser solo un bebé, parecía intimidado por la amargura que su madre destilaba, pues rompía a llorar en cuanto la nodriza lo dejaba en sus manos.

—Tú harás que todo esto se hunda —escupió Tarub sin poder aguantar el resentimiento. Zobeyda bufó hastiada y se dirigió con paso ligero a sus aposentos particulares, seguida por la voz rasgada de la concubina—. Yo también escucho tras las celosías, ¿sabes? Y he oído lo que se dice de ti. Eres una perra supersticiosa e infiel que reza a dioses paganos y copula con sus esclavas. ¡Puta! ¡Arrastrarás al rey al pecado y al vicio! Las buenas gentes se corrompen desde que llegaste a la corte... Ya no cuidan de sus hijos ni trabajan sus tierras; solo quieren yacer desnudos y atiborrarse de carne sangrante. Se emborrachan y eluden sus obligaciones religiosas. Eres un demonio, Zobeyda. ¡Un demonio!

Tarub tropezó con la puerta que se cerraba ante su cara, y la rabiosa mujer arañó la madera mientras escupía su veneno. Después de aporrear e insultar durante un rato, decidió que Zobeyda no valía la pena y regresó por donde había llegado, dispuesta a buscar otra víctima de sus celos.

La favorita esperó recostada contra la hoja de la puerta y suspiró cuando oyó alejarse los pasos de los pies descalzos de Tarub. Ante Zobeyda se alargaba un corredor a cuyos lados se abrían las estancias de sus servidoras personales, las cuatro jóvenes doncellas que gustaba de llevar consigo como asistentas y a las que había educado exquisitamente en el arte de la danza, la música y la poesía, tal como se había hecho con ella en Socovos y en Segura. Aquellas cuatro muchachas, que tanto daban que hablar, poseían además otros dones. Dones que servían a los propósitos de Zobeyda y que despertaban la envidia de las demás mujeres del harén. Anduvo hacia el final del pasillo, donde estaba su aposento privado. Olvidada ya la amargura de Tarub, reflexionaba sobre lo que había escuchado furtivamente oculta tras el tapiz de Diana: todos los esfuerzos que Mardánish hacía para extender el reino hacia el mediodía se veían inútiles al mirar al norte, hacia el odioso príncipe de Aragón. Recordó las palabras de su querido maestro Abú Amir: el Sharq al-Ándalus necesitaba tropas. Pero ¿de dónde sacarlas?

Al abrir la puerta de su aposento, Zobeyda se sobresaltó. Dos de sus doncellas, Zeynab y Sauda, estaban desvistiendo al rey al pie del lecho de la favorita. Ambas sonrieron a Zobeyda al tiempo que despojaban a Mardánish de la última prenda. La favorita se arrojó en brazos de él y buscó con avidez sus labios. La esclava Sauda, de piel negra como el ébano, se tapó la boca mientras reía y tiró de la túnica malagueña que cubría el cuerpo de Zobeyda, haciéndola resbalar por los hombros. En un rincón de la estancia, una ramita de sándalo ardía con lentitud perezosa, y la luz entraba tamizada por una celosía a medio cubrir. Zeynab apartó la seda que rodeaba el vasto lecho de la favorita y colocó delicadamente los cojines. Gateó sobre las sábanas, agarró a su señor por los hombros y lo arrastró hacia atrás. Mardánish quedó sentado y Zobeyda, de pie ante él.

—No he podido esperar más. Hace meses que deseo estar contigo —confesó él.

Ella sonrió y se quitó poco a poco los amuletos, las pulseras y brazaletes al tiempo que Sauda, con manos hábiles, terminaba de desvestirla y liberaba sus cabellos de los gladiolos que lo adornaban. La propia esclava, de ojos grandes y penetrantes que destacaban sobre su piel negra como luceros en una noche sin luna, recogió las joyas y, tras dar un suave beso en la mejilla de su señora, se apartó. Tanto ella como Zeynab iban descalzas, con manos y pies adornados y cubiertas con sutiles gasas que insinuaban cada curva y cada recoveco de su cuerpo.

Zobeyda dejó que Mardánish se regocijara con su cuerpo desnudo. En el vientre, como talismán, se había hecho escribir con alheña un corto versículo apócrifo: «Despierta el dulce deseo y domeña a los mortales». Se sentó a horcajadas sobre su esposo mientras este se vencía, de nuevo arrastrado por Zeynab, y algunos pétalos rebeldes resbalaron hasta posarse suavemente en la piel del rey. Las dos mujeres compartieron un momento de pícara complicidad. Zeynab, la eslava, de piel blanquísima y cabello tan rubio como el trigo, arrastró la trenza que ahora colgaba sobre su señor para acariciar su torso. Tanto ella como Sauda o las demás esclavas habían probado el lecho con Mardánish y Zobeyda infinidad de veces, pero aquella ocasión era solo para ellos dos, para los amantes reyes del Sharq. La eslava besó a su señora de igual modo que había hecho un momento antes Sauda y desapareció del aposento sin hacer el menor ruido.

6

El lobo negro

Unos días después. Marca Superior

El caballo de Mardánish piafó un instante antes de seguir subiendo la empinada y terrosa cuesta. El rey del Sharq golpeó cariñosamente el pescuezo del animal y le dijo unas palabras de ánimo. Más atrás, Pedro Ruiz de Azagra y Álvar Rodríguez escalaban la senda de acceso a la aldea que coronaba la colina. Tras ellos venían tres servidores tirando de algunos caballos y de un par de mulos con alforjas. Como avanzada, Mardánish había enviado a media docena de jinetes armados de su escolta para plantar su pabellón, pues no esperaba encontrar aposento adecuado en aquella aldeúcha mal encajada sobre roca y arcilla.

El líder de la pequeña comunidad salió a recibir a Mardánish a la puerta de la cerca que envolvía la aldea. Se trataba de un jefe militar que ejercía el puesto de caíd, pero que a juzgar por su aspecto llevaba mucho tiempo sin saber nada de la guerra.

—Mi señor Abú Abd Allah Muhammad ibn Saad ibn Mardánish, que Dios, ensalzado sea, alargue tu vida y te conceda innumerables hijos. —El caíd se postró en tierra y tocó el suelo arcilloso con la frente; a continuación se levantó, no sin esfuerzo a causa de su redondeada barriga—. Sé bienvenido a Tirwal. Esperamos tu visita desde ayer, y todos los pobladores se disponen a agasajarte con un banquete según nuestras pobres posibilidades. Mi nombre es Abú-l-Hassán ibn Yahwar ibn...

Mardánish dejó de prestar atención a la genealogía de aquel hombre, que se alargaba y alargaba como si conociera a todos sus antepasados hasta el mismo Abraham. Desvió la vista y observó la acertada situación de la aldea, en lo alto de una desigual muela y rodeada por una empalizada. Solo era accesible desde una de las laderas, y ello tras escalar la maldita cuesta por la que aún trepaban las mulas con el bagaje. El capitán del destacamento de escolta se presentó de inmediato a su señor, se situó junto al charlatán caíd y se dirigió a Mardánish como si el tal Abú-l-Hassán no existiera.

—Tu pabellón está montado, mi señor.

El rey del Sharq descabalgó y entregó las riendas al capitán. Mardánish extendió los brazos a los lados para desperezarse y siguió observando el paisaje que se extendía al pie del cerro. Colinas anaranjadas se alternaban con bosques de pino; un río zigzagueaba allá abajo, al pie del monte, e irrigaba huertas y cultivos. Pedro de Azagra llegó en ese momento, se dejó caer del caballo y se puso a dar saltitos para desentumecer las piernas, cansadas del viaje. Álvar Rodríguez, más pesado, había tenido finalmente que desmontar para ayudar a subir a su cabalgadura hasta la aldea.

—Buen sitio para amurallar una ciudad. Lástima que estas defensas sean lamentables.

—Mi señor, si me lo permites —los abordó de nuevo el caíd—, quisiera contarte las novedades que nos trajeron unos viajantes que pasaron ayer en caravana hacia Segorbe e hicieron noche junto al río, allá abajo. Cristianos de Zaragoza, según dijeron. A mi entender, no de muchas luces, pues a poco que se hubieran desviado, habrían podido pernoctar en alguna de las posadas de la Sahla. Hay que ser poco conocedor...

—¿Por qué no me cuentas esas novedades, sean cuales sean? —interrumpió la charla Mardánish. Azagra ahogó una risotada.

—Ah, sí, claro. Disculpadme, mi señor, pero es que se aprovecha cualquier viajero para hablar un poco. Aquí nos conocemos todos y estamos hartos de charlar siempre de lo mismo: que si a Áhmed le ha nacido una oveja con tres patas, que si el hijo de Habús se cayó al río y se acatarró...

—Si no me dices ya qué paso, ahórrate el resto de la charla —le volvió a cortar el rey del Sharq. El caíd enrojeció y Azagra se apartó para disimular las carcajadas.

—El castillo de Shibrana, en Prades, cayó hace un par de semanas en poder de Ramón Berenguer. Ah, y ha dado Miravete a los frailes guerreros.

Mardánish se abatió al oír la noticia. El caíd, avergonzado de repente por el efecto de su charlatanería de mal fario, miró nervioso a ambos lados y acabó alejándose cabizbajo hacia el interior de la empalizada. Se perdió entre las casas de ladrillo encalado organizadas en torno a unas pocas calles.

—Con esto, Ramón Berenguer queda dueño y señor del Ebro. —El rey del Sharq contempló los cerros anaranjados—. Y además coloca a esos freires, templarios a buen seguro, en su frontera con mis dominios. Su intención jamás ha estado tan clara.

Pedro de Azagra se acercó y palmeó la espalda de Mardánish. En ese momento se unió a ellos Álvar Rodríguez, que jadeaba por el esfuerzo. El navarro habló mientras el Calvo se recuperaba de la acusada subida a Tirwal.

—Como dijo tu consejero Abú Amir, era algo que se daba por sentado. Ahora debes concentrarte en reforzar tu poder, y así no tendrás que lamentarte por otras pérdidas en el futuro. El buen cazador se procura muchos, buenos y fieles perros, así no hay otro rival que le gane las piezas.

El rey asintió y se dispusieron a pasar la noche en aquella aldea erigida en lo alto de la montaña. Pero antes de ello, y consciente de que su principal misión en la Marca Superior era congraciarse con su propia gente, Mardánish invitó a su mesa al lenguaraz caíd de Tirwal y se dispuso a sufrir su monserga interminable hasta que la noche los venciera. Al principio, ciertamente, el caíd pareció animarse por la invitación y empezó a desgranar los avatares de la monótona y aburrida vida en Tirwal. El tal Abú-l-Hassán decía ser un guerrero tagrí de amplia experiencia y hondas cicatrices, y afirmaba que, tras un bien merecido descanso después de luchar contra los aragoneses, había decidido aceptar el nombramiento para gobernar aquel villorrio. La importancia de Tirwal, si es que había existido, parecía haberse olvidado en el tiempo. Era como una gran posada para viajeros entre Zaragoza y Valencia, en una tierra fría y carente de riquezas. Sin embargo, aquello mismo la convertía en un lugar tranquilo, el retiro ideal para un viejo guerrero de frontera como aquel caíd parlanchín. Mardánish, que conservaba la potestad de nombrar por sí mismo a los caídes de sus ciudades, aldeas de frontera y fortalezas, no recordaba a aquel hombre, por lo que supuso que su distinción debía de haber sido obra del *walí* de Albarracín. Además, el caíd no le parecía lo suficientemente viejo como para haber participado en las guerras almorávides contra Aragón. Por eso mismo su atención fue decayendo con la ayuda del vino, hasta que el charlatán, quizás agotados ya sus argumentos de propaganda personal, se acordó de un problema que inquietaba a las gentes de Tirwal, agricultores y pastores los más. Se trataba de una manada de lobos que durante aquel invierno había hostigado a los rebaños. El hecho era que muchas de las ovejas de los villanos se guardaban en majadas al pie del cerro, junto al río, y varias de ellas habían aparecido violentadas, con huellas de animales en las puertas y en la tierra removida de la entrada, y con el ganado aniquilado a dentelladas. Pedro Ruiz de Azagra, que había dirigido partidas de caza de lobos en su Navarra natal, demostró su interés por el asunto al pedir al charlatán que ampliara la noticia. El caíd obedeció presto, orgulloso de que su cháchara despertara el interés de un noble cristiano.

—Se dice que la manada la dirige un lobo negro, grande como una vaca. Es un animal terrible, con los ojos rojos como el sol al atardecer. Ha matado ya a varios hombres.

Azagra arqueó las cejas.

—¿Negro? Jamás vi lobo de tal color. Ni oí de lobos que mataran a hombres, salvo en leyendas. ¿Has visto tú a alguno de esos muertos? ¿Y al lobo?

—Eh, no... —El caíd refrenó su entusiasmo, que le llevaba claramente a exagerarlo todo—. Pero se dice que hay testigos. Que ese lobo negro defiende a su manada y hasta se ha atrevido contra grupos de cazadores... Ahora que lo pienso, sí hay una persona que lo ha visto. Esperad.

El caíd se levantó de la cena de campaña y abandonó el pabellón real sin pedir permiso siquiera. Era evidente que la vida en aquella aldeúcha apartada convertía a sus villanos en seres de curioso comportamiento.

—¿No querías cazar? —dijo Mardánish a Pedro de Azagra.

—Desde luego. El lobo es una buena pieza, pero para cazarlo hace falta un grupo grande y experimentado. Y sobre todo gente ducha con la ballesta. Y yo no lo soy. Además, aunque no se me da mal rastrear, este terreno me es desconocido... Por otra parte, los lobos pueden recorrer millas y millas antes de que logres alcanzarlos.

—Mardánish puede acertar a un lobo con su arco con mejor tino que cualquier ballestero —aseguró Álvar el Calvo—. Yo lo he visto tirar.

—Lo cierto es que matar ese lobo —continuó Azagra— te haría merecedor de elogios por esta gente. Es lo que necesitas.

—¿Esta gente? —Mardánish, que no conseguía arrancarse la amargura por la pérdida de sus últimas posesiones al norte del Ebro, echó un largo trago de aquel vino, de no muy buen sabor, por cierto—. ¿De qué me serviría ser elogiado en una aldea olvidada en medio de ninguna parte?

—No, no. Si es verdad que hay una manada de lobos, ten por seguro que esta no será la única aldea que sufre sus ataques.

Álvar Rodríguez asintió con la cabeza para dar la razón a Azagra. Ambos nobles procedían de tierras de lobos, y conocían el pavor que aquellos animales inspiraban a los campesinos por su capacidad para cubrir grandes distancias. Aquello parecía darles el don de la ubicuidad y los convertía en seres más poderosos y malignos a ojos de los ignorantes. En ese momento volvió el caíd con un labriego, que se quedó tímidamente parado a la entrada del pabellón.

—Es Raimundo, el que vio al lobo negro —presentó el orondo charlatán con una sonrisa de triunfo en la boca—. Es cristiano y porquero... Cuéntaselo, Raimundo.

Mardánish gesticuló para animar al lugareño. El hombre, casi vencido por el apocamiento, habló en voz tan baja que todos se inclinaron hacia delante para poder oírle.

—Había soltado a mi piara por la vega... Fue hace unos días. Nos cayeron por todas partes, pero como yo barruntaba que andaban por allí, llevaba mi honda. Los tuve a raya un rato, pero cada vez se me hacía más difícil encontrar cantos... Entonces asomó el lobo negro. Era el más grande con diferencia, y no hizo ni caso de mi honda. Creo que le acerté, pero aun así él entró y pasó por mi lado, que casi se me escarcha la sangre. Me mató dos cerdas bien hermosas allí mismo.

—¿Hacia dónde huyó la manada? —preguntó Azagra.

El campesino señaló al otro lado del río, al lugar por el que se había ocultado el sol.

—Río arriba.

—Hacia Albarracín —aclaró Mardánish.

—Hay una aldea a medio camino —explicó el caíd, que deseaba ser útil al ver el interés que ponían aquellos nobles—. Sheya. Sin guarnición, pero viven algunos pastores y hortelanos, y leñadores... Seguro que allí saben del lobo negro.

La noche primaveral de Tirwal habría pasado por el más crudo y oscuro invierno en las afortunadas ciudades costeras del Sharq al-Ándalus. Mardánish, que casi se había olvidado de sus años de servicio militar en la Marca Superior, intentaba dormir arrebujado en su manta mientras fuera soplaba un viento ululante que golpeaba la tela del pabellón. Por eso, porque no había conseguido aún pegar ojo, el rey oyó claramente la llamada de auxilio que subía desde la vega.

Se incorporó, aguzó el oído y ladeó la cabeza. Pensó que quizás el viento jugara con los sonidos, pero el segundo grito fue más claro, y se identificaba a la perfección el motivo de la alarma.

El lobo.

Mardánish saltó de su catre de campaña, que aun siendo tal aventajaba en lujo y comodidad a cualquier lecho de Tirwal, y zarandeó sin piedad el bulto que dormía a su lado.

—Nuestra pieza ha venido a visitarnos —dijo a Pedro de Azagra para espabilarle.

Álvar el Calvo, que un instante antes roncaba junto al navarro, se irguió a medias. La luz difusa de la luna llena, colándose ahora por la rendija que entreabría Mardánish, hirió al gigante en el rostro y descubrió un gesto de estupor. El rey del Sharq ya se enfundaba las calzas y las ataba al ceñidor.

—Arriba, señores. Salimos de caza.

Los dos nobles cristianos comenzaban a vestirse presurosos cuando uno de los vigías, alertado también por los gritos, se asomó al interior del pabellón. Su señor se colocaba ya un estrecho jubón sobre la camisa.

—Rápido, apresta tres corceles. Y mi arco —ordenó Mardánish—. Despierta a la gente y reúne perros de los lugareños. Hazlo rápido y procura escoger los mejores

El soldado asintió y pidió ayuda a un par de compañeros. Un tercer grito de alarma trepó por el arcilloso risco y se coló por entre las casas, pero los habitantes de Tirwal no parecían muy dados a interrumpir su sueño por problemas ajenos. Mardánish colgó una daga de su cinturón y se caló una crespina al más puro estilo cristiano. Salió y comprobó las flechas que el soldado ya había preparado en la aljaba colgada de su silla de montar. Miró atrás, a los dos nobles, que todavía se demoraban, y un cuarto chillido de auxilio, angustioso y apagado, horadó la noche.

—Salgo por delante. Ya me alcanzaréis —decidió, y montó en su corcel de viaje. Un poco más allá, el soldado de guardia abría el portalón de la empalizada.

—¡Cuidado! —avisó el Calvo—. ¡La noche es traicionera!

Mardánish espoleó a su montura por la senda de bajada. Por fortuna, la luna estaba llena y el cielo, raso, por lo que los arbustos que flanqueaban el sendero marcaban la ruta al corcel. Al llegar al pie del cerro, el rey del Sharq trató de orientarse por el sonido. El caballo pateó el suelo nervioso, tal vez olisqueando ya la presencia de los depredadores. Al golpe del viento, las hojas de los árboles siseaban y hacían difícil conocer la procedencia de cualquier ruido.

—¡A mí! ¡El lobo!

El grito venía de la vega del río y se confundía con el vendaval. Mardánish se lanzó hacia allí con los ojos entornados y se esforzó en identificar las sombras en cada recodo del camino. Frenó al animal antes de cruzar un estrecho puente de madera y miró a ambos lados. Las huertas se extendían hasta las líneas de chopos y el agua bisbiseaba al correr. De pronto, el andalusí vislumbró una luz oscilante entre los árboles.

Trató de memorizar la silueta del cerro que se alzaba tras él para tomarla como referencia, e hizo crujir las tablas del puente al atravesarlo. Se inclinó sobre el cuello de su montura para esquivar las ramas bajas de los chopos y se fue acercando a aquella antorcha. Pronto llegó hasta donde un hombre exhausto recorría la orilla. Portaba el hachón llameante en una mano y un bastón de madera en la otra.

—¿Ha sido el lobo? —preguntó Mardánish—. ¿Dónde?

El campesino, que respiraba entrecortadamente por el esfuerzo, alargó la antorcha en la dirección contraria al fluir del río, el lugar del que llegaba el vendaval.

—Son varios —dijo—. No han conseguido llevarme ninguna oveja porque los estaba esperando.

Mardánish no aguardó a más. La senda de los lobos estaba marcada por las hierbas aplastadas y corría paralela a la corriente de agua, río arriba. El caballo se mostraba inquieto, difícil de gobernar. Eso satisfizo al rey: el viento le traía el olor de la manada. El propio terror del animal le ayudaría a orientarse incluso cuando las copas de los chopos, frondosos en el cenit de la primavera, ocultaran la luz lunar. Solo debía obligar a su caballo a cabalgar por la senda que intentaba evitar. Pensó en esperar a Azagra y el Calvo. Pero no. Los lobos se alejaban, y a su frente iría seguramente aquella monstruosa alimaña oscura y asesina. Pedro de Azagra era buen rastreador, él lo había dicho. Sabría seguir la pista del rey en pos de la manada. Y si habían conseguido perros, con más razón. Debía salir ya. Cazar al lobo negro. Mardánish espoleó al caballo y le hizo vencer por fin su miedo a internarse en la oscuridad arbolada, a contrariar el instinto del animal, que le avisaba a gritos de que no debía ir, de que más allá solo esperaban el aliento caliente y hambriento de las fieras, el frío cortante de los colmillos y la muerte. Pero el caballo era una bestia noble y obedeció al jinete. Voló entre los árboles y zigzagueó junto a la corriente del agua, con aquel olor a depredador, cada vez más cercano, entrando en sus ollares.

Cuántas veces, a través de páramos desnudos cubiertos por la noche,
me he visto envuelto en la oscuridad, en tanto que el lobo,
surgido de las tinieblas, rondaba en torno a mí.
Siempre de noche, cuando el levante te humedece el rostro con rocío.

Mardánish, que sigue cabalgando, ha perdido ya la noción del tiempo. El poema del alcireño sobre lobos que acechan en la oscuridad se repite y taladra su mente como un tambor de guerra. En vano se concentra en detectar el sendero lobuno en cada claro entre las frondas, en tratar de penetrar la oscuridad para ver si alcanza ya a la manada y en dominar a su montura, inquieta, que pugna entre la lealtad al amo y el terror a la muerte. En realidad, el rey se está dejando guiar por su instinto, al igual que los lobos. Instinto de un depredador a la caza de otro depredador. De repente, el terreno se hace más áspero y los chopos ceden ante el roquedal. La luna, que entraba oblicua hace unos instantes, forma ahora rincones sombríos por los que Mardánish pasa al galope, apenas atento a la hierba aplastada. El callejón rocoso se curva y recurva y empieza a subir entre sinuosidades. El jinete tiene que adaptar el paso del caballo al terreno. Si había camino, es imposible recobrarlo ya. Quizás ha abandonado la senda, que a buen seguro discurre por una ruta más fácil y sigue las crestas que ahora encajonan el río. Es imposible saberlo cabalgando en tal penumbra. En cierto momento, Mardánish percibe la vacilación de su caballo y se encuentra indeciso. Ha dejado de oír esa susurrante voz interna que le indica la pista correcta. Maldice mientras la montura lanza vaharadas humeantes contra la humedad nocturna; se da cuenta de que los lobos pueden haber cambiado su derrotero y tal vez corren ahora a favor del viento, demostrando así que con su astucia superan a quien se creía hábil cazador. Mardánish tira de las riendas, detiene el corcel y se yergue sobre los estribos, atento a cualquier ruido.

Nada. Mira a su espalda con la débil esperanza de oír aproximarse a sus compañeros de caza. Tampoco. Lo más seguro es que se hayan quedado atrás, incapaces de encontrar el rastro en la oscuridad, o a lo mejor todavía buscan perros que sirvan para la persecución. O tal vez no. Mardánish confía en Azagra, cazador hasta en sueños. El navarro llegará. Pero hasta que eso ocurra, el rey sigue erguido, la respiración contenida, los sentidos atentos. Su incertidumbre crece, pues sigue sin oír nada que le indique qué ruta han tomado los lobos. Si acaso, solo escucha el cercano correr del agua y el siseo de los árboles. Suspira decepcionado. Ha cabalgado un larguísimo trecho. Su caballo está fatigado y hasta parece adivinarse ya un asomo de claridad por levante. Se pregunta cuántas millas habrá recorrido. Entorna los párpados y recorre con la vista el paisaje oscuro que le rodea. Atisba un brillo acuoso. A unos codos, el río salta entre las rocas y refleja a trechos fugaces el perfil lunar.

La sombra pasa rauda a su derecha y arriba. Casi no puede acertar a localizarla antes de que desaparezca tras un ancho y aplanado bloque pétreo. Mardánish blasfema en romance contra el Mesías de los cristianos y luego en árabe contra el Profeta de los musulmanes. Sigue jurando y escupiendo maldiciones mientras saca con rapidez el arco y tantea en la negrura en busca de la aljaba. Sus pupilas dilatadas intentan reconocer el espacio, pero es imposible saber si aquella sombra se ha escondido tras las rocas o se alza desafiante ante él. El caballo resopla frenético y se mueve; piafa fuera de control. Mete los cuartos traseros en el río. Mardánish lo vuelve a la obediencia a golpe de rodilla y casi sin darse cuenta. Su dominio del corcel es tal que lo siente como un añadido suyo. Hombre y bestia casi piensan a la vez, y a pesar del miedo atávico al predador, el caballo se deja dominar una vez más por el jinete. El cuerpo del rey gira sobre la silla, descarga el peso sobre un estribo o inclina el cuerpo a un lado; responde a su oficio y a las jornadas de fatigosa instrucción en la disciplina de la Furusiyya. Su cabeza gira a la derecha, donde el instinto le dice que debe mirar. Allá arriba, sobre una cresta lejana, puede ver entonces las inconfundibles siluetas de varios lobos que se recortan contra la claridad nocturna. Hay al menos media docena, y están demasiado lejos para soñar con batirlos. Sin embargo, no parece lógico que hayan llegado hasta allí subiendo el cauce del río... Hay algo más. Algo aún más inquietante que aquella manada fuera de su alcance. Y está delante. Justo ahí, confundido con la oscuridad. Tan cerca como para aterrorizar al caballo y erizar el vello del jinete sobre la piel.

Entonces lo comprende.

Cala la flecha en la cuerda y templa a medio brazo mientras otea las rocas frente a él. El lobo negro sale a toda velocidad y cruza la corriente de derecha a izquierda. Mardánish tensa y suelta en un instante, pero es consciente de que la flecha sale retrasada. Carga de nuevo, pero en ese momento el caballo pierde pie en la orilla, sus cascos se hunden en el lodo y el animal tropieza.

Mardánish vuelve a maldecir en romance y salta a tierra. Casi no puede distinguir al lobo, oscuro como la misma sombra, mientras trepa entre las rocas. Se mueve ahora lentamente, esforzándose en cada paso. Se esfuma un momento para aparecer al siguiente. El rey del Sharq cruza el río con el agua hasta las rodillas y deja atrás su montura. Trepa por la otra orilla. Apenas es consciente del frío cortante del agua porque su corazón, que arrastra todos sus sentidos, está calado en el arco y a punto de ser disparado. El caballo, libre ahora de su amo y poseído por el horror al lobo, salpica para salir del agua y se da a la fuga. Mardánish tensa con los pies embarrados, pega la cuerda a su pómulo derecho y espera a que el enorme lobo llegue a la cresta de la elevación. En ese momento, el animal se vuelve y lo mira con ojos que reflejan la luz de la luna.

La flecha desgarra el aire, el depredador parece darse cuenta de que ha cometido un error. Su pelo, negro y largo, se agita cuando arranca para esquivar la muerte, pero la punta herrada penetra en la piel y atraviesa una de las patas del lobo, que lanza un aullido lastimero y desaparece al otro lado del penacho rocoso. Mardánish musita la enésima imprecación mientras sube la ladera, resbala cada poco y desprende piedras que ruedan hasta caer al río. A medio camino recuerda que no ha cogido su aljaba, por lo que deja caer el arco, ya inútil, y desenfunda su daga. Jadea cuando alcanza la última cresta antes de la cúspide. Se oye un ladrido lejano, apagado porque suena en la misma dirección en la que corre el viento. Sonríe. Azagra viene con los perros. Tal vez consigan cazar a los demás lobos. Pero este negro no. Este es suyo. Solo del rey. Trepa entre las rocas y los matojos, se encarama en el borde cortante del peñasco y aprieta en su mano derecha el mango de la daga.

Al otro lado, entre dos rocas afiladas como agujas, el enorme lobo negro se lame la pata en el lugar en el que la flecha la ha traspasado. A la vista de Mardánish arruga el hocico y muestra dos enormes caninos amarillentos. Luego aúlla larga y lastimosamente, los demás lobos le responden en la lejanía.

—Te has sacrificado por la manada —le reconoce mientras se acerca con cuidado—. Bravo.

El lobo se revuelve y lanza una dentellada que aún no puede alcanzar al cazador. Es un aviso que el rey del Sharq distingue de inmediato; pero lo único que posee ahora es aquella daga y tiene la obligación de acabar con el animal. Mardánish suspira, agarra fuertemente su arma y encoge las piernas, dispuesto a saltar. El lobo le encara, gruñendo de dolor al arrastrar la pierna herida. Abre sus fauces, y el calor del aliento y el olor a sangre fresca inundan los pulmones del rey.

7

De huríes y agoreros

Unas semanas después. Murcia

El alcázar de Mardánish disponía de un espléndido *hammam*, pero a Zobeyda le encantaba aliñar su vida con la mayor variedad posible. Por ello, especialmente cuando el tiempo se volvía caluroso, gustaba de acudir a uno u otro de los baños públicos de Murcia, repitiendo sus visitas sobre todo al de Yusuf el Rumí, un tipo rechoncho y bonachón que hervía de felicidad cada vez que un mensajero le anunciaba la llegada de la favorita. Aquello significaba que el baño quedaba cerrado al público, con el consiguiente enojo de los clientes; pero el donativo de Zobeyda solía compensar con creces las pérdidas de dinero, y además otorgaba al *hammam* del Rumí la fama de ser el establecimiento más frecuentado por la esposa predilecta de Mardánish.

Aquella mañana, Zobeyda había acudido al *hammam* del Rumí acompañada de su escolta personal, que de inmediato tomó las calles y esquinas que rodeaban el baño. La litera de Zobeyda descansaba junto a los porteadores en la calle, y Yusuf aguardaba en una taberna cercana, inflándose a almojábanas y saboreando por adelantado el pago que la favorita haría de sus servicios. Junto a él esperaba el resto del personal del baño, pues Zobeyda contaba con sus propias asistentas: las doncellas de su séquito, de las que andaba enamorado todo murciano en edad núbil. Una de ellas, Adelagia, salió del *hammam* y, tras requerir como escolta la compañía de un par de guardias, entró en la taberna y exigió tres jarras de vino aromatizado con cardamomo, jarabe de manzana y agua de flor de azahar. Ante la admiración de los hombres que bebían en el local, la doncella probó aquellas delicias y dejó al dueño en pago varios de aquellos apreciados morabetinos que circulaban ya por todos los reinos cristianos de la Península. Adelagia abandonó la taberna portando con gran elegancia la bandeja y las jarras, movió insinuante las caderas y cautivó los corazones de todos, sin reparar en lo pecaminoso de que aquel espacio de uso exclusivamente masculino se viera invadido por una doncella que, a más de exigente, iba destocada y a medio vestir.

Mientras tanto, la favorita afrontaba en el *hammam* del Rumí la última parte de su sesión. En la sala central del local, y tras haber recibido el agua purificadora, Zobeyda yacía desnuda y tumbada boca abajo sobre un banco. Sonreía al observar entre las nubes de vapor la inscripción que presidía la sala, sobre una banda enmarcada con tiras de hojas labradas en el yeso. El Rumí homenajeaba a la favorita, su clienta y mecenas, con el lema que Zobeyda hacía reflejar en todas las construcciones que iniciaba su esposo: *al-yumn wa-l-iqbal.*

La felicidad y la prosperidad.

La negra esclava Sauda conversaba animadamente con Zeynab, la eslava de largo cabello rubio, en uno de los rincones de la sala, templada por el suave calor que ascendía desde el hipocausto. Marjanna, la voluptuosa persa de largo pelo negro, nariz recta y gesto melancólico, masajeaba la espalda de Zobeyda y extendía el aceite por su piel, hacía resbalar las manos lentamente, friccionaba, estiraba los músculos para suavizarlos y se recreaba en aquellos lugares que sabía despertaban el goce de su señora. La luz descendía perezosa desde las aberturas estrelladas de la alta bóveda que cubría la sala y rebotaba en el mosaico del suelo, cuyas teselas representaban una escena antigua con varios músicos que tañían laúdes y tocaban flautas mientras un único bailarín semidesnudo evolucionaba entre los artistas.

Zobeyda emitió un pequeño quejido que hizo que la persa detuviera su masaje.

—¿Te he hecho daño, mi señora?

Sauda, alarmada, apoyó las manos en una de las columnas pegadas a la pared. Entornó los ojos y miró a Zobeyda.

—No, no —contestó la favorita con voz débil—. Ha sido un súbito pinchazo aquí. —Apoyó una mano en el banco y se incorporó de lado. Señaló la suave curva del vientre.

Sauda y Zeynab se acercaron, y Marjanna rodeó el banco para observar con atención el punto que marcaba la favorita. Las cuatro mujeres lucían su desnudez en la penumbra, con la piel lustrosa y templada por el baño y las cremas.

—Has comido demasiado dulce —le reprochó la eslava mientras acariciaba con suavidad el foco del dolor—. Te lo he advertido, pero como nunca me haces caso...

—Bebe un poco de limonada —aconsejó la persa—. Y cúbrete. Quizá te has enfriado.

—No es nada de eso —dijo con voz experta Sauda. El blanco de su mirada contrastaba en la sombra con su piel negrísima y brillante por los aceites.

Apartó la mano de Zeynab y recorrió con las yemas de los dedos la piel de Zobeyda. Luego le agarró la cara con ambas manos y examinó sus ojos.

—¿Qué? —requirió la persa, impaciente.

—Estás preñada, mi señora —sentenció la africana.

Zeynab se tapó la boca antes de soltar un grito de alegría. Marjanna, por su parte, imitó el examen de Sauda y miró a los ojos de su señora.

—¿Cómo puedes saberlo?

—Lo sabe sin más —dijo con seguridad Zobeyda, que conocía las habilidades de Sauda. La africana misma le había contado cómo su madre, una bruja nacida en una vieja y recóndita tribu, recibía a veces las visitas de los muertos, que le hacían confidencias. La negra Sauda, capturada siendo apenas una adolescente, había tenido tiempo de aprender los trucos de su madre, muy útiles para todo menester femenino, y preparaba pócimas que, siempre contra el consejo de Abú Amir, usaba para calmar los dolores menstruales de su señora o de las demás doncellas. Zobeyda sabía, no obstante, que las habilidades de Sauda con los bebedizos podían llegar más lejos aún. Hasta el más allá, de hecho, pues la negra y hermosa esclava gustaba de experimentar con todo lo relacionado con las serpientes y sus venenos. En el propio harén guardaba la muchacha sus cestas con aquellos escurridizos y peligrosos bichos llegados de cualquier rincón de África y de Asia a los que alimentaba con pajarillos y ratones. Ahora Sauda asomó la punta de la lengua como si fuera una de sus apreciadas serpientes mientras seguía palpando el vientre de Zobeyda. La esclava asintió.

—No hay duda. Algo crece aquí dentro.

—Pero si tu esposo solo ha pasado una noche contigo en varios meses —recordó Zeynab—. Ah, claro, aquel día en tus aposentos...

Marjanna sonrió con picardía y se sentó en el banco, junto a Zobeyda. La relación de la favorita y sus doncellas iba más allá del simple servicio, por lo que entre ellas se permitían confidencias que serían impensables con otras personas, y que despertaban la maledicencia y la envidia de las demás mujeres, concubinas y criadas del harén.

—O a lo mejor tienes un amante, mi señora, y no nos has dicho nada. ¿Es eso?

La negra se tapó la cara escandalizada por el comentario de la persa. La favorita y la esclava rieron.

—No tengo amantes. Mi amante es mi esposo, que me visita en medio de la noche como si mi amor fuera un trofeo prohibido.

Las tres esclavas abrazaron a Zobeyda simultáneamente, contentas por la feliz noticia, cuando se oyeron unos golpecitos en la puerta de la sala. La voz de Adelagia sonó al otro lado.

—Mi señora Zobeyda, Abú Amir está aquí y necesita verte.

La favorita recibió los besos de sus doncellas y pidió a Zeynab que le llevara sus ropas. La esclava recorrió la sala, pasó al recibidor y volvió con una túnica que entre las tres pusieron a su señora. La prenda, larga hasta los pies, era de un blanco inmaculado. Zobeyda acudió a la llamada de Abú Amir y lo encontró coqueteando con su doncella, que todavía sostenía las jarras de vino, jarabe y agua. Adelagia no era esclava, como las otras sirvientas de Zobeyda, sino una joven italiana libre, hija de un comerciante pisano de los que abrían oficina de negocios en Murcia. La muchacha, que lucía una espectacular melena rojiza y rizada, había entrado al servicio de Zobeyda por petición propia, encantada con todo lo que se decía acerca de la escogida corte de doncellas de la esposa de Mardánish.

Abú Amir soltó la barbilla de Adelagia, que sostenía con dos dedos mientras la requebraba en voz baja con alguno de sus versos. La doncella, arrebolada, sonrió a su señora y abandonó la alcoba para reunirse con sus compañeras.

—Creía que la italiana ya formaba parte de tus trofeos —dijo Zobeyda, que con el rostro limpio de maquillaje no perdía un ápice de belleza.

—Así es —reconoció sin alarde Abú Amir—, aunque su recuerdo se mantiene caliente en mi lecho. Es un dulce que deseo probar de nuevo.

Zobeyda se aseguró de que nadie escuchaba su conversación. Abú Amir había acudido al *hammam* cuando este estaba cerrado para el disfrute exclusivo de la favorita, lo que implicaba que tenía algo importante que decirle.

—¿Y bien?

—Ayer, hacia el crepúsculo, llegó una caravana procedente de Valencia —empezó Abú Amir—. Comerciantes de loza, creo. Coincidimos en una taberna justo antes del cierre y nos tomamos la última juntos. Los comerciantes andaban ya algo borrachos, pero sabes que yo aguanto bastante bien el vino.

»Pues bien, escucha las nuevas: se dice que tu esposo, que está de visita en sus dominios de la Marca Superior, se halla convaleciente tras sufrir el ataque de una manada de lobos y pasar mucho tiempo en solitario, herido y abandonado a su suerte en la sierra.

—¡No! —Zobeyda abrió mucho sus negros ojos y un escalofrío recorrió su piel, pero Abú Amir se apresuró a ensanchar su sonrisa y puso ambas manos sobre los hombros de la favorita.

—Calma, niña. Ya sabes cómo los rumores crecen y se transforman, más cuando llegan de lejos. Tu esposo no corre peligro.

»Según cuentan, Mardánish salió de caza para librar a las aldeas de la Marca de una numerosa manada de lobos que devastaba los ganados y que ya había devorado a no pocos niños e incluso a algún hombre. El caso es que tu esposo se separó de la partida de caza, le sorprendió la noche y no pudo reunirse con los otros. Por lo que parece, Mardánish siguió el rastro de los animales y los localizó en un desfiladero, al lado de un río. Acabó con muchos de ellos a flechazos, pues ya sabes lo hábil que es en esos menesteres. Sin embargo, los lobos, a cuya cabeza se hallaba un enorme animal negro que por lo visto se alimentaba solo de carne humana, atacaron al caballo de tu esposo y lo desmontaron. Mardánish tuvo que hacerles frente cuando ya lo habían rodeado, armado con un simple cuchillo. Al final, solo el lobo negro y él quedaron en pie y frente a frente. Ambos arremetieron y lucharon. Venció tu esposo, pero resultó herido de tal suerte que allí mismo estuvo a punto de ceder a las tinieblas, abrazado al cadáver acuchillado de ese lobo negro.

Zobeyda escuchaba sin ocultar su estupor, con las manos unidas junto al pecho y la boca entreabierta.

—Lo que cuentas parece más una de esas leyendas de las montañas que una historia real —adujo pese a todo.

—Así es, sin duda. Tendremos que esperar a que él mismo nos explique qué sucedió. Por de pronto ha pasado varios días en Albarracín al cuidado de médicos de allí. La noticia ha recorrido la Marca Superior, y la piel del lobo negro ha sido mostrada como un trofeo por todas las aldeas. La gente está alborozada. La manada ha desaparecido y ahora respiran tranquilos. Adoran a Mardánish... Ya sabes cómo es esto. Lo más seguro es que entre unos y otros se hayan inventado esa truculenta historia. Pero también sabes que las fábulas no brotan si no hay algo de cierto en su siembra.

»Por toda la Marca Superior llaman ya a tu esposo rey Lobo. Incluso, según mis amigos de borrachera de anoche, el apodo ha recorrido Segorbe, Murbíter y Valencia. Creo que en breve el propio Abd al-Mumín conocerá la hazaña, aunque para cuando llegue hasta él, la manada constará de miles de animales y ese lobo negro será una mezcla de león y serpiente con alas que lanza fuego por la boca.

Abú Amir, que no dejaba de calcular las ventajas del episodio del lobo, caminaba desde el *hammam* de Yusuf el Rumí rumbo al Alcázar Mayor, palacio fortificado en el que el rey tenía su residencia oficial. La medina, con forma de ancho triángulo, tenía su cúspide en el alcázar y apuntaba hacia el río Segura más allá de las murallas. El *hammam* no estaba lejos, pero conforme las calles confluían en la zona noble de la ciudad, la aglomeración crecía, proliferaban las tabernas y puestos ambulantes, y también se apreciaba el deseo de notoriedad de algunos, que se reunían con sus allegados en plazoletas y rincones para hablar en voz alta. A poca distancia del baño, Abú Amir oyó de labios de un vendedor de pollos una nueva versión de aquella fábula del lobo negro, que todos escuchaban con asombro y mal disimulado alivio. Su rey era todo un semidiós capaz de enfrentarse a las bestias más sanguinarias: ahora el príncipe de Aragón se lo pensaría antes de seguir incordiando a Mardánish. El médico sonrió al ver la rapidez con la que el rumor se extendía, y también por los nuevos aditamentos que cada uno añadía a la historia al contarla a los demás. Se detuvo a la puerta de una taberna, donde un conocido tratante de loza le invitó a acompañarle y brindó por el rey Lobo.

—¿No te han llegado las noticias, buen Abú Amir? Nuestro rey es como un héroe legendario. Vence a hombres y bestias.

—Algo he oído. —El médico aceptó un cuenco de vino y se dispuso a colaborar en la propaganda que la fortuna ponía a sus pies—. Y no esperaba menos. Dicen, por cierto, que incluso a la muerte derrotó, pues cuando lo hallaron abrazado a aquella fiera monstruosa, la vida casi había huido de él. Pero el destino ha hecho que su fortaleza sea única. Yo, que como bien sabes soy su médico personal, doy fe de que la naturaleza del rey es titánica. No he conocido jamás a nadie con tanta resistencia. Su voluntad es férrea. Nada puede oponerse a él.

Otros murcianos se acercaron mientras Abú Amir hablaba. El médico, que veía por el rabillo del ojo cómo le prestaban atención, siguió desgranando el panegírico de su señor. Nunca estaba de más afirmar en el corazón de los súbditos el amor y la admiración hacia el rey.

Al tiempo que Abú Amir brindaba con los demás, la expectación en la calle crecía. La guardia personal de Zobeyda llegaba, los soldados de la escolta se abrían paso a codazos y azotaban con las conteras de sus lanzas las nalgas de los paseantes. Al tumulto se añadieron pronto los habitantes de las casas, que se asomaban para ver pasar el cortejo. Muchas mujeres, adolescentes la mayor parte, pugnaban por colocarse en primera fila a ambos lados de la calle. Se despojaban de sus velos las que los llevaban colocados y se atusaban el cabello todas. Aquella ceremonia se repetía siempre que la favorita recorría Murcia, pues era del dominio público que Zobeyda reclutaba para su séquito a las más bellas, y que estas tenían garantizada una vida de lujo y placer en el Alcázar Mayor. Abú Amir, que siempre andaba atento a las mujeres hermosas, aprovechó su altura para otear a las aspirantes. Cualquier momento era bueno para localizar a alguna joven murciana cuya existencia desconociera.

Los vítores aumentaron cuando se acercó el palanquín llevado por cuatro fornidos esclavos de piel negra. El sudor que hacía brillar sus músculos despertó la admiración de las mujeres que alcahueteaban desde detrás de las celosías y en las azoteas. El rostro de Zobeyda, velado esta vez como simple toque de seducción, afloró por entre los cortinajes de la litera con el siempre presente deseo de enamorar al pueblo. Sus cuidados en el baño habían continuado de manos de sus doncellas, y ahora su mirada aparecía brillante y clara por efecto del kohl. Asomó un brazo para saludar, e hizo que la túnica resbalara para mostrarlo desnudo y perfectamente decorado con henna. Agitó la mano hacia la gente e hizo vibrar sus pulseras, lo que pareció encandilar a los hombres que abarrotaban la calle. Al saludo respondieron todos con aclamaciones y deseos de larga vida a la favorita.

Tras el palanquín de Zobeyda venían caminando sus cuatro doncellas, protegidas por las filas de guardianes mientras recibían las miradas envidiosas o lujuriosas de unas y otros. Su hermosura, incluida la de la cristiana Adelagia, también venía tan solo insinuada, cubiertas como iban todas con sus túnicas y velos. Cada una de ellas llevaba una bolsita repleta de monedas; cuando localizaban entre el gentío a algún mendigo o veían una mano estirada en actitud pedigüeña, acudían para, entre los brazos fuertes y armados de los soldados de escolta, entregar la limosna. Los guardias ponían empeño en espantar a los pilluelos que se hacían pasar por pobres para sacar tajada del desfile real, y las doncellas, por su parte, recibían con mirada risueña los requiebros de los hombres y las llamadas de atención de las jóvenes aspirantes al cortejo. Al pasar a la altura de Abú Amir, la pelirroja italiana lo reconoció y guiñó un ojo enmarcado en kohl.

Una voz chillona y aguda empezó a imponerse en la explanada que se abría frente a la mezquita aljama, a cuyo lado había que pasar para entrar en el alcázar. Los guardias, alarmados, frenaron a los porteadores y se adelantaron para ver qué ocurría. Abú Amir también sintió curiosidad y avanzó en paralelo a los soldados, recorriendo la calle por entre el gentío y los toldos de las cererías, puestos de libros y perfumerías. El disturbio tenía lugar en la puerta de una taberna. Un tablero de ajedrez yacía tirado en el suelo y sus piezas, desperdigadas por la calle. La gente había hecho un corro que a Abú Amir le resultó gracioso, pues parecía que los murcianos no quisieran pisar las pequeñas tallas de madera. También habían rodado por el suelo los taburetes de los jugadores, y una mesa se hallaba volcada junto a una jarra rota y un par de cuencos cuyo rojo contenido discurría hacia el centro de la vía.

—¡No sé qué más señales necesitáis, necios! —tronaba un anciano cubierto por un amplio *burnús* de lana cuya gran capucha caía sobre su espalda. El hombre, de pelo y barba larguísimos y grises, abría unos ojos inyectados en sangre que parecían ir a saltar de sus órbitas, y al hablar escupía a los viandantes más cercanos. Estos miraban con aprensión a aquel loco vociferante mientras se restregaban la cara y las ropas.

—¡Lunático! —le insultó un murciano desde el anonimato de la muchedumbre.

—¡Así llamaron al Profeta, la paz con él! —se defendió el viejo—. ¡Lunático! ¡Pero él trajo la cordura a este mundo, aunque bien se ve que vosotros os esforzáis por destruir su obra!

Abú Amir reconoció al anciano a pesar de la congestión del rostro y las facciones crispadas. Se trataba de un viejo predicador que solía desgranar sus críticas a Mardánish en las cercanías de la aljama, aunque hasta aquel día se había limitado a hablar para pequeños corros de insatisfechos y no iba más allá de recomendar la práctica de los preceptos que consideraba injustamente relegados a las mezquitas. Uno de los jugadores de ajedrez señaló al tablero, manchado de vino y polvo.

—Pero ¿qué molestia te causamos? Solo jugábamos una partida mientras degustábamos un par de vasos...

—¡Juego del demonio! —volvió a escupir el viejo—. ¡Regado por caldo del demonio! ¡Todos vosotros! —Apuntó a los murcianos que se arremolinaban, los más de ellos divertidos por el espectáculo—. ¡Pecadores! ¡Os habéis apartado de la senda! ¡No he visto a nadie postrarse ante Dios para orar, pero adoráis a esa perra! —miró hacia donde seguía detenido el cortejo de Zobeyda—, ¡y babeáis ante sus furcias lujuriosas! ¡Condenación para todos!

Un coro de protestas se alzó ante los insultos que el anciano dedicaba a la favorita y su séquito, y algunos de los guardianes hicieron ademán de adelantarse para castigar sus palabras. Abú Amir salió de entre la chusma e hizo un gesto al capitán de la guardia para contener a sus hombres y al resto de la gente. Se encaró con el viejo, aunque usó un tono conciliador.

—Vuelve a casa, anciano, y vive tu fe como te plazca. Es lo mismo que hacemos todos, y somos felices.

—¡Tú, Abú Amir! —Dos surcos blancos se iban formando en las comisuras de los labios de aquel hombre, y sus puños temblaban al alzarlos mientras vociferaba—. ¡Tú eres el peor de todos! ¡Tú, que te atreves a humillar a los hombres santos y blasfemas de continuo! ¡Eres capaz, junto con esa perra en permanente celo —apuntó otra vez al palanquín de Zobeyda, ahora oculto por la aglomeración de murcianos—, de condenar a toda esta gente a las llamas de la perdición solo por procurar placer a tu insulsa vida! ¡Yo clamo contra ti por ser un *zindiq*! ¡En cualquier otro lugar en el que se amara a Dios, tus huesos blanquearían expuestos al sol! ¡Yo te digo que Dios te cortará en siete pedazos para que cada uno de ellos pase por una de las puertas del infierno!

—¡Lo sé, viejo! Y lo reconozco: soy un *zindiq*. Un renegado de la fe de Dios. Pero lo acepto con resignación. Y deberías alegrarte, pues así, mientras miríadas de pecadores nos alimentamos de azufre hirviente y somos regados con fuego por toda la eternidad, tú podrás disfrutar de las huríes de ojos negros y grandes que Dios te dará por ser un buen creyente... Claro que, ahora que lo pienso, ¿qué mayor lujuria que pretender el disfrute de esas beldades por tiempo perpetuo? ¿Imaginas ya qué harás con sus cuerpos virginales? ¿Y tú te burlas de nuestra lascivia de pobres andrajosos condenados al infierno?

Algunos de los murcianos rieron ante las palabras del médico.

—¡Sacrílego! ¿Cómo te atreves a burlarte de las palabras de Dios? Ah, en verdad os digo que la hora se aproxima. Está más cerca que nunca. Lo veo en todos vosotros —el anciano apuntó con un dedo arrugado y retorcido como un sarmiento a los hombres y mujeres allí arremolinados—, que habéis caído en la ignorancia y os olvidáis de Dios, honrado y ensalzado sea por siempre. Tenéis por bien lo que es malo y rechazáis por malo lo bueno. Os dejáis llevar por el vino y por esas cuatro perras extranjeras, pecadoras, a cuyo frente está la perra máxima. ¡Fornicio! ¡Embriaguez! ¡Blasfemia!

»Pero no temáis aquellos que, aun piadosos, calláis por no sufrir la ira de estos demonios, pues la salvación está cerca. Dios responde a las plegarias de los justos, y para combatirlos a ellos, sirvientes del anticristo —el viejo señaló ahora a Abú Amir mientras paseaba su mirada enfervorecida por los rostros de los murcianos—, ha enviado al Mahdi y sus sucesores... ¡Ellos nos salvarán de que llegue la hora y todos seamos tragados por el abismo! *¡Olvidaréis los horrores del tormento y al ángel de la muerte cuando el guardián del paraíso os introduzca en el jardín de la salvación!*

»¿Acaso lo dudáis? Para mí está muy claro, desde luego. Acabo de oír la última falacia que esperaba escuchar: que vuestro señor de la inmundicia, amigo de los cristianos y fornicador empedernido, se hace llamar rey de los lobos. ¡Ja! ¡De los lobos y las ratas, de los gusanos y las lombrices! ¡No solo abraza la causa de nuestros enemigos y abandona a Dios: es que además se jacta de ello! ¡Y vosotros, estúpidos, aquí estáis, entregándoos al vino, dejando a vuestras mujeres frecuentar las tabernas y las esquinas como vulgares meretrices, adorando a una perra lujuriosa y postrándoos ante sus putas!; ¡y mientras tanto las mezquitas permanecen vacías, descuidáis vuestras oraciones, abandonáis las armas y ofrecéis a los cristianos casa y riqueza! ¡Dadles también a vuestros hijos para que los degüellen y a vuestras hijas para que las conviertan en sus concubinas!

Abú Amir lanzó una significativa mirada al capitán de la guardia, y este ordenó con un gesto a dos de sus hombres que prendieran al anciano. El mismo médico se acercó a él y advirtió en voz baja a los soldados:

—Con suavidad. No lo lastiméis. Llevadlo a su casa y que permanezca en ella.

Los guardias asintieron, pero el viejo, llevado ahora casi en volandas para sacarlo del lugar, aguzó sus gritos y redobló los escupitajos que lanzaba al chillar.

—¡Atended a las señales! ¡Alejaos de la perra máxima, que profanó una mezquita para degollar a los creyentes! ¡Huid de sus putas blasfemas y del rey de los lobos! ¡¡Salvaos!!

Los murcianos de la calle, poco a poco, habían bajado el tono de sus reproches conforme el anciano hablaba. Algunos de ellos creyeron incluso ver la lógica del discurso apocalíptico del viejo. Abú Amir se dio cuenta de que varios flaqueaban y murmuraban al oído del vecino, así que ocupó el lugar que acababa de abandonar el fanático charlatán, entre las piezas de ajedrez volcadas y los cuencos rotos. Abrió los brazos y sonrió a la gente.

—No os dejéis intimidar por él. Cualquiera de vosotros podría unir cuatro o cinco sucesos e interpretarlos a favor de cualquier causa. Hacedme caso, pues he visto lo que ocurre cuando se cede ante este tipo de agüeros, os lo aseguro. Por culpa de las amenazas de anticristos y loas a ese falso Mahdi almohade, en Valencia pude ver los rostros compungidos de la gente. Lo que antes había sido prosperidad y bienestar se convirtió, de un día para otro, en terror y en muerte. Las cabezas cortadas de muchos valencianos se pudrieron clavadas en picas, a la vista de todos para doblegar su voluntad. Eso es lo que puede ofrecernos ese viejo. Eso es lo que traen los almohades.

»Yo, que os conozco a muchos por haber compartido vuestras alegrías, os exhorto a mirar a vuestro alrededor y os pregunto: ¿de verdad pensáis que todo esto —Abú Amir movió una mano para abarcar cuanto estaba a la vista— es obra de Iblís? Si fuera así, yo mismo además de ese anciano os llamaría blasfemos, pues pretenderíais que el demonio se sobrepone en su voluntad a Dios.

»Ya se han oído antes todos esos embustes: demonios, infiernos, tormentos, anticristo, hora final, el Mahdi... Cada vez que nuestros padres conseguían prosperar y hacer frondoso este jardín, llegaba un nuevo visionario que les prometía las llamas de Iblís si no renunciaban a su paraíso en la tierra, pues eso y no otra cosa es al-Ándalus. Y cuando nuestros padres se sometieron y renunciaron, lo que aquellos visionarios hicieron fue apropiarse del jardín y arrancar los frutos para su propio deleite. Siempre es así. Así fue también en Valencia, cuando aquellos que se rebelaron despojaron a los valencianos de sus riquezas para disfrutar de ellas, aunque no vi que Dios librara al traidor Ibn Silbán de la mazmorra en la que ahora se pudre a la espera de su muerte.

»Pero ¿queréis signos de la hora en la que vivimos? Bien, pues os pido que de nuevo miréis a vuestro alrededor. Nuestra ciudad es envidiada por todos, fieles e infieles. El reino se engrandece y nuestro rey goza de la amistad de los cristianos, con quienes lucha codo con codo. No nos faltan enemigos, desde luego, pues como los lobos rodearon a nuestro señor Mardánish en las frías montañas de septentrión, así otros lobos nos miran con fauces chorreantes. Pero nuestro rey venció a los lobos, ¿no es así?

Se oyeron algunas afirmaciones, y otros asintieron con entusiasmo, deseosos de librarse del mal presagio traído por las palabras del anciano fanático.

—¡Ellos, los almohades, son las alimañas! —dijo un ciudadano—. ¡Y nuestro señor los vencerá y se vestirá con sus pieles!

—Todos nos hemos de enfrentar a las alimañas —añadió Abú Amir—. Por tercera vez os pido que miréis a vuestro alrededor, a la prosperidad de nuestras casas y a la riqueza del mercado. Oled el aroma del vino fresco y admirad la belleza de nuestras mujeres. Oíd la risa de vuestros hijos y probad el sabor de la alegría. También os invito a mirar a esos que auguran la llegada del anticristo, vitorean a su Mahdi almohade y dicen traer la verdadera fe. Fijaos en sus aldeas tristes y paupérrimas y oíd el lamento quedo de sus esposas, que jamás ven la luz del sol. Asombraos por el rostro aterrorizado de sus hijos, que morirán para la gloria de Abd al-Mumín, y saboread la arena de su desierto, que traen para cubrir nuestros jardines. Recordad los ojos nublados de ira de ese viejo que os ha asustado, ved su mente trastornada y escuchad sus palabras, deseosas de infundir el miedo y el remordimiento.

»Y ahora que habéis visto qué hay a uno y otro lado, yo os pregunto: ¿ofreceréis la garganta y dejaréis que las alimañas os la desgarren y beban vuestra sangre? ¿U os enfrentaréis a ellas como nuestro señor Mardánish, para preservar este jardín, a nuestras mujeres y a nuestros hijos?

Todos prorrumpieron en un unánime clamor, alzaron los puños y se dieron ánimos unos a otros. Para apoyar las razones de Abú Amir, Zobeyda ordenó rápidamente a sus doncellas que se descubrieran el rostro y se acercaran a la gente con su más cálida sonrisa, y pidió al capitán de la escolta que repartiera vino de las tabernas próximas a cuenta del tesoro. Lo que unos momentos antes parecía un funeral se había convertido en fiesta. Abú Amir se abrió paso mientras los murcianos le palmeaban la espalda, le felicitaban y le prometían batirse si era preciso para defender al-Ándalus. Llegó hasta el palanquín de Zobeyda y miró entre las cortinas. El rostro de la favorita mostraba el mal rato que había pasado durante aquel episodio.

—¿Lo has oído todo, niña?

—Todo.

—Ese viejo no es el único. Y habrá más cuando los almohades se acerquen.

—Pero ¿seguro que se acercarán? —La voz de la favorita sonó insegura.

—¿Quién lo sabe? Quizá sí, alguna vez logren someter a las tribus de África y se decidan a venir. O puede que no, y se hundan en el pedregal del que han brotado.

—¿Qué debemos hacer con ese viejo? ¿Y con los que son como él?

—Son peligrosos, niña. Si nos deshacemos de ellos, viviremos más tranquilos, pero corremos el riesgo de que nos consideren injustos y crueles.

—El degüello de la aljama de Valencia. Lo dices por eso.

—Ya ves que lo usan como excusa. Pero no tiene mayor importancia. Usarían cualquier otra, como esa fábula de los lobos. Sin embargo, el pueblo es tornadizo. Aman a tu esposo y te aman a ti, pero llegado el momento, el amor y las palabras podrían no ser suficiente medicina. Entonces, y no antes, deberemos correr el riesgo de ser temidos.

Zobeyda suspiró dentro del palanquín mientras fuera continuaba la fiesta. Reflexionó unos instantes antes de hablar.

—Por ahora, pues, dejemos que nos amen y amémoslos.

8

A cualquier precio

Finales del verano de 1153. Santa María de Albarracín

La campiña y los bosques se llenaban de color en la Marca Superior, en un ciclo sin fin que nada sabía de conquistas y alianzas, de cristianos, andalusíes y almohades.

A semanas de distancia de allí, en la capital del Sharq, el tiempo disipó el recuerdo de los malos agüeros y del incidente del anciano ante la comitiva de Zobeyda. Abú Amir procuró que toda Murcia supiera de la generosidad y misericordia de la favorita, a quien atribuyó la decisión tomada respecto de aquel viejo fanático que la había llamado perra lujuriosa y había comparado al rey Mardánish con el propio Satán: la familia del anciano fue invitada a sacarlo de Murcia y llevarlo a alguna aldea apartada de las ciudades y las rutas y, a poder ser, poco poblada. La propia escolta personal de Zobeyda acompañó al anciano y a algunos de sus familiares por las calles de la ciudad y, justo en la puerta, le fue entregada una bolsa con dinero para poder establecerse. La noticia de cómo había saldado Zobeyda esa cuenta recorrió Murcia, saltó las murallas y se extendió del mismo modo que se había extendido la forma de acabar con la rebelión de Ibn Silbán en Valencia. Si la favorita de Mardánish aparecía ya a los ojos de sus súbditos como una mujer excepcional, ahora todos la adoraban hasta rozar la idolatría. Justo el resultado contrario al esperado por el anciano fanático.

Pero todos estos hechos eran aún ignorados por Mardánish. Su convalecencia lo había retenido en Santa María de Albarracín hasta el final del verano, momento en el que los médicos juzgaron adecuado su regreso a Murcia. Durante el tiempo aquel, tanto Álvar Rodríguez como Pedro de Azagra se dedicaron a la actividad para la que habían viajado: cazar. Y si bien el Calvo añoraba el lujo y los placeres de Valencia y Murcia, imposibles de hallar en la tierra de frontera que era Albarracín, Pedro Ruiz de Azagra se vio prendido por un profundo apego a aquella ciudad enriscada y protegida casi más por la naturaleza que por sus recias murallas.

Unos días antes de la partida de Mardánish llegó el nuevo gobernador, bajo cuyo mando había puesto el rey del Sharq tanto Albarracín como Alpuente y los territorios circundantes, incluida la pequeña aldea de Tirwal. El escogido, siguiendo el consejo de Abú Amir, había sido el tagrí expulsado de Lérida, al-Ansarí. El cadí, que guardaba suficiente odio hacia el príncipe de Aragón como para esmerarse en la defensa de la Marca Superior, arribó acompañado de un contingente avanzado, tomó posesión del cargo y empezó los preparativos para acoger al resto del ejército procedente de Valencia, Murbíter, Cuenca y Segorbe. De este modo, tranquila la frontera a poniente por la segura presencia de los vecinos castellanos, quedaba el norte presto a la defensa contra el embaucador Ramón Berenguer. El príncipe de Aragón seguía aireando públicamente su respeto por el acuerdo de paz contraído con Mardánish mientras guarnecía sus nuevas posesiones en el Ebro con frailes guerreros y las preparaba como bases para continuar la conquista.

El día de la partida, Pedro Ruiz de Azagra solicitó quedar un momento a solas en el adarve del alcázar; desde allí se dominaba como desde un otero la medina de Albarracín, su cimiento pétreo y la fría corriente del Guadalaviar, que rodeaba casi todo el perímetro amurallado. Azagra disfrutaba de la fresca madrugada de fines de verano y contemplaba aquella belleza de la que se había enamorado a los pocos instantes de llegar. Oyó pasos a su espalda, se dio la vuelta y descubrió a un sonriente Mardánish, que caminaba tranquilo mientras, a través de las almenas, descubría el desenfreno de colores que ya vestía los bosques circundantes.

—No es necesario que digas que añorarás Albarracín —afirmó el rey del Sharq.

—Es un sueño. Daría todos los señoríos que por herencia me corresponden a cambio de este lugar tocado por el dedo de Dios.

—Ramón Berenguer también daría gran parte de lo suyo por Albarracín —advirtió Mardánish—. Dominar esta ciudad es dominar mi Marca Superior. Esto es inexpugnable, pero el príncipe de Aragón no podrá llevar la conquista al mediodía si no somete antes Albarracín.

Pedro de Azagra asintió. Aquella vieja ciudad había sido la capital de todo un reino ismaelita, y ahora dominaba lo que llamaban la Sahla as-Sharq, el camino que cualquier ejército debería seguir para avanzar hacia Valencia. Sus riquezas eran innegables y podían apreciarse a un golpe de vista. A su espalda, las montañas ofrecían todo un tesoro maderero y servían como nacimiento a múltiples corrientes que más tarde se convertían en ríos de impresionante caudal, mientras que la llanura que se extendía a levante mostraba enormes cultivos de cereal y vegas repletas de árboles frutales. Para Pedro de Azagra, de un carácter más austero que su valiente y desenfadado compañero Álvar Rodríguez, Santa María de Albarracín brindaba templanza a la par que prosperidad. Casi podía adivinar la gelidez que dominaría las alturas y escarcharía los márgenes del Guadalaviar en el invierno; la tranquilidad de los días entre los graznidos de las águilas y las tareas del campo al acabar la estación fría los había podido experimentar ya, al igual que las madrugadas de caza o las largas tardes de contemplación en la pequeña y cercana iglesia de Santa María, de la que Azagra se había convertido en cumplido devoto. El templo, tan viejo que su origen se perdía en el reino de los antiguos godos, le ofrecía el recogimiento que su alma necesitaba, y había conservado como un talismán su nombre cristiano a pesar de la dominación musulmana.

—En verdad ese súbdito tuyo, al-Ansarí, es afortunado por el servicio que le has encomendado. —Azagra tenía la vista fija en la corriente del río, que discurría allá abajo por entre las rocas y los huertos.

Mardánish entornó los ojos. Se acordó de las palabras de Abú Amir, que le había recomendado atraer hacia sí a las huestes cristianas para reforzar las fronteras del mediodía e incluso poder seguir las conquistas. También recordó que, ante su insinuación en el salón de banquetes del alcázar de Murcia, Pedro de Azagra se había mostrado remiso a comprometerse.

—¿Qué me dirías, amigo mío, si yo te ofreciera la tenencia de Albarracín a cambio de tu ayuda en Granada?

Pedro de Azagra miró extrañado a Mardánish.

—¿Cómo? Jamás se vio algo semejante.

—Eso no será un obstáculo —aseguró el rey del Sharq—. Desde que me recogisteis en aquel roquedal a la orilla del río, más muerto que vivo y abrazado al cadáver de ese lobo negro, sé que podré hacer cualquier cosa que me proponga.

—Aquello fue suerte, amigo Mardánish. Mucha suerte. Lo mismo que tu recuperación, que atribuyo a mis largas oraciones a Nuestra Santa Madre, la Virgen. Para ella no debes de ser un infiel.

—¿Suerte? Un excelente rastreador, amigo Pedro —le señaló—, y un buen médico que me atendió. Nada de suerte. Pero dale las gracias de todos modos a la Virgen cuando vuelvas a hablar con ella. Y pídele también que nuestro ejército crezca. Porque así podremos conquistar Granada, y tú tendrás Albarracín.

Otoño de 1153. Murcia

Mardánish, Álvar Rodríguez y Pedro de Azagra entraron en Murcia con el otoño agarrado a las murallas.

Sabedor ya, por las cartas de Abú Amir, del golpe de efecto que había supuesto su hazaña y de que esta había sido elevada al rango de fábula, el rey del

Sharq hizo formar a sus soldados en el camino flanqueado de frutales y huertos que entraba en la medina desde Valencia. Labriegos, pastores y ciudadanos del arrabal de la Arrixaca se apiñaban ya mucho antes de cruzar la muralla para dar la bienvenida a su señor. Pero Mardánish, en su amor al lujo y al espectáculo, había previsto algo más: Zobeyda, vestida con un hermoso brial rojo de talle estrecho y tocada con una *miqná* de seda transparente cuyo extremo envolvía su cara, aguardaba a su esposo en el cruce del camino con el de la senda que llevaba a Dar as-Sugrá, el pequeño alcázar del norte. La favorita montaba a la amazona, al modo cristiano, en una bonita yegua torda vistosamente enjaezada. La escoltaba una sección de la guardia, y un paje, también vestido al modo católico, sujetaba las riendas de la montura y sería el encargado de guiarla hasta dentro de la medina, que cruzarían para llegar al Alcázar Mayor. Zobeyda llevaba trabada su capa negra con una fíbula plateada. La prenda se extendía sobre la grupa de la yegua y parecía flotar alrededor como si fuera una gualdrapa. En cuanto a Mardánish, él también cumplía con su propia tradición y lucía un atavío cristiano, con pellizón estrecho con cuello, mangas bordadas y espada sujeta al cinto; y sobre los hombros, atada al pecho, lucía su prenda estrella: un manto blanco en cuyo arranque estaba cosida la piel del lobo negro, de modo que la cabeza del animal asomaba sobre el hombro izquierdo del rey.

Cuando la comitiva de Mardánish llegó al cruce, el rey lanzó una mirada llena de intenciones que le fue devuelta por Zobeyda, pero atentos al protocolo que ellos mismos se habían marcado, se abstuvieron de cruzar palabra. Al iniciar el paso la yegua para flanquear al rey, la favorita alzó la cabeza y mostró orgullosa al esposo su vientre abultado. Mardánish comprendió de inmediato y notó el orgullo trepar desde el corazón y fluir con una sonrisa de satisfacción y amor hacia su favorita. Pedro Ruiz de Azagra y Álvar Rodríguez también se apercibieron de inmediato del cambio operado en la anatomía de Zobeyda, y ambos cruzaron un gesto de entendimiento.

La comitiva, ya completa, atravesó el arrabal, hizo su entrada triunfal y recibió una lluvia de pétalos y aclamaciones. De inmediato, desde los atiborrados adarves y por las calles más angostas, de celosía en celosía y de puerta en puerta, se extendió un grito que todos acabaron coreando.

—¡Rey Lobo! ¡Rey Lobo!

Mardánish saludaba a un lado y Zobeyda, a otro, y tras ellos los dos nobles cristianos también recibían los parabienes de la multitud. El Calvo, contento de volver a un ambiente sofisticado, recorría con la mirada el gentío en busca de mujeres hermosas, mientras que Azagra, más sosegado, hacía continuas y ligeras inclinaciones de cabeza al tiempo que su imaginación volaba lejos, a Santa María de Albarracín. La comitiva se detuvo un poco antes de llegar a la mezquita aljama, justo cuando las calles se ensanchaban para dar paso al barrio más noble de Murcia. En aquel mismo lugar, escenario de la

desagradable escena de unos meses atrás, Abú Amir había previsto un pequeño espectáculo que ayudara a asociar en las mentes de los murcianos la presencia de su rey con la alegría y la belleza de la ciudad. Fue el propio médico y
consejero quien, tras interceptar las monturas de Mardánish y Zobeyda, ocupó el centro de la abarrotada plaza. Frente a él, los guardias de la escolta cumplieron la misión que Abú Amir les había encomendado con discreción, y
abrieron un círculo amplio. Alrededor se congregaba curioso el gentío, que
no sabía si mirar al rey con la piel del lobo negro, a la favorita con su preñez o
al espacio creado ante ellos.

De repente, algunas de las personas que se encontraban entre el público
dejaron caer los mantos oscuros que las cubrían, y bajo ellos aparecieron ropajes de colores verdes y rojizos. Eran muchachos provistos de laúdes, flautas
y panderos. La voz de Abú Amir se impuso al murmullo de expectación:

—¡Bajo el reino del Lobo, todo rastro de tiranía ha desaparecido, salvo el
que proviene de los grandes ojos de hurí de las jóvenes hermosas!

Aquella era la señal. Los mancebos aprestaron sus instrumentos, se colaron por entre los guardias y, tras mirarse unos a otros una sola vez para marcar el inicio, comenzaron una melodía lenta, con notas alargadas y débiles que
poco a poco fueron acortándose y ganando ritmo y fuerza para crear una melodía alegre y pegadiza. Los murcianos, instintivamente, se arrancaron a
acompañar con las palmas los toques de laúd, y movieron las cabezas y los
hombros según la cadencia que marcaban las flautas y las panderetas. Los músicos, efebos de sonrisa permanente, atrajeron de inmediato las miradas de las
matronas y de algún que otro patrón. Cuando el ritmo de las palmas se extendió por toda la plaza, otras figuras embozadas se colaron en el círculo, sobre-
pasaron a los músicos y dibujaron un pequeño corro que levantó la expectación del público. Muchos murcianos pugnaban a codazos por ganar un lugar
o por no cederlo; desde las ventanas y azoteas, los privilegiados señalaban a
los recién aparecidos, que, aún con sus capuchas caladas, alargaban la espera
mediante el realce del misterio.

Por fin cayeron los mantos y orlaron de negro el corro, y el misterio se descubrió. Un alocado griterío se extendió por el lugar cuando las cuatro doncellas de Zobeyda aparecieron cubiertas de cendales tan sutiles que abandonaban
todos sus encantos a la contemplación ajena. Con los senos apenas tapados,
dejaban al descubierto sus ombligos y cedían la desnudez de sus muslos por
los flancos de aquellos velos transparentes; estrechaban con ceñidores sus caderas, y brazaletes y pulseras resonaban en pantorrillas y muñecas. El coro de
bellezas se unió a la melodía, y las cuatro hicieron sonar los pequeños címba-
los plateados prendidos en sus dedos.

La primera en iniciar la danza fue la persa Marjanna, que meció sus abundantes pechos mientras giraba y sonreía provocativamente a todos los hom-

bres que la rodeaban. Después fue la rubia Zeynab quien se unió a la esclava morena, alargó sus piernas interminables y clavó los ojos de un azul claro en los muchachos y en los soldados; ambas marcaron con súbitos golpes de cadera el ritmo de la percusión, sus cuerpos se curvaron hasta lo imposible y apretaron los torsos contra la gasa para insinuar orgullosas sus encantos. La tercera en añadirse fue Adelagia, cuyo pelo rojo, peinado en una trenza, estaba cubierto de flores y lazos. La cristiana se sumó en la danza oriental a Marjanna y Zeynab, y las tres giraron sobre sí mismas y alrededor de Sauda, que permanecía quieta, replegada sobre sí misma, añadiendo un punto más de misterio africano al baile. Las tres danzarinas abrieron su círculo y se acercaron a los soldados y al público. Hombres y muchachos forzaban su cuello e intentaban aprovechar cualquier molinete de las bailarinas para intentar atisbar entre sus ropas; ellas, pícaras, jugueteaban con el deseo de todos, ocultaban apenas sus senos de maquillados pezones, arrojaban besos a hombres y mujeres y se rozaban impúdicamente con músicos y guardianes.

Cuando la excitación podía ya cortarse, la africana Sauda despertó de su fingido letargo, quebró la danza oriental y reclamó para su baile salvaje toda la atención. Los panderos aumentaron su cadencia, murmullos de admiración recorrieron el lugar mientras la muchacha se desplazaba con una agilidad inverosímil, se agazapaba con languidez felina y luego saltaba para rozar con su cabellera ensortijada los rostros de los asistentes. Sus cendales flotaban tras ella y se igualaban a la neblina, y su cuerpo esbelto de músculos remarcados casi podía escapar de las vestiduras. La sugestión era tal que los murcianos podrían haber jurado que olían el aroma de las profundas y recónditas selvas que habían visto nacer a la muchacha. La música se aceleró, y los giros de la doncella se volvieron frenéticos, con lo que despertó gritos de admiración entre un público tan entusiasmado que dejó de tocar palmas y aguardó expectante para ver hasta dónde podía llegar la africana con sus movimientos imposibles. La apoteosis estalló cuando, de golpe, callaron los instrumentos; el silencio y el asombro eran más reveladores que cualquier ovación, y el espectáculo acabó con Sauda erguida en el centro del círculo, con un brazo estirado y el dedo índice apuntando hacia el cielo, su piel brillante por el esfuerzo y una blanquísima sonrisa destacando sobre su agraciado rostro azabache. Adelagia, Marjanna y Zeynab, que formaban ahora un triángulo perfecto, habían quedado postradas de rodillas, con las manos extendidas hacia su compañera, como sacerdotisas paganas que adoraran a una diosa ancestral. Toda la calle prorrumpió entonces en un sonoro aplauso al que se unieron de inmediato Zobeyda, Mardánish y los nobles cristianos. La favorita miró emocionada y sonriente a sus doncellas, que le lanzaron a través del aire una lluvia de besos antes de desaparecer junto a los músicos, encerrados todos en un férreo cuadro de soldados armados.

—¡Bravo, Abú Amir! —felicitó el rey al médico con sincera aprobación. Este hizo una reverencia y se apartó. La guardia retornó a la ocupación de abrir un pasillo para que la comitiva llegara hasta el alcázar.

Si en la mente de alguno aún quedaba un poso de las oscuras promesas de castigo de aquel viejo fanático y agorero, ahora se había disipado. En raras ocasiones podía el populacho disfrutar con un espectáculo de tal calidad; con las mismísimas doncellas de Zobeyda, de fama mítica, bailando para el pueblo en presencia de Mardánish, el rey Lobo. Todos reanudaron sus vítores al seguir a la comitiva por el tramo final de su recorrido. Una sensación de euforia colectiva se extendía por las calles de la ciudad. Diríase incluso que la felicidad abría las alas y volaba para recorrer todo el Sharq al-Ándalus. Nadie podía arrebatar aquella alegría al pueblo, que se veía eternamente dichoso, disfrutando del paraíso en el que se había convertido el reino. Las alabanzas al rey Lobo continuaron hasta que la comitiva desapareció tras la muralla del Alcázar Mayor, pero los murcianos siguieron con sus gritos, animándose unos a otros, congratulándose por el tiempo feliz que les había tocado vivir. Se abrazaban mientras la nueva cantinela salía a voz en grito de sus pulmones. Coreaban el lema de aquella utopía y se disponían a apurar hasta la última gota de su cáliz.

—¡Felicidad y prosperidad! ¡¡Felicidad y prosperidad!!

El alba saludó el lecho de Zobeyda con rayos impertinentes que se colaban por entre las celosías con forma de estrellas de ocho puntas. Las sábanas se tiñeron de luz y los cantos de currucas y mosquiteros acariciaron los sentidos de ambos amantes. Mardánish, desnudo junto a su esposa, dejó que sus ojos vagaran por el techo del aposento, decorado con un fresco estrellado. Sus dedos recorrieron inconscientemente las cicatrices que el lobo negro le había dejado en el pecho y los brazos, y volvió la cabeza para admirar la belleza salvaje de su amada.

Zobeyda aún dormía, caótica la negrura del kohl alrededor de sus ojos cerrados y enredado el oscuro cabello, como correspondía a la noche de indómita pasión que había concluido apenas un susurro antes. El vientre de la favorita, redondeado por la nueva vida que crecía en su interior, embellecía su figura. La ennoblecía. Y a ello también contribuían los senos ligeramente recrecidos y el inusual sonrojo de las mejillas, señales de su nuevo estado. Mardánish suspiró; leyó las invocaciones que, con caracteres antiguos, se había hecho pintar la favorita sobre los hombros. Exvotos a dioses paganos y genios olvidados, a Shams, Manawat y al-Uzzá. Y recorrió con la vista aquel cuerpo mimado cuyos rincones más secretos conocía de memoria. Se tenía por el hombre más afortunado del mundo y se decía que nada podía arruinar su felicidad. Aquella vida que Zobeyda alimentaba en su vientre era el blasón de su reino, el símbolo de que su sueño se cumplía sin remisión.

Se incorporó con lentitud, en silencio para no despertar a la amada. Sobre una mesita baja, una gran copa de plata contenía los restos de vino de dátiles que habían compartido antes de entregarse al deseo. Salió sin preocuparse de su desnudez y atravesó el corredor de puertas entreabiertas. Tendidas en sus lechos dormían también las hermosas doncellas de Zobeyda, cubiertas a medias por sus sábanas. Al pasar junto al aposento de Adelagia, vio a esta abrazada en dulce sueño a Abú Amir. Mardánish, sonriente, compartió la felicidad de su consejero, médico y amigo. Salió al patio y se acercó al surtidor central, en el que introdujo los dedos. El frescor del otoño erizó su vello y le arrancó un escalofrío cuando el viento se coló por entre las columnas, las higueras y los arcos entrecruzados.

—Mi señor, al fin te encuentro.

Mardánish se volvió. Uno de los sirvientes del alcázar, un joven que solía hacer de copero, acababa de aparecer en el patio con un pliego y mantenía una larga reverencia. El rey del Sharq se adelantó hacia él.

—¿Qué ocurre?

—Acaba de llegar un correo de Guadix. —El sirviente se alzó y alargó el pliego a su rey—. Ha entregado esto. Dice que es de parte del califa almohade, traído desde Málaga tras cruzar el Estrecho.

—¿De Málaga?

El muchacho asintió cohibido por la visión de Mardánish, no tanto por su descarada desnudez como por las tremendas cicatrices que cruzaban su torso, sus hombros y sus brazos. Había oído hablar del ya mítico episodio del lobo negro, pero ahora podría confirmar con su testimonio en los mentideros de Murcia que sí, que la lucha con la bestia había sido real y que las marcas quedarían para siempre en la piel de su señor.

El rey Lobo soltó un gruñido, tomó el pliego y, con un gesto, dio permiso al sirviente para retirarse. Observó el sello rojo y cuadrado que mantenía el rollo envuelto y leyó la epigrafía trazada con cursiva:

Allahu rabbu-na, Muhammad rasulu-na, al-Mahdi imamu-na.

«Dios es nuestro señor, Mahoma es nuestro profeta, el Mahdi es nuestro imán.»

Mardánish escupió a uno de los cuatro canalillos que nacían a los pies del surtidor. Quebró el sello y desplegó con furia mal contenida el mensaje. El tosco pergamino crujió al extenderse ante el rostro del rey Lobo. Este recorrió con la vista las líneas trazadas con esmero y apretó los dientes con fuerza a medida que avanzaba en la lectura de la misiva. Zobeyda, con aquel encanto salvaje de melena revuelta y orla anárquica y negra en la mirada, apareció envuelta en una sábana que sujetaba con ambas manos sobre el pecho. Caminó descalza sobre la hierba, al llegar junto a su esposo abrió la sábana y lo cubrió con ella. Ambos quedaron así envueltos por la misma prenda.

—Es una carta de Abd al-Mumín —explicó él sin necesidad de que ella mostrara su curiosidad—. Dice que me espera desde hace tiempo, y que ya todos los señores de al-Ándalus le han rendido pleitesía menos yo. Pregunta por qué prefiero tratar con infieles y también si son reales todos los rumores que ha oído: si es cierto que no le considero el verdadero príncipe de los creyentes y sucesor del Mahdi. Si es verdad que permito que se mancille el nombre de Dios y que dejo que cristianos y judíos vivan en mis tierras. Dice que no puede creer que sea cierto eso de que la degradación nos inunda como el estiércol, que nos revolcamos en nuestra inmundicia y nos amancebamos a la luz del día, hombres con hombres, mujeres con mujeres...

»Málaga ha abrazado ya el Tawhid, y en breve Granada se sumará a la tierra bendecida por Dios y purificada por el ilustre credo del Mahdi. Eso dice. Me conmina a viajar de inmediato a Marrakech, donde debo presentar mi sumisión y mostrarle mis tierras y mis ejércitos para que tome posesión de ellos. Juntos, dice el califa, aplastaremos a los reyezuelos infieles y recuperaremos al-Ándalus para el islam, de cuyo seno jamás debió haber salido.

Zobeyda se apretó contra el cuerpo de su esposo, presa de un súbito temor.

—Málaga ha caído... —repitió la favorita.

—Y ahora se dispone a ir contra Granada. Y sé que Abd al-Mumín ni siquiera ha abandonado África. Se ha limitado a enviar a sus hombres de confianza para subyugar al-Ándalus.

—¿Qué haremos?

Mardánish se mordió el labio inferior mientras repasaba las letras garabateadas en aquel rudo pergamino.

—He de convocar a mi ejército y a mis aliados. Necesito contar de nuevo con las huestes de mis amigos cristianos.

—Pero Álvar y Azagra no tienen aquí a sus hombres, y el de Urgel marchó con todo el ejército a Castilla. —La ansiedad de Zobeyda crecía bajo la sábana—. ¿Podrás reunirlos antes de que los almohades tomen Granada?

—Tal vez... Es difícil decirlo. Además, antes debo convencer al emperador Alfonso, y puede que él también se sienta amenazado por Abd al-Mumín... O quizá debería dirigirme directamente a Pedro de Azagra. Le he tentado con Santa María de Albarracín, pero no le veo convencido. Armengol de Urgel también acudiría en mi ayuda si le ofreciera algo. En cuanto al Calvo, creo que puedo contar con él incondicionalmente. Sea como sea, los tres esperarán a que el emperador tome una decisión, y para entonces podría ser demasiado tarde.

—Pero si Granada cae, los almohades estarán a nuestras puertas —repuso ella—. De cualquier modo necesitas tener aquí a ese ejército. Al precio que sea.

—¿Al precio que sea?

—Sí, a cualquier precio.

Mardánish, enrabietado, se separó de Zobeyda y salió del palio protector de la sábana y del calor de su esposa. Anduvo por el patio y apretó en su mano el pergamino, haciéndolo crepitar. Málaga y Granada eran ciudades aisladas, aun con todo su poderío. Ambas eran como frutas maduras que colgaban de la rama más baja del árbol, dispuestas a entrar en la cesta del primero que se atreviese a recolectarlas. Era cuestión de tiempo y de audacia que una y otra cayeran del lado de Abd al-Mumín o bien del de Mardánish. Quizás el propio emperador podría haber jugado su baza, como había ocurrido con Almería años atrás.

—Pero mi reino no es una ciudad aislada —continuó sus pensamientos en voz alta—. El califa de los cabreros no se atreverá a atacarme, a enfrentarse con todas las fuerzas del Sharq al-Ándalus...

Zobeyda, invadida aún de un ligero temblor, se arrebujó más en la sábana y marcó con ella la redondez de su embarazo.

—Esa carta no parece escrita por un pusilánime. Las amenazas que contiene apenas están veladas. Abd al-Mumín quiere tu sumisión nada menos que para enfrentarse a los cristianos. —La favorita avanzó con pasos cortos hasta donde estaba su esposo y lo observó con fijeza, cruzando ambos sus miradas, clara una y oscura la otra, día y noche. Luz y sombra—. Dime, mi amado: si el cabrero sueña con derrotar a esos reyezuelos infieles, como él los llama... Si realmente pretende vencer a Portugal, a León y a Castilla, a Aragón y a Barcelona... ¿Dudas de que arremeterá contra nuestra tierra?

Mardánish resopló y dejó caer el pergamino. Ahora notaba más el frío de la mañana y le empezaba a embargar la necesidad de volver junto a Zobeyda, de recoger su calor y sentirla cerca. Regresó a su regazo y se apretó contra el abultado vientre de la favorita.

—Tienes razón, como siempre —reconoció él—. Por eso seguiré tu consejo. Traeré de vuelta a mis aliados con todas sus fuerzas... a cualquier precio.

Zobeyda se abrazó al rey Lobo y apoyó la cabeza en su hombro. Sintió la rugosidad de las cicatrices dejadas por la bestia negra. Las últimas palabras resonaron en su mente como el canto del almuédano o las campanas de una iglesia.

A cualquier precio.

9

La princesa Zayda

La caída de Málaga tuvo consecuencias que se dejaron sentir en el Sharq al-Ándalus a los pocos días y se extendieron durante toda la estación fría.

Poco a poco al principio, en mayor cantidad después, familias enteras cruzaban la frontera y aparecían en tierras de Guadix. Las patrullas bajo mando de al-Asad, el hábil paladín de la ciudad que solo pudo ser derrotado por el Calvo, interceptaron de inmediato a los viajeros y dieron aviso a Murcia: se trataba de una columna intermitente de huidos que buscaban refugio en unas tierras que, según lo que habían oído, florecían de prosperidad y necesitaban cada vez más mano de obra para sus extensos cultivos, para sus huertas, sus construcciones y su ejército. Mardánish devolvió de inmediato a los correos con orden de permitir el paso por sus dominios a los fugitivos, e instruyó a los oficiales de su gobierno para que procuraran establecer a los recién llegados de forma repartida. Hubo quien, en los primeros días de aquella avalancha humana, temió que los arrabales de Murcia, Lorca u Orihuela se llenaran de pordioseros y ladronzuelos, pero pronto comprobaron que los refugiados llegaban con sus pertenencias, y no pocos de ellos eran alarifes, médicos, maestros, artesanos y alfaquíes. La columna se ramificó y atravesó los dominios de Mardánish. Cada nueva familia representaba una casa en un arrabal de Murcia, Valencia, Denia o Alcira, y, al mismo tiempo, una fuente de ingresos. Enseguida los constructores se aplicaron a la tarea de ampliar los barrios, de preparar nuevas mezquitas, de allanar los caminos y ampliar las murallas. Los alcabaleros encontraron contribuyentes que, recién llegados, se aprovechaban de la bonanza del Sharq pero también aportaban mediante el impuesto nuevas riquezas al tesoro.

Con el paso del invierno, la columna de malagueños fue decreciendo. Los más rezagados, que no habían encontrado un hogar a su medida en la cercana pero cristiana Almería, tomaron el camino del Sharq, y a ellos se unieron aquellos granadinos que veían cómo su ciudad se disponía a correr la misma suerte que Málaga. Todos habían oído hablar de la dureza del régimen almohade, algo a lo que los andalusíes y almorávides de las dos ciudades no estaban dispuestos a someterse salvo perspectiva de ganancia personal; también precedía a la llegada de los africanos su intolerancia total con las gentes del Libro: cristianos y judíos serían compelidos de inmediato a la conversión o al destierro, so pena de muerte inmediata tras la expropiación de todos sus bienes. En contraste, los rumores de comerciantes y viajeros hablaban de un paraíso de riqueza en las tierras del rey Lobo, un lugar donde no se atendía al credo de las personas para entorpecer o favorecer sus vidas. En las puertas de Málaga, y más tarde en las de Granada, predicadores de largas barbas y gesto iracundo advertían a aquellos que marchaban de que se dirigían al infierno, un reino maldito del que Dios había sido desterrado, donde podrían ser degollados mientras oraban en la mezquita y en el que se verían obligados a rendir pleitesía a un soberano loco y lujurioso, mitad humano y mitad lobo, que copulaba con hombres, mujeres, niños y animales.

Pero los más distinguidos estudiantes, filósofos y poetas salían por esas mismas puertas entre las familias cargadas de fardos y montadas en carros y acémilas, se reían en las barbas de los fanáticos de sus predicciones apocalípticas y tranquilizaban a los fugitivos al asegurarles que en las tierras del Sharq hallarían paz, garantizada por la amistad entre el rey Lobo y el emperador de los cristianos, y una riqueza sin par, proporcionada por aquella nueva sangre que fluía por las arterias de al-Ándalus y que regaría las huertas feraces, los campos cultivados, los mercados en los que jamás se agotaba el género, las ciudades rebosantes de lujo, los puertos en los que se acumulaba la mercancía... Bastaba con que los más cultos, que habían vaciado Málaga y ahora abandonaban Granada, recorrieran las filas de emigrados, señalasen hacia el norte y los miraran con ojos brillantes de esperanza para que sus ansias reverdecieran. Dos palabras eran todo lo que precisaban para espolear a quienes huían de los almohades.

Felicidad y prosperidad.

Verano de 1154. Murcia

Abú Amir salió al patio ajardinado del Alcázar Mayor y se acercó sonriente a Zobeyda, que jugueteaba feliz con la pequeña Zayda. La figura de la favorita se reponía de su reciente embarazo, y el fruto de aquellos nueve meses, una preciosa niña de piel rosada, mamaba con avidez en una esquina del patio, agarrada con fuerza a las vestiduras de la rubicunda nodriza que también había alimentado en su día a Hilal y Zayda. La pequeña, con el mismo cabello rubio que sus hermanos mayores, había recibido el nombre de Safiyya, y colgado de un cordón llevaba ya, por indicación de su madre, un *alherze* de caña, tinta de azafrán valenciano y papel de Játiva. Toda precaución era poca contra el mal de ojo. Sobre todo si Tarub andaba cerca.

Los pequeños Gánim y Azzobair compartían su juego con Hilal bajo la atenta mirada de las nodrizas y eunucos encargados de su cuidado, mientras las mujeres y concubinas de Mardánish se solazaban sentadas en la hierba, dejaban que el sol se posara sobre sus rostros o bien se refrescaban a la sombra de las columnas de alabastro. Tan solo la huraña Tarub faltaba en aquella alborozada reunión.

—Parto para Valencia, niña. Vengo a despedirme —anunció Abú Amir a la favorita mientras removía el pelo claro y abundante de Zayda. La niña, de ojos rasgados y expresivos, sonrió al médico, tomó uno de los gladiolos que adornaban el cabello de Zobeyda y corrió hacia su hermanita Safiyya, a quien gustaba de observar con curiosidad mientras se enganchaba a los grandes pechos de la nodriza.

—¿Qué vas a hacer allí, Abú Amir?

—Tengo un deseo personal que satisfacer y un encargo de tu esposo. Desde la caída de Málaga no han dejado de llegar refugiados, como ya sabes. Y también sabes que muchos de ellos son personas de bien, grata compañía para un pobre solitario como yo; gentes con las que puede ser un placer charlar mientras uno toma una jarra de vino en una taberna o acude al *hammam*.

»A todos les he planteado las mismas preguntas: les he pedido que me hablaran de los almohades. Quiero saber hasta dónde llega su amenaza y qué métodos usan. Deseo conocer de qué hablan, cómo convencen, qué esperan. No busco descubrir lo que ya sé: que su arma es el miedo. Pero sí me gustaría aprender a manejarlo para poder defenderme y luchar mejor contra ellos, y sobre todo tener presente qué nos darán y qué nos quitarán si finalmente acceden a nosotros. Los hombres de ese Abd al-Mumín están consiguiendo reducir las grandes ciudades de al-Ándalus sin marchar con poderosos ejércitos sobre ellas, sin necesidad siquiera de que el califa tenga que cruzar el Estrecho. Se le someten como una virgen anhelante se entregaría a su esposo en la noche de bodas. Bien se diría que Sevilla, Córdoba o Málaga se han arrancado sus vestiduras y han mostrado sus encantos cuando han abierto las puertas. Que han inclinado la cerviz ante el Tawhid. En este momento, también Granada se desviste con lentitud y expone sus pechos como si fueran copas rebosantes de miel. Se dispone a postrarse y a esperar la embestida de Abd al-Mumín. Cuando eso ocurra, el califa africano buscará a su siguiente concubina en nosotros. Y ese día, con las tropas almohades prestas ante el Sharq, quiero saber qué nos disponemos a perder. Necesito estar preparado.

»Sin embargo, esa es una sabiduría que no he podido extraer de los malagueños: abandonaron su ciudad antes de que los africanos se hicieran con ella. Tampoco puedo sacar nada de los granadinos que llegan ahora, pues ninguno de ellos ha querido escuchar a los radicales que esperan presenciar el adveni-miento de la última hora. Quienes les prestaron oídos se quedaron en Málaga o siguen en Granada, preparando las bodas de la virgen con su añorado califa. Y desde luego no seré yo quien tome el camino del mediodía para estudiar las razones del miedo en el banquete de ese casamiento. Por ello buscaré en Va-lencia al único hombre vivo al que conozco y al que puedo acceder que halló tal convicción en el advenimiento de Abd al-Mumín como para cometer trai-ción, rebelarse e inundar de sangre el cauce del Turia.

—Ibn Silbán —completó Zobeyda—. Sigue vivo, si nada ha cambiado, en las mazmorras del alcázar. Allí espera una sentencia que Mardánish se demora en pronunciar.

—Ha sido así por petición mía. Estos tres años de oscuridad y miseria en prisión habrán bastado, espero, para ablandar su ánimo.

La favorita movió la cabeza de lado a lado, como si desaprobara las in-quietudes de su maestro y amigo.

—Tú, Abú Amir, eres un hombre que ama la vida. Disfrutas de sus place-res como nadie al que yo conozca, y eso incluye a mi esposo, que jamás se harta de amor, de vino o de guerra. Te he visto retirarte al lecho con todas mis doncellas cuando cualquier hombre del Sharq daría un brazo y una pierna por acostarse con una sola de ellas. Gozas de tu posición, sacias tu sed con el vino más preciado y matas el hambre con manjares que cuestan tesoros. ¿No temes enfrentarte a la cara de ese miedo?

—Te mentiría si te dijera que no, niña. Pero *necesito* ver esa cara. Quiero ser capaz de reconocerla cuando llame a mi puerta, precisamente porque ese será el momento en el que ponga fin a todo. Tú lo has dicho, vivo en un océa-no de felicidad al que jamás renunciaré. Ah, ¿acaso no conoces el dicho del poeta? *Lloramos por lo que ha desaparecido, estamos preocupados por lo que ocurre, nos atormentamos por lo que esperamos y nuestra existencia no tiene nunca tranquilidad.*

Zobeyda miró fijamente a su maestro e intentó encontrar en sus ojos un atisbo de esperanza. Las confesiones de Abú Amir señalaban lo que ella inten-taba ignorar: que el jardín de felicidad y prosperidad tenía los días contados. Prefirió no pensar en ello y agarrarse a sus ilusiones.

—¿Cuál es la otra razón que te lleva a Valencia? ¿Puedo conocer el encar-go de mi esposo?

—Por supuesto, ya que no es otro que tu deseo expreso de hacer de tu *munya* de Marchalenes un palacio digno de ti.

La favorita sonrió complacida y señaló a la pequeña Zayda, que aún contem-plaba asombrada cómo su hermanita se alimentaba en el regazo de la nodriza.

—Digno de ella —corrigió al consejero—. Manda que lo adornen con los más bellos tapices, y que sus jardines estén poblados por los árboles más altos.

Que las aguas de sus fuentes se asemejen al propio paraíso. Usa tu ingenio, Abú Amir, pero logra que ese palacio sea tan hermoso como para cautivar el corazón de un rey cristiano.

El médico frunció el ceño.

—¿Un rey cristiano?

—Sí. Puede que nosotros debamos padecer el castigo a nuestros pecados entregándonos a Abd al-Mumín, pero sé que ella, sangre de mi sangre, será reina.

Abú Amir sonrió con ironía.

—La profecía de esa vieja bruja todavía te tiene engañada. No puedo entender que alguien con tu claridad de juicio siga creyendo en supercherías...

—No se trata solo de Maricasca —le interrumpió Zobeyda—. Lo que pretendo no es tan descabellado al fin y al cabo. Quiero lo mejor para mis hijos, y sé que el futuro depara algo grande a Zayda.

—Por supuesto. Es la hija de Zobeyda, la favorita del rey Lobo. ¿No es suficientemente grande?

—Sabes que no —se quejó ella con un deje de amargura—. Aunque hay quien me llama reina, no lo soy. Mi nombre pasará desapercibido, oculto por el de mi esposo. Ni siquiera tengo mi puesto asegurado. Mardánish no tiene la obligación de mantenerme como su favorita, ni de nombrar heredero suyo a Hilal.

Abú Amir reflexionó un instante, aunque no era necesario devanarse mucho los sesos para suponer que las demás esposas del rey, e incluso la amargada Tarub, desgarrada por los celos y la ira, aguardaban su ocasión. El del harén era un pequeño mundo en apariencia dichoso, pleno de goces y belleza. Pero en sus rincones disimulaba la envidia y la traición.

—En parte te comprendo. —El médico se pellizcó la recortada barba rematada en punta—. El propio Mardánish llegó a ser rey por aclamación de las tropas y por la elección del viejo Ibn Iyad en su lecho de muerte. Tu esposo valora este hecho y sabe que no hay reinado más merecido que el ganado por virtudes, no por nacimiento. Pero conozco al rey, y sé que tú eres y seguirás siendo su más amada esposa. Y Hilal también ocupa un lugar excelso en su corazón. Además, todo el Sharq te adora. Las mujeres intentan imitar la moda que has traído, la mitad de los hombres están enamorados de ti y la otra mitad sueñan con tus doncellas. Te identifican con la prosperidad del reino y hasta creen que te deben su felicidad. Mardánish es consciente de ello, te lo aseguro. Y, por si fuera poco, el aplastamiento de la rebelión en Valencia te ha hecho ganar el respeto de todos.

—Ah, ya. —Zobeyda hizo un gesto para quitar importancia a todo aquello—. Pero la fortuna que hoy me sonríe puede darme la espalda mañana. Yo no soy reina en verdad, pero ella —volvió a apuntar a Zayda— sí lo será.

Abú Amir se recostó contra la pileta de la fuente.

—¿A qué te refieres?

—A que el destino parece llevarla a ello. Incluso su nombre, Zayda, parece un augurio más de Maricasca. ¿No conoces la vieja historia de la hija de al-Mutamid de Sevilla?

El médico sonrió sin ocultar su sempiterno escepticismo.

—¿Pretendes que tu hija emule a la princesa Zayda? Entonces esperarás que seduzca a un rey cristiano y le dé un heredero. Tus supersticiones pueden parecerme graciosas, pero esto ya es preocupante. No es propio de ti fantasear de ese modo. La princesa Zayda no pasó de ser una concubina, y su hijo murió antes de poder heredar. No es una historia con final feliz.

—Mi pequeña conseguirá lo que la vieja princesa solo pudo acariciar —aseguró la favorita con mirada de ensoñación—. Los jóvenes hijos del emperador, Sancho y Fernando, están llamados a ser reyes. Ambos son, como su padre, amigos y aliados de Mardánish, y saben que el Sharq no es el viejo y débil reino de al-Mutamid. Los territorios de mi esposo son tan amplios como algunos de los reinos cristianos, y mucho más ricos.

»Figúrate que el propio Sancho, que tomó como esposa hace tres años a la hermana del rey de Navarra, tenga pronto un hijo varón. Figúrate también que ese hijo varón sepa darse cuenta de la excepcional ventaja que supondría reunir en férrea alianza sus territorios con el Sharq al-Ándalus. Eso le daría la primacía total e indiscutible sobre toda la Península. Imagina truncadas las esperanzas del odioso príncipe de Aragón y sus sucesores, cortado su camino de rapiña por un nuevo reino que abarcaría la tierra entre todos los mares que nos circundan... Piensa en el poderoso frente que entonces se presentaría ante esos almohades. ¿Qué rey no sabría ver esta gran oportunidad? Así quedarían unidos los dos lados. Este, bajo la égida del Profeta, y el otro, bajo la del Mesías. Una profecía cumplida.

»Mi pequeña Zayda puede ser una pieza clave en el futuro. Afortunadamente se adivina en ella una belleza que le enseñaré a aprovechar, y todo lo que la rodee debe servir a este fin, incluido ese palacio de Marchalenes. Lo harás a medida de Zayda, como una cajita de lujo que sirviera de recipiente a la joya más preciada.

—De modo que Zayda es la sangre de tu sangre. La que unirá este lado con el otro.

—Así se ve mucho más claro que en la cueva de Maricasca. Dime, pues: ¿edificarás un palacio digno de una reina de ambos mundos?

Zobeyda esperó el gesto de asentimiento de Abú Amir. Tras recibirlo, se separó de la fuente y fue al lugar en el que la pequeña Zayda, con sus cabellos rubios relucientes al sol, seguía mirando absorta a su voraz hermanita. El médico contempló a aquella cría de cara alegre, bonita, menuda y curiosa. Así que ese era el camino imaginado por la favorita. Por las venas de aquella cría corría ahora su sangre, que un día se uniría a la de un rey. ¿El presagio de una vieja bruja loca destinaba a la niña a convertirse en puente entre dos mundos? Zobeyda parecía resuelta a que aquello se cumpliera.

Abú Amir se disponía a abandonar el patio e iniciar su viaje a Valencia cuando reparó en otra figura femenina, oculta en la sombra que proporcionaban los arcos entrecruzados que rodeaban el jardín. La amargada Tarub espiaba a Zobeyda, clavaba su mirada en ella como si fuera un puñal emponzoñado. Hincaba las uñas en una columna mientras apretaba los dientes y masticaba el odio que le despertaba la favorita.

10

Noticias lejanas, temores cercanos

Unas semanas después. Alrededores de Murcia

Mardánish observaba ensimismado las obras en su nuevo Qasr ibn Saad, el palacio fortificado que había mandado construir para solaz propio y como futuro regalo a Hilal, el hermano gemelo de Zayda. Completaba así la simetría con la proyectada ampliación de la *munya* de Marchalenes, que regalaría a la pequeña. Con aquellos dos palacios, uno a poca distancia de Murcia y otro junto a Valencia, pretendía asegurar a su favorita que los hijos habidos con ella eran especiales. Muy pronto, esperaba, podría construir una tercera *munya* para Safiyya. Quizás en Granada, si todo salía según sus planes. Desde luego, amaba a Gánim y Azzobair, sus otros dos vástagos. Su esposa Layla se hallaba en ese momento encinta, y las viejas parteras aseguraban que se trataba de un varón. Y más que vendrían. Pero Hilal, como sus hermanas, era especial. Tal vez se tratara solo del parecido con su madre, o quizá era la forma enérgica que tenía desde recién nacido de reclamar el pecho de la nodriza. En verdad, Mardánish no había siquiera pensado en su sucesión, pues, como guerrero tagrí, un sentimiento de perpetua precariedad dominaba su vida. Era la impronta del soldado de frontera que penetra en el territorio enemigo sabiendo que tal vez no vuelva a ver a su familia, o que defiende los muros del alcázar con el temor de que, con la derrota, todo su linaje se extinga o pase a engrosar las filas de esclavos y rehenes del enemigo. Mardánish jamás había pensado en su niñez en convertirse en rey, y menos de un territorio tan extenso y próspero como el suyo. Su vida había transcurrido entre soldados, en cuarteles o en torreones. Había compartido el rancho de la guarnición, vivido muchas veces en las mismas condiciones que los guerreros y participado en sus pesares y alegrías. Con apenas diez años, cuando residía en el alcázar de Fraga, pudo ver desde sus murallas cómo el ejército del Batallador, el viejo rey Alfonso de Aragón, asediaba la ciudad. Recordaba con un regusto amargo el terror que se expandió por todas partes, y cómo los pobladores se despidieron de sus familias con la seguridad de que la muerte se avecinaba. Muy poco tiempo antes, el rey de Aragón había puesto sitio a la cercana Mequinenza y, tras tomar la ciudad y como castigo a la resistencia ofrecida, había ordenado perpetrar una auténtica matanza.

El padre de Mardánish, Saad, era en aquel tiempo el caíd de Fraga, al servicio aún de los señores almorávides, y como guerrero tagrí de rancia estirpe no estaba dispuesto a entregarse al rey Alfonso. Desde las almenas de aquellas murallas había enseñado a su hijo cómo los cristianos completaban el cerco, le había explicado cómo distinguir sus errores y aciertos, y también le había contado que no debía compartir el temor de los villanos, que desconocían el arte de la guerra. La crueldad, decía Saad ibn Mardánish, era necesaria a veces y podía usarse como una herramienta más del guerrero. El rey de Aragón se servía de ella, pero, cuidado, era arma que se adaptaba bien a cualquier mano.

El ejército almorávide de rescate se había presentado por sorpresa frente a Fraga. Fuerzas llegadas de Córdoba, del Sharq y de Lérida confluyeron ante un confiado Alfonso de Aragón, afamado guerrero que se sentía invulnerable. Pero el momento del rey Batallador había llegado. Sus fuerzas se estrellaron contra el ejército almorávide y fracasaron. Al mismo tiempo, Saad ibn Mardánish abandonó la seguridad de Fraga al frente de sus hombres y atacó las líneas de asedio, donde se habían erigido pabellones, se guardaban a buen recaudo los bastimentos y esperaban los servidores y acompañantes, incluidas mujeres, del ejército cristiano. Todos fueron aniquilados por el caíd de Fraga, y este demostró así que la mejor arma contra el terror es un terror aún más fuerte. Alfonso de Aragón, herido él mismo por las armas musulmanas y aplastada su moral por la pérdida, se retiró para morir a los pocos días. Mardánish, que asistió a lo ocurrido desde las almenas de Fraga, jamás podría olvidar la carnicería en el campamento cristiano, ni cómo el temor de los ciudadanos se transformó en ira ciega, ansia de venganza y locura de sangre, que se descargó contra los pobres desgraciados que huían de las filas de Aragón para caer bajo los cuchillos y horcas del pueblo.

Ahora, dos decenios después de aquello, un nuevo enemigo amenazaba con sembrar el terror en el corazón de la gente. El miedo a los cristianos había sido reemplazado por el que precedía a las oscuras fuerzas del Mahdi y sus sucesores. Mardánish se preguntó si su hijo, Hilal, debería ver también desde las murallas de Murcia o de aquel mismo palacio cómo él, el rey Lobo, defendía el Sharq de los africanos almohades. Se preguntó si sus amigos cristianos estarían junto a él cuando los necesitara. Sonrió al recordar a Álvar Rodríguez, que en esos momentos debía de hallarse en sus tierras cruzadas por montañas y bosques, tal vez gozando de su esposa Sancha, acostumbrada a largas ausencias. El Calvo había abandonado el Sharq junto con Pedro Ruiz de Azagra para dirigirse cada uno a su hogar, enterados ambos de que el emperador Alfonso rumiaba una ofensiva contra posiciones a mediodía de la Sierra Morena. Tanto uno como otro querían pasar un tiempo en sus casas antes de reemprender la marcha, pero prometieron al rey Lobo volver a reunirse en breve.

Un pequeño revuelo distrajo a Mardánish. Esquivó algunas de las herramientas de los yeseros y dirigió su vista hacia el camino de Murcia. Desde la pequeña altura del recinto interior, asomado a una de las torres cuadradas que jalonaban la muralla, el rey Lobo observó a un jinete que cabalgaba desde la capital. Le seguían un par de ellos más, a los que reconoció como soldados de la guardia por sus vestiduras. Los tres bordeaban la alberca que se unía al palacete mediante un acueducto y que completaba la red de irrigación de la inmensa llanura cultivada. Al forzar la vista, Mardánish identificó de inmediato el atavío ajado y maltratado del jinete de vanguardia. Sonrió y bajó de la torre para dirigirse con ligereza hasta la entrada del recinto exterior.

Cuando el rey Lobo llegó, el guerrero deslustrado ya había subido la escalera de madera que daba acceso al portón. Aquella escala era móvil, de manera que, en caso de peligro, el enemigo se encontrara con un fuerte desnivel batido desde las murallas, salpicadas de torres cada mínimo trecho al curioso estilo que imponía Mardánish. El rey indicó a sus escoltas que permitieran pasar al recién llegado. Este se descubrió y dejó al aire su enmarañada y abundante melena negra.

—Al-Asad, León de Guadix, sé bienvenido. —El rey Lobo tendió su mano.

El guerrero sonrió, clavó una rodilla en tierra y saludó a Mardánish.

—Tu suegro Hamusk te envía saludos. Ambos te deseamos una vida larga y feliz, mi señor. Esperaba verte en tu alcázar, pero cuando me han dicho que estabas aquí, no he aguardado ni un momento.

Mardánish hizo un gesto para que al-Asad le siguiera, y ambos se resguardaron del sol en una de las salas, ya terminadas pero faltas de ornamento, que servirían para alojamiento de la guarnición. Ordenó a uno de sus soldados que consiguiera vino o agua para apagar la sed del paladín de Guadix.

—Importantes han de ser las noticias que me traes cuando no has podido esperar a que regresara a Murcia —supuso Mardánish.

—Bien podría habértelas dado allí. Pero ya me conoces. No me gusta el lujo de estos palacios. Prefiero cabalgar y cumplir mi misión. Tiempo habrá para descansar.

El soldado apareció con un odre de agua y se disculpó porque los trabajadores no contaban con vino en las obras. Al-Asad bebió, y el líquido chorreó por su barba y mojó los ropajes polvorientos e impregnados de olor a bosta de caballo.

—Habla cuando estés saciado —invitó Mardánish.

—Granada se ha entregado a los almohades —anunció sin más ceremonia el guerrero tras limpiarse la barba con el dorso de la mano.

El rey Lobo dejó caer la cabeza hacia delante. Suspiró por algo que, lo sabía, tenía que llegar.

—¿No ha habido resistencia?

—Nada. Los mandatarios salieron de la ciudad para recibir a sus nuevos amos y les entregaron regalos. Les ofrecieron Granada y prometieron todos abrazar de inmediato el Tawhid. Uno de los hijos del califa, Utmán, llegará en breve para tomar el mando de la ciudad.

»Hemos cesado las algaras cerca de Granada en tanto no nos des tu permiso para continuarlas. Los almohades tampoco nos han hostigado ni se han acercado a Guadix. Tu suegro, al conocer la noticia, vino de inmediato a asegurarse por sí mismo y me contó algo que puede explicar por qué Granada se ha entregado con tanta rapidez: un tal al-Wuhaybí se rebeló hace poco en Niebla contra los almohades. Se levantó contra la guarnición y tuvo cierto éxito, así que pronto cundió su ejemplo, se le unieron otros y cerraron la ciudad. Cuando le llegó la noticia, Abd al-Mumín ordenó recobrarla a cualquier precio, y envió al gobernador de Córdoba, Yumur, para someter a los rebeldes. Si no me equivoco, es la primera nueva que tenemos acerca de un movimiento militar serio de esos africanos en tierras de al-Ándalus. Yumur consiguió batir la ciudad y entró. Allí arrinconó a un buen número de resistentes. Venció e hizo miles de cautivos, tanto dentro como fuera de Niebla. A continuación los reunió y los pasó a cuchillo. A todos.

Mardánish escuchaba con atención el relato del guerrero. Aquella primera, fulgurante y cruel acción había tenido lugar lejos, casi en el Garb, el extremo occidental de al-Ándalus. Pero su eco, por lo visto, había recorrido distancias con enorme rapidez. Además venía a coincidir con la otra funesta noticia que al-Asad traía; al ganar Granada, los almohades acababan de plantarse a las puertas del Sharq con una rotunda carta de presentación. Aun con todo, aquellas nuevas tenían un aire remoto, como si no fueran más que cotilleos susurrados, casi punteados aquí y allá. Se hablaba de invasiones, rebeliones y matanzas, pero alrededor de Murcia todo era feracidad, paz, verdor, correr de agua y alegría.

—Vivimos bien. —Mardánish fijó la vista en las deslucidas ropas del guerrero de Guadix—. Demasiado bien. Nos hemos acostumbrado al lujo y al placer, y casi hemos olvidado que somos seres humanos. Todos los habitantes de Niebla degollados... Parece que lo que me cuentas sea parte de una antigua crónica. Se me antoja inconcebible que algo de eso pueda ocurrir aquí, en Murcia.

—Murcia está a salvo, mi señor —aseguró al-Asad—. Hamusk me ha mostrado su firme intención de acosar a esos africanos en cuanto nos des tu permiso. Yo me uniré a él, por supuesto. También se dice que tu aliado, el emperador cristiano, prepara una ofensiva. Dime qué debemos hacer y se cumplirá.

Mardánish asintió pensativo. Lo que había oído eran, ciertamente, noticias lejanas, pero pronto podrían conocer el alcance del poder almohade, real y cercano.

—Por el momento esperaremos. Que el emperador mueva sus piezas y veremos cómo reaccionan los africanos. Ahora te ordeno que vuelvas a Murcia y descanses. Mi alcázar es tuyo, amigo mío.

Dos días después. Murcia

*¿Qué habrán de sentir quienes tenían
la copa en la mano
y se distraían con la música
de flautas y laúdes?
A todos estaban sordos sus oídos,
salvo a sus melodías,
y no oían suras ni versículos sagrados...
Los rodeaba toda clase de ilusos,
y no sabían que era el peligro
lo que su mundo engalanaba.
Di a quienes duermen:
la mañana ha llegado, ¡despertad!
Ha pasado la noche, ya es el alba;
mirad la aurora, una espada en manos de un rey
que en Dios busca la ayuda y la victoria en su ejército.*

Mardánish dejó que el vino acariciara sus labios, resbalara por su garganta y le llenara el pecho de frescor. Luego enrolló el pergamino que acababa de llegar desde Valladolid, firmado por su amigo, el emperador Alfonso. El rey Lobo asintió, sumido en sus propios pensamientos. Su vista vagó entre los destellos arrancados a los azulejos de la sala de banquetes, y aspiró el aroma a limón que se colaba por las cercanas celosías. Desde la llegada de al-Asad, apenas un par de días antes, todos aquellos detalles llamaban mucho más su atención. Olía cada flor, y descubría un matiz distinto al ya acostumbrado; buscaba en cada joya un rincón secreto que le brindara un brillo desconocido y gozaba del cariño de sus hijos con intensidad incrementada. Se propuso aumentar las visitas a sus esposas, a todas ellas, en lugar de dedicarse casi en exclusiva al aposento de Zobeyda, como llevaba un tiempo haciendo. El sentido de la vida propio del tagrí renacía; surgía la sensación de ligereza, la idea de fragilidad que rodeaba todos aquellos lujos. La premura que da el saber que todo puede acabarse de un momento a otro. Miró de nuevo el rollo de pergamino y sonrió. Decidió que enviaría al emperador un cargamento de papel de Játiva como regalo, para que pudiera escribir sus misivas sin recurrir al tosco material en el que le había hecho llegar las últimas noticias. Alfonso de León le anunciaba sus próximos movimientos. Demostraba así, una vez más, la confianza que tenía en el rey Lobo. Pero antes le ponía al tanto de las nuevas en tierras cristianas.

El padre de Armengol de Urgel acababa de morir, con lo que el noble se había convertido en conde. Y si la política del progenitor era ya cercana a los intereses de León y Castilla, la del hijo aún lo era más. El emperador enfatizaba en el mensaje la importancia del conde de Urgel, pues tenía a su servicio una hueste nada despreciable. Aquellas palabras parecían indicar a Mardánish que acercar definitivamente a Armengol a su amistad sería una buena idea. Además le hablaba de las gratas impresiones que le habían hecho llegar tanto Álvar Rodríguez, de quien hablaba como un enamorado del Sharq, como Pedro de Azagra, una importante pieza según el emperador por su influencia en Navarra. Alfonso felicitaba a Mardánish por haberse sabido ganar la amistad de ambos y le aseguraba que semejantes paladines, el Calvo, el conde de Urgel y Pedro de Azagra, conformarían un trío invencible que podría ponerse a las órdenes del rey del Sharq y apuntalar la seguridad del reino. Al final de la carta estaba la confirmación de la noticia que más esperaba Mardánish: a finales de año, el emperador recorrería la Extremadura y la Trasierra para preparar una importante campaña y reuniría a sus huestes en Toledo. Había llegado el momento de mostrar a Abd al-Mumín qué era lo que podía esperar en la Península. No requería la ayuda de Mardánish, pero creía acertado avisarle ahora por la cercanía de los almohades a sus territorios.

—Nunca han estado tan cerca —murmuró Mardánish, sabedor de que el emperador desconocía lo ocurrido en Granada en el momento de redactar la carta.

11

Un niño llega a Granada

Al mismo tiempo. Granada

Un tenso silencio se extendía por toda la alcazaba granadina. De afinar el oído, podía incluso escucharse el sonido de las chicharras que se tostaban al otro lado de las murallas. Hasta tan solo un día antes, alrededor de aquel lugar había reinado la belleza, y así lo habían cantado los panegiristas del poder almorávide:

> *Los ojos de los hombres se vuelven hacia Granada,*
> *pues ella es el jardín que despliega sus flores como un manto estriado.*

Sin embargo el salón principal de la *munya*, ayer decorado con todo lujo, permanecía ahora gris, revestido tan solo por blancos estandartes almohades en cuyas leyendas se cantaba el triunfo del príncipe de los creyentes y se reconocía la superioridad máxima del Tawhid y sus servidores. Los funcionarios de Granada, tan nerviosos que muchos no podían refrenar sus temblores, esperaban con la rodilla ya en tierra, reunidos frente al trono de madera noble mientras se lanzaban miradas furtivas unos a otros. A su alrededor, varios soldados almohades de las tribus masmudas los vigilaban con gesto en el que se mezclaba la burla y la curiosidad. Allí, entre aquellos escribanos, consejeros, secretarios, alfaquíes, alcabaleros, poetas y notarios, había muchos almorávides allanados, andalusíes de dudosa fidelidad, judíos con vanas esperanzas e incluso una mujer.

Los masmudas rompieron la densidad del silencio al envararse, hicieron sonar sus ropajes y aseguraron las conteras de sus lanzas en el suelo de piedra. Unos pasos ligeros fueron acercándose y resonaron en la estancia. Nadie se atrevió a mirar hacia el recién llegado.

—Soy vuestro nuevo gobernador, el *sayyid* Utmán, hijo de Abd al-Mumín.

—La voz, aunque juvenil, sonaba firme y rebotaba por el eco en las paredes y el techo abovedado—. Vuestro amo, el califa y príncipe de los creyentes, me envía en nombre de Dios, el Único, para que me asegure de que Granada realmente acata la fe sagrada.

Algunas cabezas se alzaron intrigadas por la juventud que aquella seguridad no podía ocultar. Una de ellas fue la de la única mujer, situada en la última fila. Utmán observó con ojos penetrantes y claros que destacaban sobre su piel oscura, y se fijó en cada uno de aquellos que por fin levantaban la cara. El nuevo *sayyid* tenía solo catorce años, pero un arranque de bozo cubría ya su labio superior y se alargaba tímidamente desde las patillas. Algunos de los granadinos curvaron en un gesto imperceptible la comisura de sus labios. Aquel jovenzuelo no sería difícil de manejar. Eso pensaban.

—Sé bienvenido a Granada, ilustre *sayyid*. Que Dios nos premie a todos con muchos años bajo tu guía —se atrevió a decir uno de los funcionarios. Utmán clavó en él sus ojos, que refulgían como brasas en aquella sala oscurecida por el temor.

—No me gustan los aduladores. Tal vez, al mirarme, alguno de vosotros ha pensado que mi juventud me convierte en alguien... manipulable. Pues bien, dejadme deciros que no es la primera ciudad que gobierno. —Utmán, vestido con una túnica ancha y larga que arrastraba por el suelo, echó las manos atrás y anduvo hacia un lado mientras algunas de las cabezas levantadas volvían a inclinarse—. Podéis preguntar a mis hombres, aquí presentes, por la dieta de los cuervos en Ceuta, Málaga o Algeciras. Están gooooordos. —El *sayyid*, en un deje propio de su edad, alargó las sílabas de la última palabra y se pasó la mano por la barriga—. Gordos, sí, pues se han alimentado de aquellos que osaron intentar... ¡De aquellos que solamente intentaron...! —Un respingo conmovió a todos cuando Utmán alzó la voz, pero luego la volvió a bajar hasta el tono inicial—, que intentaron, sí, dirigir mi ánimo. Mi ánimo solo lo dirige Dios, alabado sea. Y yo soy el único intérprete de su dirección, salvo que mi ilustre padre el califa o alguno de sus allegados estén conmigo. Tú, el que me ha dado la bienvenida. Álzate.

El interpelado sintió cómo se le hacía el vacío en el estómago. Ya estaba arrepentido de haber hablado, pero ahora se maldecía en silencio mientras reunía fuerzas para obedecer. Aquel arrapiezo no parecía reaccionar bien ante la tibieza. Se elevó, pero sus ojos continuaron fijos en el suelo.

—Mi señor, perdona mi atrevimiento, no era mi intención adularte ni influir...

—¡Silencio! —le cortó el *sayyid*—. Tu nombre y tu oficio.

—Ibn Tufayl, mi señor. Hasta hace poco, consejero del derrocado señor de Guadix, Ibn Milhán.

Utmán alzó las cejas y sonrió.

—Ah, recibí noticias de que Ibn Milhán había viajado a Marrakech para ponerse a las órdenes de mi padre. También se nos contó cómo Guadix había caído en poder de ese renegado..., ¿cómo se llama?

—Mardánish, mi señor. Dice de sí mismo que es el rey del Sharq al-Ándalus.

—Sí, Mardánish... Bien, también he oído hablar de ti, puedes estar tranquilo: lo que me han contado es bueno. Ven a mi lado.

Ibn Tufayl suspiró con alivio. Por suerte, su fama le precedía. De otro modo, ¿qué habría podido pasar por la mente de aquel mozalbete caprichoso? Quizá le habría mandado a alimentar a los cuervos de Granada con su propia carne. Llegó de inmediato hasta el *sayyid*, y descubrió con algo de asombro que el muchacho era tan alto como él, aunque sus miembros y su torso aún eran delgados y desgarbados, como correspondía a su juventud. Utmán habló en voz baja con Ibn Tufayl, de modo que nadie más le oyera.

—Serás mi consejero aquí en Granada, al igual que lo fuiste de Ibn Milhán en Guadix. No obstante, espero que no tengas que negociar para entregar la ciudad, como ocurrió allí. Dime, ¿por qué no acompañaste a tu señor a África? ¿Por qué Granada?

—Soy andalusí, mi señor. Esta es mi patria. —Utmán frunció el ceño al oír la respuesta, y el gesto no pasó desapercibido para Ibn Tufayl. De todos era sabido que los bereberes se tenían por superiores a los andalusíes. El de Guadix se apresuró a matizar su respuesta para no romper la racha de suerte—. Aunque tampoco quise prestar obediencia a Mardánish. Granada era el sitio ideal, pues su corte es famosa por cobijar a muchos poetas y estudiosos. Y además todos sabíamos que era cuestión de tiempo que cayera bajo el legítimo poder del califa. Esperaba este momento, mi señor, puedes creerme. Y créeme también, alejando toda sombra de duda: no soy un adulador, y pienso servirte con lealtad.

—Y dime otra cosa. ¿A qué es debido que ese demonio de Mardánish te dejara partir con vida? He oído decir que es implacable con todo aquel que no le presta obediencia.

Ibn Tufayl se encogió de hombros.

—Fue ecuánime cuando tomó Guadix, mi señor. Se llegó a un acuerdo y cumplió lo estipulado. Otra cosa es su suegro, ese Hamusk.

Utmán asintió pensativo. A pesar de su edad, estaba aprendiendo a juzgar a las personas. Ibn Tufayl no se había reprimido al reconocer su amor a al-Ándalus, y tampoco había aceptado reconocer que Mardánish era tan cruel como se decía. Sinceridad. Decidió confiar en él. Luego señaló a todos los que todavía seguían a la espera con la rodilla en tierra. Muchos habían vuelto a levantar la cabeza y observaban al *sayyid* y a Ibn Tufayl, aunque no podían oír su susurrante conversación.

—Necesito otro consejero de confianza. ¿A quién me recomiendas?

Ibn Tufayl sonrió, henchido de orgullo al ser consultado por el mismísimo hijo del califa. Desde luego, era una buena señal. No debía decepcionarle. Dudó un instante mientras meditaba la respuesta.

—Allí, Abú Yafar ibn Saíd. Muy agudo. Quizás un poco mundano, pero inteligente. Sobre todo conoce muy bien Granada y, lo que es más importante, a los granadinos. Proviene de una familia muy noble. Sus parientes siempre han ocupado puestos de relevancia en la corte.

El *sayyid* asintió y repitió en alto el nombre que le había dado Ibn Tufayl. Un hombre de apariencia muy cuidada y gran apostura se levantó y anduvo dubitativo hasta colocarse frente a Utmán. Se inclinó y mantuvo la reverencia.

—A partir de ahora, ambos me asesoraréis según vuestro conocimiento de Granada. Sedme fieles y seréis recompensados. —Ambos asintieron, aun dándose cuenta de lo ridículo que resultaba que dos hombres maduros se plegaran así a los deseos de un púber—. Y empezaremos por el principio. Cristianos y judíos. ¿Queda alguno en Granada?

Ibn Tufayl se vio sorprendido por la pregunta. Abú Yafar, que se sentía en la necesidad de hacerse valer, contestó con rapidez.

—Solo los que se disponen a acatar con lealtad el poder de tu padre, ilustre *sayyid*.

—Bien. ¿Alguno de ellos entre los hombres que hay en esta sala?

—Sí, tres judíos. Todos ellos personas de probada rectitud y...

—Mañana antes del alba, los tres, junto con los demás hebreos que siguen en Granada, serán recibidos en el seno del Tawhid y recitarán ante mí la profesión de fe islámica. Ya que tenían intención de ser leales, y en muestra de mi misericordia, les daré la opción de abandonar Granada y dirigirse a tierra de infieles si prefieren obstinarse en su falsa religión. Algo inútil, pues tarde o temprano toda esta península será dominada por mi padre... En fin, acabo de llegar y quiero dar buena impresión. ¿No os parece, mis consejeros?

Ibn Tufayl siguió callado. Esperaba algo parecido. Fue de nuevo Abú Yafar quien, al cabo de unos instantes de reflexión, se atrevió a contestar.

—Pero, mi señor, muchos de estos judíos se han mantenido en su fe a pesar de los almorávides y han confiado en tu magnanimidad. No aceptarán abrazar el islam.

—Si han confiado en mi magnanimidad, no puedo defraudarlos por muy infieles que sean. Por eso les ofrezco la salida de marchar. Te lo repito, Abú Yafar, mañana al alba solo quedarán musulmanes en Granada.

—Mañana al alba... En tan poco tiempo no podrán recoger sus pertenencias.

Utmán alzó la mano con gesto de hastío.

—Basta. No tienen derecho a detraer nada de tierra de Dios, alabado sea.

Que se vayan con sus amigos infieles y confíen en su caridad. O que abracen el Tawhid.

Abú Yafar asintió con simulada firmeza, decidido a no tentar más a la suerte. Estaba claro que su actividad de consejero no iba a incluir oponerse a su *sayyid* más allá de lo que aquel crío considerase razonable.

—Mañana al alba solo habrá musulmanes en Granada, mi señor... —el granadino se interrumpió, asaltado por una súbita duda—, salvo que alguno de los infieles haya decidido no convertirse y se niegue a abandonar la ciudad, en cuyo caso...

—En cuyo caso será crucificado de inmediato. Si son varios, sus cruci-fixiones se llevarán a cabo tras tortura pública en diferentes sitios de Granada. Quiero que se dé ejemplo. Y seguimos. Esa mujer. ¿Qué hace en mi corte?

Abú Yafar tragó saliva sin disimulo. La respuesta de aquel muchacho al ordenar las crucifixiones le había dejado sin aire, pero la alusión a la mujer le cortó la respiración. Utmán se extrañó ante la reacción de su nuevo consejero. Ibn Tufayl intervino de inmediato.

—Es Hafsa bint al-Hach, mi señor, una noble doncella. Y de origen bere-ber, como tú mismo. No tiene más que diecinueve años, pero, como tú mis-mo, es muy perspicaz, te lo aseguro. Su opinión ha de ser tenida en cuenta. —El de Guadix vio que sus argumentos no parecían calar mucho en el púber, así que desvió su estrategia. Utmán podía ser joven, pero no dejaba de ser un varón—. Pero antes de tomar una decisión, deberías verla de cerca. ¡Hafsa! ¡Tu nuevo señor, el ilustre *sayyid*, te reclama a su lado! ¡Ven sin tardanza!

La aludida se levantó y corrió a pasitos cortos, sin hacer ruido, porque se movía con los pies descalzos. Llevaba el pelo cubierto por un velo, pero de inmediato su belleza relumbró y apartó las sombras a su paso. Se movió con la ligereza de una gacela por entre los hombres arrodillados y se postró ante el *sayyid*, apoyando en el suelo unas manos de dedos finos y largos rematados por uñas cuidadas y pintadas de un carmesí intenso. Utmán se vio con la mu-jer a sus pies, rodeado por una nube de ámbar alzada por su súbita llegada; se sintió embriagado, incapaz de reaccionar. Ibn Tufayl sonrió sin que su nuevo señor le viera, satisfecho de que su rápida treta hubiera servido. En cuanto a Abú Yafar, seguía lívido, como si hubiera visto a la muerte de frente.

—Álzate, mujer —ordenó el *sayyid*.

Hafsa se levantó como si su cuerpo fuera ingrávido. Su cabeza quedó a la altura de la del muchacho. La granadina era morena de piel, pero sus ojos ver-des, enmarcados por el polvo de antimonio que oscurecía párpados y pesta-ñas, parecían iluminar todo el rostro. Tenía los labios carnosos y el mentón ovalado, y su nariz levemente aguileña le daba un aspecto ilustre que era re-frendado por el resto de su porte. Utmán enrojeció y bajó la vista, solo para toparse con la turgencia de unos senos que empujaban la tela de la túnica, y que subían y bajaban por la nerviosa respiración de la mujer. Subían y bajaban. Subían y bajaban. El joven Utmán cogió a Ibn Tufayl por el brazo y se apartó de Hafsa y del desvaído Abú Yafar.

—¿Hafsa? —preguntó en voz baja el muchacho.

—Hafsa bint al-Hach —repitió el de Guadix—. Sus poesías son las mejores de Granada. No, de todo al-Ándalus. También instruye, y lo hace muy bien. El Tawhid volaría de mente en mente si Hafsa lo enseñara en la *madrasa* de Marrakech. O aquí, en Granada.

—Eso no me parece bien... —La voz del *sayyid* había perdido ya su firmeza. Ibn Tufayl continuaba sonriendo por dentro. Sabía que Hafsa iba a causar ese efecto en Utmán—. Una mujer enseñando... Una mujer en mi corte... Una mujer.

—Muy hermosa, ¿verdad?

—Mucho —reconoció Utmán, pero respingó, como si hubiera sido cogido en falta—. Aunque sigue siendo un ser impuro... Y además, ¿por qué Abú Yafar se ha quedado como muerto?

—Está enamorado de Hafsa, como media Granada. Seguramente temía que desataras tu ira contra ella.

Utmán, que todavía no se había atrevido a girar la vista de nuevo hacia la mujer, negó en silencio para luego asentir. Ibn Tufayl detectó que la mente aún infantil del nuevo gobernador era escenario de un conflicto. Por fin el *sayyid* miró a Hafsa, que permanecía allí, a la espera, con aquellos ojos verdes que refulgían y un atribulado Abú Yafar a su lado, dominado por su presencia. El joven Utmán sintió un hormigueo en el estómago al verse asaeteado por la mirada de la granadina y, en un atisbo relampagueante y nada propio de su edad, comprendió por un momento por qué los almorávides habían terminado cediendo a la magia hipnótica de al-Ándalus.

Abú Yafar continuaba pálido cuando, tras abandonar la Alcazaba Vieja de Granada, fue recibido por la multitud arracimada en los caminos de subida. Muchos de los villanos aclamaban el nuevo poder dando vivas a Utmán y a su padre, el califa, pero otros tantos esperaban en silencio o hablaban en susurros mientras sonreían falsamente para escenificar su adhesión al régimen almohade. Algunos ciudadanos reconocieron a Abú Yafar, que ya había formado parte de la corte almorávide, y palmearon sus hombros al abrirle camino. El poeta, ahora secretario personal del *sayyid*, sintió náuseas al pasar por entre la multitud. Unos días atrás, muchos de ellos lloriqueaban temerosos de lo que iba a significar la llegada de los almohades. De repente, Abú Yafar sintió un tirón en sus ropas y se volvió. Al punto reconoció la cara crispada de quien reclamaba su atención, un hombre vestido con jubón amarillo bajo el que se bamboleaba una oronda panza. Era Sahr ibn Dahri, un judío que hasta el día anterior había ostentado el cargo de almojarife, nada menos que tesorero del gobierno. Ahora, con la llegada de los almohades y los rumores sobre su intolerancia, Ibn Dahri se había alejado de la corte a la espera de que le fueran reconocidos sus servicios con la anterior administración. Abú Yafar, que había trabado amistad con Ibn Dahri durante la estancia de ambos en la corte, empujó al hebreo para apartarle del gentío y le hizo retroceder hasta el rincón formado por la pared encalada de una casucha y el vallado de madera del corral adyacente. Allí el poeta miró a ambos lados para asegurarse de que nadie podía oírlos. El escándalo que formaba la chusma cercana ayudaba, pero aun así Abú Yafar habló en voz baja y vigiló de reojo los alrededores.

—Amigo mío, el nuevo *sayyid* ordena que todos los judíos de Granada hagáis profesión de fe islámica. Mañana, cuando acabe la oración del alba, todos los infieles que no hayan abandonado Granada serán detenidos. Se los torturará y crucificará. Debes convertirte.

El hebreo dejó caer la mandíbula inferior y siguió agarrando con fuerza los ropajes de Abú Yafar.

—¿Cómo que me convierta? ¿Cómo que abandonar Granada? ¿Tortura y crucifixión? Pero mi esposa, mis hijos... Mis amigos. ¿Por qué? ¡Somos gentes del Libro!

—Más bajo, más bajo. —Abú Yafar acompañó su ruego con un gesto de ambas manos y echó una mirada hacia atrás—. Ya lo sabíamos. Os lo avisé. Estos almohades han hecho lo mismo en todas partes. Deberías haberte ido con todos los demás. Los que os habéis quedado os arriesgabais a esto.

—No podía irme —gimoteó el judío, que sentía flojear las rodillas—. Todo lo que tengo, mi casa, mis animales, mis negocios... Todo está aquí. Además se me deben tener en cuenta los servicios prestados. He obrado rectamente. He trabajado para el gobierno. ¿Es que eso no vale nada?

—Ya no. Es una nueva era. Un nuevo orden. Por eso no tienen consideración con las gentes del Libro. Para ellos esta es su nueva tierra sagrada, su Hiyaz. Y no consentirán infieles.

—Tenías razón. Debí haberte escuchado. Si nos hubiéramos marchado... Ahora no tenemos tiempo. —Ibn Dahri venció los hombros y miró al suelo. La primera lágrima asomó enseguida—. Nos tendremos que ir con lo puesto y dejar atrás todo.

—Bueno, tampoco es preciso —trató de animarle el poeta—. Conviértete. Convertíos todos. Así podréis quedaros y conservar vuestras posesiones.

Ibn Dahri volvió a mirar a Abú Yafar. Sonrió con amargura mientras las lágrimas seguían brotando.

—Soy judío, como mi padre y mi abuelo. Y siempre lo seré, al igual que mis hijos y mis nietos. ¿Debo escoger entre mi fe y mis posesiones? Así sea.

Marcharé a las tierras de ese Mardánish. Allí aceptan a todos, dicen. O puedo viajar a Toledo. Tengo parientes en la judería...

—No, no. —Abú Yafar le agarró por los hombros y le zarandeó suavemente, como para hacerle despertar de una pesadilla—. Escúchame, amigo mío. No debes escoger entre tu fe y tus posesiones. Escenificad vuestra sumisión. Haced creer a esos africanos que os convertís. Ya está. Respetarán vuestra vida y conservaréis vuestras propiedades. Dios no te culpará por eso. Puedes rezarle según la costumbre de tus antepasados, solo que ahora deberás hacerlo con cuidado. Vamos. No desesperes. Será un placer compartir un rato de vez en cuando en la mezquita. ¿No te ves capaz de eso? Además, no será por mucho tiempo...

Abú Yafar calló de repente. Su mirada se había extraviado en los tablones medio carcomidos que cerraban el corral cercano. Ibn Dahri entornó los ojos.

—¿No será por mucho tiempo? ¿Qué quieres decir?

—Ese Mardánish del que hablas... Codicia Granada. Debemos confiar en él.

—No te entiendo, amigo mío —confesó el judío—. Tal como lo dices, lo más sensato también para ti habría sido abandonar Granada, como tantos otros, e irte a vivir a Murcia o Valencia, con ese Mardánish.

—Como a ti, son muchas las cosas que me atan a esta ciudad. Mi familia, mis tierras... y ella, claro.

El hebreo asintió mientras se restregaba la cara con el dorso de una mano.

—Hafsa —dijo tras sorberse los mocos.

—Hafsa. Ese cerdo africano no deja de ser un crío, pero la ha mirado como si...

Ibn Dahri asintió, respetando el súbito silencio del poeta. Ahora empezaba a comprender por qué ese ánimo en no dejarse vencer por las imposiciones de los nuevos dueños de Granada.

—Debes tener cuidado. —Ahora era el judío el que aconsejaba al musulmán—. Si se encapricha de Hafsa y se entera de lo vuestro, puedes tener problemas. Recuerda la historia del rey David y Betsabé.

—Lo sé, lo sé. La situación es extraña. Ese arrapiezo ha aceptado que Hafsa se quede en la corte. Conociendo a los almohades y su aversión por las mujeres, eso quiere decir que se ha prendado de ella. Pero también me acaba de nombrar su secretario personal. Como ves, amigo mío, tú y los tuyos no sois los únicos que van a fingir de ahora en adelante.

—Sin embargo, insisto, has dicho que esto no iba a durar mucho tiempo... Y has añadido que debemos confiar en Mardánish.

Abú Yafar asintió. Reflexionó un instante mientras se acariciaba la barba perfectamente perfilada, y decidió que aquel judío podía cumplir una interesante parte en sus planes.

—Irás ahora a hablar con tu gente, amigo mío. No dejes que a nadie le venza el desaliento. Ni te olvides de uno solo de los hebreos de Granada. Promételes que todo se arreglará. Deben convertirse al islam antes del alba de mañana. No, espera. Eso sería muy sospechoso... Escoge a aquellos en los que más confíes, los que más tengan que perder si se van. Pero no avises a todos los judíos. No sería creíble una conversión absoluta. Ese africano debe ver cómo algunos se van. Sí, eso es. —Los ojos de Abú Yafar brillaron mientras hablaba. Su mente funcionaba ahora tan bien como cuando componía sus alabanzas a la belleza de Hafsa—. El arrapiezo del *sayyid* no debe sospechar nada. Luego aguardaremos. Vosotros actuaréis como piadosos creyentes, y ya sabréis qué hacer en la intimidad de vuestros hogares. En cuanto a ti, hay que buscarte un oficio, puesto que has dejado de ser almojarife... Pero mi nuevo puesto en la corte me otorga prebendas. Trabajarás para mí. Y deberás hacerlo bien, porque en el momento adecuado... En el momento adecuado, amigo mío, jugarás tu papel para que todo vuelva a la normalidad.

12

Del paraíso al infierno

Al mismo tiempo. Valencia

La bella danzarina Kawhala era de Úbeda, aunque llevaba años viviendo en Valencia, pues había huido de su ciudad en cuanto comprendió que, de una parte o de otra, su cartel como mujer de costumbres licenciosas sería mal visto por almohades, demasiado bien por cristianos.

Kawhala también cantaba, y manejaba con tanta soltura el sable cuando se arrancaba a bailar que muchos pensaban que había recibido enseñanzas de esgrima. Por eso no le había costado encontrar empleo bien remunerado en una de las mejores tabernas de Valencia. Abú Amir era visitante conocido de aquel local provisto de habitaciones en su planta superior y conocido como El Charrán, al que no dejaba de ir cuando aparecía por Valencia. Esta vez no había sido diferente: tras un viaje de varias semanas con apacibles y largos descansos en Denia, Játiva y Alcira, Abú Amir, vestido con ligera *zihara* y blusa blancas, acababa de llegar a la Joya del Turia, y antes incluso de dirigirse al alcázar para entrevistarse con el gobernador Abú-l-Hachach, había acudido a El Charrán y se había sorprendido con la nueva adquisición del local. Porque era la primera vez que veía a la danzarina, o al menos la primera vez que reparaba en ella. Kawhala, cubierta tan solo por pañuelos de seda hábilmente colocados para apenas ocultar sus encantos, había hipnotizado con sus contoneos al puñado de adinerados mercaderes genoveses que frecuentaban el local casi en exclusiva. Las leyes que prohibían a los cristianos emparejarse con las musulmanas eran seguidas con cierta laxitud en cuanto a los encuentros furtivos, pero al menos en público se respetaban. Y desde luego aquella taberna tenía fama en toda Valencia por su seriedad, de modo que cuando Abú Amir quiso conocer más de cerca a la bailarina, no necesitó quitarse de encima a la legión de abrumados genoveses que habían dejado un rastro de baba en las mesas ante el sensual baile de Kawhala. Ella se dejó vencer enseguida por los hábiles requiebros del médico y aceptó sin apenas resistencia la invitación para seguir su baile en privado. La reputación de Abú Amir había bastado, asimismo, para que el dueño de El Charrán mirara para otro lado cuando ambos, el médico y la bailarina, subieron a los aposentos intercambiando miradas y susurros al oído en cada escalón. Abú Amir, por otra parte, y como siempre, había sido discreto, así que el tabernero no tendría que soportar que nadie hablase de su local como de un lupanar.

Arriba, junto a un lecho y frente a la celosía de la cámara, mientras el húmedo calor del Sharq al-Ándalus despertaba la sed y agitaba los corazones, Kawhala bailó una última pieza acompañada a las palmas por Abú Amir. Los molinetes de la muchacha hacían oscilar las llamas de las velas aromáticas, con lo que la propia luz la acompañaba en su danza y jugaba con las sombras. La joven, de pelo ondulado y labios carnosos, se despojó de varios de los pañuelos de seda al tiempo que giraba y se doblaba, y dejó alrededor de su piel la tela justa para derrotar cualquier voluntad. Su cabello, enrojecido por la henna macerada, se abrió como un abanico y tiñó el aposento del mismo color que tenían los atardeceres valencianos. Kawhala bailó hasta que el calor pudo con ella y se dejó caer en la cama. Entonces pidió por compasión al médico un poco de vino. Tamizadas por los cortinajes llegaban las voces apagadas de los viandantes, que abandonaban sus hogares para disfrutar de la calurosa noche en compañía. Abú Amir se apresuró a cumplir lo que aquella apasionada morena le ordenaba, y pronto le alargó una copa repleta que, a su ruego, le había subido el solícito tabernero. Ella se incorporó, ligeramente sofocada.

—Este moscatel retiene desde la cepa la sangre caliente del Mediterráneo, como la que corre por mis venas.

Kawhala soltó una risita.

—¿Eres poeta acaso? —preguntó antes de dar un largo sorbo que dejó mojados sus labios.

Abú Amir asintió. Con habilidad y delicadeza exquisitas arrancó el último pañuelo que envolvía el torso de la danzarina, con lo que dejó al descubierto los pechos redondos y provocadores, esculpidos, como el resto del cuerpo de Kawhala, por la práctica de la danza. La joven sonrió, devolvió la copa a Abú Amir y apoyó los codos en las sábanas como si ofreciera su busto al médico para ser juzgado. Él inclinó levemente el cáliz sobre la piel de la morena bailarina y dejó caer apenas unas gotas en el profundo valle que separaba ambos senos. Kawhala cerró los ojos al tiempo que un súbito escalofrío recorría su piel. Abú Amir moduló su voz en un susurro solo perceptible por la danzarina.

—*Deja que entre tus pechos circule este licor que se asemeja al sol, y que escapa a las miradas y rehúsa ser tocado.*

Un gemido escapó de la suculenta boca de la ubetense cuando el borde frío de la copa rozó uno de sus pezones. El moscatel resbaló, tiñó de caoba la perlada piel de Kawhala y dejó un reguero de frescor. Abú Amir sonrió cuando la respiración de la mujer se agitó y asomó la punta de la lengua entre sus labios.

—Sigue —pidió ella con un hilo de voz.

—*La vida no está más que en el trago de esta noche, o en mi boca, que con los dientes reemplaza el vino con la saliva.*

Para acompañar el verso, Abú Amir mordió con suavidad el pezón mojado de moscatel de Kawhala. La danzarina sujetó el cabello del médico y apretó la cabeza contra su pecho. Fuera, en la noche mediterránea, se oían timbales y risas.

Abú Amir, dispuesto a no desperdiciar una gota del líquido, recorrió con la lengua el reguero que había ido dejando el dulce moscatel, dibujando un diminuto arroyo que nacía en el pezón enhiesto, descendía la rotunda curva de aquella montaña y se vertía sobre el valle. Los labios del médico quedaban momentáneamente prendidos a la piel de Kawhala, jugaban con el pegajoso licor y hacían temblar a la danzarina; luego resbalaban a lo largo del vientre, y empujaban el dorado néctar al tiempo que besaba el monte de Venus o se recreaba en el ombligo, pequeño y delicado. Al topar con el obstáculo de la ropa que aún cubría las caderas de Kawhala, Abú Amir despojó a la danzarina del resto de los pañuelos con manos versadas, y la dejó desnuda sobre la cama mientras terminaba de derramar el brebaje color madera sobre su vientre. Kawhala se estremeció, incitada por la súbita frescura del moscatel en su piel, y luego sintió cómo resbalaba lentamente por entre sus muslos. La danzarina se sirvió de su destreza para separar despacio las piernas, largas, torneadas y brillantes, e irguió el torso para forzar el derrame del líquido. La copa de plata cayó vacía al suelo, y el médico, en persecución ávida del vino dulce, arrancó un chillido de placer a la muchacha. Los labios de él se alternaban en hablar y en apurar la copa, servida ahora en el ardiente y suave cáliz de la bailarina.

—*Quiero recordar esta noche en el futuro, cuando el tiempo haya volado llevándose mi felicidad. Desearé entonces llorar los días y los siglos que no volverán* —dijo antes de enterrar de nuevo la cabeza entre los muslos de Kawhala. La muchacha apoyó ambas palmas sobre las sábanas y arqueó la cintura para que el moscatel buscara nuevos recovecos en su cuerpo. La bailarina se estremecía y hacía vibrar sus pechos redondos y enhiestos mientras su respiración se apresuraba. Abú Amir alzó la cara y miró a los ojos entrecerrados de Kawhala—. *Saboreo el vino que me verterá, mañana y tarde, la mano de mi experta amante. Yo te besaré, querida mía, rama ligera y flexible que se curva graciosamente... ¿Deseas alegría y gozo? ¿Querrías gustar los dulces besos de mi boca, saciada de moscatel?*

—Sí, bésame —rogó Kawhala sin poder contener la sacudida que recorría su piel.

Abú Amir sonrió de nuevo, y agradeció al destino que le permitiera vivir aquellos momentos. Borró de su mente toda sombra que le recordara el terror que se cernía desde el sur y volvió a hundirse en la dulce copa de amor de Kawhala.

Día siguiente

El aroma del jugoso sexo de Kawhala, mezclado con el olor dulce del moscatel, enturbió la cabeza de Abú Amir hasta bien entrada la mañana. Cuando el médico abandonó el aposento y bajó a la taberna de El Charrán, los comerciantes genoveses habían sido sustituidos por algunos mercaderes del zoco que interrumpían sus ventas para tomar un tentempié o para saciar su sed, torturada por el despiadado sol valenciano. Abú Amir recorrió las calles entre los gritos de los vendedores ambulantes que ofrecían alhucema, galletas de sésamo y albahaca. Fue reconocido al llegar a la puerta de las murallas del alcázar, y el mismo Abú-l-Hachach salió a recibir al consejero de su hermano. El gobernador de Valencia, a pesar de guardar cierto parecido con Mardánish, era de menor altura y mayor diámetro. Tanto por sus maneras como por sus vestimentas estaba claro que imitaba al rey Lobo, pero carecía de naturalidad y evitaba mirar a los ojos cuando hablaba. Tras las preceptivas preguntas por la salud y la familia, la conversación derivó, aún en la misma puerta del recinto amurallado, hacia el motivo que había movido a Abú Amir a viajar a Valencia.

—Tu hermano, que Dios le proteja y le dé sabiduría, ha ordenado ampliar su *munya* de Marchalenes para construir allí un palacio —explicó el médico. Abú-l-Hachach asintió.

—Naturalmente. Es el lugar preferido por mi cuñada en toda la ciudad.

—Supongo que me proporcionarás trabajadores y materiales de obra.

—Por supuesto. Desde que Málaga cayó han llegado muchos refugiados en busca de trabajo, así que no me costará suministrarte una buena partida de obreros. Por lo demás, muévete como por tu casa. Valencia es tan tuya como mía.

Abú Amir sonrió por el fatuo comentario. Abú-l-Hachach era poco menos que un pelele, como había demostrado durante la rebelión de tres años antes. Si tenía algún poder sobre Valencia, se debía a que la sombra de su hermano era suficientemente larga y vigorosa.

—No esperaba menos —agradeció el médico con una breve inclinación—. Y ahora te quiero pedir un favor personal: desearía visitar a uno de tus prisioneros.

Abú-l-Hachach torció la boca. Su vista se desvió instintivamente hacia la recia mole del edificio, bajo el cual se hundían las oscuras y famosas mazmorras valencianas, de las que todos hablaban con una pizca de temor reverencial. El gobernador, que jamás las había visitado, sintió un escalofrío. Lo que se decía de aquellos agujeros infectos era horrible.

—¿Algún amigo o pariente? Tal vez yo podría mediar...

—No, no —se apresuró a negar Abú Amir—. Se trata del rebelde Ibn Silbán. Es de vital importancia que hable con él. Espero que el tiempo de encierro le haya hecho reflexionar y esté dispuesto a darme alguna información que pueda ser útil a tu hermano. El rey dio orden de que se le mantuviera vivo. Supongo que se habrá cumplido.

—Ah, claro. —Abú-l-Hachach hizo una seña para que dos de los guardianes del alcázar, atentos a la conversación, se acercaran—. Sí, no temas. Ese rebelde sigue vivo. Nadie de fuera le trae alimentos, por cierto; y ya sabes que los presos no reciben comida a cargo del tesoro. Este ha sido una excepción, y ahora veo que fue idea tuya. Pero te aviso, Abú Amir: tal vez no encuentres al mismo hombre que fue capturado tras la rebelión. En fin, no quiero saber qué pretendes. Yo me retiro de nuevo a mis aposentos, pues tengo que atender asuntos de gobierno, como imaginas.

—Imagino, imagino —respondió sonriente Abú Amir.

Abú-l-Hachach dejó orden a los guardias de que acompañaran a Abú Amir a las mazmorras. Después desapareció a toda velocidad y con el gesto de aprensión aún aferrado a su rostro. El médico resopló y se secó el sudor de la frente con el dorso de la mano. Pidió a los guardianes que le mostraran la celda de Ibn Silbán.

El camino fue descendente en todo momento, y en un principio pareció que al menos el viaje libraría a los viajeros durante un rato de los rigores del sol valenciano. Sin embargo, el frescor de los primeros e inclinados tramos de escalera excavada en la piedra cedió pronto a un ambiente húmedo y de creciente calor. Un hedor se arrastraba por los regueros de agua sucia que se acumulaban a los lados de los pasillos y corrían hacia lo profundo tras filtrarse por entre las piedras. Los guardianes se habían repartido: uno precedía a Abú Amir con una antorcha en la mano y el otro cerraba la marcha también con un hachón encendido. La luz bailaba al paso de ambos hombres y dibujaba sombras que se escondían tras los recovecos. El médico esperaba enfrentarse a una sinfonía de quejidos, gritos y peticiones de piedad de los cautivos. En lugar de eso encontró un escalofriante silencio, solo roto ahora por los pasos de los tres visitantes. Antes de llegar a la primera hilera de mazmorras toparon con el carcelero de servicio, un hombre rechoncho que sin duda olía a sudor, aunque podía disimularlo gracias al otro olor, mucho más fuerte y penetrante, que ascendía desde las celdas. El tipo se levantó al ver llegar a los guardias, oyó sus preguntas y mostró una desordenada fila de dientes amarillos mientras señalaba al fondo del corredor.

—La escalera. Bajo este sótano, al final del pasillo. Es la última mazmorra. —Entregó a Abú Amir una llave enmohecida e impregnada de algo que el médico se negó a intentar identificar.

Los guardianes asintieron, retomaron el camino y pasaron junto a puertas de recia madera trabadas con pestillos de hierro oxidado. Al otro lado, adivinaba Abú Amir, se pudría algún desgraciado. El hedor creció y se coló como una estocada por las fosas nasales del médico cuando descendieron el último tramo de escaleras, mucho más empinado y angosto. Uno de los guardianes, el que cerraba la corta comitiva, escupió varias veces. Abú Amir se cubrió la boca con una mano mientras con la otra seguía sujetando con gran repulsión la llave húmeda y viscosa. La propia peste se habría espantado de aquella fetidez, que mezclaba el olor de excrementos humanos con una humedad caliente empeñada en agarrarse a la ropa, serpentear por la piel e instalarse en la garganta. El guardián que caminaba tras el médico acabó con su provisión de saliva y lanzó al suelo rocoso un vómito repentino que le hizo encorvarse. El otro guardián entregó su antorcha a Abú Amir. Su gesto era suficientemente claro: no iría más allá. El médico aceptó la luz sin rechistar mientras el primer guardián seguía vomitando a sus espaldas. Así pues, siguió en solitario e intentó prepararse para lo que escondía la oscuridad. Como médico, se suponía que sus escrúpulos no se detenían ante nada, por desagradable que fuera. Pero lo que inundaba el viciado aire de aquella gruta siniestra iba más allá del puro hedor. Parecía que el propio espanto, la agonía silenciosa de los condenados, el arrepentimiento y la impotencia se hubieran mezclado en una infusión única y odiosa que contagiaba a todo aquel que se atrevía a penetrar en ese agujero. Al toparse con la última mazmorra, la que cortaba de golpe el corredor, Abú Amir tomó conciencia de nuevo del asco inmenso que le provocaba manejar la pegajosa llave y recordó con una mezcla de angustia y premura la suavidad de la piel de Kawhala. Se dijo que tras aquella oscura experiencia pasaría el resto de la mañana en un *hammam*, limpiando su cuerpo hasta que los poros le gritaran de dolor, luego yacería con la danzarina toda la tarde y cerraría su mente para negar que en algún momento de su vida hubiera estado en aquellas mazmorras. Introdujo la llave y tuvo que forzar el giro. Un desagradable chirrido precedió al sonido metálico que le indicaba que la pesada y medio podrida puerta de madera estaba ya abierta. En ese instante, Abú Amir se dio cuenta de que los dos guardianes habían desaparecido del pasillo, y la luz de su antorcha se iba difuminando mientras los pasos se perdían escaleras arriba. El médico dejó la llave metida en la cerradura y empujó la puerta, pero encontró resistencia. Se aplicó con más fuerza y la pieza cedió al fin, apenas una rendija no mayor que un puño. La mazmorra vomitó un vahído que cogió por sorpresa a Abú Amir. Un repentino mareo le atacó, y se dobló por el golpe de tos que intentó arrancar el efluvio vivo que violaba sus pulmones. Se apartó de la puerta y aspiró el aire a bocanadas, pero tuvo que interrumpirse para toser de nuevo. Dos gruesos lagrimones resbalaron por sus mejillas cuando creyó recuperarse. Aquello estaba resultando mucho más duro de lo pensado. Empujó de nuevo la puerta, esta vez con un pie, para lograr que se abriera del todo, y se hizo atrás mientras aquella hediondez se escurría hacia fuera. Un negro pensamiento trató de colarse en su mente y le incitó a imaginar cómo sería vivir durante años en aquella atmósfera viscosa y carente de luz. Para huir de ello intentó traer al recuerdo a Kawhala, pero descubrió que no conseguía evocar su imagen. Era como si algo tan bello, aun figurado, se negara a descender a aquel pozo de inmundicia y desesperación. Por fin, Abú Amir se adelantó despacio y metió la antorcha por el hueco de la puerta antes de franquearla él mismo. Se inclinó, pues el vano era bajo incluso para un hombre de estatura mediana; entornó los ojos y movió su luz a los lados, pero solo conseguía distinguir una pared de roca que devolvía el brillo del fuego. Una voz rasgada y muy débil llegó desde el fondo, más allá del haz de claridad que a duras penas lograba extender el hachón.

—¿Qué? ¿Quién?

Sonaba a derrota. Ni el anciano más decrépito en los instantes postreros de su vida habría hablado con tal debilidad. Una suerte de compasión empezó a sustituir a la aprensión, y Abú Amir dio dos pasos más para penetrar en la mazmorra. Descubrió con sorpresa que se estaba acostumbrando a respirar aquel tufo insufrible cuando distinguió un bulto recostado contra la pared opuesta. Los ojos del médico recorrieron el espacio circundante, negro como la desesperación. Aquel sector de las mazmorras carecía de la más mínima ventilación, y por tanto también de luz. Ibn Silbán vivía en oscuridad perpetua.

—Soy Abú Amir, consejero de tu señor, el rey Mardánish. —El médico intentó mostrar un tono firme y autoritario, pero su voz salía ronca, achicada por aquel ambiente opresivo.

El retorcido bulto intentó un gemido de asentimiento. Abú Amir vaciló un momento y culminó su aproximación. Consiguió al fin que el cautivo quedara a merced de la luz. Ibn Silbán, si es que aquel fardo todavía respondía a ese nombre, estaba sentado en el suelo y contra la pared, con la espalda encorvada y las rodillas plegadas. Se cubría con una sola pieza de basta tela que tal vez en un tiempo fue de color claro, pero que ahora se mostraba gris, negruzca en algunos retazos. De vez en cuando, un insecto revoloteaba alrededor del fuego y se posaba en el pelo cano, largo y enredado del prisionero, que ocultaba su cabeza entre los brazos para huir del súbito resplandor.

—La luz... —musitó el cautivo—. Es mucha..., mucha luz.

Abú Amir rezongó y apartó la antorcha a su derecha. Al hacerlo iluminó un hueco en el suelo. En el borde, excrementos antiguos y ennegrecidos se alternaban con otros más recientes y concentraban una nube de moscas. El médico contuvo una arcada salvaje e imaginó qué habría ocurrido de haber caminado en la oscuridad hasta aquel pozo.

—Necesito hablar contigo —recuperó el habla Abú Amir tras vencer la náusea, aunque se notó balbuceante—. Es sobre los almohades.

—Los almohades, seguidores del imán infalible... —recitó Ibn Silbán como si canturrease una tonadilla infantil—. ¿Ya están aquí? ¿Ha venido Abd al-Mumín?

—Todavía no. —Abú Amir conseguía poco a poco moderar su voz y su ánimo—. ¿Por qué? ¿Aún esperas a los almohades?

Por fin, Ibn Silbán descubrió su cara, aunque tuvo que entornar los ojos por la luminosidad de la antorcha. El médico supuso que durante todos aquellos años, la única luz que el preso había visto era la de la rendija de la puerta al abrirse lo justo para arrojarle la comida y el agua. El antiguo rebelde tenía el rostro surcado de arrugas y llagas, aunque la mayor parte de la cara estaba ocupada por una barba tan espesa, grasienta y enmarañada como su cabello.

—¿Que si los espero? Pues claro. —El cautivo carraspeó para aclararse la garganta. Junto a él, en el rincón de la mazmorra, había una pequeña jarra de cantos mellados, pero yacía tumbada en el suelo, con profusión de moscas volando de ella a las heces y haciendo el camino de vuelta—. Está escrito que el Mahdi ha de llegar para mostrar el camino recto. Sus emisarios... —Ibn Silbán tosió un par de veces y se pasó la lengua por los labios agrietados antes de continuar—. Sus emisarios llegarán. Yo he sido fiel al Mahdi, deben de saberlo.

—Claro que lo saben —decidió seguirle la corriente Abú Amir—. Pero cuéntame tus méritos para que no caigan en el olvido. Que los emisarios del Mahdi puedan recompensarte según tu comportamiento.

—Sí, sí —asintió con entusiasmo Ibn Silbán, y se removió dentro de su mortaja—. Yo soy buen creyente y como tal me comporté. En lugar de huir a la tierra sagrada de los almohades, intenté traer aquí esa tierra sagrada. Traté de hacer de esta ciudad impía un lugar cristalino, un sitio en el que los verdaderos creyentes pudieran vivir bajo el auténtico mensaje del islam. Llevé a los míos por el camino recto, y muchos de los que estaban equivocados también me siguieron..., pero otros no. Los desviados mancillaron de nuevo la ciudad, que yo había reservado como regalo para mi señor Abd al-Mumín, que Dios ilumine su camino. Vertieron la sangre inocente incluso en las mezquitas y escupieron blasfemias horribles, mientras que yo, verdadero fiel, fui tenido por traidor y castigado. Castigado por obedecer los dictados de Dios, alabado sea... ¡Por obedecer a Dios!

El grito de Ibn Silbán sobresaltó a Abú Amir. El prisionero sufrió un nuevo ataque de tos que se fue calmando pero dejó un hilo rechinante en su respiración. El oído experto del médico reconoció de inmediato la afección pulmonar, y supuso que esa no sería la única enfermedad que padecía el cautivo.

—¿Quién te impulsó a extender la obra de Abd al-Mumín? ¿Quién te iluminó?

El preso pareció rebuscar en su mente. Dejó que su mirada nublada se perdiera en la oscuridad y de nuevo la lengua apareció para intentar humedecer sus labios cruzados de pústulas.

—Los propios pecadores. Ellos, con su iniquidad, me mostraron el camino. Esos tibios que dicen sus oraciones, sí, y que cumplen con los preceptos, pero que ignoran a quienes los rodean. No basta con ser un buen musulmán. Hay que procurar que todos los demás lo sean. Hombres y mujeres transgreden la ley, tratan con los enemigos de Dios, abandonan la guerra santa, corrompen las mezquitas...

—Basta —cortó Abú Amir—. Me dices lo mismo que predican esos fanáticos atacados por la fiebre. Cuando Abd al-Mumín llegue ante mi puerta, yo también repetiré esas palabras y así me salvaré aunque por dentro esté maldiciendo al mismo Profeta. Pero tiene que haber algo más. Algo que te hizo pensar que de veras valía la pena renunciar a todo por servir al príncipe de los creyentes.

Una vez más, Ibn Silbán entró en aquella especie de trance de indecisión. Sin duda, pensó el médico, la mente del pobre cautivo estaba ya perdida, trastornada en un encierro que no permitía diferenciar la noche del día. ¿Sería ese hombre consciente del tiempo que llevaba allí metido?

—¿Renunciar a todo? —Ibn Silbán fue capaz de emitir un gruñido que guardaba cierto parecido con una risa socarrona. De pronto sus ojos abandonaron la bruma que los mantenía perdidos en la negrura y se clavaron con fijeza en los de Abú Amir. Era como si el auténtico hombre quisiera escapar del cuerpo maltrecho y perturbado del cautivo sin remisión—. ¿Quién renuncia a todo? ¿Renuncia a todo la frágil barca que, sabiendo que sucumbirá ante la fuerza irrefrenable de la tempestad, se queda en el puerto? ¿Renuncia acaso la mosca que a la vista de la telaraña desvía su vuelo y prefiere posarse en el dulce apetitoso? ¿Renuncié yo, que conozco todo el irresistible poder de los seguidores del Mahdi?

Abú Amir se echó hacia atrás y perdió de vista por un momento la mirada extraña y repentinamente lúcida de Ibn Silbán. El condenado débil y atormentado se había convertido en alguien retador, perspicaz, incluso humillante en su tono.

—El irresistible poder de los seguidores del Mahdi... —repitió el médico.

—Yo conozco ese poder, sí —siguió Ibn Silbán, ahora con la tez oculta por la oscuridad—. Por eso sé que triunfará. He luchado a sus órdenes y he asistido a sus victorias. Sus seguidores son como la arena del desierto, y no hay nada que pueda resistirse a eso. ¿Los cristianos? Ja. Infieles codiciosos y sucios, incapaces de hacer otra cosa que fornicar, comer cerdo y luchar entre ellos para arrebatarse las riquezas unos a otros. Ellos no aguantarán tampoco el empuje de Abd al-Mumín. Por eso la renuncia no está del lado de quienes le obedecen, sino de los que desoyen su mensaje. Los almohades llegarán. Llegarán, tan seguro como que yo me pudro en este pozo de mierda. Y cuando lleguen ajustarán cuentas.

Abú Amir acercó de nuevo la antorcha a su interlocutor. Ibn Silbán se reía a través de sus labios recortados y sus encías desnudas. Y aunque su cuerpo no tenía fuerzas para que la risa saliera al exterior, las carcajadas parecían resonar en la mente del médico.

—Pero entonces es porque ellos son más fuertes —repuso el médico—. Y todo ese cuento del islam primordial, de los verdaderos creyentes...

—El verdadero creyente es el que puede creer. Y los muertos no creen —apuntilló el preso—. Tú lo verás con tus propios ojos. Todos cederán al viento que llega: o bien se inclinarán ante él, o bien serán arrastrados. Cuando contemples los tallos caer cercenados al paso del segador, pregúntate qué destino escoges. En cuanto a mí, te diré qué camino elegí: el de la fidelidad al orden almohade. Mis méritos serán expuestos sobre la mesa cuando Abd al-Mumín se imponga, y entonces, como todos, recibiré mi recompensa.

Otra náusea, esta vez de rabia, salió del estómago del médico y ascendió hasta llegar a su garganta.

—¡Hipócrita! ¡¡Maldito hipócrita!!

Ibn Silbán sufrió una nueva transformación ante la súbita y airada reacción de Abú Amir. Volvió a ocultar el rostro entre los brazos y su risa muda se convirtió en un quejido lastimero y quebradizo que derivó en sollozo.

—No... —recobró el tono afligido y sumiso—. Yo soy fiel devoto. Un verdadero creyente...

—¡Falacias! ¡Mentiras! Os servís de esos *verdaderos creyentes*, pero después de todo sois iguales que aquellos a quienes denostáis. Buscáis el poder. Solo el poder.

—No... No el poder. —Los ojos del cautivo se elevaron tímidamente, cubiertos otra vez por el velo de la locura. El médico comprendió que el preso había recaído en aquel hoyo de desesperanza a cuyo borde se había conseguido asomar unos instantes antes para mostrar su verdadera faz—. Busco la salvación. El perdón.

Abú Amir notó que su corazón crujía al encogerse de rabia. Se volvió, y esta vez fue capaz de mover la puerta sin esfuerzo. Cerró y giró la llave con saña, como si así pudiera sellar todavía más la reclusión del rebelde. Incluso deseó que Ibn Silbán viviera aún muchos años, y que su carne resistiera toda la putridez que pudiese contener el pozo negro de aquella mazmorra. Que su sufrimiento no tuviera fin. Que sus destellos de lucidez aguantaran entre las brumas de la locura. Que cada día pudiese tomar conciencia de cuánto horror le restaba por soportar. Ahora, preso de una ira que casi no podía dominar, el hedor, las moscas, los excrementos y la oscuridad no le parecían a Abú Amir tormento tan extremo. Al igual que Ibn Silbán contenía en sí las dos caras de una moneda, la del manipulador interesado y la del ignorante fanático, así también había conseguido despertar en la serena naturaleza del médico una faz oculta, oscura y vengativa. Una a la que no importaba si era el tirano ambicioso o el radical inculto el que se disponía a acabar con su mundo. Cuando subía los escalones rumbo a la luz, Abú Amir ya tenía decidido que la sentencia del traidor Ibn Silbán no se demoraría un día más.

13

Ansias de guerra

Verano de 1155. Sitio de Andújar

El emperador Alfonso pidió el odre a uno de los sirvientes que le rodeaban. Bebió ávidamente, aunque no consiguió arrancarse la sed. Devolvió el recipiente al nervioso muchacho que se lo había dado y con un gesto ordenó a todos los presentes que se apartaran de la fila de caballeros que le flanqueaba. La línea se alargaba y sembraba el paisaje de los estandartes que, desplegados y en manos de cada adalid, crujían al viento. El hierro relucía al recibir los rayos del sol, que se elevaba desde un lado de aquella impresionante formación. Frente a ellos, la larga muralla de la ciudad mostraba su perfil repleto de torres cuadradas en cuyas azoteas ondeaban las banderas blancas de los almohades, cruzadas por arabescos que nadie en el ejército cristiano sabía interpretar.

Armengol, ya conde de Urgel, recorrió las filas al trote mientras enarbolaba con orgullo el gallardete de su señorío. Refrenó la montura y sonrió, a la espera de que el emperador Alfonso requiriera sus servicios como estratega. Un simple asentimiento dio a entender al de Urgel que su plan sería aceptado de inmediato.

—El foso es ridículo, por lo que no representará problema alguno —habló con su habitual suficiencia Armengol. El soberano de León y Castilla atendía sin quitar la vista de las murallas de Andújar—. Lanzaremos un ataque simultáneo desde cuatro direcciones, de modo que los defensores tengan que dividir sus fuerzas. Los hombres, incluso los que esperan protegidos por los escarpes del Guadalquivir, irán provistos de escalas. Ya están dadas las órdenes y solo aguardamos la señal de vuestro alférez, mi señor.

Alfonso asintió sin más. Sabía por sus agentes que la guarnición almohade de la ciudad era tan exigua como de costumbre. La lenta y pesada burocracia de Abd al-Mumín no podía atender a los muchos requerimientos que suponía mantener todas aquellas fortalezas sin una presencia significativa de tropas, así que debía conformarse con centrar su defensa en las grandes ciudades como Sevilla, Córdoba, Málaga, Jaén o Granada.

El asedio llevaba meses establecido, concretamente desde principio de verano. Andújar se había convertido en pieza clave para el dominio de aquel territorio, que permitiría a la Trasierra castellana colarse a través de Sierra Morena y desparramarse en el valle del Alto Guadalquivir. El ejército cristiano era tan grande que se había alcanzado un cerco absoluto, y este había sido precedido de una tala bestial del arbolado circundante. Los troncos muertos de los olivos yacían ahora por doquier, y sobre sus tocones se apoyaban los parapetos erigidos por la infantería del emperador. Nada de ingenios esta vez. Simple rendición por hambre o caída por asalto. Al final se había optado por una solución que incluía las dos tácticas. El emperador sujetaba las bridas de su caballo, que barruntaba la acción, y observaba a las tropas de a pie listas para internarse a la carrera en la tierra de nadie. Casi podía oler el miedo de sus hombres, muchos de los cuales no volverían vivos o enteros a sus hogares.

El soberano, flanqueado por su mayordomo Ponce de Cabrera y su alférez Nuño Pérez de Lara, miró a ambos lados, a las huestes de los Castro, los Lara, los Girón y las demás grandes y belicosas familias de Castilla que habían venido a valerle, así como a los nobles leoneses y gallegos, los Traba, Goteriz, Bragancia o al propio Álvar Rodríguez, todos con sus mesnadas. En el ala derecha, alargando la línea de la orgullosa caballería cristiana, formaban los vasallos navarros del emperador, con Pedro de Azagra y García Almoravid a la cabeza. Por el flanco izquierdo, las numerosísimas tropas del conde de Urgel completaban la línea. Ante ellos, al sur, se erguían temerosas las murallas de Andújar. Armengol, que ahora se hacía acompañar de su hermano Galcerán de Sales, había dejado claro que solo podrían maniobrar montados por el norte de la ciudad, ya que el río Guadalquivir cercaba el perímetro a poniente, mediodía y levante.

El emperador sintió un ligero pinchazo en el pecho. Apretó los labios, pero disimuló el agudo dolor que ahora se estiraba y le cortaba la respiración, y luego se dilataba por el hombro y brazo izquierdos. Era la segunda vez que le ocurría aquello ese año. ¿O quizá la tercera? La primera había sido al enterarse de lo ocurrido en el vecino y joven reino de Portugal, en la ciudad de Trancoso: Abú Muhammad, el gobernador almohade de Sevilla, había salido de la gran ciudad con su ejército, lo había reforzado a su paso por Córdoba y se había alargado en un fulgurante ataque hasta la ciudad portuguesa, que tomó de inmediato. Todos los cristianos fueron sacados de las murallas y degollados sin piedad, para a continuación cargar de argollas y cadenas a mujeres y niños y, tras arrastrarlos en una penosa marcha de regreso a Sevilla, venderlos como esclavos. Alfonso de León quedó fuertemente impresionado por la noticia. Sabía lo ocurrido con la rebelde Niebla, pero imaginaba que los almohades se limitaban a sembrar el ejemplo entre los musulmanes para disuadir a otros de traicionar el Tawhid. Sin embargo, ahora veía clara la estrategia de Abd al-Mumín.

La opresión del pecho pasó poco a poco, y el emperador hizo un significativo gesto a su alférez, que de inmediato elevó el estandarte. Los primeros en lanzarse al ataque, como siempre, fueron los hombres de las milicias de Ávila y Toledo. El griterío se extendió por el campo talado y, desde los cuatro puntos cardinales, los peones se abalanzaron sobre Andújar. Todavía quietos en la línea, los caballeros intentaban calmar a los nerviosos destreros y exigían a gritos los últimos retoques a sus sirvientes. Los ventalles se enlazaron, se calaron los yelmos y se embrazaron los escudos.

Una tímida andanada de flechas y piedras abandonó las almenas de Andújar, y algunos infantes quedaron postrados en el suelo mientras sus compañeros, con las escalas a cuestas y vociferando como posesos, se apresuraban a salvar las últimas varas de distancia. El conde Armengol de Urgel sonrió desde su posición a la izquierda de la línea. El portón situado enfrente de ellos se abría, y algunos arqueros almohades asomaban tímidamente para apuntar con sus armas a los infantes de las milicias de Segovia, que atacaban aquel sector.

Con un potente grito, el de Urgel consiguió que todos sus hombres levantaran sus lanzas y las agitaran para desenvolver los pendones de sus puntas herradas. El resto del ejército volvió la vista y admiró con un punto de envidia la coordinación del ala izquierda. Armengol se adelantó unos pasos tras clavar con suavidad sus espuelas en los costados del destrero, y su hermano Galcerán hizo lo propio. Cada uno de ellos mandaba un haz de caballeros enfundados en cotas de malla.

El portón de Andújar terminó de abrirse, y los almohades formaron una disciplinada línea doble, con algunos arqueros situados delante, rodilla en tierra, y otros en pie tras ellos. La primera andanada tuvo la virtud de hacer vacilar el embate de los segovianos, que dejaron varios cadáveres sembrados en la tierra de nadie. Con movimientos mecánicos, los bereberes tomaron nuevas flechas de sus aljabas y las colocaron simultáneamente en los arcos. La segunda marea de puntas de hierro consiguió detener la carga de los segovianos y los obligó a dispersarse o tenderse en el suelo. Eran con mucho los cristianos que más bajas habían sufrido, de modo que ahora se abría un espacio vacío en las caóticas líneas de infantes que aún no habían alcanzado las murallas.

—¡Es una salida! —Armengol de Urgel gritaba a su hermano para que le oyese en medio del bullicio que llegaba hasta las líneas de caballeros—. ¡Han abierto camino a sus jinetes!

Galcerán de Sales, un remedo del conde en su imagen y no mucho más joven que él, asintió. Ambos hermanos avanzaron al paso, y arrastraron tras ellos en cadenciosa y lenta marcha a sus caballeros.

El vaticinio del conde no erró en lo más mínimo. Las dos líneas de arqueros almohades se deshicieron en un momento, y una columna de jinetes salió a toda prisa y dibujó una parábola sobre el suelo polvoriento. Únicamente había un camino que tomar, y por eso tiraron de las riendas para dirigir sus monturas hacia la caballería cristiana, y saltaron por encima de los segovianos postrados en el suelo, que solo pudieron ver impotentes cómo el escuadrón enemigo los sobrepasaba sin siquiera atenderlos. El emperador Alfonso miró con nerviosismo mal contenido a su ala izquierda, cuyo comandante, el conde Armengol, había solicitado el honor de encabezar la carga en vanguardia. Luego se fijó en la columna almohade, con sus jinetes vestidos de blanco, sus adargas adornadas con lazos que volaban dibujando estelas, con sus lanzas cortas. Con su fanatismo suicida.

Armengol lanzó un nuevo grito, repetido de inmediato por Galcerán de Sales, y ambos hermanos se dejaron absorber por la línea de hierro. Los jinetes galopaban ahora juntos, tanto que los estribos de cada uno se rozaban con los de los compañeros que le flanqueaban. La velocidad de los destreros aumentó, y una nube de polvo empezó a levantarse y a formar una cortina que separaba ya a la vanguardia del resto de la caballería. El emperador movió su lanza y señaló a Álvar Rodríguez.

—¡Únete a los navarros y disponte a cargar tras Urgel!

El Calvo asintió, tiró de las riendas a su derecha e hizo cabecear a su caballo para transmitir la orden a Pedro de Azagra y a su paisano García Almoravid. La vista del emperador volvió ansiosa al inminente choque: los jinetes almohades habían conseguido formar una línea. Pero la longitud de la marea cristiana doblaba a la sarracena. El resultado de aquel combate estaba sellado.

Los almohades no tenían sitio para maniobrar, así que olvidaron todo flanqueo y se hundieron de lleno en la línea de caballería. Algunos arrojaron sus lanzas antes de impactar con un ruido sordo contra los jinetes cristianos, y otros prefirieron imitar a sus enemigos y aguantar el choque asta en ristre. Al mismo tiempo, los abulenses y toledanos apoyaban sus escalas en las almenas de Andújar, y los segovianos supervivientes reanudaban su carrera para pasar a cuchillo a aquellos malditos arqueros, ahora dispersos, que intentaban regresar a la ciudad.

Álvar Rodríguez suspiró decepcionado. La carga de Armengol de Urgel había sido impecable, y los jinetes africanos sencillamente habían desaparecido. Aquello era poco más o menos la misma inmolación almohade que ya había visto en Jaén años antes. Movió la cabeza con lentitud de un lado a otro y se preguntó cómo aquellos tipos de piel oscura podían haber construido un imperio más allá del mar. Y cómo, por Santiago Apóstol, se atrevían a pensar que podían enfrentarse al poderío de los reinos cristianos de la Península.

Mes y medio después. Murcia

El *maylís* de banquetes del alcázar de Murcia rebosaba. Jóvenes sirvientes recorrían toda la longitud de la estancia con las jarras y escanciaban el líquido en las copas de plata, mientras las bandejas eran puestas ante los comensales. Cordero cocinado con miel e higos de Elche, capones tan gordos que parecían avestruces, buñuelos de berenjena, almojábanas y pastelillos desaparecían de inmediato engullidos por los recios guerreros, felices de haber dejado atrás la comida de campaña de aquel verano. Mardánish, con un codo apoyado en el reposabrazos de ébano, mascaba almástiga y observaba entre curioso y divertido el banquete. Desde el otro extremo de la sala llegaba el sonido del rabel y el pandero, acariciados con delicadeza por dos jóvenes mancebas murcianas.

Álvar Rodríguez devoró uno de aquellos capones como si fuera una galleta y suspiró. Esperaba ver a la bellísima Zobeyda, dama a la que se había consagrado a pesar de que, respetuoso con su condición de esposa de Mardánish, pensara en ella como en una especie de diosa inaccesible. Era como una de aquellas damas de los poemas franceses, los que traían los juglares y que hablaban de cortes maravillosas que desbordaban de lujo, de caballeros fuertes como leones, capaces de matar de un tajo a decenas de enemigos. Bien pensado, aquel palacio de Mardánish se parecía en cierto modo a los escenarios fantásticos de esas historias. Y presidida por Zobeyda, toda una corte de damas y doncellas desplegaba su donosura para quien, como Álvar el Calvo, estuviera dispuesto a dejarse llevar por aquel código llegado desde tierras norteñas, pues:

> *levantarse o acostarse tiene poco valor para aquel*
> *que no tiene dama a la que se someta.*

Pero aquella era una fiesta reservada a los hombres, por supuesto. Si acaso, las muchachas que hacían sonar sus instrumentos y tal vez alguna que otra bailarina a la que Mardánish reservaba para el final del convite entrarían a mezclarse con todos aquellos varones hastiados de guerra, vino y grasa. El Calvo pensó en su esposa, Sancha, a quien apenas había visto desde que, hacía ya cinco años, contrajeran matrimonio. La pobre señora no era ni de lejos tan agraciada como la favorita Zobeyda, pero al menos era una mujer piadosa y, más importante aún, hija de la mismísima infanta Teresa de Portugal. Sancha le había recibido a su vuelta de Murcia sin recriminarle todos aquellos meses de separación, habiendo asumido que su esposo tenía deberes como caballero en las fronteras con el islam. Su cortísima visita al norte le había supuesto a Álvar al menos la alegría de ver cómo su pequeño primogénito crecía. El joven Rodrigo se le parecía en lo glotón, y diríase que también en lo inquieto. Sin duda sería un buen conde de Sarria...

Apartó a su familia de la mente de un plumazo. Él no era hombre de hogar. No valía para recorrer sus tierras, alejadas del peligro, ni para asegurarse de que sus vasallos pagasen los tributos, ni para defender algo que no había necesidad de defender. Él era Álvar el Calvo y su sola fama bastaba para que las tierras que poseía se vieran libres de todo riesgo. No, su sitio estaba aquí, al mediodía, en la frontera con los almohades. Aquí se sentía más cercano a aquellos héroes de trova a los que él admiraba, aquí se celebraban esas estupendas fiestas cortesanas, aquí podía compartir el fragor del combate y el vino de la alegría con otros paladines como él. La vida servía, pues, para arrancarle a espadazos la gloria. Lejos de casa. Lejos de familias, de esposas y chiquillos. Lucha y placer. Sonrió a su amigo Pedro de Azagra, sentado enfrente de él, elevó su copa plateada para ofrecerle un callado brindis y, cuando fue correspondido por el navarro, trasegó de golpe todo el vino.

El verano tocaba ya a su fin. Atrás habían dejado la campaña del emperador, harto satisfactoria en cuanto a resultados: Andújar, Santa Eufemia, Pedroche, Montoro, Almodóvar, Linares y otras pequeñas plazas cercanas habían caído en poder de Alfonso de León. Unidas así a Baeza y Úbeda, que pertenecían al emperador desde la conquista de Almería, podía decirse que el camino estaba ya expedito para una campaña seria y definitiva. El paso de Sierra Morena era castellano, y las guarniciones aseguraban el enclave en el Alto Guadalquivir. Logrado el objetivo de la campaña, el emperador había regresado a tierras cristianas: su nieto iba a nacer en breve, con lo que el joven Sancho tendría por fin heredero, pero la madre no gozaba de buena salud. Alfonso de León pensó que lo mejor sería estar al lado de su hijo en un momento tan emotivo, y pospuso la continuación de la campaña contra los almohades. Licenció al ejército, que también regresó, y declinó la invitación de Mardánish de volver por Murcia para celebrar las recientes victorias. Sin embargo, los condes de Urgel y Sarria y Pedro de Azagra sí habían aceptado la invitación; y allí estaban, bebiendo y comiendo por la guerra.

Guerra. Guerra era lo que se avecinaba; lo que deseaba Álvar Rodríguez. Guerra para ganar gloria y honor, para emular a su abuelo e incluso superarle. Lo tenía decidido; su esposa Sancha debería esperar. Lucharía contra los almohades junto a su señor Alfonso, y si el emperador no se decidía a continuar hostigando a aquellos africanos, Mardánish lo acogería gustoso entre sus huestes.

Sentado junto al inmenso Álvar, el conde Armengol de Urgel comía con mesura. Se llevaba apenas la copa a los labios y observaba con sus ojos de halcón a los demás invitados de Mardánish. Su mente estaba puesta también en la guerra, pues al igual que el Calvo, veía en ella la forma más rápida de alcanzar sus metas. Pero Armengol no buscaba fama, gloria ni aventuras que pudieran ser cantadas por los trovadores. Lo que él ansiaba eran tierras y poder. Se había destacado en aquella campaña, como estratega y como comandante de la mejor tropa, y esperaba que con el tiempo el emperador le otorgase la tenencia de algunas de las ciudades. El conde de Urgel no se conformaba con minucias, que era lo que para él representaban Andújar o Linares. Su mirada clara y perspicaz se fijaba en la rutilante Córdoba o en la preciosa Sevilla. Armengol de Urgel se sobresaltó cuando Álvar se levantó de repente, elevó su copa de nuevo llena y gritó con su potente vozarrón:

—¡Por la guerra! ¡Guerra contra los almohades!

Los demás invitados le acompañaron en el brindis, sonoro y rudo, al que siguió el breve silencio durante el que los hombres de armas deglutieron el vino de Mardánish. Las notas de rabel sonaron por un instante diáfanas, cristalinas, antes de que un sonido grave anunciara que cada hombre había dejado su copa vacía sobre la mesa. Mardánish aprovechó el momento para dirigirse a los guerreros cristianos.

—¡Convoqué este banquete para celebrar el nacimiento de mi nuevo hijo varón, Beder, y el embarazo de mi esposa Lama, pero qué buena excusa es añadir la guerra a nuestra celebración! ¡Sin duda, amigos míos, os gustará saber que pronto empezaremos los preparativos para dirigirnos contra Granada! ¡Cuánto me gustaría contar con vuestros brazos a mi lado!

—¡Cuenta con el mío, desde luego! —se apresuró a contestar el Calvo.

Azagra levantó su copa, aunque vacía, hacia el rey Lobo.

—¡Y conmigo!

Todas las miradas confluyeron ahora en Armengol de Urgel. El conde mantenía los labios apretados y la vista puesta en Mardánish mientras se pasaba la mano por el flequillo. A su derecha, Galcerán de Sales aguardaba respetuoso, sin atreverse a hablar. Hamusk, que había acudido desde sus tierras de Segura y que ahora se hacía acompañar por el caíd de Guadix, al-Asad, también miraba inquisitivo a Armengol. Al fondo, Óbayd era el único que parecía ajeno a la silenciosa pregunta que todos formulaban al comandante más destacado de la pasada campaña.

—Nuestro señor Alfonso —habló por fin el de Urgel de forma pausada— ha de explotar el triunfo de este año. Por el momento estoy a su servicio.

Mardánish ensanchó aún más la sonrisa para ocultar su decepción. Con un gesto indicó a los efebos que rellenaran las copas.

—Yo mismo acudiré al lado del emperador si precisa mi ayuda —aclaró el rey Lobo—, pero hay que reconocer que las plazas almohades han caído a sus pies este verano con gran facilidad. En realidad habría hecho falta solo la mitad de su ejército para alcanzar sus objetivos...

—Plazas sin importancia —se atrevió Armengol a interrumpir a su anfitrión—. Sabes muy bien que sus intentos contra Jaén se han estrellado en varias ocasiones. Y cuando arremeta contra Córdoba, la cosa tampoco será tan fácil.

El rey Lobo torció un poco su sonrisa. Las fuerzas de Azagra y el Calvo eran estupendas y contaba con ellas, pero no bastaban para poder iniciar la campaña contra Granada. Ni siquiera uniéndolas a sus ejércitos, comandados por Hamusk, al-Asad y el arráez Óbayd. Necesitaba a Armengol de Urgel. Estaba seguro de que con él podría empujar sus fronteras y pasar sobre Granada e incluso Málaga. Mardánish estudió el rostro, rasurado a la perfección, del conde de Urgel, su pelo de impecable peinado y el flequillo exquisitamente colocado sobre sus cejas. Un hombre cuyas tierras estaban enclavadas entre los territorios de Ramón Berenguer, privadas de toda posibilidad de engrandecimiento...

—Al igual que ocurriría con mis grandes amigos Pedro de Azagra y Álvar Rodríguez —insistió Mardánish—, estaría dispuesto a recompensarte con largueza.

El comentario consiguió su efecto, tanto en Armengol como en su hermano, que parpadeó de forma perceptible. Todos continuaron en silencio, a la espera de la respuesta del de Urgel. Las muchachas tocaban su música mientras tanto, y envolvían en una atmósfera onírica aquella sala cruzada de brillos policromos.

—Tu propuesta es tentadora, lo reconozco —respondió Armengol sin dejar de retocarse el pelo—. Pero afirmas que te dispones a preparar tu campaña. ¿De cuánto tiempo estamos hablando para estar en condiciones de dirigirte contra Granada?

Mardánish se removió ligeramente incómodo. A pesar de todo, conquistar una plaza como Granada requería esfuerzo, y más ahora que gran parte de sus tropas estaban concentradas en la Marca Superior. Debían permanecer allí, presentando un frente sólido ante el príncipe de Aragón para que este se mantuviera quieto y dejara de atacar las tierras del Sharq al-Ándalus. De momento, había ordenado comenzar una campaña de reclutamiento entre los recién llegados a sus tierras, así como recaudar nuevos impuestos para costear la empresa. Pensaba dedicar un año entero a la instrucción de tropas, preparación de armas y acumulación de provisiones. No quería presentar al conde de Urgel un plazo decepcionante, pero al mismo tiempo necesitaba darle algo que le persuadiera de continuar a su lado. Estaba seguro de que Granada no podría resistir si contaba con la ayuda de Armengol.

—En dos años estaremos frente a las murallas de Granada —aseguró el rey Lobo—. Y ese mismo verano asediaremos Málaga.

Armengol de Urgel sonrió al tiempo que arqueaba las cejas. Daba la clara impresión de que no creía las palabras de Mardánish.

—Utmán, uno de los hijos del califa Abd al-Mumín, está en Granada

—repuso—. Su padre no permitirá que llegues hasta el mar tras pasar sobre el cadáver de un *sayyid* almohade.

Hamusk entró en la conversación en ese instante, deseoso al igual que Mardánish de que Armengol de Urgel se uniera a sus tropas.

—Abd al-Mumín está demasiado ocupado en África como para entretenerse en defender las ciudades de al-Ándalus. Por eso no ha enviado refuerzos a Andújar y a las demás plazas que habéis tomado en los últimos meses. Este año, sin ir más lejos, ha tenido que hacer frente a una rebelión alentada por dos hermanos suyos. El califa ha conseguido abortarla antes de que la gente se alzara en armas, pero eso debe darnos a todos una idea de cómo están las cosas en el imperio almohade. ¿Nunca os habéis preguntado por qué se limita a mantener pequeñas guarniciones en las ciudades de la Península? Necesita a su ejército en África. Debemos aprovechar la situación.

—¿Qué ha pasado con esos hermanos rebeldes del califa? —preguntó intrigado Azagra.

—Ah, ya conocéis a ese Abd al-Mumín. Mandó detener a cientos de personas, incluidos esos hermanos suyos. Luego reunió al pueblo, entregó armas a la gente y la animó a ir a la prisión a hacer justicia. Los presos fueron sacados en grupos, castrados y linchados.

Las muchachas que frotaban las cuerdas del rabel y golpeaban el pandero dejaron de tocar para unirse al tenso silencio que ahora se había adueñado de la sala de banquetes.

—Si eso es lo que hace con sus propios hermanos... —reflexionó en voz alta Azagra.

—Bien, si la rebelión en África ya ha sido abortada, nada impedirá al califa enviar tropas a su hijo —concluyó Armengol de Urgel.

—En realidad, y aparte de súbditos particularmente levantiscos, a Abd al-Mumín le quedan aún tribus por pacificar. Su imperio africano no está ni mucho menos asegurado. Insisto en aprovechar el momento —dijo Hamusk. Mardánish asintió desde su sitial.

Armengol y su hermano cruzaron una mirada indecisa. A ellos les importaba poco la situación del califa almohade, puesto que estaban dispuestos a guerrear de cualquier forma. Lo que necesitaban saber era en qué ejército había más posibilidades de medrar: en el del emperador o en el de Mardánish. Tras unos instantes de callada reflexión, el conde de Urgel se dirigió al rey Lobo.

—Debo pensarlo y, por supuesto, consultarlo con el emperador. De hecho, si me perdonas, mi hermano y yo nos vamos a retirar para hablar de este asunto.

Mardánish asintió sonriente. Algo había logrado. Armengol y Galcerán se alzaron, se despidieron de los presentes y abandonaron la sala con paso firme, lo que demostraba que se habían moderado ejemplarmente con el vino, mientras que los demás comensales estaban ya medio borrachos.

—Necesitamos al conde de Urgel —afirmó Azagra cuando los pasos de los dos hombres se apagaron rumbo a los aposentos reservados para ellos en el alcázar—. Lo he visto dirigir a su mesnada este verano, y es imparable. —Luego se dirigió al rey Lobo directamente—: Pero recuerda, amigo Mardánish, que tanto Álvar como yo estamos a tu lado, y que nuestras fuerzas son respetables.

El rey del Sharq sonrió. Sin duda, Azagra no olvidaba la propuesta que Mardánish le había hecho en Albarracín: la enriscada ciudad de Santa María a cambio de su ayuda para conquistar Granada.

—A ambos os considero ya como de mi familia.

Los dos cristianos aludidos levantaron sus copas. La del Calvo tembló un poco entre sus manazas y unas gotas de líquido se derramaron. En ese momento intervino Óbayd, que habló con voz pastosa y atropellada.

—Ah, bienvenidos entonces a la familia. Aquí todos tenéis cabida. Es más, dentro de poco, cualquiera de vosotros podría sustituirme.

Las dos muchachas encargadas de la música, que se disponían a reanudar el toque de los instrumentos al ver que el ambiente volvía a alegrarse, se pararon en seco. Un nuevo y tirante silencio llenó la sala de banquetes.

—No sé a qué viene eso —reprochó Mardánish—. Tú también eres de mi familia, y no creo haberte tratado...

—¡Yo ya no soy de tu familia! —atajó Óbayd, que se levantó de su sitio y se tambaleó, por lo que tuvo que apoyarse en la mesa para seguir hablando—. Mi hermana, tu esposa, murió al dar a luz a tu heredero, ¿recuerdas? Y el niño también murió. Poco tardaste en sustituirlos a ambos. Ya no somos cuñados.

El silencio se espesó como si fuera neblina. Hamusk entornó los ojos y examinó concienzudamente la mirada ida del joven arráez. El rey Lobo enrojeció, más de vergüenza que de ira. No podía negar que todo había ocurrido muy rápido, y eso había dado la impresión en su día de que las muertes de Fátima y del pequeño Abd Allah no le habían causado gran desasosiego. Sin embargo, era la primera vez que el arráez Óbayd le hacía ese reproche. Mardánish se dio cuenta de que era el vino el que ponía sobre la mesa las frustraciones del joven guerrero andalusí.

—Sigues siendo mi arráez y mi amigo. Sigues siendo de mi familia —insistió el rey Lobo.

—Hasta que alguien ocupe mi puesto —espetó el embriagado Óbayd—. Quizás ese conde cristiano de Urgel... Si yo hubiera caído en Guadix, no habrías esperado ni...

—Basta ya, desvergonzado —intervino Hamusk, que ahora hablaba sin separar los dientes—. Si fuera por mí, pagarías tu falta de respeto de inmediato.

—¡Silencio! ¡Los dos! —se impuso Mardánish—. No acepto fisuras en mi ejército, ni sospechas absurdas, ni rivalidades. Óbayd seguirá siendo el arráez de mis fuerzas andalusíes, y nadie lo sustituirá mientras viva y me guarde lealtad. Pero no permitiré que se falte al respeto que se me debe, ¿está claro?

El joven arráez se dio la vuelta y tiró su copa de vino al golpearla con la mano. Se movió con pasos inseguros hacia la puerta, aunque se detuvo al pasar junto a Hamusk. Al-Asad, sentado al lado del señor de Segura, se levantó con un gesto retador hacia Óbayd. Su rostro cruzado de cicatrices parecía burlarse de él. El arráez le sostuvo la mirada, como si en realidad el duelo singular ante las murallas de Guadix, en el que al-Asad le había derrotado, continuara ahora en el alcázar murciano.

—¿Y tú? —balbuceó Óbayd—, ¿eres el perro del Mochico?

Fue Álvar Rodríguez quien, atento a lo que estaba ocurriendo, se interpuso con rapidez entre Hamusk y al-Asad, por un lado, y Óbayd por el otro. El señor de Segura destilaba rabia y su cara enrojecía mientras las venas del cuello se le hinchaban. El Calvo, aprovechando su tamaño, levantó en volandas al arráez, le obligó a salir de la sala y ambos desaparecieron del lugar.

Mardánish maldijo en voz baja. Lo que él necesitaba era la unión de sus comandantes y la adición del conde de Urgel. En lugar de eso no veía más que dudas y porfía.

Zobeyda se retiró de la parte trasera del tapiz con la cabeza baja. En la oscuridad del pasadizo mantuvo el oído alerta, pero estaba claro que el banquete había terminado. Oyó los pasos inseguros de los últimos comensales, que se dirigían a la salida, y los ruidos de las copas y bandejas que los sirvientes, azorados por la escena presenciada, iban retirando ya.

La favorita lo había escuchado todo escondida tras el tapiz del baño de Diana, como en otras ocasiones. Su principal motivo para hacerlo era enterarse de si el conde de Urgel, de quien tan bien se hablaba, aceptaría unirse al fin a las fuerzas de Mardánish. Pero de repente se había encontrado con aquella escena vergonzosa: su padre, Hamusk, no ocultaba el desprecio que sentía por Óbayd, y aprovechaba cualquier ocasión para humillarlo, como acababa de hacer ahora. El joven arráez, por su parte, seguía resentido por la fría actuación del rey al sustituir tan rápidamente a su hermana, y de algún modo se consideraba perjudicado por aquello. Zobeyda no necesitaba reflexionar mucho para darse cuenta de que ella, nadie más que ella, era la causa de aquel desprecio del arráez.

Fuera como fuese, tan solo Azagra y el Calvo habían demostrado una unión sin fisuras bajo el mando del rey Lobo. ¿Cómo iba a enfrentarse en esas condiciones a los almohades?

La favorita recorrió el corto corredor a oscuras y, discretamente, asomó tras otro tapiz que comunicaba con las estancias del harén. Caminó cabizbaja hacia el patio y, de soslayo, llegó a atisbar una sombra furtiva que desaparecía tras los arcos entrecruzados. Tarub. Otro problema absurdo.

—¡Deja ya de seguirme! —gritó.

La sombra salió de detrás de una columna. A la luz de la luna, Tarub reveló su rostro congestionado por la ira. Atraído por el grito de la favorita, un eunuco se asomó a la entrada del harén, iluminada por dos pequeños hachones.

—Eres demasiado vanidosa, *mi reina* —se burló la concubina, pero lo hizo en voz muy baja, de modo que solo Zobeyda pudo oírla—. Crees que todos te seguimos. Tal vez piensas que estoy enamorada de ti, como esas perras que te acompañan a todas partes. —Tarub se acercaba despacio y, de reojo, comprobaba que el eunuco seguía vigilándolas. Cruzó el patio y se detuvo frente a la favorita—. Pero yo no soy una puta lujuriosa como tú, yo soy...

La bofetada restalló en la noche murciana. La cara de la concubina se contrajo al recibir el golpe y tuvo que dar un par de pasos a un lado para mantener el equilibrio. El eunuco abrió mucho la boca y se esfumó a la carrera.

—¡Eres una esclava, Tarub! —Zobeyda arrastró las palabras. Las clavó en los oídos de la *umm walad* como si fueran dagas—. No te atrevas a insultarme. No vuelvas a hacerlo.

Los ojos de la concubina, arrasados en lágrimas de ira, quedaron fijos en los de la favorita. Su mano, posada en el pómulo que había recibido la bofetada, dejó de temblar. Apretó los dedos contra su propia piel y las uñas abrieron cuatro surcos en su cara. Zobeyda dio un paso atrás. La sangre de Tarub resbaló y manchó su *gilala* blanca. Los dedos, agarrotados, se deslizaron hacia abajo y siguieron desgarrando la mejilla. Se oyeron pasos en el corredor, y la concubina se dejó caer. Quedó sentada en la hierba, con la cara marcada por los cuatro largos arañazos. Las lágrimas brotaron ahora con fuerza, y su mirada de odio se disfrazó de miedo e incomprensión.

—¿Qué pasa aquí?

Zobeyda se volvió. Mardánish llegaba, y le seguía el eunuco que había sorprendido la discusión de las dos mujeres. Varios guardias asomaron en la entrada del patio pero, respetuosos con la prohibición del harén, se quedaron allí. Tarub extendió su brazo derecho y un dedo manchado de sangre señaló a la favorita.

—Me ha pegado. Mi señor, por favor, dile que deje de maltratarme. ¿Por qué, mi señora? ¿Por qué haces esto?

—Maldita zorra... —rezongó Zobeyda, y miró a su esposo—. Eso se lo ha hecho ella. Está loca.

El rey observaba a las dos alternativamente. Negó con la cabeza y se dirigió al eunuco.

—Dices que lo has visto. ¿No?

—Sí, mi rey. Tu favorita agredió a la *umm walad*.

Zobeyda dio un paso hacia los dos hombres.

—Un momento... ¿Qué es esto? ¿Las palabras de dos esclavos valen más que la mía?

Mardánish bajó la cabeza y se apretó las sienes con ambas manos. El vino no llegaba a nublar su entendimiento, pero la escena de odio entre el ebrio Óbayd y su suegro todavía le mantenía enojado.

—No me ayudas mucho, amada mía —murmuró el rey, y prestó su mano a Tarub para ayudarla a levantarse. La concubina lloraba en silencio y su mirada temerosa seguía dirigida a Zobeyda. Parecía un perro apaleado por un amo poco considerado—. Mi arráez se siente despreciado por tu llegada, y la familia de Óbayd es poderosa y amada por el pueblo. Necesito su apoyo. Necesito todo el apoyo que pueda lograr. Y tu padre insiste en enfrentarse a él. Ahora tú maltratas a Tarub... Ella es *umm walad*. La madre de mi hijo Gánim. —Las palabras iban precipitándose de los labios del rey, y también se oían con fuerza creciente. Pasó la mano por la mejilla herida de la concubina y, tras retirarla, miró sus dedos teñidos de sangre—. No necesito que sembréis la división en mi reino. Preciso todo el auxilio posible. ¡Todo!

Zobeyda fruncía el ceño. Ya no prestaba atención a la actuación de Tarub, sino a la cólera en aumento de Mardánish. Solo la inseguridad podía ponerle en tal estado. Ella tenía la posibilidad de defenderse. Decir que aquello era una farsa, e incluso tratar de demostrarlo. Pero su esposo la estaba acusando, y eso espoleó su orgullo. Alzó la barbilla y disimuló el dolor por el injusto reproche que le hacía.

—Has bebido, esposo mío. De otro modo, advertirías que yo soy quien más desea la unión, la felicidad y la prosperidad.

—Basta ya. Ni siquiera eres capaz de guardar la paz en el harén. Retírate. Retiraos las dos.

Zobeyda suspiró resignada y tomó el camino de sus aposentos. No quiso mirar atrás. Intentó convencerse de que las dudas de Mardánish eran efecto del vino. Que él seguía confiando en ella, como siempre. Una vez en su cámara, se miró la palma de la mano, aún caliente por el tremendo bofetón que había propinado a la insidiosa Tarub. Había sentido alivio al hacerlo. Y tal vez el alivio hubiera sido mayor si ella misma hubiera marcado la cara de esa esclava resentida. Claro que, entonces, el rey tenía razón. Quizás ella era como su padre, Hamusk, y no podía evitar sembrar la discordia. ¿Era así?

No. No podía ser. O mejor: no *debía* ser. Había que arreglarlo. Tenía que compensar sus faltas, y también quizá las de su padre. Se hizo servir una cena frugal que tomó en solitario. Intentaba despejar su mente, apartar de ella las envidias y rencores que debilitaban la corte del rey. Volvió sobre las palabras de Armengol de Urgel, pero sobre todo le inquietaban las de Azagra: «Necesitamos al conde de Urgel». Zobeyda bebió despacio su jarabe de granada y miel. Álvar el Calvo, su respetuoso admirador, parecía guiado por el ansia de hazañas, mientras que Pedro de Azagra se dejaba cautivar por la riqueza del Sharq al-Ándalus; más que nada por la ciudad de Albarracín, de la que se había enamorado. En cuanto al conde de Urgel... ¿Qué podría atraer al conde de Urgel? Gloria, aventuras, riqueza... ¿Qué?

Dejó su copa en la mesa. Recordaba ahora la cara a la que había espiado por la rendija que el tapiz dejaba al oscilar sobre la pared. Armengol era un tipo de mirada dura e inteligente, de modales y aspecto exquisitos. Uno de esos que observaba su entorno con cuidado y que ocultaba sus pensamientos. Parecía impenetrable. Aquello no sería fácil. Ojalá ese conde fuera tan transparente como su hermano Galcerán, siempre a su lado, observándolo con admiración, atento a sus palabras... De repente, Zobeyda vio clara la vía que buscaba.

—¡Adelagia! —gritó, y se levantó de la mesa para salir de su estancia privada.

La joven italiana acudió de inmediato. Masticaba un pedazo de bollo perfumado con almizcle que sujetaba entre dos dedos. La favorita le hizo un gesto para que se aproximara y ambas se refugiaron bajo la sombra de una de las bóvedas, adornada en sus yeserías con motivos florales.

—Sí, mi señora.

—Galcerán de Sales —susurró Zobeyda—. El hermano del conde de Urgel. Un hombre simple, según parece. Pero no es ese nuestro objetivo, sino el propio conde. Sin embargo, este no es tan sencillo como Galcerán. El conde a través de su hermano.

Adelagia, que no había dejado de comerse el sabroso pastelillo, asentía ante las frases cortas y acompañadas de gestos de la favorita. La muchacha comprendió de inmediato lo que Zobeyda buscaba.

—Haré hablar a ese Galcerán, no lo dudes —contestó la italiana con gran seguridad—. Me contará lo que sabe de su hermano. Y también lo que no sabe. Confía en mí.

14

De esposas, concubinas y amantes

Otoño de 1155. Murcia

Zobeyda recorría intrigada los pasillos del alcázar.

Desde el episodio de la pelea con Tarub, la favorita vivía sin abandonar prácticamente las estancias del harén, al igual que hacían las demás esposas de Mardánish. En los últimos días, con la llegada de las lluvias, que habían servido como carta de presentación al otoño, ni siquiera salía ya para visitar el *hammam* o distribuir limosnas. Encargaba a alguna de sus doncellas que recorriera las calles bajo fuerte escolta y que se ocupara de las dádivas, algo que sabía que mantenía la estima de la favorita entre el pueblo. Al mismo tiempo, Mardánish había aumentado el ritmo de visitas a sus otras mujeres, lo que había derivado en una relación algo más distante con Zobeyda. Y eso que ella, a diferencia de la envidiosa Tarub, no sentía celos al saber que su marido yacía en brazos de las otras esposas y concubinas. Sabía que el rey Lobo cumplía con su deber, pues así se hacía siempre por obligación de ley y para mantener unidas al trono a las familias poderosas de cuyo seno habían salido los pretendientes. Incluso se convenció para no temer las palabras que la quejosa *umm walad* pudiera susurrar en el oído del rey mientras se entregaba a él. Se esforzó en moderar esa vanidad que tal vez no había sabido controlar. Quizá, después de todo, el presagio de Maricasca hallaría otro camino para ser cumplido. ¿Quién era ella, sino otra más de las esposas del rey Lobo?

Y pese a todo, ahora había sido llamada por Mardánish para dirigirse a su sala de consejos. Ella acudía, por supuesto. Caminaba ligera, tocando apenas el suelo con los pies cubiertos por sus sandalias de suela de corcho, mientras apretaba un *alherze* de pergamino virgen con una invocación a los genios del río Segura. Vestía una túnica bordada con hilo de plata y cubría su pelo trenzado con un pañuelo transparente que volaba tras sus pasos y que había prendido al cabello con una diadema enjoyada. Bajo los arcos de un corredor, una sombra rojiza cruzó ante ella sin verla, y Zobeyda llamó su atención en voz baja.

—Adelagia.

La italiana reparó en su señora y al sonreír mostró una fila de dientes blancos y perfectamente alineados. Se acercó a ella y ambas se reunieron en una nube de perfume de agua de rosas. Los ojos verdes de la pelirroja brillaban con picardía. Zobeyda sabía que su doncella había cautivado el corazón de Galcerán de Sales, aunque parecía que el cristiano se mostraba remiso a hablar de su hermano. Se lo habían tomado con calma no obstante. Con el fin del verano, los señores cristianos habían regresado cada uno a su hogar del norte, pero Galcerán había solicitado permanecer en el alcázar algún tiempo más. Zobeyda, que conocía las dotes de persuasión de Adelagia, no encontró extraño que el cristiano quisiera quedarse a disfrutar del otoño templado de Murcia en brazos de la muchacha.

—Mi señora, vengo del aposento de Galcerán de Sales. Esta vez me he empleado con afán. Tanto que estoy exhausta.

Las dos mujeres intercambiaron una risita maliciosa. Zobeyda sabía que su doncella italiana era con mucho la más fogosa de las cuatro. Si ella estaba derrengada, imaginaba en qué estado se encontraría el pobre y a la vez afortunado Galcerán.

—¿Y bien?

—Por fin lo tengo. Armengol de Urgel es un caballero sin tacha. Jamás yerra, no pierde ocasión de ir a misa y nunca se emborracha. Nadie ha visto una sola mancha en sus ropas o un cabello descolocado en su cabeza. Es impecable en el trato con todos: ni muy exagerado ni muy apático. Se ha prometido hace poco con Dulce, la hermana del príncipe de Aragón, una mujer tan piadosa y recta como él.

Zobeyda frunció el ceño. Adelagia le pintaba el retrato de un hombre sin fallos, sin puntos débiles: algo que no existía.

—¿Qué busca? ¿Qué ambiciona?

—Poder, sin duda —aseguró la pelirroja—. Luchará al lado de los cristianos si hay perspectiva de ganancia. Valdrá a tu esposo si él le ofrece más. Su vista está puesta en las grandes ciudades del sur: Granada, Sevilla, Córdoba... Pero su ánimo se inclina a marchar a tierra de cristianos. El joven Fernando, el hijo del emperador, le reclama. Por lo visto lo valora mucho, y también a su hueste. Le ha prometido honores y gloria. Según Galcerán, lo más seguro es que acaben yéndose.

—¿Y no hay manera de tentarle? ¿Qué podría ofrecerle mi esposo para que no marchara? —Zobeyda comenzaba a impacientarse. El rey Lobo la esperaba, y asumía que la había llamado para algo importante.

Adelagia bajó aún más la voz y aproximó la boca al oído de su señora.

—Lo que nuestro rey puede ofrecerle son solo promesas. Pero te diré lo que no sospechas. Hay algo que desvela a Armengol de Urgel. Algo que ha conseguido conmoverle como nada antes. Tú.

La favorita se echó hacia atrás sorprendida. Arrugó la nariz para dar a entender a su doncella que no comprendía sus palabras.

—Pero si jamás hemos estado cara a cara...

—Ha oído hablar mucho de ti, y él pone de su parte al preguntar a todo el mundo. Está convencido de que eres la mujer más hermosa sobre la tierra. Es algo extraño, según dice Galcerán. Te has convertido para él en una especie de sueño prohibido. Al parecer ardía en deseos de conocerte cuando los dos hermanos llegaron aquí en verano, pero por aquel entonces tú no te dejabas ver...

—Cierto.

—Es muy raro. Si estuvieras a su alcance, tal vez no te ambicionaría. Pero eres casi inaccesible. Lejana. Como una quimera. Ejerces una influencia... —Adelagia rebuscó en su mente para hallar la palabra exacta— enfermiza. Sí. Eso es.

Zobeyda no abandonó su gesto sorprendido. El único punto débil de Armengol de Urgel era precisamente ella. Aquello la ponía en una situación nueva, desconocida. La cristiana pelirroja la miraba interrogante, a la espera de nuevas órdenes; pero por primera vez en mucho tiempo, la favorita estaba desconcertada.

—¿Y no será que le ocurre como a Álvar? Estos caballeros del norte están embobados con esas trovas que llegan de más allá de los Pirineos. Tal vez quiera hacer de mí una dama de sus sueños o algo parecido.

—Esto no tiene nada que ver con trovas ni cantares, mi señora. Armengol de Urgel no es de esos. Su mente es fría, y sus fines están bien claros. Quiere siempre lo mejor, y se le ha metido en la cabeza que lo mejor eres tú. Estoy segura de que te quiere en su lecho, no en sus sueños. Es como dice el verso: *Si le estás vedada, redobla su amor por ti, pues lo que más ama el hombre es lo prohibido.*

Zobeyda asintió. Se preguntó qué opinaría Mardánish de aquello si lo supiera. Una cosa eran las formas corteses de Álvar el Calvo y la reverencia idílica que rendía a la favorita, algo no reñido con la lealtad al rey Lobo. Y otra cosa muy diferente, pretenderla como amante o soñar con poseerla. Eso era pura traición. Estaban pisando terreno muy resbaladizo.

—¿Adónde ibas ahora, Adelagia?

—A la Arrixaca. Necesito ir a una iglesia y ser oída en confesión. —La doncella volvió a sonreír—. He pecado hoy en el lecho lo suficiente como para morir siete veces y ser arrojada todas ellas al infierno.

—Ve, mi buena amiga, pero disponte a seguir pecando. Necesito a ese Galcerán atado a tus deseos. Aún más, quiero que lo pongas a tus pies. Que solo viva para ti.

Adelagia asintió con suficiencia. Aquello estaba hecho.

Zobeyda entró sin anunciarse en la sala de consejos del alcázar. Su rostro, que todavía reflejaba la sombra de la sorpresa que le había dado Adelagia, se iluminó al ver allí a su maestro y buen amigo Abú Amir. El médico estaba pletórico, con la tez tostada e incluso algo más delgado. Parecía haber rejuvenecido al menos cinco años. Abú Amir también se alegró. Mardánish no ocupaba su trono, elevado sobre atrio y colocado en la cabecera de una mesa de bella factura cuyas patas de ébano imitaban la figura de cuatro lobos, un capricho que había mandado tallar recientemente. El salón, sin ser tan lujoso ni grande como el *maylís* de los banquetes, no carecía de una ornamentación fabulosa. En este caso, la gigantesca estrella de ocho puntas no se hallaba en el techo abovedado, sino tras el trono, de modo que pareciera que la cabeza del rey Lobo ocupaba el centro de aquella figura geométrica. Los juegos de luces, hábilmente creados mediante la orientación de los rayos del sol a través de las celosías y sus reflejos en las paredes, confluían en el sitial para darle una apariencia fastuosa. El salón solo se usaba para reuniones especiales y recepciones del rey, puesto que el verdadero gobierno de la ciudad, el cotidiano, quedaba a cargo de los visires, que se reunían en Dar as-Sugrá, el alcázar pequeño al norte de la ciudad. Cuando los visires venían a rendir cuentas ante Mardánish o ante su primer consejero, Abú Amir, se acostumbraba a seguir una solemne ceremonia destinada a revestir al rey del aura de la majestuosidad. En esta ocasión, sin embargo, Mardánish prescindía de todo protocolo. Había ocupado una silla a un lado de la mesa del consejo, y enfrente de él estaba sentado Abú Amir, que se levantó para posar una rodilla en tierra en señal de saludo a su señora.

—Te he mandado llamar —comenzó sin más formalidad Mardánish— porque sabía que te alegraría ver de nuevo a Abú Amir, y porque he recibido dos misivas. Una nos trae buenas noticias, la otra no.

El rey Lobo miró a los ojos de su favorita, interrogándola en silencio sobre qué orden quería dar a todo aquello. Zobeyda acusó la frialdad con la que su esposo se dirigía a ella, así que desvió la vista hacia su gran amigo.

—Dime cómo te fue todo por Valencia.

Abú Amir se volvió a sentar, aunque a su sagacidad no se le escapó la distancia que ahora había entre Mardánish y la favorita. Zobeyda tomó asiento frente al médico y consejero, al lado de su esposo, y este le llenó una copa de plata de moscatel valenciano, recién traído por el médico, y del cual ya disfrutaban los dos hombres. La favorita bebió a pequeños sorbos y no pudo evitar un suspiro de aprobación.

—No he mencionado nada en mi correspondencia con el rey porque preferí limitarme a los asuntos del visirato, pero ahora puedo ofrecerte la buena nueva: tu querida *munya* de Marchalenes ya no existe. En su lugar se alza ahora un hermoso palacio... O se alzará, aunque las obras van muy avanzadas. Todos los trabajadores saben que es deseo tuyo —Abú Amir se volvió un instante a Mardánish—, y tuyo, mi señor, que sea un lugar expresamente dedicado a la pequeña Zayda. De hecho, todos lo llaman ya la Zaydía.

El rey Lobo y su favorita hicieron un gesto de asentimiento simultáneo. A ambos les gustó aquel título para el palacio.

—Querías también entrevistarte con el traidor Ibn Silbán —intervino el rey Lobo—. Accedí a mantenerlo con vida todo este tiempo porque así me lo rogaste. No me has comentado nada al respecto en tus cartas. Es verdad que tus informes sobre la marcha del gobierno en nuestras ciudades eran importantes, pero lo cierto es que siento curiosidad por ese rebelde. Espero que tu visita a las mazmorras sirviera de algo.

Abú Amir se bebió media copa de moscatel antes de hablar. Degustó el líquido al inundar su boca y bajar por su garganta. Inevitablemente, aquel dulce licor le recordaba otro sabor, el de una bella y apasionada danzarina de Valencia...

—No sé si fui un tonto al esperar de ese loco algo más que burdas ambiciones humanas —reconoció el médico—. En verdad estaba sorprendido por cómo el Tawhid está siendo abrazado por todos aquellos que ven pasar sobre sí la sombra de Abd al-Mumín. Yo pensaba que debía de haber algo más para que nuestros hermanos andalusíes renunciaran a su paraíso terrenal y abrazaran una vida de resignación y esclavitud.

—Ah —le interrumpió el rey Lobo—. Quizás esperabas ver a un iluminado, a alguien elegido por Dios...

—En cierto modo así fue. Ibn Silbán está perturbado, aunque no sé si se debe al fanatismo o al tiempo de encierro en las mazmorras de Valencia. Desvaría y agoniza a un tiempo, rodeado de inmundicia, medio ciego y desesperado. Pese a todo, en un corto momento de lucidez, pude ver en él algo que me atemoriza tanto como la locura mística desbocada. El traidor me habló de ingentes e imparables hordas de almohades, de ejércitos irresistibles, sujetos a los solos deseos de Abd al-Mumín. Aunque sabía que el riesgo de alzar Valencia contra ti era muy alto y que sus posibilidades de triunfar, casi nulas, se arriesgó a hacerlo... ¿Comprendes la razón?

Mardánish y Zobeyda cruzaron una mirada preocupada. De forma inconsciente los invadió la misma sensación que dos años antes, cuando en el patio del harén pudieron leer juntos la carta escrita por el propio califa Abd al-Mumín. Eso trajo a la mente de Mardánish el resto de noticias que quería compartir con su favorita y su consejero. El rey Lobo sacó un rollo de papel de una de sus mangas, lo extendió entre Zobeyda y el médico y pasó la mano sobre él para alisarlo.

—Pensaba dejar que decidieras qué noticias querías saber primero, amor mío, pero creo que esto viene a afirmar lo que insinúa nuestro amigo Abú Amir.

»La carta es de tu padre, Hamusk. Me anuncia que los almohades han salido de Córdoba bajo el mando de su gobernador africano, un tal Ibn Igit. En un tiempo mucho menor del que tuvo que emplear el emperador Alfonso, nuestros enemigos han recuperado Pedroche, Montoro y Almodóvar. Han barrido de un plumazo a los cristianos y se han enseñoreado de nuevo del Alto Guadalquivir. Ahora amenazan las ciudades y fortalezas que aún conserva Alfonso de León. También se han dirigido al Garb y se han hecho con varias plazas portuguesas. Igualmente, sin problemas.

Abú Amir digirió la noticia con rapidez. Desde su entrevista con el cautivo Ibn Silbán, había asumido que la amenaza almohade, antes lejana y poco preocupante, ya no era tal. Ahora su sombra se adivinaba en lontananza, crecía poco a poco y se extendía sobre el horizonte. Lo cubría todo y oscurecía a su paso la campiña para convertirla en un desierto inhóspito. Se sirvió con celeridad otra copa de moscatel y la deglutió de un trago, sin recordar esta vez a bailarina alguna.

—¿Qué harás?

La pregunta de Zobeyda resonó en el alto techo de la sala, donde muy pronto Mardánish reuniría a sus visires para forzar la maquinaria destinada a recaudar impuestos, reclutar levas y habilitar su instrucción.

—Nuestros preparativos continuarán. —El rey Lobo habló pausadamente por si Abú Amir quería proponer algo—. Pero ahora nuestro objetivo no es la conquista de Granada, sino la defensa del Sharq al-Ándalus. Más que nunca, necesito a mi lado a los mejores.

—Al conde de Urgel —completó Zobeyda antes de darse cuenta de que ella no tenía por qué conocer aquella información. Mardánish mostró su sorpresa, pero pronto recuperó el gesto frío.

—Has vuelto a usar los escondrijos de detrás de los tapices —adivinó.

Zobeyda miró hacia el otro extremo de la sala con el rostro arrebolado.

—Desde lo de Tarub apenas salgo de mis habitaciones...

Abú Amir asistía en silencio a la tensa conversación entre marido y mujer. Ahora ya era evidente la dolorosa tirantez que había entre los dos esposos. Le pareció tan extraño que no pudo evitar la pregunta:

—¿Qué pasa con Tarub?

El rey Lobo hurtó la mirada para evadir la respuesta. En lugar de continuar la charla por aquel camino, pasó al último asunto de aquella lacónica reunión.

—He recibido otra misiva, escrita por fin sobre papel de Játiva del que regalé al emperador. Está decidido: el reparto entre sus hijos ha sido hecho. Sancho heredará Castilla, con su Extremadura y la Trasierra. Fernando reinará en el resto. Adiós al sueño del imperio. Dos reinos, hermanos pero separados.

—Fernando... —repitió la favorita—, rey...

—Rey de León, sí.

La vista de Zobeyda se perdió entre el polvo en suspensión, que relucía al atravesar los rayos de sol. Fernando en posesión de un reino. En cuanto ciñera corona, Armengol correría a su lado, sin duda. Y dejaría desamparado al Sharq. Abú Amir se extrañó del repentino silencio de la favorita.

—¿Tanto te afecta que el imperio se divida?

Ella trató de disimular.

—Ah... Claro. No es una buena noticia. Hasta yo sé que eso debilitará a los cristianos.

—No sufras en demasía, amor —intervino el rey Lobo—. El emperador aún vive, y su voluntad es fuerte. Además, tengo una noticia que te alegrará: el joven Sancho, primogénito del emperador y rey de Castilla, tiene ya un heredero. Le han llamado Alfonso, como a su abuelo.

En verdad los negros ojos de Zobeyda relucieron con la nueva. Sus labios se estiraron en una tenue sonrisa y sus dedos se cerraron con fuerza sobre el *alherze*, pero entonces se dio cuenta de que ella jamás había revelado a su esposo nada sobre sus planes para Zayda.

—Ambos sabemos qué esperanzas tienes a ese respecto, ¿no es así? —Mardánish consultó con gesto interrogante a su consejero y este solo pudo asentir.

—¿Se lo has dicho tú, Abú Amir? —preguntó Zobeyda. El consejero negó enérgicamente—. Ah, ya sé. Ha sido Tarub. Ella, que me espía...

—Del mismo modo que tú espías a otros tras el tapiz del baño de Diana —la interrumpió Mardánish. Ella bajó la mirada y, por primera vez en lo que llevaban de reunión, el rey apartó el gesto frío de su rostro y posó una mano sobre el hombro de ella—. Pero es mi deber, por el amor que te profeso, advertirte de lo descabellado de tu idea.

—¿Descabellado? —protestó ella—. Nada de eso. La unión de nuestras familias creará una alianza a la que nadie en la Península podría enfrentarse.

—Esa alianza ya existe... —insistió el rey Lobo.

—¡No es suficiente! ¡Sabes lo poderosos que son los lazos de sangre! Los hijos que nacieran de esa unión no tendrían que preocuparse de enemigos de ningún credo. Si tú mismo has debido viajar a la Marca Superior y acantonar un ejército para mantener tus territorios a salvo de las ambiciones del príncipe de Aragón... Si sabes muy bien que el emperador no llevaría vuestra alianza de ahora tan lejos como para enfrentarse a Ramón Berenguer...

—La verdad, es tentador imaginarlo —intervino Abú Amir—: Desde las frías costas del norte hasta las playas de levante, la misma sangre repartida por Castilla y el Sharq cruzaría la Península. Un reino sin parangón.

—Zobeyda, lo tuyo son sueños sin fundamento por mucho que tienten a Abú Amir —siguió en sus trece Mardánish—. Aprecio al emperador y mantendré mi fidelidad hacia él, así como hacia sus hijos, pero no pienso entregarle mi reino ni dárselo a Sancho para engrandecer el suyo.

—¿Entregar el reino? —Zobeyda buscó de nuevo con su mirada hipnótica los ojos de su esposo—. El reino pertenecería a tu estirpe, cuya sangre se habría fundido con la del emperador de León. Ambos lados unidos. Como antes se unieron nuestros enemigos. Abú Amir —se dirigió ahora al consejero—. Cuéntale el poder que emana de los lazos entre Barcelona y Aragón. Cuéntale cuánto nos perjudica.

El médico frunció el ceño, pero de inmediato la luz de la comprensión iluminó sus ojos entrecerrados.

—Te refieres al fruto del matrimonio entre Ramón Berenguer y la reina Petronila.

—Ese fruto no existe, que yo sepa —cortó Mardánish.

—Aunque viva en un harén, no me pasan desapercibidas las cosas del mundo —se impuso de nuevo la voz de Zobeyda—. ¿Has olvidado ya quién resolvió la crisis de Valencia? No creas que la política me es ajena, mucho menos la de nuestros adversarios. La unión de Aragón y Barcelona tiene como objeto depositar ambas dignidades sobre una sola cabeza, la que nazca del matrimonio entre Ramón Berenguer y Petronila de Aragón. Los resultados de ese negocio se han mostrado ante ti. Ese conde codicioso, convertido ahora en príncipe, reúne bajo su cetro a aragoneses y barceloneses. Y así se permite usurpar tus territorios mientras te exige parias y sonríe, porque sabe que no intentarás recobrar lo que te quita. Su ambición te ha sido revelada; conoces su intención de incorporar el Sharq a sus tierras; reparte comarcas que te pertenecen aun antes de haberlas conquistado. ¿Crees que el hijo que nazca de esa unión será diferente? Siempre deberás mirar al norte con temor, a la espera de que las huestes enemigas penetren en tus tierras, las devasten y planten su estandarte. Espera, ¿he dicho siempre? No, pues el destino cambiaría si nosotros imitáramos a nuestros adversarios. Zayda es la llave de nuestra salvación. Gracias a ella prevaleceremos ante nuestros adversarios.

—El ejército de la Marca Superior ha resuelto el problema aragonés. Desde que acantoné mis fuerzas en Albarracín, Ramón Berenguer se ha detenido —siguió argumentando el rey Lobo, aunque su firmeza ya no parecía tan asentada.

—¿Es que no has escuchado lo que tu consejero Abú Amir ha venido a contarte? ¿Acaso no nos has hablado de una carta de mi padre que relata cuán fácilmente avanza Abd al-Mumín? Has conseguido detener el vuelo del halcón aragonés que espera al acecho en las montañas del norte, pero un león africano se acerca y lo desgarra todo desde el sur. Recurrirás al pago de tropas extranjeras y prometerás tierras para que poderosos señores cristianos luchen a tu lado, pero ¿por cuánto tiempo podrás retenerlos en tu ejército?

Mardánish se levantó sin ocultar su enojo. Su esposa cuestionaba sus decisiones delante de su principal consejero, y lo peor era que lo que ella decía tenía mucho sentido.

—Jamás aceptarán los vasallos del emperador que una mahometana se despose con el heredero de Castilla. No querrán que llegue a ser más que su concubina. Y si conviertes a la pequeña Zayda en cristiana, nuestro pueblo perderá su confianza en nosotros.

—Puede hacerse —insistía ella—. Puede hacerse.

—Pues bien, hazlo tú —sentenció Mardánish—. Prepara a Zayda para ser la concubina de un señor cristiano, y permite que yo me ocupe de Hilal y haga de él un heredero valiente y audaz.

El rey Lobo dejó sus palabras en el aire y abandonó el salón. Abú Amir se fijó en el rostro de Zobeyda, que en lugar de mostrar enojo relucía de alegría. La favorita miró al consejero.

—¿Qué? —quiso saber este.

—Considera a Hilal su heredero... ¿Lo has oído? Aún soy la favorita. Aún podré conseguir esa unión.

Abú Amir se pasó la mano por la fina barba y examinó el brillo que despedían aquellos ojos negros.

—A veces me pregunto quién decide la política de la que tanto hablas, niña. No sé si en verdad intentas conservar este paraíso o simplemente luchas por que se haga la voluntad de Maricasca.

15

A degüello

Verano de 1156. Costa sur del Garb al-Ándalus

La galera, empujada por un viento que parecía insuflado por Dios, cortaba el mar del modo en que un cuchillo bien afilado habría tajado un pedazo de sebo, sin apenas levantar las olas. Encaramado en la proa, con la vista fija en el horizonte, un *sayyid* almohade esperaba su bautismo en el verdadero servicio del Altísimo.

Yusuf, hijo de Abd al-Mumín, volvió la cabeza atrás y miró por sobre el gentío armado y silencioso que abarrotaba la cubierta. El viento que empujaba la galera también le traía el olor acre de los vómitos. Agarrándose las tripas, los guerreros africanos se vaciaban inclinados sobre la borda sin emitir un quejido. Se trataba de hombres habituados a pisar la fina arena del desierto o las duras rocas de las montañas, y les era imposible retener el contenido de sus estómagos mientras, con la angustia trabada en los rostros, intentaban permanecer en pie en aquella cubierta oscilante y resbaladiza. Tras su galera, la capitana de la flota de Ceuta, una fila de embarcaciones igualmente repletas de guerreros recorría la costa sur de al-Ándalus hacia poniente. El *sayyid*, que había vomitado hasta la extenuación hacía ya rato, se aproximó a su piloto; este lo miró sin abandonar el sempiterno aire de temor con el que todos se dirigían a los hijos del califa.

—¿Cuánto queda? —La voz de Yusuf, juvenil, había enronquecido con cada arcada.

—Muy poco, mi señor —contestó el piloto de inmediato, como disculpándose porque su destino estuviera demasiado alejado—. En cuanto lleguemos a la desembocadura de la ría podremos ver nuestros estandartes.

—Así lo espero. Por tu bien.

El marino palideció. Sabía que no había peor error que provocar la ira del califa o de cualquiera de sus hijos. Tragó saliva con dificultad y decidió entretener la mente del *sayyid* con la esperanza.

—Descuida, mi señor. En muy poco tiempo podrás pisar tierra firme.

Yusuf asintió, devolvió la mirada al horizonte acuoso y buscó con ojos ávidos el desagüe de la ría de la que hablaba el experimentado piloto. A pesar del mal rato, largo y vomitivo, que le suponía ese viaje por mar, el *sayyid* se sentía satisfecho: su voz no había temblado con la amenaza velada a aquel marinero, y había podido ver el miedo reflejado en sus ojos. Eso se esperaba de él, sin duda.

El joven acababa de ser nombrado heredero secreto del califa y todavía no había digerido toda la grandeza que aquello significaba. Hacía apenas unos días, hasta él mismo pensaba que su hermano mayor, Muhammad, sería el legatario del imperio que su padre estaba construyendo sobre cimientos de sangre en África. Y en realidad así se había hecho público tres años antes, cuando el primogénito fue nombrado heredero en Salé. Pero Muhammad no era puro. No era piadoso. No era limpio. Ser hijo del califa le venía grande, mucho más ser el único heredero de la auténtica Tierra de Dios. Muhammad bebía hasta embriagarse, abusaba de su posición, difamaba a los más osados jeques y reclamaba para sí a las mejores mujeres en cada saco, e incluso se atrevía a arrebatar a sus visires aquellas a las que ya habían escogido. Se decía también que esquilmaba el tesoro, que prevaricaba y que había malgastado el dinero del califa, del príncipe de los creyentes; lo que era tanto como decir que le había robado a Dios.

Yusuf era el segundo de los hijos del califa, y si el primogénito no estaba a la altura...

Utmán era el tercero. El más audaz de todos, aunque también demasiado alocado. Tampoco era extraño: Utmán, a pesar de ser ya gobernador de varias ciudades a ambos lados del Estrecho, solo tenía dieciséis años.

El califa tenía más hijos, muchos más. Sin embargo, quien más influía en sus decisiones no era un hijo, sino un hijastro: Abú Hafs. La madre de Abú Hafs había enviudado de su primer esposo, un hermano de Abd al-Mumín, y, según la costumbre, había desposado después al califa. De esta forma, Abú Hafs entró en la familia. Fue después cuando nació Yusuf, ya con la sangre de Abd al-Mumín. Por eso Abú Hafs, aunque mayor que los demás hermanos, carecía de derecho a suceder al príncipe de los creyentes; pero para Abd al-Mumín no había supuesto ningún problema prestarle oídos. De hecho se decía en círculos reducidos de la corte que había sido él, el influyente Abú Hafs, quien convenció al califa de revocar secretamente el nombramiento de Muhammad para que la dignidad recayera sobre Yusuf.

Yusuf hizo rechinar los dientes. Esa gran dignidad debía mantenerse por el momento oculta: muy pocos sabían que él era quien un día gobernaría sobre el mundo entero. Porque eso era lo que significaba su nombramiento. El imperio que su padre estaba edificando no se detendría jamás, pues el mandato de Dios era extender la fe verdadera por todo el orbe, por encima de unos y otros, falsos creyentes e infieles, fueran o no gentes del Libro. Sin medias tintas: islam o muerte. No, mejor: Tawhid o muerte.

El califa, pues, había cedido a las confabulaciones de Abú Hafs, pero con la condición de que no se hiciera pública su decisión. Demasiado tenía con las constantes rebeliones de las tribus del Atlas y del desierto como para que ahora, encima, sus propios hombres vieran con malos ojos este cambio y no lo aceptaran. Ni siquiera a Utmán le habían comunicado los nuevos planes. Yusuf había sido nombrado gobernador de Sevilla y en tal concepto había cruzado el Estrecho para empezar su misión: debía ponerse en primera fila en el ejército de Dios.

Pero había algo peor que la disciplina de domar su vanidad, de mantenerse en silencio hasta que llegara el momento de ser nombrado califa. El *sayyid* apenas podía superar su miedo y su impotencia. Con diecisiete años, sus espaldas eran aún demasiado estrechas para soportar semejante responsabilidad. Yusuf se recolocó el turbante, que el viento de popa sacudía ligeramente. Su tez era oscura, casi negra, al igual que la incipiente barba que no terminaba de cubrir su rostro. Aunque clavaba la mirada bajo unas cejas pobladas y rectas, no conseguía imprimir a su gesto la ferocidad de la que carecía, y que sí tenían su padre Abd al-Mumín, su hermano Utmán y, sobre todo, su hermanastro Abú Hafs. Tocó con nerviosismo el pomo de su espada y aspiró el aire salado con fuerza, aunque por alguna razón no conseguía llenar sus pulmones. Un grito le alertó y recorrió con la vista la línea de costa, que ahora la flota dejaba a estribor. Sus ojos inexpertos, no hechos a la guerra ni a la navegación, tardaron en situar lo que varios marineros africanos señalaban.

Tavira era puerto rebelde, obstinadamente decidido a no dejarse regir por el Tawhid. Hacía cinco años que su régulo, Ibn al-Munib, se había postrado ante el califa, pero una y otra vez surgía algún bandido levantisco que desafiaba la autoridad almohade. En esta ocasión se trataba de un tipo cuyo nombre Yusuf no conseguía retener, una especie de pescador de aquel lugar que, convertido en capitán de la pequeña flotilla de Tavira, recorría las aguas próximas al Estrecho y ejercía la piratería. Nada que no pudiera solucionarse con rapidez: un trabajo fácil. Por eso precisamente se lo había encomendado el califa a Yusuf, seguro.

En tierra, los estandartes blancos, rojos y verdes ondeaban a lo lejos y marcaban la situación de las tiendas almohades. Tavira se levantaba sobre un humilde cerro a la orilla de un río cuyo último trecho discurría por terreno pantanoso y se ensanchaba para formar una ría que arrojaba sus aguas al Atlántico. El cerco terrestre estaba completo desde tiempo atrás, y los almohades se las habían arreglado para bloquear el río en su parte alta, pero los de Tavira encontraban fácil avituallamiento al recurrir a sus embarcaciones, que alcanzaban la ría protegidas por el impracticable terreno pantanoso. Así, los arqueros sitiadores no podían hostigar a las barcazas que salían y entraban. Allí se las podía adivinar ahora, encalladas en el puerto arenoso que quedaba resguardado por la proximidad de la frágil muralla.

La flota continuaba su avance en columna y la galera capitana se aproximaba al estuario. A bordo de las naves, los guerreros de las cabilas almohades ajustaban sus correajes y los velados *rumat* desenfundaban sus arcos. El joven *sayyid* observó a su piloto y lo descubrió expectante, con las cejas enarcadas mientras se pasaba la lengua por los labios.

—Mi señor —empezó tímidamente el marino—, bien sabe Dios que no soy más que un pobre ignorante en las cosas de la guerra y, por eso, estoy seguro de que tu gran inteligencia tiene reservado un plan. Sin duda prefieres que pasemos de largo la ría de Tavira... ¿Tal vez para engañar al enemigo?

Yusuf no entendió al principio. Miró al ancho brazo de agua, que ya casi dejaban a estribor, y luego volvió a mirar a su piloto. Más arriba, junto a las murallas, los de Tavira debían de estar afanándose por sacar las barcazas al agua, avisados para evitar el bloqueo total que en buena lógica se les venía encima. Yusuf tardó aún un tiempo en reaccionar.

—No hay plan. Nuestra misión es completar el cerco y tomar Tavira.

—Entonces, mi señor, creo que deberíamos haber virado ya para penetrar en la ría. Los piratas habrán conseguido sacar de su puerto algunas barcas...

—¡Ordena virar la nave! —se dio por fin cuenta Yusuf de su error—. ¿Es que tengo que pensarlo yo todo? ¿Qué es esto, piloto? ¿Tu fe y tu lealtad no son lo suficientemente fuertes? ¡Tal vez necesites un poco de estímulo! ¿Qué tal si mando cortarte los pulgares?

El piloto palideció y mandó a gritos caer a estribor. Los marineros almohades, que esperaban la orden desde hacía un rato, cumplieron al instante y consiguieron que la galera girase lentamente. El resto de la flota repitió la maniobra, y la columna de embarcaciones viró hacia el vasto pedazo de mar que penetraba en las costas del Garb antes de confundirse con el río. Yusuf podía imaginar los rostros aterrorizados de los villanos corriente arriba, junto a las murallas. Ante la maniobra de las galeras almohades, vistas a lo lejos, las fuerzas terrestres de asedio lanzaron un ataque total contra la ciudad.

El *sayyid* tragó saliva. No estaba seguro de haber resultado convincente con el piloto. Así actuaba Abd al-Mumín con todos: susurraba para intimidar, y gritaba y amenazaba cuando las cosas se torcían. Por lo general, el resultado no se hacía esperar: la gente corría de un lado para otro hasta que el mundo volvía a funcionar bien. Pero Yusuf había balbuceado... ¿Se habría dado cuenta el piloto? ¿Lo habrían notado los demás marineros?

Algunos de los miembros de la guardia personal del califa, que ahora acompañaban a Yusuf, avanzaron por la cubierta hasta la proa y lo rodearon.

El *sayyid* se sobresaltó al verlos. Su presencia era imponente. Altos como torres y de músculos relucientes, su piel negra estaba perlada de sudor y de sal. Los esclavos del Majzén eran la tropa de élite del imperio almohade. Esclavos sudaneses, reclutados en su infancia de entre los más fuertes y rápidos, seleccionados y duramente entrenados para la única misión de luchar y morir por el príncipe de los creyentes. Iban desnudos de cintura para arriba salvo por las correas de cuero que se cruzaban sobre su pecho, y a sus flancos sostenían dagas y espadas de ancha hoja y un solo filo. Empuñaban largas lanzas de asta tan gruesa que las manos de un hombre normal habrían sido incapaces de sostenerlas, y llevaban sobre la cabeza yelmos redondos atados a la barbilla. Únicamente una decena de aquellos imponentes guerreros viajaba con la flota, pero su sola presencia atraía las miradas de todos.

Las galeras, ayudadas por los remeros para vencer la débil corriente, llevaban un rato internadas en el río, y por fin se aproximaban a las barcas que habían conseguido abandonar la playa de Tavira. Los piratas, constreñidos por las orillas, intentaron maniobrar fiándose de la agilidad de sus embarcaciones, pero los arqueros *rumat* del ejército almohade tiraron a placer desde sus bordas, situadas a mayor altura que las pequeñas lanchas de los tavirenses. Cuando los pilotos caían, las galeras embestían a las embarcaciones y las hacían zozobrar, y supervivientes y cadáveres se hundían a su paso. Ni uno solo de los que intentaban huir lo consiguió.

—¡A tierra! —ordenó Yusuf, no muy seguro de lo que quería.

La orden era precipitada. Las galeras no habían fondeado aún; muchas acababan de virar a babor para buscar la orilla cercana a las murallas y otras todavía navegaban por la parte central del río, de modo que los que obedecieron la orden del *sayyid* se encontraron totalmente sumergidos. El peso de sus armas y protecciones los llevó al fondo. La sangre y las aguas turbias los hicieron desaparecer, y sus gritos de angustia se convirtieron en gorgoteos que no llegaban a la superficie. Así, otros los siguieron ignorantes de lo que les esperaba. Se ahogaron decenas antes de que alguien diera la voz de alarma y los soldados dejaran de saltar por las bordas. Otros más avispados, al ver el destino de sus alocados compañeros, prefirieron desobedecer y esperar. Los guardias negros se miraron entre sí. Como encargados de la protección personal del *sayyid*, no debían abandonarle. Más de uno pensó que aquel muchacho inexperto los llevaba a una muerte inútil y segura, pero aquello no los preocupaba. Hacía mucho que habían asumido que ese era su destino: caer por Dios y por el príncipe de los creyentes.

Por fin, las primeras proas se elevaron sobre el agua al hallar el fondo arenoso y se detuvieron con un crujir de tablas. De inmediato, los atabaleros que viajaban en las embarcaciones comenzaron un frenético tamborileo que voló sobre la playa y recorrió cada casa de Tavira, anunciando que la muerte llegaba desde el mar. Una andanada de flechas barrió la playa ribereña y mató a los primeros defensores de Tavira, que habían salido a proteger el frustrado embarque de sus paisanos. A continuación saltaron a tierra algunos guerreros almohades, felices de poder abandonar aquella maldita cubierta de tablas que era incapaz de permanecer quieta. Hombres de tierra adentro, sus pieles oscuras los delataban como miembros de alguna cabila del Atlas, y los gritos ululantes que lanzaron mientras salían del agua contribuyeron a sembrar el pánico entre los pobladores de Tavira. Enseguida, varios de los lugareños arrojaron las armas y se postraron de rodillas. Desatendían así la puerta aún abierta por la que habían abandonado la ciudad, extendían las manos frente a sí e inclinaban la cerviz. Solicitaban el amán. La compasión y la paz que todo musulmán podía pedir a cambio de su rendición. Yusuf los vio desde su galera y se decidió a bajar. Lo hizo torpemente, agarrándose a la borda sin terminar de saltar. Al final, por pura vergüenza, se soltó al ver que su guardia negra se posaba con seguridad sobre la arena y salpicaba en el agua poco profunda. Yusuf desenfundó su espada y anduvo con pretendida firmeza hacia los que se acababan de rendir. Al tiempo que lo hacía, rodeado por los negros sudaneses, se preguntó qué haría su padre en un momento así.

Un silbido agudo recorrió el aire y la pluma tintada de una flecha rozó el turbante del *sayyid*. Yusuf no fue consciente de ello hasta que miró atrás y vio el proyectil clavado en las tablas de la galera que acababa de abandonar. Palideció tanto que su piel negruzca se volvió gris, y apuntó con la espada hacia el origen del ataque. La hoja de acero tembló mientras gritaba.

—¡Estúpidos! ¡Quedan rebeldes en pie de guerra dentro de Tavira! ¡Acabad con la resistencia! ¡Matadlos a todos!

Los miembros de las cabilas se adentraron en la ciudad, dejada a su suerte por los aterrorizados porteros. Los almohades, que levantaban la arena y hacían crujir los juncos con cada pisada, se metieron entre las casas encaladas y patearon las puertas, se colaron en las viviendas y repitieron el mismo rito sanguinario una y otra vez. Un sinfín de gritos de terror y de ruegos de clemencia se concertó mientras los atacantes conseguían llegar a las demás puertas de la villa. La oleada de los sitiadores entró para unirse al saqueo de Tavira.

Yusuf sonrió complacido. Ante él, los que se habían rendido continuaban postrados, con sus armas tiradas en la arena de la playa fluvial. Amán, decían. Concédenos el amán. Los sudaneses, que empuñaban las lanzas en posición de ataque con las fibrosas piernas bien asentadas y las rodillas dobladas, aguardaban sus órdenes. El joven príncipe señaló con la barbilla a los tavireños suplicantes.

—Degüello.

Zobeyda tocó con las yemas de los dedos la parte posterior del tapiz. Acercó la cara a la pequeña rendija que la rica prenda dejaba al colgar sobre la pared de la sala de banquetes y localizó el estrado de su esposo, situado en la cabecera de la larga mesa. En el *maylís* del Alcázar Mayor se celebraba otra de aquellas fiestas descomedidas. La excusa había sido el nacimiento de Azcam, el último retoño de los Banú Mardánish, parido unos meses atrás por la esposa Lama; pero, como siempre, el banquete devenía en un caos lascivo regado por el *nabid* y el vino especiado. Mardánish estaba ya borracho y sujetaba una copa plateada con la muñeca lánguida. El licor se vertía lentamente sobre el suelo mientras un ritmo frenético llenaba el aire. Alrededor de los comensales, varias muchachas granadinas medio desnudas bailaban unidas por las manos, formaban un corro que se movía por la sala y esquivaban a duras penas los pellizcos que Álvar el Calvo y al-Asad les lanzaban a las nalgas. No era difícil saber cómo iba a acabar la fiesta organizada por el rey Lobo para dar la bienvenida a sus amigos cristianos, sobre todo porque la propia Zobeyda había planeado parte de la celebración.

La favorita se movió a un lado y obtuvo otra perspectiva de la mesa. Allí estaba, recostado sobre su silla, con una media sonrisa socarrona pintada en el rostro. La tez blanca, cuidadosamente afeitada. El cabello negro, peinado a la perfección, con un flequillo recortado a la perfección que, aun así, retocaba con suaves pases de los dedos índice y medio, como si conservar aquella línea recta sobre las cejas fuera su obsesión. Zobeyda susurró tras el tapiz.

—Armengol de Urgel.

Junto a él estaba su hermano, Galcerán de Sales. Enormes ojeras amoratadas y gesto de estupor, la boca entreabierta y la cabeza dando bandazos a uno y otro lado. La fiel y ardorosa Adelagia había cumplido al pie de la letra las órdenes de Zobeyda, y el hermano del conde convalecía ahora de una noche de pasión tan larga e intensa que el pobre era incapaz de permanecer despierto. No pasó mucho tiempo antes de que Galcerán, derrengado, se excusara. Abandonó la reunión ante la mirada de su hermano, que casi no denotó extrañeza. Zobeyda sonrió tras el tapiz y dio un último repaso mental a su plan antes de poner en práctica la parte más peligrosa.

La alianza estaba casi cerrada. Álvar Rodríguez se había reafirmado en su compromiso y juraba que haría venir una buena hueste para valer a Mardánish. Por ansia de gloria y por fervor hacia la dama de sus sueños, Zobeyda. Pedro de Azagra también estaba convencido. Fuera por amistad al rey Lobo, fuera por la promesa de gobernar Albarracín, el navarro había jurado igualmente servir en el ejército del Sharq.

Solo Armengol, el conde de Urgel, seguía resistiéndose. Su inclinación resultaba aún menos dubitativa que antes, puesto que ahora sus intereses resbalaban hacia Fernando, heredero del reino de León. El de Urgel estaba casi convencido de quién era el señor al que debía servir. Zobeyda podía leerlo en los gestos aburridos del conde. Seguro que su espíritu volaba ya lejos. Pronto, su hermano Galcerán y él abandonarían el Sharq, y con ellos toda la inmensa hueste que capitaneaban. Zobeyda observó con rabia a Armengol. ¿Por qué él, precisamente él, tenía que ser una pieza indispensable para el ejército de su esposo?

Se dijo que no valía la pena preguntárselo más. El conde de Urgel necesitaba un empujón para cambiar sus planes. Zobeyda ya conocía su punto débil y estaba dispuesta a explotarlo. Su reino no caería por no contar con aquel orgulloso noble entre sus filas. No aún. No ahora, cuando la profecía de Maricasca corría el riesgo de no cumplirse. Se apartó del tapiz y recorrió el pasillo secreto y oscuro que la devolvía al harén. Ahora tenía que hacer dos cosas: conseguir que los eunucos se retiraran, y enviar a la fiesta a las mensajeras del amor y del placer.

La entrada fue sublime. Como si el cielo se hubiera abierto y un coro de ángeles cayera abriendo sus alas blancas con suavidad, y se posara en la tierra para deleite de los mortales. Llevaban túnicas valencianas, ajustadas con bandas a la cintura y a los senos al modo de las antiguas patricias; las cabelleras de las cuatro estaban recogidas en trenzas, y revelaban en toda su extensión una cascada de joyas que, a su paso por la iluminada sala de banquetes, destellaban al recibir los rayos perdidos del sol vespertino. Las muchachas que hacían sonar la música cambiaron el ritmo frenético por otro más suave, y las granadinas que habían deleitado hasta ese momento a los convidados, aunque hermosas como rosas salvajes, detuvieron su danza al palidecer su belleza por la de las doncellas de Zobeyda.

Sauda, Zeynab, Adelagia y Marjanna se abstuvieron de ejecutar una danza vertiginosa y tampoco bailaron alrededor de la mesa. En lugar de ello, se movieron con serpentina lentitud mientras las granadinas se dejaban por fin atrapar por el Calvo, al-Asad, Óbayd, Azagra y Abú Amir: la orgía estaba servida. Solo entonces las doncellas de la favorita se dirigieron hacia el conde de Urgel. Hamusk reía, y sus carcajadas estentóreas hacían temblar la mesa; una de las granadinas se había arrodillado ante él y rebuscaba entre sus ropas, pero el señor de Segura estaba tan ebrio que se venció hacia atrás y cayó. Siguió riendo en el suelo, subyugado por el vino y la fatiga, y poco a poco se durmió. La granadina que le había tocado en suerte se encogió de hombros y se unió a una de sus compañeras, que acariciaba el pelo de Abú Amir. De entre los invitados, solo el conde de Urgel quedaba ahora sin atender por fémina alguna. Observaba con una mezcla de aprensión y burla el desenfreno que se desarrollaba en la sala de banquetes. En cuanto a Mardánish, la copa cayó de su mano y su cabeza se venció a un lado. Zobeyda sonrió desde detrás del tapiz: no podía haber calculado mejor el momento.

La persa Marjanna fue la primera en llegar hasta el conde, que observaba al cuarteto de bellezas de reojo, sin moverse un ápice de su silla. La muchacha pasó tras Armengol y dejó que sus trenzas morenas acariciaran el pelo del conde. La reacción inmediata del noble fue arreglar el desaguisado devolviendo el flequillo a su sitio. La persa miró hacia el tapiz de Damasco que había frente a ella, sabedora de que su señora estaba tras él. Esto no va a ser fácil, parecía querer decir con los ojos.

Enfrente del conde, al-Asad apartó su vista de la granadina a la que poseía salvajemente encima de la mesa. El León de Guadix se movía a un ritmo delirante y hacía que la muchacha se agitara con cada embestida. Detuvo un momento sus empujones mientras observaba embelesado a Marjanna, cuyos magníficos senos querían romper el tejido valenciano de su túnica.

—Tienes... una belleza tras de ti, amigo mío —avisó con voz ronca al conde—. Parece estar llamándote a gritos —tomó aire—. ¿A qué esperas para agarrar esos pechos fabulosos...? Ah, qué dulce ha de ser la miel que se derrame de ellos... Pero ¿es que no tienes sangre?

La única respuesta de Armengol fue otra de sus medias sonrisas. Señaló a la granadina tumbada en la mesa, con su pelo extendido sobre la fruta y las bandejas vacías y las piernas abrazadas al León de Guadix.

—No soy un animal —respondió con orgullo. Al-Asad ignoró el comentario y volvió a ensartar a la muchacha como si realmente fuera un león. La granadina unió sus gemidos al coro de suspiros, quejidos de gozo y obscenidades a media voz que se oían por toda la sala, entre las sillas, encima de las alfombras, en los rincones...

Marjanna se sentó en la mesa y cogió una copa mediada de *nabid*, el licor de dátiles, pasas y miel. Con ensayada lentitud se derramó el líquido por encima y mojó la túnica. La tela se transparentó mientras se pegaba a la piel morena, y los pezones de la muchacha se remarcaron como puntas de flecha y apuntaron al rostro del conde. El de Urgel aguantó el temblor de sus ojos y hurtó la mirada. Al-Asad babeaba al otro lado de la mesa mientras la cadencia de sus envites crecía. La granadina a la que poseía chillaba sin freno, sus uñas se clavaban en la madera mojada y las copas empezaban a caer sobre las alfombras. Pedro de Azagra, más discreto, se llevaba a una muchacha de la mano para buscar un rincón oculto a las miradas, pero la sala toda era un caótico lecho en el que hombres y mujeres se tendían, montaban unas sobre otros o se poseían en pie, y mezclaban los gemidos y los gritos con la música que seguía saliendo de las flautas, laúdes y panderetas. Zeynab se aproximó entonces a auxiliar a Marjanna en su tarea de seducir al de Urgel. Puso su mano en el hombro izquierdo del conde y, al pasar tras él, acarició su nuca con suavidad. Armengol no pudo evitar el estremecimiento al contacto de la piel de la esclava. La muchacha acercó su boca al oído del conde.

—*¿Cuántas veces una muchacha como esta ha pasado la noche sirviéndote el vino de su mirada? ¿Cuántas te han servido el vino de su propia copa, o mejor aún, de su boca?*

Zeynab se esmeró en rozar la oreja de Armengol al hablar. Un grueso goterón de sudor apareció en el recto borde del flequillo del conde, que se agitó en su silla. Luego, ante su propia cara, la rubia eslava atrapó con ambas manos los senos de Marjanna y los estrujó como si fueran naranjas maduras de las que quisiera extraer el jugo. Lanzó una mirada de ladino reproche a Armengol.

—*Veo un vergel adonde ya ha llegado el tiempo de la cosecha* —recitó mientras exprimía los pechos persas—, *mas no veo jardinero que extienda hacia sus frutos la mano.*

Al-Asad, cumplida ya su feroz cabalgada, dejó a la granadina tendida encima de la mesa y gruñó como un animal.

—¡Por Dios, conde...! ¡Haz algo o lo haré yo!

Armengol no sonrió esta vez ni fue capaz de hurtar su mirada. Tenía los ojos fijos en los pechos de Marjanna, voluptuosos, grandes y húmedos, transparentados por el *nabid* que manchaba su ropa y amasados con lenta lascivia por Zeynab. La eslava, que miraba por el rabillo del ojo, se unió en un intenso beso con su compañera. Sus labios se confundieron, se separaron levemente y dejaron asomar las lenguas entrelazadas. Ahora eran ambas mujeres quienes miraban al de Urgel al tiempo que se besaban y le incitaban a unirse a ellas. El conde sintió su virilidad pulsar con fuerza y lanzar el eco de cada latido a sus sienes. Agarró una copa y bebió de un trago su contenido. La negra Sauda se apresuró a coger entonces la mano de Armengol y tiró con suavidad. Por fin, el conde se dejó llevar. Adelagia agarró la otra mano, se la apretó contra el pecho y miró al noble como si suplicara que la poseyera encima de aquella mesa, igual que al-Asad había hecho unos instantes antes con la granadina. Era demasiado para el de Urgel. Dio un empujón a la pelirroja, apartó a patadas escabeles, cojines y copas derramadas, y salió a toda prisa del salón. Enjugó el sudor de su frente con el dorso de la mano sin importarle arruinar su flequillo. Dejó atrás el coro de suspiros y siseos con la sensación de que escapaba del propio infierno. Anduvo sin rumbo, con el rostro acalorado y su miembro endurecido. Buscó apoyo en las columnas decoradas con arabescos y se restregó los ojos, incapaz de borrar de sus retinas aquellas dos lenguas de mujer enredadas. ¿Qué clase de hechiceras infieles eran? Estaba arrebatado y no podía pensar con claridad. Ni siquiera sabía en qué lugar del alcázar se encontraba. Vio luz al fondo de un corredor y fue hacia allá. Necesitaba con urgencia aire fresco.

—Rameras del demonio.

La luz provenía de un patio. Salió a él y descubrió con alborozo una fuente en el centro. Se apresuró para mojar su cara y su nuca. Necesitaba curarse de la fiebre del pecado, aquella sensación animal que casi le había vencido. No podía expulsar de sus retinas la obscena visión de la rubia y la persa entregadas a su juego lujurioso. Aquello le iba a costar cientos de confesiones y penitencias.

—¿Mi señor Armengol?

La voz había sonado dócil, muy bien entonada, a la espalda del conde. El de Urgel se volvió por instinto, dominado aún por la emoción salvaje. En cuanto la vio supo quién era, porque así se la habían descrito: con la cabellera oscura, tan negra como las tinieblas de lo desconocido, suelta hasta rozar su cintura, salpicada de gladiolos y meciéndose por la corriente que discurría entre los soportales; su rostro era blanco como el día más luminoso, y en él amanecían sus ojos, soles azabache de brillo imposible; el color de sus pómulos era el del vino más dulce, y la nariz, tan recta como el filo de la mejor espada. Cubría sus piernas con un etéreo paño, sujeto a la cintura por un cinto recamado del que pendían pequeños amuletos tintineantes, y su busto con un corto *sidar* que dejaba al descubierto el vientre, dominado su albor por un ombligo pequeño y circundado de dibujos de alheña. Letras indescifrables y paganas. Una invisible nube de agua de azahar subyugaba los sentidos del conde.

Armengol de Urgel supo que su voluntad desfallecía. El corazón le golpeaba el pecho con tal fuerza que toda Murcia debía de estar enterándose. Zobeyda extendió el brazo e hizo sonar las pulseras que lo rodeaban. Ofreció su mano al conde, y este no pudo hacer otra cosa que aceptarla. Ella tiró de él. Lo obligó a seguirla por debajo de los arcos ricamente adornados. Armengol observó la cintura desnuda de la favorita, con aquella curva que descendía desde la espalda y se volvía rabiosa antes de crecer de nuevo bajo la seda de suave brocado. La excitación del conde creció al imaginar las piernas largas y firmes como columnas, que escondían en su más sombrío rincón la fuente de todo gozo. Entraron en los aposentos y, en la penumbra, los negros ojos de Zobeyda se volvieron letales y derrotaron el ápice de resistencia que pudiera quedar en el corazón de Armengol de Urgel. El conde no podía pensar en otra cosa que en cumplir todos y cada uno de los deseos de aquella mujer.

16

Los hijos del califa

Invierno de 1157. Inmediaciones de Sevilla

Algo más de medio año había transcurrido desde la toma de Tavira, y el *sayyid* Yusuf no había vuelto a entrar en acción. Con dieciocho años recién cumplidos, su barba se resistía a cubrir por completo su rostro, y aunque habría sido motivo de ejecución inmediata de haber transcendido, no eran pocos los hombres que se reían de la cara de niño del joven hijo del califa.

En ese tiempo, Yusuf se había preocupado de seguir los consejos de su padre. Al parecer, la fama de los almohades se extendía sembrando el temor, lo cual no era desde luego malo; pero esa misma fama hablaba de ellos como de cabreros incultos y bárbaros, dados solamente a derramar sangre, esclavizar niños, someter mujeres y destruir ciudades. Que la chusma andalusí pensara tal cosa podía venir bien en según qué situación, pero Abd al-Mumín sabía que dominar al-Ándalus sería muy difícil si no conseguía ganarse a la clase burocrática, auténtica intermediaria entre el poder absoluto y el pueblo. No era que esperara grandes cosas de ellos, sino la simple figuración en puestos de poca importancia. El califa situaba en las ciudades conquistadas a hombres de su confianza, por supuesto: cada *tálib* y cada hafiz, los prebostes del nuevo régimen, trabajaban para consolidar la posición almohade, pero Abd al-Mumín se había dado cuenta de que mantener cierta apariencia de respeto por el anterior funcionariado suavizaba el reemplazo en el poder. Por eso había encargado a sus hijos *sayyides*, gobernadores en las plazas más importantes del al-Ándalus almohade, que se rodearan de filósofos, poetas y pensadores andalusíes. Que fingieran amor por el arte y la ciencia y, siempre sin permitir que se sobrepasaran ciertos límites, que se impulsara una especie de fachada erudita. Yusuf y Utmán, como hijos obedientes, se habían aplicado de inmediato a la tarea, y ya contaban con sendas cortes repletas de artistas, teólogos y filósofos. Bien, eso implicaba tener que soportar también a un número nada despreciable de parásitos imitadores con aires de grandeza, pero para eso estaba la potestad de cada *sayyid* de cortar algunos cuellos de vez en cuando. Convenía que la gente no olvidara quién tenía el poder y qué se podía hacer con él. Lo cierto era que a Yusuf no le había desagradado nada la idea. Pasar los días en la corte de Sevilla oyendo las declamaciones, debates y encendidas proclamas de sus nuevos esbirros le libraba de su otra ocupación obligada: dominar por las armas a la población aún insumisa. Tanto se había aficionado que ya empezaba a manejar con cierta soltura intelectual las corrientes de sus recién adquiridos prosélitos. Eso hizo correr rumores entre los *talaba*. Habladurías que apuntaban a la blandura de Yusuf, que parecía encontrarse más a gusto debatiendo problemas de astronomía que degollando insurrectos.

Aun así, el hijo del califa no había podido evitar por más tiempo lo inevitable: aquel invierno, los insufribles cristianos abulenses, demasiado ansiosos para aguantar el invierno en sus casas, habían vuelto a abandonar las parameras y montes nevados y se dirigían a hostigar los territorios almohades. De haber ocurrido en otro sitio, Yusuf habría dejado que su fogoso hermano Utmán, ávido siempre de lucha, se encargara del asunto; pero resultaba que el lugar atormentado era la propia Sevilla, cuyos alrededores estaban soportando una atrevida e intensa razia de las milicias de Ávila. Ya había oído hablar de aquellos desvergonzados abulenses, que cada poco tiempo, por su cuenta y riesgo, organizaban una cabalgada y penetraban con profundidad en territorio almohade, robaban ganado, quemaban tierras, mataban a los hombres del califa y, si podían, incluso tomaban en un rápido asalto alguna plaza para a continuación regresar a Ávila con el botín.

Pero esta vez no iba a ser igual. Yusuf conocía por sus historiadores cómo funcionaban los ejércitos cristianos: un enorme gentío de chusma campesina armada con aperos de labranza y un reducido grupo de orgullosos y afeminados nobles que montaban a caballo y cargaban sin orden. Eso era lo que se enseñaba en Marrakech. Nada grave, desde luego. Los almorávides, cuyas huestes habían caído como tallos segados por una hoz ante el empuje almohade, habían sido capaces de vencer varias veces a esos cristianos, así que ¿qué no podrían lograr los almohades, sin duda los mejores soldados del orbe, amados además por el Único y dirigidos por uno de los hijos del califa? El propio Abd al-Mumín lo había dicho: barrería a los cristianos y derruiría sus iglesias hasta los cimientos. Y Abd al-Mumín jamás se equivocaba ni se dejaba llevar por la vanagloria, pues estaba protegido del error y del pecado por el mismo Dios. Semejante garantía de infalibilidad debería haber sido un alivio para el *sayyid* Yusuf, pero el joven heredero del califa no podía evitar que sus piernas y su vientre temblaran violentamente mientras esperaba, montado en su caballo, a que las milicias de Ávila aparecieran en aquella llanura.

A su espalda, sobre una colina, se erguía la pequeña fortaleza de Zagbula. Estaba en el itinerario que los abulenses habían seguido, y era un objetivo lógico para la ya larga cabalgada a la que estaban sometiendo las tierras de Sevilla. Yusuf había salido al frente de las mejores tropas disponibles, y a ellas había unido ahora las fuerzas andalusíes sometidas del Garb, inseguro a pesar de todo de que aquellos cristianos fueran tan fáciles de derrotar. La fuerza que Yusuf había congregado no era gran cosa comparada con el ejército almohade que guerreaba en África, pero tampoco se trataba de la pequeña tropa que sistemáticamente se solía dejar en cada guarnición, demasiado exigua para aguantar una acometida seria. Pequeños enfrentamientos, escaramuzas, asaltos a plazas mal guardadas... Eso había ocurrido una y otra vez desde que el Tawhid desembarcó en al-Ándalus, pero ahora, por fin, dos fuerzas se enfrentarían en campo abierto en algo que, sin llegar a ser una gran batalla campal, constituiría un choque lo suficientemente llamativo como para asentar su mérito. A partir de esa jornada ya no sería el joven, blando e imberbe hijo del califa, sino Yusuf, el vencedor de los cristianos.

El único jinete destacado, encaramado en el filo de una suave elevación, se movió inquieto. Se puso la mano en la frente en un gesto instintivo a pesar de que tenía el sol a la espalda, tiró de las riendas y galopó a toda velocidad hacia la línea almohade. El caballero, un andalusí del Garb escogido para la misión de reconocimiento por su experiencia con los cristianos, refrenó su montura frente a la menuda guardia negra del gobernador de Sevilla.

—Ya vienen, mi señor —anunció con voz intranquila—. Los infantes corren para alcanzar la cima de la loma, y los caballeros llegan detrás al paso.

Un nudo atoró la garganta de Yusuf. El momento había llegado. Repasó de nuevo la estrategia que había ideado y se preguntó si funcionaría tan bien como aseguraban los historiadores de su padre. Había cedido las alturas a los cristianos para que pudieran cargar a su estilo, de forma ruda y precipitada. La fuerza almohade, férreamente situada frente a los infieles, absorbería el ataque con su acostumbrado valor, y la hueste del Garb, que Yusuf había colocado tras las cabilas, rodearía al enemigo y lo atacaría por retaguardia.

El caballo del *sayyid* piafó nervioso al oler el miedo de su jinete y retrocedió unos pasos. De inmediato, los negros sudaneses del Majzén, a pie, le imitaron para mantener el cuadro de seguridad que habían establecido en torno de Yusuf. Los abulenses aparecieron en aquel instante sobre la loma. Lo hicieron sin orden, pero se detuvieron allá arriba hasta cubrir con sus siluetas toda la línea del horizonte. Empuñaban astas rematadas con anchas y curvas hojas de hierro, lanzas, mazas y espadas de un solo filo. Yusuf miró a Maymún ibn Hamdún, el hafiz nombrado señor de Silves. El gobernador de Sevilla le había otorgado el mando de la caballería andalusí del Garb en la esperanza de que supiera hacerla maniobrar. El hafiz, mucho más entero que Yusuf, entendió la mirada nerviosa de su señor y ordenó a sus jinetes que ocuparan posiciones a retaguardia de la línea almohade.

Arriba, los abulenses hicieron sitio para que pasaran entre ellos los caballeros villanos de Ávila, nobles de baja alcurnia enriquecidos con el pillaje y curtidos en decenas de cabalgadas; guerreros sin pendón pero con una gran astucia y deseosos, como siempre, de superar en sus gestas a la pretenciosa caballería nobiliaria, la que poseía castillos y tierras, rodeaba al emperador y miraba a las milicias concejiles por encima del hombro.

A los gritos de los jeques, los miembros de las cabilas bereberes hintata y harga pusieron rodilla en tierra y asentaron sus escudos, apoyaron las conteras de sus lanzas en el suelo y las apuntaron en dirección a los de Ávila. Tras ellos, otros almohades se aprestaron con jabalinas a recibir al enemigo. Formaron así su particular cuadro de combate, el que les había permitido acabar con el dominio almorávide en África. Luego empezó una tensa espera mientras los cristianos parecían debatir cómo enfrentar a aquel pequeño ejército que les había cortado el paso junto a Zagbula. Yusuf aprovechó para inspirar con profundidad, aunque solo conseguía que una pequeña corriente de aire llegara a sus pulmones. Los infantes abulenses y los almohades estaban más o menos igualados en número, aunque los cristianos no parecían guardar orden alguno. Se fijó también en la caballería cristiana y calculó que su número era aproximadamente la mitad de sus jinetes andalusíes. Aquello le tranquilizó un tanto e incluso dibujó una sonrisa bajo su poco poblada barba. Lamentó no tener unos buenos tambores para guerrear al más puro estilo de su padre, marcando el ritmo al que morían sus enemigos.

Una sonora invocación a Cristo, a Alfonso de León y a Ávila recorrió el pelado y reseco paisaje, apenas salpicado por algunas encinas y un par de olivos solitarios entre las areniscas carmesíes y terrosas, y la caballería villana se lanzó a la carga por la poco acusada pendiente, bajando los jinetes sus lanzas al unísono. Yusuf sintió erizársele el vello, y su montura lo acusó y pateó de nuevo. El griterío cristiano creció, en contraste con el silencio de las cabilas. Tras los almohades, los caballeros andalusíes se aupaban sobre los estribos y preparaban sus lanzas. Algunos, los pocos que llevaban arcos, procuraron mantener quietos a sus caballos y lanzaron una andanada escasa e insegura que pintó una parábola en el cielo invernizo. Un par de jinetes abulenses cayeron y rodaron bajo las pezuñas de los caballos que guiaban sus compañeros, inclinados sobre los arzones y con las lanzas enristradas. Yusuf apretó los dientes. Maldijo por lo bajo al ver el corto resultado de aquella pobre defensa a distancia. Los caballos cristianos cobraban velocidad y levantaban una espesa cortina de polvo tras ellos. Mantenían la línea con un éxito razonable, pero se veía claramente que la anchura de su formación era mucho menor que la de los infantes almohades. Y por si eso no fuera suficiente, los abulenses se apretujaron entre ellos y se dirigieron a un punto situado a la derecha desde la vista de Yusuf. El *sayyid* observó a su lugarteniente almohade, el hafiz Maymún, que ordenaba a sus caballeros del Garb separarse en dos haces para rodear el combate que se aproximaba. Las primeras azagayas salieron disparadas desde la línea almohade, y una decena de abulenses fueron derribados. Pero los cristianos llegaban a muy buena velocidad; no hubo tiempo para una segunda descarga.

El choque fue brutal, tal como todos esperaban, y muy concentrado. Los hombres de la cabila harga, que ocupaban el sector derecho de la línea bereber, fueron los que sufrieron el impacto y salieron arrojados hacia atrás como peleles, rotas sus lanzas y descoyuntados sus miembros por la fuerza de los caballos cristianos lanzados a la carrera cuesta abajo. Tan fuerte fue el encuentro que casi todos los jinetes abulenses penetraron en la formación almohade, la superaron y la rompieron por aquel sitio en el que habían condensado su ímpetu. Yusuf abrió la boca en un gesto de estupor e incredulidad, y vio cómo los caballos cristianos saltaban y pisoteaban a los bereberes. En ese momento, los jinetes del Garb salieron a toda prisa hacia los flancos, tal como se les había ordenado. Yusuf se vio enfrentado a varios caballeros cristianos que, en lugar de volverse para seguir luchando contra los infantes, se dirigieron a él. Un grito de espanto escapó de la boca del *sayyid* y tiró de las riendas para dar la vuelta a su montura. El caballo derribó en el movimiento a uno de los Ábid al-Majzén, pero el esclavo sudanés se recuperó de inmediato para cumplir su misión de proteger hasta la última gota de su sangre al hijo del califa. Yusuf espoleó a su caballo mientras boqueaba en busca de aire. Cabalgó sin mirar atrás. Notó cómo sus sienes batían como tambores y sus oídos se taponaban. Un temblor desbocado recorría todo su cuerpo y el corazón parecía chillarle en el pecho. Ponte a salvo, le decía. No caigas aquí, en esta tierra maldita. Rebasó la figura del castillo de Zagbula y siguió huyendo, ajeno a lo que ocurría en el campo de batalla.

Mientras tanto, los infantes abulenses, que habían descendido la ladera a toda carrera ocultos por la nube de polvo, llegaron hasta la refriega y se unieron a la caballería cristiana. Maymún ibn Hamdún gritó desesperado. Ordenó a sus jinetes rodear a los de Ávila, pero muchos de ellos habían advertido la fuga del *sayyid*. Miraban tras de sí, a la silueta cada vez más pequeña de Yusuf, el hijo del califa. Su presunto líder se daba a la fuga en los primeros momentos del combate. ¿Qué hacían ellos allí? Su vista fue luego hacia el hafiz Maymún, que se desgañitaba para que rodearan a los abulenses. Pero ¿para qué? Al fin y al cabo, aquellos cristianos de Ávila eran más paisanos suyos que los bereberes de piel oscura que ahora caían bajo las hojas ensangrentadas... Primero uno de los andalusíes picó espuelas y salió a todo galope, y pronto le imitó un segundo. El tercero y el cuarto se dieron a la fuga a la vez, y los demás abandonaron el lugar en tropel, mientras algunos de ellos arrojaban las armas. Maymún ibn Hamdún lanzó un grito de rabia que nadie pudo oír, porque los chillidos de dolor y muerte dominaban el combate. El hafiz intentó localizar con la mirada al cobarde del *sayyid*, pero ya había desaparecido. Luego observó tras él a la guardia negra; los esclavos del Majzén se habían llevado por delante a una docena larga de caballeros abulenses, pero todos yacían igualmente atravesados en tierra, algunos de ellos con horribles mutilaciones. Pensó por un momento en unirse a sus hombres del Garb en la huida, pero enseguida le vino a la mente su propia ejecución ante los *talaba*, con una hoja afilada cortando su garganta mientras le obligaban a tener la vista fija en un ejemplar enjoyado del Corán... Eso era lo único que podía esperar si huía. Y por Dios todopoderoso, él era un guerrero almohade, todo un hafiz, defensor del Tawhid...

Maymún desenfundó su espada y se metió al galope en lo más rudo del combate. Atropelló a abulenses y bereberes, cercenó a su paso miembros y alguna que otra cabeza. Un instante antes de morir, atravesado por las lanzas y tajado por las cuchillas cristianas, percibió con un punto de amargura que su cadáver no descansaría sobre la amada arena africana.

Día siguiente. Inmediaciones de Almería

Ajeno a la derrota de las fuerzas de su hermano y a la vergonzosa huida de este, el *sayyid* Utmán, gobernador de Málaga, Granada y otras ciudades a ambos lados del Estrecho, dirigía un destacamento de caballería rumbo a Almería.

Con el paso de los años, las diferencias entre Utmán y su hermano Yusuf se habían acentuado de tal modo que nadie habría dicho que los había engendrado el mismo padre. Nada podía reprocharse a sus diferentes madres, pues como todo fiel al Tawhid sabe, ¿qué es la mujer, más que mero recipiente? Así pues, solo a Dios podía agradecerse que a uno lo hubiera dotado para los menesteres de la corte y a otro para el polvoriento campo de batalla. Y para esto, para embrazar escudo y empuñar espada, para dirigir los escuadrones de Dios y someter al enemigo, estaba hecho Utmán. A pesar de tener únicamente dieciséis años, la barba negra y frondosa le ocultaba ya medio rostro. Cabalgaba seguro al frente de sus tropas masmudas, y él mismo decidía el camino sin contar con los exploradores, a los que se limitaba a usar para asegurarse de que no había presencia hostil en su ruta.

Utmán se había hecho hombre en al-Ándalus en todos los aspectos. Tenía la misma determinación que dos años y medio antes, cuando tomó posesión del gobierno de Granada, pero allí había ocurrido algo más, algo que no estaba previsto en los planes de dominación de su padre. Hafsa, aquella poetisa de la que de inmediato había quedado prendado, era, como casi todas las granadinas, una mujer de belleza radiante pero discreta, como una pequeña joya reservada tan solo para ser observada por los ojos más expertos. Utmán había decidido al momento convertirla en su amante, y le importó muy poco que aquella relación fuera considerada impía hasta en los propios círculos almohades. Alguna ventaja debía de tener ser el hijo del califa. Tampoco tuvo mucho peso el hecho de que Hafsa estuviera unida sentimentalmente y de forma pública al también poeta y secretario particular del *sayyid* Abú Yafar. Utmán había pisoteado ese amor, y ahora obligaba a plegarse a sus deseos tanto a Hafsa como a su antiguo amante. Así, un bereber adolescente había convertido en su compañera de cama a una noble granadina que lo superaba en edad. Por otra parte, tener a sus pies a dos de los más famosos poetas de al-Ándalus le había facilitado la labor recientemente ordenada por el califa, la de hacerse rodear de un círculo de intelectuales, en su caso, encabezado por su consejero andalusí de mayor confianza, Ibn Tufayl. Solo debía cuidarse de no cometer el error que más inquietaba al califa: el mismo que habían cometido antes, uno tras otro, todos los musulmanes llegados a al-Ándalus en los últimos cuatrocientos años. Pero él no caería en ese hechizo. No se dejaría someter por el placer del vino ni por el olor a azahar, por el color de los mirtos o los paseos en barca, la poesía fatua o la negrura de las miradas femeninas... No. Los andalusíes le servían a él, y no al revés. Por eso debía permanecer alerta. Ser frío y no ceder a la tentación. Hacer oídos sordos a los susurros que se deslizaban entre los arrayanes de Granada y Málaga, y recrear en su memoria los riscos del Atlas y las arenas del desierto africano. Aunque, por Dios misericordioso, era tan difícil resistirse a la tentación...

> *Contempla, para recreo de tus ojos,*
> *un jardín lujuriante sobre el cual la brisa no deja de soplar*
> *ni la lluvia de caer.*

Ahora Utmán avanzaba sin apartar su vista de las montañas del norte, apenas pobladas de algarrobos y carrascas, enebros, retamas y espinos negros como los nubarrones que se acercaban desde septentrión. Al otro lado de los montes comenzaban los dominios de aquel andalusí lascivo e insumiso, Mardánish. El *sayyid* escupió a un lado al pensar en él. El rey Lobo, se hacía llamar, decían que por un pacto firmado con el propio Iblís y que le permitía convertirse en un gran lobo negro para abandonar su palacio y devorar niños por las noches. A Utmán le traían sin cuidado todas aquellas supercherías. Él era un fiel adorador de Dios e hijo del propio príncipe de los creyentes, seguidor de la doctrina del Mahdi, poseedor de la verdad, incapaz de errar, protegido contra el mal.

Porque ahora su objetivo no era Mardánish. Ese rey Lobo, lujurioso y amigo de los cristianos, tendría su merecido sin duda, pero el momento no había llegado. Su padre, Abd al-Mumín, seguía empeñado en África, ocupado en aplastar las frecuentes rebeliones y en asegurar su posición dominante en el Magreb. Esa era la única causa de que Mardánish y sus amigos comedores de cerdo pudieran aún dormir tranquilos.

Uno de los exploradores masmudas llegó al galope e hizo clavar las pezuñas de su montura ante el *sayyid*. Se bajó el velo que, a la manera almorávide, le cubría la boca y la nariz para no tragar el polvo de aquel paraje pedregoso.

—Mi señor, tras aquella loma —el masmuda señaló a una elevación que se erguía frente a ellos, salpicada de espinos y coronada por una solitaria palmera— quedamos a la vista de Almería. La guarnición cristiana nos ha detectado antes o algún lugareño les ha avisado, porque una fuerza de caballería viene hacia aquí.

Utmán miró a su derecha, al mar, entre las dunas que dibujaban suaves y onduladas curvas hasta descender a la orilla. Algunas barcas de pescadores dejaban una estela plateada al allegarse al puerto de Almería. La fuerza masmuda había llegado bordeando la costa, de modo que el *sayyid* se explicó de inmediato de dónde había llegado la información.

—¿Son muchos? —preguntó al explorador masmuda.

—Nos igualan.

El *sayyid* sacó una sonrisa violenta del centro de su crecida barba. Lanzó una mirada alrededor y buscó el terreno que le fuera más favorable para un enfrentamiento con la fuerza almeriense. A un cuarto de milla de distancia pudo ver a un par de pastores de cabras que asistían expectantes. Desde su posición sobre una pequeña colina, sin duda tenían ya a la vista el destacamento cristiano que se acercaba. Los cabreros iban a presenciar una pequeña escaramuza, y eso era algo emocionante para contar, bien diferente al monótono pastar de chivos entre monte bajo y nubes de polvo levantadas por el viento. Utmán ordenó formar una sola línea, partida en dos por un espacio que igualaba la anchura de cada mitad del destacamento. Él se puso al frente de la línea de la derecha y ordenó a la otra cargar contra los cristianos en cuanto rebasaran la loma de la palmera. Los masmudas prepararon sus lanzas y apretaron los tiracoles en torno a sus lorigas.

Los de Almería aparecieron enseguida y les sorprendió hallar tan cerca al destacamento almohade. A una orden de su adalid, apretaron el paso y cobraron velocidad para cargar contra una de las dos líneas bereberes, la que a su vez cargaba ya hacia ellos. Pero el cristiano que comandaba a los de Almería no era un inepto. De inmediato vio cuál era la estrategia de sus enemigos y lanzó varios gritos cortos y precisos para dividir su fuerza y cabalgar por separado.

Utmán blasfemó gravemente, lo que ocasionó más de una mirada sorprendida entre los masmudas. Acababa de fracasar su plan de atacar por el flanco a los cristianos cuando estos se hallaran empeñados en su lucha contra la otra mitad de su fuerza. A pesar de todo, el *sayyid* adolescente se repuso con rapidez. Ni siquiera había cumplido los diecisiete años, por el Profeta, y aún le quedaba mucho que aprender. Olvidó su irritación y, poseído de gran valor, encabezó la carga.

Los choques entre las cuatro escuadras, dos cristianas y dos almohades, fueron casi simultáneos. En un principio, los de Almería consiguieron ventaja, pero los masmudas llevaban años en guerra y eran comandados por un hombre que peleaba en primera línea. Luchaban con inteligencia, dosificaban sus fuerzas y mantenían la formación. Se habían batido por todo el norte de África desde el comienzo de las campañas de Abd al-Mumín y los demás servidores del Mahdi, y habían sometido tanto a los almorávides como a las tribus rebeldes del Atlas y el desierto. Ahora tenían enfrente a soldados que llevaban mucho tiempo sin probar el combate. Hacía casi diez años que Almería había caído y, desde entonces, la paz cristiana había reinado en la ciudad. Una inexperiencia que los guerreros castellanos acusaban. Poco a poco, la escaramuza se fue decantando por los bereberes, y el adolescente Utmán era de los que más fieramente se batía, ofreciendo a Dios cada muerto que conseguía con su lanza o con su espada. Antes de que los masmudas empezaran a notar el cansancio, el resto del destacamento cristiano, apenas media docena de supervivientes, se dio a la fuga rumbo a Almería. El suelo quedó regado de cadáveres católicos, mientras que las bajas musulmanas habían sido escasas. El *sayyid* se dirigió al explorador masmuda.

—¡Llévate a diez jinetes en su persecución! ¡Tantea las murallas de Almería, pero evita caer allí!

El jinete obedeció de inmediato y escogió a gritos y con premura a los masmudas que tenía más cerca. Utmán observó de nuevo a los pastores, que incluso se habían sentado sobre unas rocas para presenciar el espectáculo. Ordenó a sus demás hombres ir con él, dejaron atrás a los heridos de uno y otro bando y galoparon hacia los improvisados espectadores. Los pastores se levantaron al ver venir hacia ellos a los guerreros y miraron atrás con nerviosismo. El más joven hizo ademán de huir, pero el otro le retuvo por un brazo; sin duda se daba cuenta de que no valía la pena correr ante los caballos. Sonrió forzadamente cuando el joven *sayyid* detuvo su montura frente a él. Utmán también sonreía.

—¿Sabéis quiénes somos? —Utmán se expresó con el deje con el que hablaban la lengua árabe en Granada.

El pastor más viejo y templado dudó. Aquellas tierras habían presenciado el paso de almorávides, cristianos y andalusíes, pero era la primera vez que veía esas pieles tan oscuras en hombres tocados con turbantes y con el rostro develado. Dedujo que se trataba de los africanos de quienes tanto se hablaba desde diez años atrás.

—¿Almohades?

Utmán asintió y observó el pequeño rebaño de cabras que pastaban algo más allá, ajenos los animales a la pequeña escaramuza que se había desarrollado a un tiro de piedra. Luego examinó de nuevo a los pastores. No podía saber si eran cristianos o andalusíes, pues todos vestían por igual aquellos jubones de borra sobre la camisa.

—¿Sois de Almería?

—No, mi señor —contestó al fin el pastor en el árabe del lugar. El *sayyid* amplió su sonrisa—. Somos de Berja. Traemos nuestras cabras a Almería para venderlas. No son rentables y...

Utmán mandó callar al hombre con un gesto y miró alrededor, a la tierra seca que se extendía por doquier. A pesar de su origen bereber, el *sayyid* se había hecho con facilidad a la riqueza de la vida en Granada.

—No quiero ni imaginar qué miseria padecéis en Berja si tenéis que venir a este secarral a buscaros la vida. Pero tampoco me importa. Lo que me preocupa es la guarnición cristiana de Almería. ¿Qué sabéis de ella?

Los jinetes masmudas habían ido rodeando a la pareja de pastores. El más joven, de seguro el hijo del otro, temblaba notoriamente y miraba con ojos muy abiertos a los guerreros. El lejano baño de sangre de unos instantes antes se volvió ahora cercano. El pastor viejo se dio cuenta de que su vida y la del joven dependían de su respuesta.

—Según dicen hay cristianos, pero no muchos. Al principio, a poco de conquistarla el emperador, la guarnición era crecida. Ahora no.

El *sayyid* Utmán inspiró con profundidad y miró atrás, a la pequeña elevación por la que habían aparecido los caballeros cristianos. Luego dejó pasar el tiempo mientras sus hombres seguían alrededor de los pastores y los caballos de batalla resoplaban y pateaban la tierra seca. El cabrero mayor aún mantenía la sonrisa forzada, pero el joven no paraba de observar a los jinetes con creciente nerviosismo.

—¿Qué le pasa a este? —preguntó con sorna uno de los masmudas en su algarabía del Atlas.

—Miedo —contestó el *sayyid* en aquel mismo idioma enrevesado que los pobres pastores no entendían—. Su alma está enferma de miedo. Mejor que cualquier plan de batalla. Mi padre ha sabido usar de él y yo debo aprender a hacer lo mismo. Los ejércitos cristianos o los de ese demonio del rey Lobo pueden pensar en vencernos porque no nos conocen, pero no hay fuerza capaz de resistir ante el miedo. No por mucho tiempo.

El masmuda asintió y enfatizó su mirada fiera para asustar aún más al joven pastor. Este dejó escapar dos lágrimas que causaron la risa de los jinetes. En ese instante, el pequeño destacamento enviado por Utmán a inspeccionar las murallas de Almería volvía al galope. El *sayyid* se separó de los lugareños y esperó el informe de sus hombres.

—Torres desnudas —anunció el explorador con euforia mal contenida—, apenas un puñado de ballesteros en las murallas. Los arrabales estaban vacíos, lo que demuestra que es cierto: ya nos esperaban. Sin embargo no había hombres listos para una defensa.

—No les ha dado tiempo de prepararse —aventuró el *sayyid*—. O eso o...

—O no tienen nada que preparar —completó el explorador.

Dos semanas después. Córdoba

El gran jeque Umar Intí era miembro de la cabila hintata. Un hombre cuya extremada delgadez se veía realzada por su altura. Sus pómulos se marcaban y agudizaban sus rasgos, dominados por unos ojos cuya mirada nadie podía soportar. Justo el tipo de mirada que tenían todos los grandes jerarcas de los almohades. Pero además de sus ojos amenazadores, el gran jeque Umar Intí contaba con el irresistible espanto que causaba tan solo oír su nombre.

No era de extrañar. El gran jeque era uno de los diez discípulos incondicionales de la Primera Hora, aquellos a los que el difunto Mahdi Ibn Tumart llamara «la sal de la tierra». Miembro del consejo de los diez elegidos, los hijos de la Yamaa ilustre. Y dos o tres docenas más de sonoros apelativos y largos títulos. Según la doctrina africana, todos los hombres y mujeres del mundo eran esclavos de aquellos diez privilegiados que comenzaron a gestar el gran imperio almohade. De ellos, solo dos permanecían vivos: Abd al-Mumín y el propio Umar Intí. Hasta los hijos del califa, *sayyides* y gobernadores de las más importantes ciudades almohades, palidecían en presencia del gran jeque, mano derecha del príncipe de los creyentes. El califa había enviado a Umar Intí a Córdoba dos años antes. Su misión: supervisar la labor de los jóvenes *sayyides* y tomar las decisiones de gran importancia. Y de gran importancia debía de ser la causa de aquella reunión, pues había mandado llamar a su presencia a Yusuf y a Utmán. Los dos jóvenes observaban con veneración al gran jeque, cuya esquelética figura se estiraba hacia las bóvedas del alcázar cordobés.

—Vuestro padre está iracundo. —Clavó su mirada de cuervo sobre los *sayyides*—. Se pregunta si habrá de esperar a pacificar África para venir en persona y reducir a este puñado de rebeldes. ¡Sus cabezas tendrían que adornar ya las puertas de nuestras medinas!

Utmán aguantaba a pie firme la bronca, con los ojos entrecerrados y maldiciendo para sí. No comprendía la causa de aquello. A su lado, su hermano mayor Yusuf se miraba la punta de los pies y tragaba con dificultad.

—No será necesario que venga —se atrevió a contestar Utmán—. Que nos mande tropas y yo me encargaré de someter a estos infieles.

—Yo soy el hered... —Yusuf se mordió la lengua para acallar su protesta, dirigida al hermano. Recordó que solo unos pocos conocían su designación como sucesor del califa. Utmán pareció no haber entendido el principio de desliz del imberbe *sayyid*, que se corrigió de inmediato—. Yo soy el mayor de los dos aquí. Yo dirigiré las tropas para rendir a los enemigos de...

—¡Silencio! —reclamó con autoridad el gran jeque Umar Intí—. Es demasiado tarde para promesas que sois incapaces de cumplir. Sobre todo tú, *hermano mayor*.

Yusuf se sonrojó al ver que el huesudo dedo del jeque le apuntaba directamente al pecho. Utmán frunció el ceño sin saber a qué se refería el viejo compañero del Mahdi.

—La culpa fue de ese hafiz, Maymún... —se excusó el joven gobernador de Sevilla—. Mandó a sus hombres atacar muy tarde, cuando los cristianos ya nos habían agotado gracias a su mayor número. Pudieron permitirse masacrar nuestras cabilas y luego cerraron cómodamente con la caballería del Garb. No es extraño que los exterminaran a todos. Gracias a la misericordia de Dios, bendito sea, que pude escapar tras batirme con esos salvajes politeístas...

—Haré como que no he oído nada, y en honor al respeto que le tengo a tu padre, te pido que de aquí en adelante te abstengas de hablar si vas a mentir. Es vergonzoso, sobre todo porque calumnias a un valiente hafiz capaz de entregar su vida por Dios y por el Tawhid.

Utmán pestañeó por las palabras durísimas que el gran jeque dirigía a su hermano. En cuanto a Yusuf, enrojeció hasta cambiar el color oscuro de su rostro.

—No miento...

—Varios andalusíes fueron capturados cuando intentaban cruzar el Garb para alcanzar territorio cristiano —le interrumpió de nuevo Umar Intí—. Fueron reconocidos como miembros de la fuerza que comandaba el hafiz Maymún ibn Hamdún, gobernador de Silves. No se precisó atormentarlos mucho para que confesaran la verdad. Fueron varios y por separado los que contaron cómo tú, Yusuf, hijo de Abd al-Mumín, huiste en los primeros momentos de la batalla, abandonaste a tus hombres y provocaste la fuga de la caballería andalusí. Me avergüenza reconocer que Maymún ibn Hamdún, inferior a ti en la consideración de Dios, fue el único en caer como un mártir junto a nuestros bravos soldados almohades. La chusma de Ávila, a la que Dios confunda, ha arrasado impunemente las tierras bajo tu mando. ¿Es así como cumples la voluntad de Dios, del Mahdi y del príncipe de los creyentes?

Utmán dejó caer la mandíbula, sorprendido por la cobardía que relataba el gran jeque. Yusuf, por su parte, deseaba que el suelo del alcázar cordobés se abriera para poder hundirse en él.

—¿Por qué me has mandado llamar a mí, ilustre Umar Intí? Yo también mandé palomas a Marrakech, y en mis mensajes se hablaba del éxito de mi descubierta hasta Almería. —Utmán quería dejar claro que no había nada que reprocharle.

—La derrota de Yusuf en Sevilla, oprobio para nosotros —el gran jeque incrustó su mirada carroñera en el gobernador de Granada—, ha sido conocida por vuestro padre al mismo tiempo que tus informes sobre Almería. No esperes que te felicite por esa acción tuya. Derrotar a un miserable destacamento cristiano no es otra cosa que tu deber.

—No he pedido felicitaciones —respondió con tímida ferocidad Utmán—, pero espero que mi honorable padre no me culpe por no haberme enfrentado a un ejército numeroso como la sal del mar. Habría dado mi mano izquierda por ello. Que tampoco me castigue por tomar el castillo de Berja sin sufrir la muerte en combate.

—Guarda la ironía para la ramera granadina a la que sodomizas cada mañana, *sayyid* —le cortó como un sable el gran jeque. Y como un verdadero sablazo entró el comentario en el ánimo de Utmán. El *sayyid* se sorprendió ofendido por el desprecio con el que Umar Intí se refería a la poetisa de Granada. Maldita fuera. ¿Es que iba a acabar sintiendo algo de verdad por Hafsa?—. Vuestro padre, como he dicho, está iracundo desde que las palomas mensajeras llevaron a Marrakech las noticias de esta tierra maldita. Y no le falta razón. Ha decidido venir él mismo a acabar con este molesto problema que está resultando al-Ándalus.

Los dos hermanos se miraron entre sí y luego volvieron su vista al gran jeque Umar Intí. Como siempre, fue Utmán quien se decidió a preguntar.

—¿Cuándo vendrá el califa?

—Pronto, espero. Y eso espera él, según me dice en sus mensajes. Quiere fortificar la montaña de Táriq para asegurar el paso de un gran ejército por el Estrecho. Que todos esos reyezuelos infieles empiecen a temblar.

Yusuf pareció alegrarse, aunque la vergüenza por lo ocurrido contra las milicias de Ávila le obligaba a mantener su vista fija aún en el suelo. Utmán continuó con su gesto sardónico.

—¿Cuánto es pronto para el califa? ¿Dos? ¿Cuatro años? Sabemos cuán lentos se desarrollan sus planes.

El gran jeque Umar Intí fulminó a Utmán con la mirada. En un momento tuvo la seguridad de que tendrían enormes problemas cuando el joven y rebelde *sayyid* se enterase de que su pusilánime hermano Yusuf había sido elegido sucesor del califa. El viejo tampoco comulgaba con aquella decisión que muy pocos conocían. Pero no pensaba contradecir a su viejo amigo Abd al-Mumín, capaz de mandar castrar y linchar a sus propios hermanos o de firmar sin pestañear la condena de muerte de miles de insumisos a su poder, ni entraba en sus planes oponerse al influyente hijastro del califa, Abú Hafs, de quien esperaba crueldades aún mayores. Por otro lado, no tenía nada contra Utmán. A pesar de su juventud, el joven *sayyid* había demostrado con creces su capacidad para hacerse valer. Sin embargo, el gran jeque no podía dejar que esto se notara, y Utmán era tan arrogante... Le hacía falta sumisión, y el califa confiaba tanto en él que podía permitirse reprender a los propios hijos de Abd al-Mumín.

—Tu altanería, joven *sayyid*, tendrá enseguida oportunidad de ser adornada con algo más que palabras vacías. Las palomas no solo han traído los planes de tu padre acerca de la montaña de Tariq. El califa manda que la flota de Ceuta se dirija a bloquear Almería. Ya se han dado las órdenes y los barcos están saliendo de nuestros puertos africanos. Antes de cumplir el cerco habrán desembarcado un ejército que Abd al-Mumín reservaba para su campaña de este año en África. Pero ahora lo de Almería tiene prioridad. Tú, Utmán, dirigirás a esos hombres por tierra para completar el asedio.

»El califa quiere resultados ya. Nada de escaramuzas con los cristianos. Almería lleva diez años en poder del perro Alfonso de León ante la mirada indiferente de ese demonio pervertido, traidor al islam, al que llaman rey Lobo.

—¿Comandaré el ejército? —repitió Utmán entusiasmado—. ¿De cuántos hombres hablamos?

—No menos de veinte mil. Máquinas, ingenieros para el cerco, provisiones... Deberás fortificar tu posición, porque el califa espera que los cristianos acudan a ayudar a sus hombres. En los mensajes que mandaste a Marrakech afirmabas que la guarnición de la ciudad es muy pobre...

—Así es, gran jeque. Lo comprobé personalmente.

—Bien. No obstante, Abd al-Mumín ha mandado reclutar levas para un segundo ejército de refuerzo. Yo mismo lo dirigiré si te ves incapaz de reducir Almería antes de que el verano termine.

—¿Debo ir yo también? —preguntó con timidez Yusuf.

—No. —La contundencia del gran jeque Umar Intí seguía siendo insultante—. Volverás a Sevilla y rezarás. Busca en tu interior y pregunta por qué Dios ha permitido que la cobardía domine tu corazón. Si Almería se rinde, acudirás a recibir la pleitesía de los que allí queden.

Utmán respingó.

—¿Cómo? ¿Voy a dirigir yo la campaña pero él se llevará la palma del triunfo?

El gran jeque esperaba esa reacción. Se trataba de una injusticia evidente y el enojo del joven gobernador de Granada era comprensible, pero no se le podía informar aún del glorioso destino que el califa había dictado para el miedoso Yusuf. Sumisión. Eso era lo que hacía falta. Les hacía falta a todos. El viejo entrecruzó sus largos y afilados dedos, abrió mucho los ojos y se encaró a poca distancia con el *sayyid* adolescente. Utmán pareció menguar ante la imponente presencia de Umar Intí.

—Obedecerás los designios de tu padre, que son los designios de Dios.

17

El cazador cazado

Primavera de 1157. Murcia

Los banquetes seguidos de caóticas orgías en el alcázar de Murcia se habían convertido en costumbre. Todos los jueves, antes de que musulmanes, judíos y cristianos celebraran en tres días seguidos su festividad de la semana, Mardánish organizaba un abundante ágape amenizado por los versos lánguidos y armoniosos de poetas como Ibn Mujdar o el propio Abú Amir; los postres, el momento que todos esperaban, eran deleitados por jóvenes doncellas y efebos que batían los tambores y los panderos, pulsaban laúdes y tocaban la flauta. Grupos de danzarinas de todo el Sharq acudían contratadas por Abú Amir, que también ejercía como maestro de ceremonias y árbitro de elegancia. A las granadinas de aquella primera ocasión siguieron un coro de esclavas etíopes, y a este, otro de muchachas de Denia, de Lorca, de Guadix... Las fiestas del rey Lobo empezaron a hacerse famosas. Además de los señores cristianos y musulmanes de su ejército, muchos visires, ricos comerciantes judíos, genoveses y pisanos solicitaban ser invitados a aquellos convites en los que el vino y la lujuria se convertían inevitablemente en protagonistas. Así mostraba agradecimiento el rey Lobo a sus amigos. Uno de los últimos en adherirse a su causa, por fin, había sido Armengol de Urgel. La alegría de Mardánish había sido tal que ni siquiera había preguntado al conde qué razones le habían movido a cambiar sus pasadas reticencias por una alianza sin límites. El rey del Sharq tampoco se preguntaba por qué cada jueves, mientras él mismo y sus invitados copulaban con un elenco de bellezas entre los restos de los banquetes y las copas de vino, el conde de Urgel se iba de la fiesta y desaparecía de la vista de todos. La orgía terminaba con una amalgama de cuerpos embriagados, desnudos y cálidos que dormían entremezclados, unos apoyando sus cabezas sobre los vientres de otros, con las piernas extendidas sobre senos desprovistos de ropa o los brazos alrededor de cinturas húmedas de vino, miel y sudor.

Pero aquel día Abú Amir no cayó en el sopor. Necesitado de aire fresco, pasó sus pies con sumo cuidado por encima de al-Asad, que, completamente borracho, dormitaba tendido entre las piernas abiertas de una exuberante ramera de piel oscura; esquivó el rechoncho cuerpo de Hamusk y apartó sin hacer ruido una silla, procurando no rozar con ella a dos de las mujeres que habían acabado entrelazadas con Pedro de Azagra. El navarro, retraído al principio, ya no se avergonzaba de yacer, como todos, a la vista del resto de los comensales. Abú Amir sonrió y miró atrás antes de salir de la sala de banquetes; se preguntó si no estaría llevando su afán por el placer demasiado lejos. Pero ¿acaso no tenían razón el poeta de Alcira y el viejo rey sevillano cuando aconsejaban a los demás seguir su ejemplo?

Bebe a traguitos el vino en tanto que la brisa es dulce.
Arrójate en la vida como sobre una presa, pues su duración es efímera.
¿Te dejarías llevar por la tristeza hasta la muerte
cuando el laúd y el vino fresco están aquí y te esperan?

Alejó el pensamiento con un manotazo y se dirigió al patio cercano, el del harén, para despejarse con el agua de la fuente. Le extrañó no ver a los eunucos que guardaban aquel lugar vedado a casi todos. Ningún hombre, salvo él mismo y el propio Mardánish, podía entrar en el espacio del alcázar reservado a las esposas y concubinas del rey Lobo, y precisamente los eunucos, aquellos seres desprovistos de lujuria, eran los encargados de hacer que se cumpliese el precepto. Al salir de debajo de las arquerías de yeso tropezó con el conde de Urgel. Armengol enrojeció y se colocó el flequillo, inusualmente desordenado sobre sus cejas.

—Amigo Abú Amir, perdóname —dijo el de Urgel, y continuó su camino. El médico le siguió con la vista mientras el conde se perdía rumbo a los aposentos que ocupaba en el alcázar. Observó las ropas del cristiano, mal compuestas para lo que este acostumbraba, y lo primero que pensó fue que quizás Armengol hubiera conseguido seducir a alguna de las esclavas del harén. Tal vez, incluso, el de Urgel se estaba acostando con una doncella de Zobeyda. ¿Sería posible? De repente, cuando vio la faz desencajada del cristiano que se volvía a mirarlo antes de desaparecer, lo entendió todo. Ahogó un juramento y tomó el camino de las dependencias más lujosas. Entró sin contemplaciones y reparó en las habitaciones que flanqueaban el pasillo. Vacías. Las hermosas doncellas de Zobeyda no estaban. Apartó sus temores con un suspiro de alivio: se dio cuenta de que los celos le habían invadido por un momento, al imaginar a Adelagia en brazos de Armengol de Urgel. De las cuatro doncellas de la favorita, la pelirroja era la más cara a su corazón. Pero si no había eunucos y no estaban las doncellas... Sus temores crecieron. Empezó a sudar. Tragó saliva, deseoso de equivocarse; entró como un huracán en el aposento privado de Zobeyda y la sorprendió totalmente desnuda sobre su lecho, con el sutil velo que hacía las veces de mosquitera apartado a un lado.

La favorita se sobresaltó, agarró las sábanas y se cubrió los pechos, bañados aún en brillante humedad. Abú Amir, que consideraba a Zobeyda como una mezcla de hija y hermana, ni siquiera reparó en aquella belleza desnuda de veintiséis años. Ni se le ocurrió tampoco pensar qué ocurriría si un eunuco o una sirvienta lo sorprendían allí en aquel momento. La favorita sujetó la sábana con ambas manos sobre su cuello y miró acusadoramente al consejero, aunque de inmediato adivinó a qué se debía aquella turbulenta visita y el gesto de reproche de Abú Amir.

—¿Por qué?

—¿Por qué no? —preguntó a su vez Zobeyda, con el rostro congestionado por la vergüenza y el disgusto—. Dime, ¿qué acabas de hacer en esa sala, a la vista de todos y aturdido por el hálito del vino? ¿Qué ha estado haciendo mi esposo? ¿Y mi padre?

—No se te ocurra comparar ambas cosas. Esos banquetes se han convertido en una herramienta, niña. No es solo placer por placer. Mantiene hechizados a esos hombres, a los que tu esposo necesita para defender su reino y, ¿por qué no aspirar a ello?, para engrandecerlo. ¡Todo sea por el reino!

—¡Todo sea por el reino! —repitió ella en tono amargamente jocoso.

—Sí, el reino. El reino necesita a esos cristianos. Lejos de aquí viven atrapados en su mundo hipócrita, mientras que junto al rey Lobo hallan lo que jamás podrán encontrar en sus fortalezas rodeadas de miseria, monasterios, pecado, penitencia... Fíjate en Pedro de Azagra, sin ir más lejos. Su padre murió hace poco y él heredó grandes señoríos en Navarra. ¿Sabías que ha habido guerra entre los aragoneses y los navarros? ¿Y no te preguntas por qué Azagra no acudió? ¿Por qué no nos dejó atrás? ¿Y qué me dices del Calvo? Ese tipo dará la vida por tu esposo, que le ha mostrado un paraíso en la tierra, y más aún por ti, pues te adora como a su Virgen María. Ah, si supiera lo que ha ocurrido aquí...

—¿Y el conde de Urgel? —atajó ella, enrojecida la tez por la vergüenza y por la ira—. ¿Ninguno de vosotros se ha preguntado por qué ese hombre, al que consideráis imprescindible para nuestra defensa, se ha avenido a permanecer al lado de Mardánish?

Abú Amir cerró los ojos. Ahora comprendía totalmente la jugada de Zobeyda.

—Niña, niña... Estás loca. Si esa concubina, Tarub, supiera esto, ¿cuánto crees que tardaría en delatarte? ¿Confías acaso en las demás mujeres? Y los eunucos... No quiero saber qué engaños habrás usado para quitarlos de en

medio, pero ya los conoces: son peores incluso que Tarub. Ah, por mi vida...
Si hasta tu propio esposo podría sorprenderte en el lecho con ese...

—Todo eso es precio bajo a cambio de lo que ganamos, Abú Amir.

—¿Precio, dices? ¿Precio? ¿Es esto un negocio? Sí, ya veo... Te has vendido, niña. No me atrevo a decir la palabra que define tu acción. Te has convertido en una... —El médico detuvo su frase y negó con la cabeza.

—Una adúltera, dilo —completó ella—. Una puta, mejor. Sí, una vulgar meretriz, puesto que me acuesto con Armengol de Urgel a cambio de un precio.

—No he dicho eso.

—Lo digo yo porque es verdad. Soy una puta infiel. Pero ya sabes: ¡todo sea por el reino!

Día siguiente

Mardánish comprobó las cifras anotadas en filas y columnas en el papel entregado por uno de sus visires. El hombre hizo una inclinación y abandonó la estancia. Mientras tanto, Pedro de Azagra observaba ensimismado los rayos de luz que se colaban por entre las celosías. Ribeteó con el dedo el dibujo que uno de esos rayos imprimía en la mesa de la sala de consejos. A su lado, Álvar Rodríguez se frotaba las sienes, incapaz de zafarse del dolor de cabeza provocado por la resaca. Se pasó la lengua por los labios para humedecerlos, pero no lo consiguió.

—Hoy es viernes, amigo Mardánish —dijo Armengol de Urgel—. ¿No cumples tus obligaciones religiosas?

El rey Lobo gruñó una respuesta ininteligible. Él también estaba aturdido por la resaca y le costaba concentrarse en la relación numérica que ahora examinaba.

—Lo primero es lo primero —respondió por él Abú Amir, y observó fijamente al conde de Urgel.

—¿Lo primero es lo primero? ¿Los trámites de palacio antes que Dios?
—Armengol sonrió con su acostumbrado gesto irónico. A su lado, Galcerán de Sales le imitó—. En verdad esos almohades os mandarán degollar. O crucificar, o quemar, o lo que quiera que hagan con quienes no cumplen su deber. No sois muy piadosos.

—Es peliagudo cumplir enteramente cada deber en estos tiempos difíciles, y más raro todavía es ser piadoso —repuso el consejero sin apartar sus ojos de los del conde—. ¿Quién no ha mentido alguna vez a un amigo? ¿Quién no ha renunciado a la piedad por el placer o por un precio?

La mirada de Armengol destelló por un instante. Intentaba mantener oculto el inoportuno encontronazo en la entrada del harén, o al menos quitarle importancia. ¿Qué sabía Abú Amir? El hermano del conde, Galcerán, miraba a ambos alternativamente, ignorante de la naturaleza de aquella tensión hilada entre el andalusí y el cristiano. Álvar el Calvo intervino para, sin saberlo, templar aquella peligrosa conversación.

—Abú Amir, buen amigo, tú no sabes nada de esposas, ni cercanas ni lejanas. Y eso es extraño, por mi fe. Creía que para vosotros los sarracenos era un pecado permanecer soltero. Aunque no te culpo, pues de otro modo quizá no disfrutarías de esas amantes que tienes, ¿eh? Pero si a nadie como a ti he visto disfrutar de las muchachas que nos amenizan los banquetes...

Pedro de Azagra rio por lo bajo, pero al consejero no pareció hacerle gracia el comentario del Calvo.

—Ah, todos somos pecadores sin importar nuestro credo, ¿verdad? —Abú Amir mantenía la mirada desafiante hacia el conde de Urgel—. Todos menos nuestro buen amigo Armengol. ¿Os habéis fijado en que jamás toca a ninguna de las muchachas que vienen a las fiestas de los jueves? ¿Acaso no tiene mérito su abstinencia, tan lejos como está de su hogar y de su prometida cristiana?

—Bah, bien por él. A más tocamos los demás —replicó el gigante Álvar, y rio junto con Azagra.

El sonido del papel arrugándose entre las manos de Mardánish interrumpió las palabras y las miradas desafiantes entre Abú Amir y Armengol.

—En esta relación —habló con voz ronca el rey Lobo— figura el dinero recaudado, el pago que destinaré a cada contingente, lo que he gastado en pertrechos, en servidores, en provisiones, en armas... Por supuesto, también está la suma de nuestras fuerzas; y no son despreciables. Con semejante ejército, mayor aún del que reunimos para tomar Guadix, podremos encarar el ataque a Granada. Y tras Granada caerá Málaga. Con Almería en poder de nuestro emperador, la retaguardia estará asegurada; y podremos decir entonces que dominamos todo el oriente de la Península, y seremos capaces de prepararnos para actuar conjuntamente. El Guadalquivir nos conducirá hacia Córdoba y Sevilla.

»Mi suegro Hamusk y su inseparable al-Asad han partido de buena mañana, tras vencer esta maldita resaca, para preparar sus huestes en Segura y Guadix. Yo también me dispongo a aprestar mis tropas, que pondré al mando del arráez Óbayd. Solo me queda contar con vuestras mesnadas, amigos míos. Entonces dejaremos de lado las palabras y haremos que hablen las lanzas.

—Bien dicho —afirmó Álvar Rodríguez—. Mis hombres del norte llegarán el próximo verano, y a mi llamada también acudirán las milicias de Toledo, siempre fieles y queridas.

—Yo cuento con el compromiso de mis huestes navarras —añadió Azagra—. Sé que esto me costará el disgusto de mi rey, pero igualmente lucharán por ti.

—Bien. —Mardánish se frotó las manos—. ¿También dispondremos de tus tropas, amigo Armengol?

—Por supuesto —aseguró el conde de Urgel, que aún no había apartado la mirada de Abú Amir—. Tengo pensado seguir a tu lado por mucho tiempo. Mucho, mucho tiempo.

El consejero resopló por lo bajo y deseó que esa misma campaña militar terminara con la muerte de Armengol de Urgel. No podía soportar la imagen de Zobeyda y aquel cristiano entregados a la cópula. Le dolía tanto como si la favorita fuera su propia hija. Al mismo tiempo, la sonrisa del rey Lobo iluminó la sala de consejos casi tanto como los haces de luz que penetraban por entre aquellas figuras geométricas que decoraban la pared. Entonces hizo su entrada el visir que había entregado la relación de tropas a Mardánish. Con el rostro congestionado, recorrió uno de los laterales de la mesa. Apretó los labios y anunció que no era portador de buenas nuevas.

—Mi rey, los almohades asedian Almería por tierra y por mar. La guarnición se ha refugiado en la alcazaba y ha mandado un mensajero que consiguió romper el cerco. Piden tu ayuda, mi señor, y te ruegan que avises al emperador.

Un silencio tenso siguió al mensaje. El visir se inclinó, esperando la reacción de su rey sin querer mirarle a los ojos. Los rayos de sol dejaron de dibujar figuras como si, uno a uno, los huecos practicados en la techumbre fueran cubiertos por una cortina. La sombra cubría por momentos la luz que iluminaba la sala de consejos. Almería sitiada. Los almohades atacaban directamente una plaza en poder cristiano.

—Hemos perdido la iniciativa —reconoció Armengol de Urgel, y empezó a tamborilear con los dedos sobre la mesa.

—Dios mío —susurró Azagra—, el cazador es cazado.

—¿Sabemos el tamaño del ejército almohade? —preguntó Mardánish, que no quería perder la esperanza. El visir negó con la cabeza.

—Hay que ir para allá. —Al ponerse en pie, Álvar Rodríguez llenó el espacio con su descomunal figura—. Y hay que mandar aviso al emperador.

—El emperador está en Zamora, o esa intención tenía —se oyó por fin la voz de Galcerán de Sales.

—Demasiado lejos —susurró el conde de Urgel—. No llegará a tiempo.

—No sabemos si nos enfrentamos a un gran ejército —repuso Mardánish—. Quizá sean las fuerzas de Ibn Igit que recuperaron Pedroche. Nada que temer.

—Exacto. —Álvar el Calvo comenzaba a mostrarse inquieto—. Vayamos ya y aplastemos a esos tipos.

Armengol de Urgel dio un suave golpe en la mesa y se puso en pie. Su hermano, naturalmente, hizo otro tanto.

—Yo mismo marcharé a dar aviso al emperador —anunció—. A mi paso iré ordenando en su nombre que se preparen tropas en Castilla. Dirigíos al sur y esperadnos en Guadix. Vendremos a marchas forzadas. Pedro, ¿podría tu gente llegar en poco tiempo?

Azagra se encogió de hombros.

—Mandaré un correo a toda prisa, pero tal como están las cosas en la frontera con Aragón...

—No vale la pena que el conde de Sarria lo intente siquiera. Sus tierras están demasiado alejadas —siguió con sus cálculos Armengol de Urgel.

El rey Lobo descendió de su estrado con la decisión pintada en su gesto. La resaca se había desvanecido en un instante, y ahora sus ojos solo despedían una angustiosa sensación de urgencia.

—Bien, amigo Armengol. En tus manos queda que regreses a tiempo con el socorro para Almería. Si fallamos, estaremos a la defensiva.

El conde de Urgel asintió y miró de reojo a Abú Amir. Las comisuras de sus labios se elevaron de forma casi imperceptible, y en su mente evocó la imagen de Zobeyda, espléndida, seductora, única. Irresistible en su desnudez, pero sumisa a sus deseos. Ahora tenía una razón de mucho peso para no considerar la petición de Mardánish como algo secundario.

—Volveré pronto —prometió Armengol—, y traeré conmigo al propio emperador.

18

Almería

Unas semanas después. Sitio de Almería

Utmán se levantó tras la oración. A lo largo de toda la línea de asedio, miles de hombres le imitaron casi al unísono tras apartar su vista de levante, de la dirección en la que se hallaba La Meca, para volver cada uno a su ocupación. Todos los miembros del ejército —a excepción de los pocos centinelas imprescindibles— habían dejado caer el silencio sobre el cerco de Almería antes de llevar a cabo el tercer rezo de la jornada, y ahora, poco a poco, regresaban los sonidos de un ejército en campaña. Se oyeron los martillazos de los ingenieros que ajustaban las máquinas y de los carpinteros que afianzaban la empalizada. Un destacamento de forrajeadores abandonaba el lugar hacia poniente en busca de comida para las caballerías, y una barcaza recorría la línea de playa para trasladar algún mensaje entre las galeras de la flota de Ceuta.

Utmán paseó la vista por el sinuoso foso de campaña que bordeaba la albarrada almohade: una fortaleza que encerraba otra fortaleza. Siguiendo el consejo del gran jeque Umar Intí, el joven *sayyid* se había empleado a fondo, y su primera decisión al llegar a dos tiros de flecha de Almería había sido rodear la ciudad con una empalizada. Entre esta y la medina estaba emplazado el campamento almohade, en un altozano, perfectamente ordenado por cabilas almohades y árabes y por las tropas de refuerzo andalusíes de Málaga y Granada. Frente a él, los cristianos habían dejado la ciudad a su suerte y se habían encerrado en la alcazaba. Fuerzas almohades de infantería dominaban las casas de la medina con instrucciones de no dejar entrar ni salir a nadie del recinto asediado, mientras que los pobladores habían sido obligados a abandonar la ciudad y abrazar de inmediato el Tawhid bajo pena de muerte. El *sayyid* no quería destrozar una medina que ambicionaba añadir a su gobierno, por eso había mandado concentrar todas las máquinas de asedio fuera, junto a la cerca de madera, para castigar un mismo sector de la muralla de la alcazaba. Varios impactos exitosos habían tenido lugar en los días anteriores, y los cristianos encerrados se afanaban en intentar recomponer los daños causados bajo el ataque de los proyectiles enemigos. El ejército almohade aguardaba paciente y vigilaba más hacia fuera que hacia dentro. El foso había sido excavado para evitar sorpresas, y Utmán mandaba continuamente patrullas a caballo para vigilar sobre todo los caminos del norte, por donde podían esperar ayuda los cristianos sitiados. Máxime cuando se sabía que un mensajero había podido escapar al principio del asedio. Mejor, que vieran lo que se les venía encima.

Aquel día fue el que Utmán esperaba. Una de las patrullas le anunció que a pocas millas se aproximaba la vanguardia de un gran ejército.

—¿Cómo de grande? —había preguntado el *sayyid*.

—Yo diría que como el nuestro. Estandartes cristianos, y otros andalusíes de color negro.

La respuesta del almohade había sido acertada y significativa. Utmán sonrió complacido. Los estandartes negros no podían ser otros que los de ese necio rey Lobo, y, tal como había oído decir, venía acompañando a los perros infieles del que se hacía llamar emperador de León.

Utmán había tomado precauciones especiales porque llevaba tiempo esperando la ayuda cristiana. Su ejército estaba en una posición inmejorable, perfectamente cubierto por el foso y la empalizada, en altura y formado, sereno y bien abastecido. El *sayyid* ordenó pasar el aviso a sus jeques para que estuvieran atentos y siguió mirando hacia el norte, a la espera de ver por sí mismo aquellos estandartes negros y la reacción de sus enemigos al encontrarse con la sorpresita que les había preparado.

El emperador Alfonso, su hijo mayor Sancho y Mardánish encabezaban la columna, protegidos a distancia por sus mesnadas y abierto el camino por andalusíes a caballo que habían ocupado las alturas antes de la llegada del ejército. Llevaban sus monturas al paso, en silencio, a la espera de que las sinuosidades del camino les mostraran lo que los exploradores les habían adelantado. Tras ellos venían doce mil hombres traídos por el emperador y su hijo, reclutados a toda prisa por las ciudades que iban recorriendo en su camino de Zamora a Almería. Los cristianos se habían unido a Mardánish en Guadix, acrecentando el ejército de seis mil guerreros que había podido reclutar el rey Lobo. Parte de las provisiones que debían haber sido destinadas a la gran campaña contra Granada viajaban ahora con aquel ejército de auxilio, cargadas en carromatos y acémilas en la retaguardia de la columna. Miles de monedas gastadas en carne salada, queso, ajos, cebollas, bizcocho y legumbres.

Mardánish observó de reojo al emperador. Alfonso de León parecía haber envejecido medio siglo desde la última vez. Profundas arrugas marcaban su rostro y le habían invadido la piel unas pequeñas manchitas oscuras. Le faltaba mucho pelo y su adelgazamiento era más que evidente. En cuanto a Sancho, su cambio era igualmente notorio, y tampoco para mejor. Ya no se trataba de aquel muchacho risueño al que Mardánish conociera en el asedio de Jaén en 1151. Sancho era un hombre de veintitrés años amargado por la prematura muerte de su esposa en el sobreparto del pequeño heredero Alfonso. Su mirada era triste, y su padre y él componían una pareja de aspecto desesperanzador.

Almería surgió de repente, y ofreció como primera estampa el campamento almohade, que se enseñoreaba del paisaje. Un murmullo de decepción iba recorriendo el ejército de auxilio conforme los soldados llegaban a la vista de su destino: un mar de estandartes colocados a distancias regulares que marcaban la procedencia de cada tribu africana, algo imposible de interpretar todavía para Mardánish, y aquellas enormes banderas blancas con versículos coránicos grabados. El rey Lobo suspiró. Después de la pequeña escaramuza a las puertas de Jaén en 1151, era la primera vez que tenía ante sí al tan famoso ejército africano de Abd al-Mumín.

Armengol de Urgel llegó a caballo desde la parte media de la columna, en la que viajaban las fuerzas castellanas. Por una vez llegaba sin la compañía de su hermano, al que había dejado al frente de su hueste. El conde chascó la lengua a la vista de la impresionante línea de asedio.

—Vaya. No lo han hecho mal.

Mardánish asintió. No era posible calcular el número de los almohades por causa de la empalizada, pero era capaz de hacerse una idea al ver los estandartes y los picos de las tiendas. Además, mucho más allá, en el mar, se observaba la flota enemiga fondeada a lo largo de la costa, salpicada la superficie del agua con algunas barcas que cruzaban de un lugar a otro. El rey Lobo miró con gesto interrogante al conde de Urgel, pues sabía de su fama como estratega.

—¿Qué se puede hacer contra eso?

—No disponemos de embarcaciones. —Armengol examinó con ojo experto el doble bloqueo de Almería—. Tal vez podríamos recurrir al príncipe de Aragón. No sería capaz de negar ayuda al emperador; pero, claro, otra cosa sería trabarse en combate con semejante armada. Además, tardaría meses en estar en condiciones de mandarnos aquí su flota... Y tampoco vendría en persona, ni traería un gran ejército. No con los navarros en pie de guerra en su frontera. Es una pena. Privados de esas naves, los almohades del cerco pasarían de ser sitiadores a sitiados.

—Entonces solo nos queda expugnar la empalizada —concluyó Mardánish.

—Desde luego.

El rey Lobo ordenó a al-Asad formar un destacamento de caballería para acercarse a la posición almohade y examinarla. El León de Guadix puso al mando de la patrulla a uno de sus hombres y le dio lo mejor de sus jinetes andalusíes, con ágiles animales y armamento ligero; salieron dando un rodeo para no alertar demasiado pronto al enemigo. Mientras tanto, a órdenes del emperador, los demás empezaron a repartirse el terreno para asentar el campamento. Hamusk quedó encargado de preparar el lugar de la forma más segura posible, y Mardánish aprovechó la ocasión para entrevistarse con Sancho a solas.

—Tu padre no ha dicho palabra desde Guadix. Estoy preocupado por él. No tiene buen aspecto —confesó el rey Lobo.

Sancho le miró con expresión vacía.

—Está enfermo. Mal de corazón.

—¿De corazón?

—Sí. Los médicos dicen que pasa en ocasiones. De vez en cuando parece desfallecer... Un fuerte dolor en el pecho, falta de aire, sudores... Se desvanece y queda como muerto. La última vez fue cuando recibió la noticia de este asedio. Cayó fulminado en presencia del conde de Urgel.

El rey Lobo pensó en la faz pálida y triste del emperador durante el viaje hasta aquel lugar. En verdad daba la impresión de estar dispuesto para recibir a la muerte. La pena y la preocupación invadieron por igual a Mardánish.

—¿Y tú? ¿Estás bien, Sancho?

—No estoy seguro. No me siento capaz de mantener la obra de mi padre...

—Tu hermano Fernando te ayudará. Será una labor en familia —quiso animarle el rey Lobo. Sancho, sin embargo, miró a Mardánish con una sombra de escepticismo.

—Fernando... Sí, como rey de León... No sé, está rodeado de gente muy ambiciosa. Y además, que Dios me perdone, pero es como si... —El joven cristiano detuvo la charla.

—¿Qué?

—Como si... estuviera deseando que nuestro padre muera.

Sancho se alejó con paso cansino y sin despedirse de Mardánish. Este observó al joven. Su decepción crecía. ¿Dónde estaban el júbilo y las esperanzas que habían reinado en el asedio de Jaén o en la reunión de Lorca? Vio pasar a Fernando, que se había mantenido distante durante todo el viaje y ahora también acampaba aparte, con su particular corte de consejeros y nobles gallegos y leoneses. También vio que Armengol de Urgel caminaba ahora junto a él. Desde luego, Fernando no parecía tan abatido como su padre o su hermano mayor. Un chico listo a pesar de su juventud; seguro de sí mismo... Mardánish se preguntó si Sancho y Fernando serían capaces de continuar con la labor de su padre, que había alcanzado la preeminencia sobre los demás reinos de la Península, cristianos y mahometanos. Si no era así, el primero en acusar los problemas sería el Sharq al-Ándalus. La prueba era aquella misma expedición, a la que no acudirían los otros reinos católicos, demasiado ocupados en mirarse entre sí a cara de perro. ¿Estaban locos esos tipos del norte? ¿Acaso no veían dónde estaba el verdadero peligro? Y ahora aquello: Castilla y León, a punto de tomar caminos diferentes...

No. Definitivamente, no era una buena idea repartir el imperio. Miró arriba, a las nubes grises que ahora empezaban a ocultar el sol. No le pareció un buen presagio.

Tres jinetes volvieron de la misión de reconocimiento. Dos de ellos, al igual que los caballos, traían varias flechas clavadas. El único que regresaba indemne fue el encargado de entregar el informe de la descalabrada patrulla. El andalusí, por pura inercia, se dirigió de inmediato al pabellón del rey Lobo, marcado por un gran estandarte negro con la estrella plateada de los Banú Mardánish. El muchacho, con la tez pálida y un notorio temblor en los labios, lanzó un tropel de frases desatinadas. El propio rey le dio de beber y le pidió que se calmara. Mientras el jinete aspiraba el aire a bocanadas, el emperador y su alférez se acercaron con paso rápido. Mardánish no pudo evitar darse cuenta de que el abatido Alfonso llegaba apoyado en el brazo del noble Gonzalo de Marañón. Tras ambos venía Sancho. Ni rastro del segundón Fernando.

—Nos han sorprendido al acercarnos —logró hacerse entender el andalusí—. Nos han acribillado a flechazos. Muchos, muchos proyectiles.

—Pero ¿por qué os habéis acercado tanto a la empalizada? ¿Dónde está vuestro sentido común? —reprochó el alférez cristiano.

—No, no nos hemos acercado... Los almohades nos aguardaban. Había varios grupos de arqueros escondidos. Una emboscada. Tratábamos de huir de unos, y otros nos disparaban desde un lugar distinto. El cerco de Almería es una gran trampa.

Armengol de Urgel llegaba en ese momento. Pudo oír las últimas palabras del jinete, al que se dio permiso para retirarse a descansar. En lugar de ello, el guerrero corrió a interesarse por su caballo herido.

—Los almohades han venido a conquistar Almería, pero también han llegado dispuestos a enfrentarse a nosotros. Han tomado tantas precauciones hacia fuera como hacia dentro —opinó el conde.

—Pero el efecto sorpresa ya ha pasado —repuso el alférez Marañón mientras el emperador y su hijo Sancho escuchaban sin decir palabra—. Ahora podemos lanzar a nuestros hombres contra esos arqueros destacados y masacrarlos poco a poco.

—¿Y si tienen más trampas? —se preocupó Mardánish, que no quería ver a sus patrullas de caballería ligera aniquiladas en una operación menor.

—Los hombres de Almería necesitan ayuda —habló por fin el soberano, y consiguió un respetuoso silencio a su alrededor. La conversación se desarrollaba a las puertas de la tienda de Mardánish, de modo que varios guerreros asistían a ella ligeramente apartados, con el semblante serio por el fracaso de los exploradores andalusíes—. Llevan cercados demasiado tiempo y deben de estar al límite de sus posibilidades. No temáis, amigos míos, pues aunque Dios parece apretar, nos ayudará a guardar Almería —miró al cielo con gesto fatigado—, *porque tú, oh Señor, eres mi antorcha, y tú iluminarás mis tinieblas. Porque contigo correré armado y saltaré la muralla.*

Se hizo un espeso silencio. Nadie remató con un amén los versículos del emperador. Ni siquiera el joven Sancho. Armengol, temeroso de que las esperanzas de todo un ejército fueran a construirse sobre la simple fe de un anciano, tomó la palabra:

—Sin duda Dios nos acompañará en el asalto, pero hay que hacer una estimación de las fuerzas enemigas. —Abrió ambos brazos con las palmas de las manos hacia arriba—. No podemos llegar hasta el ejército almohade y encontrar que nos doblan en número. Además, están en una posición muy ventajosa. No nos precipitemos.

El silencio volvió al improvisado consejo de guerra. Más y más guerreros musulmanes y cristianos se iban arremolinando. Esperaban con gesto preocupado. Se daban cuenta de que la situación no era aquella a la que estaban acostumbrados por los asedios de los años anteriores. Ahora el ejército que debía salvar Almería había sido recibido a flechazos. Habían sufrido un descalabro y no tenían otro remedio que mantenerse a la espera, con la sensación de que eran dominados por los africanos. El taciturno emperador reparó en las caras preocupadas y las miradas bajas. Maldijo su vanidad. La arrogancia con la que había vivido los últimos años. Había subestimado a su enemigo. Peor que eso: ni siquiera lo había tomado en cuenta. Hizo un gesto de hastío, como si nada le importara ya. Pero él era el emperador. Debía continuar.

—Conde de Urgel, amigo mío, necesitamos una estrategia.

—Propongo asegurar nuestra posición —contestó con seguridad Armengol—. Que no nos vean dudar. Cerquemos esa albarrada almohade, como ellos han hecho con Almería. No servirá para presionarlos porque no podemos rodearlos por la parte del mar; y tampoco los mataremos de hambre, puesto que ellos tienen su flota. Pero con el paso de los días no les quedará más remedio que revelar las posiciones de sus arqueros ocultos o cualquier otra trampa. También podemos mandar patrullas con mucha precaución para observar el terreno. Pero nada de caballería ligera. Infantes bien armados que avancen con lentitud y sean capaces de aguantar acometidas. Cuando podamos evaluar el número de almohades de ese ejército, decidiremos si debemos atacar o esperar refuerzos. Cualquier cosa menos quedarnos aquí, mirándonos unos a otros.

El emperador asintió, aunque se dio cuenta de que aquello requería tiempo. Un tiempo que los cristianos sitiados tal vez no pudieran permitirse. Recordó la campaña de diez años atrás para conquistar Almería, en compañía de un gran ejército que contaba con la presencia del príncipe de Aragón y del rey de Navarra. Ahora ninguno de los dos querría desguarnecer sus territorios para acudir al sur, mucho menos en el caso del navarro, perjudicado por el reciente pacto entre Alfonso de León y Ramón Berenguer. Problemas, problemas y problemas. El emperador miró cansinamente hacia el cerro ocupado por los africanos. Así que ese era el auténtico ejército almohade. No aquellas pequeñas guarniciones de Jaén, Andújar o Pedroche... Notó un ligero pinchazo en el pecho y suspiró, lamentándose en silencio del inconveniente con el que tendrían que lidiar sus hijos Sancho y Fernando.

19

La carga del emperador

Verano de 1157

Mardánish llevaba toda la mañana con el espíritu encogido por el panorama que hastiaba, desde hacía tiempo, al ejército combinado cristiano y musulmán. Ante él, la empalizada y el foso almohades continuaban incólumes y mostraban su aparente fragilidad como si fuese una ironía. Nada habían podido contra ellos todos los miles de hombres que el emperador Alfonso y el rey Lobo habían llevado para liberar Almería del cerco almohade.

Mardánish había asistido a la rutina de sus enemigos en silencio, escamado por averiguar algo más de aquellos extraños hombres de piel oscura, tan lejanos ahora como en los años anteriores. Poco más que la sombra de una amenaza incomprensible. ¿Poco más que eso?

No, desde luego. Afianzar las posiciones del emperador había costado sangre a raudales. Tuvieron que sacar a fuerza de hierro a los arqueros enemigos emboscados en grietas del terreno o tras marañas de arbustos. Aquellos adversarios resistían hasta la muerte y se batían aun en condiciones de franca inferioridad, como si realmente miraran esperanzados a la parca, convencidos de que tras aquel telón invisible iban a encontrar un paraíso cruzado por ríos de leche y miel en el que serían servidos por huríes. Bellas y complacientes vírgenes a las que, en un absurdo bucle místico, desflorarían un día tras otro. La faz cruzada por una sonrisa estúpida era la marca con la que abandonaban este mundo, no sin antes haber acarreado en el tránsito al orco a un buen número de esforzados guerreros castellanos, murcianos, jienenses, valencianos...

Aquel día probarían de nuevo, esta vez de forma más ambiciosa. Esperarían a la oración del mediodía, cuando casi todos los almohades abandonaban sus armas para postrarse cara a oriente. Armengol de Urgel, tan reacio a atacar que solo había podido ser vencida su voluntad por el propio emperador, se había pasado semanas discutiendo con al-Asad para ponerse de acuerdo sobre cuál era el punto más accesible de la empalizada enemiga; todo para darse cuenta finalmente de que el trabajo de los sitiadores había sido impecable. Nada de puntos débiles. Por ello atacarían en línea recta, por el camino más corto. Con un par de avances de distracción a cada lado, pero concentrando la fuerza en un lugar concreto, un punto de la empalizada enemiga que ahora se hallaba frente a la mirada ceñuda del rey Lobo.

—Es el momento —avisó tras él la voz de su suegro Hamusk.

Mardánish se volvió. El estrambótico señor de Segura había cambiado sus vestimentas lujosas y recargadas por el atuendo guerrero. Hasta su rostro parecía haber mudado. Sus ojos despedían un fulgor extraño, tal que no compartiera el mismo temor que el resto del ejército, la misma inseguridad, el mismo sentimiento oculto de que aquello no serviría para nada. Y como si los almohades hubieran querido rubricar la sentencia de Hamusk, el muecín lanzó su llamada lejana y convocó a los creyentes para orar a Dios.

Mardánish se abrochó el ventalle, requirió con un gesto callado su yelmo y lo enlazó por sí mismo. Ajustó el barboquejo con movimientos cortos y seguros. Luego volvió la espalda a Almería y, junto a su suegro, regresó a la línea tras sus propios parapetos. Allí, ya montados, le aguardaban sus hombres. Una larga hilera de jinetes oculta a la vista de la empalizada almohade. Los observó. Recorrió sus caras indecisas en busca de las palabras para dirigirles una arenga. A lo lejos, el almuédano seguía llamando a la oración, pero los guerreros del Sharq, aun musulmanes, ignoraban su obligación y se disponían a masacrar a otros mahometanos. Por fidelidad al rey Lobo. Le habría gustado prometerles que iban a vencer, que los enemigos no podrían resistir su acometida, que Dios no estaba en realidad de parte de los africanos...

Pero calló. Montó en su caballo negro, sujeto por las bridas por un escudero, y embrazó el escudo que le alargaba otro sirviente. Aseguró las riendas en torno a su muñeca izquierda y tomó la lanza. Con un movimiento seco, desenrolló el pendón triangular de la punta del arma: un pequeño pedazo de tela negra con la estrella de ocho puntas bordada en plata. Observó aquel símbolo con respeto, a la espera de la voz que le debía señalar el momento. Su mente voló al norte, a su querida Murcia. Cerró los ojos y vio a Zobeyda. El tagrí sonrió en silencio. Había sido bello. ¿Qué mejor recuerdo? Mientras algunos de sus guerreros modulaban en voz baja la oración o se encomendaban a la misericordia divina, Mardánish desgranaba en susurros su única y corta plegaria. Pero no al Dios musulmán ni al cristiano.

—*Por la pasión por ti olvido el tiempo, y como religión, tu amor profeso.*

A lo lejos, la voz del almuédano cesó y solo el viento se mantuvo, azotando las retamas, remarcando aquella quietud ominosa. Mardánish besó el vacío en el lugar que su mente guardaba para la mujer a la que más amaba. Abrió los ojos. Miró a su izquierda. Su suegro, armado como él a la manera cristiana, le observaba con gesto adusto. Más allá, con la vista clavada en la empalizada almohade, aguardaba el hombre que se había convertido en el gran amigo y lugarteniente de Hamusk, al-Asad. A Mardánish se le antojaba mentira que cinco años antes el primero le hubiera recomendado dar muerte al segundo. La vida realmente parecía reírse a veces de los hombres. A su derecha, la aguda vista del rey Lobo localizó a su arráez, Óbayd, con la larga trenza sobre su hombro y la mano apretada en torno a su lanza, los nudillos blancos por la tensión y el pendón tremolante en la punta herrada del arma.

Entonces llegó la señal en forma de griterío y recorrió las filas desde poniente, donde esperaban ocultas las fuerzas cristianas. Los hombres arrearon sus monturas y abandonaron la protección de los arbustos, las rocas y los parapetos. Atrás quedaban los infantes, que se despedían con desesperanzado alivio de los caballeros. Su lentitud, inviable para conseguir explotar la sorpresa, los dejaba en el campamento a la espera, armados para acudir como segunda oleada o para defender una retirada si era preciso, pero sabedores de que con aquel ataque se agotaban sus posibilidades.

Los caballos hicieron retumbar la tierra y alzaron una irregular nube de polvo que, por unos momentos, ocultó a los hombres de a pie la vista de la ciudad. Las dos alas de la caballería combinada se separaron y tomaron caminos divergentes, destinadas a sustraer del foco principal siquiera algunos defensores. Al-Asad por la izquierda y Pedro de Azagra por la derecha dirigían a sus hombres en sendas maniobras de distracción. Por el centro, la caballería comandada por el propio emperador se adelantó y obligó a adquirir al resto una disposición en cuña, inútil por cuanto todos deberían refrenarse al llegar al foso almohade.

La oración islámica fue interrumpida por un sinfín de voces de alarma. Los centinelas africanos, exentos del sagrado deber de rezar por su servicio de armas, gritaron a su alrededor con las manos puestas a los lados de la boca. Los hombres corrieron para hacerse con sus escudos y ocupar sus puestos.

El joven *sayyid* Utmán se encaramó a una de las torres de madera, construida durante aquella larga primavera para dominar el terreno de nadie, situado entre la línea de asedio almohade y la de sus pobres y desalentados enemigos.

La repentina visión estuvo a punto de congelar su ánimo, aunque se recuperó al momento. Una oleada de caballeros cristianos avanzaba a la carga, con una cortina de polvo tras ellos, mientras las tropas almohades se aprestaban a la defensa. Algunos de los hombres de las cabilas afianzaron sus flechas y pasaron los arcos en horizontal por encima de la empalizada, a la espera del momento para disparar. El *sayyid* sonrió, vencida la impresión inicial: aquellos jinetes no tenían nada que hacer. Sus caballos eran incapaces de salvar el obstáculo que suponían el foso y la empalizada inmediata. Tendrían que descabalgar si pretendían abrir brecha. Miró a los lados, a su ejército nervioso, mal acostumbrado durante los días anteriores a la tediosa operación de asedio. Luego comprobó una vez más el sentido del ataque enemigo. Un grupo de jinetes se desviaba a su izquierda, y otro..., oh, de andalusíes, tomaba el camino de la derecha. Maniobras de distracción. Llamó a gritos a uno de sus jeques. El hombre se presentó con rapidez, dispuesto a cumplir las órdenes de su señor.

—El grueso del ejército enemigo viene de frente. Dos contingentes enemigos se aproximarán por los flancos. No envíes refuerzos allí. Ordena a la caballería venir a la empalizada. Quiero a todos los hombres desmontados y dispuestos para defenderla.

El jeque asintió y salió a la carrera mientras desperdigaba órdenes a diestro y siniestro. Utmán apretó los dientes y sintió la mirada de los defensores de Almería fija en su espalda. Era hoy. El día era hoy.

Mejor se humille el valiente para acabar glorificado
que se eleve hasta una gloria preñada de deshonra.
Quien no sepa humillarse no saboreará el vuelo del alma,
ni degustará el manjar del reposo quien no se fatigue.
Cuando, tras larga sed, llegas por fin a un pozo lejano,
más deliciosa y dulce es su agua que la siempre a mano.

Mardánish avanza, el ánimo tan cubierto de negro como el pendón que luce su lanza. Una andanada de flechas en tiro parabólico pasa por encima de la carga combinada y alcanza a los jinetes más rezagados con éxito diverso. Algunos caballeros se tambalean en sus monturas al penetrar las puntas por entre las anillas entrelazadas, y unos pocos caen, alcanzados en lugares desprotegidos o vencida la resistencia de sus lorigas. La siguiente lluvia de flechas es tensa, en paralelo con el terreno rocoso y polvoriento. Estos proyectiles llegan con más fuerza y desde más cerca, y se clavan mucho más hondo. Zumban a los lados de Mardánish y repiquetean alrededor. A veces los flechazos suenan blandos y se oyen gritos de angustia. Algunos caballos relinchan de dolor y se vencen de manos; proyectan a los jinetes, hacen tropezar a los caballeros que los siguen, aplastan a los caídos.

El rey Lobo siente el impacto repetido en la madera de su escudo. Calcula que al menos un par de flechas se han clavado en él. En una de esas extrañas jugarretas de esos momentos en los que te juegas la vida, la mente de Mardánish le presenta como un hecho lógico que su estandarte y su posición al frente de su haz le convierten en objetivo prioritario de los arqueros almohades. Aparta ligeramente su defensa y asoma el ojo derecho por el borde del escudo. Los arcos recurvos desaparecen tras la empalizada y las cabezas de los arqueros se van atrás para ser sustituidas por otras. La vista de Mardánish se dirige entonces a la parte baja, al ancho foso excavado antes de llegar a la muralla de madera. Imposible rebasar ese obstáculo a caballo.

Tira de las riendas, pasa la pierna derecha por encima del arzón delantero y deja resbalar su cuerpo. El caballo aún no ha frenado del todo cuando sus pies tocan tierra. Al menos las flechas ya no zumban alrededor, piensa mientras se esfuerza por mantener el equilibrio. Se agazapa y alza el escudo, siempre presto a la defensa. Junto a él, sus guerreros andalusíes ya le imitan. Los observa de reojo y ve que la decisión ha sustituido al miedo en las miradas de sus hombres. Están a su lado, y Mardánish sabe que lo respetan y lo seguirán mientras luche allí, en vanguardia, arriesgándose el primero. Da una orden cerrada y todos corren hacia la negra grieta abierta en tierra por los almohades. La lluvia de jabalinas los recibe inmisericorde, y logra detener a algunos de los bravos asaltantes al alcanzarlos en las piernas. Los gritos se mezclan, se sobreponen a las cortas arengas; los insultos y las maldiciones ceden a los chillidos de terror. Mardánish mastica la tierra en suspensión, mezclada con aquel familiar olor ácido del combate. Queda poco. Aprieta el paso. A su lado cae un hombre con el yelmo abollado de una pedrada. El pobre pide ayuda a gritos. Cuando ve que nadie le auxilia, llama a su madre. Pero su madre no lo oye. Quedará allí, tirado a merced de los almohades. Mardánish llega por fin. Salta al foso sin apenas pensarlo. No es profundo, aunque sí lo suficiente para entorpecer la trepada al otro lado. Se encoge hasta empequeñecer bajo su escudo, y aprieta los dientes mientras espera una lluvia de peñascos o azagayas. Junto a él, más guerreros consiguen alcanzar el foso y le imitan. Solo un momento para respirar, si es que a ese jadeo rápido e insuficiente puede llamárselo así. Ah, qué bien vendría un poco de agua. Fresca a ser posible. No como ese polvo que ahora obtura las gargantas. Más gritos y relinchos. Insultos en lenguas que no se parecen entre sí. Ahora es imposible saber qué ocurre ahí fuera. No importa, hay que seguir. Los hombres tienen que desguarnecerse por un momento para agarrarse con las manos a los bordes, y ese lapso lo aprovechan los defensores de la empalizada para lanzar nuevas jabalinas. Pronto la trinchera queda plagada de cuerpos muertos o heridos, pisoteados por los nuevos atacantes que luchan por escalar y llegar a la barrera de madera. No es ruin pensarlo; no lo es: mientras son otros los que mueren, los vivos se alegran de no resultar atravesados. Hay que aprovechar el momento y trepar. Subir. Alcanzar el borde. Pero cuesta, y los almohades tienen tiempo de volver a matar. Cada instante es una invitación a una punta de hierro o a un peñasco. Y en el fondo del foso, los cadáveres se mezclan con los heridos que se agitan.

—Es inútil. —Mardánish habla en voz alta, aunque aplastada por el inmenso griterío de los hombres que mueren en vano. Se ha encaramado al bordè del foso y se dispone a tocar la empalizada, pero uno de sus hombres es alcanzado por la punta de una lanza y cae; en su desesperación se agarra a Mardánish y lo arrastra. El rey Lobo siente cómo el herido, horrorizado, se niega a soltarlo. Mardánish resbala hasta el fondo. Nota algo blando bajo sus pies. No quiere mirar; sus manos enguantadas en cuero y hierro se clavan en la tierra y se da un fuerte impulso con la premura de quien sabe que cada instante alarga su vida o acerca su muerte. Con un último esfuerzo se vence hacia delante, se coloca el alargado escudo sobre la cabeza y choca contra la empalizada. ¿Dónde está el muchacho que le agarraba hace un momento? No importa. No hay tiempo para eso ahora. La madera vibra y transmite el animoso movimiento de los almohades tras la barrera. Solo entonces se da cuenta Mardánish de que ha perdido la lanza. Desenvaina la espada y continúa agazapado; si su fortuna sigue con él, no llamará la atención de ningún defensor. Espera y mira de reojo; aguarda a que más hombres consigan pasar el foso. En esas está cuando se da cuenta de que la empalizada, construida con troncos clavados en tierra y atados entre sí, deja rendijas del ancho de un dedo, a veces de dos. Al otro lado se ve pasar fugazmente una sombra, otra..., otra más. La rendija se oscurece y una voz truena cercana. Habla con autoridad en esa jerga bereber de los almohades. El rey Lobo echa el brazo hacia atrás y clava con fuerza a través de la rendija. Es un oscuro placer el de la blanda oposición de la carne. La algarabía africana se transforma en un agudo grito de dolor, y Mardánish retira la hoja de su acero manchada de sangre. Sonríe, como si lograr una primera estocada marcara el momento esperado de la batalla.

Utmán, encaramado en la torre de vigilancia, ríe al ver cómo los jinetes enemigos caen bajo la segunda andanada de sus arqueros. Con disciplina envidiable, conseguida a fuerza de campañas contra las tribus rebeldes del desierto, sus hombres se repliegan y dejan paso a la infantería armada con jabalinas. Los guerreros almohades aferran con una mano la parte alta de la empalizada, ganan apoyo y se ladean. Esperan con sus armas arrojadizas agarradas. Aguardan como si fueran estatuas paganas. El *sayyid* siente un discreto orgullo por sus tropas.

Varios de los caballeros enemigos acaban de refrenar sus monturas, se dejan caer a tierra y comienzan una desesperada carrera hasta el foso. Entre las cabilas, los líderes tribales se desgañitan; ordenan a sus hombres que maten a esos desgraciados infieles. Y los almohades obedecen. Tienen blancos fáciles a los que alcanzar. Utmán se aúpa sobre las puntas de los pies. Varios atacantes han desaparecido de la vista del *sayyid* más o menos cuando las jabalinas surcaban el aire. Es como alancear reses en un cercado. Imposible fallar. De repente, en la oleada que se deja acribillar, hay alguien que llama la atención del hijo del califa. Es un extranjero del norte, a juzgar por sus armas, y corre encogido. Sujeta ante sí un escudo de lágrima decorado con una estrella plateada sobre fondo negro. En su mano derecha aferra una lanza cuyo pendón muestra los mismos colores. Utmán ha oído hablar de aquel motivo andalusí lucido por un musulmán vestido al modo cristiano. ¿Quién otro puede ser?

—Lobo... —murmura, y baja a toda prisa de la torre de madera.

Camina decidido por entre los arqueros, que ahora esperan tras los infantes para acudir en su refuerzo, y toma una de las lanzas que sus hombres mantienen clavadas en tierra como reserva. Un arma de asta gruesa, de las que usan en la tribu harga. De punta ancha para abrir buena brecha en la carne enemiga. Los almohades que abarrotan la empalizada llevan lanzas como esa y tratan de ensartar a los asaltantes como quien pesca al arpón, probando una y otra vez; los guerreros del *sayyid* parecen incluso estar a gusto mientras pican carne a placer; se empujan unos a otros, seguros de tener mejor ángulo o pulso más firme, se arrebatan las presas entre risas e imprecaciones.

—¡El guerrero de la estrella de plata! —grita Utmán a modo de orden en el idioma del desierto. La voz es reconocida de inmediato por sus hombres, que temerosos se apartan de la empalizada ante la llegada del *sayyid*. Uno de los almohades señala con el dedo justo enfrente del lugar al que se dirige su señor.

—¡Allí, agazapado junto a la madera!

Utmán se pega a la barrera con una sonrisa devastadora. Su mente juvenil sueña a la velocidad del rayo. Ya se ve en Marrakech, arrodillado ante el califa, su padre, mientras le ofrece con la cabeza inclinada el escudo personal de Mardánish, el rey Lobo, señor del Sharq al-Ándalus, amigo de los cristianos, infiel, lujurioso, traidor...

La estocada en la pierna derecha hace soltar un bramido de dolor al *sayyid*. Mira abajo y puede ver la hoja ensangrentada que abandona su carne y desaparece por la rendija entre los dos troncos perfectamente redondeados. No puede creerlo. Está herido. De pronto su firmeza se desvanece. Se siente débil. Incluso su grito de dolor pierde intensidad mientras Utmán cae, se agarra el muslo e intenta taponar el surtidor de sangre que ahora inunda sus ropas. Aprieta, pues nota cómo su piel arrastra a la carne y se abre. Blasfema de forma escandalosa, iracundo por no haber podido al menos pinchar a ese puerco del escudo negro. Varios de sus guerreros dejan de prestar atención al ataque enemigo y se apresuran a tirar de su señor para alejarlo del tumulto, pero el dolor de Utmán ibn Abd al-Mumín tiene más que ver con la sorpresa y la impotencia que con el desgarro de su piel y su carne.

—¡No! ¡Volved a la lucha! —grita—. ¡Defended la empalizada!

He aquí cuál será la recompensa de los que hacen la guerra a Dios y a su enviado.

Las fuerzas combinadas se replegaban alicaídas, con el rostro tenso por la frustración, mirando con amargura los débiles movimientos de sus compañeros tendidos junto al foso. Oían los gritos de angustia que suplicaban ayuda; que les imploraban que no los dejasen allí, abandonados a su suerte y a la crueldad almohade. La infantería cristiana ni siquiera había recorrido la mitad de la distancia hasta allí. Era inútil. Todo había sido inútil.

Mardánish maldijo entre dientes. Sintió la inevitable tentación de lanzar una contraorden y conminar a sus hombres a auxiliar a los compañeros caídos. Pero se mordió la lengua. Aquello sería absurdo, con todo el maldito ejército africano enseñoreado de la empalizada. Con un único suicidio colectivo era suficiente por ese día. Con un pinchazo frío en el corazón, pudo ver cómo los arqueros almohades se inclinaban sobre la empalizada y disparaban a placer y en vertical, para atravesar con saña los cuerpos de los hombres caídos en el foso, junto a la empalizada, en el terreno que ellos mismos iban abandonando.

El rey Lobo llegó hasta su caballo y tiró de las riendas mientras intentaba de mala manera cubrirse a sí mismo y al animal con el escudo de lágrima alzado. Pero no era necesario: los enemigos olvidaban a las tropas en retirada y seguían ensañándose con las presas fáciles.

—¿Para qué? Todo esto ¿para qué? —preguntó a voz en grito y al borde del sollozo. Algunos de sus soldados le miraron con una mezcla de lástima y de comprensión, pero su prioridad era abandonar la carnicería. Mardánish se preguntó, al tiempo que masticaba su derrota, si realmente habrían conseguido causar alguna baja al ejército africano que asediaba Almería. Observó su mano derecha enguantada, que ahora tiraba de las riendas de su poderoso destrero. Estaba manchada de sangre, que había resbalado por la hoja de su espada y goteado por la cruz; sangre almohade. Aquella insignificancia le hizo sentirse un poco mejor. Dio un salto, se encaramó a la silla e hizo dar la vuelta a su caballo para alejarse al galope sin intención de volver a mirar atrás. Poco a poco, el resto de sus tropas le imitó. En aquel foso maldito dejaban un centenar largo de bajas solo de su ala. Posiblemente el desastre se había repetido en el centro y en el ala derecha, ocupados por las tropas cristianas.

Hamusk se unió al galope a la marcha de Mardánish. El rey Lobo vio de soslayo a su suegro, que le miraba con expresión acusadora, como si él hubiera sido el causante de la derrota. Cabalgaron en silencio hasta que rebasaron las líneas de su propia infantería, que regresaba sin haber entrado en combate, con las armas apuntando al suelo y la faz demudada. Mardánish frenó y, con gesto enérgico, se desembarazó del barboquejo y estrelló el yelmo contra el suelo, haciéndolo rebotar. Luego se volvió al señor de Segura, que igualmente detenía la marcha.

—¡Yo me negué a esto! —trató de excusarse—. ¡El mismo conde de Urgel se negó también! ¿Por qué me miras así? ¿Los he llevado yo a la muerte?

Hamusk aguantó con aplomo la mirada desafiante de su yerno. El yelmo calado y el nasal bien centrado entre sus ojos le daban un aspecto aguerrido nada habitual en él.

—Te lo dije en Guadix —le reprochó sin alzar la voz, con la temible seguridad que da el susurro afilado—. Te advertí contra las estupideces cristianas. Esto no ha sido obra tuya, lo sé. Pero sí has permitido que la loca idea de Alfonso de León nos llevara a la derrota. ¿Por qué?

El rey Lobo meditó su respuesta. ¿Cuánto de cierto había en el sermón de su suegro? Descubrió que no tenía ninguna razón firme que oponer. El emperador se había empeñado en un asalto prácticamente suicida en contra del consejo de sus estrategas más reputados. Mardánish intentó buscar una salida que le sirviera a él mismo como excusa.

—Nos hemos retirado a tiempo... No han caído tantos hombres...

—¡Hemos sido derrotados! —le cortó Hamusk—. ¡No es tan grave el número de hombres muertos como el efecto que esto tendrá sobre los vivos! ¡Míralos!

El rey del Sharq obedeció a su suegro. Los jinetes andalusíes giraban la cabeza, varios de ellos derramaban lágrimas por los compañeros abandonados en el foso. Muchos de los caídos, dejados allí aún con vida, eran parientes, amigos, camaradas... Para pintar la escena de un negro todavía más oscuro, un aullido de sufrimiento extremo cruzó la tierra de nadie procedente de la empalizada enemiga. Los almohades debían de estar divirtiéndose con algunos de los heridos. Tal vez alargaban sus agonías y atormentaban sus ya vencidos cuerpos. Mardánish descabalgó y dejó caer el escudo a tierra. Caminó con la vista en el suelo pedregoso y se metió por el pasillo que sus infantes abrían. No pudo mirarlos a la cara. Recorrió el resto del trecho hasta el campamento a pie, en medio de aquel ejército de almas en pena que se retiraba derrotado. Buscó su tienda como el ratón busca su agujero, deseando encerrarse y perderse de las vistas ajenas, con ganas solamente de engullir su propia desgracia. No podía culpar al emperador. El viejo Alfonso estaba enfermo, no solo de cuerpo, también quizá de mente. Aquella locura había sido sin duda su último intento desesperado, su forma de decirles a la vida y a la historia que no podía más. Se demostraba a sí mismo y al mundo que su momento había acabado.

El rey Lobo tragó por fin y dejó escapar las lágrimas. Penó por sus hombres muertos en combate y por los atormentados, por su dolor y el de sus familias... Se juró que a partir de ese instante nadie, cristiano o musulmán, decidiría por él.

20

El paso de Sierra Morena

Unos días después

He aquí que traeré sobre vosotros una nación de lejos, oh, casa de Israel: una robusta nación, una nación antigua, cuya lengua no sabrás, ni entenderás lo que hable.
Su aljaba es sepulcro abierto. Todos ellos son valientes.
Y comerá tus mieses y tu pan; devorará a tus hijos y a tus hijas; comerá tus rebaños y vacadas; se comerá tu vid y tu higuera. Y quebrantará con la espada tus ciudades.

El sol castigaba inclemente, como había hecho durante todo el verano, el campamento de las tropas combinadas. Además, los pabellones estaban llenos del polvo que el viento trasladaba desde poniente. Los hombres, en un inútil intento de huir del calor en los momentos centrales del día, permanecían en sus tiendas sin hablar, con una permanente sensación de agobio y la certeza de que perdían el tiempo. Solo los centinelas y los lagartos caminaban por entre los pabellones como si fueran fantasmas. Incluso dentro de la gran tienda del emperador, donde se hallaba reunido el consejo de guerra, reinaba el silencio. Los hombres se observaban unos a otros furtivamente, sin alzar la cabeza, y al final las miradas confluían en Alfonso de León, recostado de lado en su trono de campaña, con la cabeza apoyada sobre una mano y la mirada perdida. Los últimos días, en especial tras el descalabro contra la empalizada almohade, habían añadido a su rostro ajado una sombra de amargura que contagiaba a todos. En vista de que su señor no parecía dispuesto a hablar, fue el alférez cristiano quien inició el consejo con al asunto principal por el que se habían reunido allí.

—Anoche llegaron noticias: Abd al-Mumín tiene listo un nuevo ejército en Marrakech. Pronto su flota lo traerá aquí, lo desembarcará y reforzará el asedio de Almería. Eso si no nos barre sin más.

Gonzalo de Marañón dio un paso atrás al terminar de hablar y se colocó junto al arzobispo de Toledo, a la izquierda del emperador. A la derecha, Sancho compartía el gesto triste de su padre. Sin duda ya conocía la noticia. Fernando, al lado de su hermano, ni se inmutó.

—Los refuerzos que esperamos no llegarán antes que ese nuevo ejército —vaticinó Armengol de Urgel—, y tampoco sabemos si serán suficientes. El desánimo ya cundía antes, pero ahora la ola de derrota terminó de invadirlos. Ni uno solo dudó de que no había opción alguna de salvar Almería. Además, cada día que pasaba acercaba la inevitable rendición de la guarnición cristiana de la alcazaba. Si no habían sido capaces de doblegar el cerco almohade, ¿qué podrían hacer contra un segundo ejército africano?

—Almería está perdida —sentenció por fin el emperador. Aquellas palabras fueron la rúbrica que esperaban. Deberían haber caído como un mazazo, pero lo cierto fue que varios de aquellos nobles las recibieron con alivio. Por fin Alfonso reconocía lo evidente.

—Podemos negociar la salida de la guarnición cristiana. Los almohades aceptarán perdonar sus vidas si se ahorran seguir con el cerco y traer a un nuevo ejército a la Península.

Varios asintieron ante las palabras de Azagra, pero aquello no dejaba de ser un detalle. La mente del emperador, cansada y deseosa de regresar a Toledo, calculaba ya qué otras consecuencias tendría la pérdida de Almería.

—Las plazas conquistadas cerca de Jaén corren peligro, ahora más que nunca. —Su débil voz no se dirigía a nadie en concreto—. Y si caen, incluso los pasos de Sierra Morena pueden ser violentados... Calatrava. Hay que reforzar Calatrava... Y Toledo...

—No debéis precipitaros, mi señor —habló Mardánish—. Contáis todavía con nosotros para ayudaros en caso de que los almohades pretendan hacerse con otros lugares. Ahora no nos pillarán por sorpresa, como ha pasado con Almería. Recordad que nuestra presencia aquí es importante. Abd al-Mumín debe saber que hallará oposición. Recordad esto también: solo unidos venceremos a los almohades.

El emperador alzó por fin la cabeza y miró al rey Lobo. Intentó sonreír, pero le salió una mueca temblorosa.

—Amigo Mardánish, siempre tan leal... Tu corazón bravo se enfrentará a los almohades hasta el fin.

El rey Lobo no devolvió la sonrisa. Parecía que las palabras del emperador anunciaran la derrota al término de la resistencia. «Hasta el fin», había dicho. Alfonso de León se volvió hacia su hijo Sancho.

—Este es tu legado. Debemos abandonar las plazas poco seguras y concentrar fuerzas, o igualmente perderemos baluartes y también guarniciones.

—Mi señor, no desesperéis —intervino Álvar Rodríguez—. No estamos vencidos, ni mucho menos. Recordad que las milicias de Ávila humillaron al gobernador de Sevilla no hace mucho...

—Lo que se avecina no es una escaramuza —le cortó el emperador—. Si Abd al-Mumín se decide a cruzar el Estrecho, avanzará con sus ejércitos como una ola. Es vital que mantengamos el control al otro lado de Sierra Morena. Toledo no debe verse amenazada.

—Pero no entreguéis vuestras plazas, mi señor —pidió Mardánish.

—Amigo mío, tú también deberías reforzar tus fronteras. Guarda tropas en Guadix, y que nuestro buen amigo Hamusk proteja Segura. Hay que partir. Dad órdenes a vuestros hombres: la campaña ha terminado. Nos retiramos.

La desazón hizo que nadie pudiera responder de inmediato. Tan solo Fernando dejó ver un asomo de satisfacción al asentir levemente con la cabeza. El emperador solicitó la ayuda de su hijo Sancho y de su alférez para levantarse del trono, lo que hizo con un gesto de dolor. Armengol de Urgel miraba a ambos lados con los ojos muy abiertos, como si buscara algo.

—Quedan flecos sueltos, mi señor —dijo al fin—. Hay que retirarse con seguridad, sin dar la espalda... Las plazas que queréis abandonar serán regalos para los almohades, y las aprovecharán para hostigarnos.

Mardánish también intentaba pensar con rapidez. Irse sin más, como quería el emperador, significaba desguarnecer todo el flanco derecho de las tierras del Sharq al-Ándalus. A la amenaza de Granada habría que unir ahora las de Almería y Jaén, con lo que las tierras de Guadix y Baza quedarían seriamente comprometidas.

—Mi señor, cededme vuestro castillo de Alicún —pidió el rey Lobo—. Si cae en manos almohades, tendré al enemigo a un tiro de piedra de Baza y con capacidad para aislar Guadix. Si os parece bien, tomad a cambio Uclés. Está en zona segura y en la frontera entre nuestros territorios.

El emperador hizo un gesto con la mano para conceder el trueque. Mardánish inclinó la cabeza levemente.

—Amigos, necesito descansar... —se disculpó el viejo Alfonso, que caminaba del brazo de Sancho y seguido de su alférez, Gonzalo de Marañón. Se dirigían hacia el catre de campaña oculto tras un bastidor—. Necesito dormir. De verdad. Lo necesito.

El pabellón se vació en respuesta a la insinuación, pero Mardánish retuvo fuera a Hamusk, Álvar Rodríguez, Pedro de Azagra, el conde de Urgel y su hermano Galcerán.

—No sé hasta dónde llegará con esa intención suya, pero si abandona las plazas al sur de Sierra Morena, tendremos problemas.

—No estamos en condiciones de defender esos lugares nosotros solos —indicó Armengol—. Tal vez cuando recibamos mis tropas y las de Álvar...

—También podemos reclutar a más gente en nuestras tierras —añadió Hamusk.

—Nos batimos en retirada y aun con todo seguís pensando en nuevas expediciones. Así me gusta —habló el Calvo, deseoso de arrancarse la sensación de derrota que había planeado sobre el pabellón del emperador—. No cejemos. Tomemos ejemplo de los de Ávila, valientes como leones. Y además tenemos a los portugueses a occidente...

—Os repito que nosotros también debemos regresar —insistió Armengol—. Sin el concurso del emperador, nuestras tropas aquí no podrán oponerse a nadie, mucho menos hacerse cargo del Alto Guadalquivir. Hay que volver y reforzarse. —Dirigió su mirada a Mardánish—. Deja guarnición en Alicún, eso sí. Pero aguarda a que nuestras fuerzas estén al completo para una nueva campaña.

—Así se hará —aceptó el rey Lobo—. Regresamos para reponernos y nos mantendremos a la espera de lo que hagan esos africanos. Pero yo no pienso aceptar derrota alguna por mucha lealtad y cariño que aún guarde al emperador Alfonso.

—Me temo —apuntó Pedro de Azagra— que los días del emperador han terminado. Se muere.

Las palabras del navarro flotaron sobre los guerreros como un ave negra que se dispusiera a caer sobre los restos de la matanza. Galcerán de Sales se santiguó con rapidez.

—Sancho continuará su labor —dijo Álvar el Calvo.

—Y Fernando —añadió Armengol de Urgel—. Eso espero.

Mardánish negó con la cabeza.

—Es un error. El emperador no debería haber dividido sus tierras. Sancho es quien tendría que haberle sucedido. Al frente de todo.

No se dijo nada más. Todos asintieron, salvo el conde de Urgel. Entonces se dieron cuenta de que hablaban del legado imperial como si el anciano Alfonso estuviera ya muerto. No había nadie en aquella reunión que no respetara al viejo soberano, y casi todos, además, le guardaban cariño. Se separaron en silencio, y cada cual tomó el camino de su tienda. Solo entonces el cortinaje del gran pabellón se desplazó un poco, y el joven Fernando, futuro rey de León, asomó al exterior. Entornó los ojos al observar a Mardánish, que se alejaba cabizbajo. Luego inspiró despacio el aire de aquel lugar que nada le importaba. Tanto le daba que fuera castellano como almohade. Soltó el aire con fuerza y sonrió. Pronto llegaría su momento, y tal vez algún día aquel andalusí se arrepentiría de haber deseado que Sancho hubiera sido el único heredero del viejo y moribundo emperador Alfonso.

Unos días después. *Pasos de Sierra Morena*

Las caballerías avanzaban cansinas, trepando por aquella cuesta mientras esperaban que alguna de las pequeñas y solitarias nubes les diera un respiro y ocultara aquel sol insufrible. A los lados del camino que serpenteaba entre las peñas de la Sierra Morena, los fresnos daban nombre al lugar desde antiguo: La Fresneda.

El emperador detuvo el lento paso de su montura, apoyó una mano en el arzón y, con gran esfuerzo, giró el cuerpo para mirar atrás. Una hilera interminable de hombres, bestias de carga y carruajes se extendía a lo largo de la senda que recorrían de vuelta a Toledo. Un ejército derrotado que dejaba atrás a los hombres caídos en el inútil ataque a la empalizada de circunvalación de Almería. Y junto a ellos, las guarniciones de Úbeda y Baeza, que por fin había decidido abandonar.

Notó una extraña sensación de vacío precedida de un pinchazo en el brazo izquierdo. Aquel lugar, aquellos hombres, la extensión de tierra andalusí que se alargaba hasta perderse en el horizonte hacia el sur...

—Solo unidos venceremos a los almohades —repitió las palabras de Mardánish. Sancho, que viajaba a su lado, oyó lo que decía su padre. Frenó la montura y dejó que varios hombres los sobrepasaran a él y al emperador.

—¿Qué?

—Este lugar —masculló Alfonso de León mientras la creciente sensación de malestar avanzaba hacia su hombro y su pecho—. Algo me dice que todo nos lleva a este lugar. —El dolor se concentró en un punto y el cuerpo del emperador se tambaleó sobre la silla. Sancho se inclinó desde su propio caballo y agarró a su padre por las vestiduras.

—¡¡El emperador se encuentra mal!! —gritó—. ¡Avisad a sus médicos!

Varios de los sirvientes se apresuraron. Unos corrieron cuesta abajo, entre las encinas, alcornoques y fresnos, y otros recogieron con suavidad a Alfonso de León, a quien ayudaron a desmontar. El emperador, con la mano derecha apretada contra el pecho, contrajo el rostro en un rictus de dolor. Sancho saltó al suelo y señaló una encina cercana.

—Al pie del árbol. Sentadlo allí.

Obedecieron, y el envejecido Alfonso apoyó la espalda contra el tronco. Después, los hombres se hicieron a un lado abrumados por la duda, sin saber muy bien qué hacer en aquella situación. Sancho se acuclilló frente a su padre.

—Todo nos lleva a este lugar —repitió el emperador con la voz ya quebrada—. Estas mismas montañas, los árboles..., esta encina... verán nuestro triunfo, Sancho.

—Claro que sí, padre —respondió el heredero de Castilla con un nudo en la garganta. Oyó tras de sí las voces de los sirvientes reclamando a los médicos que se dieran prisa, pero aquellas sendas de montaña obligaban a estirar la columna de marcha. Quien sí llegó de inmediato hasta la encina fue Juan, el arzobispo de Toledo. Entornó los ojos al mirar al emperador y chascó la lengua.

—¡Los óleos! —exigió a sus propios criados. Sancho se cubrió la cara con ambas manos. En ese momento llegó también Fernando, que espoleaba a su caballo. El joven desmontó, pero permaneció junto al animal, con las riendas en la mano y la cabeza ladeada.

—Permaneced unidos..., tu hermano y tú —siguió Alfonso de León—. Solo unidos venceremos...

Sancho se restregó los ojos. El arzobispo Juan movía sus dedos con rapidez sobre la cara del emperador, ahora libre de la mueca de angustia. La voz de Alfonso de León fue apagándose mientras la del arzobispo imponía su monótona letanía.

—*Per istam sanctam unctionem et suam piissimam misericordiam indulgeat tibi Dominus...*

El primogénito miró atrás, al tropel de sirvientes y médicos que subían trabajosamente por el empinado sendero. Sus ojos recorrieron las filas de hombres y caballos y volaron hacia las onduladas tierras del mediodía.

—Solo... unidos...

Las lágrimas nublaron la vista de Sancho, y las extensiones arboladas se mecieron de un lado a otro, como ejércitos grandiosos que se prepararan para el choque. Tal vez él mismo pudiera cumplir el deseo de su padre agonizante y hacer que todo confluyese en aquel lugar. Quizás, si no, podría conseguirlo su joven retoño, el pequeño Alfonso... Todos unidos. O a lo mejor su padre se equivocaba y eran los almohades quienes iban a conseguir su propósito. ¿Eran sus palabras el delirio de un enfermo o la revelación divina al moribundo? Entonces su vista reparó en Fernando, su hermano. En su cara inexpresiva. En su actitud de espera.

El arzobispo de Toledo terminó su queda oración. Sancho se volvió y vio al emperador inmóvil, con un gesto de beatífico júbilo pintado en el rostro, como si simplemente durmiera tras la agotadora marcha desde Almería. Sancho inspiró con profundidad y miró alrededor, a los hombres que aguardaban cabizbajos. El arzobispo se levantó y se separó de Alfonso de León. Se plantó ante Sancho, puso una rodilla en tierra y tomó su mano, que besó antes de anunciarlo en voz alta para que todos pudieran oírlo.

—Tu padre ha muerto, Sancho.

21

La reina sagaz

Invierno de 1158. Murcia

La lluvia repiqueteaba con fuerza en las calles y las cubría con una cortina gris que había alejado a los mercaderes, compradores y paseantes. Los murcianos permanecían a resguardo en sus hogares, unidos a sus parientes y dejando que sus ojos se perdieran a través de las ventanas y celosías, en los pequeños estallidos del torrente que vaciaba el cielo contra los charcos. Regueros parduzcos culebreaban por las callejas como si quisieran limpiar Murcia. Sin embargo, la sensación de algunos era que aquella lluvia se llevaba algo más que el polvo y la mugre.

Al-yumn wa-l-iqbal.

Las palabras parecían flotar con la suciedad que el agua barría de las calles. La felicidad y la prosperidad. Como si ese fuera el destino de todos los reyes andalusíes. Un abadí lo había dicho en su palacio sevillano un siglo atrás:

> *¡Maldita sea la fortuna! ¿Qué ha hecho?*
> *Cada vez que da algo de valor, lo retira.*

Mardánish no era ajeno al sentimiento de derrota. Las lluvias invernales añadían un punto de gris amargura a algo que pasaba por la mente de todos. Con el tamborileo del diluvio de fondo, alzó la cabeza y observó desde su sitial a los hombres que se habían quedado a valerle. La sala de consejos, mal iluminada por un par de tristes hachones, acogía a Abú Amir, Pedro de Azagra, Álvar Rodríguez y Hamusk. Los cuatro se mostraban taciturnos mientras miraban las copas de plata colocadas ante cada cual, con su rojo contenido apenas sin tocar. Solo Álvar el Calvo, conde de Sarria, hacía algún esfuerzo por alegrar aquella reunión.

—Por la santa Virgen, somos un puñado de plañideras. —Tomó su copa, se puso en pie y bebió de un trago todo el vino—. Pero si las cosas no van tan mal...

Azagra sonrió con media boca a su hercúleo compañero de armas.

—Ah, ¿no? Castilla y León están a punto de enemistarse, Sancho y Fernando, por muy hermanos que sean, han olvidado ya esta parte del mundo y concentran sus ejércitos en la frontera común. Almería se ha perdido y ese tal *sayyid* Utmán está convencido de que es invencible. ¿Puede irnos peor?

Álvar se dejó caer en su silla y el golpe retumbó en toda la sala.

—Eres buenísimo alegrando al personal, navarro —reprochó.

—El buen Álvar no ha dicho ninguna tontería —intervino Abú Amir—. La muerte del emperador coloca a nuestros aliados en una situación difícil, pero creo que nos estamos dejando dominar por este oscuro tiempo. El Sharq al-Ándalus es ahora más poderoso que hace un año.

Mardánish miró a su consejero. Ciertamente, la expedición a Almería había sido un descalabro que supuso pérdidas, pero los almohades habían maniobrado de forma absurda: tras tomar Almería, habían regresado a África con su poderoso ejército y con la flota de Ceuta. Andalusíes y cristianos se habían quedado pasmados por aquella decisión, que muchos no acertaban a comprender. A pesar de la extraña estrategia, el eco del triunfo de Utmán se había dejado sentir a través de los puertos de Sierra Morena. Los templarios que guardaban Calatrava, superados por el temor a una campaña enemiga, se habían declarado incapaces de proteger la fortaleza y se la habían devuelto a Sancho, rey de Castilla. Aquello abría el camino de Toledo a los almohades y dejaba la Trasierra castellana en una posición muy difícil. Sancho, que aún pugnaba por hacerse con el dominio total del gobierno recién heredado, donó la fortaleza al abad de Fitero, y a este se unieron varios cristianos, sobre todo toledanos, para intentar mantener un remedo de guarnición en Calatrava. Por lo demás, el nuevo mandatario del más poderoso reino peninsular inició sus entrevistas con otros reyes y príncipes cristianos. Armengol de Urgel y su hermano habían viajado para asistir a la reunión entre el rey de Castilla y el príncipe de Aragón, en teoría dispuestos a presentarse como garantes de Mardánish y procurar que el taimado Ramón Berenguer no quisiera aprovechar la nueva situación para ganar posiciones frente al Sharq al-Ándalus.

A pesar de todo aquello, lo cierto era que Mardánish tenía ahora la posesión del castillo de Alicún, en primera línea contra los africanos, y además había ocurrido algo sorprendente: tras el abandono de las guarniciones cristianas de Úbeda y Baeza, los almohades no habían corrido a ocupar las plazas, como dictaba la lógica. Un periodo de confusión y estupor, coincidente con la muerte de Alfonso de León en La Fresneda, se abrió para cerrarse enseguida con una hábil maniobra de Hamusk. El suegro de Mardánish, enterado de la indecisión almohade, entró como nuevo dueño en las ciudades del Alto Guadalquivir y las declaró bajo poder del rey Lobo. Por lo demás, las tropas de Álvar Rodríguez y de Pedro de Azagra comenzaban a acampar en los alrededores de Murcia. Pronto, al regreso de Armengol de Urgel de su misión diplomática, llegarían también sus huestes. Eso convertía al ejército de Mardánish en la fuerza de combate más capaz de la región, de hecho por encima de los almohades.

—No podemos llorar eternamente la muerte del emperador Alfonso —habló por fin el rey Lobo—. Ni debemos arredrarnos por la pérdida de Almería. Mis antecesores andalusíes eran muy dados a ello, a lamentarse por lo que se fue..., pero yo no pienso hacer tal cosa. Abú Amir está en lo cierto. Recobraremos la iniciativa.

—¿Sin Castilla? —preguntó con cierta sorna Azagra.

—Sin Castilla —respondió de inmediato Mardánish—. Este mismo verano. En cuanto contemos con todo nuestro ejército empezaremos a movernos. Guerra perpetua a los almohades.

Álvar el Calvo mostró los dientes firmemente apretados en una ancha sonrisa.

—Así me gusta. Guerra perpetua a los almohades. Guerra, y al demonio con esos africanos...

—Y al demonio también estos cristianos acampados por aquí. —Hamusk miró de reojo a su yerno—. Pues ya que van a cobrar su ayuda en oro de buena calidad, justo es que no se limiten a ver pasar la vida solazándose en las tabernas. Pero ¿y yo? Mis tropas no van a ser pagadas con la misma largueza que esos bravos guerreros cristianos.

El rey Lobo observó con enojo a su suegro, que una vez más le importunaba con referencias irrespetuosas a sus aliados. Azagra y el Calvo intercambiaron una mirada cómplice y esperaron la respuesta de Mardánish.

—¿Las tierras del Alto Guadalquivir no sacian tu ansia de poder, suegro? Posees ya Úbeda y Baeza por mí.

—Y te doy las gracias, *mi señor*. —Hamusk enfatizó con cierta socarronería el tratamiento al rey Lobo, bastante más joven que él a pesar de ser más poderoso—. Me siento dichoso de ser vasallo tuyo, pero me gustaría contar en mi... *señorío*..., sí, en mi señorío, con alguna ciudad importante.

Mardánish pensó de inmediato en Córdoba o Granada, sus objetivos más apetecibles. Conocía a Hamusk y sabía que su ambición no tenía límites; sabía también que como aliado era toda una garantía, pero no estaba dispuesto a ver cómo el poder de su suegro crecía en demasía frente al suyo.

—Sírveme bien y serás recompensado. ¿Lo dudas?

El señor de Segura negó lentamente sin apartar la mirada del rey del Sharq. A Mardánish no le gustó el gesto, pero estaba acostumbrado a la personalidad rebelde de su suegro.

—De todas formas debo aconsejarte, mi señor —habló de nuevo Abú Amir—, que no quieras morder una fruta demasiado grande, al menos al principio. Tu pueblo está triste... Incluso asustado. Todos se veían viviendo en un paraíso para siempre, pero ahora han sentido cercana la amenaza almohade. Eso no es bueno. Apenas salen de sus casas, frecuentan menos las tabernas y no gastan sus dineros en el mercado. Se ha notado un descenso en la demanda de mercancía, y la noticia ha corrido hacia la Marca Superior. La inestabilidad en Castilla tampoco ayuda mucho... Tus súbditos necesitan triunfos rápidos que les devuelvan la esperanza, y sobre todo que los animen a trabajar y disfrutar de nuevo. La prosperidad es un extraño animal que se alimenta a sí mismo, pero si deja de comer...

Mardánish asintió. Una vez más, Abú Amir tenía razón. Debía presentar a los pobladores del Sharq al-Ándalus un panorama de confianza. Demostrarles que ni los almohades eran tan implacables ni el propio rey Lobo tan débil.

—Sin embargo, Córdoba, Sevilla y Granada son las sedes del poder enemigo. —Azagra apoyó ambos codos en la mesa y juntó las yemas de los dedos en pose reflexiva—. Si nos dedicamos a golpear objetivos menores, estaremos dejando de debilitar el verdadero problema. Recordad lo ocurrido con las plazas que ganó el emperador... Fueron recobradas enseguida. Fijaos: si comparto mis tierras con un gato montés, también tengo que compartir las piezas de caza. ¿Qué es mejor, seguir conformándome con las liebres que él me deje o ir directamente a por el gato montés y cazarlo en su guarida?

El rey Lobo volvió a asentir ante el símil cinegético de Pedro de Azagra. Pero faltaba un último toque de decisión en aquel consejo. Echó de menos a Armengol de Urgel, tan sagaz para los asuntos estratégicos. Aunque Abú Amir andaba sobrado de astucia, su campo no era la guerra. En cuanto a Azagra, se trataba de un buen entendedor de la naturaleza humana y, sobre todo, de la caza, y además alguien con quien se podía contar para convencer a cualquiera. Sin embargo, aquel mundo fronterizo iba más allá de los gatos monteses y las liebres. Hamusk también era listo, aunque estaba demasiado ávido de poder... Álvar brillaba con energía pura: valentía y fuerza, sí..., pero ¿a quién pedir consejo? ¿Quién más, que tuviera un fino olfato? ¿A quién olvidaba consultar?

Bajo los arcos entrecruzados del patio, los hijos del rey Lobo contemplaban con curiosidad la pequeña laguna que se había formado en el jardín del alcázar. El pequeño Hilal, de apenas ocho años, se disponía a lanzar al proceloso y diminuto mar palaciego un barquito de madera que un eunuco le había confeccionado. Recibía los afectados consejos sobre marinería de su medio hermano Gánim, que estaba a su lado. Zobeyda, sentada en un banco de madera, disfrutaba de aquel sol tímido que se atrevía a asomar entre las nubes de tormenta. La favorita se arrebujaba en un manto rojo que hacía destacar su melena negra destocada. Observó preocupada el juego de los dos niños. Gánim era inocente y parecía que los dos críos disfrutaban, pero Zobeyda no dejaba de temer que tal vez en pocos años los celos de la *umm walad*, Tarub, pudieran prender en el corazón de Gánim. La favorita se volvió hacia la izquierda y buscó el color trigueño del cabello de Zayda. La niña corría bajo las arquerías; tiraba de la mano de su hermanita Safiyya y esquivaba los corros de mujeres. Por todo el patio, en un intento de disfrutar de la tregua en medio de aquel temporal que ya duraba días, las demás esposas y concubinas del rey Lobo, las nodrizas y las esclavas del servicio se reunían en grupitos y charlaban, acercaban las bocas a las orejas y bajaban la voz mientras miraban de reojo a una u otra, y con frecuencia a la propia favorita.

Solo faltaba alguien allí: Tarub. Zobeyda observó el rincón más oscuro del harén. Sabía que, bajo los arcos, la *umm walad* acechaba. No debía perderla de vista. Ni descuidar la vigilancia de sus hijos. No se fiaba de ella. Por eso la favorita permanecía sola y alerta, apartada de las otras. Además agradecía aquellos momentos de soledad para pensar, aunque en los últimos tiempos solo servían para traerle sensaciones de amargura. En aquel mismo patio, precisamente por culpa de la resentida concubina, su idilio de años con Mardánish parecía haberse evaporado. Las visitas del rey al lecho de la favorita seguían, por supuesto, pero ahora ella actuaba desprovista de pasión. No podía perdonar a su esposo la falta de confianza, la acusación oculta, el rápido olvido en el que habían caído los hechos de Valencia. Y lo más hiriente era que, aunque no se le había retirado el estatus de favorita, todo el harén sabía que su lecho había dejado de ser el preferido por el rey.

Y aún había algo más. Algo lacerante. La fogosidad desatada que Zobeyda no ofrecía a Mardánish la había fingido con el conde de Urgel hasta su marcha del Sharq. Se había sometido a todos los deseos de Armengol y se había entregado a él con rabia, como si así pudiera vengarse de la indiferencia del rey. Eso hacía que la frustración y la culpa se mezclaran en un maleficio que la carcomía y que ninguno de sus talismanes podía expulsar.

Zobeyda suspiró, se levantó y pasó la mano por el manto rojo para alisar las arrugas; se dispuso a tomar un baño en el *hammam* de palacio y a disfrutar de la sapiencia de Marjanna en el arte del masaje. En ese instante, cuando ya recorría el pasillo bajo las yeserías para entrar en sus aposentos, pudo ver cómo Mardánish aparecía en el patio. Todos los presentes se inclinaron en presencia del rey Lobo a excepción de los niños, que continuaron con sus juegos, ajenos a protocolos y lisonjas. Entonces Tarub se dejó ver desde el rincón que llevaba a los aposentos de las concubinas. Zobeyda sonrió: no se había equivocado. La *umm walad* se acercó a Mardánish sonriente, pretenciosa y altiva, y solo se arrodilló cuando tuvo entre sus manos la del rey, que besó sin dejar de mantener la cabeza erguida. Zobeyda no se inclinó. Miró a su esposo y encontró sus ojos fijos y entrecerrados. La *umm walad* habló en voz baja, pero Mardánish no respondió. Ella repitió sus palabras. Nada. Algunas gotas de agua, solitarias y dispersas, empezaron a caer en el patio del harén.

El rey del Sharq ignoró a la concubina Tarub. Retiró su mano de los labios de la *umm walad* e hizo un gesto apenas perceptible que la favorita entendió de inmediato. Su esposo quería verla a solas.

El rencor se encendió en los ojos de Tarub. Su mandíbula se tensó y su figura quedó sola, aislada en medio del patio ajardinado, mientras todas las mujeres del harén se daban cuenta del desprecio del rey. Algunas sonrisas afiladas precedieron a los susurros de burla. La *umm walad* se levantó, tomó a su hijo Gánim de la mano y tiró de él con violencia para alejarlo de Hilal. Los demás niños, ajenos a aquel teatro de los celos, miraron al cielo, alzaron sus manos y se entristecieron. Llovía de nuevo.

Zobeyda suspiró satisfecha, dio la espalda a Mardánish y se dirigió a su habitación. Anduvo por entre las cámaras de sus doncellas y halló a las cuatro jugando con figuritas de ébano y marfil sobre un tablero. Sonrió y les pidió silencio y discreción, pues el rey venía a verla. Las mujeres se alegraron. Sabían que las visitas de Mardánish a su señora se habían vuelto más infrecuentes y desapasionadas. Zeynab se levantó.

—¿Necesitarás nuestros servicios, mi señora?

—No lo creo, pero os llamaré si es preciso.

La esclava asintió y cerró la cámara al tiempo que el rey Lobo aparecía en la embocadura del corredor. Fuera, la lluvia arreciaba. Zobeyda abrió su propio aposento, entró y tomó asiento en la cama sin despojarse del manto. Puso ambas manos sobre las rodillas y esperó. El rey la había requerido delante de todo el harén. Y además, al hacerlo había despreciado el agasajo público de Tarub. En esos momentos, los cuchicheos de las esposas y concubinas estarían tan desatados como el temporal que regresaba. Zobeyda inspiró satisfecha. El mejor broche para aquello sería un regalo de amor, sin duda. Desató el lazo que ajustaba el manto. Mardánish entró y cerró tras él. La favorita se levantó y dejó caer hacia atrás la prenda, alzó la barbilla y se dispuso a entregarse. El rey ignoró el gesto, se desvió hacia una de las alhanías laterales y recorrió la habitación lentamente, con las manos cogidas a la espalda. Zobeyda arrugó la nariz extrañada y observó a su esposo. La penumbra y la melodía de la lluvia al rebotar contra las baldosas creaban un ambiente relajante, propicio para el goce del amor, y Mardánish siempre había sabido aprovechar muy bien aquellos accesorios del destino. ¿Cuándo, más que ahora, era necesario que sus cuerpos se unieran para conducir a sus almas a encontrarse de nuevo?

—Necesito que me hables de algo —anunció por fin el rey Lobo.

Zobeyda no abandonó su gesto de extrañeza. ¿Se había equivocado? Tal vez el teatro de fuera no significara nada. La duda se cambió por la incomodidad, y esta fue tornándose de forma lenta en irritación.

—Ordena, mi señor.

—Pues se trata de... Armengol de Urgel.

La repentina palidez de Zobeyda no fue vista por Mardánish, afortunadamente. Él estaba en ese instante encarado a la alhanía, pasando sus dedos por el reborde de la cortina que cubría la pequeña estancia lateral.

—¿Qué ocurre con Armengol de Urgel? —La favorita carraspeó. La voz le había salido aguda. Angustiada.

—Pasa que no está. Su ingenio es mayor que el de cuantos me rodean. Pero se halla en tierra de cristianos. Ha mediado entre las rivalidades de los dos reyes hermanos, Sancho y Fernando. Defendiendo nuestros intereses también, pues por fortuna se siente atraído por nuestro reino. Ah, y ha aprovechado para tomar esposa. O eso se oye decir. Esa tal Dulce de Foix, una noble de más allá del Pirineo...

—¿Y qué tengo que ver yo con todo eso?

El rey se volvió y miró a su esposa favorita. ¿Qué había de raro en su tono?

—No dispongo de nadie tan sagaz como tú. Lo demostraste con la rebelión de Valencia.

Zobeyda ahogó un suspiro de alivio. De modo que era eso.

—Soy una mujer. ¿Y tus aliados? ¿Qué pasa con mi padre? ¿No confías en su juicio? ¿Y Abú Amir?

—Tu padre mira siempre por sus propios intereses. Y Abú Amir es buen consejero cuando se trata de defender el reino. No de atacar a nuestros enemigos.

—Pide el consejo de Azagra o del gran Álvar.

—Un buen cazador y un guerrero invencible. No, no me sirven para lo que quiero. Preciso de sutileza. De astucia. Y de entre los que me son fieles, solo puedo recurrir a ti.

Ella bajó la cabeza y miró los dedos de sus pies descalzos. De entre los que le eran fieles. Eso había dicho. Pero ella no le era fiel. No lo era. Qué burla del destino recurrir a Zobeyda, la traidora, porque Armengol, el traidor, se hallaba ausente.

—Hasta hace un instante, no parecía ser gran cosa para ti.

Mardánish resopló.

—Ah, Zobeyda, te lo ruego: no me zahieras ni juegues conmigo. —Se esforzó en no mostrar enfado por el empecinamiento de su esposa—. Sabes que las cosas no han sido fáciles. Los almohades están ahí, cada vez más cerca... Y tu padre parece recrearse en sembrar discordia. Ahora ya no es solo mi arráez quien le molesta. Ha empezado a mostrarse grosero con mis aliados cristianos. Y además —Mardánish abandonó su tono conciliador y adoptó otro más agresivo—, tú también estás rara, distante. ¿Has dejado de amarme?

Zobeyda no contestó. Tal vez fuera la culpa por su repetido adulterio lo que la hacía actuar a la defensiva. O quizá se había dejado llevar por la actitud rapaz de Tarub... Más que nunca, la traición que cada poco cometía con Armengol de Urgel en aquel mismo lecho se presentaba como algo repugnante. Se obligó a pensar que no lo hacía por maldad, sino todo lo contrario.

—¿Qué piensas? —la sorprendió él de repente. Una fuerte oleada de calor invadió las mejillas de Zobeyda. Dio la espalda a Mardánish y su vista se posó en la cama, ahora sucia por la infidelidad con el conde de Urgel. Armengol se acababa de casar con su prometida. Y quizás esa tal Dulce, la noble norteña, fuera incluso bella y complaciente. De ser así, ¿querría regresar el conde al Sharq? ¿Seguiría resultándole irresistible su hechizo andalusí? Zobeyda se retorció los dedos. ¿Y si el adulterio había sido inútil? Trató de ignorar la telaraña que ella misma había tejido y en la que ahora estaba atrapada. Si su esposo quería consejo, se lo daría. Le daría todo lo que precisara. Tal como siempre debió ser. Se acercó a la pared y recorrió con los dedos las taraceas paganas de la arqueta de marfil en la que guardaba sus *alherzes*, betilos y talismanes.

—Gozas de la alianza de poderosos señores cristianos e incluso tienes plazas avanzadas contra tus enemigos. ¿Qué te inquieta? —preguntó sin encarar a su esposo.

—Mi pueblo —confesó él, ajeno a la culpa que atenazaba la mente de su favorita—. Tú te has mostrado siempre diestra para mantenerlo de nuestro lado. Ahora temo que nos abandonen. No por falta de lealtad, sino de esperanza. Antes la felicidad y la prosperidad eran las auras que ornaban sus vidas, pero ahora la sombra de Abd al-Mumín se ciñe sobre ellos. Es como esta maldita lluvia. Los mantiene encerrados en sus casas.

—Aun así, tú no te privas de tus fiestas —reprochó ella en voz baja, sin mirarlo aún pero girando la cabeza levemente—. Tu pueblo estará al menos aliviado de saber que cada jueves organizas orgías interminables con tus amigos y aliados.

—¿Estás celosa? —preguntó Mardánish ante el nuevo picotazo de Zobeyda.

—¿Lo estarías tú si fuera yo quien copulara con otros?

No había podido evitarlo. Zobeyda se mordió el labio y maldijo su inclinación a sacar las uñas. Aquella pregunta había terminado de irritar al rey Lobo. Ni siquiera quiso imaginarse lo que pretendía insinuar su favorita. Inspiró lentamente y recordó para qué había acudido a aquel aposento, lugar de tantos lances de pasión y, ahora, poco menos que una cámara de tortura.

—Amada mía, siempre he reconocido tu valía para la política —intentó dar un aire sosegado a sus palabras—. Tienes un fino olfato para afrontar las crisis y en el pasado has servido a nuestro reino de igual modo que mi espada.

No, mejor aún —reconoció él en un intento por granjearse algo de la simpatía perdida de su esposa—. Eres conocedora de que la moral de nuestros súbditos decae.

—¿Decae? Está muerta, querrás decir.

—Bien, sea como gustas. El pueblo, en todo caso, necesita presenciar un giro del destino. Nuestra situación, hoy me lo han hecho ver, es mejor que la del año anterior, pero tener en poder del Sharq plazas como Baeza o Úbeda no parece ser suficiente. Abú Amir insiste en que debemos demostrar a nuestros súbditos que somos capaces de sobreponernos a todo esto. A pesar de ello, no tenemos todavía capacidad para tomar Granada o recuperar Almería.

Zobeyda seguía el razonamiento de su esposo, pero con las últimas palabras sintió un vuelco en el corazón. ¿De qué servía entonces el insoportable adulterio que buscaba y a la vez padecía?

—¿Cómo que no tenemos capacidad? ¿Qué burla es esa? ¿Qué pasa con tus amigos cristianos? ¿Qué pasa con la ansiada alianza con el conde de Urgel? ¿No había de servir para convertirnos en un poder imparable?

—Servirá, servirá. —El rey pidió tranquilidad con las palmas abiertas. ¿A qué venía ese súbito pesar de Zobeyda? ¿Por qué en un momento se mostraba acogedora y al siguiente mordía como una víbora? Mardánish se preguntó si algún día sería capaz de entender a aquella mujer—. Pero la campaña de Almería nos ha retrasado. Pasará un tiempo antes de que estemos otra vez en condiciones de imponernos, y ese tiempo corre a la vez en contra nuestra. Necesitamos un triunfo ya. Un triunfo que ha de contentar a nuestro pueblo.

—Nuestro pueblo, dices. ¿Me sigues considerando tu reina?

El rey Lobo miró a Zobeyda a los ojos, aun a sabiendas de que aquello era dejarse subyugar y caer bajo su hechizo.

—Siempre has sido mi reina. Siempre lo serás.

La favorita asintió complacida. Trató de quitarse de encima la costra de vergüenza por aquello que furtivamente ocurría sobre el lecho que dominaba el aposento y dejó que el sonido de la lluvia lo invadiera todo de nuevo. Cerró los ojos y se concentró en la misión que ahora le encomendaba el rey. Su imaginación voló a las calles de Murcia, que también podían ser las de Valencia, Alcira, Lorca u Orihuela. Se deslizó por los zocos y trepó hasta las celosías. Se coló en las estancias en penumbra, donde los súbditos del Sharq vivían sus vidas. Se alimentó de la misma sustancia que hacía que sus amados andalusíes se levantaran cada día, acudieran a sus huertos o lavaran las ropas en el río, rieran con sus hijos o copularan en sus lechos. ¿Por qué esos mismos hombres y mujeres amaban a su rey? ¿Por qué podían dejar de hacerlo? Invocó en el silencio de su mente a los espíritus paganos y femeninos a los que la noche del tiempo y la ira del Profeta se habían tragado. A al-Ilat, sublime divinidad, a al-Uzzá, la poderosa, y a Manawat, que maneja el destino.

—Necesitas un golpe de mano. Un golpe de mano es lo que ha dado la iniciativa a los almohades, con esa invasión de Almería. Fíjate bien: un muchacho apenas adolescente conquista una gran ciudad en poder de los cristianos y luego desaparece, dejando tras de sí el mismo vacío que antes de llegar. ¿Por qué?

—Todos nos lo preguntamos.

—Un golpe de mano —repitió ella—. Con esa acción, Abd al-Mumín se ha ganado el respeto que ninguno le teníais. Es capaz de presentarse aquí... No, es capaz de mandar a uno de sus hijos, un jovencito inexperto, y cambiar las tornas. Con esa tontería ha conseguido limpiar de un plumazo toda la presencia cristiana al sur de Sierra Morena, ha instalado nuestro reino en la desesperación y, de paso, ha logrado matar del disgusto al emperador Alfonso. Y ha convertido el imperio cristiano en un pastel que Sancho y Fernando se reparten entre espadazos.

El rey Lobo asintió ante el agudo y sintético análisis de su esposa. La alumna de Abú Amir superaba a su maestro con mucho. Sonrió con orgullo.

—¿Y es eso mismo lo que he de hacer yo?

—Claro. Los almohades no han atacado Toledo ni Murcia. ¿Te has fijado? No, ¿para qué? Almería era mucho más accesible: mal defendida y demasiado lejos para un pronto refuerzo. Y por otro lado no es ninguna aldeúcha. Oh, Almería, la ciudad que el emperador conquistó con tan gran esfuerzo y participación de las fuerzas de Cristo... Su valor simbólico era lo que convertía Almería en el lugar adecuado para el golpe de mano.

»Ahora fíjate en lo que tus agentes y consejeros te dicen y que yo tengo que escuchar a escondidas. El joven Utmán fue el que hizo caer Almería, pero quien vino a tomar posesión de la ciudad fue su hermano mayor, Yusuf. El mismo al que los abulenses derrotaron cerca de Sevilla.

Mardánish asintió. Todos esos detalles eran parte de la información que le suministraban en la sala de consejos o en el *maylís*.

—¿Y bien? —invitó a continuar a Zobeyda.

—Yusuf es pieza valorada por Abd al-Mumín, mucho más que Utmán, a pesar de ser este superior en su capacidad. Pero Utmán se ve relegado a un segundo plano para que Yusuf se alce como vencedor de Almería después del descalabro con los de Ávila. Utmán, el despreciado, es correoso. Está al frente de Granada. Nos ha vencido. Yusuf, el favorito, es débil. Está al frente de Sevilla. Ha sido derrotado.

—¿Sevilla? —preguntó sorprendido Mardánish—. ¿Debo atacar Sevilla?

—Yusuf —corrigió ella—. Avanza hacia Sevilla, donde nadie te espera. Ve sin mi padre, pues de un solo andalusí ha de ser el triunfo. Obliga a Yusuf a enfrentarse a ti y véncele. Yusuf, el que izó el estandarte almohade en el alcázar de Almería. Yusuf, el gobernador de la capital enemiga en al-Ándalus. Regresa con ese triunfo tuyo y muéstraselo a tus súbditos. Pues fue el emperador de los cristianos quien perdió Almería, pero será el rey Lobo quien derrotará a Yusuf, el hijo predilecto de Abd al-Mumín.

22

En las puertas de Sevilla

Primavera de 1158. Inmediaciones de Sevilla

Con un cielo límpido como fondo, las columnas de humo negro se elevaban tras los dos cuerpos de caballería que avanzaban hacia Sevilla. En el de la derecha, Mardánish se volvió un momento para otear el horizonte azotado por la desolación. Las tierras calcinadas, las cosechas arruinadas, las casas derruidas. El rey Lobo había capturado muchas cabezas de ganado y a varios de los pobladores sumisos al gobierno almohade; a algunos los había mandado junto con las reses de regreso al Sharq al-Ándalus, al cuidado de un destacamento, para ser vendidos en el mercado de esclavos o para esperar su rescate. A otros los había dejado escapar hacia Sevilla, la capital de los almohades en la Península. Quería que contaran con pelos y señales a su gobernador cómo aquel ejército, compuesto a partes iguales por musulmanes y cristianos, asolaba impunemente toda la vega del Guadalquivir y sus tierras de cultivo.

Al frente del cuerpo de la izquierda, Álvar Rodríguez se relamía. Disfrutaba con la inminencia del combate. De uno bueno y en campo abierto, no como en aquella maldita debacle de Almería. El Calvo rozó con los dedos su maza, colgada del arzón a un lado de la silla de montar. Miró a su diestra, a la línea de infantería formada en perpendicular al curso del río y en pleno avance. Sus soldados, que empuñaban lanzas, se mezclaban con los andalusíes del Sharq, casi todos arqueros. Al otro lado, el cuerpo de caballería del rey Lobo. Bien. Una batalla con todas las de la ley. O eso esperaba.

Un jinete ligero se acercó a gran velocidad hacia Mardánish desde la dirección en que se encontraba Sevilla. Frenó e hizo un gesto afirmativo hacia su rey. Todo iba según lo convenido. El rey Lobo le dio orden de informar al conde de Sarria en el otro extremo del ejército y se enlazó el ventalle para taparse la parte inferior del rostro. Se volvió a la derecha y miró a su arráez, Óbayd.

—Actúa como hemos acordado —ordenó con la voz apagada por las anillas entrelazadas—. Yo estaré en el centro, tras nuestra infantería.

El arráez se llevó el puño al pecho a modo de saludo y repartió las órdenes entre los jinetes para que se aprestaran al combate. Mientras tanto, Mardánish, acompañado de un pequeño destacamento a caballo, rodeó a sus hombres y recorrió la retaguardia de la infantería, que seguía avanzando en línea y ocupaba un amplio espacio. Detuvo su caballo y recibió la mirada confiada de sus hombres. Luego su vista se dirigió al frente. Las murallas de Sevilla empezaban a recortarse contra el cielo en la distancia.

Yusuf, hijo de Abd al-Mumín, tragó saliva con dificultad y se restregó los ojos antes de entornarlos para observar la línea de sombras que inundaba el horizonte. Más allá, tras esa línea, varias columnas humeantes ascendían hacia un cielo diáfano, azul, totalmente descubierto de nubes. El *sayyid* resopló y miró abajo, al otro lado de las murallas de Sevilla y de su foso. Las tropas a su mando estaban formadas, y ocupaban un breve espacio que las hacía apelotonarse y estorbarse unas a otras. La voz de uno de sus jeques le despertó del estupor que el miedo le causaba.

—Mi señor, debemos alejarnos de las murallas y presentar un frente amplio.

Yusuf asintió mecánicamente, aunque de inmediato se puso a reflexionar sobre el consejo y le pareció demasiado imprudente. Presentar un frente amplio. ¿Para qué? ¿No era más seguro quedarse allí, cerca de las murallas? Las murallas de Sevilla, altas y espesas. Inexpugnables para aquel pequeño ejército llegado del otro lado de la Península.

Pero no. Incluso el mismo Yusuf, con todo su temor al combate, sabía que no podía quedarse encerrado en Sevilla. El ejército enemigo llevaba semanas devastando la región, haciéndose con el ganado, matando o capturando a sus súbditos en un bucle de destrucción y desafío que se repetía una y otra vez... Durante seis días recorrían sus territorios y hacían y deshacían a su antojo, dueños de la vida y la muerte. Luego, al séptimo día, se plantaban allí, al norte de la ciudad, entre el río Guadalquivir y el arroyo Tagarete. Retadores. En todos esos ciclos, copiados unos de otros, Yusuf no había reaccionado. Un nuevo lapso de seis días de destrucción y al séptimo, el desafío. Y otra vez más. Y otra, y otra, y otra... Ya era suficiente. Tenía que salir y enfrentarse a ellos. Y no por aquella tierra desagradecida que era al-Ándalus, sino por su prestigio. ¿Qué dirían en Marrakech si supieran que Yusuf, el hijo del califa, no se atrevía a abandonar la seguridad de Sevilla? ¿Qué pensaría el gran jeque Umar Intí? ¿Y su padre, Abd al-Mumín? ¿Acaso no había sido suficiente humillación la huida ante los abulenses el año anterior? ¿Es que tenía que venir Utmán a hacer su trabajo y enfrentarse a los infieles por él?

No. Había que salir. Saldría. Sí. No era inteligente derretirse de miedo ahora, en presencia de sus hombres. Además, el ejército enemigo no era muy numeroso. Ni siquiera superaba al suyo propio. Se decía que a su mando, por cierto, cabalgaba aquel demonio renegado, Mardánish. El rey Lobo, le decían. Un pecador sodomita y verdugo de niños.

—Mi señor, hay que maniobrar.

La voz del jeque sacó de nuevo a Yusuf de sus reflexiones. Esta vez le irritó. ¿Qué se había creído ese tipo? Los ojos del *sayyid* almohade, perdidos desde hacía un rato en el azul del cielo sevillano, volvieron a tierra. Lo cierto era que los enemigos avanzaban a buen paso. Pero los muy idiotas se metían, cada vez más, en una encerrona. A la izquierda de Yusuf bajaba la amplia corriente del Guadalquivir, mientras que por su derecha lo hacía la del arroyo Tagarete. Uno y otro bordeaban Sevilla e iban a unirse después. Las fuerzas de ese Mardánish tendrían que luchar encajonadas entre los dos ríos. Yusuf intentó pensar con claridad, pero el miedo le tenía atenazado. ¿Qué decían los historiadores de su padre sobre eso? ¿Cómo pelear esta batalla? Con los ríos a ambos lados, la caballería enemiga no podría rodearlos. Pero ellos, sus hombres, tampoco podrían maniobrar a caballo. Los jinetes serían inútiles. Un estorbo. Pensó en Zagbula, y en que la huida de la caballería andalusí había dejado a sus guerreros almohades vendidos. Con una mueca alargó la comisura derecha, sin querer pensar en que el primero en desertar había sido él mismo, estimulando así la fuga de los andalusíes. Esta vez no podía ocurrir. No había por dónde escapar. Las murallas, los dos ríos y el ejército enemigo conformaban una jaula.

—Infantería —dijo por fin el *sayyid*—. No quiero caballería. Que desmonten y dejen sus animales dentro de Sevilla. Y que se mezclen las tropas. No quiero a los andalusíes juntos.

El jeque arrugó el ceño. La costumbre inveterada era que los miembros de cada tribu guerrearan unidos, sin mezclarse con los otros clanes. Eso aseguraba la fiereza, porque al lado de cada soldado luchaba un pariente, un amigo, un paisano. Así se estaba conquistando África. El jeque quiso buscar en silencio el apoyo de alguna otra persona, pero allí, junto al *sayyid* y él mismo, solo estaban los esclavos del Majzén. A los lados de Yusuf, en lo alto del adarve, varios miembros de la guardia negra miraban con rostro hermético al horizonte, como si la visión del enemigo supusiera para ellos lo mismo que la contemplación de un prado florido. El jeque suspiró, conocedor de la intolerante altanería del *sayyid* y también de su incompetencia. Hizo ademán de ceder el paso a su señor, aunque Yusuf se quedó allí parado, asintiendo sin hablar, ensimismado. Al cabo de unos instantes volvió a mirar al jeque.

—¿Qué pasa? ¿Eres estúpido? ¿Por qué no bajas y transmites mis órdenes?

—Mi señor, pensaba que vendrías con nosotros a la batalla...

El *sayyid* dejó que su mandíbula colgara de forma ridícula. Ir a la batalla. Como contra los abulenses. Y el caso era que aquel irritante jeque parecía decirlo inocentemente, con sinceridad. Ir a la batalla. Claro. Era lo que se esperaba de un *sayyid*. No. No de un *sayyid* cualquiera. Del hijo predilecto del califa.

—Adelántate y transmite mis órdenes. Yo bajaré enseguida. Y no me importunes más con tus simplezas.

El jeque hizo una inclinación rápida y bajó a la carrera para cumplir su misión. Yusuf, mientras tanto, apretó los labios para intentar disminuir el temblor de su barbilla. Casi podía identificarse a cada jinete y a cada guerrero a pie de la línea enemiga. Los estandartes eran negros a la izquierda del *sayyid*, verdes a su derecha. Observó a su guardia personal. Aquellos hombres altos y fornidos seguían en silencio, impertérritos, ataviados con sus sencillos ropajes de guerra y empuñando las gruesas lanzas que solo ellos podían manejar.

—Nosotros sí iremos a caballo —les explicó el *sayyid*, que se sentía algo más seguro con la presencia de sus estupendos guardaespaldas negros—. Rodeadme y no me dejéis solo en ningún momento.

Abajo, junto a las murallas, las cabilas y las tribus se movían de forma caótica. Se entremezclaban entre ellas y con las fuerzas andalusíes. Los hombres se empujaban y daban codazos, nerviosos por aquella estúpida maniobra. Se sentían ridículos al desplazarse por la línea mientras el enemigo seguía avanzando frente a ellos. Pronto los estandartes de los andalusíes sumisos se mezclaron con los de las cabilas almohades, y los jeques usaron sus varas para obligar a los soldados a abandonar a sus compañeros y colocarse junto a extraños. Cada andalusí miraba al bereber que tenía al lado con recelo, y luego se aupaba sobre las puntas de los pies para buscar la posición de alguien conocido.

Yusuf permaneció quieto hasta que cesó el movimiento precipitado entre sus tropas, y aun después tuvo que hacer un esfuerzo para separar sus plantas de las piedras del adarve, que para él representaban la tranquilidad. Mientras descendía, respiraba a bocanadas que no conseguían llenar de aire sus pulmones. Exigió su caballo y varios más para su guardia. Los esclavos del Majzén no formaban parte de un cuerpo de caballería, pero todos ellos estaban adiestrados para luchar de cualquier modo y con casi cualquier arma. El *sayyid* esperó a que su séquito especial estuviera dispuesto y solo entonces salió por la Puerta de Córdoba, llamada así porque en ella se iniciaba el camino hacia aquella ciudad. Ciudad, por cierto, mucho peor defendida que Sevilla. ¿Por qué aquellos malditos infieles no habían atacado Córdoba? ¿Por qué Sevilla? ¿Por qué a él? Yusuf negó con la cabeza, sumido en aquellos pensamientos, que le hacían temblar de miedo aun rodeado por la guardia negra. Sus demás hombres, a pie, tal como había ordenado, esperaban con aire de angustia a que se les dieran más órdenes, porque las fuerzas enemigas seguían acercándose y aquel lugar era poco menos que una ratonera, con las dos corrientes de agua a los lados, casuchas de arrabal y muretes de cementerio estorbando la línea, y la recia mole de las murallas tras ellos. Yusuf, en cualquier caso, ordenó mantener abierta la puerta bajo pena de muerte. No quería tener que pararse a aguardar en caso de que... Pero no. Esta vez no.

El *sayyid* tomó aire, de nuevo infructuosamente, y mandó avanzar a su ejército sin más. Los jeques asintieron confusos, a la expectativa de alguna indicación más concreta, pero no la recibieron, de modo que se pusieron a gritar a su vez mientras los tambores empezaban a retumbar desde la retaguardia de aquel caos armado.

Mardánish suspiró complacido al ver avanzar a las fuerzas almohades. Esta vez, por fin, el aprensivo Yusuf se había decidido a salir a hacerle frente. Bien, porque estaba cansado. Cansado de repetir aquella rutina semana tras semana, como una provocación a la mismísima fe del *sayyid*. La cosa tenía gracia. En seis días había creado Dios el mundo y al séptimo había descansado. Así era, ¿no? ¿Habría comprendido su chanza Yusuf?

Bien, pues con comprensión o sin ella, por fin iban a luchar. El momento que su favorita Zobeyda le había aconsejado buscar estaba allí. En las ocasiones precedentes se había limitado a dejarse ver, a desplegar sus tropas por delante de las humaredas de los incendios, hábilmente provocados para que enmarcaran su desafío y a fin de desgastar la moral de los almohades. Se plantaba allí, al frente de sus hombres y a la vista de las murallas, sin material de asedio y en un número no muy elevado. Esperando.

Mardánish se protegió del sol del mediodía con la mano y torció la boca bajo el ventalle. Ahora se daba cuenta de que los almohades no tenían caballería, salvo por un pequeño número de jinetes a retaguardia. Demasiado pocos para ser una unidad capaz de operar... No, aquel no podía ser otro que Yusuf. El rey Lobo requirió la atención de dos de los jinetes que le acompañaban como guardia personal.

—Id a las alas e informad al conde de Sarria y al arráez Óbayd: que detengan la marcha y permanezcan en sus posiciones. Esperarán a mi señal para rodear los flancos enemigos. —Los jinetes asintieron y salieron disparados, uno hacia cada lado. Luego Mardánish se dirigió al resto de sus guardias—. Recorred la línea de infantería. Arqueros quietos y a la espera, y los demás que sigan avanzando.

La orden se cumplió de inmediato y casi la mitad de la línea se detuvo. Los hombres sacaron varias flechas y las clavaron en tierra para poder disponer de ellas. Mientras tanto, los lanceros cristianos se apretujaron para reforzar la línea y rellenar los huecos que acababan de crear los arqueros. Con ello se redujo el frente que presentaban, y dejaban a ambos lados dos pasillos por los que podría avanzar sin problemas la caballería de Óbayd y del Calvo. Mardánish también frenó y siguió protegiéndose del sol primaveral. Las tropas almohades, que caminaban al ritmo de sus fastidiosos tambores, reducían la distancia. Observó suspicaz sus propias filas, y sonrió con cierto alivio al ver cómo los infantes cristianos progresaban en perfecto orden. El número de sus jinetes apenas llegaba a una cuarta parte de las tropas enemigas, pero eso sería más una ventaja que un obstáculo, o eso esperaba.

Era el momento que ansiaba desde semanas atrás. Ahora que el combate era ya inevitable, rebuscó entre la silla y la piel temblorosa de su caballo. Sacó un billete arrugado y amarillento que leía y releía cada mañana y cada noche. Lo había escrito su amada Zobeyda al despedirse de él en Murcia, y él lo portaba como prenda de amor de su reina. Repasó las letras, plasmadas en exquisito árabe sobre papel xativí, una última vez:

> *Desearán los caballos que los montes,*
> *temblarán las espadas de pasión,*
> *se teñirán de sangre las banderas,*
> *y serás luna en un cielo de nobles acciones*
> *cuyas estrellas son tus guerreros.*
> *¿Cómo podrá decepcionarnos el cachorro*
> *que los fieros lobos engendraron para la gloria?*

Yusuf sentía el sudor resbalar copioso por su cogote y recorrer su espalda, lo que le provocaba un molesto picor. Aquel maldito sol sevillano, insoportable ya en primavera... ¿O acaso ese sudor tenía otra causa? Miró alrededor y se aseguró de que la guardia negra lo rodeaba convenientemente. Así era, por supuesto. Los esclavos del Majzén eran impecables. Luego volvió su vista a las murallas. Por Dios, se alejaban demasiado rápido de ellas. Su seguridad quedaba atrás. El sudor pareció duplicarse. Un jeque llegó a la carrera desde la vanguardia y pasó entre los caballos guiados por los guardias negros. Caminó en paralelo a la montura del *sayyid*.

—Mi señor, parte del ejército enemigo avanza. Fuerzas cristianas.

Yusuf escuchó desconcertado. ¿Solo parte del enemigo? ¿Qué quería decir eso? ¿Era una estrategia? Sí, claro, tenía que serlo. El *sayyid* sintió que se redoblaba el temblor de su mandíbula inferior. Ojalá estuviera allí su padre. Miró al jeque, que aguardaba con la desconfianza pintada en el gesto. Yusuf se sintió herido a la par que abrumado. ¿Sabría aquel hombre lo que en verdad había ocurrido con los abulenses en Zagbula? No, no podía saberlo. Debía salir con bien de aquello. Debía dar las órdenes oportunas... Pero ¿qué ordenar? Los enemigos se movían, aunque solo parte de ellos, solo parte. Volvió a mirar al jeque. El hombre estaba realmente nervioso. Su vista iba de su señor al ejército. El *sayyid* tardaba demasiado en decidir y el choque se aproximaba.

—Mi señor —se arrancó por fin el atribulado jeque—, permíteme aconsejarte que nos detengamos. Si solo viene una parte de su ejército, dejemos que se separen lo máximo posible. Aplastemos primero a estos que se acercan. Ordena que paremos y usa a los arqueros para ablandar...

Yusuf alzó una mano en silencio para detener la charla del jeque. Este dejó las palabras flotando en el aire, cada vez más caliente y húmedo. El *sayyid* tenía un gesto de desprecio forzado en el rostro. Consultó las caras de sus guardias y se sorprendió al descubrir que, contrariamente a su costumbre, le miraban interrogantes. Yusuf estaba seguro de que esperaban que confirmara el consejo de aquel jeque. Pero si hacía eso, ¿a quién se atribuiría el triunfo? ¿No se diría que el *sayyid* tardó demasiado en decidir y que tuvo que hacer caso de uno de sus súbditos? Y aquellos guardias negros seguían mirándole. Casi parecían desvergonzados. No les imponía suficiente respeto, era eso. Claro, lo tenían por pusilánime. ¿Cómo gobernar el inmenso imperio de su padre si ni siquiera sus propios guardias le respetaban? Oyó murmurar a uno de los negros del Majzén con un compañero. Aquello era intolerable.

—Mi señor... —se atrevió de nuevo a reclamar su atención el jeque, esta vez con un deje de angustia.

—¡Basta! —espetó Yusuf, que por fin logró sobreponerse al nudo de su garganta—. ¿Que nos detengamos, dices? ¿Eres estúpido acaso?

Tanto el jeque como los esclavos del Majzén quedaron en silencio, sorprendidos por la súbita salida del *sayyid*, mirándose de reojo. Aquella reacción satisfizo a Yusuf. De la desconfianza habían pasado al estupor. No sabían qué pensaba su caudillo. Bien. Mejor eso que lo otro.

—No, mi señor... —acertó a farfullar el jeque—. Quiero decir, no sé... Sí. Sin duda soy estúpido. ¿Tus órdenes, mi señor?

—Mis órdenes. Sí. Mis órdenes... —Yusuf se mordió el labio inferior un instante. Aquel hombre le había recomendado pararse y esperar. Bien. Pues estaba claro—. Manda cargar a la carrera a todos los hombres. Barred a esos enemigos y continuad sin deteneros. Hasta el final. No hagáis prisioneros. Salvo a ese demonio del estandarte negro con la estrella plateada. Quiero al Lobo vivo para crucificarlo en presencia de mi padre en Marrakech.

El jeque tensó los músculos de la cara al cerrar con fuerza la boca. Carga general. Se volvió sin decir nada y corrió a la vanguardia. Yusuf quedó satisfecho y refrenó su montura. Los esclavos del Majzén le imitaron de inmediato. Miró atrás una vez más, a las seguras, imponentes y demasiado lejanas murallas de la ciudad.

El griterío se alzó ensordecedor desde las filas almohades y llegó hasta la línea de infantería cristiana. Eso apagó por un momento los redobles de tambor procedentes de Sevilla. Los cristianos bajaron sus lanzas y sus astas provistas de anchos filos y formaron una muralla de hierro cortante y agudo. Más atrás, Mardánish entornó los ojos. Se pasó la lengua por los labios resecos y asintió en silencio.

—Carga total. Bien —susurró. Luego miró a sus pies, a la fila de arqueros dispuestos y en espera. Sonrió. Observó a los hombres de su pequeño destacamento de caballería, encargados de su guardia personal—. Llegad de inmediato hasta la infantería cristiana. Dad orden de que se retiren a la carrera justo antes del choque y que frenen ante nuestros arqueros. Aquí darán de nuevo frente a esos perros. Los aniquilaremos. —Y Mardánish señaló con la punta de su lanza a la extensión que se abría delante de sus líneas. Sus hombres asintieron y salieron al galope hacia los infantes del conde de Sarria.

A medio camino hacia Sevilla, los hombres de Yusuf dejaban tras de sí una cortina de polvo en suspensión y ocultaban al pequeño grupo de jinetes que se había quedado a retaguardia del ejército en plena carga. El ataque a la carrera era anárquico, carente de toda disciplina. Algunos hombres se adelantaban y otros se quedaban atrás. Un vistazo más cuidadoso reveló a Mardánish que las vestimentas y armas eran dispares. Hombres de piel oscura se mezclaban con otros más pálidos que, además, parecían reticentes. Algunos apartaban a los que tenían delante a codazos y otros insultaban a quienes rebasaban a la carrera. El rey Lobo sabía que el califa había unificado a innumerables clanes del desierto y de las montañas que antes, carentes de un poder común que los subyugara, se enfrentaban entre sí por los pastos o las diferencias tribales. Abd al-Mumín sabía usar la capacidad aglutinante de las cabilas, su eficacia al luchar unidas. Pero aquel ejército de Sevilla parecía desordenado.

Mardánish observó a sus arqueros y volvió a sonreír. Sus hombres, como todos los guerreros andalusíes, eran buenísimos tiradores. Mimaban sus arcos recurvos y cuidaban las flechas como las más preciadas herramientas. El rey Lobo, sin alzar las manos, gritó de modo que su voz pudiera oírse a pesar del griterío y los redobles provenientes de Sevilla.

—¡Arqueros! ¡Tiro alto! ¡¡Tensad!!

La orden, que no llegó a todos por igual, fue repitiéndose a lo largo de la línea. Los arqueros posaron con mimo pero con ligereza sus flechas sobre las cuerdas, levantaron los arcos y se aprestaron. Por delante, los jinetes acababan de mandar retirada a los infantes de Álvar Rodríguez. Estos, que ya podían ver el blanco de los ojos de sus enemigos, no se hicieron de rogar. Dieron media vuelta y empezaron a correr hacia sus propias líneas, precedidos del destacamento de guardia a caballo del rey Lobo. A ambos lados, los cuerpos de caballería aguardaban, y tanto Óbayd como Álvar Rodríguez observaban expectantes a Mardánish. Este dio otro grito.

—¡¡Ahora! ¡¡Disparad!! ¡¡A discreción!!

El tiro tampoco fue simultáneo. Las flechas brotaron primero desde el centro de la línea, y los disparos se sucedieron conforme la hilera de arqueros se extendía hacia los flancos. Las ligeras astas subieron vibrando y el rey Lobo siguió aquella nube con la vista, pero cerró los ojos al toparse con los rayos del sol. El silbido siniestro y agudo fue tornándose grave a medida que las flechas se alejaban y ascendían, y con la destreza de años de entrenamiento, nuevas flechas sustituyeron a las primeras en los arcos andalusíes. El eco del primer lanzamiento no se había apagado cuando la segunda andanada repitió la letanía. Mardánish tiró de las riendas a la derecha y cabalgó tras su línea de arqueros. Comprobaba con satisfacción cómo sus hombres actuaban mecánicamente: desclavaban sus flechas de la tierra, cargaban, tensaban, soltaban. Una y otra vez hasta que tuvieron que recurrir a sus aljabas, sujetas a la diestra de sus cintos.

—¡¡Seguid disparando!! ¡¡Así, mis bravos amigos!! —El rey Lobo alzó su lanza y la hizo tremolar para que el pendón se desenvolviera mientras se aseguraba de que Óbayd lo veía desde el flanco—. Adelante, mi arráez —murmuró.

El adalid andalusí, en la distancia, comprendió de inmediato y espoleó a su montura, al tiempo que gritaba y elevaba su propio estandarte. Al momento, su caballería del Sharq le siguió y los animales, enjutos y gráciles, trotaron por la ribera del Guadalquivir. A la izquierda, Álvar el Calvo no necesitó orden alguna. Su galope comenzó rápidamente al ver cómo Óbayd hacía lo propio desde el otro extremo. Los caballeros cristianos avanzaron en columna mientras de los cascos de sus animales se desprendían pedazos de barro al bordear el arroyo Tagarete.

Yusuf sentía ahora que el polvo se mezclaba con su sudor. Aquella sopa infecta impregnaba sus ropas, sus armas y su piel en una película viscosa. Sus inquietos dientes masticaban arena que, procedente de la nube formada entre el Guadalquivir y el Tagarete, venía arrastrada por una brisa suave y se colaba en su boca, en su nariz, en sus ojos. No podía ver nada, por Dios. Sus hombres habían desaparecido tras aquella asquerosa nube que ellos mismos levantaban al correr. ¿Por qué era tan incómodo el combate? ¿Era necesario todo aquel polvo?

—Agua —pidió con la voz ronca. Pero nadie había llevado agua. Sus guardias se miraron unos a otros. Ellos, acostumbrados a chapotear entre sangre y a tragar el miedo de los enemigos, no comprendían los melindres de aquel joven e indeciso *sayyid*.

Yusuf intentó escupir, pero el hilo de saliva quedó colgado de sus labios resecos, y se pegó a su barba débil y a la tela del turbante que protegía su cuello. Se limpió nerviosamente; rápido, por si alguien le había visto. Pero los esclavos del Majzén eran discretos. Y además estaban atentos a aquella nube terrosa que poco a poco ascendía. Ya se adivinaban algunos estandartes, así como varias sombras a ras de tierra...

Yusuf sintió su boca secarse aún más. Aquellas sombras, rodeadas de finas astas de madera clavadas sobre la tierra, eran sus hombres. Algunos seguían en pie, pero muchos yacían inmóviles y otros se agitaban. Vio a un par de ellos levantarse y uno se arrancó una flecha de la pierna, aunque volvió a derrumbarse a continuación. Uno de los caballos de la guardia negra pataleó inquieto. La nube seguía disipándose a medida que se alejaba de Sevilla, pero bajo ella crecía la siembra de guerreros caídos. Sus armas y estandartes estaban igualmente en tierra, repartidos entre ellos. Los supervivientes ya no corrían. Se apretaban entre sí y tendían las lanzas al frente. Yusuf se obligó a pensar que aquello no podía ser tan grave. A buen seguro, sus soldados ya habrían barrido a los enemigos y entre aquellos muertos debía de haber muchos cristianos. Sí, claro. Suspiró. Su pesimismo, su miedo se habían impuesto por un momento. Qué tontería.

—Los estamos barriendo —dijo con fingida seguridad, aunque no consiguió engañar a los guardias negros. Estos, con sobrada experiencia militar, intercambiaron miradas de nerviosismo. Ellos podían reconocer los ropajes y las trazas de aquellos caídos. Y eran propios. La miríada de flechas clavadas por todo el campo era la única prueba que necesitaban: los enemigos los habían recibido con una lluvia de hierro y madera. De pronto las riberas del Guadalquivir y del Tagarete se llenaron de nuevas sombras oscuras que arrastraban sus propias nubes de polvo. Uno de los esclavos del Majzén se decidió por fin a hablar con una voz grave y rotunda.

—Mi señor, caballería por los flancos.

El *sayyid* parpadeó sin entender qué era lo que decía a golpes, con aquella curiosa forma de hablar suya, el gigante de piel negra que tenía al lado. Sus ojos seguían fijos en los guerreros que se convulsionaban bajo el polvo en suspensión, con la vana esperanza de que fueran enemigos arrasados por la infantería almohade. Pero la realidad se impuso cuando las nuevas sombras se convirtieron en jinetes. Los estandartes andalusíes y cristianos encerraron entre ambos la masacre, y Yusuf tiró instintivamente de las riendas para hacer retroceder su caballo. Los guardias negros le acompañaron, pero algunos dejaron caer sus lanzas —demasiado gruesas y pesadas para luchar a caballo, solo aptas para manejarse a pie y con ambas manos— y desenfundaron sus temibles sables de acero indio.

—No... puede... ser —musitó casi sin voz el *sayyid*.

Frente a él, los dos cuerpos de caballería torcieron sus rumbos para converger. Ahora, más de cerca, Yusuf pudo reconocer las vestimentas cristianas y andalusíes de unos y otros, sus escudos pintados, sus cotas de malla, los pendones de las lanzas. Vio con alivio que poco a poco los caballeros seguían rodeando a su ejército para tomarlo por la retaguardia, y le dejaban a él y a su guardia, de momento, fuera del combate. En aquel lapso de decepción mezclada con el consuelo de no verse directamente atacado, incluso Yusuf fue consciente de la maniobra enemiga. Sus guerreros, todos a pie y mezclados con los caídos, estaban rodeados. Al lado del *sayyid*, uno de los esclavos del Majzén adelantó un paso su caballo. Yusuf lo miró y vio sus ojos muy abiertos y fijos en la batalla. El blanco inyectado en sangre destacaba sobre la piel negrísima y sudorosa de su rostro. Bajo su piel rasurada, los músculos de la mandíbula estaban tensos y el labio inferior, adelantado.

—¡Quieto, esclavo! ¡Quédate con tu señor!

La orden había llegado de uno de sus propios compañeros, porque Yusuf no era capaz de articular palabra. El guardia permaneció en el sitio, pero su mirada de rabia siguió clavada en los jinetes enemigos, que volvían a alejarse ahora para cargar por la retaguardia de los almohades.

Yusuf dejó por fin que su barbilla temblara sin control y miró de nuevo a las seguras murallas de Sevilla.

Mardánish sonreía con delectación.

Su plan había salido incluso mejor de lo pensado. La línea almohade, mezcladas sus cabilas con las tropas andalusíes fieles al califa, había perseguido caóticamente a la infantería cristiana. Al hacerlo se habían alejado de Sevilla, y sus flancos se habían ido separando de los cursos confluyentes del Guadalquivir y el Tagarete, con lo que se crearon sendos huecos a sus lados. Mientras los arqueros del Sharq al-Ándalus disparaban en parábola por encima de sus compañeros cristianos y acribillaban a las tropas enemigas, los dos cuerpos de caballería habían avanzado por los flancos. Bordearon las corrientes de agua y pasaron por los huecos dejados en su alocado avance por las huestes de Yusuf. La maniobra había sido limpia y rápida, oculta a los ojos de Sevilla por la nube de polvo levantada con la carrera de miles de hombres cargados de hierro. El propio Armengol de Urgel no la habría diseñado tan bien.

Los enemigos caían como aceitunas vareadas, y sembraban de cadáveres y heridos acribillados el campo entre los dos ríos. Los supervivientes detuvieron su carrera y, presos del pánico, se agruparon entre oraciones y miradas desencajadas. Los arqueros no habían acabado aún con todas sus flechas, pero el rey Lobo dio la orden de detener la lluvia de muerte unos momentos antes de que los soldados cristianos, que llegaban a la carrera y perseguidos, frenaran y se dieran la vuelta. Al encarar a los almohades supervivientes, quietos y aterrorizados, los infantes de Álvar Rodríguez bajaron lanzas y embistieron mientras lanzaban sus propias consignas. *Deus adiuva et Sancte Iacobe*. Justo en aquel momento, los guerreros montados del Calvo y Óbayd llegaban a la retaguardia enemiga y se volvían para cargar desde la espalda de los desgraciados súbditos del *sayyid* Yusuf. La trampa se cerraba.

El rey Lobo gritó y balanceó su lanza para animar a sus hombres. Entonces se produjo el choque entre los infantes. Los hombres embestían con sus astas y se encontraban con los escudos de unos y las carnes de otros. Un mar de aullidos bramó por entre los ríos y se redoblaron los insultos y las maldiciones. Los cristianos barrieron a quienes se atrevieron a plantar cara. Valientes guerreros que vendían a muy alto precio su piel; algunos de ellos, incluso, con flechas andalusíes sobresaliendo ensangrentadas de sus cuerpos. Los chasquidos metálicos se mezclaron con el hedor a sangre. Ojos abiertos y gestos crispados, pieles cubiertas de sudor, desgarros y polvo. El crujido del metal al despedazar los miembros o penetrar en la carne precedía a cada chillido de dolor. Mardánish alzó la vista para sustraerla de la masacre y vio cómo los dos cuerpos de caballería embestían por la retaguardia a los enemigos. Los atropellaban, los ensartaban, los pisoteaban. Varios hombres volaron desmadejados por encima de sus compañeros.

La debacle no tardó en llegar. Los andalusíes sumisos aprovecharon los huecos a los lados de la batalla para huir hacia el Guadalquivir o el Tagarete, mientras los bereberes morían en pie, o lanzando tajos desde el suelo. Se defendían hasta el final, aun mutilados, y conseguían llevarse al infierno a buen número de cristianos. No había opción a la rendición ni a la piedad. Aquella forma de caer empezaba a resultarle familiar. Mardánish azuzó a su montura y fue seguido de inmediato por su pequeño destacamento de seguridad; recorrió la línea de infantería cristiana, que avanzaba impecablemente, en una muralla humana y móvil que no cedía en punto alguno a pesar de las bajas. Se alegró de contar con semejantes aliados y los rebasó. Pasó entre los andalusíes sumisos que huían, sin prestarles apenas atención. Esos ya no le preocupaban. Su objetivo era otro.

Los chillidos de dolor acallaron los gritos de ánimo que sonaban dentro de Sevilla. O quizás alguien, privilegiado, estaba viendo la batalla desde el adarve y anunciaba a los ciudadanos que todo estaba perdido.

Yusuf, hijo de Abd al-Mumín, quiso considerar por un instante las consecuencias de aquello e imaginó la faz del gran jeque Umar Intí. O peor aún, la de su padre, el califa... Pero el frío terror se impuso y reemplazó un pensamiento que no tenía cabida en su instinto de supervivencia. Vio aparecer a algunos infantes que volvían a la carrera, tras abandonar el campo de batalla. Eran andalusíes fieles al Tawhid, y venían próximos a las orillas de ambos ríos. También pudo ver a otros que se habían internado más allá en el agua. Los del Tagarete parecían progresar con cierto éxito, pero los que habían optado por entrar en el Guadalquivir desaparecían pronto bajo su corriente.

De repente, varios jinetes salieron cabalgando del tumulto por un lado. Ignoraban a los supervivientes que huían y, ante la mirada atónita del *sayyid*, venían hacia él. Justo hacia él.

—¡A Sevilla! —gritó con desesperación, y tiró de las riendas.

Los esclavos del Majzén gruñeron una maldición al dios cristiano y volvieron sus monturas. Todos menos aquel que había estado a punto de desobedecer. El guardia se quedó plantado, con aquella mirada fiera y perdida congelada en sus ojos, el sable empuñado y las riendas cogidas con fuerza. Yusuf ni siquiera se dio cuenta. Cabalgaba a toda velocidad rumbo a la Puerta de Córdoba, que nadie se había atrevido a cerrar. El esclavo rebelde arrugó la nariz y subió la barbilla. Ululó como una bestia y se lanzó a la carga contra la media docena de jinetes que llegaban procedentes del combate. El que los encabezaba bajó su lanza, coronada por un pendón negro con una estrella de ocho puntas bordada en plata, y encaró al esclavo al tiempo que se encogía tras el escudo, decorado con los mismos motivos. El choque favoreció a Mardánish, que iba mejor armado para una carga de caballería. El esclavo, desprovisto de escudo, no pudo evitar que la lanza perforara la piel de su pecho, cortando por el camino una de las correas de cuero que cruzaban su torso. El hierro se abrió camino, partió el esternón y reventó el corazón del guardia, destrozando tejido y huesos hasta que apareció por la espalda. El asta de la lanza se quebró por el impacto y el rey Lobo la soltó con un aullido de triunfo. La cabalgada dejó atrás al titán negro, que a pesar del choque monstruoso había aguantado encima del caballo, y ahora, atravesado por aquel pedazo de madera roto y alargado, se tambaleaba sin caer. Mardánish y sus hombres espolearon a sus caballos en pos de Yusuf y su escolta. El rey Lobo desenfundó su espada y blasfemó mientras tiraba de las riendas. La Puerta de Córdoba se cerraba ya tras sus presas, manejada a toda prisa por varios sirvientes y soldados de la guarnición. Mardánish se detuvo y se elevó sobre los estribos.

—¡¡Yusuf, cabrero africano, hijo de mil perras del desierto!! ¡¡Dile a tu padre que esto es lo que puede esperar del Sharq al-Ándalus!! —gritó, inseguro de que el hijo del califa pudiera oírle. Daba igual. Alguien se lo repetiría—. ¿Has oído, *poderoso sayyid*? ¡¡Dile al príncipe de los cabreros que solo hallará dolor y muerte aquí!! ¡¡Dile que se quede en África!!

Los jinetes de Mardánish caracolearon con sus caballos alrededor del rey mientras este desgranaba sus amenazas hacia las murallas. Uno de ellos se le acercó y aguardó prudente. Su señor se había bajado el ventalle y tenía la faz enrojecida por la ira. Aquellos gritos no eran simples bravatas. Realmente quería que los invasores africanos desaparecieran de al-Ándalus. Quería que supieran que, de quedarse, tendrían que luchar contra él con todas sus fuerzas. Guerra perpetua a los almohades.

—Mi señor, estamos a tiro de los arqueros desde las murallas.

El rey Lobo miró a su guerrero con los ojos aún brillantes de cólera. Quedó así unos instantes, como si hubiera sido sorprendido en medio de una pesadilla. Luego cambió la expresión y asintió.

—Tienes razón. Volvamos. —Y obligó a su caballo a volverse. Al hacerlo pudo ver que los hombres de su ejército remataban a los heridos a lo ancho del campo. Tan solo a su derecha, al otro lado del Tagarete, algunos andalusíes sumisos habían conseguido alejarse y corrían con dificultad entre los marjales, sin armas y arrojando miradas de terror hacia atrás. Sus hombres clavaban, atravesaban y degollaban, y de vez en cuando alzaban un estandarte enemigo entre gritos de triunfo. Mardánish sonrió con la misma furia con la que había amenazado al *sayyid*. Este éxito era lo que buscaba. Lo que le había aconsejado su amada Zobeyda. Ahora todo el mundo sabría que él, el rey Lobo, era capaz de llegar hasta el corazón del poder almohade en al-Ándalus y quebrarlo como una rama seca. Que él había podido derrotar a un *sayyid*, al hijo predilecto del califa, yendo a buscarle para encontrarle rodeado de enemigos. Y si podía hacer tal cosa, ¿de qué no sería capaz? ¿No podría acaso preservar la libertad de su reino? ¿No podría incluso mantener en jaque a aquellos malditos cabreros africanos? ¿No gozaría el Sharq al-Ándalus de la felicidad y la prosperidad que anhelaba?

Mardánish suspiró y miró a levante, más allá de las figuras de los desertores aterrados que corrían al otro lado del Tagarete. Se sentía fuerte de nuevo, y era gracias a Zobeyda. De pronto le invadió un gran deseo de volver junto a su favorita. Dirigió la vista a su lado, al jinete de su guardia que le había aconsejado alejarse de las murallas.

—¿Sí, mi señor? —se ofreció el caballero al sentirse interpelado con la mirada.

—Pasa aviso al conde de Sarria y al arráez Óbayd. Regresamos a casa.

23

El estandarte del rey Lobo

Verano de 1158. Murcia

El regreso de Sevilla fue un paseo militar en el que Mardánish aprovechó cada parada para hacer correr la noticia: el Sharq al-Ándalus no se doblegaba ante el Tawhid. Más aún: a partir de ese momento, los andalusíes libres estaban en guerra total y perpetua contra los invasores almohades, y consideraban enemigos a todos aquellos que se les sometieran o se abstuvieran de combatir contra ellos. El estado de euforia tras la batalla a las puertas de Sevilla se había extendido por todo al-Ándalus, y trepaba por los riscos para pasar a Castilla y recorría la campiña para penetrar en Portugal y en León. Pronto, todos los reinos cristianos supieron que el lobo levantino había mordido a la bestia almohade.

En cuanto a los africanos, como siempre, fueron incapaces de reaccionar. Su maquinaria administrativa, lenta hasta lo exasperante, se entretuvo en disimular la negligencia del *sayyid* Yusuf, tal como había ocurrido el año anterior con la escaramuza de Zagbula contra los abulenses. Utmán, por su parte, sonreía en su palacio de Granada, divertido por el fracaso de su hermano mayor. Cierto era que deseaba salir en campaña para volver a castigar a aquellos infieles que se atrevían una vez más a desafiar el poder almohade; ya los había humillado una vez en Almería y volvería a hacerlo, estaba seguro. Pero también era cierto que ese triunfo de Almería le había sido robado. A pesar de que la victoria contra las fuerzas combinadas del difunto Alfonso y de Mardánish había sido obra de Utmán, la gloria le fue negada, regalada injustamente a su hermano Yusuf al permitirle la entrada triunfal como vencedor en la alcazaba de la ciudad conquistada. Ahora, el mezquino de Yusuf había sido humillado. Bien. Que masticara en solitario esa amargura. No era cosa suya, aunque sí debería ser él, de eso estaba seguro, quien hiciera pagar a aquel demonio renegado de Mardánish su atrevimiento. ¿Guerra total contra los invasores almohades? Si el Lobo quería guerra, desde luego que la tendría.

Y por supuesto que el Lobo quería guerra. De regreso desde Sevilla, Mardánish se detuvo en Segura y dio orden a su suegro y vasallo Hamusk de que saliera con sus fuerzas y las de al-Asad, el León de Guadix, para hostigar sin descanso las tierras de Jaén y Córdoba. Que no diera respiro a los almohades. Que devastara, saqueara, golpeara y rematara. Hamusk aceptó de grado, deseoso como estaba de pasar a la acción, y se puso al trabajo de inmediato. Con este asunto arreglado, el rey Lobo continuó viaje a marchas forzadas, arrastrando tras de sí a las huestes que había trasladado a Sevilla y todo el inmenso botín que llevaba de vuelta. Sus hombres se preguntaban a qué venía viajar tan rápido, si el enemigo había quedado vencido atrás; si nadie los perseguía, y no había razón alguna para no volver descansados. Pero el ánimo de Mardánish no contaba con sus guerreros, a los que tenía por satisfechos con la victoria y la ganancia; él solo pensaba en su favorita, en Zobeyda, gracias a la cual había vuelto a saborear la gloria. El tiempo de frialdad entre ellos no servía ahora sino para calentar aún más su denuedo por regresar y arrojarse en sus brazos. Por eso, al entrar al fin en Murcia, pasó casi de largo por entre sus súbditos, que le arrojaban pétalos de flores y le aclamaban, al igual que al arráez Óbayd y al conde de Sarria, Álvar el Calvo, y parecían haber olvidado ya los momentos de miedo, y por fin abandonaban sus hogares y volvían a disfrutar, y la confianza en su soberano regresaba. Mardánish recorrió al trote las calles de Murcia hasta que entró en su alcázar y saltó del caballo. La comitiva de bienvenida estaba encabezada por sus esposas Layla y Lama. Tras ellas, con sus nodrizas, formaban en graciosa línea Hilal, Zayda, Safiyya, Gánim, Azzobair y Beder. El pequeño Azcam, de dos años de edad, estaba en brazos de su ama de cría, una rolliza muchacha de unos veintidós años que seguía amamantando al niño. ¿Dónde estaba su favorita? Mardánish saludó con besos y caricias, pero también con prisa; prometió regalos escogidos de entre el botín que llegaba desde Sevilla y acalló con más promesas las quejas de Hilal y Gánim, que reclamaban historias de guerra y aventura. Luego avanzó hasta más allá de los arrayanes de la entrada, donde aguardaban las concubinas y los funcionarios, pero apenas les prestó atención. Se perdió en la fresca oscuridad del alcázar ante la mirada resentida de Tarub, e interrogó a un sirviente, mientras este aún estaba inclinado y dando la bienvenida a su señor, acerca de dónde se hallaba Zobeyda.

Todos señalaban el mismo camino, el que se adentraba por los pasillos del palacio murciano y conducía al *hammam* privado, del que se elevaba una nube de humo. Una multitud de criados y esclavos miraba sonriente a su señor; apuntaban en la dirección de la belleza y el placer, la felicidad y la prosperidad. Mardánish entró en tromba en el recibidor de los lujosos baños del alcázar, despojándose ya de la ropa polvorienta del viaje, pero fue frenado por Marjanna, la doncella persa de su favorita. La esclava recibió a su señor de pie, vestida con una ligera túnica y con las manos alzadas. El aroma a ámbar negro y esencia de violetas invadía la estancia, ligeramente más caldeada que el exterior.

—Mi rey, sé bienvenido a tu hogar. Tu favorita me ha ordenado que te prepare para ella. Déjate hacer.

Mardánish obedeció el ruego de Marjanna y sonrió. Casi había olvidado los juegos que tanto gustaban a Zobeyda y para los que se servía normalmente de su séquito particular. El rey Lobo inspiró el perfume del ámbar, elevó la vista y dejó que sus ojos se relajaran con la luz tamizada de colores que se colaba por las cristaleras del techo. Marjanna despojó a su señor de las prendas que le quedaban hasta dejarlo desnudo. Luego, con suavidad y sin abandonar su sonrisa, anudó un paño blanco en torno a la cintura del rey y, tras arrodillarse, le ayudó a calzar unas sandalias. Después pasó suavemente una mano por el hombro de Mardánish y le empujó a la siguiente sala, en la que aguardaba la exótica Sauda.

El rey se dejó llevar. El vapor cálido que se arrastraba hasta él y lo acariciaba, el aroma y el lejano sonido de un laúd calmaban su euforia. La esclava africana, desnuda y con su oscura piel brillante a causa de la elevada temperatura, le alargó una copa de plata llena de jarabe de limón que Mardánish bebió de un solo trago. El líquido refrescó su garganta y se abrió paso para crear aquel súbito contraste con el calor de fuera, y Mardánish devolvió el recipiente vacío a Sauda. Entre ella y la persa lo guiaron hasta un banco y le hicieron tumbarse boca abajo sobre otro paño alargado y blanco. El rey Lobo suspiró al sentir reposar sus músculos cansados sobre la piedra revestida de tela y recibió las manos hábiles y tersas de Marjanna, que recorrieron su piel, la amasaron y se detuvieron allí donde la persa encontraba algún nudo de tensión. Sauda se ocupaba de humedecer constantemente las manos de su compañera con aceites perfumados. Cuando Marjanna retiró el paño y empezó a friccionar las piernas de Mardánish, la africana ofreció otra copa a su señor. El rey Lobo bebió despacio y se dejó hundir en el pozo de dulzura y sopor. Atrás quedaban ya el calor del camino, el peso de las armas y el furor de la guerra. Al tiempo que apuraba las últimas gotas de su refresco, observó los atauriques rojos y azules y la leyenda reinante en las bandas de la sala: su rostro se alegró con una sonrisa que incluía un mal disimulado alivio. La felicidad y la prosperidad regresaban. O quizá nunca se habían ido, y todo aquel miedo, la tristeza, la lluvia que arrastraba la esperanza por las callejas... no habían sido más que un áspero espejismo.

Marjanna le ayudó a levantarse y Sauda colaboró ahora con su compañera en guiar al rey a la siguiente sala, repleta de cubos de madera humeantes. Allí Marjanna se quitó la túnica para descubrir su desnudez y dejó que el cabello negro y largo le ocultara los pechos y se pegara a su húmeda piel, dibujando así cada curva, cada valle, cada enhiesta montaña en el busto rotundo y jactancioso. Entre ambas esclavas vertieron el agua caliente sobre el cuerpo de Mardánish. Se turnaron en la tarea, puestas de puntillas para que el derrame del líquido colaborara en aquella sensación de placer. Luego Marjanna y Sauda tomaron sendos jabones de ceniza de lentisco y aceite de oliva y giraron alrededor del rey mientras frotaban con delicadeza cada pulgada de piel. Él cerró los ojos y disfrutó del húmedo masaje a pesar de que las dos mujeres evitaban llevar la excitación de su señor más allá de un punto del que ninguno de ellos pudiera retornar. El rey Lobo sabía que todo aquello estaba perfectamente planeado por Zobeyda, que las esclavas lo preparaban para ella, alargaban cada momento y le sumían en un estado hipnótico situado en algún recóndito hueco perdido entre el sueño y el deseo. El agua cayó de nuevo sobre la cabeza de Mardánish, y él subió la barbilla para disfrutar del líquido que corría por su cara y su barba. Cuando toda la piel estuvo libre de espuma, Marjanna y Sauda lo secaron con cuidado, frotaron con suavidad su espalda y acariciaron con paños su pecho, sus brazos, sus piernas. Un agradable sopor lo invadía. Sustituía al furor con el que el rey había abordado el alcázar. Por ello apenas fue consciente de que las doncellas le devolvían a la sala anterior, al banco, donde siguieron con sus masajes, procurados ahora por la persa y la africana al tiempo, de la cabeza a los pies y de los pies a la cabeza. Mardánish cedió. Se abandonó de nuevo a las caricias cada vez más suaves y espaciadas de las esclavas. Las manos de ambas se recreaban en sus piernas y en su vientre, pasaban el dorso de los dedos por su pecho y rozaban con suavidad sus hombros. Fueron volviéndose lentas, perezosas, y el letargo se coló por cada poro y el sonido del laúd se alejó poco a poco. Hasta que se perdió. Sauda acarició la mejilla del rey y comprobó que por fin se había dormido. Hizo un gesto a su compañera y ambas abandonaron la sala.

Zobeyda era quien poco después recibía los cuidados de su corte de doncellas en el *hammam* privado del palacio murciano. Entre las estancias que rodeaban la gran sala central, la del baño, la favorita contaba con su propia estancia, de acceso directo desde sus aposentos del harén. Allí había sido llamada por sus doncellas en cuanto el rey Lobo cedió al sueño renovador. Ahora Marjanna repetía sobre el cuerpo desnudo de Zobeyda los masajes que momentos antes había regalado a su señor Mardánish. La favorita ocupaba el banco central de la caldeada sala mientras sus fieles doncellas, al igual que ella, desprovistas de ropa, escuchaban a Adelagia tañer el laúd que el rey había oído en la lejanía. La pelirroja italiana estaba sentada sobre el banco corrido que circundaba la estancia cuadrada, con las piernas cruzadas y el instrumento apoyado en una de ellas. Su cabello rizado y espeso caía ante él y ocultaba sus dedos, que recorrían con dulzura las cuerdas. La melodía era lenta, y de vez en cuando la detenía para desgranar algunos de los versos aprendidos en sus noches de amor con Abú Amir. De pronto había recordado un poema que parecía especialmente ajustado a aquella ocasión.

—*Una carta de mi amor ha llegado para anunciarme que me hará una visita, y mis ojos han vertido abundantes lágrimas.*

Zobeyda, que yacía tumbada boca abajo mientras recibía los cuidados de Marjanna, volvió la cabeza hacia Adelagia y mostró los ojos enrojecidos por el llanto. Sonrió sin embargo a su doncella. Quería que siguiera rasgueando el laúd, pues la italiana se había detenido a la espera de saber si aquel tema era del agrado de su señora.

—¿Por qué llora la doncella del poema, si va a poder disfrutar de su amante? —preguntó Zeynab, que escuchaba sentada al otro lado de la sala—. Yo no me sentiría desgraciada.

—La doncella llora porque es feliz, no desgraciada —aclaró Adelagia—. *La alegría me ha invadido de tal modo que, en el exceso de mi contento, me ha hecho llorar.*

»*Ay, ojos que os habéis acostumbrado a las lágrimas, ahora lloráis de alegría, tal como hace poco llorabais de tristeza.*

»*Haced que mi alegría lo inunde todo ahora que voy a verle, y dejad las lágrimas para la noche en que nuevamente nos separemos.*

Zeynab, que había visto llorar a Zobeyda mientras gozaba de las manos de Marjanna, se levantó y se acercó al banco ocupado por la favorita. Vio que sí, que las lágrimas se derramaban por la cara y mojaban el paño sobre el que estaba tendida su señora.

—¿Lloras tú también de alegría, mi dueña?

—Así es. Mi amante vuelve a mí. Al fin.

—Jamás se fue. —Adelagia punteaba despacio las cuerdas del laúd.

—Pero su corazón sí. Ha estado ausente mucho tiempo. Ahora debo retenerlo junto a mí y no dejar que se marche de nuevo.

Zobeyda dijo esto al tiempo que se incorporaba. Marjanna la ayudó y Zeynab recolocó con cuidado el cabello de su señora, por una vez libre de los gladiolos que la embelesaban.

—Llora por la culpa —señaló entonces Adelagia.

Se produjo un momento de silencio. Todas sabían de sobra, pues habían colaborado en ello, que la favorita había cometido adulterio con el conde de Urgel para mantenerlo cercano al Sharq al-Ándalus. Zobeyda usaba de su hermosura para hechizar y retener a Armengol, igual que el borracho impenitente es cautivado y su voluntad se ata al vino. La persa pasó el dedo pulgar por los pómulos de la favorita y retiró las lágrimas. Luego la besó allí donde el llanto había ido dejando su rastro. La eslava se hizo atrás e inclinó la cabeza para mirar de arriba abajo a Zobeyda. Esta se sometió al examen y obtuvo la aprobación de Zeynab.

—Estás más hermosa que nunca, mi señora. Hasta las lágrimas parecen haber añadido brillo a tu mirada.

Zobeyda sonrió, segura de que sus doncellas jamás le mentían. Era consciente de que su belleza juvenil se había afirmado con el tiempo, y ahora, a los veintisiete años, estaba llegando a su momento de mayor esplendor. Las cuatro jóvenes se fueron reuniendo en el centro de la sala y observaron mientras su señora, desnuda y resplandeciente, se alejaba a pasos cortos para encontrarse con su esposo. Sauda, Zeynab, Adelagia y Marjanna vieron cómo Zobeyda contoneaba con naturalidad sus caderas, asentadas tras haber dado a luz a tres niños; y advirtieron el brillo que los afeites habían dado a su piel blanca, sobre la que caía la cascada de pelo negro. La italiana suspiró y las demás rieron. Marjanna, que era la mayor de las cuatro, aprovechó para reprender a Adelagia.

—No debes mortificarla con lo del conde de Urgel.

—No lo hago con mala intención —se defendió la italiana—. Además, yo también me he entregado a Galcerán de Sales sin amarle. Ambas lo hacemos por el bien del reino.

La persa acarició el cabello rojo de Adelagia.

—Lo sé, amiga mía. Lo sé.

Zobeyda entró en el aposento en el que Mardánish dormía encima del banco, cubierto tan solo por un paño a medio caer. La favorita se acercó despacio, silenciosa. Acercó el dorso de un dedo al pecho de su esposo y lo rozó con delicadeza. El rey Lobo se removió un poco y su cabeza se volvió hacia Zobeyda, pero no llegó a abrir los ojos. Ella se inclinó y besó sus labios despacio, y luego su mejilla una, dos, tres veces. Se separó y vio que Mardánish la observaba con los párpados entornados, todavía envuelto en el sopor. Él sonrió débilmente, y ella le volvió a besar. Esta vez se abrió paso con la lengua a través de sus labios. Cuando estuvo segura de que el rey estaba despierto, Zobeyda se separó despacio y dejó un fino hilo de saliva que por un momento siguió uniéndolos. Retrocedió varios pasos y permitió que su señor la contemplara en toda su magnífica desnudez mientras el vapor se deslizaba por su piel desde el suelo. Con ambas manos se echó el pelo hacia atrás para descubrir del todo sus pechos e irguió el busto. La sonrisa asomó a su cara cuando vio por el rabillo del ojo cómo el paño que cubría a Mardánish empezaba a moverse lentamente.

—Quiero enseñarte algo, mi rey.

Zobeyda se volvió con lentitud. En la cintura, justo donde terminaba la cascada negra del cabello y la espalda se arqueaba y se dividía para buscar la curva de las nalgas, la favorita lucía escarificada una estrella de ocho puntas del tamaño de un puño. La piel había sido abierta y cerrada, pero antes, sobre la carne viva, la mixtura de color añil había rellenado la herida. Era como si uno de los dioses paganos a los que adoraba Zobeyda hubiera escrito sobre ella con un cálamo de fuego. Mardánish, aún adormilado, reconoció el estilo negro de Sauda en la marca indeleble que ahora sellaba la espalda de su favorita. La propia esclava africana lucía varios de aquellos tatuajes sobre su piel, siempre en lugares no visibles a la chusma, pues de todos era sabido que bordar la piel iba contra la ley de Dios.

—Debió de ser doloroso —murmuró él mientras se esforzaba por escapar del sopor. Zobeyda se volvió hacia él.

—No más que cualquier herida en el campo de batalla. ¿Qué es esto comparado con tu sacrificio, mi rey? Con tus cicatrices nos demuestras a todos tu amor. Y con esta cicatriz, yo me ofrezco a ti. ¿Es de tu agrado?

—Mucho. Es la estrella de nuestro reino.

Ella sonrió y rozó con los dedos el pecho de Mardánish. El vello se erizó sobre la piel del rey.

—Y dime, mi señor, ¿fue todo bien en Sevilla?

—Todo sucedió como esperábamos —dijo él con la voz aún adormecida, aunque el temblor del paño blanco indicaba que el resto de su cuerpo despertaba—. El poderoso hijo del califa fue derrotado. El mismo que alzó el gallardete almohade sobre Almería. Yo también subí nuestro estandarte bien alto en su presencia y ante las mismísimas murallas de Sevilla. La misma estrella que ahora marca tu piel. Ahora todo el mundo lo sabe. Lo saben los almohades, y también nuestros súbditos. Ahora todo volverá a ser como antes. Felicidad y prosperidad. *Al-yumn wa-l-iqbal.* Gracias a ti.

—¿Gracias a mí? —Zobeyda se movió despacio y se situó de nuevo junto al banco sobre el que seguía tumbado Mardánish, pero a la altura de aquel paño blanco que estaba a punto de resbalar—. Gracias a mí es otro el estandarte que se alza. —Miró de reojo a su esposo y cogió por fin el paño para descubrir el miembro erecto de Mardánish—. Gracias a mí te dispones a obtener la felicidad y la prosperidad. *Al-yumn wa-l-iqbal.* Solo para ti.

Zobeyda dijo esto último al tiempo que se inclinaba y recogía con sus labios el estandarte triunfal de su esposo. Mardánish soltó un largo gemido y acarició el pelo de su esposa mientras ella empezaba a subir y bajar la cabeza lentamente, deteniéndose un momento para alargar con fruición la lengua. La favorita ladeó la cabeza un instante y vio el goce supremo enmarcado en el rostro del rey Lobo. Mardánish recibió en sus venas los relámpagos de placer que su mujer le arrojaba. Gozó de su presión, de su roce, su presa, su caricia, el vacío, de nuevo el contacto de sus labios, su saliva, ahora su lengua. Ella lo llevó poco a poco hasta el límite y lo abandonó un instante. Luego se irguió para mirar a su esposo. Trepó al banco y pasó una pierna sobre él. Lo montó como si el rey Lobo fuera un destrero presto para la carga. Alargó el momento y dejó que ambos cuerpos apenas se rozaran, movió sus caderas de delante atrás, arañó con suavidad el pecho de Mardánish. Asomó la punta de la lengua al tiempo que cerraba los ojos. Los masajes de Marjanna habían hecho su labor y Zobeyda estaba impaciente como nunca, dispuesta y excitada, deseosa de recibir el amor en sus entrañas. Se dejó caer. Resbaló su amor alrededor del estandarte triunfal del Sharq al-Ándalus, afilado por la saliva. Suspiró al sentirse llena y sus caderas volvieron a vibrar, despacio primero, más deprisa luego. Las voces de los dos se conjugaron como las notas del laúd que se oía de nuevo en la distancia. Los claros ojos de Mardánish sostuvieron la mirada oscura de Zobeyda mientras ambos se adentraban en las estancias del reino que habían construido. *Al-yumn wa-l-iqbal.* El rey Lobo, sumido en el más impetuoso frenesí, no se dio cuenta de las lágrimas que, a pesar de todo, brotaban de aquella negrura andalusí que vivía en los ojos de Zobeyda.

Día siguiente

Los visires de Mardánish le pusieron al corriente de todo lo ocurrido mientras él devastaba los alrededores de Sevilla. En su ausencia, una vez más, los alfaquíes y ulemas más radicales se habían empeñado en hablar demasiado. Por fortuna, el hábil Abú Amir había podido contenerlos y agotaba poco a poco sus recursos. Eso sí, en cuanto las noticias del triunfo del rey Lobo sobre el *sayyid* Yusuf llegaron a Murcia, los discursos derrotistas desaparecieron como por ensalmo. Lo que las mezquitas habían ganado en los tiempos de zozobra lo perdían ahora, y los murcianos llenaban de nuevo las calles y tabernas. Celebraban que tal vez sí: pudiera ser que aquellas nubes negras se alejasen y ellos regresaran a su prosperidad. A su felicidad.

El final del verano se acercaba, pero Mardánish estaba deseando que el tiempo frío pasara rápido para iniciar una nueva campaña. Después de lo logrado en Sevilla se veía capaz de todo. Ahora podría mirar a objetivos más cercanos y accesibles. Jaén, Córdoba. Tal vez Granada. No, Granada debería quedar para más adelante. En ella moraba el *sayyid* Utmán, aquel muchacho desvergonzado que había sido lo suficientemente hábil como para recobrar Almería ante las fuerzas combinadas de la cristiandad y el islam andalusí. Mardánish, con un mapa desenrollado sobre la mesa de su sala de consejos, estudiaba en solitario la disposición de sus tierras, de sus fortalezas más avanzadas y de las de su suegro. Sonrió y echó un trago de vino de la copa que sujetaba. El verano siguiente. Entonces, con el conde de Urgel y Pedro de Azagra de nuevo con él, podría llevar la guerra otra vez hasta los almohades.

Porque por fin volverían a reunirse todos, ahora que Sancho de Castilla y Fernando de León habían llegado a un acuerdo de paz en Sahagún. Arreglado ese asunto, era posible incluso que el propio rey de Castilla reanudara su alianza militar y ambos pudieran acabar con la amenaza africana. Sancho de Castilla. Debía convencerle, sí. Lo decidió. Le escribiría de inmediato. Juntos serían imparables. Ah, ¿había algo que no fuera posible? Tal vez, incluso, los planes de Zobeyda de emparentar ambas casas no fueran tan descabellados.

En ese instante, mientras el rey Lobo terminaba con el vino de su copa de plata, Abú Amir entró sin anunciarse en la sala. Traía el semblante serio y reflexivo. El buen médico ni siquiera fue consciente de que había llegado a su destino hasta que alzó la vista y se encontró con la mirada divertida de su monarca.

—Ah, mi buen amigo Abú Amir. Qué oportunamente vienes. —El rey señaló a la parte alta del mapa, aquella ocupada por símbolos que marcaban el dominio almohade—. Juntos acabaremos con ellos.

—¿Juntos, mi señor?

—Juntos, sí. Sancho de Castilla y yo. Y tal vez incluso Fernando de León, ahora que ambos hermanos están de nuevo avenidos. Sí, las fuerzas de la cristiandad y del islam andalusí confluirán sobre esos fanáticos impertinentes. Pero vayamos por partes. Sancho de Castilla. Le necesitamos, y nadie mejor que tú para una misión diplomática que...

—Sancho de Castilla murió hace unos días en Toledo, mi señor.

Mardánish quedó con la boca abierta y la sonrisa congelada en el rostro. La copa de plata resbaló de sus dedos, se estrelló contra el suelo y rodó lentamente hasta los pies de la mesa de consejos. El rey Lobo se recostó contra el respaldo de su sitial, cerró por fin la boca en un rictus de enojo y miró hacia un lado. Adiós a la alianza.

—Sancho, muerto. Apenas hace un año que subió al trono.

—Estaba débil desde antes de ser coronado. Ha muerto muy joven. Es una pena.

—Su hijo Alfonso —recordó de repente Mardánish—. Él es el heredero.

Abú Amir asintió.

—Ni siquiera tiene tres años, pero ya es rey de Castilla. Las familias nobles del reino se disponen, según sé, a disputarse su tutoría y la regencia.

El rey Lobo golpeó con el puño cerrado el reposabrazos de su silla. Era más o menos lo que temía el difunto emperador Alfonso. Lo que había temido el mismo Mardánish. No: era peor. Ahora se trataba de un crío coronado. El rey Lobo imaginó a los barones castellanos revoloteando alrededor del pequeño rey, como buitres que otearan una buena pieza agonizante. De repente, la imagen se vio invadida por un buitre mayor que ahuyentó a los demás. Un pajarraco grande que miraba con ojos vivos hacia tierra. Mardánish resopló.

—Fernando de León —dijo—. En cuanto el emperador murió, se apresuró a tomar por la fuerza varias plazas en tierras de su hermano. Pero Sancho era un hombre y le paró los pies. Ahora, con un crío en el trono de Castilla, ¿qué ocurrirá?

Abú Amir se encogió de hombros.

—Las familias castellanas son poderosas. Tal vez el pequeño sea un hueso demasiado duro de roer si está protegido por los Lara o los Castro. Pero el rey de León siempre podría tomar partido en caso de rivalidad. Su influencia será decisiva, sin duda. Y lo más inquietante es que por el tratado que Sancho y Fernando firmaron en Sahagún hace poco, ambos se constituyeron en herederos recíprocos si morían sin descendencia. Si el pequeño Alfonso falleciera...

Mardánish se levantó y rodeó la mesa. Pasó junto al mapa extendido sobre el tablero, sujetas sus esquinas con una jarra de vino y un plato vacío por un lado; la propia espada de Mardánish apisonaba el papel de Játiva por el otro. El rey se paró ante su consejero y miró la parte del mapa que correspondía al reino de León. Tamborileó con los dedos sobre la mesa.

—Fernando es ambicioso, mucho. Lo sé, lo noté cuando lo conocí en Jaén. Y eso que él era tan solo un crío. Sancho era mejor persona. O tal vez no. Tal vez me equivoque. ¿Podríamos atraer al rey de León para nuestra causa?

—Mucho me temo que Fernando de León tendrá a partir de ahora una nueva empresa. Mucho más interesante, por cierto. De nada le sirve a él que nosotros nos hagamos con las tierras del Alto Guadalquivir. ¿Qué ganaría?

—Tienes razón. —Mardánish seguía golpeando rítmicamente con los dedos sobre la mesa de consejos. Miró de nuevo al mapa, una copia parcial de la Península extraída de otro plano de exhaustiva factura trazado por un tal al-Idrissí, un ceutí huido del yugo almohade y establecido en Sicilia. Sobre el papel xativí, muy cerca del rey Lobo, quedaba ahora la costa del Garb, con las tierras cercanas en poder de Portugal y del reino de León—. Pero si León y el Sharq atacaran a un tiempo a los almohades, nuestros enemigos deberían dividir sus fuerzas. Esto puede ser provechoso para Fernando y para nosotros.

—Tu juicio es acertado. —Abú Amir también examinaba la copia de aquel excelente mapa—. Pero cuidado. Nuestras fuerzas no serían lo mismo si no contáramos con las tropas del conde de Urgel y con su propia presencia. Armengol es íntimo amigo de Fernando de León. ¿Lo sabías?

Mardánish ladeó la cabeza.

—Sí, algo había oído. Y en Almería los vi juntos... Pero eso no significa nada. Como bien sabes, Armengol se siente a gusto a nuestro lado.

Abú Amir asintió sin atreverse a mirar a los ojos a su rey. Le dolía el tono de agradecimiento que usaba cuando hablaba del de Urgel. Cuánto odiaba el consejero a aquel conde taciturno y ambicioso. Cuánto odiaba preferir que ese cristiano malnacido estuviera al servicio del Sharq. No pudo evitar la advertencia a Mardánish:

—El conde jamás dejaría solo a Fernando en una campaña contra los almohades. El rey de León lo reclamaría junto a él y Armengol acudiría. Sin duda.

—Armengol también es amigo mío. Sé que ambiciona Granada. Lo sé de seguro. Y yo se la daría para que la gobernara por mí si la tomáramos. ¿Qué puede ofrecerle Fernando de León para atraerle a su bando?

Abú Amir carraspeó incómodo. La promesa tácita de Granada o de cualquier otra ciudad al alcance del rey Lobo no tenía nada que ver con la lealtad guerrera de Armengol de Urgel. El cuerpo de Zobeyda, sus besos, sus caricias... Eso era lo que ataba al conde de Urgel al Sharq al-Ándalus. Pero el médico no podía decir nada de eso a Mardánish, y menos ahora, después de la victoriosa campaña en Sevilla y de la reconciliación entre el rey y su favorita, conocida y festejada ya por toda la corte.

—En cualquier caso, como te he dicho antes, creo que los intereses de Fernando están en sus fronteras con Castilla. La oportunidad es única para él. No tratará contigo. No le propongas nada. Los reinos cristianos se mantendrán ocupados durante años en sus propias rapacerías.

Mardánish escuchó a su consejero sin apartar la vista del mapa. Tendrían que hacerlo solos. Ellos contra los almohades. Nadie más.

24

La colina Sabica

Otoño de 1158. Granada

Utmán se levantó del suelo, dio dos pasos atrás y esperó a que todos los demás le imitaran al término de la oración. Se frotó la pierna, entumecida tras permanecer arrodillado durante el rezo del alba. Aquella maldita cicatriz, irreverente y descarada, se empeñaba desde la toma de Almería en recordarle las cuentas pendientes con el rey Lobo. Dejó que sus sirvientes personales recogieran la almozala sobre la que había rezado. Chascó la lengua y se frotó las manos. Había recibido el día a la intemperie, junto a los hombres de su guarnición. El brillo del sol teñía las nubes a levante y una brisa soplaba débil sobre la colina Sabica, junto a la fortaleza roja. El frío del alba se extendía en la hora gris y funesta. Un buen momento para que la sangre corriera. También para que aquellos medrosos andalusíes pagaran por haber decepcionado a Dios y al nuevo orden. Con cuánta premura habían venido a dar la razón a uno de aquellos poemas que tanto gustaban de declamar:

> *Cuando honras al generoso, lo conquistas.*
> *Si honras al despreciable, se rebela.*
> *Trocar generosidad por espada*
> *es tan perjudicial como trocar espada por generosidad.*

El *sayyid* hizo un gesto breve y uno de sus soldados masmudas dio un grito. De inmediato, se oyó el sonido del metal que se arrastraba contra las piedras, y brotaron de la pequeña fortaleza dos hombres que trasladaban por los brazos a un tercero. El desgraciado parecía muerto o dormido. Iba desnudo salvo por unos zaragüelles rasgados y sucios, y por los grilletes y cadenas que le atenazaban muñecas, tobillos y cuello. Sus pies inertes se deslizaban a trompicones por el suelo, hacían saltar pedazos de uña y dejaban como rastro dos regueros de sangre. Cuando los guardianes llegaron ante el *sayyid*, soltaron al prisionero, que se derrumbó como un fardo sin emitir ni un quejido. El hombre quedó en tierra y se agitó muy despacio, como si le costara un horror mover cada pulgada de articulación. Utmán anduvo a su alrededor sin disimular la débil cojera que le estorbaba desde Almería. Miró con desprecio al cautivo. Sus soldados agrandaron el círculo en torno a ambos, el hijo del califa y el prisionero.

—¿Me oyes, judío?

El hombre no contestó. Utmán hizo un gesto de reconocimiento hacia los dos soldados que habían arrastrado a aquel desgraciado a su presencia: lo habían hecho bien. El prisionero tenía ambas piernas rotas, al igual que los dedos de las manos. También se veían varias tumefacciones en los costados y en el pecho, amén de pequeñas heridas abiertas por todo el cuerpo. Algunas de ellas no sangraban y presentaban sus bordes hinchados, mientras que otras parecían recién hechas. Entre ambos tipos de llaga, todo un elenco de cortes, pinchazos, pellizcos y quemaduras llenaban la piel del judío, muestra de que eran varios los días que había durado su tortura. Utmán dejó de mirar al cautivo y se abrió paso a través de los soldados masmudas. Se hallaban ante la puerta de la fortaleza, en presencia de una pequeña multitud. La Roja, al-Hamra, era una construcción más reciente que la alcazaba y se situaba en la colina Sabica, justo enfrente de aquella. Ambas fortalezas estaban separadas en sus respectivas elevaciones por el río Darro, que discurría silencioso allá abajo, encajonado entre terrazas y paredes de roca antes de atravesar Granada como un flechazo traspasaría una manzana madura. El *sayyid* había hecho llamar a ciertos granadinos, con orden de subir a la Sabica y esperar el alba junto a la fortaleza roja, pues tenía especial interés en que contemplaran aquella mascarada. Se dirigió a ellos con la barbilla levantada, sin importarle que allí no hubiera nadie más joven que él.

—Tenéis el honor de comparecer ante mí porque quiero mostraros algo.

El muchacho hizo un nuevo gesto y los masmudas se pusieron en movimiento a su espalda mientras él seguía encarado con el gentío. Entre los allí congregados, Sahr ibn Dahri apretaba los dientes y los puños hasta morderse los labios y clavarse las uñas en las palmas de las manos. Ni él ni el resto de los judíos convertidos al islam habían comprendido en su momento la razón de ser citados en aquel lugar a esa hora. Ahora lo sabían. Lo habían entendido al reconocer al infeliz al que los almohades acababan de sacar de las mazmorras de al-Hamra con el cuerpo maltratado por el tormento. Se trataba de un judío islamizado como ellos, un tal Rubén que se dedicaba al préstamo, al igual que hacían otros muchos de los hebreos de Granada. Rubén era de aquellos a los que el propio Ibn Dahri había convencido para que no abandonaran la ciudad. Tal como le indicara el noble Abú Yafar, Ibn Dahri aconsejó a Rubén que fingiera su conversión a la fe de Mahoma. Y Rubén había aceptado, claro. Eran muchos los empréstitos que quedaban atrás si emigraba de Granada.

Demasiado dinero perdido, incalculables los intereses desaprovechados. Además, solo allí, en Granada, gozaba de fama. Eso por no hablar del patrimonio de la familia, que de abandonar la ciudad pasaría a engrosar las arcas almohades. Y tampoco se le pedía tanto, al fin y al cabo. Eso le había dicho Ibn Dahri. Una pantomima de conversión, una pizca de apariencia y prudente cautela. No mucho más. Pero algo había fallado. Aquello había resultado ser algo bastante más peligroso que una farsa.

Las rabiosas reflexiones de Sahr ibn Dahri se quebraron cuando oyó un ruido seco y alargado. Los falsos mahometanos de Granada irguieron la cabeza y vieron que los hombres del *sayyid* arrastraban un par de maderos oscuros, uno más largo que otro. Ibn Dahri cerró los ojos.

—Cuando llegué a Granada hice saber a todos cuáles son las condiciones que Dios, alabado sea, ha impuesto para la tierra de sus creyentes —volvió a sonar la voz inconfundible y arrogante de Utmán—. Mi padre, el califa, no admite fisuras en sus dominios. Libre del error, expulsa de su seno a todo aquel que se ensucia con la ignominia del pecado. Pero misericordioso como es, pues así le corresponde al ser sucesor del Mahdi, ofrece a los infieles la posibilidad de profesar la verdadera fe.

»Así lo hicisteis todos los que estáis hoy aquí. A la mañana siguiente a mi llegada, yo mismo fui testigo de vuestra conversión al credo verdadero. Todos sabíais cuáles eran mis condiciones: islam, destierro o muerte.

»Desechasteis el destierro, pues aquí estáis. Quedaban dos alternativas.

Utmán calló y echó las manos atrás para ocultar el débil temblor que acababa de asaltarle. Paseó con lentitud estudiada por delante de los hebreos convertidos. Alargó el momento mientras oía los martillazos con los que sus hombres unían ambos travesaños de madera. Los almohades se hablaban a su espalda con voces quedas para ajustar las vigas y formar una cruz perfecta. Los golpes de los martillos contra el hierro repicaron en la madrugada granadina y rebotaron contra los muros de al-Qasbá al-Hamra. Con cada impacto, los judíos respingaban y se estremecían. Uno de ellos, en las últimas filas de aquel auditorio, vomitó con una sonora arcada. La sonrisa del *sayyid* se estiró. Demasiado para parecer una burla sincera.

—Islam o muerte —siguió Utmán cuando los martillazos cesaron—. Vosotros escogisteis el islam, puesto que de lo contrario estaríais muertos. Pero me veo obligado a preguntároslo otra vez. ¿Qué me decís, islam o muerte?

Nadie habló. Los golpes de los martillos fueron sustituidos por otros ruidos más apagados. El roce de las cuerdas al rodear la cruz, el tintineo de las cadenas al arrastrarse, el chasquido de los grilletes al ser abiertos. El prisionero soltó un par de quejidos tan débiles que casi no se oyeron. El judío que había vomitado tuvo una segunda arcada, pero su estómago estaba ya vacío y solo sus convulsiones quebraron la letanía de la crucifixión.

—¡Os he hecho una pregunta! —habló de nuevo el *sayyid*—. Vaya, veo que nuestro amigo Rubén no se va a ir solo al infierno. Quizás alguno de vosotros, al igual que él, no está convencido y fingió su conversión. Quien lo hizo insultó no solo al califa y a mí mismo, sino también al propio Dios. Así pues, comprobémoslo, ya que harán falta más cruces. Bien, ¿islam o muerte?

—Islam —dijo uno de los atribulados falsos musulmanes de la primera fila. Al punto le imitaron los demás, primero poco a poco, luego con una respuesta unánime—. Islam, islam... ¡Islam!

Sahr ibn Dahri también lo dijo. Lo gritó bien alto. Una, dos, tres veces. Islam. Islam. Islam. Con cada palabra, sentía que empujaba al pobre Rubén hacia su condena. Se sintió sucio y cobarde. Por su familia, por sus amigos, por sus antepasados. Por Rubén. Se tapó la cara con las manos y lloró a raudales.

—Nuestro amigo Rubén fue sorprendido mientras, en compañía de su familia, se entregaba a un rito demoníaco —intervino una vez más Utmán—. Por ser esta la primera vez, y dado que este traidor infiel ha reconocido que obligó a su esposa e hijos a compartir esa aberración, me he limitado a usarle a él, a nadie más que a él, para daros un buen ejemplo. En el futuro, mi cólera caerá no solo sobre aquel de vosotros que me defraude, sino también sobre todo el que le acompañe en su perversión. Sea hombre, mujer o niño.

Ibn Dahri sintió que sus lágrimas aumentaban, aunque un momento antes le habría parecido imposible. Él mismo, al igual a buen seguro que los demás allí presentes, había celebrado en esos días el año nuevo judío. Seguramente alguien, quizás uno de esos entrometidos *talaba* bereberes, había sorprendido al pobre Rubén compartiendo algunas manzanas y *challah* con su familia. O tal vez su delito hubiera sido revelado por algún miserable ávido de prebendas. Esta vez le había tocado a aquel prestamista, pero también podría haber sido él. Por un momento imaginó su cuerpo sometido al suplicio, a punto de morir en la cruz, solo por comer unas tortas bañadas en miel. Un inocente rito. Y si era cierto lo que aquel muchacho cruel y altivo decía, no solo él podía ser sometido a tortura y ejecución. También su esposa. Y sus hijos. Las piernas de Ibn Dahri temblaron mientras un mar de lágrimas escapaba por entre sus dedos.

Un nuevo martillazo rompió el murmullo del llanto de Sahr ibn Dahri, y esta vez sí, Rubén exhaló un alarido prolongado y agudo. El grito se confundió con el segundo martillazo, pero se convirtió en un estertor con el tercero. Un cuarto martillazo y de nuevo el grito. Desgarro, dolor, miedo. El primer vómito entre los judíos se repitió y fueron varios los que se agarraron las tripas, encorvados, mientras Rubén se desgañitaba a chillidos a pocas varas. De pronto dejó de gritar y comenzó a llamar a voces a su madre, y luego a su esposa. Los martillazos se interrumpieron, pero pronto se reanudaron con un toque distinto, cambiante. Más rápido ahora que el sufrimiento parecía diluirse entre un golpe y el siguiente. La piel se rasgaba, los huesos crujían y la madera se agrietaba. Y el *sayyid* Utmán transformaba su sonrisa en una mueca. Mostraba sus dientes blancos y algo amontonados, y la angustia pugnaba por escapar de su garganta. ¿Lo notarían sus masmudas? ¿Se daban cuenta esos judíos? Debía controlarse. Cerró los ojos, pero no podía sustraerse al gemido prolongado y agónico que salía de la boca rota de Rubén. Uno de los hebreos avanzó un solo paso y se postró de rodillas ante el hijo del califa. Alargó las manos hacia él, pero Utmán retrocedió para evitarlas. Un guardia masmuda reaccionó y golpeó al judío con la contera de la lanza en un costado. El suplicante se dobló y cayó. La mueca del *sayyid* se transformó en una maldición apagada.

El eco del último martillazo se fue diluyendo al tiempo que los primeros rayos del sol iluminaban a Rubén, que poco a poco se alzaba, atado y clavado al travesaño horizontal de la cruz. Los almohades gritaron para coordinarse y lograr que el madero vertical encajara en el hoyo cavado allí mismo. Unos tiraban de una cuerda enganchada a la cúspide, otros sujetaban la viga y se manchaban con la sangre que chorreaba por entre las grietas de la madera. Al final la viga se ensambló con el agujero; cayó con un chasquido siniestro, y la cruz fija y enhiesta se fijó en el suelo, que empezaba a encharcarse de rojo. Rubén emitió un nuevo grito cuando sus brazos crujieron y el cuerpo quedó suspendido. Los judíos vieron a su paisano allí, con la faz crispada mientras boqueaba. Uno de los hebreos se desmayó y otro intentó sujetarle, pero ambos cayeron al suelo. La angustia de Utmán también crecía. Cada vez más. Temió que pronto dejaría de ser dueño de sí mismo. Se acercó a uno de los masmudas, tomó su lanza y se acercó al crucificado. Echó el hombro hacia atrás y despidió el arma con destreza. La punta abrió el esternón, atravesó el pecho y se clavó en el travesaño de madera. Rubén se convulsionó un par de veces y quedó inmóvil.

—¡Esto! —gritó el *sayyid* sin volverse hacia los hebreos—. ¡Esto es lo que espera a todo aquel que me defraude!

Ibn Dahri, entre los hipidos que le impedían casi respirar y un extraño zumbido que se le había instalado en la cabeza, creyó percibir que la voz de Utmán vacilaba en su última amenaza. Con los ojos nublados por el llanto vio que el *sayyid* se alejaba, rodeado de sus soldados masmudas, para descender de la Sabica, cruzar el puente del Cadí y regresar a la Alcazaba Vieja. Tan deprisa que casi no se le notaba la cojera. Atrás quedó la cruz, bañada por los primeros rayos del sol y por la sangre de Rubén.

Utmán sentía temblar sus piernas y el corazón le oprimía el pecho como si quisiera saltar de él. Miró sus manos mientras subía de dos en dos los escalones del palacio que ocupaba la poetisa Hafsa. Utmán era el único hombre de

Granada que podía entrar en aquella *munya* guardada por las murallas de la alcazaba. O eso creía él.

Paró ante la cámara de Hafsa. Una esclava que dormitaba sobre la estera, guardando el aposento, se despertó con un respingo. Acababa de regresar al sueño tras la oración del alba, por lo que no tardó en despabilar y, a la vista del joven *sayyid*, se puso en pie. La muchacha perdió por un momento el equilibrio y golpeó la puerta; luego musitó una disculpa por su torpeza, hizo una inclinación y corrió a pasos cortitos y extrañamente ruidosos hasta desaparecer tras el primer recodo. Utmán inspiró con fuerza y apoyó la mano derecha en la entrada. Los dedos le temblaban y su respiración era entrecortada. Se reconvino mentalmente. Él era el hijo del califa, el bravo Utmán, acostumbrado a masacrar cristianos en la batalla. Lo que había hecho en lo alto de la Sabica era su deber; la ley del Único lo exigía: el destino del blasfemo era la cruz. Para darse más fuerza —más convicción— se pasó la mano izquierda por encima de sus ropajes a la altura del muslo. Aquella cicatriz de guerra obtenida en el sitio de Almería se había convertido en algo más que una molestia. Y si Dios había querido que el hierro enemigo le traspasara la carne y le dejara aquel indeleble recuerdo, por alguna alta razón sería. Sí. Debía sentirse orgulloso de la herida. Él no tenía miedo a la guerra, a la lucha, a la muerte. Y sin embargo, esa mañana había temblado y una fuerte sensación de soledad le invadía aún.

Empujó la puerta y dejó que sus ojos se acostumbraran a la penumbra. Los cortinajes largos que tapaban las celosías se mecían movidos por la brisa, convertían en sombra la media luz y serpenteaban hacia la cama como un coro de danzarinas. Los rayos del sol todavía no alcanzaban a cubrir las rejillas veladas, pero se adivinaba la silueta de Hafsa sobre el lecho, cubierta por una sábana. Utmán había gozado muchas veces de aquel cuerpo, aunque esa mañana no pretendía hacer el amor a la granadina. Se acercó a la cama y observó la forma perfilada bajo la cubierta. Las caderas generosas, las piernas dobladas hacia un lado, un seno desnudo y parcialmente descubierto por la sábana y un brazo colgando más allá del borde, con la mano abandonada pero invitando al *sayyid* a entrar en el lecho. Los ojos glaucos de Hafsa se abrieron y miraron a Utmán sin decir nada. Sonrió con aire somnoliento al reconocer al joven gobernador y levantó la sábana para dejar que un tenue aroma almizclado envolviera como un abrazo al visitante. Utmán, sin quitarse ni una prenda, se acogió con presteza al regazo de Hafsa, se dejó atrapar por ella y suspiró. Incluso a través de la ropa, notó el calor de la granadina. Al rodearlo con sus brazos, la poetisa percibió el temblor en los hombros del muchacho, como si Utmán acabara de despertarse de una pesadilla. En aquel momento se sentía más como una madre que como una amante.

—Acabo de atravesar a un hombre que agonizaba en la cruz —confesó él en un susurro—. Yo mismo había dado orden de torturarle antes de la ejecución.

Hafsa siguió callada. Los latidos rápidos y resonantes del corazón del *sayyid* traspasaban sus ropas y se filtraban hasta la piel de la poetisa. Utmán metió la cara entre el cabello revuelto de ella y empezó a llorar quedamente.

—¿Has ordenado atormentar y matar a un hombre? ¿A quién?

—A uno de esos judíos convertidos. Su cuerpo se pudre ya junto a al-Hamra. Sus gritos han cubierto toda la Sabica, toda Granada...

—¿Por qué lo has hecho? —La mujer se esforzaba en que su voz no estuviera teñida de reproche.

—Debía hacerlo. El judío intentó engañarme. Desafió al califa. Al Mahdi. A Dios... —respondió él entre hipidos. De repente, su voz, tan segura siempre, parecía ahora la de un niño desvalido. Instintivamente, Hafsa apretó sus brazos alrededor del cuerpo del *sayyid*.

—Todos debemos cumplir con nuestro deber... —adujo ella en un tono dulce—. No te aflijas.

—No... Mi deber es llevar la espada contra los enemigos de Dios en el campo de batalla. Luchar contra ellos. Esto no ha sido honorable. Era un hombre indefenso.

—A veces nuestras obligaciones son odiosas, y por ello cumplirlas nos honra más. Eres un hombre grande destinado a hacer cosas importantes. Aquellos que no tienen que cargar con esa responsabilidad pueden permitirse flaquear. Tú no.

El llanto del *sayyid* se desbocó. Las palabras de ella sonaban tan sinceras... En verdad aquella poetisa, bella y acogedora, era el bálsamo que Utmán necesitaba para calmar su corazón. Hafsa sintió la humedad de las lágrimas que mojaban su barbilla y su cuello. Utmán no parecía ahora el guerrero implacable que había derrotado al emperador de León en el cerco de Almería. Era más bien un niño asustado por su propio poder. La poetisa acarició la cabeza del *sayyid* tiernamente y, poco a poco, su sollozo se fue calmando. El silencio volvió al aposento, ya medio iluminado por la luz de la mañana. La respiración del joven almohade se volvió cadenciosa y regular. Hafsa suspiró, con la cabeza de Utmán entre las manos y su cuerpo dormido en el regazo, pero los ojos de la poetisa continuaron abiertos, fijos en los cortinajes que cubrían las celosías.

Abú Yafar se tapaba la boca para no gritar de espanto. Era el único movimiento que había hecho desde que se ocultara tras las cortinas. Casi no se había atrevido a respirar mientras el *sayyid* Utmán se deshacía en lágrimas en el lecho que él mismo acababa de abandonar a toda prisa.

Había pasado la noche en la estancia de Hafsa, y de hecho, la llegada del *sayyid* les había sorprendido mientras hacían el amor para recibir el nuevo día.

Una suerte, después de todo, porque aquello les había permitido escuchar la repentina llegada de Utmán y el sobresalto de la esclava que dormitaba en la entrada. Afortunadamente, aquella sirvienta, sin duda a propósito, había formado un pequeño escándalo al retirarse, avisando así a los furtivos amantes. Abú Yafar apenas había tenido tiempo para apartarse del húmedo calor que le proporcionaba Hafsa y, desnudo como su madre lo arrojó al mundo, ocultarse detrás de aquellas cortinas movidas por la brisa del amanecer. Justo cuando la figura del secretario se confundía con la seda colgante, la puerta se había abierto.

Por unos instantes, Abú Yafar temió que Utmán viniera a gozar del exuberante cuerpo de Hafsa. O peor aún, que el *sayyid* descubriera las ropas del secretario tiradas en el suelo; pero para su sorpresa, el muchacho se había desgañitado llorando, sin hacer caso de nada más. La sorpresa se había transformado en horror al oír de sus propios labios que el *sayyid* acababa de crucificar a un judío. La mente de Abú Yafar voló enseguida hacia su amigo Sahr ibn Dahri. ¿Era él el ajusticiado? Si le habían sometido a tormento, tal vez habría hablado de sus contactos secretos con él. Incluso podía haber confesado que la falsa conversión de los hebreos de Granada era idea de Abú Yafar. El secretario notó crecer el pánico en su interior. Él sería el siguiente en ser crucificado si las cosas habían ocurrido así. Debía asegurarse. Sí. Había que salir de allí y ver si los masmudas andaban en su busca para prenderlo. De ser así, huiría, por supuesto. Ahora no se trataba de fingir la sumisión a los almohades, sino de salvar la vida. Pero Hafsa... No podía dejarla atrás. ¿A quién quería engañar? Si había permanecido en aquella Granada oscura, triste y dominada por el fanatismo, había sido por ella. ¿Qué hacer?

Abú Yafar aguardó hasta que la respiración del *sayyid* se volvió regular y apenas audible. Retiró con una mano la cortina y avanzó un paso. Hafsa sujetaba entre sus manos la cabeza de Utmán; la granadina cubría los ojos del joven con su propio cabello mojado de lágrimas. Ambos, el poeta y la poetisa, cruzaron una mirada desesperada. Quizá Hafsa había pensado lo mismo que Abú Yafar. El secretario, aterido por el frío de la mañana que se colaba por las celosías y se posaba en su piel desnuda, cruzó la estancia sin dejar de observar con odio la silueta masculina tendida junto a su amante. Recogió sus ropas amontonadas sobre una alfombra. Abrió la puerta con cuidado y descubrió a la esclava al otro lado. No hicieron falta palabras, pues tanto Abú Yafar como ella sabían a qué se exponían. Los hombres de la guardia masmuda pululaban por las estancias de la *munya* en su ronda de vigilancia, así que la muchacha guio al hombre desnudo por los corredores y escaleras para llevarlo hasta las cocinas. Allí, ante la mirada sorprendida de las niñas, el gesto escandalizado de las mujeres y la mueca burlona de los hombres, Abú Yafar recibió un tosco jubón de borra y una túnica de lana, y la esclava también le dio unas almadreñas tan ajadas que los dedos de los pies asomaban por las puntas. Era preciso disfrazarse. El secretario no podía salir vestido con su túnica blanca y su pelliza de piel de oveja, que habrían llamado demasiado la atención.

Salió de la *munya* como un sirviente más que iba a aprovisionarse de amanecida. Acarreaba una cesta vacía, caminaba con la cabeza gacha y miraba al suelo. Entre ruegos silenciosos para no ser reconocido, se movió rápido por las callejas de la Alcazaba Vieja y la abandonó con premura. A cada cruce, a cada vuelta de esquina, creyó que un masmuda le iba a echar el alto. ¿Sería prendido? Tal vez no. Quizá fueran imaginaciones suyas. A lo mejor Ibn Dahri no le había delatado. Los pensamientos iban y venían sin orden mientras cruzaba el Darro por el puente del Cadí, dejaba caer la cesta al agua y subía la cuesta rumbo a al-Hamra. Al mismo tiempo, conforme crecía su desazón, el sonido de la ciudad que despertaba se perdía allá abajo, como si en la Sabica reinara la desesperanza y nadie quisiera decir una palabra. Cuando quiso darse cuenta se vio al pie de la cruz chorreante de sangre. A su alrededor, congregados en un silencio de muerte, estaban los judíos convertidos de Granada. Algunos sollozaban, atragantadas las ganas de gritar, y otros simplemente miraban a Rubén y se ponían en su lugar, o intentaban inventar el modo de contarle aquello a la familia del crucificado. Abú Yafar localizó con alivio la figura rechoncha de su amigo Sahr ibn Dahri. Tragó saliva y se acercó a él. El hebreo granadino tenía la vista fija en el camino de bajada hacia el Darro, justo por donde acababa de llegar Abú Yafar. Pero el judío miraba más allá, a los muros de la Alcazaba Vieja. Al-Qasbá al-Qadima, sede del poder almohade en Granada, corazón de la dictadura extranjera. Ibn Dahri clavaba allí sus ojos, como si pudieran atravesar la piedra y fulminar al *sayyid*, que se escondía tras los muros.

—No debéis dejar que os venza el desaliento —trató de animarle Abú Yafar. Ibn Dahri salió por fin de su estupor y observó al secretario con los ojos enrojecidos. Su labio inferior temblaba y tenía la tez del color del mármol. Ni siquiera reparó en los ropajes de sirviente que llevaba el poeta.

—Buen consejo. Como aquel otro de convertirnos. Pero fíjate. —El hebreo señaló a Rubén, colgado de los pingajos que eran sus brazos y con la cabeza caída sobre el pecho atravesado—. Mira a qué nos ha llevado quedarnos aquí. Mira a ese pobre hombre. Crucificado. Solo por celebrar el año nuevo con su familia. Si no te hubiera hecho caso, Rubén seguiría vivo.

—Yo no he tenido la culpa de eso. Debéis ser más discretos —intentó defenderse Abú Yafar.

—Ya, discretos. Los almohades saben dónde vivimos y conocen perfectamente nuestras celebraciones. Pueden presentarse en mi casa y sorprenderme. ¿Hemos de vivir así para siempre?

—No. No para siempre. —El secretario apretó los puños. El temor había sido sustituido por la ira. No solo por lo ocurrido en la Sabica, sino también por saber que su lugar en el lecho de Hafsa estaba ahora ocupado por el hijo del califa almohade.

Ibn Dahri suspiró y se pasó el dorso de la mano por la nariz. Luego miró de nuevo al crucificado.

—¿Qué diremos a la esposa de Rubén? ¿Qué le diré yo a la mía? ¿Que en cualquier momento podemos ser hallados en falta y sometidos a tormento? ¿Cómo explicar a nuestras familias que sus vidas corren peligro por habernos quedado en Granada? Más nos habría valido a todos marcharnos, aunque hubiéramos perdido lo nuestro.

—Sí, claro. —Abú Yafar vio que el grupo de judíos convertidos se iba diluyendo. Los hombres se marchaban en parejas o en solitario, arrastrando los pies y con las gargantas secas. El sol se había alzado lo suficiente, y sus rayos rasaban la colina Sabica y se reflejaban en los tejados de las casas allá abajo y al otro lado del Darro—. Si os hubierais marchado... Si os marcharais ahora, no os quedaría más remedio que refugiaros, pobres como ratas, en alguna otra ciudad de al-Ándalus, o tal vez en Toledo, junto a los cristianos. ¿Y qué? ¿Acaso no sabes que los almohades pretenden tomar para sí toda la Península? ¿Crees que ya han cumplido con hacerse con Granada? Yo soy secretario del *sayyid*, recuérdalo. Sé que sus objetivos son las tierras cristianas de Portugal, León y Castilla, y también las del rebelde rey Lobo. La mayor parte de las cartas que se mandan y reciben, las provisiones de fondos, los preparativos... Casi todo tiene como objeto continuar la conquista. Huiríais, sí, pero ellos os alcanzarían de nuevo. Así pues, ¿no es mejor quedarse y empezar a luchar?

—A luchar... —Ibn Dahri repitió en voz baja las últimas palabras de Abú Yafar—. ¿Cómo vamos a luchar? ¿No has oído hablar de lo que ocurrió en Niebla hace unos años? ¿Has visto lo que le ha pasado a Rubén? Imagina qué sería de nosotros si nos rebeláramos.

El secretario se mordió el labio. La idea de la rebelión había anidado en su mente al mismo tiempo que los celos, justo en el momento en el que Utmán posó sus ojos sobre Hafsa. Y había ido creciendo con los meses, con los años, y se desbordaba tras lo ocurrido esa mañana... Pero Ibn Dahri tenía razón. Ellos solos no podían nada contra el poder almohade. Saboreó la rabia de no tener nada para contestar a su amigo judío, pero no podía quedarse allí, al pie de una cruz a la que un granadino había sido clavado por los invasores africanos. Ahogó una maldición y tomó a largas zancadas el camino de bajada de la Sabica, con la cabeza llena de imágenes de motín, de venganza, de muerte.

SEGUNDA PARTE

(1159-1163)

Tú, que me censuras que acuda a la batalla
y asista a los placeres, ¿acaso puedes hacerme eterno?
Si no puedes apartar mi muerte,
deja que la afronte con cuanto mi mano posea.

TARAFA IBN AL-ABD AL-BAKRÍ,
Muallaqa

25

Jaén

La suerte demostró en aquella época que era, como siempre, veleidosa, y que no se dejaba llevar por el Dios más poderoso o el más fanáticamente adorado.

Las grandes casas castellanas se mantenían a la espera, casi enfrentadas por atraer bajo su tutela al joven rey Alfonso de Castilla. Aguardando el cariz que tomaran aquellos acontecimientos, Fernando de León se frotaba las manos. Esto no era beneficioso para el Sharq al-Ándalus. Su posición precaria como reino musulmán en una península cristiana, enraizado en las tierras que el príncipe de Aragón pretendía conquistar tarde o temprano y enfrentado además al invasor almohade, hacía que Mardánish necesitara como el agua al poderoso aliado que en otro tiempo había sido Castilla.

Sin embargo, la situación ofrecía otras ventajas. Tal como había anunciado Abú Amir, tanto Castilla como León alejaban de sus objetivos la conquista de tierras al sur de sus respectivos reinos. Esto permitía que grandes señores como Armengol de Urgel o Álvar Rodríguez se vieran definitivamente libres para acudir junto al rey Lobo. Por otro lado, la pérdida de poder de Castilla llevó a que Navarra se irguiera y se sacudiera el yugo de vasallaje que la había sometido primero al emperador Alfonso y después a su hijo Sancho. Territorios y tenencias enteros se despegaron de Castilla cuando sus señores rindieron pleitesía a Navarra, y la frontera dejó de ser foco de conflicto, ocupados como estaban los castellanos en sus pleitos internos. De esa manera, Pedro de Azagra pudo ver también acrecentadas sus tropas con nuevos voluntarios que se ofrecían a luchar contra los almohades a cambio de la generosa paga que ofrecía aquel rey próspero y feliz del Sharq al-Ándalus. Con la Marca Superior guarnecida contra las apetencias aragonesas, Mardánish se vio al frente del mayor ejército que jamás llegó a soñar.

Y si todo esto no era suficiente para espolear el ánimo del rey Lobo, ocurrió algo inesperado: los sicilianos, en un súbito golpe, invadieron tierras del norte de Ifriqiyya bajo poder almohade, lo que obligó a reaccionar a Abd al-

Mumín a toda prisa. El califa preparó una gran campaña con destino a Mahdiyya y Sfax. Un movimiento decidido, firme y rotundo. Tanto que, obligatoriamente, los penetrantes ojos de Abd al-Mumín dejaron de mirar a la díscola tierra de al-Ándalus. Ahora, la pesada y torpe maquinaria almohade no podría reaccionar a tiempo si algo ocurría en la Península. Era el momento.

El primer paso de Mardánish fue marchar hacia el suroeste desde Murcia tras reunir a su nuevo y flamante ejército. El rey Lobo recogió las tropas de su suegro, Hamusk, y a este mismo, que se hacía acompañar de su inseparable al-Asad, el León de Guadix. El cerco de Jaén se plantó a poco de entrado el invierno, y parte de las tropas fueron enviadas a las inmediaciones para tantear la presencia de enemigos y llevar a cabo un saqueo salvaje que pudiera mantener al ejército durante aquellos fríos días. Las tiendas de Mardánish y su suegro, ricamente engalanadas, se levantaron una junto a otra, y pronto millares de hogueras lanzaron hacia el cielo jiennense columnas de humo rectas y negras; parecían rejas que encerraran en una mazmorra a la ciudad. Desde las murallas reforzadas por los almohades, la guarnición observaba día tras día con desesperación cómo las filas andalusíes y cristianas se extendían hasta perderse de vista. Aquel inmenso contingente sería capaz de tomar Jaén aunque solo fuera porque en la ciudad no había armas ni flechas suficientes para acabar con todos los sitiadores. Unos días después de establecido el campamento y erigida la albarrada, el conde de Urgel y su hermano Galcerán llegaron desde Murcia. Venían casi sin descanso de sus tierras del norte, donde Armengol acababa de despedirse de su joven y preñada esposa Dulce de Foix. Según dijo, solo se había detenido en Murcia para descansar un par de noches, y luego había continuado con su preciada hueste norteña para unirse al rey Lobo. Así, el ejército sitiador creció y el cerco se apretó.

Por eso, un día, al cabo de pocas semanas de sitio, la Puerta de Granada, aquella desde la que Mardánish había visto salir a los primeros almohades de su vida, se abrió y bajo su arco aparecieron varios hombres que caminaron hacia los lujosos pabellones del rey Lobo y su suegro. Fue el conde de Urgel quien dio aviso. Una ancha sonrisa iluminaba su cara perfectamente acicalada.

—Una comitiva de parlamento viene desde la ciudad.

Mardánish, que como todos sus hombres vestía su atuendo de combate, asintió ante el aviso de Armengol. Se cubrió con la capa forrada por la oscura piel del lobo que le había hecho famoso, acompañó al conde de Urgel y rebasó las líneas de albergada andalusíes y cristianas. Pocos instantes después se unió a ellos un jadeante Hamusk, también preparado para la lucha. Los tres magnates avanzaron y se reunieron con la delegación almohade en un punto medio de la tierra de nadie. El rey Lobo sonrió al ver que los enemigos habían salido desarmados. Era una estupenda señal. Como muestra de buena voluntad, Mardánish entregó el yelmo a su suegro y se adelantó sin dejar de mirar a los ojos al almohade que parecía tener mayor edad. Era un tipo de piel oscura, por supuesto, vestido con un *burnús* de lana del que colgaba una grandísima capucha por la espalda. Su pelo estaba enteramente cubierto por un turbante. Mantuvo la barbilla erguida mientras se dirigía a Mardánish por primera vez, aunque no pudo evitar que su voz sonara temblorosa; y no por miedo al andalusí, sino por terror hacia sus propios amos. Aun así, el parlamentario almohade no pudo evitar que sus ojos se fijaran en la piel de lobo que cubría los hombros del rey del Sharq. El conde de Urgel y el señor de Segura se mantenían medio paso por detrás de aquel.

—Te saludo, Abú Abd Allah Muhammad ibn Saad ibn Mardánish. Soy el gobernador de Jaén, Ibn Alí. Soy conocido como al-Kumí y estoy al servicio de mi señor Abd al-Mumín, príncipe de los creyentes, califa y sucesor del Mahdi...

—¡Basta de palabrería, africano! —cortó de pronto Hamusk ante la sorpresa de todos. El gesto de satisfacción contenida de Mardánish mudó en enojo por la salida de tono de su suegro. Volvió a medias la cabeza y le largó una mirada de reproche, pero el señor de Segura estaba lanzado—. ¿Es que vas a recitar la genealogía de todo el islam? No hemos venido a escucharte, sino a tomar posesión de Jaén. Una ciudad que nos pertenece, pero que tu señor, el califa de las cabras bereberes, ha usurpado en nombre de no sé qué chiflado visionario borracho de licor de dátiles. Entrega Jaén ya y sométete al poder que rige al-Ándalus.

Al-Kumí apretó los labios hasta convertirlos en una línea rojiza en medio de su cara oscura. Sus ojos también se entornaron como saeteras de las que fueran a volar sendas flechas hacia Hamusk. Este lanzó una de sus estentóreas carcajadas y hasta el conde de Urgel se permitió sonreír, divertido por el poco tacto del noble andalusí. Un insulto como ese podía dar al traste con cualquier negociación, pero Armengol de Urgel estaba sobradamente seguro de sus propias fuerzas. Y el gobernador almohade, desde luego, también.

—Te pido perdón, noble al-Kumí, por las palabras del señor de Segura —intervino Mardánish, que aún masticaba el enfado con su suegro—. Escucho lo que tengas que decir, pero debes saber que solo aceptaré la rendición inmediata de Jaén. Permíteme ofrecerte la libertad si sometes la ciudad. Podrás marchar con tus soldados, una vez que sean desarmados, al lugar que prefieras. También te prometo respetar la vida de los villanos. Son las condiciones que ofrezco siempre a mis enemigos.

—Ejecútale ahora, delante de nuestros hombres. Delante de las murallas de Jaén —volvió a inmiscuirse Hamusk—. Que esos cabreros sepan cómo las gastamos. Sangre. Muerte. Así a partir de ahora, yerno mío, y a tu paso no hallarás oposición, pues habrás sembrado el terror en los corazones de los enemigos. Pasearás a nuestro ejército hasta el Estrecho y tendrás que contenerte para no cruzarlo e invadir África.

El gobernador almohade tragó saliva al oír las palabras del señor de Segura, pero su mirada orgullosa se mantuvo clavada en el rey Lobo.

—¡No es así como actúo! —se revolvió Mardánish para callar a su suegro—. Con esa política no hallaremos ciudades vacías de guarnición, sino guerreros dispuestos a morir con mayor ahínco. Estos —señaló a al-Kumí— dicen de nosotros que somos demonios crueles y ávidos de sangre, y en esa convicción consiguen reclutar voluntarios para hacernos frente. ¡Recuerda este mismo lugar, hace ocho años! ¡Recuerda a aquellos cinco locos jinetes almohades que se lanzaron al suicidio! ¿Crees que gente así se aterrorizará y dejará un yermo de aquí a África? ¡No! ¡Yo te digo que cuanta más sangre derramemos y con cuanta más crueldad nos conduzcamos, más firme será la reacción de los fanáticos!

—Mis señores, por favor —volvió a hablar el gobernador almohade de Jaén—, no os dejéis llevar por falsos juicios. Rendirnos al enemigo infiel solo puede tener una consecuencia ante el califa: la decapitación o la crucifixión. Si vosotros también nos ofrecéis la muerte, ¿cómo esperáis obtener obediencia alguna? Por mi parte, rindo a tus pies, rey Mardánish, la ciudad de Jaén. Y no regresaré a lugar alguno bajo el poder del califa, pues pretendo vivir muchos años. Me acojo a tu asilo y con la mía te ofrezco la sumisión de toda la guarnición y los villanos de Jaén.

Tras decir esto, al-Kumí clavó una rodilla en tierra e inclinó la cabeza hacia el rey Lobo; al momento fue imitado por quienes lo acompañaban. Mardánish puso los brazos en jarras y su enfado desapareció como por ensalmo. Luego miró atrás, a sus filas acampadas en el cerco. Lo que no había conseguido el emperador en dos oportunidades a lo largo de su vida, lo acababa de lograr él sin una sola baja.

Murcia

Abú Amir se encontró con Adelagia en la puerta del salón de consejos. El médico sonrió a la italiana e hizo un gesto de admiración al ver el brial de ciclatón que llevaba puesto bajo el manto rojo trabado con una fíbula dorada. Aunque le pareció que aquellas lujosas vestiduras restaban atractivo a la muchacha, no podía negarse que le otorgaban un aire señorial. Desde luego, nadie habría dicho que se hallaba ante una de las doncellas de la favorita.

—¿Qué haces aquí, pequeña?

Adelagia bajó los párpados con divertida resignación. A pesar de que Abú Amir contaba casi cuarenta años y ella misma rondaba los treinta, seguía hablándole como si ambos fueran adolescentes en busca de un rincón oscuro.

—Mi señora Zobeyda me ha mandado llamar, como a ti. —La italiana señaló la puerta—. ¿Entramos?

Abú Amir asintió y cedió el paso a la cristiana. En el sitial del rey Lobo se hallaba la favorita, como si la ausencia de Mardánish la hubiera llevado a apropiarse del gobierno. Y en realidad así era aunque los visires del rey figuraran como los responsables oficiales y eran quienes deberían rendir cuentas a su señor cuando volviera de la campaña en tierras almohades. Abú Amir y Adelagia rindieron una afectada reverencia a Zobeyda, y esta los invitó con un gesto a sentarse a la mesa. El médico ocupó la silla a la izquierda y la doncella se situó al otro lado. Con un par de palmadas, la favorita hizo entrar a dos sirvientes que llevaban bandejas con copas, *nabid* y buñuelos de berenjena con canela, cardamomo y jengibre. Cuando hubieron servido las viandas, Zobeyda alzó su copa hacia el techo abovedado.

—Que tengáis fortuna en vuestro viaje, amigos míos.

Abú Amir y Adelagia, que habían levantado sus copas para responder al brindis, se miraron sin abandonar el gesto divertido.

—Ya suponía que nos ibas a encargar algo, niña, pero espero que no sea viajar en pleno invierno. Mi cuerpo empieza a volverse frágil y el frío podría perjudicarme —dijo el médico.

—Lástima. —Zobeyda se relamió tras un primer y corto trago del licor de dátiles—. Porque sí, os vais de viaje. Y por desgracia para tu frágil cuerpo, amigo mío, vas a pasar mucho, mucho frío. —La favorita enfatizó esto último y rio para sus adentros. Abú Amir seguía gozando de una estupenda salud a pesar de sus quejas, pues sabía combinar la buena vida con la moderación de forma envidiable. Si acaso solo podía reprocharse que su incipiente barriga hubiera crecido algo más en los últimos años, pero por lo que Zobeyda sabía, eso no suponía una merma de sus conquistas amorosas.

Abú Amir dejó la copa en la mesa sin probar el *nabid*. A Adelagia, por el contrario, se le iluminaron los ojos al oír la noticia, y bebió. Ella había llegado a Murcia siendo tan niña que casi ni se acordaba de su Pisa natal, y durante su servicio como doncella de la favorita apenas había viajado más allá de Valencia, así que le excitaba la idea de poder conocer otras tierras. Tierras frías, según acababa de insinuar su señora. ¿Aragón, tal vez? ¿Más lejos, quizá?

—Castilla —sentenció al fin Zobeyda, que parecía adivinar las preguntas que se hacía su doncella.

—Castilla —repitió Abú Amir en voz baja, y movió la cabeza a los lados—. En fin, sea así. Hasta los ignorantes nazarenos saben que *todo gozo debe humillarse, y cualquier otro amor someterse a mi dama por su gentileza.* Al menos viajaré con la hermosa Adelagia. Espero que ella sepa calentar estos miembros ateridos cuando recorramos los yermos congelados.

Adelagia hizo un gesto de aquiescencia y dio otro trago al *nabid*. Luego tomó uno de los buñuelos y le dio un pequeño mordisco. Todo un viaje a tierras lejanas y desconocidas, y en compañía del dulce y experto Abú Amir. ¿Qué más se podía desear? Sin embargo, adivinó, no todo sería placer en esa misión.

—Entiendo, mi señora, que fíes en Abú Amir para tus negocios en lugares apartados. Y a fe mía que me haces feliz al encomendarme que le acompañe, pero ¿por qué yo?

—Por varias razones. La primera de ellas es que confío en ti, querida mía. —Zobeyda sonrió, alargó la mano y cogió la que Adelagia tendía a su vez hacia la favorita—. La segunda es que Abú Amir se sentirá mucho más dispuesto a cumplir esta misión si tú le asistes con tu singular inteligencia. —El médico soltó una corta y prudente carcajada al oír aquello—. La tercera es que eres cristiana, lo cual vendrá muy bien a todos para moveros por Castilla. La cuarta es que mi hija mayor, Zayda, te adora.

—¿Zayda? —intervino Abú Amir cuando se disponía por fin a beber. De nuevo dejó la copa sin probar en la mesa—. ¿Qué tiene que ver la chiquilla en esto?

Zobeyda soltó la mano de Adelagia y se levantó. Caminó a lentos pasos y se puso a la espalda de su doncella. Desde allí, Abú Amir tenía enfrente a las dos bellas mujeres, una sentada y la otra en pie.

—Viajaréis a tierras cercanas a Burgos, a los dominios del señor García Garcés de Aza. Tú, Abú Amir, actuarás como embajador del Sharq al-Ándalus con permiso escrito de tu rey, Mardánish. Contigo llevarás además una carta escrita del puño y letra de Armengol, conde de Urgel.

Abú Amir agrió el gesto. Y agriado lo había tenido muy pocos días atrás, mientras Armengol de Urgel se alojaba en el alcázar de camino a Jaén, en ausencia del rey. Suponía qué habría estado haciendo el conde durante esas noches, antes de partir a unirse al ejército del Sharq.

—Una carta de Armengol de Urgel... Seguro que la escribió durante su descanso aquí. Porque paró simplemente a descansar. Sin duda, su joven esposa, Dulce de Foix, ha agotado sus energías...

—Basta, Abú Amir. El conde redactó esta carta a petición mía. Y mi esposo escribió su licencia para ti antes de marchar de campaña. Ambos documentos, que guardo aquí debidamente sellados, serán abiertos solo en presencia del señor de Aza y entregados a él. Adelagia actuará como aya de Zayda y la asistirá sin separarse de ella en ningún momento. Oh, bien, dado que con vosotros irán varios sirvientes, como es lógico, aceptaré que mi doncella se ausente de su tarea para dar algún paseo contigo, amigo Abú Amir, o para que despachéis a solas los asuntos que convengan a vuestra misión. —Adelagia soltó una risita maliciosa y siguió comiendo buñuelos de berenjena—. Vuestra escolta estará formada por hombres del conde de Urgel. Cristianos que han llegado de sus tierras para unirse a él, pero a los que he pagado con largueza para cumplir otra misión. Eso os ahorrará preocupaciones cuando viajéis por el reino de Castilla.

—¿Somos correos? Algo más habrá, sobre todo si hemos de llevar con nosotros a la pequeña Zayda —intervino de nuevo Abú Amir.

—García Garcés de Aza es en estos momentos guardador del rey de Castilla. Tiene a cargo su crianza y su educación. El niño Alfonso estará con él en su fortaleza. No sois correos. Los correos han salido ya hacia Castilla para anunciar vuestra llegada.

Abú Amir comprendió por fin. Esta vez sí se llevó la copa a los labios y acabó con todo el contenido.

—Hay algo más que quiero que sepas, Abú Amir —añadió Zobeyda—. El conde de Urgel, al pasar rumbo al suroeste, me hizo saber cuáles fueron las últimas palabras del emperador Alfonso.

—¿Las últimas palabras del emperador? ¿Qué tiene que ver eso...?

—Unidos, Abú Amir. Unidos. Solo unidos lo conseguiremos. Solo unidos derrotaremos a los almohades.

—Claro. —El consejero posó la copa sobre la mesa—. Se trata de eso, ¿eh, niña? Castilla y el Sharq, unidos...

—Está dicho que Zayda reinará...

—No exactamente —quiso interrumpir Abú Amir, aunque Zobeyda siguió con lo suyo.

—... y, aunque este es un momento delicado, aún se le pueden sacar beneficios. Castilla está debilitada por la muerte del emperador y del rey Sancho en un año. Con el pequeño Alfonso disputado por los nobles castellanos, y con Fernando de León acechando, una alianza con un reino tan poderoso como el nuestro debería ser bien recibida en Castilla. Y serviría a la última voluntad del viejo Alfonso. Lo que un hombre dice cuando mira a la muerte a los ojos por fuerza ha de estar revestido de certeza.

Abú Amir resopló y señaló las cartas que debían trasladar a Castilla.

—Tengo claro lo de Armengol, pero no sé qué artes habrás usado para convencer a tu esposo. Porque ese salvoconducto es auténtico. ¿Verdad, niña?

—Lo es. Mardánish no pudo negarse a dar su permiso. Está agradecido por el resultado de mi consejo de atacar a Yusuf en Sevilla. En cuanto a Armengol de Urgel, escribió su carta gustoso. Te lo aseguro.

Abú Amir sintió subir la bilis del odio hacia Armengol. Carraspeó, y Adelagia se hizo la distraída. Claro que no. El conde de Urgel no se negaría a ningún capricho de Zobeyda. El médico tomó los dos rollos sellados que le entregaba la favorita.

—Tal vez esto no sirva de nada, niña, a pesar de lo que dijera un emperador moribundo —advirtió—. Castilla está dividida. Es más, no me extrañaría que sus nobles se disputaran el poder en guerra abierta. Lo que unos acepten será impugnado por los otros de inmediato, así que si consiguiéramos un compromiso, aún nos quedaría mucho trabajo para verlo cumplido.

—Pues bien, dado que es mucho el trabajo que queda por hacer, mejor empezar cuanto antes. —Zobeyda hizo un gesto con la mano para señalar la salida del salón de consejos. Adelagia se levantó de inmediato. Abú Amir suspiró, sabedor de que ninguno de sus argumentos convencería a la favorita, pues la decisión había sido tomada incluso antes de ser ella misma consciente, en la cueva de la bruja Maricasca. Aun así, el médico no pudo resistirse a decir la última palabra:

—Sabes que te serviré con lealtad, al igual que a tu esposo. Viajaré a Castilla y veremos a ese tal señor de Aza, y porfiaré por lograr un compromiso entre el pequeño rey y Zayda. Pero que conste que no creo que nada de esto vaya a llegar a buen puerto.

26

La embajada a Castilla

Unas semanas después. Tierras de Aza, reino de Castilla

A pesar de que la apariencia de la embajada no era grande, la comitiva diplomática pecaba de todo menos de modestia. Estaba claro que Zobeyda, sin saberse muy bien si motu proprio o con la connivencia de su esposo, pretendía impresionar no solo a los nobles castellanos que guardaban al rey, sino a todo aquel que morara por las tierras que habían de recorrer en su viaje. Y por si acaso fuera poco, los lugareños, informados por los correos que se habían despachado con antelación, salían de sus casas cuando barruntaban su llegada, o bien bajaban desde las aldeas cercanas para intentar ver algo de aquello que tomaba visos de leyenda: una joven princesa sarracena, hermosa como las estrellas, recorría los caminos para ir a ver al rey de Castilla; y además viajaba escoltada por los más bravos guerreros de la cristiandad y las huríes más bellas del islam. Casi nada.

El itinerario hasta la Marca Superior se recorrió de forma aceptablemente rápida. En cada posta, villa o albergue se tenían órdenes precisas y todo se desarrollaba con fluidez, y a lo más se tenía que aguantar a algún que otro caíd con ínfulas que pretendía hacerse notar y dejar grata impresión en el primer consejero del Sharq al-Ándalus y en la joven princesa Zayda.

Después, la misión dobló a poniente para evitar las tierras aragonesas y entró en Castilla, donde los lugareños se mostraban más distantes a pesar de no poder aguantar la curiosidad. Un frío tremendo les había dado la bienvenida en la Marca Superior, y ahora seguía afligiéndolos, lo que en cierto modo debería haber servido para acelerar la marcha. Sin embargo, los días eran cortos y la princesa, acostumbrada al clima suave, a los mimos de sus ayas y su madre y a la vida fácil y placentera de la corte, reclamaba constante atención y pedía cada poco detenerse para calentar sus manos al fuego de una hoguera. Abú Amir, hombre que había viajado y que, pese a su gusto por las comodidades, sabía adaptarse a los rigores del camino, se desesperaba: cada alto en la ruta implicaba interrumpir la marcha de soldados, esclavos, ayudantes y criados. A ese paso llegarían en verano a las tierras de Aza y consumirían más víveres de los previstos. Por añadidura, las bandas de mala gente armada empezaban a proliferar en aquellas tierras frías y alejadas del centro de la corte castellana. El estado de Castilla, próximo ya a la anarquía, propiciaba que la gente se tirara al monte en un intento por medrar. Eso decidió a Abú Amir a imprimir mayor velocidad a la marcha, pues cada día que pasaban en ruta suponía aumentar el riesgo de que algo ocurriera, pese a que la escolta cristiana proporcionada por los hombres de Urgel era grande y de calidad. Así, a pesar de las protestas de la pequeña Zayda, la comitiva se plantó por fin en las parameras nevadas. La mayor parte de la gente quedó acampada una vez que pasaron Aranda, pequeña aldea junto al Duero y dominada por la pétrea torre de una iglesia consagrada a santa María, mientras que, de amanecida, Abú Amir, Adelagia y Zayda, asistidos por algunos criados y protegidos por un buen número de guerreros de Urgel, tomaron el camino de Aza.

Las columnas de humo anunciaron a los viajeros la presencia de la fortaleza, un poco desdibujada por la tenue nevada que caía sobre el páramo. Las casas se amontonaban alrededor de un cerro e invadían sus laderas, y en la cima alargada se aposentaba la muralla de madera medio arruinada, dominada por una torre de piedra y mampostería, recia y no muy alta. El panorama era poco menos que desolador. Adelagia, que entornaba los ojos para protegerse de la nieve, los abrió como escudillas al enterarse de que aquel era su destino. ¿Allí vivía el rey castellano? Abú Amir pudo ver que dos hombres armados con lanzas salían de la fortificación y se dirigían a su escolta. Los guiaron a continuación hacia la única puerta de la muralla, donde detuvieron el carruaje de la misión diplomática. A diferencia de lo ocurrido en el tramo de su viaje por el Sharq al-Ándalus, apenas una docena de campesinos acompañados de sus esposas abandonaron el calor de sus hogares. Llevaban las cabezas cubiertas con mantas, y observaban sobre todo el paso de Abú Amir, que era el único de ellos que aún vestía ropajes andalusíes, capote verde forrado de piel y botas de fieltro. El médico erguía orgulloso la cabeza, apuntaba con su fina barba hacia delante e ignoraba el golpeteo constante de los copos de nieve sobre su tez enrojecida por el frío. Adelagia, por su parte, caminaba a rápidos pasos, arrastrando su brial crudo mientras se sujetaba el pellizón y tiraba de la mano de Zayda. La pequeña iba tan arrebujada en su manto que apenas se le veía la cara. Protestó por los tirones de Adelagia cuando trepaban por la cuesta que llevaba a la fortaleza, pero esta ignoró las quejas de la niña. Los copos caían cada vez con mayor fuerza, se estrellaban contra sus ropajes y se deshacían de inmediato para recibir otros más grandes.

Al traspasar la muralla avanzaron por un sendero abierto en la nieve, y dejaron a los lados algunos cobertizos de madera. Un herrero hacía sonar una pieza al martillearla, y un tenue olor a pan recién hecho salía del ventanuco de la choza más grande, mientras un ligero olor a estiércol abandonaba las caballerizas adosadas a uno de los muros. Zayda, con sus ojos azules abiertos de par en par, miraba con temor y asombro a su alrededor. Uno de los soldados, el que los precedía, se detuvo y señaló al torreón que dominaba el conjunto. Su cúspide almenada se recortaba amenazadora contra la gris claridad del día y lo hacía parecer un monstruo de ojos pequeños y estrechos. Abú Amir, Adelagia y Zayda vencieron su aprensión y subieron por una empinada escalera de madera que separaba el suelo de la entrada de la torre, a dos cuerpos y medio de altura. Abú Amir se quedó el último para ayudar a Zayda a trepar y maldijo entre dientes, descontento aún por aquella misión que le había encomendado la favorita. Por fin, el consejero traspasó el dintel de piedra y entornó los párpados. La oscuridad del torreón fue descendiendo mientras los ojos de los recién llegados se acostumbraban a ella y dejaban atrás la blanca claridad de la colina nevada. Un criado de huesos prominentes los recibió con una inclinación y señaló, sin erguirse, una escalera de gruesos tablones pegada a una de las paredes. Detrás del criado estaba el hogar, en el que ardía un fuego de grandes proporciones que caldeaba el ambiente, y frente a él, una mesa rodeada de criados, hombres y mujeres que removían potes, cortaban cebollas o pelaban capones. Una trampilla al fondo anunciaba que por allí se descendía al nivel inferior, sin duda usado como granero. Un olor rancio se mezclaba con el del aceite y el ajo, y amontonadas contra las paredes se veían gavillas entrelazadas de paja y mantas. Adelagia sintió un escalofrío al verse rodeada de toda aquella piedra ennegrecida, y la niña también siguió boquiabierta y se apretó a la italiana. Abú Amir debería haber cedido el paso a las dos doncellas, pero se sintió incómodo y le vino a la mente la sensación de que en aquel lugar no estaban seguros. Por eso subió la escalera primero y penetró en lo que debía de ser la sala principal de la torre. Cuando estaba preguntándose cómo un rey de Castilla podía vivir entre aquellas estrecheces, se vio de frente con un hombre de unos cuarenta y cinco años, panza prominente sobre piernas delgadas, cara de rollizos mofletes y frente amplia. Vestía una túnica larga que en tiempos debió de estar rematada con encajes de seda, pero que ahora se veía ajada y con algún que otro remiendo. Su cabello, prematuramente encanecido, era apenas un matojo en lo alto de la cabeza, pero abundaba sobre las orejas y en la coronilla. El hombre abrió una boca en la que faltaban varios dientes.

—Bienvenidos a mi hogar, ilustres embajadores del rey Lope. Soy García Garcés de Aza y ejerzo de tutor del rey, nuestro señor por la gracia de Dios, Alfonso de Castilla.

El noble se retiró medio paso a un lado y dejó ver a un niño de algo más de tres años que vestía camisón y pelliza. El crío soltó un par de estornudos, se sorbió los mocos y miró con curiosidad a Abú Amir, que no salía de su asombro. En ese momento entraron Adelagia y Zayda. Ninguna de las dos ocultó su sorpresa al ver el aposento y a sus ocupantes. Detrás del pequeño rey, una mujer de edad similar a la de don García pero mucho más entrada en carnes mantenía una pose hierática y desconfiada, y dos muchachos de unos nueve o diez años, desgarbados y de pelo revuelto, aguardaban con gesto bobalicón. Al fondo, junto a un telar, una niña algo más joven que Zayda se entretenía tejiendo sin hacer caso a los recién llegados. Casi no quedaba sitio para nadie más allá arriba, pues una pequeña tabla puesta sobre caballetes, que hacía las veces de mesa, ocupaba el espacio hasta los dos lechos con dosel arrimados contra la pared. Un par de ventanucos altos y estrechos cubiertos con trapos dejaban apenas pasar la luz, así que varios hachones agarrados a las esquinas ayudaban a iluminar la estancia, aunque desprendían un desagradable olor a brea. Zayda tosió, y Adelagia acarició nerviosa la barbilla de la niña. El polvo se agarraba con tozudez a las muchas alfombras, que impedían ver el suelo, y a los tapices descoloridos que pretendían adornar las paredes. La estancia estaba caliente, y Abú Amir supuso que el potente fuego del piso de abajo estaba relacionado con ello. Pero las mantas de piel apiladas en ambos lechos daban fe de que las noches eran gélidas. El médico andalusí estaba impresionado por aquella austeridad. O mejor llamarla por su verdadero nombre: pobreza. Hizo un rápido cálculo y trató de imaginar cómo era la vida cotidiana allí. Supuso que uno de los lechos pertenecería al noble castellano y su esposa, mientras que el otro, en buena lógica, debía de ser la cama del rey de Castilla. ¿Dónde dormirían los demás críos? ¿Sobre las alfombras, comidos por las pulgas? ¿Abajo, junto a la guarnición armada de la torre? El andalusí se libró de sus reflexiones con un pestañeo y regresó a su misión. Hizo una larga reverencia.

—Te saludo, noble don García, y también a tu familia. Que Dios sea con todos vosotros. —Abú Amir giró medio cuerpo hacia las dos mujeres a su espalda, y apuntó con la mano abierta a la más joven—. La princesa Zayda bint Mardánish, hija querida del rey del Sharq al-Ándalus, Abú Abd Allah Muhammad ibn Saad ibn Mardánish, señor de Murcia, Valencia, Denia, Játiva, Orihuela, Guadix...

—Y de Jaén también, aunque tal vez no lo sepas, embajador —cortó el noble castellano la retahíla de títulos—. ¿Sabías que tu señor ha conquistado Jaén? Probablemente no, puesto que desde que tus correos anunciaron que veníais, han pasado siglos. —Don García soltó una pequeña carcajada—. Seguro que el camino nevado se os ha hecho largo. Nosotros estamos acostumbrados a esto, pero vosotros no, según creo.

Abú Amir arrugó el ceño a pesar de haber oído aquella buena noticia. No le gustaba el tono del castellano. Sonaba a burla resentida.

—¿Dices, noble don García, que mi señor Mardánish ha conquistado Jaén?

—Así ha sido, según mis informadores. Y la ha puesto bajo gobierno de su suegro, ese tal Mochico. El abuelo de la cría, si no me equivoco. —Señaló a Zayda. La niña, que a sus nueve años estaba muy despabilada, venció su gesto mohíno y entrecerró los ojos. Entendía algunas palabras en romance, aunque no conseguía seguir el parlamento de aquel hombre desagradable y feo, pero sí había comprendido lo de *Mochico*, y sabía que era una palabra que su familia materna consideraba un insulto. El pequeño rey Alfonso miró a Zayda, sonrió y estornudó una vez más.

—Dices bien, noble don García. Hamusk es el abuelo de la princesa. Vasallo de mi rey. Grata noticia me das, pues Jaén no es plaza fácil de tomar. Ya recordarás que el difunto emperador lo intentó varias veces —Abú Amir disfrazó de inocente pesar su sonrisa—, aunque no lo consiguió. ¿Te das cuenta, muy alto señor, de que ahora Hamusk defiende no solo la puerta del Sharq al-Ándalus, sino también la de la propia Castilla?

—Bien, bien... Dejemos eso —bufó el noble castellano—. Estos son dos de mis hijos varones, Ordoño y Gonzalo, y esta es mi mujer, doña Sancha. Allí teje Juana, la pequeña de la familia. Y bien está de presentaciones: ya nos conocemos. Como sabes, soy el tutor del rey, y según tengo entendido vienes a tratar algún tema de su interés.

Adelagia, a la vista de que aquella gente no les ofrecía siquiera un vaso de agua, avanzó un paso y se atrevió a hablar. Tal vez de haberse visto en una lujosa estancia como el salón de consejos de Murcia se habría sentido intimidada, pero aquel lugar solo le producía una aprensión que casi no conseguía disimular.

—Discúlpame, señor; la pequeña está aterida por la nieve. ¿Podría calentarse el cuerpo con un caldo? He visto que en la cocina preparaban algo.

—Ah, sí. —Don García torció el gesto y miró de reojo a su esposa—. Sancha, por favor, encárgate.

La mujer pasó junto a Zayda sin mirarla, salió y bajó por las enrevesadas escaleras con la agilidad de los actos sempiternamente repetidos. Enseguida se escuchó una voz ronca, casi ausente de femineidad, que acuciaba a los criados del piso inferior. Adelagia oyó entre ruidos de cacharros y palmadas algunas de las palabras que la noble soltaba a sus sirvientes: algo referente a reyezuelos infieles, niñitas malcriadas, gorroneos y molestias por aquel crío inútil al que tenían que soportar en casa. Don García, que se dio cuenta de que tanto Abú Amir como Adelagia apretaban los labios al oír aquello, indicó a sus invitados que tomaran asiento en el corto banco que flanqueaba la mesa, pero no les ofreció ni un cuenco de vino. El médico y la doncella se sentaron a los lados de Zayda, apretujados para no caerse, y el pequeño rey se retiró al fondo, junto al telar y los dos hijos varones del noble. No obstante, los niños cristianos siguieron observando a los recién llegados sin decir palabra.

—Bien, según vuestros correos, ibais a traer credenciales.

Abú Amir asintió ante las palabras de don García, metió la mano bajo su manto, que le estaba dando un calor espantoso, y sacó dos rollos lacrados que alargó al noble. Este los tomó e hizo un gesto de sorpresa por la suavidad de su textura.

—Papel de Játiva —explicó el médico con aquel casi imperceptible aire de chanza. Luego observó al rey, que seguía estornudando al fondo. El muchacho se pasó la manga por debajo de la nariz húmeda y volvió a sonreír.

—Del puño y letra del conde de Urgel... —murmuró don García mientras leía la primera de las misivas, cuyo sello acababa de romper en su condición de guardador real. El noble vocalizaba en silencio mientras sus ojos recorrían las líneas, y de vez en cuando torcía la boca—. Hummm. No es de mi agrado. Ese Armengol y su hermano se llevan demasiado bien con Fernando de León.

Abú Amir chascó la lengua y miró de reojo a Adelagia. Zayda tenía ambas manos apoyadas en la mesa y seguía recorriendo la estancia con sus claros ojos. En ese instante apareció una criada de carnes fofas y uñas renegridas con una escudilla humeante. Pasó sin ceremonia alguna por delante de su señor y depositó el brebaje ante Zayda. La niña lo olisqueó y apartó la cara. Doña Sancha, que había entrado justo detrás de la sirvienta, puso los brazos en jarras.

—Lo que nos faltaba. A la princesita no le gusta su caldo —murmuró en voz muy baja, aunque todos pudieron oír perfectamente lo que decía. Luego pasó tras su marido y se fue junto a Juana, la hija, y empezó a cuchichearle al oído. Don García siguió leyendo.

—El conde de Urgel nos hace ver qué grandes beneficios traería una alianza entre las dos familias... —El castellano soltó una risita apagada. Abú Amir, que empezaba a cansarse de disimular su enojo, pasó la mano descuidadamente sobre el tocado de Zayda, descubrió su cabeza y dejó a la vista el pelo trigueño recogido en dos trenzas. La niña seguía mirando con reparo el cuenco de caldo—. También dice que el rey Lobo... ¿Por qué lo llama así? Dice que el rey Lobo se está ocupando de guardar las fronteras y se interpone entre Castilla y los almohades, como corresponde a un fiel aliado, y muestra su intención de reforzar el lazo que ya le unía al abuelo del rey y a su padre... Hummm.

—¿Puedes saltarte la monserga e ir al grano? —exigió doña Sancha. Don García apenas levantó los ojos del suave papel, los volvió enseguida a las líneas trazadas sobre él y las recorrió con no mucha ligereza.

—Hummm.

—¿Qué?

—Increíble. Quieren un casamiento. —El noble cristiano torcía media boca en una mueca de clara burla—. Nuestro rey con la princesita. Ja.

—Ni hablar —escupió doña Sancha.

—Suponíamos que estarían presentes otros barones castellanos —intervino entonces Abú Amir, que se sentía como si estuviera visitando a un amigo descortés en lugar de hallarse en misión diplomática para tratar un tema de gran delicadeza, como era el matrimonio entre un rey y una princesa—. Tal vez quieras, don García, informar a los grandes del reino de las intenciones de Mardánish antes de tomar una decisión. Ah, no has abierto la otra misiva. Viene firmada por mi rey.

Don García pareció ignorar el comentario, pero dejó la carta de Armengol sobre la mesa y abrió el otro rollo, que repasó a toda velocidad.

—Dice lo propio, con esa palabrería pomposa que tanto os gusta a los sarracenos. Lo demás no son más que tus credenciales como embajador. El rey Lope confía en ti, por lo que se ve. Y también en Armengol de Urgel. Mala cosa. Mala cosa. Tal vez cree que las voluntades de un reyezuelo musulmán y de un amigo de los leoneses nos pueden impresionar, ¿eh? Es ingenuo tu rey Lope.

Entonces Zayda, que ya había dejado de inspeccionar con su mirada la oscura estancia, se dirigió al noble castellano.

—Mi padre no se llama Lope. —La voz era cristalina y modulada, aunque con un fuerte acento árabe.

—No es propio de una cría interrumpir a las personas mayores, más si son de noble condición —intervino doña Sancha sin ocultar ni un ápice su desprecio.

—Discúlpala, mi señora —contestó enseguida Abú Amir, pues vio que Adelagia enrojecía de ira y no quería dar a la italiana oportunidad de enrarecer más aquella conversación—. La princesa Zayda está aprendiendo la lengua romance y todavía es pequeña, pero ten en cuenta que ella es también de noble condición.

—Tener el pelo rubio y los ojos azules no la convierte en noble, embajador —escupió doña Sancha, y volvió a cuchichear con su hija. Abú Amir amagó una sonrisa forzada, pero no pudo concluirla. Se vio en la necesidad de apaciguar el momento.

—Sea como fuere, es cierto que el nombre de mi señor no es Lope. Curioso que lo llames así. Por otra parte...

—Así dicen que se llama. Lope —atajó don García—. Porque quiere parecer cristiano. Es lo que tenemos entendido.

Adelagia resopló y atusó el pelo de Zayda como si quisiera distraerse de lo que decía aquel castellano.

—Mi señor Mardánish desciende de cristianos, sí...

—Apóstata —murmuró doña Sancha, aunque de inmediato retomó su conversación en voz baja con la hija. Abú Amir carraspeó.

—Mi señor desciende de cristianos, pero él no lo es. No se llama Lope, sino Muhammad...

—Nombre de infiel —volvió al ataque la esposa del señor de Aza.

—... aunque desde hace unos años también se le conoce como rey Lobo, que es como le llama en esa carta el conde de Urgel. Es a causa de una hazaña de caza. Persiguió y mató a cuchilladas a un enorme lobo negro que asolaba sus territorios de la Marca Superior. Estuvo a punto de morir durante aquel combate con el animal. Pero la noticia ha debido de llegar incompleta hasta tierras de Castilla. Tal vez eso te haya inducido a error, mi señor don García.

—Por aquí todos llaman Lope a tu rey, embajador —se defendió el noble castellano, a quien molestó que aquel sarraceno insinuara que él, don García Garcés, señor de Aza, antiguo alférez del emperador y tutor del rey Alfonso, erraba—. Aunque tampoco tiene mucha importancia. Según creo, por allí cambiáis de rey bastante a menudo.

Adelagia se tapó la boca con la mano y Abú Amir apretó los dientes, tensando los músculos bajo la piel de su cara. El castellano soltó otra de sus cortas carcajadas. Al fondo, con expresión de burla, doña Sancha parecía aguardar la reacción al insulto. Tal vez deseaba una excusa para expulsar a aquellos extranjeros de su torre. Y Abú Amir estuvo a punto de darle esa excusa. Inspiró con fuerza para no decirle a don García que se equivocaba, que era de ropa de lo que los andalusíes se cambiaban a menudo. Y que él debería hacer lo mismo por el bien de todos. Y que por bien del propio castellano, no le vendría mal tampoco cambiar de esposa.

Pero no dijo nada de eso.

—Mardánish ya era rey en vida del emperador, y lo siguió siendo durante el gobierno de su hijo don Sancho, y lo es ahora, en estos momentos, mientras reina ese pequeño al que Dios guarde —dijo señalando a Alfonso, que volvió a estornudar y sorbió los mocos ruidosamente—. Acuerdos de alianza le unieron a los monarcas anteriores, y aún tiene fe en que Castilla seguirá compartiendo su amistad con el Sharq al-Ándalus. Él piensa que ahora, en estos tiempos difíciles para todos, contar con su apoyo será una ventaja para el rey Alfonso.

García Garcés de Aza alzó las cejas, como si no pudiera creer que un sarraceno le estuviera proponiendo un acuerdo que beneficiara a Castilla. Para él, aquel moro había venido a pedir, como siempre, y no a dar. Y para conseguir lo que quería, se hacía acompañar de una doncella pelirroja y una princesa rubia. Sin más.

—Escúchame, embajador: que tu rey Lope haya conseguido tomar Jaén no lo pone por encima de la memoria de nuestro emperador Alfonso, a quien deseamos que el Criador tenga en su gloria. No pretendas hacernos creer que vuestro reino durará algo más de lo que decida el príncipe Ramón Berenguer, quien por cierto tiene el legítimo derecho a gobernar sobre eso a lo que tú llamas *Sharq al-Ándalus*. Yo, por mi parte, estoy viendo mi hacienda menguada por la obligación de mantener conmigo al rey. No es que no me honre, pero te confieso, aunque tú tal vez no lo entiendas, que es mi deseo deshacerme de esta carga. Además, hay decisiones que yo no puedo tomar a pesar de mi gran influencia, pues el gobierno de Castilla está en manos de mi hermanastro don Manrique. Aparte de que es algo que concierne a todos los barones del reino, incluidos sus prelados, quienes no creo que fueran a ver con buenos ojos que nuestro rey se desposara con una infiel, por muy rubia que sea. ¿Lo has entendido? Por lo demás, bastantes problemas tenemos con esos puercos de los Castro y con el entrometido de Fernando de León, el tío de nuestro rey, como para ponernos a pensar en enlaces. Enlaces... ¿con quién? Pues no habrá princesas cristianas, hijas de grandes reyes, o nobles doncellas castellanas, o aragonesas..., incluso leonesas, que puedan enlazar con la casa de Castilla. ¿Y tú vienes aquí a proponer que el rey se case con una infiel?

—Si hasta la han llamado Zayda —volvió a intervenir agriamente doña Sancha—, como a la concubina aquella que dicen que se acostaba con el bravo Alfonso, el tatarabuelo de nuestro pequeño rey. —La mujer acompañó la última parte de la frase con una caricia en el cabello del pequeño Alfonso, pero este se inclinó a un lado y rehuyó la mano.

Zayda, que había oído decir su nombre, se puso en pie. No entendía de qué se hablaba allí, pero la niña había heredado parte de la perspicacia de su madre, de modo que se daba cuenta de la actitud irrespetuosa de aquella gente. Se sentía en la necesidad de decir algo. Se irguió con toda la dignidad que fue capaz de reunir y alzó la barbilla para mostrar su cara de niña de nueve años consentida pero con un punto de rebeldía. Habló en romance lentamente, esforzándose por pronunciar con cuidado.

—Yo reinaré, como mi madre. Pero no quiero vivir aquí. Viviré en un palacio. Y tú —señaló a doña Sancha— no podrás entrar. No me gustas.

Adelagia se abstuvo de detener el corto pero intenso parlamento de la pequeña. En lugar de ello amagó una sonrisa y se tapó la boca con ambas manos. En cuanto a Abú Amir, miró al techo ennegrecido de la estancia. Allí se acababa su embajada, seguro.

—Morita deslenguada —arrastró las sílabas la mujer de don García, que apretaba los dientes y hundía una mirada helada en la niña—. Fuera de mi casa. ¿Tú, casada con el rey de Castilla? Eso no lo verán mis ojos.

—Disculpa a la niña, mi señora —hizo un último intento Abú Amir. Luego miró al noble castellano. El hombre se había quedado mudo con las palabras de Zayda. Balbuceó algo, pero no se le pudo entender. Quizá solo quería limitarse a mostrar su desprecio. O tal vez, simplemente, cedía todo el protagonismo a su mujer.

—He dicho que os vayáis de aquí —repitió doña Sancha sin gritar, pero acumulando saliva en la comisura de sus labios. Los niños asistían en silencio a la escena. Alfonso estornudó y se pasó la mano por la nariz.

—Será mejor... —acertó a decir García de Aza—. Será mejor que ahora... En fin, ya hemos leído las misivas y expondré el asunto ante los barones... Me temo que no puedo daros alojamiento. Bueno, ya tendréis noticias de Castilla. Saludad al rey Lope de mi parte.

Abú Amir hizo una hipócrita inclinación mientras suspiraba de alivio. La embajada había sido un fracaso total, pero no le atraía la idea de pasar todo el día y toda la noche allí, en compañía de aquel noble descortés y su esposa amargada. Salió con Zayda y Adelagia, casi atropellándose por las escaleras de madera. Al poner los pies de nuevo en la nieve del exterior, el frío estremeció sus cuerpos. Los dientes de la pequeña Zayda castañetearon ruidosamente, y Abú Amir le pasó un brazo por los hombros.

—Volvemos a casa, princesita.

27

Acuerdos secretos

Primavera de 1159. Sitio de Córdoba

—Mi señor, un judío de Granada pide audiencia. Dice tener asuntos importantes que tratar.

Hamusk frunció el ceño, se alzó y miró al soldado de su hueste que le acababa de avisar. Al lado del señor de Jaén y Segura, al-Asad permanecía en cuclillas. Los dos hombres llevaban un rato estudiando el asedio de Córdoba, y para ello habían dibujado en el suelo arenoso junto al Guadalquivir un somero plano de las murallas y las posiciones andalusíes. Estaban solos y separados de las albarradas, y a su altura, el río se disponía a girar en un cerrado meandro que pasaría bajo un puente de piedra. Ante ellos, un cementerio y algunas *munyas* abandonadas daban fe de que la muerte atenazaba la antigua ciudad, aunque las banderas blancas de los almohades ondeasen orgullosas sobre las torres.

—De Granada. Y judío. Curioso. ¿Viene solo?

—Solo y montado en una mula, mi señor.

Hamusk asintió con un gruñido. Él, que se gloriaba de tener buen ojo para los asuntos de interés, se preguntaba ahora qué podía querer un judío granadino. Y sobre todo le extrañaba tanta urgencia para abordarle en pleno campamento militar de cerco a Córdoba. Bueno, había una forma rápida de enterarse.

—Regístralo bien y tráelo a mi presencia.

El soldado hizo una breve inclinación y regresó corriendo por donde había venido. Hamusk se volvió y echó un último vistazo al plano abocetado en el suelo, que el León de Guadix seguía examinando con interés. Luego el flamante señor de Jaén alzó la mirada. Allá estaba Córdoba, reluciente aún con la gloria que los siglos le habían dado mientras fue una de las ciudades más lujosas del mundo. Ahora, los estandartes almohades tremolaban al viento. Murallas pétreas que costaría mucho expugnar; pero había que conseguirlo. Si

Córdoba caía, la sumarían al recientemente conseguido dominio de Jaén, y el Alto Guadalquivir estaría por fin en manos andalusíes. Granada y Almería se verían cercadas por el poderoso ejército combinado que Mardánish llevaba paseando por los territorios almohades desde hacía unos meses, contando por triunfos todas sus intentonas.

—Es difícil. Muy difícil —reconoció al-Asad con su habitual laconismo. Clavó un dedo en tierra y movió la cabeza a los lados—. Buenas murallas. Y apuesto mi daga a que han acumulado muchos víveres desde que empezamos la campaña hasta antes de que llegáramos aquí.

Hamusk asintió. Córdoba se había preparado para el asedio, seguramente barruntando lo que se le venía encima. De todos modos, su yerno y señor, Mardánish, estaba en aquellos momentos en tierras de Écija y cortaba la vía de suministros y ayuda que pudieran llegar desde Sevilla. Córdoba estaba sola y rodeada por el ejército de Hamusk. Pero el León de Guadix tenía razón: era muy difícil.

—Por eso me ha dejado aquí mi yerno —musitó el señor de Jaén sin dejar de observar las murallas—. Él ha preferido tantear Écija. Incluso me habló de acercarse a Carmona y devastar de nuevo los alrededores de Sevilla. En todo caso, mientras tiene a medio ejército ocupado con ciudades menores, nosotros nos desgastamos aquí. A Mardánish le falta ambición.

—Mira el lado positivo. Si Écija y Carmona caen, Córdoba estará definitivamente aislada.

—Tonterías —escupió Hamusk—. Eres poco ambicioso, como mi yerno. Menos miedo y más astucia. ¿Écija y Carmona? Minucias. Córdoba, Sevilla, Granada. Esos deben ser nuestros objetivos. Con semejantes joyas en nuestro poder, el resto de al-Ándalus caerá como fruta madura. Golpes de mano, castigos ejemplares, contundencia. Sin piedad... Ah, si yo estuviera al frente de este ejército...

—Bueno, Mardánish te ha dado el señorío de Jaén. No es poco. Más, desde luego, que de lo que puede alardear cualquier otro señor de los que combaten para él.

—Ya. Como el conde de Urgel, ¿no? De todos es sabido que ansía el señorío de Granada. Un cristiano al frente de Granada. ¿Te lo imaginas?

Al-Asad se irguió y suspiró. Seguía luciendo como un trofeo su loriga medio destrozada. Aquella cota de mallas, al igual que su escudo marcado por tajos, su espada mellada o su piel cubierta de cicatrices le granjeaban el respeto de todos los andalusíes que todavía no le habían visto luchar.

—Sea como fuere, algún día el califa acabará su trabajo en África y querrá devolver su atención a al-Ándalus, ¿no crees?

—Claro que lo creo. Supongo que a estas alturas ya sabe que nos aprovechamos de que tiene cosas que hacer lejos. Deberíamos temer su regreso.

Hamusk acompañó su observación con una carcajada tétrica. En ese instante regresó el soldado acompañado por el judío de Granada. El hombre, de panza oronda y tez colorada, dobló una rodilla, inclinó la espalda y fijó sus ojos en la arenosa playa del río.

—Paz, mi señor. Mi nombre es Sahr ibn Dahri y vengo de Granada. Oficialmente trabajo para Abú Yafar ibn Saíd, secretario del *sayyid* Utmán. En verdad, él me ha enviado aquí para entrevistarme contigo. Pero el asunto es secreto.

Hamusk observó al recién llegado, que seguía inclinado y sin mirarle a la cara. Lo rodeó con pasos lentos y se fijó en su barriga bien alimentada. Luego acercó su boca al oído del hombre.

—Judío en Granada, ¿no? Es raro eso que dices: que trabajas para uno de los hombres de confianza de un *sayyid* almohade. Vaya, vaya. Muy raro, ahora que lo pienso. Si no me equivoco, esos africanos pastores de cabras prohíben todo culto que no sea el Tawhid. So pena de muerte. Hummm. Sí, definitivamente muy raro.

Ibn Dahri cerró los ojos con fuerza y empezó a temblar. Le había parecido una idea de locos cuando Abú Yafar le propuso buscar a Hamusk y entrevistarse con él, pero al fin, movido por la desesperación y el temor, había accedido. Ahora se arrepentía. Tragó saliva antes de poder contestar a aquel guerrero andalusí que tenía fama de cruel con sus enemigos.

—Mi señor, somos muchos los judíos de Granada que nos hacemos pasar por musulmanes. Lo hemos hecho así para poder quedarnos en la ciudad y conservar nuestras haciendas...

—Arriba.

Ibn Dahri sintió la punta de hierro en su papada. Hamusk había desenfundado su espada sigilosamente y ahora le apuntaba con ella. El hebreo palideció y se enderezó. Las rodillas le temblaban, notaba un vacío en el estómago y su corazón latía desbocado. El señor de Jaén le miró hasta hacerle bajar la vista. Estuvieron así un rato, con la espada en lo alto y presionada contra la piel trémula del judío. Al-Asad se acercó y su amenazador aspecto acrecentó el miedo de Ibn Dahri.

—Sigue hablando, judío —ordenó Hamusk—. Pero cuidado. Me precio de conocer a las personas. Si pienso que me mientes, tu sangre regará esta arena y se verterá en el río.

Ibn Dahri notó cómo la espada se movía casi imperceptiblemente y presionaba aún más la piel de su cuello. Reunió fuerzas y empezó a balbucear.

—Mi amigo, Abú Yafar..., se enteró de que tu ejército estaba aquí. De que asediabas Córdoba. Él querría saber... si estarías dispuesto a tomar Granada también. Él..., Abú Yafar..., se compromete a ayudarte.

Ibn Dahri resopló. Ya lo había dicho. Pero la espada seguía allí, junto a su cuello. Incluso parecía que se clavaba un poco. Sin embargo, no se atrevió a retroceder.

—Abú Yafar. —Hamusk repitió el nombre despacio. Luego miró a al-Asad—. ¿Te suena?

—Sí. Un poeta, creo —respondió el guerrero—. Según he oído, el *sayyid* Utmán se ha rodeado de varios. ¿Recuerdas a Ibn Tufayl, el visir que lanzó el reto en Guadix? Pues lo mismo. Está en Granada.

—¿Y por qué ese deseo de tu amigo Abú Yafar? —Hamusk se dirigió de nuevo al hebreo—. ¿Qué interés puede tener él en que tomemos Granada? Por lo que parece, está en buena posición.

—Tiene sus motivos, mi señor. Lo único que debes saber... —empezó a responder Ibn Dahri. De repente, la espada empujó un poco y abrió una pequeña herida en la papada del judío. Este soltó un gritito y al fin retiró la cabeza hacia atrás. Al ver cómo le miraba Hamusk, se detuvo en seco.

—Lo que debo saber lo decido yo. Contesta a mi pregunta. Y hazlo bien, porque esta espada es de las que no se conforman con manchar su punta.

—Sí, claro... Perdóname, mi señor. Abú Yafar odia a Utmán. No comulga con esos africanos, y además... Además...

—Además ¿qué? —La punta de hierro volvió entrar en contacto con la piel sangrante de Ibn Dahri. El judío dejó caer una lágrima silenciosa mientras la garganta recibía un nuevo y diminuto corte.

—Además el *sayyid* se ha amancebado con la amada de Abú Yafar, Hafsa bint al-Hach... La retiene en una *munya*, en la Alcazaba Vieja... Debes creerme, mi señor.

Hamusk miró con las cejas levantadas a al-Asad y este sonrió como la fiera que le daba nombre. Ambos se carcajearon al unísono. Ibn Dahri cerró los ojos. Con semejantes risotadas, no sería de extrañar que la espada del señor de Jaén le cortara el cuello más profundamente.

—¡Una mujer! —habló entre risas Hamusk—. ¡Entregaría la ciudad por una mujer! ¡Es típico! ¿No? ¡No! ¡Es encantador! ¿Cómo decís vosotros, los judíos? *No seas, hijo mío, la esposa de tu esposa, y no permitas que ella sea el marido de su marido.* Muy acertado, sí. Aunque ese Abú Yafar no ha debido de enterarse. —Cambió la vista hacia al-Asad—. ¿No te parece, amigo mío?

El León de Guadix, que no acostumbraba a demostrar sus emociones, reía de forma menos escandalosa que Hamusk, pero le acompañaba a gusto en su burla. De repente calló y su semblante quedó serio.

—Es tan patético que debe de ser cierto —opinó.

—Estoy de acuerdo. —Hamusk bajó al fin la espada, pero se permitió limpiar su punta ensangrentada con el jubón de Ibn Dahri. El hebreo temblaba como una hoja, aunque había sido capaz de aguantar de pie y sin gritar de miedo—. Y ahora dime, judío: ¿qué propone ese amigo tuyo herido de amor, Abú Yafar?

—Aún nada —respondió con un hilo de voz Ibn Dahri—. Solo me envía para saber si estarías dispuesto a entenderte con él. En el momento adecuado, todo podría arreglarse convenientemente para todos.

El gesto de Hamusk se ensombreció. El motivo alegado por aquel hebreo le había divertido, cierto, pero ahora se iba haciendo una idea de lo que aquello podía significar. En verdad, las grandes ciudades no caían por asedio sin un enorme coste. Tanto que era muy difícil, casi imposible, tomarlas sin recurrir a alguna argucia. Granada, nada menos. ¿Y si resultaba? ¿Y si él era capaz de hacerse con Granada en un golpe audaz? Al-Asad pareció adivinar lo que pensaba Hamusk, porque lo agarró del brazo y jaló de él. Ambos se retiraron un par de varas del judío tembloroso.

—Si todo esto es cierto y Mardánish se entera, acudirá en persona. Tenlo por seguro. Y con él traerá al conde de Urgel, que ansía Granada por encima de cualquier cosa.

Hamusk asintió. Las aletas de su nariz se dilataron mientras pensaba con rapidez. Granada. ¿Por qué no? Ayer, señor de Segura, hoy, señor de Jaén. Y mañana, quizá...

—Vuelve a Granada —ordenó a Ibn Dahri—. Di a Abú Yafar que sí, que este asunto se arreglará como mejor convenga a todos. Pero atención: no dirás nada a nadie más. Solo tratarás conmigo. Tú y yo, personalmente. Tú y yo. ¿Lo has entendido?

28

Las murallas de Écija

Unos días después. Sitio de Écija

Mardánish se enlazó el barboquejo con ayuda de un sirviente e inspiró con fuerza. Cerró los ojos y pensó en Zobeyda. La imaginó en el jardín del harén, rodeada por Hilal, Zayda y Safiyya. Sonrió y tuvo también un recuerdo para el resto de sus esposas e hijos.

El trote de varios caballos a su izquierda lo sacó de sus pensamientos. Las tropas montadas que comandaban el conde de Urgel y su hermano tomaban posiciones. Nadie como ellos para responder ante una salida de la guarnición. El rey Lobo espiró con fuerza, vació sus pulmones y volvió a asegurar los correajes. El sirviente se retiró un par de pasos, miró de arriba abajo a su señor e hizo un gesto de conformidad. Luego tomó el escudo de lágrima decorado con la estrella de ocho puntas, levantó el tiracol y lo pasó sobre la cabeza de su rey. Mardánish lo embrazó y dio un par de golpecitos nerviosos sobre la superficie recubierta de cuero. En ese instante, de entre las tinieblas que precedían al amanecer, surgió el arráez Óbayd totalmente armado, luciendo con orgullo, como siempre, su larga trenza negra. Hizo una inclinación antes de dirigirse a su señor.

—Todo listo. Los enlaces informan de que el resto de las huestes también lo está. Esperamos tus órdenes.

Mardánish asintió y tomó la lanza que le tendía el sirviente. Movió la cabeza a ambos lados para cerciorarse de que el yelmo estaba bien calado y sujeto.

—Adelante.

Óbayd se retiró y caminó con pasos largos y traqueteo metálico. En la oscuridad menguante, el rey Lobo vio cómo su arráez se alejaba hacia una pequeña fogata que ardía entre las tiendas montadas por las tropas del Sharq. Óbayd se acercó a un soldado que permanecía de pie junto a la hoguera y sujetaba un olifante

—Da la señal.

El andalusí se llevó el cuerno a la boca, echó la cabeza hacia atrás al tiempo que inspiraba por la nariz y luego sopló, haciendo vibrar los labios en torno a la boquilla del instrumento. El sonido, no muy fuerte al principio, creció y subió tonos hasta transformarse en un toque agudo y prolongado que se extendió en la madrugada. Algunos caballos relincharon en la lejanía, como si quisieran responder a la llamada, y enseguida se oyeron dos, tres, cuatro toques de olifante más, cada uno proveniente de un sitio distinto.

Mardánish hizo un gesto a su sirviente, y este se ajustó un gorrete de fieltro y cogió un par de lanzas. Luego siguió a su señor al avanzar hacia la línea de hombres armados a pie. Los soldados del rey Lobo se separaron en la retaguardia para dejarle pasar, y el corredor humano se fue abriendo conforme lo atravesaba. Los hombres saludaban a su señor con leves inclinaciones de cabeza que eran respondidas por Mardánish con sonrisas. Había tiempo. El rey palmeaba los hombros de los guerreros veteranos, e incluso llamaba a algunos de ellos por sus nombres cuando reconocía los rostros cubiertos con cascos. Al observar a algún novato tembloroso, acercaba la cara y, en voz baja para que los demás no pudieran burlarse luego, le animaba con promesas de botín y de gloria. Desde la lejanía empezó a llegar un soniquete bronco que se confundía con los repiqueteos de las armas en las filas de Mardánish. Eran las tropas toledanas de Álvar Rodríguez, que atacaban los muros de Écija desde el norte apoyadas por arqueros andalusíes. De momento solo se oían gritos de guerra, pero pronto se les unirían los aullidos de los heridos. Mardánish llegó a la vanguardia de la línea de infantería y vio ante sí, a cuatro tiros de flecha, las murallas de la ciudad aún en penumbras. Se volvió y observó las caras de los guerreros del Sharq. En la espera se mezclaban el inevitable miedo con las ganas de entrar en acción. El rey Lobo recorrió las filas, pasó ante sus soldados y habló sin elevar mucho la voz.

—En estos momentos, nuestros amigos atacan las murallas de Écija al otro lado. Ahora mismo los defensores están avisándose y acuden allí, pero no tardarán mucho en darse cuenta de que es una maniobra de distracción. A poniente, los hombres de Pedro de Azagra se disponen a lanzarse para tomar su parte, y nosotros haremos lo mismo desde aquí. Antes de que salga el sol —Mardánish apuntó con la lanza hacia su izquierda—, habremos sometido la ciudad. En silencio. Sin gritos. Ya habrá tiempo luego, cuando nos riamos de los navarros por haber alzado nuestro estandarte antes que ellos el suyo. ¿Estáis conmigo?

Decenas, cientos de cabezas en las primeras filas asintieron al unísono con un susurro de metal y cuero. Algunos murmullos indicaban que los hombres de la vanguardia repetían las palabras del rey a quienes, más atrás, no podían oírlas. Mardánish apretó el asta con rabia. Sus palabras eran ciertas solo a medias. Sabía muy bien que sus hombres se verían sometidos al acoso enemigo en cuanto se acercaran a las murallas, pues los informes decían que estaban bien protegidas. Pero necesitaba dispuestos a los guerreros del Sharq. Precisaba que nadie vacilara. Que las escalas se apoyasen en las almenas de Écija pese a las piedras, las jabalinas y las flechas almohades. Apretó los dientes. ¿Qué podía justificar el sacrificio de todos aquellos bravos andalusíes?

—Cuando Écija caiga, nuestros serán sus ricos campos. Sus cosechas interminables. Y sus jardines y sus huertos. Pero lo más importante es que la ruta desde Córdoba estará cortada. Y pronto nos cerraremos como un cepo sobre Sevilla. Arráez.

Óbayd se adelantó dos pasos desde las filas con su propia lanza empuñada. Respiraba deprisa y los ojos le brillaban. Mardánish le sonrió para infundirle ánimo, aunque no consiguió la misma respuesta por parte del joven. El rey Lobo se lamentó en silencio. Confiaba en la lealtad total de su arráez, pero añoraba su amistad. En fin. Así estaban las cosas.

—Necesito al más bravo en vanguardia. Encabeza a los hombres con las escalas —ordenó.

Óbayd no respondió. Se limitó a iniciar la carrera a paso ligero, acompasando el braceo del escudo y separando levemente del cuerpo la mano que sostenía la lanza. Tras él salieron de entre las filas los infantes portadores de escalas en grupos de cuatro. Corrieron desde varios puntos y pronto sus figuras se difuminaron en la oscuridad. A levante, una claridad anaranjada luchaba por disipar las sombras. Mardánish vio alejarse a la avanzadilla y apretó los labios. Varios de ellos no regresarían, pues serían los primeros en recibir las andanadas de flechas y piedras desde lo alto de las murallas. Calculó el tiempo en silencio, mientras sentía crecer el fragor de la batalla al norte. Buen Álvar, siempre cumpliendo.

—Ahora —decidió en voz lo suficientemente alta como para que la orden no tuviera que repetirse entre las filas. De inmediato, él mismo inició la marcha y fue acelerando conforme tuvo tras de sí el inconfundible traqueteo del ejército a la carga.

Se oyó un chillido por delante y varios silbidos siniestros cruzaron el aire. El rey Lobo vio clavarse una flecha justo delante de él. La rompió al golpearla con el pie y continuó con su avance. Más silbidos y un par de golpes sordos por detrás. De pronto, en el suelo se materializó un bulto. Era uno de los portadores de escalas. El pobre desgraciado, aún agonizante, se agarraba con ambas manos un asta de madera que le sobresalía del cuello. Mardánish no lo reconoció al pasar, y eso le hizo sentirse culpable. Aquel hombre estaba muriendo para que él se hiciera con Écija, y ni siquiera sabía cómo se llamaba. El pensamiento se disolvió cuando uno de los silbidos pasó junto a su cabeza. Casi pudo sentir el roce de las plumas en la oreja e, inmediatamente, el chasquido seco a su espalda seguido de otro ruido mayor, más pesado. Un alarido.

Varios más por todas partes. El rey Lobo apretó la marcha. Había que llegar cuanto antes. Cada paso multiplicaba el riesgo, y aquellas manchas negras que eran las murallas de la ciudad todavía no se aclaraban. Mardánish tuvo que saltar por encima de otro infante. Este al menos estaba vivo, aunque se retorcía de dolor con una flecha clavada en una pierna.

—¡Arriba! —reconoció la voz de Óbayd en algún lugar por delante de él. Enseguida comprendió: su arráez acababa de llegar al muro y ordenaba apoyar las escalas en el fondo del foso y empujarlas contra las almenas. El momento más delicado, aunque el más seguro para el rey. Ahora la defensa de los almohades se centraría en los hombres de las escalas. Los gritos crecieron y, como respuesta, también los que aún corrían empezaron a lanzar alaridos y amenazas. Algunos insultaban a las madres de todos los almohades, otros se ciscaban en el propio califa y varios prometían sodomizar a las hijas de los defensores. Entonces, Mardánish se encontró con la muralla y refrenó la carrera. Sus treinta y cinco años mezclaban el adiestramiento militar con los excesos, y por eso jadeaba. Ya no era un jovenzuelo imprudente, como cuando acompañaba a su tío por las planicies de al-Basit. Tampoco era un niño medroso, como cuando seguía a su padre por las fragosidades rocosas de la Marca Superior. Ahora era un rey, un rey que cargaba al frente de sus tropas.

Un rey, pero también un soldado desde la cuna. Un autentico tagrí transido por el amor a la batalla y la locura roja que, ojos nublados, convierte a los hombres en bestias, pues...

> *... en el momento en que el cielo se cubre de polvo,*
> *la guerra hace subir y bajar el tránsito a la otra vida.*
> *Los héroes muestran una audacia loca*
> *mientras la muerte planea por encima de las almas.*

Por eso Mardánish alza su escudo como si un *yinn* del desierto le hubiera avisado, justo a tiempo de evitar un pedrusco mandado desde el adarve con buena puntería pero poca suerte. La roca rebota contra el escudo y hace temblar el brazo izquierdo del rey Lobo. Todas las reflexiones, todos los pensamientos, todas las culpas desaparecen. Mardánish responde a la lucha con la experiencia tallada en su alma durante años y años. Sus movimientos son firmes, seguros y con intención clara. Salta al foso y dobla las rodillas para amortiguar la caída, pero aun así el peso de la cota de mallas y del armamento se descarga de golpe. Cuesta moverse. Todo sucede a un ritmo lento. Exasperante. ¿Por qué los demás parecen tan rápidos?

Un muchacho más joven logra adelantarse y empieza la subida por la escala más cercana, pero cae enseguida con el casco abollado y un hilo sanguinolento escapando por la oreja. El rey Lobo se vuelve y busca con la vista a su sirviente. No lo ve. Es difícil entre tanta gente y con semejante penumbra aún dueña del lugar. Deja la lanza en el suelo y se agarra a la madera de la escala, con su escudo siempre alzado sobre la cabeza. A su alrededor los quejidos sustituyen a las imprecaciones, y los insultos más obscenos los emiten quienes pugnan por llegar a las almenas o quienes se duelen con huesos rotos o aplastados en el fondo del foso. Además se oye un repiqueteo constante. Golpes fuertes que a veces resuenan al encontrar metal, crujidos que atraviesan las lamas de madera de los escudos, y toques más leves y escurridizos cuando las puntas se abren paso a través de la carne. Pero son sonidos distantes. Como si aquello ocurriera muy lejos o igual que si fuera una pesadilla.

De pronto, toda una escala se separa de la muralla hasta ponerse vertical y se mantiene así unos instantes; luego se vence y deja caer un par de cuerpos que se estrellan contra el borde del foso. A Mardánish le parece reconocer la voz de su arráez. Se desgañita más allá, pero también a él lo oye distante. Entonces se da cuenta de que ha seguido subiendo. Tiene que ser así porque la piedra se acaba y es sustituida, por debajo del borde de su escudo levantado, por la claridad que resbala sobre el adarve. Mueve la cabeza con rapidez y la devuelve bajo su protección, justo a tiempo de ver pasar una puntada asesina. Allá arriba hay un tipo al que no ha podido ver el rostro. De hecho lleva ya un rato siendo testigo de cómo sus hombres mueren en derredor, y aún no ha logrado ver la cara de ningún enemigo. Eso le enoja, más incluso que el hecho de que sobre él haya un almohade armado con una lanza que quiere atravesarle.

Siente un golpe en el escudo, nota el ruido del cuero que se rasga y la chapa de madera que se astilla. Un segundo golpe y una punta metálica aparece por el reverso, demasiado cerca del brazo de Mardánish. No queda tiempo, hay que actuar. Un tercer intento puede ser el último para él, de modo que el rey Lobo hace un último esfuerzo y trepa dos escalones; se estira para acortar la distancia con el adversario. La lanza vuelve a llegar, aunque ahora, sin espacio para impulsarse, su aguzado pico se clava con menos fuerza contra el escudo negro. Aun así, Mardánish recibe la punzada en el brazo y un dolor sordo trepa por el codo y el hombro hasta agarrotárselo. Otra lanzada más y un nuevo pinchazo, ahora menos doloroso. Una blasfemia y una sonrisa fiera en el rostro de Mardánish. Resopla y sufre cada anilla entrecruzada en su loriga como si pesase una onza. Pero no le importa. Ha llegado arriba, aunque ahora la carga del escudo se le antoja un cofre de plomo. Apoya su cadera contra la piedra, suelta la escala y lleva la mano derecha a la empuñadura de la espada para desenfundarla. En ese momento, un tremendo golpe lanza su escudo hacia arriba, rompe una de las correas y le provoca un dolor agudo en el codo, como si todo el brazo fuera arrancado de cuajo. Se ve descubierto ante un guerrero vestido de blanco que sujeta una maza. El almohade muestra sus dientes amarillentos en un gesto fiero, y el blanco de sus ojos resalta en la media claridad sobre la piel oscura. El guerrero le ha ganado la partida a Mardánish, y en lugar de seguir pinchando hacia abajo, ha cambiado la lanza por esa maza que ahora eleva sobre su cabeza para aplastar el yelmo del rey Lobo.

Todo sucede lentificado, como si el destino quisiera mofarse del rey del Sharq al-Ándalus. Mardánish ve su escudo colgando del brazo a un lado, ya imposibilitado para cubrirle. Intenta sacar la espada de la vaina, pero se da cuenta de que no podrá hacerlo a tiempo. El almohade grita algo en su lengua y los dientes de hierro de la maza relumbran con el primer rayo de sol. El rey Lobo, seguro de que va a morir, trae de nuevo a su mente la imagen de su reina.

Zobeyda.

Un respingo sobresalta al guerrero africano, como si la invocación a la favorita le hubiera detenido. Su ropaje se abulta a la altura del pecho, la tela acolchada se rasga y asoma una punta de hierro que resbala hacia fuera. Pareciera que esa hoja plateada, ahora manchada de rojo, naciera del corazón del almohade. Su grito de triunfo se transforma en un alarido desgarrado y la maza cae sobre la piedra del adarve, rebota un par de veces y luego rueda mansamente a los pies del guerrero. Un chorro de sangre salpica el rostro de Mardánish; le hace parpadear, pero el rey se repone de inmediato y ve que su arráez, Óbayd, desclava la espada que ha hincado en la espalda del africano. Lo hace con furia, retorciendo la hoja al tiempo que tira de ella. El almohade sufre un espasmo y se desmorona despacio. Se desangra como un cordero en el sacrificio. Óbayd sigue tirando de la espada, riega con salpicones de sangre la piedra de la muralla, a sus propios hombres y a los enemigos muertos que abarrotan el adarve. Grita y eleva ambos brazos. Es respondido al momento por los demás andalusíes que ya invaden lo alto de las murallas.

El corazón del rey Lobo aporrea sus sienes con cada latido; le punza la presión de las venas en el barboquejo. Un dolor sordo mantiene su brazo izquierdo inmovilizado, pero hace un último esfuerzo y traspasa la frontera de las almenas. Siente flojear las piernas y se agarra a su arráez, que lo sostiene con firmeza. Mardánish mira a los ojos de Óbayd y se da cuenta de que el joven todavía está borracho de sangre y muerte. Ve en él la locura de la matanza. Luego desvía la vista al norte, a través de los tejados y minaretes de Écija. Sobre el otro extremo de la ciudad empieza a ondear un estandarte cristiano. El rey Lobo sonríe. Azagra ha llegado también. Luego se sume en una oscuridad creciente y los gritos se amortiguan hasta desaparecer.

29

La alameda del Genil

Unos días después. Inmediaciones de Granada

Hafsa bint al-Hach miró a ambos lados antes de recoger el extremo de su *miqná* y apretarlo contra una mejilla. «Nadie puede verlo —se dijo—. Nadie puede ver tu rostro.» Sus ojos glaucos escrutaron la oscuridad de la madrugada, pero nada se distinguía aparte del palpitante reflejo de la luna sobre el Genil.

Dio un par de vueltas al velo en torno a su cuello y salió, dejando atrás el álamo que le había servido de abrigo. Anduvo deprisa sobre los retoños de hierba que separaban la alameda de la Kimama, la pequeña mansión que los antepasados de Abú Yafar habían legado al poeta. Por detrás, algunas débiles luces procedentes de Granada titilaban a través de la humedad que subía desde el río. Se oyeron unas risas apagadas y Hafsa aceleró aún más sus pasos. Un solitario hachón iluminaba la entrada de la finca, desde la que un camino bordeado de cipreses llegaba hasta la construcción. La mujer lo rodeó para no hacer ruido con la grava, y se apoyó en una de las columnas que flanqueaban la puerta. Las risas arreciaron dentro, y Hafsa reconoció la voz de Ibn Tufayl. Al *sayyid* Utmán no le gustaría nada saber que varios de sus consejeros más próximos acudían a aquellas fiestas organizadas por Abú Yafar en la Kimama, sobre todo por el secreto que las rodeaba. Tan solo algunos escogidos, amigos íntimos del poeta y siempre críticos con los almohades, tenían el privilegio de ser invitados. Hafsa aguzó el oído al escuchar el inconfundible soniquete de Abú Yafar, que recitaba uno de sus poemas.

—*Tengo todo lo que un hombre puede desear: vino, amor, libros y diversión...*

—Cuidado, Abú Yafar —una voz pastosa interrumpió al secretario—. Si tu *sayyid* se entera de que tienes vino, mandará que se te ahogue en él.

Se oyeron un par de carcajadas burlonas, pero el poeta continuó:

—*Tampoco me falta la compañía de una esclava que al cantar extravía la razón del más justo. Acuna su laúd como a un niño en su regazo y no se aparta*

de él mientras canta y tañe sus cuerdas. ¡Ojalá yo estuviera en lugar del laúd!
Ella me mecería desde la cintura al pecho.

Hafsa arrugó la nariz al escuchar el último verso. Una punzada de celos le hizo morderse el labio inferior. Se oyeron un par de tímidos aplausos, y luego retornó la voz de Ibn Tufayl, también filtrada por el efecto del licor.

—Abú Yafar, eres un embustero. De sobra sabemos que la única que tañe tus cuerdas es la bella Hafsa. O eso quisieras tú.

Ahora las carcajadas se redoblaron y los aplausos fueron más fuertes que tras el poema del secretario.

—¡Qué bien me conocéis, amigos míos! —La respuesta mantenía el tono alegre, aunque enseguida se tornó amarga—. Sin embargo, el puerco africano es quien se arroja en su regazo.

El silencio cayó como la tapa de un ataúd. Hafsa no pudo evitar un pellizco de alivio al comprobar que el verso de la esclava tañedora no era más que una imagen, y que Abú Yafar seguía tan enamorado de ella que ninguna mujer podía sustituirla. Pero la culpa suplantó enseguida al orgullo. Cada vez era más frecuente que el joven *sayyid* Utmán la reclamara junto a él en sus estancias o fuera él mismo quien visitase su cámara. Y a ella, naturalmente, no le quedaba otro remedio que entregarse y simular agradecimiento por tan alto honor. Y eso a pesar de que Utmán acababa de tomar esposas. Varias, y todas hijas de nobles almohades a su servicio. Por lo visto, las habladurías llegaban demasiado lejos, y el *sayyid* las cortaba así, cumpliendo con su deber de fiel musulmán vástago del califa. Desde luego, no habría estado bien visto que Utmán se desposara con Hafsa, y la condición de mujer libre de la granadina impedía el concubinato. Aun así, el *sayyid* no renunciaba a ella y, para evitar riesgos, las visitas furtivas de Abú Yafar se habían acabado desde aquel día en el que Utmán estuvo a punto de sorprenderlos acostados. De hecho, Hafsa estaba segura de que el *sayyid* no se dio cuenta de nada por el abatimiento que le invadía tras la crucifixión del judío convertido. Demasiado arriesgado para los dos amantes. Desde esa noche no había podido verse con Abú Yafar a solas.

—¿Qué os parece lo de Écija? —preguntó uno de los comensales. Fuera, Hafsa movió la cabeza a los lados. Aquellos hombres eran unos imprudentes. Lo menos que deberían haber hecho, pensó, era apostar a algunos criados en el exterior si se disponían a tratar asuntos prohibidos. Ella, sin ser vista, se había plantado en la misma puerta de la Kimama, así que cualquier otro podía tener las mismas posibilidades pero peores intenciones.

—El rey Lobo conduce a su manada sobre Córdoba y Sevilla. Aprovecha que el pastor está lejos de su rebaño —contestó Abú Yafar.

—Pero el pastor volverá tarde o temprano... —intervino otra voz—. ¿Qué hará entonces el lobo?

—Tal vez vuelva a las montañas, que es el lugar de donde nunca debió salir.

La respuesta la había dado Ibn Tufayl. Hafsa sabía que aquel hombre, el más veterano de todos cuantos rodeaban al *sayyid*, se había negado en su momento a vivir bajo el cetro del rey Lobo por preferir la compañía de los almohades. A la poetisa no le pareció prudente que siguieran tratando esos temas en su presencia. Mardánish, el Lobo. Se decía que vivía en una corte en la que el libertinaje era la única religión, en la que se insultaba a Dios y se cometía pecado nefando. Naturalmente, Hafsa no se lo creía. Sabía de lo que era capaz la propaganda, tanto en un sentido como en otro, y tenía que reconocer que la almohade era buenísima. Además, ella también había oído hablar de la corte del rey Lobo a otras personas, comerciantes sobre todo. En su palacio vivía, según cuchicheaban, una mujer de belleza sin par de la que todos los andalusíes de aquella tierra estaban enamorados. Zobeyda, decían que se llamaba. Una noble rebelde que se negaba a someterse salvo a su rey Lobo. Hafsa la imaginaba así, como una loba de colmillos afilados que sabía mantener a raya a toda la manada salvo a su amante. Ah, si ella fuera capaz de eso. Y cuánto le gustaría conocer a aquella dama, Zobeyda. Si tan solo pudiera hablar con ella, contarle sus desvelos, quizá pedirle consejo...

—El lobo, pues, regresará a su guarida —confirmó Abú Yafar—. Y nosotros, el rebaño, nos veremos libres de sus fauces por un tiempo.

—Exacto. Bien dicho —corroboró Ibn Tufayl, pero el poeta continuó:

—Al menos hasta que nuestro pastor almohade decida que quiere darse un festín de ovejas. ¿Qué cuello crees que cortará primero? ¿El tuyo? ¿El mío?

Otro largo momento de silencio. Hafsa cerró los ojos e imaginó el rostro congestionado de Ibn Tufayl. Las lealtades de este fluctuaban entre sus amigos andalusíes, abajo, y sus amos almohades, arriba. Pero la querencia subía más que bajaba. Y aquellos comentarios contrarios a Utmán no eran inteligentes por parte de Abú Yafar.

Se oyeron pasos y ruido de vajilla, y algunas palabras apagadas que Hafsa no pudo escuchar con claridad. Luego el ruido se acercó a la puerta. La poetisa se movió a un lado y se pegó a la pared de la mansión, confundiéndose en la oscuridad con las plantas trepadoras. Ibn Tufayl, seguido de cerca por uno de los esclavos de Abú Yafar, salió a zancadas y se colocó una pelliza por encima de los hombros. El primer consejero del *sayyid* se tambaleaba un poco, pero su marcha decidida denotaba que se iba enojado. Hafsa se preguntó si el de Guadix se iría de la lengua y siguió sus pasos con la vista, hasta que el esclavo se detuvo junto al hachón de la entrada y despidió al invitado con deseos de larga vida. Hafsa salió de las sombras, se dejó ver y rebuscó bajo su manto. El esclavo la reconoció a pesar del velo y abrió mucho los ojos, asombrado de que la mujer estuviera allí a aquellas horas. La poetisa sacó de entre sus ropas un billete escrito y se lo entregó al hombre.

—Asam, he venido a ver a tu amo. Esto es para él. Dáselo con discreción. Yo espero aquí.

El esclavo asintió y se dispuso a entrar de nuevo. La situación era extraña, pero después de todo ella era de confianza y aquellos nobles andalusíes siempre se conducían de forma extravagante. Hafsa llamó su atención otra vez cuando estaba a punto de desaparecer dentro de la mansión.

—Ah, nadie más debe saber que estoy aquí.

Asam murmuró un sí y entró. Hafsa volvió a apoyar sus manos en la columna y volvió la cabeza, dispuesta a captar los sonidos de la fiesta. Tras la marcha de Ibn Tufayl, el tono de la conversación había descendido, pero los vapores del vino contribuían a que todo regresara poco a poco a la normalidad. La poetisa sufrió un escalofrío. La temperatura iba bajando y la humedad del cercano Genil se colaba bajo su ropa. Tras un rato de charla dentro, la voz de Abú Yafar volvió a sonar alegre.

—Amigos míos, debéis perdonarme. Me retiro a mis aposentos.

—¡No! —se escuchó una queja unánime—. ¿Tan pronto? ¡Quédate un poco más!

—Quedaos vosotros, por favor. Disfrutad de mi hospitalidad y de estas muchachas que tan primorosamente escancian mi vino. ¡Pero no os propaséis con ellas a no ser que así os lo pidan! Por cierto, mi fiel Asam os atenderá si queréis quedaros a dormir. ¡Tampoco os propaséis con él si no os lo pide!

Las quejas y las carcajadas se mezclaron a partes iguales. También se escucharon algunas risitas femeninas y alguien hizo sonar una flauta. La puerta volvió a abrirse y Asam se asomó con un dedo delante de los labios. Hafsa asintió en silencio y lo acompañó por el corredor. Las risas y la música se oyeron con fuerza a su derecha, pero el esclavo la guio pasando de largo ante las puertas. Salieron al patio central y los ruidos de la orgía quedaron difuminados por el de una fuente de la que manaba un débil chorro de agua. Asam cruzó el pequeño cuadrado plagado de arbustos y florecillas, abrió una nueva puerta y se hizo a un lado. Inclinó la cabeza al paso de Hafsa.

—Gracias, buen Asam. —La mujer penetró en la oscuridad. Los sonidos de la fiesta volvieron a apagarse y un tenue aroma de sándalo llenó el aire que rodeaba a la poetisa. Se hallaba en un nuevo corredor, también a oscuras. La única luz asomaba bajo una puerta a su izquierda. Hafsa la abrió despacio y se encontró con el aposento de Abú Yafar. En el centro había un lecho bajo de cuyo dosel no colgaba tela alguna. El secretario, de espaldas a la puerta, mantenía ante sí el billete que la mujer había entregado instantes antes a Asam y lo leía, seguramente por tercera o cuarta vez, alumbrado por un candil puesto sobre una mesita. Abú Yafar, sin volverse hacia Hafsa, leyó ahora en voz alta:

—*Un visitante ha llegado a tu casa. Su cuello es de gacela, luna creciente sobre la noche; su mirada tiene el embrujo de Babilonia y la saliva de su boca* es mejor que la de las hijas de la parra; sus mejillas afrentan a las rosas y sus dientes confunden a las perlas. ¿Puede pasar, con tu permiso, o ha de irse por alguna circunstancia?

—Ese visitante te pide que le acojas, pues ha huido de la mazmorra donde vive cautivo —explicó ella a media voz—. Aprende bien la descripción de ese rostro, ya que el carcelero ha ordenado que nadie más lo vea.

Abú Yafar dejó el billete sobre la mesa y se volvió.

—¿Te has escapado de tu encierro? ¿Qué hará Utmán si se entera?

Ella negó con la cabeza.

—Solo ha dictaminado que nadie, salvo él, pueda ver mi cara. Nada ha dicho de lo demás.

Hafsa se despojó del manto, blanco como las nieves del Yábal Shulayr, y lo balanceó antes de soltarlo, desprendiendo un soplo de áloe indio que se impuso al sándalo. El secretario cerró los ojos y aspiró con avidez el aroma de su amada. Cuando los abrió, ella se había librado de la túnica y de su blusa larga, y desataba el cordón azul que sujetaba los zaragüelles a la cintura. Abú Yafar reparó en aquellos dos pezones, envarados por la fría humedad de la noche, que remataban los pechos espléndidos y de piel oscura. Hafsa hizo resbalar los zaragüelles y dio dos pasos cortos para apartarse de ellos, dejando hábilmente atrás también sus alcorques. La poetisa estaba desnuda ante su amante, salvo por la *miqná* de gasa fina, larga y translúcida que cubría su melena, rodeaba el cuello y escondía boca y nariz, y las pulseras, ajorcas y brazaletes que ahora relucían al recibir la luz del candil. Abú Yafar se acercó y tomó el extremo de la toca para descubrir el rostro de Hafsa, pero ella le retiró la mano antes de que lo consiguiera.

—El *sayyid* lo prohíbe. Hemos de obedecer.

El secretario asintió: podría gozar de su cuerpo en secreto, pero sabiendo que la autoridad de Utmán seguía flotando por encima de ellos. Abú Yafar apretó los dientes y la cólera pugnó por imponerse al deseo que lo había invadido, pero ocurrió lo contrario: aquella situación, con la prohibición del *sayyid* representada por el rostro velado de ella, le excitaba todavía más. Tomó por los hombros a Hafsa y la empujó con delicadeza para llevarla hasta la cama y la tendió en ella. La llama del candil dibujó con sombras palpitantes la redondez del busto de Hafsa, el hoyo del ombligo y la curvatura del vientre, pero la cara seguía oculta tras el velo y solo los ojos verdes destellaban pidiendo a Abú Yafar que la poseyera.

Mientras el secretario se quitaba la ropa, examinó con avidez cada pulgada del cuerpo de Hafsa, y grabó en su memoria todo detalle, desde el tono oscuro de la piel hasta el modo en que el pecho se elevaba con cada respiración agitada.

—Algún día te sacaré de ese encierro tuyo. Algún día volveré a contemplar tu rostro.

Se tendió sobre ella y apoyó las manos a ambos lados, con la cabeza erguida y mirando a los ojos de su amada. A poca distancia, pero sin contacto entre sus labios. Ni siquiera a través de la gasa. Notó que las piernas de ella cedían ante la presión y Hafsa elevó las caderas para recibir a su amante. Abú Yafar la asaltó con suavidad y el aliento de ella elevó la *miqná*. Los ojos verdes se entornaron, las uñas se clavaron en las sábanas y se hundieron ante las cada vez más briosas acometidas. Los resoplidos se convirtieron en gemidos y estos, en exigencias entrecortadas. Hafsa pedía más mientras soltaba las sábanas y arañaba la espalda de Abú Yafar. Él volvió a apretar los dientes. Cuanto más la complacía, más le humillaba no poder ver su cara descubierta. Las piernas de Hafsa se levantaron y atraparon la cintura de él en un cepo, y su garganta emitió un gemido largo y grave que se apagó cuando Abú Yafar disminuyó sus movimientos. Por fin, ella rompió a llorar y él se dejó caer sobre la piel ahora sudorosa de Hafsa.

—¿Juras que lo harás? —dijo ella entre hipidos. Una lágrima discurrió desde la comisura ennegrecida de sus párpados y resbaló por la cara hasta empapar el velo impuesto por Utmán—. ¿Juras que algún día volverás a contemplar mi rostro?

Abú Yafar, con la cabeza hundida en la almohada, también había roto a llorar. Aunque seguía dentro de ella y los últimos latigazos de placer todavía le estremecían, saboreó la frustración que subía a su paladar como un trago de vino revenido. No podía decírselo. No debía hacerla partícipe de sus planes más secretos para librar a todos de la losa africana que los asfixiaba. Pero tampoco podía dejar que su esperanza se marchitase. Apretó los puños hasta que los nudillos se le pusieron blancos.

—Lo juro.

30

La carta de Hafsa

Unos días después. Murcia

Zobeyda estaba tensa y empequeñecida; más que sentarse, se había encogido en el sitial de su esposo en la sala de consejos. Tenía los pies descalzos en
lo alto del cojín, los codos apoyados en las rodillas y su mentón descansando
sobre ambas manos, con las que cada poco se frotaba la cara y echaba a perder
el maquillaje. Delante de ella, varios documentos se amontonaban en la mesa:
informes de los visires, recados desde el ejército en campaña y cartas. Sobre
todo cartas. Llegadas desde todos los rincones del reino, las más adulando a
Mardánish, o traídas desde Castilla o Aragón. Algunas, que ocupaban un lugar aparte en la mesa, habían viajado desde Navarra. No había día en el que
varios mercaderes no se acercaran al alcázar y dejaran a los guardianes los
mensajes que les entregaban en cualquier rincón de la Península y que ellos
trasladaban junto a su género. Pocas cosas había tan valiosas para Zobeyda
como aquellas cartas, que le permitían dibujar en su mente una compleja red
de hilos por la que las influencias, los odios, las alianzas..., por las que el poder
vivía a pulsos irregulares a través de toda la Península.
Zobeyda se restregó la cara una vez más y dejó un rastro de kohl bajo los
ojos. Miró la carta colocada sobre todas las demás, compuesta en primorosos
caracteres árabes, con una caligrafía tan exquisita que el mismísimo Profeta la
habría tenido por buena para escribir el Corán. Era una misiva llegada de noche, traída por un mensajero oscuro y resbaladizo como una anguila. Venida
de Granada y deslizada de entre los mismos dedos de los más fieros guardianes almohades. Zobeyda dudaba. Se sentía abrumada. Ella, siempre tan audaz, por primera vez deseaba que su esposo estuviera allí para compartir sus
dudas y sus miedos antes de tomar una decisión. Precisamente ahora, cuando
uno de sus temores era la salud de él.
Porque otra de las cartas estaba escrita de puño y letra de Mardánish, y en
ella, como si fuera un crío, el rey se jactaba de haber recibido varias heridas en el

asalto a Écija. Según contaba, no menos de dos veces le habían clavado la punta de una lanza a través del escudo, y además le habían desgarrado la carne y roto los huesos del brazo izquierdo. Ahora yacía, cuidado por los mejores médicos del ejército, mientras sus compañeros de armas y adalides a sus órdenes —Álvar el Calvo, Pedro de Azagra y Armengol de Urgel— habían regresado a Córdoba para ayudar a Hamusk a continuar el asedio. Zobeyda resopló. De todos los señores que comandaban sus huestes, Mardánish era el que más riesgos asumía, al tomar la cabeza de todas las cargas. De nada servían los reproches de sus allegados. Era como si a cada momento necesitara demostrar que él no era rey por su sangre, sino por sus méritos. Un tagrí endurecido contra el hierro, como gustaba de repetir, no un cortesano nacido entre encajes; el primero entre sus hombres, tal como escribió sobre los paganos guerreros árabes el viejo poeta:

¡Te contará el que acuda a las batallas
que me adelanto en la lucha y soy moderado en el botín!

La carta decía más, desde luego, y no tan preocupante. En ella, el rey Lobo le contaba admirado cómo su arráez, Óbayd, le había salvado la vida sobre las murallas de Écija. La favorita veía claramente que aquella confesión no estaba destinada a alardear del valor de Mardánish, que se exponía a la sombra de la muerte una y otra vez, sino a alabar el honorable gesto del joven andalusí. Zobeyda leía en las palabras de su esposo el alivio y la felicidad; para él era como recuperar a un viejo amigo, alejado por las dudas y el resquemor tras la muerte de su hermana Fátima y el matrimonio con Zobeyda. Además, Mardánish contaba que la rapiña por las tierras conquistadas y la toma de Écija habían llenado carros y carros de riquezas que ya viajaban hacia el Sharq al-Ándalus. Más prosperidad. Más felicidad. Sin embargo, toda aquella euforia traducida en letras no hablaba ni una sola vez de la amenaza real, de la que Zobeyda era muy, muy consciente. ¿Qué ocurriría cuando el califa Abd al-Mumín concluyera su campaña en África? A aquellas alturas, sin duda le habían llegado las noticias de los ataques del rey Lobo, y sus dientes debían de estar desgastados a fuerza de rechinar. Algún día, el príncipe de los creyentes volvería, y sus tropas estarían libres para cruzar el Estrecho...

La favorita sacudió la cabeza. A la izquierda de la mesa descansaban otras cartas, las que con frecuencia metódica le escribía Abú Amir. El consejero y Adelagia, junto con la princesa Zayda, llevaban un tiempo en Valencia. La nueva *munya* de Marchalenes estaba resultando una auténtica belleza. Ya todos los valencianos la relacionaban con la pequeña y hasta la habían bautizado en su honor como *la Zaydía*. Y allí descansaban tras el inútil viaje a Castilla. La misiva más larga de las enviadas por Abú Amir era la que contaba cómo había transcurrido la entrevista con el señor de Aza, cuidador del pequeño rey. Zobeyda, tras leerla, habría deseado tener entre sus manos el cuello de aquella cristiana soberbia, doña Sancha, que se había atrevido a llamar a Zayda *morita deslenguada*, amén de otros muchos desprecios. Pero eso era lo de menos. Lo realmente malo era que la misión diplomática había sido un rotundo fracaso. Al menos, según contaba Abú Amir, García de Aza no dejaba de ser un noble títere, al parecer manejado por sus hermanastros, los Lara, aparte de un tacaño redomado cuya máxima aspiración era deshacerse del engorroso deber de cuidar del rey Alfonso, que le suponía un constante gasto que no estaba dispuesto a soportar. Como para andar planeando compromisos matrimoniales. Aquello desconcertaba a Zobeyda. Si el pequeño rey le fallaba, ¿dónde quedaba la profecía de Maricasca? ¿Había errado la vieja bruja cristiana? Era un pensamiento que la atormentaba; más aún porque lo que contaba Abú Amir coincidía con lo insinuado por los mercaderes venidos de Castilla: las rivalidades entre los Lara y los Castro estaban a punto de hacer estallar una guerra civil, ahora más que nunca. Eso implicaba dos cosas: la primera, que era inútil buscar alianzas y tratados con aquel reino, puesto que el futuro del propio rey era incierto, tenido como era por talismán por unos y otros; la segunda: Castilla estaba destinada a padecer una debilidad creciente en los próximos años. No solo sería inútil recurrir a ella para la lucha contra el almohade, es que además, tanto León como Navarra empezaban a mirar a su otrora poderoso vecino con las fauces rebosantes de saliva.

Navarra.

Las informaciones llegadas de Navarra habían logrado despertar la curiosidad de Zobeyda. Aquel reino era a priori el más débil de entre los cristianos. Su rey, Sancho, ni siquiera era considerado así por el papa católico, que le llamaba *dux pampilonensium*. Pese a ello, Sancho se había empecinado en negar su condición de duque. Se hacía llamar rey, y no solo de Pamplona, sino de toda Navarra. A Zobeyda le gustaba aquella actitud rebelde. Le recordaba un poco a sí misma. Ahora, por añadidura, Sancho se había visto libre del vasallaje debido a los difuntos Alfonso y Sancho de Castilla, y se sabía que miraba con ojos codiciosos a los territorios castellanos inmediatos a su propio reino. Más todavía: algunos de los nobles del vecino reino, huyendo de la inestabilidad, se aproximaban a la corte Navarra. Y lo que más gustaba a la favorita: Sancho era acérrimo adversario de Aragón. Y por si todo ello fuera poco, hacía un par de años que había nacido su primogénito. Un niño fuerte y enorme al que había puesto su mismo nombre. Zobeyda alzó las cejas manchadas de kohl. ¿Por qué no?

Sí, lo haría. Escribiría a Abú Amir. Le ordenaría que dejase a Zayda en su amada Valencia, a salvo de los rigores del camino. Pero él tendría que partir de inmediato hacia Pamplona. Debía entrevistarse con el rey Sancho. Esta vez la comitiva sería más pequeña y, por lo tanto, más rápida. Además, a Zobeyda no le hacía gracia que su preciosa hija viajara a través de los territorios gobernados por Ramón Berenguer.

Navarra y el Sharq al-Ándalus. Tal vez, tal vez. Tal vez Maricasca no erraba. Al fin y al cabo, sus profecías eran tan ambiguas...

Tres toques seguidos sonaron en la puerta de la sala y se abrió media vara. Zobeyda levantó la vista del montón de cartas y miró al otro lado de la estancia. Por la rendija abierta en la entrada se asomaban las cabezas de Sauda y Zeynab, oscurísima una y blanca la otra. La favorita sonrió y les indicó que pasaran. Las dos esclavas corrieron, se postraron ante Zobeyda y besaron sus empeines desnudos. Esta las obligó a levantarse, cogió primero el rostro de Sauda entre las manos y depositó un corto beso en sus labios; después repitió el saludo con Zeynab.

—Sentaos.

Las doncellas obedecieron y tomaron una silla a cada lado de la mesa mientras observaban de reojo la aparentemente caótica pila de documentos. Zobeyda se dejó resbalar con suavidad y se puso en pie para recoger la misiva que coronaba las demás, la que más dudas le había sembrado. Se volvió a acomodar en el sitial y repasó con rapidez los exquisitos trazos de aire cúfico.

—Esta carta llega desde territorio enemigo después de recorrer un camino difícil —empezó a explicar sin apartar la vista del papel—. No sabía nada de la persona que la ha escrito, pero después de leer esto creo conocerla como a mí misma. Es una mujer y se llama Hafsa. Y está enamorada.

Las dos esclavas se miraron. Zeynab, que disfrutaba con las historias de amantes, las leyendas de desamor y los cuentos románticos, sonrió.

—¿Nos vas a contar una fábula, mi señora?

—Nada más lejos. Os he mandado llamar porque en breve saldréis de viaje. A Granada.

Sauda sufrió un escalofrío y sus ojos, al abrirse de par en par, destacaron contra la piel negrísima. Zeynab mudó la sonrisa por una mueca de incomprensión.

—En Granada están los almohades —apuntó la africana.

—Muy cierto —reconoció Zobeyda—. Y también Hafsa. Hafsa es una noble de allí, algo así como la amante preferida del *sayyid* Utmán, hijo del califa Abd al-Mumín. Pero es su amante poco menos que a la fuerza. En verdad, es a otro a quien ama, aunque nada puede hacer por apartarse de Utmán. Ese *sayyid* gobierna Granada. Tiene en sus manos a Hafsa y a su verdadero amor, por no hablar del resto de los granadinos..., y fue quien derrotó a nuestros ejércitos en Almería. Pues bien, vuestra misión es poneros al servicio de Hafsa. La asistiréis en todo, os convertiréis en sus sirvientas personales. Viviréis con ella. No os encomiendo esta misión solamente por la confianza sin límites y el amor que me une a ambas. Lo hago porque la belleza de cada una de vosotras se complementa. No: se suma, y supera los sueños más lascivos de cualquier hombre. Utmán es nuestro peor enemigo ahora mismo, y gobierna la ciudad clave para dominar el oriente de los territorios almohades en al-Ándalus. Utmán, según me cuenta Hafsa, es un fiel lacayo de su padre y señor, el califa. Tanto que, sin ser una persona cruel, es capaz de las peores atrocidades por seguir el mandato del príncipe de los creyentes.

Al oír la última frase, el rostro de Zeynab palideció aún más, a pesar de que su blancura era ya acusada.

—Pero... ¿no correremos peligro entonces?

Zobeyda prefirió no contestar a eso. Las dos esclavas sabían de sobra que sí, que iban a correr un grandísimo peligro.

—El punto débil de nuestro peor enemigo es su obsesión por Hafsa. El *sayyid* es joven aún y la lujuria desborda sus venas. Nuestros hombres luchan contra los almohades en el campo de batalla. Bien, pues nosotras lo haremos en nuestro propio terreno.

Zeynab parecía no entender, pero Sauda asentía despacio.

—¿Cuánto tiempo se precisará para cumplir esta misión?

—Lo ignoro —contestó Zobeyda—. Y no debéis precipitaros. Os quiero sanas y salvas a las dos. No soportaría que os ocurriera nada malo.

—Pero, mi señora... —balbuceó Zeynab. La favorita la interrumpió con tono amable.

—Estamos en guerra, querida. Todos lo estamos. Vuestro puesto como mis guerreras está ahora allí, junto al lecho de Hafsa. Es el lugar desde el que se controla el corazón de ese tal Utmán. El lugar desde el que se puede resquebrajar el poder de nuestros enemigos. Todas sus confidencias, sus alegrías, sus temores... Sabéis tan bien como yo que el alma de los hombres se abre con la llave que nosotras escondemos bajo nuestras ropas. Hafsa nos ofrece a Utmán en bandeja de plata.

—Si tú misma dices no conocer a esta tal Hafsa... ¿Confías tanto en ella como para dejarnos en sus manos? Mi señora, ella es quien calienta la cama de ese almohade... ¿Y si muda su pensamiento? ¿Y si nos traiciona?

—Si Hafsa fuera un hombre —atajó una vez más Zobeyda, y señaló a las letras escritas por la granadina—, estas palabras estarían vacías. Pero es una mujer. Obligada a entregarse cada noche a un extraño al que odia. Ese *sayyid* la ha instalado en su *munya* y ha prohibido que nadie salvo él vea su rostro. Solo una vez desde esa prohibición, una noche, se atrevió Hafsa a abandonar su encierro y acudir al lado de su amante. Hicieron el amor, según ella por última vez, y luego ambos se impregnaron de las lágrimas del otro. —Los ojos de Zobeyda buscaron esa parte de la carta mientras un estremecimiento le recorría la espina dorsal. La mujer que la había escrito, a pesar de amar con todas sus fuerzas a un hombre que la correspondía, se entregaba a otro distinto que solo la usaba para satisfacer su deseo. No podía evitar sentir el lazo que la unía a ella. Era indudable que la favorita había visto ese resquicio por el que penetrar en el corazón del poder almohade, pero en el fondo tenía la esperanza de librar también a Hafsa de su agonía. Tal vez así, de algún modo, ella pudiera consolarse. Redimirse un poco de su propia culpa. Zobeyda observó de nuevo a sus doncellas, especialmente a la eslava. El corto relato parecía haber ablandado un poco el rostro congestionado de Zeynab, aunque no conseguía ahuyentar la sombra del terror. La muchacha inclinó la cabeza. No quería seguir contradiciendo a su señora, pero el miedo era más fuerte que su voluntad.

—¿Y si la ayudamos a salir de Granada y venir aquí? Tú la acogerías, ¿verdad? Y él, su amante... Que venga también. Ambos libres de ese *sayyid* almohade. Aquí estarán juntos...

—Hafsa es un alma noble, Zeynab. Y creo que lo mismo podemos pensar de su enamorado. Ambos tuvieron la oportunidad de dejar atrás Granada antes de que llegaran los almohades, pero no lo hicieron. Yo tampoco abandonaría mi querida Murcia. Y antes moriría que renunciar a Valencia. ¿Acaso no se puede amar a una ciudad, amigas mías? Pues pienso que Granada bien vale el amor más puro, al igual que Murcia o Valencia. No. Ni Hafsa ni su amante han de irse de Granada. Su obstáculo es el mismo que el nuestro: Utmán. Por eso la ayudaremos. Los ayudaremos a ambos a verse libres del *sayyid*. Hafsa pondrá de su parte, no lo dudéis. Y cuando Utmán esté muerto, esa granadina nos habrá prestado un inestimable servicio.

31

El olivarero del Aljarafe

Invierno de 1160. Sitio de Córdoba

Casi un año había transcurrido desde la toma de Écija. Las heridas de Mardánish estaban cerradas, pero los médicos habían tenido que coser mucha carne y estirar demasiada piel. Ahora le costaba cerrar la mano izquierda y, para el combate, se veía obligado a atársela a los correajes del escudo. Además, si elevaba el brazo de ese lado más arriba de su cabeza, un dolor punzante le atravesaba el hombro. Pero la guerra tenía un precio, y desde luego ese precio podría haber sido más alto, así que Mardánish dio por buenas aquellas nuevas cicatrices a cambio de Écija. Su posesión cortaba por la mitad el camino de Sevilla a Córdoba, y además ahora podría acometer el asalto a Carmona. Aquello era fabuloso. Quién sabía si antes de acabar el invierno de aquel año podrían dirigirse contra la propia Sevilla. Imaginaba el gesto de terror de Yusuf cuando, encaramado a sus murallas, viera llegar al poderoso ejército del rey Lobo.

Mardánish sacudió la cabeza para dejar de soñar y tomó su copa de vino. A su alrededor se hallaban sus amigos y adalides del ejército: el Calvo, Azagra, Armengol de Urgel y su inseparable hermano Galcerán, Hamusk y al-Asad. Y a su diestra, borracho ya como una barrica de *nabid*, el arráez Óbayd. El rey Lobo no dejaba de agradecer a su cuñado el gesto de Écija, que le había salvado la vida. Ahora disfrutaban de una de sus fiestas en el pabellón real. Desde luego no podía compararse con las orgías de Murcia, pero al menos habían conseguido traer a las mejores rameras de Écija para distraerlos. En ese momento, Hamusk, con la mirada brillante por el licor, apartó de un manotazo a una de las furcias y se levantó. Su cuerpo osciló antes de afirmar los pies en el suelo. Al levantar la copa de golpe hizo que el vino salpicara a al-Asad, que como siempre estaba a su lado. El León de Guadix ya tenía a una mujer sentada en el regazo y lamía su cuello mientras la ramera fingía extasiarse. Hamusk miró alrededor y observó entre la dulce neblina de la embriaguez a los líderes del ejército. Allí estaban, solazándose con aquellas putas, emborrachándose con vino e inflándose de dulces. Y así llevaban ya meses, a la espera de que Córdoba se les rindiera y sin nuevas noticias de aquel extraño judío, ¿cómo se llamaba?, y de su peregrina propuesta para entrar en Granada. Al menos su yerno, Mardánish, había gozado del placer de luchar contra los almohades en el asalto a Écija acompañado de Óbayd, a quien Hamusk consideraba un niño mimado, un inútil que, para colmo de los colmos, había tenido la fortuna de salvar la vida del rey Lobo sobre la muralla. Ah, Dios era realmente caprichoso. Y mientras eso sucedía en Écija, él, Hamusk, señor de Jaén y Segura, suegro y lugarteniente del rey Lobo, se pudría en un asedio interminable. Pero un momento... ¿Interminable? No, desde luego. Algún día el califa Abd al-Mumín arreglaría sus problemas en África y volvería la vista hacia al-Ándalus, y cuando viera que Jaén y Écija habían caído y que la preciosa Córdoba estaba siendo estrangulada, ¿qué haría? Ah, más valía que esos sicilianos contra los que luchaba el príncipe de los creyentes le pusieran las cosas difíciles...

—¡Brindo por los sicilianos! —espetó al fin el suegro de Mardánish—. ¡Que Dios guarde largos años a esos hijos de puta! Gracias a ellos, el califa está ocupado, pues de lo contrario otro gallo nos cantaría.

Azagra frunció el ceño, aunque esperaba algo así. Hamusk solía ser bastante desacertado en sus brindis, sobre todo cuando llevaba varias copas de más. Mardánish también hizo un gesto de hastío y miró a otro lado.

—¿Es que nadie va a brindar conmigo? ¿Qué pasa? ¿No os gustan los sicilianos? —Hamusk volvió a pasear su vista alrededor. Todos parecían ignorarle. Todos menos su fiel al-Asad, claro, que le observaba de reojo incluso ahora, mientras se hallaba entretenido con el cuello de la ramera. El señor de Jaén hizo un gesto de desprecio y arrojó la copa al otro extremo de la sala. Uno de los criados tuvo que dar un salto para que no le alcanzara en plena cara—. Ah, ya que no puedo acabar con esos cordobeses, al menos mataré a copazos a uno de estos estúpidos sirvientes tuyos, yerno. ¿Yerno? ¿Por qué no me prestas atención? Oh, ya sé: tú te saciaste de sangre enemiga en Écija, ¿eh? Pero ¿y yo? ¿Cuándo te dignarás ordenar que tomemos la maldita Córdoba?

Pedro de Azagra, incómodo por la salida de tono de Hamusk, lo miró por fin.

—Córdoba no es Écija. No podemos tomarla al asalto. Desde el principio supimos que costaría mucho tiempo someterla...

—¡Si yo estuviera al mando de este ejército, Córdoba ya sería nuestra! —le atajó Hamusk con voz pastosa—. ¿Nos costaría un gran sacrificio tomarla? ¡Pues claro! ¡Las mejores joyas son las más caras! —Se volvió hacia su yerno, que evitaba su mirada, pero continuó dirigiéndose al navarro—. Tú,

Azagra, que eres cazador, sabes que no hay mérito en pavonearse por cazar liebres o perdices. Aquí tenemos un oso, pero veo que no hay valor para arrancarle la piel.

Óbayd señaló con el dedo a Hamusk. El arráez arrastró las sílabas por la borrachera.

—¿Acusas de cobardía a nuestro señor Mardánish? ¡Jamás te he visto dirigir una carga de tus hombres ni encaramarte el primero a muralla alguna!

Hamusk, que enrojecía cuando la bebida se le subía a la cabeza, pareció ir ahora a estallar. ¿Precisamente Óbayd tenía que ser quien le desafiara? Las venas de su cuello se hincharon y las palabras se atropellaron al salir de su boca.

—¡Maldito fantoche! —Pasó los pies sobre las alfombras llenas de platos medio vacíos y jarras de vino—. ¡Yo ya combatía contra unos y otros cuando tú eras un mocoso agarrado a las tetas de tu nodriza!

Óbayd se levantó con torpeza al ver que Hamusk se dirigía a él. Al-Asad se quitó de encima a la ramera, agarró la empuñadura de su espada y la desenfundó unas pulgadas. Pedro de Azagra, atento a lo que ocurría, saltó y se interpuso entre ambos hombres. Álvar Rodríguez también se acercó con la intención de evitar una reyerta dentro del pabellón del rey Lobo. Armengol de Urgel, por su parte, asistía a todo con media sonrisa mientras, junto a él, su hermano Galcerán observaba a unos y otros en silencio.

—Señores, señores —trató de apaciguar la situación Azagra—. Todos somos aliados... Amigos, compañeros de armas. No nos dejemos llevar por nuestra pasión.

—Es la ambición lo que puede a mi suegro, no la pasión —habló al fin Mardánish, que no había variado un ápice su posición—. No le basta con ser señor de Jaén. Quiere más. ¿No es eso, suegro?

—Oh. Gracias sean dadas a Dios —escupió sardónicamente Hamusk mientras se dejaba contener por Azagra. Tras aquel, al-Asad observaba a Óbayd con los párpados tan entrecerrados que apenas se adivinaba el blanco de los ojos—. El gran rey Lobo se digna hablar. ¿Crees, yerno, que el señorío de Jaén no es algo que yo merezca? Porque te diré que sí, que lo merezco; y que aún merezco más. Lo que no es meritorio es pasar meses y meses cercando Córdoba para nada.

—¡Córdoba está exhausta! ¡No tardará en caer! ¡Como cayó Jaén! ¿O piensas que tú, con tus hombres, habrías sido capaz de triunfar donde el propio emperador Alfonso fracasó en dos ocasiones? ¡No! ¡Jaén se rindió ante nuestros ejércitos unidos, los de todos nosotros! —Mardánish abarcó con un movimiento de la mano a los nobles andalusíes y cristianos y al fin se levantó de su sitial—. Faltas al respeto de estos hombres con tu avaricia, suegro. Pides más y más, cuando eres quien mayores beneficios ha obtenido hasta ahora. Tú eres señor de Jaén gracias a ellos. Y gracias a mí.

Hamusk apretó los dientes y forcejeó levemente con Azagra, aunque el navarro percibió enseguida que el andalusí no pretendía en verdad librarse de él para acercarse a su yerno.

—¿Y tú? ¿Qué habría sido de ti sin mí? ¿Gozarías de todos estos placeres con tanta tranquilidad?

—Pero ¿no os dais cuenta de que todos nos necesitamos mutuamente? —preguntó el Calvo. No recibió respuesta, pero en su lugar se oyó la voz de uno de los guardias que prestaban servicio en el exterior del pabellón real. El hombre se había asomado temeroso de interrumpir la discusión, y esperó hasta que la pregunta de Álvar Rodríguez consiguió acallar los gritos. Intervino con rapidez y rogando no ganarse la ira de nadie.

—Mi señor Mardánish, un mensajero de Carmona pide comparecer ante ti.

El rey Lobo, encendido de ira, inspiró un par de veces antes de mirar al guardián.

—¿Carmona? Un desertor, supongo. Actuad como con el resto, interrogadle y...

—No, no es eso. —El guardia sintió subir el calor a su rostro. Ya que se estaba exponiendo a ser amonestado por entrar en plena discusión, poco importaría interrumpir directamente a su señor—. Este hombre dice traer un mensaje para ti, mi rey. Muy importante.

Mardánish resopló. Con el rabillo del ojo vio que Hamusk, terminada ya su farsa de forcejeo con el navarro Azagra, retrocedía un par de pasos escamado por lo que decía el guardia. Carmona era el paso inmediato desde Écija para llegar a Sevilla. Un mensaje de allí podía ser decisivo. ¿Quién sabía? Quizás el cobarde de Yusuf se había decidido por fin a salir de Sevilla para combatir. El rey Lobo apartó esa idea de inmediato. Yusuf no contaba con suficiente guarnición para hacer frente a su ejército, y mucho menos después de la derrota infligida ante sus propias murallas dos años atrás. Yusuf esperaba a su padre. ¿Sería eso?

—Que pase ese mensajero. Desarmado, por supuesto.

El guardia desapareció y todos los invitados quedaron en silencio. La interrupción había detenido lo que amenazaba con convertirse en un grave problema, pero había quedado claro, si es que no lo estaba antes, que Hamusk era una fisura en la unión que todos necesitaban. Mardánish estudió a su suegro, que se había vuelto a sentar y, como si nada hubiera ocurrido, se hacía servir en ese momento una nueva copa de vino. Sin embargo, al-Asad, a su lado, seguía de pie y con la empuñadura de la espada bien agarrada. El rey Lobo creyó percibir un reflejo de desafío en los ojos del León de Guadix. Mardánish clavó su vista en la del guerrero, que como siempre llevaba puesto su equipo militar raído y cruzado por cien tajos y estocadas. Ambos hombres sostuvieron sus miradas un rato, obstinados en no apartarlas. Finalmente, la ramera se agarró a la pierna de al-Asad y este pareció encontrar en ello la excusa para concluir aquel duelo silencioso.

Mardánish tomó asiento de nuevo al tiempo que Azagra y el Calvo hacían lo mismo. Qué curioso que confiara más en aquellos cristianos que en su propio suegro y en quien se había convertido en guardaespaldas de este. El rey Lobo arrugó la nariz y se fijó en la entrada de la tienda, en espera de que llegara el mensajero de Carmona. ¿Por qué tantas complicaciones? ¿No era suficiente contrariedad la simple existencia de los almohades, como para tener también que preocuparse de sus aliados? Pero su suegro era ambicioso, sí, mucho. Era algo sabido. Y el señorío de Jaén, claro, no lo había saciado. Quería más y más. Quería tanto... ¿Cuánto, en realidad? ¿Tanto como para temerle?

—Mi señor, el mensajero de Carmona.

El rey Lobo asintió con la cabeza y un hombre vestido al modo de los campesinos, con saya de borra sobre la camisa ajada, entró en el pabellón. Miró alrededor y sus labios se apretaron mientras los ojos se le iban a las bandejas y copas de plata, a las putas medio desnudas, a los tapices y alfombras y a las joyas que lucía Hamusk en los dedos. Luego se puso de rodillas e inclinó el cuerpo ante el hombre que presidía el banquete. El campesino parecía sorprendido de que Mardánish no fuera el espantoso demonio mitad hombre y mitad lobo del que corrían leyendas. De todas formas habló con cuidado y sin alzarse, confiado en que cuanto más se humillase, más segura estaría su vida.

—Mi señor, me envía el visir Abd Allah ibn Sarahil, que tiene a su cargo Carmona.

—¿Y qué desea el visir Ibn Sarahil?

El hombre subió levemente la mirada.

—Entregarte la ciudad.

Todos se pusieron en pie como resortes, incluidos los dos nobles de Urgel. La ramera que estaba sentada sobre las rodillas de al-Asad salió despedida y rodó por el suelo alfombrado; harta de que la trataran como a un perro, se alejó a rastras y se dejó caer junto a una de sus compañeras al lado de Álvar Rodríguez. Mardánish se acercó al mensajero, lo agarró de un hombro y le obligó a levantarse. El hombre obedeció, pero su cabeza continuó baja.

—Explícate. ¿Ibn Sarahil se rinde? ¿Con qué condiciones?

—No hay condiciones, mi señor. El gobernador almohade salió hacia Sevilla hace un tiempo, al poco de caer Écija, y dejó a cargo a Ibn Sarahil, que es andalusí como nosotros. Ibn Sarahil cree que el gobernador temía que atacaras Carmona, y que huyó porque no estaba dispuesto a que lo mataras. El visir ha dejado pasar un tiempo prudencial para preparar sus planes, y ahora está seguro de que el gobernador no volverá si no es con refuerzos. Ibn Sarahil te ofrece Carmona para que tomes posesión de ella. —El mensajero abrió los brazos con timidez—. Te ofrece el mar de trigo y cebada que crece a su alrededor, y la pradera fecunda cuyo verdor jamás se seca. La guarnición almoha- de es escasa y la reduciremos con facilidad. ¿Qué debo contestar al visir?

Mardánish sujetó la barbilla del mensajero y le hizo erguir la cabeza para sostener su mirada. El hombre apretó aún más los labios, en un intento de que no se notara su temblor.

—Estás muerto de miedo, pero no mientes... —aseguró Mardánish; aun- que lo hizo en un susurro, todos dentro de la tienda pudieron oírle.

—Carmona es pieza clave para que caiga Sevilla —apuntó Óbayd, trope- zándose con las palabras. Hamusk soltó una risita de desprecio, pero el arráez no quiso reavivar la porfía y lo ignoró. En el rostro del rey Lobo se empezó a dibujar una sonrisa.

—Si nos plantamos en Carmona, el miedo del *sayyid* Yusuf se olerá hasta en África.

—No sé a qué esperamos. Sea como sea, es una plaza más que ganaremos al enemigo —opinó el conde de Urgel—. Si la ciudad se entrega, no hará falta mandar una guarnición fuerte. Es más, parece que los villanos están de nues- tra parte. Eso debilitará la moral no solo de Yusuf en Sevilla, sino de estos mismos cordobeses.

—Lo sé. —Mardánish no dejaba de examinar la mirada del mensajero—. Mi única duda es a quién mandar para tomar posesión de Carmona. Creo que este hombre dice la verdad, pero por si acaso, quiero enviar a una fuerza capaz de defenderse. También podríamos dejarte aquí como rehén, ¿eh? Si esto es una trampa, me ocuparé de que cada día te corten algo. Algo pequeño, ¿qué te parece? ¿Cuánto podrías durar?

El campesino se puso blanco y tragó saliva.

—Mi señor Lobo, el visir Ibn Sarahil espera mi respuesta personalmente, yo juro...

—¡Déjame ir a mí! —tronó de nuevo Hamusk—. ¡Estoy hastiado de este asedio laaargo y aburrido! ¡Yo entraré en Carmona e izaré tu estandarte! ¿Qué pasa? ¿Por qué me miras así? ¿No confías en mí? ¿En tu leal vasallo? ¿El padre de tu favorita?

Mardánish recorrió con la vista a sus aliados. Óbayd hizo un gesto de du- da. El mismo rey Lobo no las tenía todas consigo. La discusión de unos mo- mentos atrás le había mostrado a un Hamusk levantisco, ambicioso hasta un punto que temía conocer. Pero tampoco podía negar a su suegro lo que le es- taba pidiendo. Si lo hacía, la brecha que parecía abrirse se ensancharía aún más. Por otra parte, le atraía la idea de deshacerse del señor de Jaén por un tiempo. Su ausencia sería todo un respiro para el resto del ejército. Mardánish suspiró y decidió dar un voto de confianza a Hamusk.

—Ve y acampa a media jornada de Carmona. Lleva contigo a Pedro de Azagra y sus huestes —revistió su voz de la mayor severidad posible. El navarro asintió con firmeza mientras Hamusk escuchaba sonriente—. Que este campesino se adelante y hable con su visir Ibn Sarahil, y que os abran la puerta de noche. Tomad todas las precauciones posibles. Preparaos para partir... Ah, otra cosa. —Mardánish se pellizcó la barba durante unos instantes—. Si todo sale bien, confirma a ese visir Ibn Sarahil como gobernador de Carmona. De ese modo, si cambian las tornas, él será el más interesado en no entregar la ciudad a los almohades. Ya sabemos cómo las gastan con quienes los traicionan, ¿verdad?

El señor de Jaén no respondió, pero dejó la copa en una mesita baja, esta vez con suavidad, y salió del pabellón seguido de inmediato por al-Asad. Pedro de Azagra intercambió una mirada de entendimiento con Mardánish. El rey Lobo confiaba en él para vigilar las maniobras de su suegro. El navarro estrechó las manos de sus compañeros de armas y, por último, la de Mardánish.

—No te preocupes, amigo mío —se despidió Azagra—. Carmona será tuya en breve.

Dos semanas después. Córdoba

El camino rumí de Córdoba a Sevilla pasaba por Écija y Carmona. Esto hacía que la vía se separara del curso del Guadalquivir durante tres jornadas, lo que convertía el río a su vez en una senda relativamente segura para los correos almohades que viajaban entre las dos grandes medinas. Además, la exuberante vegetación que crecía en las riberas del agua junto a Córdoba facilitaba por las noches la tarea de abandonar o entrar en la ciudad sigilosamente tras un buen trecho a nado. De esta forma era imposible aprovisionar a la Córdoba sitiada, pero sí se podía mantener contacto con el exterior a cambio de un buen remojón.

Ahora, cubierto por dos mantos pero estornudando cada tres palabras, uno de esos correos se hallaba en el adarve de la muralla cordobesa junto con el gobernador de la ciudad, el hafiz Abd al-Rahmán ibn Igit. El mensajero había tenido que nadar a contracorriente para que las fuerzas de asedio no lo detectaran, y llegaba derrengado y aterido. Su piel estaba blanca y sus dedos, con las yemas arrugadas como pasas, no podían dejar de temblar. Ibn Igit lo miraba severamente. Para él, un hafiz depositario de la rigidez teológica de los oscuros *talaba*, no había nada que estuviera por encima de la sumisión a Dios. Ya tendría tiempo aquel correo para secarse y calentarse.

—Habla ya —ordenó con impaciencia. El mensajero asintió y reunió fuerzas para sobreponerse a la sensación de modorra que lo dominaba. En la distancia, los fuegos de las hogueras encendidas por los sitiadores del rey Lobo parecían llamarle y acogerle en su calor. El hombre pensó que cuanto antes cumpliera con su deber, antes podría secarse y echarse a dormir. O morirse, que era lo que le pedía el cuerpo.

—Carmona se entregó a los rebeldes hace una semana, mi señor. Un visir llamado Ibn Sarahil abrió las puertas al suegro del demonio Mardánish.

Ibn Igit asintió sin expresar emoción alguna. Había visto cómo parte del ejército enemigo se marchaba del asedio hacía apenas quince días. Así que esa era la causa.

—Ese Ibn Sarahil... es andalusí, supongo.

—Por supuesto, mi señor —afirmó el mensajero, como si se diera por sentado que un bereber jamás traicionaría a los almohades. Y era curioso, porque el propio correo era andalusí—. El gobernador de Carmona no estaba; llevaba tiempo en Sevilla. Más o menos desde que cayó Écija. Por suerte para él, por cierto, pues el que ha entrado en la ciudad es Hamusk, y ha pasado a cuchillo a media Carmona.

Ibn Igit se permitió un gesto de rabia. Miedo. Aquellos rebeldes estaban consiguiendo meter el miedo en el cuerpo de los mismísimos almohades. Primero Jaén, luego Écija y ahora Carmona. El paso siguiente era Sevilla, donde gobernaba el inútil de Yusuf. Ibn Igit sacudió la cabeza. No debía pensar así de un *sayyid* hijo del propio califa. Además, sospechaba que Abd al-Mumín tenía grandes planes de futuro para Yusuf. ¿Por qué, si no, le había puesto al frente de la capital almohade de al-Ándalus?

El hafiz metió las manos por las anchas mangas de su *burnús* listado y anduvo a lo largo del adarve mientras el correo quedaba quieto, clavado en un vórtice de temblores que cada vez eran más violentos. Ibn Igit miró a la lejanía, a los fuegos rebeldes. Aquel demonio de Mardánish ya había derrotado una vez a Yusuf en las mismas puertas de Sevilla. Si ahora Carmona había caído, quizá tendría la tentación de tomar la capital. Se volvió al mensajero.

—Tú vienes desde Sevilla. ¿Qué opina el *sayyid* Yusuf de todo esto?

El correo tuvo que hacer un esfuerzo por dominar su cuerpo y se encogió de hombros. Luego luchó por articular la respuesta con sus amoratados labios:

—No se me ha informado. Solo se me ordenó que te trajera la noticia para que sepas que, si lo deseas, puedes aprovechar para hacer una salida y matar al demonio Lobo. El *sayyid* Yusuf añadió que podías haberlo hecho mientras parte de su ejército tomaba Écija, pero que ahora tienes otra oportunidad.

Ibn Igit repitió su gesto de rabia. Yusuf y sus ideas. De sobra sabía ese iluso que él no tenía guarnición suficiente para permitirse atacar al ejército de Mardánish, ni siquiera ahora que estaba dividido. Solo las pétreas murallas de Córdoba podían defenderlos, incluso en el caso de que los enemigos se decidieran por fin a construir máquinas o intentar el asalto. Ah, qué fácil era para

Yusuf recomendar heroicidades a los demás, cuando era un secreto a voces que en varias de las acciones de guerra que había vivido, el *sayyid* se había comportado como un cobarde. Huir del campo de batalla... Algo indigno de todo creyente. Una acción merecedora de la muerte. Yusuf seguía vivo por ser quien era, pero eso no le daba derecho a tensar tanto su fortuna.

—¿Sabe el *sayyid* que apenas contamos con unas decenas de guerreros aquí? —preguntó Ibn Igit al mensajero. Este se volvió a encoger de hombros. Su cabeza empezaba a sufrir pequeñas convulsiones y los párpados se le cerraban—. No, no me contestes a eso. Dime mejor: ¿de cuántos hombres dispone Yusuf para la defensa de Sevilla?

—Pocos también, mi señor —balbuceó el correo, y estornudó varias veces. Un hilo húmedo se derramó de su nariz y goteó sobre los mantos que le cubrían—. Desde el desastre de hace dos años, no hemos recibido refuerzos.

Ibn Igit asintió con un gruñido y volvió a caminar lentamente por el adarve. Maldito Yusuf. Encima se permitía reprocharle que no hubiera salido contra el enemigo mientras el rey Lobo asaltaba Écija. ¡A él! ¡A Abd al-Rahmán ibn Igit, el hafiz que había reconquistado muchas de las plazas tomadas en los años anteriores por el infiel Alfonso de León...! Ah, qué curiosos caminos tomaba a veces Dios, y a qué extraños personajes escogía para se cumpliera su voluntad. Aunque, al fin y al cabo, todos ellos hacían la voluntad de Dios, incluido él, Ibn Igit. Quizás Él, el misericordioso, se aprestaba a poner en el camino de Yusuf una nueva prueba que confirmara su valía... Ibn Igit sonrió aviesamente. Al fin y al cabo, el Único era quien lo advertía: *os ponemos a prueba a los unos por los otros para ver si seréis constantes. Y Dios lo ve todo.*

Sí. Que Yusuf pasara la prueba de Dios; que demostrara su valor como lo estaba demostrando Ibn Igit. ¿Podría? ¿Qué sentiría el asustadizo hijo del califa si un ejército asediara Sevilla? El hafiz se acercó al mensajero, que parecía a punto de caerse, e hizo un gesto para ordenar a los guardias que lo sostuvieran.

—Has cumplido un gran servicio al califa y serás recompensado por ello. Eso por no hablar de los muchos placeres que te esperan en el paraíso. Pero dime, muchacho: al venir he visto que llevabas extraños ropajes. ¿De qué vas vestido? ¿De olivarero?

—Ah. —El correo hablaba con voz débil, de modo que el hafiz tuvo que acercar la cabeza y ponerla de lado—. Así es como vestimos en el Aljarafe. —Se apartó los mantos con manos temblorosas y descubrió su jubón pardo, ancho y plagado de manchurrones—. Es por si me cruzo con patrullas de Mardánish. Ellos jamás sospecharían de un olivarero del Aljarafe, mi señor. Mi señor, tengo mucho frío...

—Ya, ya. Vuelve a taparte. Ordenaré que te aposentes en el alcázar, donde yo mismo me alojo, y serás atendido de inmediato. Incluso te conseguiré

un par de muchachas para que calienten tu cama esta noche. De tu raza andalusí, por supuesto. No es que apruebe vuestro sucio libertinaje, pero lo cierto
es que te lo has ganado. Pero dime más: si tú te acercaras así vestido al ejército
de Mardánish, ¿dices que no sospecharían de ti?

—Dos muchachas... Ah, mi señor, prefiero dormir, de verdad... Pero tenéis
razón, sí. El Aljarafe está junto a Sevilla. Por eso voy así vestido, para no...

—Para no levantar sospechas a las patrullas de ese demonio Lobo, ya, ya.
Ya lo has dicho, sí. Bien, voy a escribir una carta. —Se dirigió a sus guardias—: Llevaos a este hombre al alcázar. Que no le falte de nada. Que entre en
calor y que coma y beba lo que guste. Que lo examinen mis médicos y, como
he dicho, conseguidme a un par de cordobesas. No quiero rameras. Traed lo
mejor que encontréis. Necesito a este hombre bien dispuesto, pues aún le
queda una importante misión que cumplir. —El hafiz palmeó en la espalda al
andalusí al tiempo que se lo llevaban—. Ah, amigo mío, en verdad te estás ganando el paraíso.

Dos días después. Sitio de Córdoba

Mardánish escupió al suelo y pegó una patada a una piedrecita, que salió
despedida hacia delante. Siguió con la vista los botes del canto y topó con la
sombra de una pequeña cerca. El camposanto próximo a las ruinas del viejo
arrabal de Secunda. Más allá, el ancho Guadalquivir, cruzado por el puente
de piedra. Y la maldita muralla de Córdoba, repleta de banderas almohades.
En aquel mismo sector de la ciudad, el más cercano, se hallaba el alcázar, y
junto a él, la mezquita aljama, con su enorme minarete apuntando al cielo
nuboso. Desde allí se oyó el eco de la llamada a la oración del mediodía,
desgranada con voz cantarina por el almuédano. El rey Lobo cerró los ojos
un instante y apretó en su puño la carta que acababa de recibir. Había llegado desde Murcia, y se la mandaba su esposa Zobeyda. En ella le avisaba de
algo que era comentado por todo el mundo en los zocos del Sharq al-Ándalus, una noticia que traían los marineros de las naves que volvían del Mediterráneo: el califa almohade, Abd al-Mumín, acababa de someter las ciudades tomadas por los sicilianos y llevaba a cabo su particular purga para
eliminar disidentes en Ifriqiyya. Mardánish intentó hacer el cálculo de sin-
gladuras y jornadas de viaje, de cuánto tiempo habría pasado realmente desde que los almohades habían acabado su campaña africana, pero el almuédano le impedía concentrarse. Dios es el más grande, cantaba. Dios es el más
grande...

Se volvió y miró a cuantos le rodeaban, muchos guerreros se habían postrado y cumplían devotamente con su obligación. Extraño. Almohades y an-

dalusíes rezaban a la llamada de la misma voz mientras, a lo largo de todo el cinturón de asedio, al otro lado del río y en una larga extensión alrededor de los desiertos arrabales de Córdoba, los guerreros cristianos hacían caso omiso y continuaban jugando a los dados, o comían, dormían o servían en sus guardias. Una sombra de movimiento llamó su atención y Mardánish dirigió la vista al río. Desde allí, bordeando la línea de alcance de las murallas cordobesas, venían dos de sus guerreros andalusíes. No cumplían con la oración, lo que significaba que en ese momento desempeñaban su servicio de armas. Ambos flanqueaban a un tercer hombre, también andalusí. Vestía como un campesino y estornudaba a cada docena de pasos. Mardánish enrolló la carta de Zobeyda y la guardó en el ceñidor.

Los guerreros dieron una orden al campesino y este apoyó una rodilla en tierra. El hombre, que no dejaba de estornudar, bajó la cabeza. Mardánish se fijó en su manto repleto de manchas oscuras. Un olor familiar a grasa rancia llegó hasta la nariz del rey Lobo.

—Mi señor —habló uno de los soldados—, es un olivarero del Aljarafe, junto a Sevilla.

Mardánish asintió. Aceite. Aquellas manchas y aquel olor eran de aceite. Aceite viejo que manchaba sus ropas. Aceite del Aljarafe, uno de los manjares de los que habían tenido que prescindir desde que Sevilla estaba en manos almohades. El tipo volvió a estornudar y el soldado andalusí estiró la mano hacia su señor. Sostenía un rollito de papel. ¿Otra carta?

—Este hombre dice venir de Sevilla, mi señor. Nos ha contado que tuvo que salir de noche para no ser visto, a nado por el Guadalquivir.

Un fuerte estornudo salpicó el suelo de saliva y vino a corroborar las palabras del guerrero, que ahora retrocedía dos pasos para volver a situarse junto al campesino. Mardánish desplegó el papel y leyó. Aquello estaba escrito en un árabe pobre, sin cuidar y con muchas palabras romances mezcladas con otras del dialecto que usaban en el Garb. El mismo Mardánish no escribía mucho mejor, con la lentitud de quien necesita dibujar con cuidado cada signo, con trazos gruesos y fuerte carga de tinta. Sus ojos recorrieron las líneas, y se abrieron más y más a medida que leía. Cuando terminó y vio que el documento estaba sin firmar, se dirigió al olivarero.

—¿Quién te ha dado esta carta?

—Sidray ibn Wazir, mi señor. El que fuera gobernador de Évora, en el Garb. —El hombre echó la cabeza hacia atrás y abrió la boca, pero pudo dominar el estornudo—. Perdonadme, mi señor... Ibn Wazir, como otros nobles andalusíes que al final se sometieron, vive en Sevilla, en la corte del *sayyid* Yusuf. Son muchos los que están cansados de soportar el yugo almohade, mi señor. Ibn Wazir me pidió que evitara a los africanos y te hiciera llegar esa misiva, mi señor.

Mardánish torció el gesto. Aquel hombre hablaba como si se hubiera aprendido la parrafada de memoria. Aunque por otra parte era normal. Un olivarero del Aljarafe. ¿Qué mejor correo para una misión como esa que un hombre simple? Había oído hablar del tal Ibn Wazir, por supuesto, pero eso era lo de menos. Lo importante era lo que ofrecía aquella carta. Inconscientemente, Mardánish sacó la otra, la que le había mandado su favorita desde Murcia, y puso ambos documentos juntos. El califa caería sobre ellos en cualquier momento, y Córdoba seguía insumisa. El tiempo se acababa. Se dio la vuelta y vio que sus hombres recogían las pequeñas esteras del suelo y las doblaban con sumo cuidado. La oración había concluido, y él tenía que tomar una decisión.

—¿Sabes qué pone aquí? ¿Has leído la carta? ¿Qué opinas tú? —preguntó al olivarero.

—No, mi señor... No sé leer. Solo sé lo que os he dicho, mi señor.

El rey Lobo resopló y releyó las últimas líneas. Lo que Ibn Wazir le ofrecía era nada menos que la entrega de la capital almohade de al-Ándalus. Sevilla... Pero no se fiaba. Aunque, bien pensado, también había recelado de aquel mensajero de Carmona, y ahora esa ciudad le pertenecía. Resultaba normal desconfiar. Se mordió el labio. En Sevilla residía Yusuf, el hijo del califa. ¿Cómo iba a permitir él que la capital cayera? Claro que, bien pensado, Yusuf había dado muestras de su incompetencia en varias ocasiones. Si los andalusíes que lo rodeaban estaban dispuestos a traicionarle... ¿Por qué no? Casi podía paladear el triunfo. La humillación a la que Yusuf sería sometido. Sí, era la misma sensación que antes de apoderarse de Carmona, luego tal vez le aguardaba el mismo resultado.

—Poned a este hombre bajo custodia, pero no le hagáis daño. Ya os daré más órdenes.

Mardánish enrolló las dos cartas y las guardó juntas mientras caminaba con paso firme hacia su tienda. En la entrada, Óbayd también acababa de terminar la oración y uno de sus criados guardaba en un saquito la diminuta almozala sobre la que se había arrodillado. Miró a su cuñado con gesto expectante.

—Nos vamos —espetó Mardánish. Óbayd levantó las cejas.

—¿Pasa algo?

—Va a pasar. Nos entregan Sevilla, al igual que nos han entregado Carmona. Da las órdenes oportunas, levanta el sitio. Salimos para allá todos.

—Pero, mi señor —Óbayd, cogido por sorpresa, se apartó para que su cuñado entrara en el pabellón real—, llevamos aquí... ¿Cuánto? ¿Casi un año? Y ahora ¿nos vamos?

—Córdoba puede esperar. —El rey Lobo descolgó el tahalí con su espada y se lo ciñó con gestos mecánicos—. Sevilla es una presa mucho más apetecible. Azagra no tendría duda: pudiendo cazar a la paloma, ¿por qué entretenerse con un pichón?

Óbayd asintió. Sevilla. Nada menos. Pero ¿tan fácil? Pensó en Hamusk, al que odiaba con todas sus fuerzas. Cuando se enterara, el señor de Jaén se arrancaría los pocos pelos que le quedaban. Después de tanto tiempo y de sus rabietas, abandonaban Córdoba. Al arráez se le iluminó la mirada.

—Hemos de pasar por Carmona. ¿Recogeremos a tu suegro para tomar posesión de Sevilla?

Mardánish se extrañó ante la pregunta, pero luego comprendió y una sonrisa cómplice cruzó su cara.

—No es necesario, ¿verdad? Al fin y al cabo, mi arráez también puede alzar el estandarte del Sharq al-Ándalus en el alcázar de Sevilla.

Tres días después. Alrededores de Sevilla

Habían viajado a marchas forzadas por el camino rumí hacia la capital almohade en la Península. Para asegurarse de que nadie pudiera avisar a los sevillanos, Mardánish se había limitado a enviar por delante un puñado de rápidos exploradores. El mismo Hamusk se había enterado sin apenas antelación de que su yerno pasaba por las cercanías de Carmona. El señor de Jaén montó en cólera cuando supo que todos los meses transcurridos en el aburridísimo sitio de Córdoba no habían servido para nada. Ahora Ibn Igit, libre del asedio, podría aprovisionarse e incluso buscar refuerzos en castillos próximos que todavía no hubieran caído en poder de Mardánish. Habían perdido el tiempo y habían gastado una enorme cantidad de dinero, el que se necesitaba para pagar a aquellos mercenarios cristianos que componían el ejército. Hamusk no podía creerlo, sobre todo porque su yerno cabalgaba al frente de sus huestes hacia... ¿Sevilla?

Al atardecer siguiente, los olifantes habían sonado por la vega del Guadalquivir, y los pocos guerreros almohades que componían la guarnición sevillana se habían apostado en las murallas de la ciudad. Yusuf apareció escoltado por su guardia negra particular, y al ver el estandarte con la estrella plateada de ocho puntas, sufrió un repentino ataque de pánico que le confinó en las letrinas de sus aposentos durante el resto de la jornada. Allí estaba aquel demonio Lobo, a caballo, con su pendón en lo alto de la lanza y al frente de una enorme línea de infantería andalusí y cristiana; a los lados, bordeando de nuevo el Guadalquivir y el Tagarete, dos enormes cuerpos de caballería. Miles de hombres cuyas filas se perdían a lo lejos. Todos ellos ansiaban ahora tomar la capital almohade de al-Ándalus. Se regocijaban en la visión de aquella joya reluciente que se les ofrecía como una amante ansiosa de caricias, tal como había dicho, tiempo atrás, uno de los poetas de los reyes sevillanos:

¡Oh, Sevilla, te pareces, cuando el sol está en el ocaso,
a una desposada esculpida en la belleza!
El río es tu collar, la montaña, tu corona,
que el astro domina como un jacinto.

Mardánish esperó. Supuso que, a la vista de las mesnadas andalusíes, Ibn Wazir movería sus piezas. El rey Lobo miraba a la Puerta Maqarana y aguardaba. De un momento a otro se abriría y podrían irrumpir como un huracán que arrasaría todo lo que oliera a almohade. Sevilla sería suya. ¿Y qué hacer con Yusuf? Tal vez lo dejara escapar para que fuera a contarle a su padre cómo le habían ido las cosas contra aquellos rebeldes del Sharq. O quizá lo mandara a Valencia, a hacer compañía a aquel otro traidor, ¿cómo se llamaba? Ah, sí, Ibn Silbán. ¿Viviría aún ese tipo? No. Tal vez lo mejor sería pedir rescate por el hijo del califa. Sí, claro. Eso era más inteligente. Pero no dinero. Mardánish no lo necesitaba, sus arcas estaban casi a rebosar. Córdoba. Exigiría Córdoba a cambio de Yusuf. Ah, sí. Qué buen negocio. Las dos ciudades más importantes de aquellas tierras, suyas de un golpe.

—Las puertas no se abren.

Las palabras del arráez Óbayd, que aguardaba junto al rey, sacaron a Mardánish de sus sueños de conquista. Miró al lejano adarve. La última vez que lo tuvo delante había dejado aquella campiña sembrada de cadáveres almohades, y luego se había acercado al galope hasta el muro de piedra para desafiar a Yusuf y al propio califa. Eran murallas altas, y se notaba por el color de las piedras que los africanos las habían reforzado. Además había torres, muchas y bien repartidas. No sería necesaria una gran guarnición para evitar que aquella ciudad cayera. Un súbito temor se apoderó de Mardánish. Había dejado atrás Córdoba, libre de amenazas, y luego llegado hasta las puertas de Sevilla sin mirar a su espalda, impulsado por una carta que no tenía firma, confiado en aquel pobre olivarero de ropas sucias... El miedo creció en el corazón del rey Lobo.

—Traed aquí al olivarero.

Óbayd se volvió sobre la silla y dio un par de gritos, y algunos hombres se agitaron entre las primeras filas de infantería. El rey Lobo movió compulsivamente su pierna derecha y miró a ambos lados. A lo lejos, los caballos del conde de Urgel piafaban sin poder contener la impaciencia de sus jinetes. En el otro flanco, los caballeros de Álvar Rodríguez también esperaban ansiosos.

—Maldita sea —gruñó Mardánish entre dientes.

Un nuevo revuelo se formó tras él. Las filas se abrieron y el olivarero del Aljarafe vino escoltado por varios guerreros enfundados en cotas de malla. El hombre estaba pálido. Lo arrastraron hasta rebasar el caballo de Mardánish y lo pusieron frente a él. El rey Lobo señaló con la lanza a la Puerta Maqarana.

—Sevilla. El lugar desde el que escapaste hace algunas noches. A través del río, según dijiste...

Mardánish se interrumpió. Sus ojos se dirigieron hacia el Guadalquivir, que a la altura de Sevilla se volvía ancho como un pequeño mar. Sus aguas discurrían tranquilas, y formaban una superficie tan plana que podían verse reflejadas las nubes que apenas se movían en el cielo y los álamos de la otra orilla. Recordó el papel que había traído aquel olivarero. Un hombre simple. La carta estaba impoluta y sus letras, limpias, con la tinta dibujando trazos claros, gruesos y lentos. Ahora lo comprendía. Porque si ese hombre había venido a nado desde Sevilla con el papel, aquello era imposible. ¿Dónde estaban los borrones? ¿No se había desmenuzado el papel con el agua? ¿No se había corrido la tinta? ¿Ni una mancha de humedad, siquiera? El rey Lobo blasfemó para sus adentros. La maldita ambición. Eso había sido. La codicia de conseguir Sevilla y los deseos de humillar a Yusuf le habían cegado.

—Es mentira, ¿verdad? Esa carta no te la dio ningún Ibn Wazir.

El olivarero miró al suelo. La enfermedad le había abatido el ánimo durante días, y después, tras entregar aquella carta y soltar su discurso, se había visto marchando a la fuerza junto al ejército de aquel demonio Lobo. Mardánish tensó los músculos de sus mandíbulas. Curiosamente, lo que más le molestaba era la posibilidad de que su suegro se enterara... Se enterara ¿de qué? Miró a sus guerreros.

—Clavad un poste en el suelo, aquí mismo. Y atad al olivarero.

—Espera, mi señor... —El campesino elevó la vista y quiso entrelazar las manos, pero los guerreros lo tenían fuertemente asido.

—¿Tienes algo que decirme, pues?

El hombre miró atrás, a las murallas. Distinguió las siluetas de los pocos defensores que observaban al ejército desde lo alto. Empezó a llorar en silencio, y, a un nuevo gesto del rey Lobo, los soldados se movieron. Trajeron un poste de madera de los que usaban para erigir los pabellones y, tras hacer un agujero en el suelo limoso, lo clavaron allí. Luego sujetaron con cuerdas al olivarero del Aljarafe de modo que su vista estuviera dirigida a la Puerta Maqarana. Desde las murallas de Sevilla, los almohades asistían a la escena en silencio. Mardánish entregó lanza y escudo a uno de sus sirvientes, desmontó con rabia contenida y anduvo de un lado a otro por delante de sus filas. Los guerreros cristianos y andalusíes le observaban atentos, en silencio, sin entender a qué se debía todo aquello: el campesino atado al poste, el ejército formado, el rey Lobo invadido por la ira... De repente, Mardánish se abrió paso con rabia y anduvo hacia la retaguardia a través de las líneas de lanceros y arqueros. Los soldados se apartaban a los lados y le franqueaban el paso por un camino bordeado de hombres armados. El rey Lobo llegó a uno de los carruajes que llevaban su impedimenta y rebuscó en los arcones ante la mirada estupefacta de los criados y esclavos. Cuando encontró lo que buscaba, desanduvo el camino y se plantó ante el olivarero. Blandió la carta ante su rostro.

—¿Sabes leer, desgraciado?

—No, mi señor, ya te lo dije. Mi señor, lo único que yo...

—¿De verdad no sabías lo que estaba aquí escrito?

—No, no, mi señor, ya te he dicho que...

Mardánish desplegó la carta y se fijó con rabia en el color crudo y uniforme del papel, en sus bordes perfectamente cortados, en la tinta de perfiles nítidos... Leyó en voz alta, repitiendo las palabras que le habían llevado a levantar el asedio de Córdoba y a mover a todo su ejército hacia Sevilla. El olivarero escuchó con los ojos arrasados en lágrimas y, cuando el rey Lobo llegó al final de la misiva, el campesino era incapaz de tragar la poca saliva que le quedaba. Mardánish agarró la pechera manchada de viejos lamparones de aceite y acercó su cara a la del olivarero. El rostro del rey, cubierto por las anillas del almófar y el alargado nasal del yelmo, parecía mucho más fiero aún.

—Dime la verdad ahora. ¡Dime la verdad!

—Mi señor... Por Dios... Clemencia... Yo no sabía que...

Mardánish desenfundó la espada y acercó el filo de la hoja a la garganta del campesino. El hombre quiso llevar atrás la cabeza, pero se golpeó con el poste, de modo que su cuello quedó atrapado entre la madera y el hierro.

—¡Habla!

—Mi señor, la carta me la dio el gobernador de Córdoba, el hafiz Ibn Igit. Perdóname, mi señor, yo no sabía qué ponía ahí. Solo soy un correo. Es cierto que fui a Córdoba desde Sevilla, pero nada más que para anunciar la caída de Carmona. Ellos me obligaron, mi señor; los almohades... Yo soy andalusí, como tú. ¿Qué otra cosa podía hacer...? Fue ese Ibn Igit. Él lo planeó todo. Me ordenó que fingiera. Me hizo decirte que venía directamente desde Sevilla. Yo no sabía lo que pretendía, de verdad...

—¿Y esa historia de que Ibn Wazir te había dado el mensaje para mí?

—Ibn Igit me la hizo repetir hasta que la aprendí de memoria. Me prometió una gran recompensa. —El olivarero calló al darse cuenta de que aquello no contribuía a arreglar su situación. No podía pensar. Estaba aterrorizado. Y ante él, miles de hombres armados y recubiertos de hierro. Engañados, todos ellos. Por él. La humedad se extendió desde su entrepierna y goteó sobre la campiña sevillana. El campesino rompió a llorar—. Obedecí por miedo, mi señor. No sabes lo crueles que son los almohades. No nos queda más remedio que acatar... Por favor, mi señor...

Mardánish cerró los ojos de nuevo. Maldijo una vez más su torpeza. Engañado por un paisano. Por un campesino del Aljarafe, andalusí como él. ¿Cómo podía haberle traicionado? Apretó con fuerza el puño de la espada. Tal vez su suegro tenía razón. Miedo era lo que necesitaba. Una gran herramienta, el miedo. Doblegaba voluntades y sometía a los hombres mucho mejor y más rápido que la clemencia o la promesa de recompensa. Miedo. Qué bien lo usaban los almohades. Qué poca defensa había contra él.

Tiró de la espada con rabia, y la hoja cortó la piel en el cuello del olivarero; luego el hierro fue penetrando más hasta que el salpicón de sangre saltó con fuerza hacia delante. El llanto del campesino se quebró y fue sustituido por un gorjeo, y el hombre cabeceó mientras las manchas rojas ocultaban las de aceite. Mardánish se volvió con la espada chorreante y miró a Sevilla. Elevó el arma al cielo y aulló como el animal que se decía que era. Su voz sobresaltó a los propios guerreros de su ejército y se oyó desde las murallas de la capital almohade de al-Ándalus.

32

Noticias desde la otra orilla

Otoño de 1160. Sevilla

Yusuf sonrió complacido y llamó con un gesto a uno de los esclavos, que le llevó un aguamanil de plata. El *sayyid* mojó las manos en él y las limpió de la película dulce y pegajosa que las había impregnado. Luego, con un lienzo que el propio esclavo dejaba colgar de su antebrazo, las secó parsimoniosamente. A continuación, se levantó del cojín y anduvo a lo largo de la sala. Varios visires de la corte se alzaron también de sus sitios en muestra de respeto y, aunque ellos no habían terminado de comer, permanecieron en pie, atentos en silencio a los movimientos del *sayyid*. Este caminó hacia una de las ventanas y se asomó. Por el patio del alcázar al-Mubárak, entre los naranjos y alberquillas, deambulaban algunos *talaba* mientras discutían en voz baja, seguramente sobre teología, como siempre. Ah, qué sosiego acunaba al *sayyid*. Levantó la cara y dejó que los rayos del agradable sol otoñal le bañaran la piel casi negra. Sonrió. Aquel mismo sol tostaría en aquel momento las caras apergaminadas de los reos ejecutados en los últimos meses. Varias decenas de sospechosos habían sido ajusticiados fuera, cerca del lugar donde el olivarero del Aljarafe se desangrara a principios de año.

Yusuf se pasó la lengua por los labios para recoger el último rastro de azúcar. Aquel funesto día, cuando el demonio Lobo se plantó con todo su ejército a las puertas de Sevilla, el *sayyid* había sentido pánico. Durante días temió que Mardánish ordenara asaltar las murallas, y eso le aterrorizaba. Bien que los muros de la ciudad eran altos y gruesos, pero tenían pocos defensores. Muy pocos como para sentirse seguro. Al principio, mientras se debatía entre las ganas de abandonar Sevilla y la parálisis que el horror le provocaba, el *sayyid* se había preguntado qué hacía aquel andalusí loco allí. ¿Por qué había dejado el asedio de Córdoba? ¿Y por qué, además, después de todo el tiempo invertido en él? Luego había venido el extraño espectáculo del degüello. Yusuf no lo había visto personalmente, pues en ese instante estaba agarrotado por un ataque agudo de miedo que había dejado vacíos sus intestinos, pero se lo habían contado con detalle los centinelas de la muralla. El rey Lobo había hecho atar a un tipo delante de todo su ejército y así, sin más, le había rebanado el pescuezo para después soltar un aullido animal, sin duda inspirado por el propio Iblís, que era quien le había dotado con la fiereza y la crueldad de los lobos.

Al tercer día del extraño suceso del sacrificio, el ejército de Mardánish se marchó. Según los espías del *sayyid*, para volver a Córdoba y montar un nuevo asedio. Qué estupidez. Para colmo, uno de sus agentes, llegado desde aquella ciudad antes de que fuera otra vez sitiada, había traído un informe aún más extraño que el alocado comportamiento del demonio Lobo. Según decía, el ejército infiel se había presentado en las murallas de Sevilla con la esperanza de que cierto traidor le abriera las puertas. ¡Un traidor en Sevilla! ¡Dispuesto a entregar la ciudad al peor enemigo de los almohades en al-Ándalus! ¿Sería verdad? Un nuevo ataque de pánico agarrotó al *sayyid* Yusuf durante días y lo tuvo pegado a las letrinas. Un traidor. ¿Qué hacer? ¿Cómo dar con él? ¿Y qué podía tener que ver eso con el degüello de aquel infeliz por Mardánish? Ah, qué complicada era la política...

Pero él, Yusuf, era el heredero secreto del califa Abd al-Mumín y, por tanto, debía apechugar. Y mejor hacerlo con seguridad, desde luego. Por eso, para evitar errores de bulto, el *sayyid* había pedido a sus *talaba* que confeccionaran una lista. Una muy larga con nombres de personas. De sevillanos y de otros andalusíes llegados a la capital almohade en la Península. En esa lista deberían figurar todos aquellos sobre cuya fe cupiera duda. Aun la más ligera. Los *talaba* eran eficientes, desde luego. Las lecciones en tierras africanas habían hecho de ellos unos excelentes servidores del Tawhid. En poco tiempo, Yusuf tuvo la lista en sus manos, la repasó personalmente y aceptó todos y cada uno de los nombres escritos. A continuación mandó llamar a su visir de mayor confianza, le entregó la relación de sospechosos y dio una orden:

—Manda que sean apresados y que se los crucifique fuera de las murallas. Asegúrate de que no mueran con rapidez.

Ya: la crucifixión no era castigo reservado para los traidores, sino para los blasfemos y herejes. Pero al fin y al cabo, Yusuf era un miembro destacado de la raza elegida por Dios. Hijo del príncipe de los creyentes, sucesor del Mahdi. Superior al resto de los hombres. Así pues, traicionarlo a él era traicionar a Dios. Una horrible blasfemia. Una herejía si los traidores eran musulmanes.

Con la misma eficiencia demostrada por los *talaba*, la exigua guarnición almohade, encabezada por los Ábid al-Majzén que todavía guardaban la vida del *sayyid*, fue cumpliendo la orden de Yusuf. Se presentaban en una casa de Sevilla o de cualquier arrabal, sacaban a patadas a un tipo, o a dos... A veces tres varones eran arrancados de una misma familia ante los gritos de la esposa y las hijas. Luego el desgraciado era conducido a rastras hasta el pie de la muralla, en un lugar preestablecido para ello y junto a una cruz lista para ser ocupada. Las primeras ejecuciones se sucedieron con relativa facilidad, pero luego fue más difícil. Eran varios los hombres que agonizaban crucificados, y algunos de los siguientes trataron de resistirse. Aunque no lograron evitar su destino, claro. De todas formas, para hacerlo todo más sencillo, Yusuf tomó la decisión de no ejecutar a los reos tan deprisa. Pensó que unas semanas en la mazmorra los debilitarían lo suficiente. Además, eso le daba la oportunidad de alargar el ejemplo. Cada día era un condenado diferente el que agonizaba en la cruz. Un día tras otro, una semana tras otra. Un mes tras otro de súplicas de piedad y alaridos de dolor. Un mes tras otro de terror y sumisión. En teoría no debería haber sido así, pues la doctrina almohade desaconsejaba, desde tiempos del Mahdi, que se crucificara a nadie con vida. Pero Yusuf había oído decir que en Granada, tras descubrir la traición de un judío falsamente convertido, su hermano Utmán lo había hecho crucificar vivo en lo alto de una colina. Ante todos los demás judíos convertidos. Brutal, desde luego. Aunque parecía haber surtido efecto, así que... ¿por qué no? Además Yusuf introducía una innovación: aunque la costumbre era alancear a los crucificados para acortar su sufrimiento, él decretaba prescindir de esa gentileza.

Por eso ahora Yusuf respiraba tranquilo. Y había comido con fruición. El miedo le había atenazado durante días y su estómago se había resentido, de modo que no estaba de más tomarse la revancha. El *sayyid* se llevó la mano a la boca y amagó un eructo cuando uno de los criados entró en la sala del alcázar sevillano.

—Mi señor, misiva de Marrakech —anunció el hombre sin apartar la mirada del suelo.

Yusuf se acercó. Estaba contento, y aún podía estarlo más. Si aquella carta anunciaba la llegada de los refuerzos que había pedido con insistencia, su dicha sería casi total. Cogió el rollo que le alargaba el sirviente y rompió el sello almohade. Luego extendió el pergamino y leyó. La carta venía firmada por su padre, el califa, y le emplazaba a reunir un séquito con los mejores secretarios y poetas de su alcázar y viajar hasta Gibraltar, donde debería reunirse con él a finales de año.

—Alabado sea Dios —exclamó el *sayyid*, y su voz resonó en el techo abovedado de la sala—. El príncipe de los creyentes viene a al-Ándalus. Por fin se va a arreglar todo.

—¿El califa, mi señor? —preguntó alborozado uno de los visires—. Ah, qué gran noticia. El momento de la justicia llegará, pues, en breve. Tiembla, demonio Lobo. —El hombre agitó el puño en alto hacia una de las ventanas—. Tu hora se acerca.

El *sayyid* seguía leyendo, y su sonrisa se acentuaba con cada línea.

—Mi padre reclama un gran cónclave. Una reunión de los mejores poetas de al-Ándalus. Quiere que estos afeminados, que solo sirven para emborracharse y escribir lindezas, rindan pleitesía al Tawhid; desea ver con sus propios ojos cómo los andalusíes demuestran su agradecimiento por haber recibido la verdadera fe. Cómo estos advenedizos se pliegan ante hombres que les son muy superiores. Y además requiere mi presencia a su lado... Deberé sentarme a su derecha en todo momento.

Los visires asintieron entusiasmados. Todos ellos habían advertido el trato de favor que recibía Yusuf con respecto a sus hermanos. Casi como si fuera él el heredero del imperio. El *sayyid* inspiró con fuerza y rio feliz. El resto de la misiva estaba plagado de buenas nuevas: el califa expresaba su intención de construir una fortaleza que sirviera como base para un gran desembarco de tropas, el mayor que hubiera visto hasta el momento la infiel Europa. En poco tiempo, quizá menos de dos o tres años, el ejército más inmenso e imparable de la historia cruzaría el Estrecho e invadiría al-Ándalus, reforzaría las plazas almohades y arrasaría a los enemigos de la fe hasta arrojar a unos a aquel frío mar que decían que rompía contra los acantilados del norte, el Bahr al-Anklisin, y expulsar a los demás al otro lado de la gran cordillera, el Yábal al-Burtat... Esa era quizá la principal de las razones que tenía el califa para venir a la Península. Esperaba ver a sus *sayyides* y gobernadores y darles las instrucciones precisas para ir preparando la gran expedición. Los quería a todos listos para colaborar. Y también pensaba enseñar a los andalusíes una muestra del poder almohade. Habría una parada militar en Gibraltar. Un enorme desfile que quedaría grabado en los ojos de los escritores malagueños, sevillanos, granadinos, cordobeses... Yusuf volvió a sonreír con extraña complacencia: los cordobeses no iban a poder ir. Estaban sitiados por Mardánish. Afortunadamente, por otro lado. De no ser así, él tendría que haberse perdido el gran cónclave del califa.

Granada

Sauda y Zeynab se arrodillaron e inclinaron las cabezas hasta que sus frentes tocaron el suelo.

—Así que vosotras sois las doncellas que me envía *mi prima*, ¿eh?

Sauda levantó la cara y observó a la mujer que tenía ante sí. Al fin estaban en presencia de la famosa Hafsa. La mujer que había escrito a Zobeyda y por cuya culpa se hallaban ahora allí, en Granada. La esclava se fijó en sus ojos verdes y en cómo resaltaban contra la piel morena. A pesar del velo se la adivinaba muy bella, desde luego. No resultaba extraño que aquel *sayyid* almohade se hubiera prendado de ella. La granadina también debía de tener una bonita figura. Lástima de aquellas ropas holgadas que la cubrían...

—Sí, mi señora —respondió Sauda—. *Tu prima* te envía saludos y te desea una larga vida.

Hafsa dio una palmada hacia sus sirvientes. Eran los dos hombres que habían recibido a Sauda y Zeynab en las puertas de Granada, cuando los guardias masmudas de servicio los requirieron porque llegaban dos mujeres para ver a la poetisa y amante del *sayyid*. Los sirvientes hicieron una reverencia y abandonaron la estancia de la *munya* en al-Qasba al-Qadima. Hafsa quedó a solas con las dos esclavas, de modo que dio por terminado el tiempo del disimulo.

—Levantaos —pidió, y se develó el rostro. Sauda sonrió. Un momento antes, con el *litam* cubriendo media cara de su nueva señora, había estado segura de que los demás rasgos de la granadina acompañaban a sus bonitos ojos, y no se había equivocado.

Luego, para comprobar si era cierta la leyenda, Hafsa develó por sí misma las caras tapadas de las enviadas de Zobeyda, descubrió sus cabellos y devolvió la sonrisa a Sauda.

—Sois como me había imaginado. Tal como cuentan las gentes a media voz por los rincones, para que nadie oiga los rumores. Se dice que las doncellas de la Loba son hermosas como los luceros. Y es cierto.

Zeynab agradeció el comentario con una nueva inclinación y se sonrojó un ápice.

—¿La Loba? —preguntó Sauda.

—Así es como empiezan a llamar a la favorita de ese Mardánish. El rey Lobo, ¿no? Pues bien, si él es un lobo...

Sauda asintió. En cierto modo, su señora Zobeyda tenía mucho en común con una loba, sobre todo en la manera de defender a los lobeznos.

—La Loba —habló Sauda, que mostraba mucho más aplomo que Zeynab— nos envía para tu servicio. Hemos de hacernos pasar por tus nuevas doncellas de servicio personal. Tus esclavas. Estamos aquí por la carta que le mandaste.

—Ah, sí —reconoció Hafsa—. La carta. ¿Hasta qué punto conocéis esa carta?

—Sabemos lo necesario, mi señora —volvió a contestar Sauda.

Hafsa hizo un gesto de aprobación e indicó a las dos doncellas que tomaran asiento en los cojines que había al pie del lecho. Obedecieron, y Zeynab, inconscientemente, empezó a apretujarse las manos. Hafsa se dio cuenta enseguida.

—No os preocupéis: estáis a salvo. Utmán me tiene poco menos que encerrada en esta *munya*, pero vosotras sois esclavas. Mientras tengáis cuidado de no escandalizar a los *talaba*, podéis moveros con libertad por Granada. Si alguien os requiere, solo tenéis que decir que sois mis sirvientas. Todos me respetan aquí porque Utmán me protege, así que... Bien, antes de explicaros cómo van las cosas, quisiera saber algo más de las intenciones de la Loba..., de Zobeyda. Su misiva de respuesta solo indicaba que me enviaría a dos personas de su confianza.

Sauda asintió y puso una mano sobre las de Zeynab para detener sus apretujones nerviosos.

—Mi señora Zobeyda pretende que nos ganemos la confianza de Utmán como te la has ganado tú. Piensa que incluso podemos meternos en... —Sauda señaló a un lado.

Hafsa alzó las cejas sin entender. Miró al lugar al que apuntaba la negra doncella. ¿La cama?

—Zobeyda quiere que nos convirtamos en amantes de Utmán —aclaró de corrido Zeynab. Hafsa dio un respingo.

—Ella... —Sauda buscó las palabras para atemperar la reacción de Hafsa ante la súbita confesión de su compañera—, ella piensa que si nos metemos en tu lecho lo tendremos a nuestra merced. Nosotras... En fin, no sabemos si esto es de tu agrado, pero...

—La Loba nos usa —se inmiscuyó Zeynab—. Allí, en el Sharq, lo hace a menudo. No es la primera vez que nos pide que copulemos con alguien para sonsacarle. Ella misma...

—No debes hablar así de nuestra señora —atajó en esta ocasión Sauda—. Lo hace por el bien del reino. Todo. Me sorprendes, Zeynab. Y me enojas.

—Está bien, está bien —terció Hafsa, que tampoco salía de su asombro—. He oído decir cosas de Zobeyda. Y de vosotras también, en realidad. No me parece mala idea la de vuestra señora, pero debéis tener en cuenta que Utmán es un *sayyid* almohade, no un andalusí acostumbrado al vino y la música. Sé que haber hecho de mí su amante, así, sin más, le causa no poca turbación. Si se le permite, es porque se trata del mismísimo hijo del califa y porque me consideran algo así como... como una de ellos. Tengo sangre bereber, y para los almohades eso es una garantía. Recordad estos detalles; ellos les dan gran importancia. Sin embargo, no creo que Utmán aceptara sin más acostarse con una esclava mía, y mucho menos con dos. La Ley no se lo permite. Debería venderos al *sayyid*. O regalaros. Entonces podríais legalmente convertiros en sus concubinas, pero claro...

—¡No, señora, por favor! —intervino de nuevo Zeynab—. ¡No nos entregues a ese hombre!

—No, no lo haré, descuida...

—Espera. —Alzó una mano Sauda, que seguía visiblemente enojada con Zeynab—. Tenemos una misión que cumplir y si para ello es preciso convertirnos en concubinas del almohade, así será.

Zeynab abrió mucho los ojos y sus labios temblaron. Sauda se mordió el labio y se arrepintió enseguida de lo dicho. Desde luego estaba dispuesta a sacrificarse de ese modo y más aún, pero tenía que cuidar también de su compañera eslava. Ella era tan débil...

—¿Serías capaz de convertirte en esclava de cama del *sayyid*? ¿Solo para cumplir la misión que te encomendó tu señora?

Sauda asintió. Hafsa se fijó en la penetrante fuerza de la mirada de la doncella. Sí. Sin duda, aquella mujer se sacrificaría. Hasta el final.

—Cuando escribí a vuestra señora —Hafsa se acercó a las dos esclavas y se sentó también en los almohadones al pie del tálamo—, le pedí que me ayudara para devolver la libertad a Granada. Con mi ciudad, yo seré liberada. Daos cuenta de que vuestra misión y la mía, aunque aún no lo hayamos dicho ni escrito, pasan por...

La poetisa hizo resbalar su dedo pulgar por la garganta. Zeynab se estremeció y Sauda asintió.

—Matar a Utmán —completó la africana.

—Matar a Utmán, sí —confirmó Hafsa, y estiró las manos para coger las de Zeynab. Miró a los ojos de la rubia eslava e hizo un gesto de comprensión—. Tú te pareces a mí, muchacha. Lo sé. Tú jamás matarías a Utmán. No matarías a nadie. ¿Me equivoco?

Zeynab agradeció la caricia de Hafsa; movió la cabeza afirmativamente y su voz sonó ahora más calmada.

—¿Me parezco a ti, mi señora? Entonces tú tampoco serías capaz de matarle...

—No. Jamás, aunque sea una prisionera obligada a complacerle. Tengo pánico, lo confieso. Accedo a sus peticiones y le hago creer que lo amo. Por miedo. Siempre por miedo. Ahora ni siquiera soy capaz de abandonar esta *munya*, como hacía antes, para escabullirme y reunirme con Abú Yafar, mi verdadero amor. Me da terror ser descubierta. Por el contrario, tú... —Hafsa soltó una de las manos de Zeynab y cogió la de Sauda. La negra notó el cálido tacto, la suavidad de su piel y hasta la ternura de la granadina—, tú eres valerosa. Tú sí serías capaz de matar. Lo veo en tus ojos. Matarías aunque ello causara tu propio fin, ¿no es así?

Sauda parpadeó un momento y apretó los labios.

—Mataré al almohade si es necesario, por supuesto. Aunque sea mi fin. Algo sé de venenos, y no me costaría mucho preparar un brebaje. También podría cortarle el cuello, si se tercia. Pero no basta con matarle. Eso es fácil. Hemos de prepararlo para que las puertas de la ciudad queden abiertas. ¿De qué serviría acabar con Utmán y dejar que Granada siguiera en manos enemigas?

Hafsa se sintió complacida. Aquello era lo que la granadina había buscado con su carta a la Loba. Aunque no quiso decir a Sauda que lo que pretendía era muy difícil. Ciertamente, Utmán podía ser sustraído a la protección de sus masmudas. Y el lecho era, sin duda, tal como había planeado Zobeyda, el lugar indicado para ello. Desnudo, en brazos de una mujer, o de dos, o de tres, en el momento de mayor indefensión para un hombre... Su cuello sería rebanado, o su corazón podría traspasarse. Tal vez moriría ahogado en veneno. Bien. Pero ¿y luego? ¿Qué podían hacer ellas, una poetisa y dos esclavas, para entregar Granada al rey Lobo? ¿Acaso había sido demasiado fantasiosa? ¿Serviría de algo iniciar aquella empresa con las dos esclavas?

—Leo la duda en tus ojos, mi señora. —Esta vez fue Sauda quien apretó la mano de Hafsa—. No temas. Hallaremos la forma de conseguirlo.

Unos pasos sonaron en el pasillo de la *munya*. Hafsa miró hacia atrás y vio oscurecerse la rendija luminosa al pie de su puerta. Soltó las manos de las dos esclavas y se levantó justo cuando alguien golpeaba la madera. La poetisa se cubrió el rostro con el *litam*, se aseguró la *miqná* sobre el cabello e hizo un gesto a Sauda y Zeynab para que la imitaran. En un momento, rostros y cabezas volvieron a quedar cubiertos.

—Adelante.

La puerta se abrió y en el umbral apareció un soldado que empuñaba una lanza. Esto sobresaltó a las dos nuevas doncellas de Hafsa. Era uno de esos masmudas a los que habían visto en los puestos de vigilancia de las murallas. Tenerlo allí, tan cerca y cerrando la salida, hizo que los temblores de Zeynab se reanudaran. El soldado dejó la puerta abierta, dio un paso atrás y se apartó.

Utmán entró despacio, con la barbilla alzada y las manos a la espalda. Vio a las dos mujeres sentadas en los almohadones y se detuvo. Hafsa movió la mano para indicar a Sauda y Zeynab que debían levantarse, y estas obedecieron al punto.

—Mi señor Utmán, bienvenido —saludó la poetisa—. Estas son mis dos nuevas sirvientas personales. Regalo de mi prima.

Zeynab se sujetó las manos para mitigar el temblor descontrolado. Así que aquel era el *sayyid* Utmán, gobernador de Granada, conquistador de Almería, hijo del califa... Su objetivo. Sauda inclinó la cabeza pero clavó en él su mirada cortante como la hoja de un cuchillo.

—¿Sirvientas personales? No las habías necesitado hasta ahora... Podías habérmelas pedido a mí y te habría proporcionado a las mejores.

—Estas son las mejores —las señaló Hafsa, aunque sin dejar de mirar a Utmán—. Expertas en el arte del masaje, los afeites y los perfumes que vuelven osado al amante. Lograrán que mi piel esté suave como la de una niña. Prepararán mi cuerpo para ti, mi señor, como tus esclavos te preparan el agasajo tras cada combate, y gracias a ellas te saciarás de mí... *Mis dulces serán las margaritas de mi boca o la azucena de mi cuello, el narciso de mis senos o la rosa de mis mejillas...*

Utmán levantó la palma abierta para que la granadina dejara de hablar. No le gustaba tratar temas como esos ante su guardia masmuda y aquellas dos nuevas... extrañas. Sin embargo, la promesa de goces recrecidos había conseguido llamar su atención. Su imaginación comenzó a desbocarse, como le ocurría siempre en presencia de la sensual Hafsa. Ella lo subyugaba, sometía sus sentidos y le hacía perder el dominio de la voluntad. Cada vez que eso ocurría, una punzada de culpa le atravesaba la garganta. Como ahora. ¿Qué diría el gran jeque Umar Intí, severo defensor de la moral, de saber que él, todo un *sayyid*, hijo del príncipe de los creyentes, todavía se dejaba llevar por la lujuria? ¿Qué pensaría su padre, el califa? De repente, Utmán carraspeó y recordó el motivo de su visita.

—Tendremos tiempo de comprobar la pericia de tus sirvientas, mi querida amiga. Pero eso tendrá que esperar. He venido para avisarte de una gran noticia, algo que hará que tu corazón se alborote como se ha alborozado el mío: mi padre, el califa, viene a al-Ándalus.

Hafsa quedó boquiabierta. Sauda no se inmutó, aunque maldijo en sus adentros, y Zeynab no pudo evitar un breve gemido de angustia al tiempo que se llevaba ambas manos a la cara y se tapaba la boca a través del *litam*. Utmán sonrió ante la amalgama de reacciones y señaló divertido a Zeynab.

—Sí, causa asombro, mujer. Y más te asombrarás cuando estés ante él. Y ante el sagrado Corán del Mahdi y la tienda roja del califa... Verás a los miembros de la Yamaa ilustre y a las poderosas avanzadillas del ejército de Dios.

Hafsa, confusa, arrugó la nariz. Hacía un momento estaban poco menos que planeando la muerte de Utmán y la entrega de Granada al rey Lobo, y ahora se enteraba de que iba a verse en presencia del temible califa de los almohades.

—Poderosas avanzadillas... —repitió la poetisa—. Pero ¿el califa trae su ejército a Granada?

—No. No aún. —Utmán soltó una leve carcajada—. Nosotros nos vamos de Granada a Gibraltar. Deberás prepararte. Mi padre reclama mi presencia, al igual que la de los demás *sayyides* y gobernadores de al-Ándalus. He de llevar conmigo a mis secretarios más allegados para contribuir adecuadamente y recibir los dones del sucesor del Mahdi, y debo hacerme acompañar por los mejores poetas granadinos para agasajar al príncipe de los creyentes. El califa Abd al-Mumín se dispone a cruzar el Estrecho, amiga mía, y a poner sus sagrados pies por primera vez en estas tierras. Tú eres la más excelsa poetisa de Granada, y además te tengo en mayor estima que a cualquier otra persona. Me acompañarás, por supuesto. Tú y tus dos nuevas sirvientas, si así lo deseas. Ve preparando tus versos, como harán otros. Debemos impresionar a mi padre. Salimos en dos días.

33

El peñón de la Victoria

Finales de 1160. Gibraltar

Sauda apretaba con fuerza la mano de Zeynab mientras ambas caminaban entre los masmudas de Utmán. La africana podía notar el sudor frío que corría por la piel de su amiga eslava, y también palpaba el temblor que la sacudía, un temblor causado por algo que iba más allá del simple frío o del aire húmedo, salado y molesto que soplaba desde el mar y barría la lengua de tierra por la que caminaban. Ambas mujeres iban vestidas de blanco, con mantos amplios y largos, y ocultaban sus cabezas y rostros de modo que solamente los ojos quedaban al descubierto. Delante de ellas, cuatro esclavos transportaban en una litera cubierta por cortinas a su nueva dueña, Hafsa bint al-Hach. Tras la poetisa caminaban varios hombres de mirada grave que cuchicheaban entre sí, y al frente de la comitiva viajaba el propio Utmán, rodeado por una guardia apretada de media docena de masmudas armados con lanzas. Se movían por entre las tiendas de una enorme ciudad de tela, montada el día anterior por las delegaciones llegadas de todos los rincones de al-Ándalus. Pabellones venidos desde Niebla, Silves, Tavira, Málaga, Almería, Ronda..., de cada fortaleza y aldea andalusí formaban una urbe abigarrada que a su vez rodeaba el inmenso campamento califal. Cruzaron al siguiente anillo de pabellones, estos africanos por sus estandartes y por los sujetos que se veía en su interior: las tribus subyugadas y fieles al califa, sus cabilas y su enorme corte de funcionarios. Más hacia el centro del campamento circular había incluso un zoco ambulante. Un verdadero mercado para abastecer a millares de personas: vendedores de cebada y trigo, de carne, de verduras, herreros, aguadores, pellejeros, curtidores, que anunciaban su género en las tiendas alineadas como tercer círculo. Y rodeadas por las del mercado, las tiendas habilitadas como mezquita y las del harén del príncipe de los creyentes. La de recepciones, lujosamente engalanada, y en la médula, en el alma de la metrópoli itinerante que representaba el poder almohade, la enorme tienda roja de Abd al-Mumín.

Sauda miró alrededor e intentó grabar en su mente todos los detalles. Sabía que Zeynab sería incapaz de retener nada, aterrada como estaba desde su llegada a la corte de Utmán. Desde el día de su presentación ante Hafsa y de la irrupción del *sayyid* en su cámara, la rubia eslava apenas hablaba y si lo hacía, era para maldecir su suerte y lanzar malos agüeros sobre su destino. Ya era terrorífico hallarse en Granada, en medio de aquellos masmudas oscuros y malcarados, pero acercarse al propio califa, destructor de ciudades, ejecutor de miríadas de almas y el peor y más poderoso enemigo del Sharq al-Ándalus... Sauda comprendía el terror de Zeynab y había tratado de tranquilizarla. Le había dado instrucciones para calmarse, obedecer y callar; sobre todo para no correr el riesgo de hablar en demasía. Debía confiar en ella. Y confiar en Hafsa. No tendrían nada que temer si se limitaban a observar. En lo que respectaba a ella, Sauda se había propuesto enterarse de cuanto pudiera servir a los propósitos de Mardánish y Zobeyda.

Y tal vez el momento de enterarse de ese algo era ahora, al día siguiente de su llegada. Utmán y sus acompañantes se dirigían a una gran explanada que se adivinaba al frente, y varios grupos de personas parecían confluir, tras salir de sus tiendas en aquel campamento interminable, en su misma dirección. Sauda metía los dedos entre el velo y la piel para abrir camino a los sonidos que, atemperados por el ulular del viento, llegaban hasta sus oídos.

—Ese de ahí —cuchicheó a Zeynab—, el alto... Creo que es Abú Yafar, el amante de nuestra señora.

Zeynab apretó con más fuerza la mano de Sauda.

—No hables —rogó la eslava—. Que no tengan que llamarnos la atención. Qué mala fortuna...

—No seas tonta. Nadie nos oye. El que camina junto a Abú Yafar es Ibn Tufayl. Creo que los dos son los secretarios personales del *sayyid*.

—Mala fortuna, mala fortuna... —repitió con voz temblorosa la eslava—. No hacemos más que llegar a Granada y nos tenemos que presentar nada menos que ante el califa. Es mala fortuna.

—No, no. Al revés. Esto es excelente. Fíjate bien. Todos esos hombres vestidos con *burnús* y turbante... Y sus séquitos. Mira cuántos soldados. Creo que Utmán tenía razón: vienen de todos los rincones de al-Ándalus para postrarse ante el califa. Mira, te digo.

Zeynab obedeció a su compañera y paseó su vista alrededor. Caminaban por la planicie fértil y ancha que avanzaba desde tierra y penetraba en el mar. Al frente, a lo lejos, la llanura se ensanchaba y crecía para formar una imponente montaña sobre la que había clavada una nube gris. Atrás habían dejado el inmenso campamento repleto de gente silenciosa con piel oscura. Personas que cumplían cada una de las cinco oraciones obligatorias, algo a lo que las dos esclavas no estaban acostumbradas después de su vida relajada en la corte de Zobeyda. Ahora más y más séquitos se dirigían hacia el gran peñón del fondo. A un lado y otro de los granadinos, numerosos grupos de soldados escoltaban a *sayyides*, visires, secretarios, escribanos, gobernadores. Sauda no había visto ninguna otra litera, y las pocas mujeres que acertaba a localizar parecían esclavas, como ella y Zeynab. La africana se mordió el labio e inclinó la cabeza. Trató de captar la información que, en forma de susurros, le traía la brisa. Cerró los ojos para concentrarse en los sonidos. Por fortuna, la gente caminaba en silencio, causando solo una suerte de siseo. Por eso, cuando alguien murmuraba, a la africana no le resultaba difícil aguzar su sutil oído y captar la mayoría de las palabras. Delante de ellas, Abú Yafar e Ibn Tufayl entablaron un nuevo diálogo cuchicheante. Sauda asintió inconscientemente al interpretar las frases a media voz.

—Nos dirigimos a una especie de recepción. Creo que por fin vamos a conocer al califa... Espera, a ver qué dicen ahora... Ayer desembarcó Abd al-Mumín, según se cuenta... Ibn Tufayl dice que el califa ha mandado construir un castillo enorme, toda una ciudad. —La africana calló para seguir escuchando lo que decían los dos secretarios, y luego volvió la vista hacia el peñón envuelto en nubes—. Allá arriba, sobre esa montaña...

—¿Cómo puedes oírlo? Yo no distingo...

—Shhh. Sí... El califa ha tomado una determinación. —Sauda calló de repente y miró a Zeynab con intensidad. La eslava comprendió de inmediato que el resto de la información había alarmado a su amiga africana.

—¿Qué? ¿Qué determinación?

—Han dicho que ese castillo que quiere construir en el peñón será el lugar donde se reunirán sus ejércitos... para acabar con el rebelde Mardánish.

Se habían detenido mucho antes de que la tierra se inclinara para subir abruptamente y formar aquel gigantesco peñón. Atrás, tierra adentro, quedaba el enorme campamento presidido por la tienda roja del califa de los almohades. Ahora estaban en la parte más ancha de la planicie que el mar flanqueaba por ambos lados. Los sirvientes de los africanos habían erigido allí un inmenso graderío de madera, y Utmán acababa de subir hasta mitad de altura, a un rellano que marcaba el centro exacto de la construcción. Allí se reunía con otros hombres de los que se adivinaban más principales, a los que saludaba con una mezcla de efusión y distanciamiento, con gestos calculados y nerviosos. El séquito de poetas y secretarios andalusíes permanecía al pie de aquella estructura, formando parte del abigarrado gentío que se aposentaba como mejor podía.

—Hafsa no ha salido de la litera. —Zeynab se ponía de puntillas para mirar por encima de los turbantes de los demás. En su condición de esclavas, tanto ella como Sauda habían sido relegadas a las últimas filas.

—¿Te has fijado? Hay miles de personas aquí. —Sauda también intentaba atisbar algo por entre los hombros y cabezas de la gente.

—Decenas de miles. Todos los que están en el campamento y más. Y nos han colocado a ambos lados de... un camino. Eso parece, ¿no?

La africana miró a su derecha y arriba, a lo alto de la construcción de madera. Los bordes de aquella tarima gigante estaban llenos de banderas ajedrezadas, verdes, rojas... Y una mayor y de color blanco, con caracteres cúficos grabados en oro, presidía a las demás con su sentencia:

«No hay otro dios que Dios. Todo el poder es de Dios. No hay fuerza sino en Dios.»

Las banderas crujían al soplo del vendaval traído por el mar, y había tantas que a veces la tela de una rozaba al flamear el mástil de la siguiente.

—Siguen un protocolo —observó Sauda—. Creo que esos son los mandamases, los hijos del califa, sus jeques... Ah, con una buena compañía de arqueros andalusíes acabaríamos con ellos...

Zeynab puso su mano ante la boca velada de su compañera y la miró con angustia.

—¿Quieres que nos degüellen como a cabritillas?

Sauda apartó la mano de la eslava con suavidad, dejó de espiar a los privilegiados y siguió observando a su alrededor. Sí, eso era: la tarima gigante otorgaba un lugar de privilegio para presenciar algo. A ambos lados de la construcción, la gente seguía agolpándose en una línea marcada por más banderas clavadas en el suelo, todas estas ajedrezadas en blanco y negro. Entre asta y asta, guardias armados con lanza permanecían inmóviles y con la mirada perdida. Sauda apoyó la mano en un hombro de Zeynab para auparse.

—Al otro lado de la explanada se arremolina más gente. También hay banderas y soldados. Es como si... Claro. —Sauda asintió. Por fin terminaba de unir los cabos. Era como cuando ellas iban y venían al zoco o a los baños públicos por Murcia y la gente se agolpaba en la calle para verlas pasar y recibir limosna, y la guardia real les abría camino y alejaba a los moscones inoportunos—. Es un desfile. Nos han colocado para ver un desfile.

Zeynab arrugó el ceño.

—Pues será muy corto, porque la anchura de ese pasillo es enorme.

Sauda calló para no aumentar la desesperanza de su compañera. Allí estaban reunidos los principales cargos de los almohades en al-Ándalus, y también sus vasallos andalusíes más destacados. Decenas de miles, había dicho Zeynab. Y aquella tarima gigante... Seguro que había costado días construirla. No, Sauda no creía que el desfile que se disponían a ver fuera a ser corto.

De pronto, el continuo y desagradable siseo de los murmullos se quebró y fue sustituido por ruido de cascos. Sauda intentó detectar su origen al mismo tiempo que cientos de cabezas que se volvían hacia el norte.

—Vienen varios jinetes —informó Zeynab, que era ligeramente más alta que la africana.

Sauda pudo ver entonces por encima de los turbantes a los caballeros vestidos de blanco que llegaban al galope. Se distribuyeron a lo largo de la fila de espectadores y repartieron algunas órdenes a gritos. Como resortes, los guardias de a pie armados con lanzas se dieron la vuelta y se dedicaron a golpear con las conteras a la gente que se alineaba y que sobrepasaba, siquiera unas pulgadas, la raya que formaban los mástiles de las banderas almohades. El murmullo creció hasta convertirse en un quejido de protesta, pero los espectadores hicieron un movimiento unánime hacia atrás que pronto se trasladó a las últimas filas. Sauda y Zeynab retrocedieron un par de pasos.

—¿Imaginas qué pasaría si unos simples soldados se comportaran así con los visires de Mardánish?

—Callaaa. No nombres al rey... —se quejó de nuevo Zeynab. Aunque lo que decía Sauda era cierto. Los guardias almohades trataban a bastonazos a secretarios, consejeros y visires como si fueran chusma o esclavos. La eslava sonrió a pesar de su miedo. Curiosamente, los esclavos, que ocupaban las últimas filas, eran quienes no recibían golpes.

Los jinetes se alejaron al galope y se detuvieron a cada trecho para repetir las órdenes y delinear las filas. Mientras tanto, los ocupantes de la tarima central tomaban asiento sobre los cojines colocados en los peldaños de madera. Sauda reparó en uno de los gruesos troncos que servían como columnas de soporte a la construcción. A pocas varas penetraba en la tierra uno de aquellos pilares, al que estaban clavadas otras vigas que iban conformando el esqueleto de la estructura. Sin pensárselo, la africana fue hacia allí, se apoyó en el tronco y se encaramó a la primera viga como si fuera un estribo. De inmediato mejoró su ángulo de visión y pudo observar el orden impoluto de todo el espectáculo. Zeynab fue junto a su compañera pero se abstuvo de trepar por miedo a que alguien recriminara su comportamiento, aunque lo cierto era que todo el mundo atendía al centro del pasillo o a lo alto de la tarima sin reparar en las dos esclavas.

—Da miedo... —susurró Sauda—. Todos ellos visten *burnús* y llevan turbantes. Son iguales... Y sus caras... están crispadas. Espera... Algo se acerca.

Una nueva brisa pareció levantarse desde el norte, pero Sauda se extrañó: las banderas seguían flameando hacia allí, lo que indicaba que el viento no había cambiado. Enseguida se dio cuenta de no era brisa lo que se oía, sino otro murmullo, el de miles de ropajes que se cimbreaban y arrugaban, el de miríadas de rodillas que se doblaban y se posaban en el suelo, crujidos de tendones habituados a la buena vida, quejidos de cuerpos bien alimentados, suaves, rechonchos y plácidos que acusaban la poca costumbre de doblegarse. De pronto, los turbantes descendieron y las cabezas tocaron la tierra. Sauda se sofocó al quedar al descubierto, pero se mantuvo inmóvil, como si de ese modo nadie pudiera descubrirla. Zeynab, por su parte, imitó de inmediato a los demás, cayó de rodillas y se dobló hasta que su frente, cubierta por el velo, tocó el suelo. Los sonidos cesaron y Sauda pudo ver entonces lo que se aproximaba. Por un momento pensó en bajar de su improvisada atalaya y postrarse, al igual que acababan de hacer todos. Incluso estuvo segura de que, de no hacerlo, podía sufrir un castigo terrible. Pero la curiosidad era más fuerte. Sus ojos se entornaron y se concentró en lo que venía. Era un animal, sí. Uno grande. ¿Un caballo? No. Demasiado grande. Además, no llevaba jinete. O sí, llevaba algo sobre la grupa...

—Baja, Sauda. Baja, por favor, y arrodíllate... Te despellejarán a latigazos. Nos castigarán a las dos... —sollozó Zeynab desde el suelo sin atreverse a levantar la vista de la tierra.

Sauda no hacía caso. Además, no había ojos inoportunos observándola. Todos estaban humillados; vueltos hacia abajo. Nadie se atrevía a alzar la mirada. Sí, era cierto: su comportamiento debía de ser a la fuerza irreverente... Pero necesitaba saber. Saber qué era aquello. Lo que abultaba en la grupa. No, eso era más bien una joroba. O dos... ¿Un camello?

—Una camella... —murmuró al fin con seguridad Sauda—. Una camella blanca.

Una camella blanca, como la que el Profeta montaba cuando regresó a La Meca. Traída a propósito desde la tierra del Profeta, sin duda. Carente de jinete, por supuesto, aunque engalanada como una hurí. Sauda sonrió por la comparación que había creado su mente. La camella caminaba justo por el centro del paseo trazado para el desfile, guiada por un hombre envarado y de humilde vestido; sobre las jorobas del animal había una litera abierta y férreamente sujeta, en cuyas esquinas se erigían cuatro delgados mástiles que sostenían sendas banderas rojas. En la litera había algo no muy grande... ¿Una caja metálica? No. Sauda se pasó la lengua por los labios y movió la cabeza a un lado. Una caja de madera... forrada de oro. Planchas de oro que fulguraban con cada rayo del sol. Y había más destellos. Destellos verdes, rojos... Piedras preciosas. Incrustadas en las planchas de oro. Perlas, rubíes, esmeraldas. ¿Qué llevaría aquella caja? El animal llegaba ahora a su altura, y con cada paso, elegante y lento, la cajita relucía y cambiaba la combinación de colores destellantes. Sauda se dejó atrapar por el hechizo de la luz y por la blancura inmaculada de la piel de la camella. Por los hilos de oro que colgaban de los arreos, por las rojas banderas de seda que flameaban al empuje del vendaval y por el silencio supersticioso que invadía la explanada. Por un momento, la esclava pensó que la bestia blanca dirigía su mirada hacia ella, y sufrió un largo escalofrío.

El *sayyid* Utmán separó la vista de la madera recién lijada de la tarima y se puso en pie al tiempo que el resto de sus acompañantes. Abajo, justo al llegar a la altura de la gran construcción de madera, el guía de la camella la había detenido y permanecía inmóvil. Poco a poco, con un susurro, decenas de personas empezaron a alzarse tímidamente. Unos a otros se fueron imitando y por cientos, por miles, los espectadores se levantaron. Utmán observó a izquierda y derecha, y descubrió en todos la misma expresión sobrecogida, el temor reverencial que despertaba la caja labrada con aquel ejemplar único del Corán. El libro de Ibn Tumart, el Mahdi. La fuente singular de la que brotaba toda la verdad para, como un diluvio, inundar aquella tierra de mentiras y convertirla en un mar de adoración a Dios, al misericordioso, al omnipotente... En el centro de la tarima, un par de filas por detrás de Utmán, se elevaba el sitial de honor, todavía vacío. El lugar del califa. Siempre en alto. Siempre rodeado por sus súbditos. Junto a esa silla había espacio libre dispuesto para los dignatarios principales: el heredero del imperio y los jeques y visires de mayor confianza para el príncipe de los creyentes. Entonces, el joven gobernador de Granada reparó en algo.

—¿Dónde está mi hermano Yusuf?

La pregunta había surgido de repente, sin que el joven *sayyid* Utmán, aún inmaduro para controlar sus impulsos, pudiera retenerla dentro de su boca. Varios visires almohades de rango menor le miraron, aunque no se atrevieron a hacerle gesto alguno de reprobación. Por muy joven que fuera, se trataba de Utmán, hijo del califa. El *sayyid* gruñó al darse cuenta de que no podía recibir respuesta. Todos debían permanecer en silencio hasta el momento culminante del acto. Y sin embargo, ¿dónde? ¿Dónde estaba su hermano, el gobernador de Sevilla? ¿Acaso no había acudido a la cita? Imposible. El día anterior lo había visto cuando el califa delineaba con su propia mano la nueva fortaleza del peñón y le encargaba a Utmán la supervisión de las obras. Allí había estado Yusuf, desde luego, con su gesto retraído y sus sonrisas complacientes, siempre cerca del padre de ambos, Abd al-Mumín. El pusilánime Yusuf, dos veces vencido, una por cada uno de los mayores enemigos de los almohades en al-Ándalus: los cristianos y el rey Lobo. Utmán movió la cabeza a los lados y miró abajo de nuevo. Rebuscó entre el gentío, pero allí había decenas de miles. Olvidó momentáneamente a su hermano y otra persona ocupó su mente. ¿Dónde estaría Hafsa? Lástima que la granadina tuviera que permanecer velada y lejos de él. Su impresionante belleza morena no podía lucir como merecía entre todos aquellos turbantes... Pero ¿en qué estaba pensando? Utmán chascó la lengua. Hafsa era una mujer. Una mujer. Notó un súbito remolino en el estómago. Le ocurría cada vez que pensaba en ella, en su calor en el lecho de la *munya*, en sus manos suaves, en su mirada verde... Ah, otra vez. El *sayyid* sacudió la cabeza para escapar de la influencia de la poetisa. Allí estaba él, ante el sagrado Corán del Mahdi, dejándose llevar por pensamientos pecaminosos. Se mordió el labio inferior y dirigió la vista a la enorme sombra que empezaba a inundar el corredor abierto en el istmo. Hacía años que no disfrutaba del espectáculo incomparable de los ejércitos almohades en orden de marcha. Y allí estaban.

Un jinete avanzaba en cabeza, guiando a su montura con lentitud. Con bonete largo y negro, y una capa del mismo color que caía sobre la grupa del animal a modo de gualdrapa. El caballo, blanco e inmaculado, seguía las pisadas de la camella que lo había precedido. El jinete apenas manejaba las riendas, y su vista se movía de un lado a otro. Un punto de admiración invadió a Utmán, como siempre, al ver el efecto que el califa Abd al-Mumín, el príncipe de los creyentes, causaba entre sus fieles. No había nadie capaz de aguantar su mirada. Los turbantes bajaban a lo largo de la fila cuando el líder de los almohades recorría los rostros con sus penetrantes ojos. Utmán conocía bien la sensación, pues como el resto de sus hermanos, la había sentido a menudo. De hecho, solo sabía de dos personas capaces de sostener la mirada del califa: su hijastro Abú Hafs y el gran jeque Umar Intí.

Abú Hafs. Un escalofrío recorrió la espalda de Utmán al recordar a su hermanastro. Por suerte, se había quedado en África, al frente del gobierno de todo el imperio al otro lado del Estrecho. Tal era la confianza que despertaba en el califa. Abú Hafs era hijo de la misma madre que Yusuf y, a pesar de no llevar su sangre, el califa consultaba con él todas las decisiones importantes.

Utmán movió la cabeza a los lados. No quería pensar en Abú Hafs. Le irritaba recordar su mirada sanguinolenta, que aterrorizaba y sojuzgaba voluntades. Su atención volvió abajo otra vez y buscó a los dos principales prebostes del imperio tras el propio califa. Ellos sí habían cruzado el brazo de mar que separaba los dos continentes: el gran jeque Umar Intí y el almirante supremo de la flota almohade, Sulaymán. Y por cierto que allí debían de venir ambos, con aquel cuerpo escogido que avanzaba a caballo tras el califa. Utmán forzó la vista. El caballero que guiaba a su montura tras la de Abd al-Mumín tenía que ser, según la costumbre, el primogénito y heredero, Muhammad. Pero aquella figura era más enjuta y parecía encogerse...

El *sayyid* se adelantó un paso, sorprendiendo por segunda vez a los dignatarios de la tarima. El que ocupaba el lugar reservado para el sucesor del califa era... era... No podía ser. Pero era.

Yusuf.

—Maldita sea. Maldita sea. Maldita sea.

Un murmullo respondió a la tercera ruptura del protocolo por parte del joven y díscolo gobernador de Granada. Aunque Utmán no se arrepintió esta vez de su irreverencia. ¿Qué hacía su hermano Yusuf cabalgando en la posición de honor? ¿Dónde estaba el hermano mayor de ambos, Muhammad? ¿Qué ocurría allí?

Tras el califa y Yusuf venían los demás dignatarios de primer nivel. Los retoños de la Yamaa ilustre, los elegidos. Sin duda, el gran jeque Umar Intí y el almirante Sulaymán, y tal vez los hijos de estos. Utmán olvidó durante un instante la turbación por el lugar que ocupaba Yusuf y observó admirado a los esclavos montados del Majzén, que como siempre formaban la guardia escogida del cuerpo noble. Un destacamento de caballería de enormes guerreros negros con el torso desnudo cruzado por sus correas y con las enormes lanzas en perfecto orden. Sus caballos, también negros, parecían caminar al mismo paso sin necesidad de que sus jinetes apretaran siquiera los cincelados muslos contra sus monturas. Detrás de la guardia negra del Majzén venían las banderas de las cabilas en manos de sus portaestandartes. Los colores rojos, verdes, blancos y negros avanzaban orlados, ajedrezados, cruzados, salpicados, y crujían al viento del Estrecho. Inmediatamente después desfilaban los cien atabaleros del ejército califal y, en el centro, un carruaje tirado por varias mulas. Sobre él, un grandioso tambor de madera dorada de más de quince codos de circunferencia. Utmán sonrió admirado: era la primera vez que veía el famoso tambor almohade. Aquel ingenio estaba pensado para poder ser escuchado a media jornada de distancia, y se decía que su solo sonido aterraba a los enemigos del califa, de modo que no eran pocos los enemigos a los que Abd al-Mumín había puesto en fuga con él. Y ahora el tambor estaba en al-Ándalus. Bien. Aquello agradaba a Utmán, porque significaba que su padre se había decidido realmente a traer la guerra a aquella tierra de infieles irreductibles.

El caballo del califa se detuvo y, de inmediato, le imitaron todos los jinetes del cuerpo noble. Los esclavos del Majzén se movieron hasta formar un círculo perfecto y rodearon al príncipe de los creyentes y a sus allegados, que por fin estaban a la altura de la tarima. Abd al-Mumín desmontó con lenta destreza, sin requerir ayuda alguna. Su capa negra se arrastró por tierra y el califa avanzó hacia la escalinata de madera. A su paso, los guerreros almohades inclinaron las cabezas. Utmán se alisó el *burnús* e inspiró, dispuesto a recibir a su padre. Este ya ascendía con cuidada parsimonia, escalón a escalón, con la capa recogida sobre el brazo, la mirada alta y la larga barba gris rozando su pecho. Miles de ojos lo seguían. Lo adoraban. Lo consideraban el sucesor del Mahdi. La voluntad de Dios en forma de hombre. Cuando culminó la subida, los dignatarios se arrodillaron y humillaron las cabezas. Utmán lo hizo el primero y su mirada se dirigió a los pies descalzos del califa. Al hacerlo, el *sayyid* pudo entrever a su hermano Yusuf, todavía montado a caballo y junto al animal blanco de Abd al-Mumín. El gobernador de Sevilla sonreía beatíficamente con la cara dirigida hacia su padre, pero sus ojos se movían a ambos lados y recorrían las filas de los espectadores cercanos. Yusuf se aseguraba de ser visto y reconocido, de que todos pudieran atestiguar que era él quien ocupaba el puesto del heredero. Pero... ¿dónde estaba el verdadero sucesor, Muhammad?

—Levantaos —mandó el califa. Su voz sonó, como siempre, fluida, en un tono grave y un volumen bajo que obligaba a cuantos le rodeaban a atender sin tregua para no perder ni una sola de sus palabras, pues al califa no le gustaba repetir sus órdenes.

Todos obedecieron al momento y Abd al-Mumín ocupó su puesto en el sitial fabricado con la misma madera que la tarima. Abajo, Yusuf y los demás miembros del cuerpo noble desmontaron y, en una fila en la que cada uno conocía perfectamente su puesto, fueron ascendiendo los escalones y tomaron posiciones alrededor del califa. Yusuf dirigió una mirada que quería aparentar distracción a su hermano Utmán, y el *sayyid* le respondió con un gesto de ira mal disimulada. El gobernador de Sevilla tomó su puesto a la derecha de su padre. Una vez más, el lugar del heredero. Utmán retiró la vista iracunda de su hermano cuando sintió sobre él como una puñalada la del gran jeque Umar Intí. El viejo clavaba en él sus hundidos ojos. Adivinaba los pensamientos que cruzaban la mente del *sayyid*. Un silencioso reproche rasgó el silencio, pero el gran jeque se abstuvo de reprender al joven y se situó a la izquierda de Abd al-Mumín. Otro hombre de la misma edad que Umar Intí llegó tras él y se puso a su lado. Utmán lo miró detenidamente, pues hacía años que no veía al almirante Sulaymán, el líder militar más capaz del ejército almohade. Nadie lo habría creído al ver su aparente debilidad física. Sulaymán era rechoncho y de corta estatura. Utmán pensó que aquella figura habría cuadrado sin rechinar en un puesto del zoco de cualquier ciudad africana o andalusí, vociferando la variedad de su género, vendiendo perfumes, pescado o cestas. Sin embargo, Sulaymán era el responsable de las mayores victorias de los ejércitos almohades. Bajo sus órdenes habían muerto multitudes de guerreros masmudas, y a su empuje habían cedido decenas de miles de soldados enemigos, cientos de tribus rebeldes y docenas de ciudades. Y si el gran jeque Umar Intí era el creyente más fiel al que Utmán conocía, nadie había más cruel que el almirante Sulaymán. Su brutalidad era proverbial, tanto con los enemigos vencidos como con los traidores. Aunque había quien decía que el hijastro del califa, Abú Hafs, superaría pronto a ambos, tanto en fidelidad como en crueldad.

Otros jeques, *talaba*, hafices y grandes visires fueron subiendo y ocuparon sus puestos en el lugar de honor. Algunos de ellos, al reconocer a Utmán, le dirigieron miradas respetuosas y ligeras inclinaciones de cabeza a las que el *sayyid* respondió.

—Que continúe la parada —ordenó el califa. Un hafiz hizo un gesto desde arriba al jefe de la guardia negra y este transmitió la orden con un grito gutural que parecía salido de las profundidades de la selva africana.

Las filas detenidas se movieron de nuevo, y las banderas reanudaron el desfile seguidas del gran tambor de guerra almohade. Utmán venció las ganas que tenía de mirar de nuevo a Yusuf y mostrar bien a las claras su estupor por la ausencia de Muhammad, y se esforzó por concentrarse en el alarde militar de Abd al-Mumín. Resultaba evidente que el califa había aprendido de lo ocurrido en sus posesiones africanas, por eso se aseguraba de que sus vasallos andalusíes fueran testigos del poder al que estaban sometidos. Así a nadie se le pasaría por la cabeza rebelarse.

—Estoy encantado con mi decisión de fortificar este peñón —volvió a oírse la voz del califa. Utmán afinó el oído aunque no quitó la vista del desfile. Una vez roto el protocolo de silencio, el almirante Sulaymán contestó a Abd al-Mumín.

—Es idea muy acertada. La más acertada. De hecho, es evidente que está inspirada por Dios y destinada al triunfo. —La voz de Sulaymán era extrañamente parecida a la del califa, como si fuera el resultado de años de imitación en su tono, en la modulación de las palabras, incluso en su volumen susurrante.

—Espero que el tiempo te dé la razón, Sulaymán —intervino Umar Intí—. De otro modo parecería que Dios, bendito sea su nombre, no está con nosotros.

—Oh, lo está. Lo está. Ese peñón es un símbolo, ¿sabes? El Yábal Táriq. La montaña de Táriq, el primero de los fieles que pisó esta tierra hace cientos de años. Su venida fue el preludio del triunfo del islam en al-Ándalus. Y ahora, cuando los infieles creen que pueden imponerse, un nuevo Táriq... No, alguien aún más poderoso y amado por Dios, nuestro califa, llega para devolver al islam lo que nunca debió arrebatársele. Ah, pienso que deberíamos cambiar el nombre de esa montaña y que no volviera a llamarse Yábal Táriq. Su nuevo nombre tendría que ser...

—Yábal Abd al-Mumín —completó Yusuf. Utmán contuvo una mueca de asco al oír la burda adulación de su hermano—. Así la llamaremos a partir de ahora.

—Ese peñón tiene ya un buen nombre —atajó el califa—. Dejémoslo como está.

—Por supuesto —respondió enseguida Sulaymán.

—Sin duda —se avino Yusuf. Utmán no disimuló su sonrisa. El principal temor de todo almohade era contradecir al califa. Todos los que le rodeaban se pensaban mucho sus palabras antes de decirlas. Se sabía de jeques decapitados solo por insinuar disconformidad con la voluntad del príncipe de los creyentes, que ahora volvía a hablar con aquella voz que parecía arrastrarse por la tierra y enroscarse como una serpiente.

—Desde Qasr Masmuda nuestras naves transportarán un enorme ejército, el mayor que jamás hayan visto estas tierras díscolas. Y desembarcaremos aquí, en el Yábal Táriq; por eso la fortaleza debe estar lista enseguida. ¿Lo oyes, Utmán?

El *sayyid* se volvió, solícito ante la llamada de atención de su padre. Asintió al tiempo que apretaba los labios.

—Estoy deseando que tu fortaleza, oh, príncipe de los creyentes, domine ese peñón. Y para mí, como guía de los ejércitos almohades de al-Ándalus, será un gran honor llevar tus tropas a la victoria y aplastar a los infieles.

Yusuf carraspeó y las aletas de la nariz del gran jeque Umar Intí se ensancharon cuando este aspiró el aire salado con fuerza. A Utmán no le pasó desapercibida la actitud de ambos, pero el califa no respondió a la insinuación. Ciertamente, Utmán había llegado años atrás a la Península con el cargo de comandante supremo de las fuerzas almohades, y su intención era seguir en él. Pero todavía le confundía el papel que jugaba su hermano Yusuf.

—La victoria es ya un hecho —afirmó complacido el califa—. Los andalusíes rebeldes no lo saben, pero se enfrentan a un poder al que no pueden derrotar. Lo estoy pensando mejor, y tal vez sí cambiemos el nombre a este peñón. Pero no para ponerle el mío, pues sería vanidad molesta para Dios, alabado sea. El Yábal al-Fath. Eso es: la montaña de la Victoria. No quiero volver a oír eso de Gibraltar. Que la llamen así los infieles, si lo desean. No nosotros.

—La montaña de la Victoria —repitió el almirante Sulaymán—. Sublime.

—Sublime —dijo también Yusuf. Utmán estiró una sonrisa complaciente y se volvió a dirigir al califa:

—Y por cierto, padre mío, que nada sería más grato que contar con tu liderazgo para llegar a esa victoria. Con África pacificada, seguro que tu legítimo sucesor, Muhammad, no tendrá problemas para controlar tus dominios al otro lado del Estrecho. Por eso no ha venido, ¿no?

Yusuf volvió a carraspear. Utmán se dio cuenta de que su hermano quería hacerse notar. El gran jeque Umar Intí hizo caso omiso del comentario y el almirante Sulaymán miró al califa.

—Tu hermano Muhammad... —empezó a contestar Abd al-Mumín, pero se interrumpió antes de seguir—. Ah, tu hermano Muhammad. Sin duda su lugar es allí, en África. Y sí, por supuesto que yo estaré aquí, al frente de mis ejércitos y rodeado por mis más fieles consejeros. —El califa hizo un gesto amplio con la mano y señaló a su derecha, a Yusuf, y a su izquierda, a los jerarcas Umar Intí y Sulaymán. Utmán se dio cuenta de que él mismo no parecía estar incluido en el círculo de confianza. Era el momento de poner a Yusuf en aprietos. Tal vez así la verdad asomaría a la superficie de aquello que empezaba a parecer demasiado una red de disimulos.

—Perfecto, padre mío. Ah, estoy deseando ver a nuestros enemigos aplastados por el poder omnipotente de Dios. Como sabes, ya hemos ocasionado duras derrotas a los cristianos y a ese rebelde de Mardánish.

—Mardánish, sí... —repitió el califa sin dejar de observar las banderas almohades, que en ese momento rebasaban la tarima y seguían desfilando hacia el peñón—. Siento pena por él. Si pudiéramos atraerlo a nuestro lado, sus fuerzas nos serían de mucha ayuda.

—Pero, padre —intervino por fin Yusuf. Utmán sintió un mordisco de alegría. Era cuestión de tiempo que su hermano hablara de más y le ahorrara a él poner de manifiesto su incapacidad militar—, Mardánish es peor incluso que los cristianos. Y su ejército no es nada. Apenas un puñado de campesinos del Sharq. Su verdadero poder reside en los mercenarios infieles... —El gobernador de Sevilla se interrumpió. Temía y odiaba a Mardánish, y aquello le había llevado a contradecir, aun con timidez, a su padre.

—Los mercenarios cristianos están pagados con el oro de Mardánish. —Utmán intentó aprovechar el error de Yusuf—. Sus monedas circulan por toda Castilla, por León, Navarra, Aragón... Mardánish es inmensamente rico. Si lo atrajéramos a nuestro lado, los cristianos se replegarían tras sus fronteras. Nos pondríamos a las puertas de Toledo y de Zaragoza, incluso de Barcelona. Ciudades de recursos inacabables, como Murcia y Valencia, serían nuestras bases. Muy pronto, las orillas del Tajo y el Ebro pasarían a pertenecerte, padre. Mardánish es el objetivo. Ha de dejar de ser un obstáculo, sea pasándose a nuestro lado, sea cayendo bajo nuestros pies.

El califa asintió despacio, lo que complació enormemente a Utmán. Yusuf, por su parte, parecía buscar un argumento para responder. Frente a la tarima, el carruaje con el tambor gigante y los atabaleros habían terminado de pasar. Era el turno de las escuadras de caballería árabe. Muchos de aquellos jinetes habían sido incorporados al ejército almohade tras las campañas de los últimos años en África. Su fama de indisciplinados los precedía, y de hecho desfilaban con líneas retorcidas y sin guardar orden. Pese a la apariencia de anarquía, el califa apreciaba su valor en combate. Abd al-Mumín sonrió bajo su barba mientras las interminables filas de jinetes árabes pasaban por delante del estrado.

—Las cabilas de los Banú Riyah, los Banú Gadí y los Banú Yusham —explicó con complacencia el califa—. He ordenado venir a estas tribus porque sin duda serán un enemigo formidable para la caballería cristiana. He oído hablar de esos jinetes infieles cargados de hierro, y a ellos opondremos a estos árabes, ligeros como el viento. Se quedarán aquí hasta que completemos nuestro gran ejército de África.

—Magnífico —apuntó Utmán—. Es una idea excelente. La caballería cristiana es muy peligrosa y nos ha causado problemas. —El *sayyid* se volvió hacia su padre y fingió avergonzarse por haber hablado de más—. Quiero decir..., no a mí, desde luego... Yo los rechacé sin dificultades en Almería. Pero... en fin... —Utmán miró a Yusuf y este enrojeció. Umar Intí lanzó una mirada furibunda al joven gobernador de Granada.

Casi veinte mil caballeros árabes armados con mazas, jabalinas y escudos redondos pasearon ante la tarima. Tras ellos, más jinetes, también ligeros pero mejor formados, entre cuyas filas se mezclaban almohades y otras tribus sometidas. Utmán se pasó la lengua por los labios y saboreó el momento. Los guerreros de a pie llegaron caminando con pasos largos y pisotearon las bostas de los caballos. Primero desfiló la infantería del Majzén y despertó la admiración del público, que, más relajado, hacía tímidos comentarios que se transformaron poco a poco en un murmullo incesante. Los guerreros negros, grandes y armados con sus lanzas y sables, desfilaban con la mirada fija al frente; al aproximarse a la tarima empezaron a entonar un himno tribal. Los Ábid al-Majzén cantaban a golpes, con voces roncas que acompasaban al tamborileo rítmico de sus propios pasos. Una oleada de temor recorrió a los espectadores al verlos pasar de cerca. Sabían que aquellos hombres estaban juramentados para luchar hasta el fin, que consideraban cada día como el último de sus vidas y que toda su existencia estaba dedicada a un adiestramiento máximo cuyo único objetivo era abastecer el infierno de infieles antes de sucumbir.

—¿No quedarán aquí algunos de estos esclavos del Majzén, padre mío? —preguntó con sorna Utmán—. Tengo entendido que mi hermano Yusuf cuenta con algunos de ellos. Pero muchos cayeron en Zagbula, ante las fuerzas de Ávila, hace casi cuatro años... Ah, qué lástima. Habrá que sustituirlos.

El bufido de enfado del gran jeque Umar Intí pudo oírse por todo el estrado. Utmán ensanchó su sonrisa sin dejar de observar a los imponentes guerreros negros, que desfilaban a un paso más largo y rápido que los demás miembros del ejército y cantaban al tiempo en su idioma ancestral.

—Utmán, hijo mío... —murmuró el califa en voz aún más baja de lo habitual, lo que hizo que todos afinaran bien el oído—. Quizá tú también quieres a algunos de mis Ábid al-Majzén.

—De ningún modo, padre. —El *sayyid* se volvió, ufano—. Como sabrás, no los he echado de menos en mis triunfos contra los infieles. Mis guerreros masmudas...

—¡Triunfos! —le interrumpió de súbito Abd al-Mumín. Todos se sobresaltaron al percibir la repentina subida de tono del califa—. ¡Triunfos! —repitió, y se levantó de su sitial. Un vahído de terror recorrió la tarima. Yusuf palideció y Umar Intí miró de reojo a Utmán como si le echara la culpa de lo que fuera a suceder a continuación. Ajenos a lo que ocurría sobre el estrado, las últimas filas de los guardias negros rebasaban la posición—. ¡Triunfos! ¡Ah, ved, mis fieles! ¡Ved a mis hijos, los *sayyides* que defienden la fe en al-Ándalus! ¡Vedlos ufanarse de sus triunfos! —Abd al-Mumín descendió a la altura de los dignatarios y anduvo hasta el mismo borde del estrado. Al volverse, hizo volar la capa almizclada. Sus ojos, insólitamente claros, recorrieron los rostros compungidos—. ¡Miro alrededor y me maravillo de esos triunfos! Oh, pero... —el califa fingió extrañarse y se inclinó como si buscara algo que escapaba a su vista— ¿dónde está mi fiel Ibn Igit, gobernador de Córdoba? ¿Dónde? ¿No ha venido mi leal vasallo? ¡Mi intención era encargarle que trajera el sagrado Corán que guarda en la mezquita de su ciudad para unirlo al del Mahdi, cuya memoria guarde Dios...! ¡Ah, una reliquia única que no veo aquí! Pero decidme ya: ¿dónde está Ibn Igit?

Los almohades se miraron unos a otros. Las voces del califa habían llamado la atención incluso de los espectadores de abajo más cercanos a la tarima. Tras la figura de Abd al-Mumín, las cabilas bereberes desfilaban, cada una con su vestimenta y armamento propios. Las tribus zanata, sanhaya, harga, tinmallal, hintata, yadmiwa, yanfisa... Miles de nómadas bajo sumisión, fieles convencidos, simples campesinos fanatizados, auténticos almohades o buscadores de fortuna y aventura. Fila tras fila empuñaban jabalinas y lanzas, escudos alargados o redondos, y aun así no eran nada más que una mera muestra, una pequeña avanzada de cada cabila...

—¿Dónde? —siguió preguntando el califa a voz en grito—. ¿Dónde está mi fiel hafiz Ibn Igit?

—Ibn Igit está cercado en Córdoba, mi señor —respondió al fin Umar Intí, aunque no dejaba de observar a Utmán con gesto fiero—. Aislado y sometido a asedio desde hace meses por nuestros enemigos.

El califa, que continuaba su actuación histriónica, se echó las manos a la cabeza, dando vuelo a las anchas mangas de la túnica.

—¿Cómo? ¿Un hafiz almohade asediado por infieles? ¿En Córdoba? ¿A las mismas puertas de Sevilla? —Abd al-Mumín miró a Yusuf y este bajó de inmediato la cabeza—. ¿A las mismas puertas de Granada? —Utmán, por el contrario, aguantó la mirada enfervorecida y terrible de su padre. Se arrepentía de su atrevimiento al forzar la situación, pero también se resistía a mostrarse atemorizado. Aunque lo estaba. Y mucho. El califa había llegado a ordenar la ejecución de varios de sus propios hermanos, así que ¿hasta qué punto podía confiarse en su cariño paternal?

—Córdoba estaría ya liberada si yo contara con suficientes tropas, mi padre y señor —repuso Utmán—. Pero, desgraciadamente, el ejército que comandé para tomar Almería volvió a África. Lo único que podemos hacer es fiar de nuestras murallas.

—¿Fiar de nuestras murallas? —Abd al-Mumín se acercó a su hijo y puso su cara a unas pulgadas de la de Utmán. El *sayyid* no pudo evitar que su mandíbula temblara y terminó bajando la vista al suelo entarimado. El silencio, tamizado por el ulular del viento, solo se rompía por los cantos ya lejanos de los Ábid al-Majzén—. Fiar de nuestras murallas tampoco parece el remedio, pues importantes plazas han caído bajo el ataque enemigo o por traición. —El califa hizo un gesto hacia el gran jeque Umar Intí—. Recuérdame el nombre de esas plazas, mi leal compañero.

—Carmona y Écija, luz del islam. Por no hablar de Jaén, Úbeda, Baeza, Andújar...

—¡Vaya! ¡Las murallas no son suficiente defensa, por lo que parece! —El califa tronó de nuevo y salpicó de saliva el rostro de su hijo Utmán—. Deberías aprender de tu hermano Yusuf, que acepta con humildad su situación y no se vanagloria de sus... ¿cómo los has llamado? Ah, sí: triunfos.

Utmán apretó los puños escondidos en las amplias mangas de su *burnús*. No alzó la mirada, pero estaba seguro de que Yusuf sonreía aliviado ahora. Su padre descargaba sobre uno la ira que debiera dirigir contra otro. Pero ¿por qué? ¿No había logrado él, el *sayyid* Utmán, reconquistar para Dios la importante ciudad de Almería? ¿No había derrotado para ello a un ejército combinado de cristianos y musulmanes renegados? ¿Acaso no tenía su propio cuerpo cruzado por las cicatrices del combate? ¿Es que no padecía cojera por sus heridas en la lucha? Se clavó las uñas en las palmas de las manos y los párpados le dolieron al forzar su cierre. No. Sin duda, el califa, libre del error por la inspiración divina, decía la verdad. Sus triunfos eran vanos. Fruslerías. Nada digno de enorgullecerse.

—Te ruego perdón, padre mío —susurró al fin el *sayyid*—. Dame esas tribus árabes de caballeros y te traeré la cabeza de Mardánish en una cesta.

El califa se volvió hacia el alarde. Dio la espalda a su hijo. Las cabilas almohades se alejaban después de desfilar, y ahora llegaba el turno de los guerreros andalusíes alistados en las tierras conquistadas. Infantería ligera a la que Abd al-Mumín ya había usado como exploradores e incursores en el norte de África y en su reciente campaña contra los sicilianos. Aquellos andalusíes sometidos, armados con azagayas y espadas cortas, prescindían de escudos o cualquier otra protección y eran capaces de echarse al monte o al desierto y sobrevivir con cuatro mendrugos de pan. Eran las últimas tropas del desfile, una parada militar compuesta de decenas de miles de guerreros, y sin embargo, una pequeña parte del ejército que planeaba reclutar para la invasión total de al-Ándalus. En poco tiempo todo estaría listo, y a pesar de ello el califa aún no sabía cómo usar a sus hijos en ese trance. Habría que vencer la resistencia de ese rebelde rey Lobo, y luego todavía quedaba lo peor: los fríos páramos castellanos y leoneses, las tropas portuguesas y aragonesas. Ah, y los navarros, y en el norte más lejano, los francos... Por suerte, aquellos cristianos adolecían del peor mal posible: la desunión. Bien, tiempo habría para despojar a los infieles, recuperar todo al-Ándalus e ir más allá, allende las cumbres nevadas del Yábal al-Burtat. Ahora necesitaba curtir a sus hijos, sobre todo al díscolo Utmán. Confiaba en él, lo sabía valiente, leal y buen guerrero, pero pensaba que no estaría de acuerdo con sus planes políticos. Habría que mantenerlo apartado. Alejarlo de la fuente del poder. Hacer de él el subalterno que debía ser...

—Bien, Utmán. —La voz del califa había vuelto a su tono habitual, lo que causó más de un callado suspiro de alivio entre los escogidos de la tribuna—. Dirígete sin tardanza a tus nuevas tropas, los jinetes árabes. Preséntate a sus jeques y arráeces como su nuevo líder. Ve.

Utmán hizo una firme inclinación y cojeó escaleras abajo. Con las tropas del desfile alejándose hacia el peñón, el público había sido autorizado para abandonar sus puestos y ahora invadía el pasillo marcado con miles de pisadas de la infantería y huellas de los cascos de los caballos. Los espectadores se arremolinaban frente al estrado, a una segura distancia merced a las conteras de las lanzas masmudas. Algunos empezaron a agitar las manos para saludar al califa, y una cantinela fue creciendo hasta convertirse en el lema repetido por miles de gargantas.

—*Allahu rabbu-na, Muhammad rasulu-na, al-Mahdi imamu-na!!*

—Dios es nuestro señor, Mahoma es nuestro profeta, el Mahdi es nuestro imán —repitió desde lo alto el califa mientras, con los brazos abiertos, parecía acoger en su seno a todos los seguidores del Tawhid. Sulaymán y Umar Intí avanzaron desde sus puestos hasta el borde del estrado y cada uno ocupó un lugar al lado de Abd al-Mumín.

—Utmán es en verdad un gran guerrero —confesó el gran jeque Umar Intí. Nadie, salvo el califa y Sulaymán, podían oírle. Los demás elegidos permanecían detrás, a lo largo y ancho de la grada de madera, sin atreverse a abandonar su sitio mientras el pueblo vitoreaba el poder de Abd al-Mumín—. Se cree mejor que Yusuf. Y en realidad... —Umar Intí, a pesar de contar con años y años de confianza con el califa, no quiso terminar la frase. El almirante Sulaymán lo hizo por él.

—En realidad lo es. La cuestión es si permanecerá leal.

—Parece una contradicción —repuso el califa con tono preocupado aunque seguía gesticulando teatralmente hacia la multitud—. Si Utmán es tan bueno..., si es con mucho el mejor de mis hijos..., ¿qué impide que sea él quien un día me suceda?

—No es puro, mi señor —intervino de nuevo Sulaymán—. Aunque intenta llevarlo en secreto, es de muchos conocido que calienta el lecho de una mujer granadina. Una hembra que, aun de sangre africana, es impía y sucia, hecha a la lujuria y al desenfreno, como todas las andalusíes. Desearía estar en un error y que Dios lo evitara, pero puede que Utmán sea demasiado... débil. Al igual que lo fueron los almorávides, mi señor, que cayeron bajo el hechizo de estos malditos andalusíes. Además, tu hijo peca de orgulloso.

—Eso es cierto —convino Umar Intí.

—Pero... —El califa seguía dudando, aunque jamás lo manifestaría ante nadie aparte de aquellos sus dos principales jeques y consejeros— Por eso hemos apartado a Muhammad, el primogénito, de la sucesión. Por eso lo hemos relegado a la nada. Utmán, por otro lado, se dispone a comandar una fuerza de combate, y gobierna varias ciudades...

—Yo jamás te llevaría la contraria, mi señor. Tú mismo sabes, en tu interior, que Muhammad y Utmán no son iguales. —Sulaymán acompañó sus palabras de un gesto de negación—. Los pecados de Muhammad le han perdido para siempre. Utmán es distinto. En su corazón habitan la piedad y el amor a Dios, pero no podría desempeñar tu cargo, mi señor. Yusuf sí lo hará bien cuando llegue el momento.

El califa repitió el movimiento de girar el cuerpo ante la chusma y esta redobló sus gritos y su letanía. Después, Abd al-Mumín miró atrás y sorprendió a Yusuf extasiado por la expresión de júbilo fanático del gentío. El califa volvió a dudar.

—Yusuf no ha sido capaz de llevar ninguna de sus misiones con éxito. Lo único que pudo cumplir fue el exterminio de aquel nido de piratas... ¿Cómo se llamaba?

—Tavira.

—Eso. Pero luego fue derrotado por los cristianos de Ávila y se dio a la fuga.

Umar Intí tosió nervioso ante las palabras del califa. La vergonzosa huida de Yusuf en Zagbula era un secreto. Lanzó una mirada de reojo a Sulaymán y descubrió que las comisuras de los labios del rechoncho almirante se torcían hacia arriba. Comprendió enseguida que él no era el único que contaba con fuentes de información ocultas. Aquello era un juego peligroso, desde luego. Por fortuna, ambos prebostes, Sulaymán y Umar Intí, estaban de acuerdo en que era Yusuf quien debía suceder a Abd al-Mumín. Yusuf era lo suficientemente... manejable. El califa suspiró con aire fatigado. Tanto el gran jeque y el almirante supremo como su hijastro Abú Hafs le habían convencido para hacer recaer la sucesión en Yusuf, pero no terminaba de agradarle el carácter de este.

—Lo de Zagbula, mi señor, fue un pequeño desastre, aunque no supuso gran cosa...

—No. Sin embargo, su derrota a las puertas de Sevilla fue peor. Su autoridad quedó en entredicho no solo ante los sevillanos, sino ante el propio Mardánish, que ahora se atreve a arrebatarle las plazas que bordean el Guadalquivir. —El califa replegó las manos y las introdujo en las mangas de su amplia túnica negra. Se le ensombreció el gesto—. Y lo que no podemos consentir tampoco es que Yusuf acabe convencido de su incapacidad. Está llamado a gobernar el imperio más amado por Dios. A ser príncipe de los creyentes.

Sulaymán asintió en silencio. Umar Intí también calló y observó que su compañero reflexionaba. Por fin, el almirante supremo habló, imitando una vez más la inflexión de la voz del califa.

—Hemos de hacer que Utmán aprenda humildad, y al mismo tiempo hemos de regalar confianza a Yusuf. —Se volvió hacia Abd al-Mumín—. Mi señor, permite que me quede aquí, en al-Ándalus. Nómbrame consejero personal de tu hijo Yusuf y ordénale que siga mis dictados. En cuanto a Utmán, el tiempo nos dará la ocasión de ponerle en su sitio. Por de pronto mantenlo aquí, supervisando personalmente la construcción de tu fortaleza en el Yábal al-Fath. Dios, el Único, nos mostrará la senda.

Abd al-Mumín asintió.

—Sea. En unas semanas regresaré a África y comenzaré los preparativos. Mandaré construir barcos y armas y aprovisionar bastimentos. Haré llamamientos a lo largo de todo el imperio y reuniré el mayor ejército que jamás hayamos tenido. No. No un ejército, sino cuatro. Como los cuatro jinetes a los que los infieles temen, porque traerán su apocalipsis. Vosotros os desharéis de ese incordio de Mardánish, y cuando tengamos el camino libre, mandaré un ejército contra cada frontera infiel. —El califa miró a Umar Intí para pedir confirmación, pues no había memorizado todavía la situación de cada reino cristiano. Aquellos molestos habitantes de la Península eran algo que jamás le había quitado el sueño.

—Portugal, León, Castilla, Aragón —enumeró el jeque los reinos con frontera inmediata con tierras musulmanas—. Actúan siempre por separado e incluso enemistados. Sus nobles son veleidosos y recelan unos de otros, y hasta se permiten desafiar a sus propios reyes. En cuanto a la chusma, sus milicias son simplemente rateros de ganado, rapiñadores de mujeres y niños en tierra de nadie. Si los atacas a la vez, los barrerás. Con Castilla y Aragón caerá también el pequeño reino del pamplonés, y así habrás completado tu destino en al-Ándalus, mi señor.

—¿Qué hay de sus frailes soldados? He oído hablar de que algunos de ellos se dejan ver por aquí, al igual que por oriente.

El almirante supremo Sulaymán hizo un gesto de desprecio. Él, como el gran jeque Umar Intí, había estudiado exhaustivamente la geografía de la Península y conocía sus avatares, cada puesto avanzado, cada fortaleza, cada paso de montaña. Se había aprendido de dónde venía cada dinastía, qué parentescos y rivalidades unían o separaban a unos reinos de otros, quiénes eran más dados a la traición, quiénes más obstinados.

—¿Frailes soldados cristianos? Apenas unos pocos hombres abandonados a su suerte en cuatro fortalezas de frontera. Debes saber que, tras la toma de Almería por Utmán, aquellos a los que llaman templarios, ni siquiera una docena de infieles, abandonaron a su suerte los pasos de la Sierra Morena. Créeme, mi señor. Vencido Mardánish, tus estandartes ondearán en Toledo en unas semanas, y en apenas unos meses gobernarás León, Zaragoza, Barcelona y Pamplona. Y hasta nuestra camella blanca pasará, portando el sagrado

Corán, sobre los cimientos arrasados del templo infiel de Compostela. Los ríos de al-Ándalus bajarán teñidos de sangre cristiana y cada iglesia, cada abadía, cada sinagoga serán derruidas para permitir que hermosas mezquitas se eleven como gesto de agradecimiento a Dios. Construiremos *madrasas* para crear toda una nueva élite de talaba en Burgos, en Huesca, en Oporto, en Oviedo...

Abd al-Mumín aprobó aquellas palabras con un gesto de afirmación. Le complacía lo que oía aunque todos aquellos nombres le fueran extraños. Era bueno tener a sus fieles jeques como consejeros. Suspiró de nuevo. La parafernalia del desfile, el viaje del día anterior desde Qasr Masmuda, la delineación del castillo, la escena en el estrado. Todo aquello le cansaba. Umar Intí advirtió la fatiga del califa.

—Retirémonos ya, mi señor. Disfrutemos del descanso, comamos y oremos. Mañana será un día largo. Recuerda lo que ordenaste: poetas de todo al-Ándalus vendrán a postrarse ante ti y a recitar sus estupideces. Será tedioso, pero reposado. Y además así te congraciarás con ellos y te asegurarás parte de su cuestionable fidelidad. A estos afeminados les encantan esas simplezas.

Abd al-Mumín volvió a asentir. Poesía. La odiaba, pero Umar Intí tenía razón. Ah, qué ingrata tarea le había encomendado Dios.

34

Cónclave en Gibraltar

Día siguiente

Durante toda la mañana se habían congregado las delegaciones alrededor del pabellón del califa. La jaima, enorme y roja, formaba el alma del campamento almohade junto con la sala de recepciones, la mezquita y las tiendas del harén. Todo ello estaba ceñido por un círculo de lonas para ocultarlo a la vista del resto, y rodeado por un primer cinturón de seguridad compuesto por guardias negros del Majzén, impertérritas sus miradas y afilado el acero indio de sus sables. Un segundo cinturón de guerreros masmudas mantenía alejada a la multitud con su presencia y la ayuda de sus lanzas.

El príncipe de los creyentes dejó que el sol subiera y se enseñoreara de la explanada al pie del peñón, pero a nadie le incomodó aquello. En grupos dispersos, de una forma que parecía espontánea, repentinos cantos se elevaban y eran coreados por doquier. En todos ellos, con pequeños cambios en la letra, se deseaba larga vida a Abd al-Mumín o se ensalzaban sus triunfos o su piedad. Hafsa había sido convocada de buena mañana junto con Abú Yafar y otros poetas granadinos, pero la mujer permanecía aislada de los demás dentro de su palanquín. Sauda y Zeynab se mantenían juntas e intercambiaban miradas preocupadas. Les habían dicho que Yusuf, con su delegación sevillana, sería el encargado de abrir la recepción en el pabellón de consejos de su padre. El califa sería honrado por los poetas, quienes, a modo de competidores, se turnarían en alabar la grandeza del imperio, a la persona de Abd al-Mumín y la unicidad de Dios. Después de los de Sevilla venía el turno de los granadinos.

Abú Yafar paseaba de lado a lado sin dejar de estudiar los billetes en los que llevaba anotados sus versos. La perspectiva de hallarse cara a cara con el príncipe de los creyentes le asqueaba y le intimidaba a partes iguales. Utmán veía andar al poeta y sonreía a medias. Tras uno de los pases de Abú Yafar por delante del *sayyid*, este reparó en que Zeynab seguía a aquel con la mirada. La eslava, distraída, dejó que su *miqná* se levantara por aquel irritante viento que por lo visto jamás dejaba de castigar las tierras del peñón. El cabello rubio de la muchacha quedó al descubierto y Utmán se acercó sin ocultar su curiosidad.

—¿Tienes el pelo claro, esclava?

Zeynab asintió hacia el *sayyid* y sonrió por instinto antes de darse cuenta de quién era el que se dirigía a ella. Un estremecimiento congeló la sonrisa en su rostro y, no muy segura de lo que debía hacer, se inclinó teatralmente, con lo que el velo terminó de caer y dejó su cabellera trenzada al descubierto. El corazón martilleó fuerte en el pecho de la esclava, y esta cerró los ojos. ¿Qué ocurriría ahora? ¿La castigarían por mostrar su pelo? ¿Qué harían con ella?

Para su sorpresa, el propio Utmán recobró la tela, que ondeaba al vendaval, y envolvió la cabeza de Zeynab. Luego obligó a la esclava a erguirse y la miró a los ojos. Tomó su barbilla y le hizo girar la cabeza. La muchacha se sintió como una pieza de ganado expuesta en un zoco.

—Estupendo. Rubia y con ojos azules... En Granada no me di cuenta. ¿Tu nombre?

—Zeynab, ilustre *sayyid*.

Utmán hizo un gesto de complacencia. Junto a Zeynab, Sauda se mordió el labio. Con el rabillo del ojo detectó un temblor en las cortinas del palanquín. Hafsa estaba siendo testigo de aquello.

—Es proverbial la inclinación de mi padre hacia las mujeres con cabellos rubios, esclava. Y sus gustos están inspirados por el propio Dios. ¿Lo sabías? —Utmán examinó de arriba abajo la silueta de Zeynab, remarcada ahora contra las telas de su vestidura por el poder del viento—. En verdad eres bellísima. Dime, ¿estás casada?

—No, mi señor.

—Bien. ¿Estás embarazada acaso? No me mientas.

Zeynab miró a Sauda, pero esta la incitó a responder rápido con un gesto.

—No...

—¿Seguro?

Zeynab se pasó la lengua por los labios y echó la mente atrás, pero no le hizo falta rebuscar mucho.

—Seguro, mi señor. No puedo estar preñada.

Utmán hizo un gesto de satisfacción y miró a ambos lados para asegurarse de que nadie se fijaba en él. Luego, con un movimiento rápido, metió la cabeza por entre los cortinajes del palanquín y habló en voz baja con Hafsa. Enseguida se oyó un murmullo airado de la mujer, pero las palabras del *sayyid* lograron apaciguar el tono de la poetisa. Sauda aprestó el oído, aunque el sonido del viento y los cánticos de alabanza al califa se imponían a los siseos y le impedían distinguir lo que decía Utmán. Además, aquel anillo era el ocupado por el zoco del campamento, y varios mercachifles querían aprovechar la presencia de las delegaciones andalusíes para dar salida a la mercancía. Sus gritos, que cantaban la prestancia del género, se mezclaban con los regateos rápidos y las discusiones acerca de calidades y precios. Sauda recibió la mirada preocupada de Zeynab y se encogió de hombros. Más allá, viendo el descaro del *sayyid* al asaltar el palanquín de Hafsa, Abú Yafar apretó los billetes con los poemas en una mano. Sauda se acercó aún más a su compañera y le susurró al oído.

—Se ha fijado en ti. Bien. Y le has causado una honda impresión. A poco tardar estarás metida en su lecho. Sé valiente.

Zeynab asintió y tragó saliva con dificultad. Cerró los ojos y deseó estar lejos, en Murcia o en Valencia, junto a Zobeyda, remojándose las manos en el estanque o adormecida al calor del *hammam*.

Los poetas sevillanos salieron con premura del pabellón de recepciones cuando concluyó su turno. Se esperaba que el *sayyid* Yusuf marchara con ellos, pero al parecer el hijo del califa se había quedado dentro, acompañando a su padre. Utmán gruñó al darse cuenta y encabezó la delegación granadina. Cuatro esclavos acercaron el palanquín hasta la tienda de recepciones y lo posaron ante la entrada, y Hafsa salió envuelta en velos claros. Se alisó las ropas, cuidó de que ningún mechón rebelde asomara bajo la *miqná*, aseguró su *litam* y se introdujo en el pabellón tras los pasos de Utmán. La seguían Sauda y Zeynab, esta última aún acongojada por el corto interrogatorio del *sayyid* y la conversación en voz baja con Hafsa.

Los miembros del consejo estaban sentados en semicírculo, con las espaldas contra las paredes de tela del habitáculo. Presidiéndolo sobre una tarima repleta de cojines, Abd al-Mumín aguardaba sentado y con aire de aburrimiento. Utmán se tragó un segundo gruñido al ver que su hermano Yusuf ocupaba el flanco derecho de su padre. El lugar del heredero una vez más. A su izquierda, el almirante supremo Sulaymán y el gran jeque Umar Intí, por supuesto. En los pebeteros se quemaba incienso con profusión y el aire se había vuelto sofocante. Nadie decía una palabra. Solo se oía el ruido del viento al chocar fuera contra las telas del pabellón y hacer que los estandartes almohades flamearan. Tras Zeynab y Sauda, con la tez lívida, entró Abú Yafar, y a este lo siguieron los demás poetas llegados de Granada. Todos ellos formaron una línea a la espalda de Utmán y a los lados de Hafsa y sus esclavas.

—Mi señor Abd al-Mumín, príncipe de los creyentes. Que Dios, alabado sea, te otorgue una larga existencia. —Utmán y los miembros de la delegación granadina se inclinaron al unísono—. Padre mío, traigo a tu presencia a los más afamados poetas de Granada para que te deleiten con sus versos. He rogado a Dios que sean de tu agrado, pero por si mis muchos pecados me hubieran negado el favor del Único, te adelanto que hoy recibirás de mí un regalo.

Nada tiene que ver con el pago de los tributos debidos a tu excelso poder. El presente que te ofrezco es mi muestra de agradecimiento por poner bajo mis órdenes a los constructores de tu nueva fortaleza y a la caballería árabe que has traído de África.

Abd al-Mumín asintió, forzó una sonrisa e hizo un gesto para que empezara el segundo turno de declamaciones. Nadie se movió. Los granadinos estaban paralizados por el temor reverencial que despertaba aquel hombre de ropas negras y los jeques que le acompañaban. Sauda notaba latir sus sienes con fuerza. Deseó tener en aquel instante una buena daga. De seguro no habría nadie capaz de evitar que de un salto se plantara ante aquel hombre y le rebanara el pescuezo. Zeynab, por su parte, evitaba mirar a los ojos del califa. Utmán se hizo a un lado y alargó la mano hacia uno de los poetas. Este se adelantó tímidamente y se situó frente al sitial central. Carraspeó un par de veces; su voz salió temblorosa de la garganta:

—*¡Oh, tú, ejecutor de la ira de Dios! ¡Refugio de los creyentes, por tanto tiempo sometidos a los impíos! ¡Oh, tú, talismán de los piadosos! Tú, azote de los infieles, de los justos amparo, perdona estos torpes versos y a su pobre dueño, incapaz de alabar con palabras tanta gloria...!*

Sauda se fijó en la cara del califa. Los ojos de Abd al-Mumín vagaron desde el poeta hasta el techo del pabellón. No era para menos teniendo en cuenta la baja calidad de los versos y la voz aflautada del rapsoda, pero desde luego había algo más. Junto a Abd al-Mumín, los jeques lanzaban constantes miradas de reojo a los granadinos, a Utmán, a Yusuf... Los demás cortesanos tampoco atendían al poeta. Estaban envarados, atentos al menor movimiento de Abd al-Mumín. La esclava negra suspiró bajo su *litam*. Qué diferencia con las veladas en Murcia, en Denia o en Játiva, con la música de los laúdes que acompañaban a las poesías, con el frescor del vino y el aroma de las flores. Y era aquello lo que el califa almohade les quería arrebatar. Aquello y mucho más. Esos hombres sentados alrededor de la delegación, los propios jeques, los *sayyides*... Todos despreciaban la poesía. Era como un símbolo. Una muestra de que arrasarían con lo bello y lo placentero. Sauda apretó los dientes y volvió a fijar sus ojos en los del califa. Había que acabar con él.

Un segundo poeta relevó al primero y comenzó una declamación acerca de la sagrada misión encomendada por Dios al príncipe de los creyentes. Abd al-Mumín puso una mano ante su boca y fingió prestar atención. Utmán arrugó la nariz. Parecía que aquellos hombres se hubieran propuesto acabar con su reputación delante de su padre. Estaban desgranando poesías vacías, llenas de tópicos, de halagos falsos y de fingida adoración. Resopló, tentado de no culparlos. Sabía que estaban hechos a cantar la belleza de Granada, de las alamedas del Genil, de las nieves de las montañas o de la callada gracia de las mujeres. Nada podían inspirarles el calor sofocante del desierto, la inmensidad de la arena, la rocosidad del Atlas, la austeridad almohade o el rostro impenetrable del califa. El *sayyid* aguantó la respiración cuando llegó el turno de Abú Yafar. El poeta puso un billete ante sí, como si fuera un aprendiz, y recitó de corrido y sin entonación alguna. El *sayyid* observó de reojo al califa y vio que parecía a punto de dormirse. Castigaría a aquellos rebeldes, sin duda. Les quitaría los pocos privilegios que aún les quedaban. Poesía. ¡Debilidad, más bien! Y pensar que él mismo se había visto subyugado por la hermosura de los versos... Hafsa. Hafsa era su salvación. Aunque era una mujer, claro... La única entre todas las delegaciones llegadas de los territorios sometidos. ¿Cuál sería la reacción del califa al advertir que aquella mujer no era una esclava más, sino un miembro de la delegación granadina?

Utmán decidió no aguardar más para saberlo. Cortó los versos de Abú Yafar con un gesto y le indicó que se retirara. El granadino le miró con rabia durante un fugaz instante, pero enseguida se inclinó y anduvo sin dejar de dar el frente a Abd al-Mumín.

—Padre mío, debes disculpar la poca gracia de mis poetas. Pero permíteme recordarte que es costumbre entre los andalusíes hacer las cosas mal.

El califa no pudo evitar reír ante el comentario de su hijo, por lo que inmediatamente se generalizó la carcajada entre visires y jeques. El más escandaloso con la risa fue Yusuf, que había pasado ya por el trago de presentar a su delegación de sevillanos, lo que había sido menos gravoso porque el califa aún no estaba hastiado de poesía. Las risas crecieron en intensidad y apagaron el sonido del vendaval. Abú Yafar enrojeció de rabia y cambió una mirada con los demás poetas. Utmán, por su parte, se había unido a las risotadas y las exageraba un tanto.

—En verdad —aseguró Abd al-Mumín—, en cualquier cosa se ve lo inferiores que estos andalusíes son a los bereberes. Mas me extraña que, siendo ellos tan afeminados y dados a la molicie, no estén más duchos en eso de la poesía.

—Oh, no desesperes, padre mío —habló entre risas Utmán—. Déjame presentarte a quien mejor se conduce con los versos en Granada. Alguien que supera en maestría a todos los hombres de esa tierra. No podría ser de otro modo, pues la sangre africana corre por sus venas. Permite que te muestre a alguien que vale por diez... No, no por diez, sino por cien hombres de al-Ándalus. —El *sayyid* estiró la mano y agarró el *litam* de Hafsa, tiró de él con fuerza y dejó su rostro al descubierto—: ¡Una mujer!

El califa acalló sus risas de repente, y fue imitado enseguida por los demás. Por unos instantes, el silencio regresó al pabellón, y de nuevo el sonido del viento del Estrecho se impuso a todo. Hafsa, incapaz de reaccionar ante el súbito movimiento de Utmán, dejó su gesto congelado, con los ojos abiertos y clavados en los del califa. El *litam*, prendido a la *miqná* con alfileres, colgaba ahora a un lado de su rostro, mientras que el cabello aún permanecía oculto.

—Una mujer... —repitió Abd al-Mumín—. Una mujer... bereber... que vale por cien hombres andalusíes. ¡Una mujer por cien varones! ¡Esa es la verdad pues, amigos! Si una de nuestras mujeres vale por cien de sus hombres, ¿en cuánto no seremos nosotros superiores a ellos?

El califa rompió de nuevo a reír, ahora con redoblado brío. En un momento, todo el pabellón fue una carcajada brutal. Hafsa enrojeció mientras se clavaban en su rostro las miradas de los almohades. Tras ella, los poetas granadinos bajaron la cabeza avergonzados. Abú Yafar, además, se sentía herido. Utmán, que había prohibido que nadie salvo él pudiera ver el rostro de su amada, lo mostraba ahora sin recato delante de toda la élite almohade.

—Hafsa —llamó Utmán. La mujer observó al *sayyid* y descubrió que su chanza era falsa. Tal vez fuera cierto que considerara a los andalusíes inferiores a los bereberes, pero su intención había sido sin duda romper el momento de vergüenza por los versos de los demás poetas. Utmán habló a sabiendas de que los jeques y visires no le oían, pues estaban ocupados desternillándose de risa; algunos de ellos, como su hermano Yusuf, con una exageración rayana en lo patético—. Avanza, deja que vean tu belleza y alaba a tu señor, el príncipe de los creyentes. Será la forma de que estos —señaló con la barbilla a Abú Yafar y los demás— se evaporen de la memoria de mi padre.

Hafsa no lo dudó: dio dos pasos y se desembarazó por completo del velo. Al quedar sus trenzas al descubierto, las carcajadas cesaron y fueron sustituidas por un nuevo silencio, este de queda admiración. Algunos visires observaron de reojo al califa por si increpaba a la mujer, pues aquella exhibición era algo más que insolente. Sin embargo, la hermosura de la granadina apagó toda represión. El califa apoyó las manos en las rodillas y se fijó en los rasgos de Hafsa, en el verdor de sus ojos y el elegante trazo de su nariz. La mujer tomó aire para empezar su actuación y extrajo un billete de entre sus ropas. Leyó con rapidez y en silencio antes de volver sus verdes ojos al califa. Se dispuso a declamar de cara a Abd al-Mumín y sin hurtarle la mirada. De repente, antes de que la primera palabra escapara de los labios de la mujer, el califa alzó una mano.

—Aguarda, mujer. Ya hemos visto cómo lo hacen tus amigos andalusíes. Así podrían hacerlo también algunos cuervos que conozco, pues se dice que hasta ellos aprenden a repetir las frases si les enseñan bien.

Una nueva carcajada recorrió la hilera de dignatarios almohades, pero esta vez Abd al-Mumín la detuvo con un nuevo gesto.

—Pero tú eres bereber. Eso, según mi iluminado hijo, debe ser suficiente para que nos muestres un talento que vaya más allá de... repetir palabras como un cuervo. —El califa se levantó y se apresuró a alzar ambas manos a los lados para ordenar que todos los que estaban sentados siguieran en dicha posición. Utmán vio que su padre se acercaba a Hafsa mientras acariciaba su barba. El califa reflexionaba—. Hummm... Todos estos se han dedicado a adularme, pero no es a mí a quien hay que alabar, sino a Dios. —Abd al-Mumín señaló hacia arriba con el índice derecho—. Por otra parte, no se me escapa que tus amigos andalusíes han venido aquí por obligación o en busca de mi favor. Quizá piensan que así, halagándome, conseguirán algo de mí. Pero me gustan las personas sinceras, tanto al dar como al recibir. Así pues, mujer, pídeme sin tapujos. Pídeme algo que me demuestre en cuánta estima tienes a Dios, al Único, cuyo mandato realizo y por el que ahora me hallo aquí, en esta tierra ingrata. Habla pues.

El viento volvió a azotar el pabellón mientras todos atendían a Hafsa. El reto que el califa le había lanzado era casi imposible: solicitar algo al príncipe de los creyentes, algo que, en lugar de servir para el propio disfrute, demostrara la adoración máxima a Dios... La mujer cerró los ojos un instante y movió la mano derecha para mostrar a todos el billete con la poesía que había compuesto el día anterior. Versos que ya de nada valían. Su mente trabajó con rapidez. Pedir para adorar a Dios y, por qué no, seguir acunando a aquel hombre en el dulce diván de la lisonja. Sí, ella podía hacerlo. Abrió los ojos y el verdor intenso se clavó sin miedo en los claros iris del califa. Subió la mano, puso ante el rostro de Abd al-Mumín el papel con su inútil poema y lo dejó caer. Todos siguieron con la vista el balanceo del billete hasta que se posó en el suelo alfombrado del pabellón.

—*Oh, señor de los hombres en cuyos beneficios confiamos: concédeme un papel que me defienda del destino, donde únicamente quede escrito por tu diestra «loado sea el Dios Único».*

El califa entornó los ojos y repitió en su mente el corto verso. Sencillo y limpio, sin florituras. Sin afectación vulgar, ni afeminamiento andalusí. Lacónico y simple como un almohade. Hecho a medida para el hombre que se sabía mano ejecutora de Dios. Pedir para dar. Un desnudo papel escrito de su diestra. Absoluta confianza en Dios. Piedad por encima de todo deseo terrenal. Pura alabanza al Único. Abd al-Mumín dio un paso atrás y empezó a aplaudir lentamente. Los almohades del consejo aguardaron indecisos. Tal vez el califa se burlaba. Quizás aquel aplauso era mera ironía. El almirante supremo Sulaymán fue el primero en unirse a su señor, y acto seguido lo hizo el gran jeque Umar Intí. Aquella fue la señal para que todos comenzaran a vitorear sin medida. Incluso Yusuf, a regañadientes, tuvo que unirse a la aclamación general a la mujer. Hafsa había conseguido impresionar al mismísimo príncipe de los creyentes. Utmán suspiró y dejó caer los hombros hacia delante.

—Bravo, mujer. —El califa volvió atrás y se sentó sin ocultar su sonrisa de satisfacción. En cuanto lo hubo hecho, Yusuf le murmuró algo al oído y la sonrisa de Abd al-Mumín se trocó en una mueca de desagrado. Luego asintió con lentitud. Utmán, al ver la confidencia, desconfió y decidió que el momento triunfal de Hafsa había terminado. Una cosa era usarla para un golpe de efecto y otra, exponerla al riesgo de que se la examinara según la dura doctrina almohade.

—Vamos, Hafsa, cúbrete y...

—Mi fiel hijo Yusuf me informa, Hafsa —habló de nuevo el califa, con lo que Utmán hubo de callar—, de que eres muy querida para el gobernador de Granada, que también es hijo mío. ¿Es así? ¿Es él quien te quiere o tú le quieres a él?

—También se dice —se atrevió a añadir el propio Yusuf— que mi hermano ha prohibido que nadie, salvo él, pueda ver tu rostro. Aunque bien se ve de qué valen las decisiones de Utmán cuando ni él mismo es capaz de seguirlas.

El gobernador de Granada no dejó que Hafsa contestase. Dio un paso adelante y elevó la voz en un intento de sobreponerse a su hermano:

—Su rostro es de mujer; el de esta, más que ninguno, fuente de zozobra y condenación, y por tanto ha de permanecer velado. Si aquí os lo muestro, es porque en vuestra alma, nobles visires y jeques, servidores del califa, reside una piedad tan fuerte e inquebrantable que ningún rostro puede llevaros a fallar al Único. Y por otra parte, el amor de Hafsa es, por encima de todo y como has podido comprobar, padre mío, para con Dios, el Único. El camino hacia Él lo encuentra esta mujer a través de ti, mi señor y padre, y no se podrá negar que ha intentado llegar a complacerte complaciéndome a mí con su pureza y entrega a Dios. Y todo esto, qué casualidad, tiene que ver con el regalo de que te hablé antes, pues precisamente en virtud del deseo de Hafsa por complacerte —Utmán giró a medias el cuerpo y señaló a Zeynab, ahora medio oculta por el cuerpo de la poetisa granadina—, tu fiel servidora me ha pedido que, en su nombre, te ofrezca como regalo esta espléndida esclava de cabellos rubios y donaire sin igual. Para ti, padre.

Utmán acompañó las últimas palabras develando a la muchacha, con lo que dejó al descubierto su melena recogida en dos largas trenzas doradas. Un murmullo de admiración abandonó la boca de varios almohades al ver la pálida belleza de Zeynab. Yusuf, que por lo visto había heredado de su padre la querencia hacia las mujeres rubias, fue el que más arrebatado se mostró por la belleza de la eslava. Esta, por el contrario, sintió que la sangre dejaba de circular por sus venas. Sus pupilas se dilataron y empezó a temblar ostensiblemente. Sauda, a su lado, se apresuró a cogerle una mano. Hafsa quedó callada y cabizbaja.

—Qué preciosidad... —Yusuf no pudo evitar que sus palabras cobraran alas—. Qué cabello tan hermoso...

—Extraordinaria —reconoció el califa—. No creo haber disfrutado jamás de una concubina tan bella... ¿Está libre de cargas?

—Totalmente, padre —respondió Utmán—. Nada de esposos ni embarazos. Todo según la Ley.

Sauda maldijo para sí. A eso se debía el interrogatorio de allá fuera. Su mente comenzó a embotarse. Aquello no estaba previsto. Zeynab, concubina del califa, el mayor enemigo de su señora, de su rey, de todos sus amigos... Zeynab, la pobre, aterrorizada de miedo. Debía actuar con rapidez. No podía dejar que la frágil eslava se separara de ella. Zeynab no lo soportaría. Acercó su boca al oído destapado de Hafsa y habló sin llamar la atención. Mientras tanto, el califa había ordenado a la esclava rubia que se acercara para poder verla mejor, y el mismo Utmán la había ayudado con un leve empujón.

—Ah, sí que es hermosa. Qué gran regalo, hijo mío. En verdad es piadosa creyente esa mujer, Hafsa, que desde luego vale por cien de esos andalusíes. Dime, Utmán, qué podemos ofrecerle a cambio.

Utmán sonrió sin atender a la callada conversación que Hafsa mantenía con la otra esclava, la de piel negra.

—Sé de una estupenda finca cerca de Granada... Una de esas que los andalusíes dedicaron a sus orgías de vino y sodomía. La llaman ar-Rukn. ¿Qué mejor que donarla a semejante ejemplo de devoción al Tawhid, padre mío? Verán así los granadinos que el vulgar desenfreno de otros tiempos no trae nada bueno y que deben tomar ejemplo de la virtud bereber, pues Dios, ensalzado sea, premia a los justos y castiga a los injustos.

—Sea —admitió el califa casi sin escuchar las palabras de su hijo.

—Mi señor —se oyó de repente la voz de Hafsa, que intervino con el mismo dulce tono con el que había improvisado unos instantes antes—. En nada quiero mentirte. Por consejo de tu hijo y fiel devoto, el *sayyid* Utmán, al que Dios proteja, te he regalado a esa esclava de cabello rubio y tez clara como el trigo. Deja ahora que yo, solo por iniciativa mía y a fin de honrarte, te regale también a esta otra de piel negra como el azabache, tan unida al alma de aquella como la noche lo está al día, pues si no pudiéramos ver velado el brillo del sol después del crepúsculo, no sabríamos dar valor a la llegada del alba.

Sauda se adelantó por sí misma, se colocó a la altura de Zeynab y se hincó de rodillas. Esta vez fue el califa quien, tras levantarse, develó a su segundo regalo e hizo un gesto de satisfacción con la cabeza.

—Ah, una jornada que se presentaba tediosa se revela como fuente de alegría. Has de saber, mujer, que acogeré de grado a estas dos esclavas como mis concubinas y así me servirán para recordar no solo tus versos, sino también tu sumisión a la fe verdadera. Lleváoslas para que hagan sus abluciones. Que ocupen su nuevo lugar y sigamos pues con las demás embajadas. ¿Quién ha de entrar ahora?

—Los de Málaga, mi señor —contestó uno de los visires.

Utmán hizo una señal y Hafsa se veló de nuevo el rostro y el pelo. Lanzó una mirada triste a las dos esclavas antes de dar media vuelta y acompañó al resto de los humillados poetas granadinos en la salida del pabellón de recepciones. Abú Yafar era con mucho el más derrotado. Aquella escena recién vivida era la estocada de gracia; no solo había sido vilipendiado por el califa y su séquito: además había tenido que sufrir la tortura de ver cómo su amada Hafsa, cuyo rostro le estaba prohibido ver, era develada ante aquellos africanos ignorantes y crueles. Y él no había tenido más remedio que permanecer detrás, relegado a la nada. Su odio crecía tanto o incluso más que el amor que sentía por Hafsa, cuyas facciones temía olvidar. Mientras masticaba ese odio, tomó una decisión. Ya había pasado el tiempo de los planes solitarios y las propuestas ambiguas. En cuanto regresara a Granada, pondría a funcionar el molino. Y su piedra, más tarde o más temprano, aplastaría a quienes lo humillaban. Salió de la tienda el último, como si alejarse de su amada fuera el remedio para su mal.

Tras la marcha de la delegación granadina, Zeynab y Sauda fueron puestas al cuidado de dos esclavos del Majzén, que les indicaron con gestos el camino de las tiendas del harén. Zeynab lloraba en silencio. Se esforzaba por no gimotear, y Sauda apretaba su mano con fuerza y tiraba de ella para que no se detuviera.

—¿Qué será de nosotras ahora? —preguntó la rubia entre sollozos apagados. Sauda miró a los dos enormes soldados negros que las escoltaban. No creía que pudieran entender su idioma, pero aun así habló en susurros.

—Recibimos un mandato de nuestra señora Zobeyda. Esto ha llegado más lejos de lo previsto, pero no debemos amilanarnos. De hecho podemos sacar partido de lo ocurrido. Piénsalo: ya no vamos a tener acceso al gobernador de Granada..., sino al propio califa. ¿Te das cuenta de lo que puede significar?

—No, no me doy cuenta. Tengo miedo. Ese hombre me causa terror. Mira como... como si pudiera leer la mente. Creo que esto no saldrá bien, Sauda. Qué mala fortuna. Qué mala fortuna...

—Deja de quejarte. No podemos hacer nada por el momento. Pero el tiempo está con nosotras. Ya lo verás.

—No... Nuestra señora nos ha enviado a la muerte. Es culpa suya, de Zobeyda...

Sauda retorció con fuerza la mano de Zeynab hasta arrancarle un gritito. Los esclavos del Majzén siguieron andando como si nada, ajenos a la conversación de las dos mujeres. Atrás había quedado el pabellón de recepciones y ahora, a su izquierda, tenían la enorme tienda roja del califa; a su derecha, por encima de las lonas y la ciudad de tela, y al final de la lengua de tierra sacudida por el viento, se recortaba contra el cielo la mole del Yábal al-Fath, la montaña de la Victoria. En su cima ya trabajaban los obreros. Construían la fortaleza que había de servir de base para la gran invasión.

—No hables así de Zobeyda. Ella no sabía nada de esto. Se fio de Hafsa, y gracias a eso nos hemos colado en el nido de la serpiente.

—Hafsa... —Zeynab hipó y se pasó el *litam* por debajo de la nariz—. Hafsa nos ha traicionado. Lo mío no tenía remedio, ha sido idea de ese puerco de Utmán. Pero lo tuyo... ¿Por qué te ha regalado a ese monstruo africano? Lo ha hecho para entregarnos a él. Nos lapidarán, Sauda, o algo peor. Qué mala fortuna.

—Hafsa no nos ha traicionado. He sido yo quien le ha pedido que me ofreciera como presente, para estar contigo. —Sauda miró a su compañera y sonrió con amargura. A pesar de los ánimos que intentaba insuflarle, sabía que aquella aventura retorcida no tenía ya salida para ellas—. No pensarías que te iba a dejar sola, ¿verdad?

Zeynab se detuvo y se abrazó a su compañera, desatando su llanto una vez más. Los esclavos del Majzén se miraron entre sí y también pararon. Hicieron un gesto de resignado hastío y esperaron a las nuevas concubinas del califa. Al fin y al cabo, solo eran dos inofensivas mujeres, esclavas como ellos, que se consolaban entre sí por un futuro de arena y humillación.

35

La decepción cordobesa

Unos días después. Sitio de Córdoba

El rey Lobo hizo girar la moneda despacio entre los dedos. Su brillo cambiaba cada vez que las llamas de la hoguera cercana se reflejaban en el metal. Cuando terminó de darle vueltas, se la acercó a la cara y examinó las letras inscritas en una lejana ceca salmantina.

—*Spania* —leyó, y volvió el vellón leonés para mostrar su reverso—. *Fernand Rex.*

El viento se llevó sus murmullos hasta el Guadalquivir, que también susurraba al acariciar con su corriente las riberas cercanas a Córdoba. Fernando, rey de España. Pero ¿qué se había creído ese presuntuoso? ¿Acaso no había dejado suficientemente claro su padre que el sueño del imperio estaba desvanecido? Así pues, ¿quién era el rey de León para situarse a sí mismo por encima de los demás monarcas peninsulares?

—Fernando ansía algo más que la herencia que le legó el emperador Alfonso, al que Dios tenga en su gloria.

Mardánish se volvió y descubrió a Álvar Rodríguez cubierto con su manto. Había dejado atrás el pabellón del rey, en el que los demás barones del ejército dormitaban. El Calvo se sujetaba la capa forrada de piel con ambas manos y se acercaba al fuego para mitigar el efecto de la humedad.

—Fernando de León... —El rey Lobo volvió a observar la moneda y la ladeó para presentar al halo luminoso el busto labrado en la superficie—. ¿Puede resultar un problema?

Álvar se encogió de hombros y dejó que su mirada se perdiera en las llamas, ya débiles, que culebreaban entre los rescoldos de la hoguera. A lo lejos, la guardia gritó su consigna, que se repitió como un eco a lo largo de toda la línea de asedio.

—Su ambición es unir bajo una corona los mismos dominios que tenía su padre, o al menos mantener al rey niño de Castilla como su vasallo. O ¿quién sabe? Quizá solo está tomando partido por la familia a la que a priori considera más poderosa. Sabe que la lealtad de los Castro le abrirá las puertas de media Castilla... Ah, es tan difícil.

—Sea como sea, nada de lo que hace nos beneficia.

—Amigo Mardánish, reconozco que soy demasiado bruto para la política, pero hasta una bestia como yo sabe que hace tiempo que asumiste tu soledad en la lucha contra esos africanos.

El rey Lobo asintió y arrojó la moneda leonesa al fuego.

—Ya... ¿Y sabes qué es lo que más me irrita? Que todos esos nobles cristianos no son capaces de ver que mientras ellos se matan por los despojos del emperador, nosotros mantenemos al enemigo alejado de casa. Más te digo, Álvar, y es que sé muy bien que incluso están dispuestos a saltarnos al cuello si finalmente somos vencidos.

El Calvo calló azorado. Mardánish tenía toda la razón. Los nobles castellanos debían de saber a esas alturas que el califa almohade había cruzado el Estrecho, y aun así seguían peleándose. Ramón Berenguer ni siquiera parecía preocuparse. Sus asuntos al otro lado de los Pirineos le tenían más sorbido el seso que una amenaza que para él no existía. Encabezonado en amenazar la Marca Superior de Mardánish, hacía que este tuviera ocupadas allá a tropas que serían de gran ayuda en la frontera con los almohades. El rey Lobo adivinó la vergüenza en el rostro taciturno de su amigo y luego volvió a mirar la moneda leonesa, que ahora enrojecía en el seno de las llamas. Tal vez debería retirarse de allí y dejar el camino libre al ejército de Abd al-Mumín. Que fueran los castellanos quienes guardaran sus propias espaldas.

—No has bebido esta noche —habló por fin Álvar—. Ni siquiera en los momentos de mayor zozobra te había visto tan distraído. Algo tramas.

—Necesito la mente clara, amigo mío. Este asedio ha sido un fiasco desde el principio, y está claro que ha llegado a su fin. Los mensajeros dicen que el califa sigue allí, junto al Estrecho, ocupado en construir ese castillo en Gibraltar. Pero tardará en mandar sus tropas contra nosotros. Sé que debemos replegarnos. Protegernos tras nuestras murallas y esperar otra vez. Esperar, esperar... No me gusta esperar. Los aragoneses jamás nos ayudarán, y tampoco podremos contar con Castilla hasta que el pequeño Alfonso sea suficientemente mayor y asegure su poder. Así que esperar... Esperar ¿a qué? ¿A que el maldito califa de los cabreros decida por fin aplastarnos?

—Pero ¿y Navarra? Recuerda lo que ha dicho Azagra acerca de esa carta que ha recibido de su rey. Quiere conocerte y piensa ir a Murcia. ¿No es buena baza?

—¿Navarra? Bah. Un reino que se parece tanto al mío que me da lástima. Rodeado de buitres implacables que lo despedazarán en cuanto tengan oportunidad. ¿De qué puede servirnos el poco poder de Sancho de Navarra? Además, él no tiene mucho que ganar aquí.

—De cualquier forma, nada pierdes por reunirte con él. Siempre puedes trazar una buena alianza que te ayudará contra Aragón.

Mardánish suspiró y anduvo alrededor de la hoguera para dar la cara a su amigo. Las llamas, a punto de apagarse, temblaron al vuelo del manto negro del rey Lobo.

—Tienes razón. Además, llevo tanto tiempo en campaña que ni recuerdo cómo es vivir en mis palacios. Tengo muchas ganas de ver a Zobeyda... Y a las demás. —Sonrió a Álvar—. Lo más seguro es que las preñe a todas en cuanto llegue.

—Eres afortunado, amigo —el Calvo también sonreía—, por poseer lo que posees.

—Sí. Iré a Murcia y trataré con el rey de Navarra. Aunque, conociendo a mi favorita, creo que ya sé qué es lo que ha atraído a Sancho al Sharq al-Ándalus. En cuanto a nuestras plazas ganadas aquí, debemos guarnecerlas para evitar que el califa las recobre. ¿Qué te parece?

—Ah, ya sabes que no soy un estratega. Mejor que hables de eso con Armengol o con Pedro de Azagra. Pero, desde luego, debemos abandonar este cerco inútil. Aquí, en medio de las tierras del califa, seríamos presa fácil para él.

Mardánish miró hacia las murallas de Córdoba, recortadas contra la bruma blanquecina que se elevaba del Guadalquivir. Apretó los dientes y los músculos de la mandíbula se tensaron bajo la fina barba rubia.

—Sí, dices bien. Nos vamos. Pero antes de desaparecer, tengo que ajustar cuentas con ese gobernador tramposo.

Día siguiente. Cercanías de Córdoba

Ibn Igit espoleaba a su montura con la saña que le despertaba la alegría. Casi no podía creerlo, pero era cierto: el ejército del demonio Lobo había levantado el cerco y tomado el camino de regreso. Tenía que comprobarlo. Asegurarse con sus propios ojos de que Mardánish se alejaba de Córdoba. Por eso había salido de la ciudad al frente de un destacamento. Estaba tan excitado que se separó de sus hombres una vez más; un grito pidiéndole precaución le hizo tirar de las riendas. Miró atrás y vio el destacamento de caballería almohade que se apresuraba para alcanzarlo.

—Vamos, malditos vagos... ¡Vamos, más rápido!

Uno de los jinetes frenó junto a él y se inclinó a un lado para observar el barro removido. Los cascos de los caballos se hundían hasta media uña y las rodadas habían creado surcos que dificultaban el avance.

—No hay duda, se lo llevan todo —indicó el explorador con seguridad.

Ibn Igit sonrió. Bien. Sin duda, el demonio Lobo había recibido las mismas noticias que le habían llegado a él en los días previos mediante más mensajeros nadadores: el califa se había presentado al fin en la Península con un ejército capaz de machacar a los infieles.

—Se va. El Lobo se va con el rabo entre las piernas —el hafiz se frotó las manos ufano—, y sin haber conseguido su objetivo. El califa me premiará por haber salvaguardado Córdoba. Seguro.

El resto del destacamento, más o menos la mitad de las fuerzas cordobesas de que disponía Ibn Igit, llegó hasta el altozano. Se fijaron en el trecho de tierra húmeda y removida, y la alegría de su líder se les contagió. Por fin, tras meses de apreturas, quedaban libres de aquel interminable asedio.

—Hemos de estar preparados para cuando el califa se presente en Córdoba. Porque vendrá, seguro. Y yo debo saber adónde dirigirle para que aplaste al rey Lobo. —Señaló las huellas en el barro—. Van hacia Jaén. No se molestan en ocultarlo, ¿verdad? Asegúrate, pues no me gustaría descubrir que el ejército de ese demonio se ha dividido. No quiero sorpresas.

El explorador hizo avanzar unos codos a su montura y se plantó en lo alto de la pequeña colina. Ibn Igit lo imitó y observó el rostro del rastreador almohade, que oteaba en la distancia con los ojos entrecerrados. El camino serpenteaba ladera abajo hasta atravesar una línea arbolada. Un vado marcaba el lugar por el que el ejército de Mardánish había cruzado el arroyo que, algo más al norte, desembocaba en el Guadalquivir. Al otro lado de la ribera, casuchas aisladas rodeadas de campos de labranza y más pequeñas ondulaciones salpicaban la campiña.

—Jaén... Creo que sí. Toda la hueste ha debido de pasar por aquí —confirmó al fin el explorador—. Tal vez su meta sea volver a Murcia, pero desde luego pasarán por Jaén.

—Claro, dejan las montañas entre ellos y nuestro califa, al que Dios inspire. —Ibn Igit se volvió y se puso una mano sobre los ojos para protegerse del sol del atardecer. Córdoba había quedado atrás y hasta el cauce del Guadalquivir se perdía en la distancia brumosa—. Sigamos un trecho más. Preguntaremos a alguno de los campesinos que viven allí. Nos aseguraremos de que todo el ejército enemigo huye en desbandada.

Los jinetes almohades obedecieron y, para evitar que su señor volviera a tomarles la delantera de forma tan imprudente, se lanzaron al galope hacia el arroyo. Ibn Igit, que seguía extasiado por su propia valía, clavó las espuelas en los ijares de su montura. Meses de asedio sin recibir ayuda, con las plazas próximas cayendo en manos de Mardánish, y él había conseguido resistir. Incluso, merced a una hábil treta, había logrado alejar al ejército sitiador el tiempo suficiente para salir a aprovisionarse. Sí, los cordobeses habían pasado hambre, desde luego. Muchos de ellos incluso habían escapado de la ciudad aprovechando las noches y el paso del río. Córdoba estaba casi vacía, las casas, abandonadas, la población andalusí, exhausta... Pero ¿y qué?

Ibn Igit refrenó un tanto a su caballo. La vanguardia de su destacamento había cruzado el riachuelo y los animales trepaban trabajosamente por la orilla opuesta. Los demás jinetes vadeaban en ese momento y chapoteaban al avanzar las monturas sobre la mansa corriente. El hafiz dejó que su caballo introdujera las patas en el arroyo. El animal se sobresaltó al notar el frescor del agua, pero siguió adelante. Un silbido sonó a la derecha, y enseguida otro a la izquierda. Luego el aire se llenó con un siseo extraño. Ibn Igit volvió la mirada e intentó identificar el origen de aquel ruido. Un sonido seco. Clap. Y después otro. Y otro más. Varios, muy seguidos. Clap, clap, clap. El almohade que precedía al hafiz se venció hacia atrás y por un instante pareció reclinarse sobre la grupa de su caballo. Tres flechas habían aparecido en su pecho, con las astas emplumadas apuntando ahora hacia arriba. El jinete, con la sorpresa marcada en la cara, resbaló por el anca del animal y quedó medio hundido en el vado. Las voces de alarma recorrieron el destacamento, pero ya eran varios los hombres heridos. Dos de ellos tiraron de las riendas para huir. Ambos fueron alcanzados por media docena de proyectiles y se desplomaron entre estertores.

—¡Es una emboscada! —comprendió por fin Ibn Igit—. ¡Retirada! ¡Retirada! ¡A Córdoba! ¡Volvemos a Córd...!

El grito se quebró con un gorgoteo. Durante un instante, el hafiz fue incapaz de entender por qué su voz no abandonaba la garganta. Luego se llevó la mano al cuello y se topó con la fina vara de madera hundida en la carne. El caos de silbidos llenaba el vado. Destellos oscuros atravesaban la arboleda desde ambos lados y se cruzaban ante los ojos del gobernador de Córdoba. Clap, clap, clap... Gritos, órdenes angustiadas y chapoteos. Un caballo se alzó de manos, derribó a su jinete y lo aplastó al caerle encima. El río, limpio hacía apenas unos momentos, bajaba ahora igual de perezoso, pero enrojecido.

El hafiz vio desdibujarse los árboles, y la claridad de más allá, las tímidas ondulaciones del campo, las casuchas blancas. Su montura piafó cuando una flecha se le clavó en el costillar. Ibn Igit se tambaleó y miró a un lado. Allí estaban, rodilla en tierra y medio metidos en el agua. Se movían mecánicamente, como si molieran trigo. Sacaban una flecha de la aljaba, la montaban, tensaban y soltaban. El siseo y los relámpagos negros. Clap, clap, clap... Un segundo proyectil hizo saltar las anillas de hierro y horadó la carne del hafiz a la altura del pecho, y otro atravesó un corvejón del caballo. El animal flaqueó, e Ibn Igit se dejó caer. Sintió el vacío bajo él y luego la humedad. Fría y roja. Tragó agua y saboreó la sangre. Apoyó las manos en las piedras del fondo, intentó alzarse. Ahora que estaba tan cerca, después de todo lo que había tenido que pasar... Ibn Igit aún quiso sonreír con fiereza, ponerse en pie y encarar a sus enemigos para afrontar la muerte como un auténtico almohade, pero no lo consiguió. Ah, qué poquito había faltado. Entrecerró los ojos. Sombras indefinidas se aproximaban a él. Tal vez eran las vírgenes que Dios reservaba a los elegidos. Sonrió. Dentro de poco, manos suaves como la seda verterían en su boca la leche y la miel.

He aquí el jardín que recibiréis en herencia como premio
de vuestras obras.

Los brazos le fallaron y su cabeza volvió a hundirse. Esta vez el rostro chocó contra los cantos redondos y lisos. El agua penetró de nuevo en la boca y una nube roja se extendió a su alrededor.

Con gritos de triunfo que se escurrían por las riberas, los arqueros andalusíes se irguieron y levantaron sus arcos. Otros abandonaron los escondrijos tras los árboles y arbustos de la orilla. Todos confluyeron hacia el vado sembrado de cadáveres. Los primeros en llegar extrajeron sus dagas y remataron a algunos heridos. Otros se dirigieron a los caballos para ver si podía salvarse alguno. Un par de almohades afortunados se perdían de vista hacia Córdoba. Habían logrado huir, aunque uno de ellos no aguantaría mucho, con varias flechas clavadas en la espalda y agarrado al cuello de su caballo. Mardánish avanzó con las ropas mojadas, chapoteando en el agua sanguinolenta. Se dirigió hacia el último hombre que había caído. Vestiduras de mayor calidad que las de los demás almohades; buena espada al cinto y loriga doble; estupendo caballo, ahora herido, y magnífica silla. Todo aquello le señalaba como el gobernador Ibn Igit. Era él, podría apostar media Denia. Metió la mano en la corriente y tiró de las ropas para dar la vuelta al cadáver. Su cota de malla había sido atravesada a la altura del corazón, y una flecha le pasaba el cuello de parte a parte. La cara, sobre la cual pasaba cansina el agua, mostraba gesto de beatitud. El rey Lobo observó los ojos abiertos del muerto. Así que aquel era el tipo que había conseguido engañarle. El que le hizo abandonar el cerco de Córdoba y llevar a sus tropas hasta Sevilla...
El sonido de los cascos llamó su atención. Por entre las chabolas del camino de Jaén, varios jinetes andalusíes llegaban al galope. Mardánish reconoció el estandarte y las hechuras de su suegro, y las de su devoto León de Guadix, que cabalgaba a un lado. Hamusk levantó la mano para ordenar alto a los demás caballeros. Desmontó y lanzó una mirada a ambos lados de la corriente. Al-Asad hizo un gesto afirmativo en signo de conformidad con la masacre, pero Hamusk se carcajeó con el estruendo acostumbrado.

—¡Bravo, yerno! ¡Ya tienes lo que querías! ¿Estaba con ellos ese gobernador africano?

Mardánish señaló con el arco el cadáver que había a sus pies. Hamusk asintió, se metió en el vado y avanzó hasta llegar a la altura de su yerno. Miró con desprecio a Ibn Igit.

—Bien. Meses de asedio para esto: un par de docenas de jinetes almohades en remojo. Ah, y un hafiz muerto. ¡Qué gran negocio!

Mardánish ignoró el comentario y se dirigió a la orilla. Tras los jinetes de Hamusk venían, a paso más tardo, otros hombres que tiraban de monturas vacías. Entre ellos estaban los cristianos aliados del rey Lobo.

—Suegro, lo del gobernador era cosa mía, como te dije. Y ahora ya sabes qué tienes que hacer: vuelve atrás con tus hombres, pasa de largo de Córdoba y dirígete a Écija. Refuérzala con la mitad de la hueste y luego marcha a Carmona. Ninguna de las dos debe caer en manos almohades.

—Claro, claro, lo haré. Tal como ordenas, yerno mío. Pero antes permíteme que les mande un regalito a los cordobeses. Me llevaré la cabeza de este puerco y se la dejaré clavada en una pica ante la ciudad. Un recuerdito de Ibrahim ibn Hamusk.

Mardánish arrugó el ceño. Pensó unos instantes y luego hizo un gesto de indiferencia.

—Como gustes.

—Ah, y algo más. Quiero tu permiso para recorrer la comarca y tomar botín. Yusuf no está en Sevilla, y con él se ha llevado a casi toda su guarnición, seguro. Ya sabes lo cobarde que es. Por eso, como no hay nada que temer, deseo resarcirme de todo este tiempo perdido en tu maldito asedio. No tardaré mucho, solo unas jornadas...

—Ni hablar —le interrumpió Mardánish. En ese momento llegaba Pedro de Azagra a caballo y tirando de las riendas del destrero negro del rey Lobo—. Te refugiarás tras las murallas de Carmona y las reforzarás. No arriesgarás ni un solo hombre.

Hamusk gruñó con los dientes apretados y largó una mirada de odio a su yerno.

—No voy a intentar tomar Sevilla —arrastró las palabras—. Únicamente quiero un poco de botín. Mis hombres necesitan sentir que han ganado algo... ¿Es que no lo entiendes?

—Tú eres quien no entiende. El califa puede caer sobre ti en cualquier momento y sorprenderte en campo abierto, y entonces tus hombres no tendrán nada que ganar, pues habrán muerto todos. —Mardánish, que hablaba con ira contenida por las cada vez más frecuentes insubordinaciones de su suegro, inspiró con lentitud, cerró los ojos y trató de serenarse. Colgó el arco y la aljaba del arzón de su silla y regresó junto a Hamusk. Azagra, el Calvo, el

conde de Urgel y Galcerán de Sales asistían como testigos al nuevo enfrentamiento entre los dos líderes andalusíes—. Debes dejar de lado tus ansias de
matar almohades. Ya habrá tiempo para eso. En unos días me entrevistaré con
el rey de Navarra, y de seguro podremos conseguir que nos ayude. —El rey
Lobo miró inquisitivamente a Azagra y este confirmó sus palabras con un
asentimiento—. Y luego mandaré mensajeros a Fernando de León y a los Lara,
en Castilla. Hablaré con todos, incluso con los portugueses. Abd al-Mumín se
ha presentado aquí y deben escucharme.

Hamusk cambió el gesto de rabia por otro de burla. Ayuda cristiana. Se
rio por lo bajo y sus carcajadas fueron cobrando fuerza. Al-Asad estiró los
labios en un remedo de sonrisa, pero la mueca se congeló en su cara marcada
por las cicatrices ante la mirada airada de Mardánish. El rey Lobo trepó a su
montura e hizo una señal. Volvían a Murcia.

36

Escaramuza en Marchena

Principios de 1161. Cercanías de Marchena

—Marchena, mi señor.

Utmán contestó con un gruñido afirmativo. La alcazaba, bajo sumisión almohade, se recortaba a lo lejos contra el azul vivo de la mañana. Algunas casas se apiñaban junto a las murallas, pero ni un alma se desperdigaba colina abajo hacia los caminos, los olivos, los huertos y los pastos, como habría sido normal.

—Envía un destacamento y ve tú con ellos. Entrevístate con el caíd y que te informe. Si el enemigo ha pasado por aquí, que nos aclare qué dirección tomó.

El masmuda asintió y salió al galope al tiempo que repartía órdenes entre varios jinetes árabes. Utmán se mordió el labio inferior mientras calculaba las posibilidades. Sabía que un contingente andalusí había estado devastando las tierras cercanas a Sevilla, y Marchena era una presa tan buena o más que cualquier otra. Miró atrás y sonrió. En ese momento, su fiel asistente masmuda se disponía a cumplir las órdenes recibidas al mando de varios de aquellos díscolos caballeros árabes. El resto de sus tropas seguía llegando al lugar en varias columnas desordenadas. Volvió a dirigir su vista al norte y suspiró. Atrás había dejado las ya iniciadas obras de construcción del castillo sobre el peñón de la Victoria, así como a su padre, a los prebostes Umar Intí y Sulaymán y a su hermano Yusuf.

Un regusto amargo le subió desde la garganta al recordar a su hermano, el gobernador de Sevilla. Utmán todavía intentaba interpretar el significado exacto de todos aquellos actos, sin duda simbólicos, que había visto en el inmenso cónclave gibraltareño. No le cabía duda de que Yusuf iba a jugar un papel más importante que el que el destino había parecido depararle. Pero ¿y el legítimo heredero del califato, Muhammad? Utmán sabía de sus debilidades, pues a más de graves eran notorias, pero se consideraba un fiel seguidor de la tradición. Muhammad era el sucesor del califa, luego él debía haber ocupado el lugar de honor que Yusuf había manchado con su presencia.

Y estaba el otro detalle: Yusuf se había despedido del califa al mismo tiempo que él, pero al *sayyid* de Sevilla le acompañaba el poderoso almirante Sulaymán al mando de un contingente nada despreciable. Al principio le había enorgullecido que él, Utmán, fuera considerado lo suficientemente hábil como para no necesitar la asistencia de nadie. Pero después de reflexionar, su punto de vista había cambiado. Sulaymán era el líder militar más valorado de todo el imperio. Donde él estuviera tendría lugar, sin duda, la ofensiva principal contra Mardánish, previa a la conquista de las tierras en poder de los cristianos. El *sayyid* escupió al suelo. Le asqueaba pensar que pudiera pasar lo mismo que en Almería, cuando después de que él la tomase, Yusuf entró triunfante en la ciudad. Y es que todo parecía señalar a su débil hermano.

Movió la cabeza a los lados y decidió abandonar aquellos pensamientos. En lugar de recordar a Yusuf, la mente del *sayyid* debía haber volado a Granada, donde dos de sus jóvenes esposas africanas esperaban sendos retoños, pero no fue así: a su memoria regresaron los nobles rasgos de Hafsa, el brillo verde de sus ojos ribeteados de kohl, sus labios jugosos, que solo él tenía permitido ver... Chascó la lengua. La jornada de poesía ante el califa no había sido de su agrado. Descubrir el rostro de su amante granadina había sido un impulso, pero con ello se había refutado a sí mismo y a la exclusividad dictada acerca de la contemplación de Hafsa. Y eso no le gustaba. Además, sabía que a ella no le había gustado la transacción de sus dos nuevas esclavas. Un mal necesario, claro, y muy oportuno para aplacar la decepción de su padre. En fin, se quedaría sin saber si aquellas dos muchachas eran tan hábiles como se decía preparando el cuerpo de Hafsa para el placer.

Hafsa y sus caderas generosas... Ah, ¿cuándo volvería Utmán a disfrutar de ellas? La poetisa debía de estar a punto de retornar a Granada junto con el resto de la delegación, pero él tenía que hacer valer el liderazgo de las nuevas tropas de caballería árabe, y qué mejor que hacerlo contra aquellos malditos demonios de Mardánish.

El galope urgente requirió la atención del *sayyid*. Su fiel rastreador masmuda regresaba de la alcazaba de Marchena a toda espuela. No era normal aquella prisa, de modo que Utmán supo enseguida que algo iba mal. Decidió adelantarse para reunirse con el masmuda y este le informó con voz excitada.

—Los acabo de ver, mi señor... Desde la alcazaba. Vienen hacia aquí. Despacio, pero vienen. Dicen en la alcazaba que se trata del Mochico, el pariente del demonio Lobo.

Utmán forzó la vista a septentrión. Sí. Muy tenue: una lejana nube de polvo que apenas sobrepasaba la línea del horizonte. El Mochico... Ibrahim ibn Hamusk, suegro de Mardánish. Se decía de él que no reparaba en crueldades para con sus enemigos, y también que era un excelente luchador. El *sayyid* sintió sed de repente. Se pasó la lengua por los labios, resecos a causa de la cabalgada al frente de sus nuevas tropas montadas. Aquella podía ser una buena oportunidad. Hamusk estaba rapiñando en la comarca, sin duda desde sus bases en Carmona y Écija. El Mochico apretaba el nudo en torno a Sevilla. Si Utmán lograba adelantarse a Sulaymán y Yusuf, podría conseguir un buen triunfo. Sonrió. Iba a pedir agua para remojar su garganta seca, pero otra idea se impuso y le urgió a actuar.

—¿Son muchos?

—Estaban aún muy lejos, mi señor —contestó el rastreador masmuda—, pero diría que los triplicamos.

—Bien... —Utmán miró alrededor, a la despejada planicie cuajada de sembrados y recorrida por líneas de un verde más oscuro allá donde las acequias llevaban el agua a los campos. Entre sus tropas y la nube de polvo del Mochico, el paisaje se rompía con la elevación de la alcazaba y la aldea de Marchena. Se volvió hacia sus cabilas árabes. ¿Serían capaces de cumplir sus órdenes?—. Que se apresten al combate. Dirigirás a los Banú Riyah de frente, hacia el enemigo, y dejarás Marchena a tu derecha. Yo rodearé la ciudad por levante con los Banú Yusham y los Banú Gadí, a escondidas de Hamusk. Debes lograr que esos perros andalusíes te ataquen cerca de la alcazaba. Mantenlos entretenidos para que yo pueda rodearlos y tomar su retaguardia. ¿Entendido?

El fiel masmuda, uno de los compañeros de Utmán en las refriegas y batallas que hasta ese momento habían vivido, recorrió con la vista el campo de lucha que al parecer había ideado su señor y estiró los labios en un gesto de reflexión.

—Entiendo. Así se hará.

Al mismo tiempo. Murcia

Zobeyda no podía ocultar su nerviosismo. Por eso, para intentar distraerse, se dirigía constantemente a Abú Amir y le hablaba de lo avanzadas que estaban las obras en el nuevo alcázar de Dar as-Sugrá, o de la necesidad de reparar los senderos que cruzaban las huertas. La favorita se hallaba en pie en la embocadura del puente de barcas, vestida con saya de seda brocada en oro y cubierta por un *burd* para protegerse del frescor de la mañana. Junto a ella, Abú Amir asentía sonriente y disimulaba de igual manera, contestándole trivialidades. A varios codos de distancia por detrás, junto a la Bab al-Qántara, los principales visires del Sharq en Murcia aguardaban, también engalanados y dispuestos a recibir a su rey, situados de forma simbólica justo ante la puerta. Entre ellos, los alfaquíes cuchicheaban una vez más sobre lo impropio del comportamiento de Zobeyda, que en lugar de esperar en sus aposentos, como era de ley, había vuelto a abandonar su encierro y salía al descubierto para exponerse impúdicamente, sin siquiera un velo, a las miradas de todos. No solo eso: además se permitía separarse de la comitiva y charlar con un hombre. ¿Había forma peor de provocar a Dios? Pues Él lo dijo: *las mujeres virtuosas son obedientes y sumisas.*

—¿Faltará mucho todavía?

Abú Amir soltó una risita queda ante la nueva muestra de impaciencia.

—Si conozco a tu esposo, seguramente se habrá adelantado y ahora viene hacia aquí a todo galope, dispuesto a arrojarse en tus brazos. Ah, niña, cúmpleme este ruego: no dejes que lo haga a la vista de todos esos. —El consejero hizo un levísimo movimiento de cabeza y apuntó con la barbilla a la comitiva de bienvenida. Zobeyda reprimió un gesto de hastío.

—Pesados como moscas. No dejan de importunarme. Durante todo este tiempo han disimulado más bien poco su incomodidad por tenerme aquí, deambulando fuera del harén, y ahora rabian porque no me limito a esperar allí al rey, como las demás esposas. Tendrías que haberlos visto día tras día. Algunos de ellos evitaban siquiera mirarme y se dirigían solo a sus colegas. Otros se marchaban murmurando cuando entraban en la sala de consejos y me veían allí, leyendo tus cartas o dictando órdenes a mis secretarios de confianza. Me habría venido bien tenerte aquí, Abú Amir.

El poeta se encogió de hombros.

—Fuiste tú quien me envió a Pamplona, niña.

—Y no me arrepiento, aunque hubo veces en las que deseé estar amparada por tu compañía. Incluso llegué a preguntarme qué podría ocurrir si a mi esposo le sucediera algo. Intenta imaginarlo, Abú Amir... Imagina que Mardánish cayera en alguna de sus campañas contra los almohades. ¿Qué pasaría aquí? Y sobre todo, ¿qué sería de mí?

—Aun si eso pasara, tienes a tu padre. Todos esos de ahí detrás le temen tanto o más que a tu esposo. No debes tener miedo. Más debiera tenerlo yo, que carezco de respaldo. Y hay muchos rivales que desean verme caído en desgracia... Ah, pero mira allí.

Abú Amir señalaba al otro lado del río, a la fértil vega plagada de acequias, alquerías y huertos. Un jinete encabezaba un pequeño destacamento y recorría el camino que venía del sur. Montaba sobre un caballo negro y brioso que casi volaba por la ribera del Segura. Zobeyda no pudo evitar un respingo de alegría al reconocer en la distancia a su esposo y dio un par de pasos adelante. Abú Amir carraspeó.

Las tablas temblaron al recibir los pisotones del destrero de Mardánish. Este pasó la pierna izquierda sobre el arzón y se dejó caer de la silla antes aun de que el animal frenase del todo. El carraspeo de Abú Amir se convirtió en una tos forzada cuando el rey Lobo y su favorita se abrazaron sobre las maderas que el agua del río Segura hacía vibrar a su paso. Un murmullo de contrariedad se extendió detrás, pero los saludos de los aduladores apagaron las voces maldicientes. Mardánish separó su cara de la de Zobeyda y la miró a los ojos. Cuántas noches, absorto en la estrellada oscuridad sobre Córdoba, Écija o Carmona, había deseado hundirse en esas tinieblas como se hundía en la negrura de las pupilas de su amada. La besó con fuerza y notó cómo su cuerpo temblaba por la emoción. Apretó la cintura de la favorita y la atrajo hacia sí. El primer consejero del reino se acercó:

—Sé bienvenido, oh, señor del Sharq al-Ándalus. Murcia se engalana de alegría para recibirte.

Mardánish se separó de Zobeyda y sonrió ante el saludo de Abú Amir. Al ver tras él a su corte de visires y alfaquíes comprendió que el primer consejero trataba de romper el momento de pasión entre los dos amantes, reunidos después de meses de ausencia. El rey Lobo suspiró, recordó el protocolo y devolvió sus palabras a Abú Amir.

—Sé bienhallado, mi buen amigo... ¡Sed bienhallados todos! —Se dirigió a los notables situados junto a la Bab al-Qántara—. Perdonad mi falta de tacto, pero pensad que mi amada Zobeyda es para mí la misma Murcia, el mismo Sharq al-Ándalus. Y traigo para Murcia, amigos míos, lo que he logrado conquistar más allá de Guadix y Segura. ¡Quiero que preparéis una gran fiesta para el pueblo! ¡Vuestro rey está aquí!

El grupo de aduladores aplaudió la decisión y todos avanzaron para inclinarse ante su señor. Algunos ya empezaban a cantar la grandeza de Mardánish bien alto y con afán de ser reconocidos.

—¡Llamaremos a cómicos y malabaristas! ¡Y a las mejores bailarinas de todo al-Ándalus! ¡Larga vida al rey!

—¡¡Larga vida al rey Lobo!! —contestó un mar de voces desde el adarve. Mardánish miró arriba y vio a muchos murcianos encaramados en las almenas. Agitó una mano para saludarlos y prorrumpieron en un sonoro aplauso. Luego hizo un gesto para que todos entraran en la ciudad a su alrededor. Separó el codo del costado para que Zobeyda se agarrase a él y ambos atravesaron juntos la Bab al-Qántara. Un par de alfaquíes arrugaron el gesto, pero se cuidaron de hacer comentario alguno.

—¿Y nuestros hijos? ¿Y Zayda? —preguntó a su esposa al oído.

—Zayda está guapísima. Se ve que va a ser una mujer hermosa. Y Hilal ha empezado ya a cabalgar. Estaba deseando que llegaras porque quiere que le enseñes a tirar con el arco. Ah, y Safiyya es la alegría del alcázar. Todos los sirvientes se desviven por ella...

—¿Y qué es eso del rey Sancho de Navarra? ¿Qué habéis estado haciendo en mi ausencia?

Abú Amir, que caminaba tras la pareja y oía perfectamente sus palabras, volvió a carraspear. Zobeyda se volvió sobre la marcha y miró al consejero, pero siguió con la charla de bienvenida. De todas formas, la maniobra había sido idea suya.

—Mi intento de entablar negociaciones de matrimonio para Zayda con Alfonso de Castilla fracasaron, al menos de momento... —Mardánish alzó las cejas al asentir, como si aquello fuera algo natural—. Pero se me ocurrió que tal vez podríamos probar en Navarra. El rey Sancho tiene un hijo pequeño, ¿lo sabías?

—¿Me estás diciendo que el rey de Navarra viene a Murcia a tratar el matrimonio entre nuestros hijos? —Mardánish hizo la pregunta con incredulidad, aunque no pudo evitar que un brillo de expectativa se le instalara en los ojos. Zobeyda advirtió el cambio en la actitud de su marido e irguió la barbilla con orgullo.

—Nuestro buen amigo Abú Amir viajó a Pamplona a órdenes mías y logró entrevistarse con Sancho de Navarra. Al parecer, y por mediación de Pedro de Azagra, se tiene muy buen concepto nuestro allí. ¿No es cierto, Abú Amir?

—Así es. —El consejero seguía andando inmediatamente detrás del matrimonio. En aquel momento dejaban atrás la Puerta del Puente y se acercaban al alcázar mientras recibían los vítores de los villanos, colocados a los lados de la calle y retenidos por la guardia para no invadir el itinerario del rey—. Sancho de Navarra me trató con gran deferencia. Y debo confesarlo: me resultó extraño después de lo ocurrido en tierras de Aza, donde fuimos poco menos que humillados. En Pamplona, sin embargo, Sancho se mostró muy interesado por Zayda y por la posibilidad de una alianza fuerte. No hablamos de política, pero me hizo muchas preguntas sobre la Marca Superior, sobre nuestras relaciones con Ramón Berenguer, sobre la amistad con Castilla...

—Ya... —Mardánish saludaba a los murcianos con sonrisas, leves inclinaciones de cabeza y gestos de la mano—. Después de todo, Sancho de Navarra vendrá a calcular qué beneficios puede sacar de todo esto, como es natural. Debemos tener cuidado. Una alianza con él podría enemistarnos con gente demasiado poderosa.

—Llegará en pocos días —siguió Abú Amir—. Se le vio muy contento con la idea de abandonar esas frías tierras suyas por un tiempo para venir aquí a disfrutar de nuestro agradable invierno. Eso fue lo que dijo.

—Bien. Lo recibiremos por todo lo alto. Que vea que realmente vivimos en la felicidad y la prosperidad. Haremos que quede cautivado por el Sharq al-Ándalus, como les ocurre a todos. Ofreceré una buena soldada a todos aquellos navarros que quieran luchar por mí en la próxima campaña. Es lo que más me urge en este momento.

—Por cierto, hemos oído las noticias de que el califa está aquí, en la Península —intervino Zobeyda con cuidado para que los visires no vieran que se inmiscuía en ese asunto—. He estado muy preocupada últimamente. Y sigo estándolo. Tú ya estás aquí, pero... ¿corre peligro mi padre?

Mardánish estiró aún más su sonrisa al pasar entre la mezquita aljama y el muro del alcázar, donde más gente había congregada.

—Si tu padre sigue mis órdenes, no sufrirá ningún daño. Mantendrá lo que hemos ganado hasta el próximo verano, y entonces volveré al sur y nos enfrentaremos al califa. En estos momentos, Hamusk está encastillado en Carmona, bien defendido y a salvo de los almohades. No tenemos nada que temer.

Al mismo tiempo. Cercanías de Marchena

Hamusk se enlazó con premura el barboquejo. Dio algunas órdenes a gritos y recogió la lanza que le tendía un sirviente. Miró a ambos lados y soltó un gruñido de satisfacción. A su izquierda y ligeramente por delante, la alcazaba de Marchena dominaba el paisaje, y justo ante ellos se extendía la línea irregular de la caballería enemiga. Nuevas incorporaciones al ejército del califa, a juzgar por su aspecto. No eran andalusíes, desde luego. Y tampoco guerreros masmudas. Hamusk no recordaba haber visto antes a aquellos jinetes, ni siquiera en las ocasiones en las que, al servicio de los almorávides, había luchado en África contra el incipiente imperio de Abd al-Mumín.

—¿Quiénes son esos? —preguntó a su leal al-Asad. El León de Guadix se encogió de hombros y movió el brazo en círculo para desentumecer las articulaciones antes del combate. Luego recogió su lanza de manos de un escudero.

—No lo sé. No los había visto nunca. Por lo que he oído y a juzgar por su aspecto, podrían ser tribus árabes de las que viven a levante del imperio almohade. No parecen muy sólidos...

—Bien. —Hamusk intentó mirar tras de sí, lo que malamente le permitía su abultada panza, el peso de la loriga y todo el armamento con el que cargaba. A media milla, los carros y acémilas habían formado un círculo a cargo de algunos pocos infantes. Allí estaba el botín conseguido en los días previos en los alrededores de Sevilla. No era gran cosa, pero al menos servía para tener contentos a los hombres. Lanzó una maldición cristiana en voz baja. No buscaba un enfrentamiento armado con tropas enemigas, pero ahora no le quedaba más remedio que luchar. Cuando su yerno se enterara, no le sentaría muy bien...—. Pues peor para él —continuó sus pensamientos en voz alta—. Y gloria para mí.

—¿Decías, mi señor? —preguntó con descuido al-Asad.

—Nada. Tienes razón. No parecen muy sólidos. Y prácticamente estamos igualados en número. Solo veo caballería. ¿Ves tú si tienen algo más?

—No.

—Perfecto. Un par de cargas y los habremos debilitado lo suficiente. Se darán a la fuga, seguro. Manda a nuestros pocos infantes hacia Marchena. En cuanto acabemos con esos almohades nos abrirán las puertas. Si no lo hacen, estaré despellejando aldeanos ante la muralla de la alcazaba hasta que solo puedan reconocer el olor de la muerte.

Al-Asad tiró de las riendas y repartió las órdenes entre la delgada fila de infantería de las tropas de Hamusk. Los hombres echaron a correr por detrás de la caballería andalusí y se dirigieron a la alcazaba. Algunos suspiraron de alivio por no tener que entrar en combate inmediato. De seguro tendrían un buen espectáculo viendo desde lejos el choque entre jinetes. Hamusk levantó la lanza y la mantuvo en alto. Todos sus hombres apretaron los puños en torno a las correas de sus escudos, tensaron las piernas y apuntaron sus armas hacia las filas enemigas.

—¡¡A la carga!! ¡¡A la cargaaa!!

El *sayyid* Utmán escuchó claramente el griterío que se extendía al otro lado de Marchena. Llegaba apagado, pero no le fue difícil interpretarlo. Tras él, pegados a las casas del arrabal, metidos entre ellas, con las riendas sujetas y a la espera, se ocultaban los jinetes árabes de los Banú Yusham y los Banú Gadí. Utmán se abstuvo de arengar a su tropa. Oró en silencio, moviendo los labios mientras sus ojos se dirigían al limpio cielo matinal. El escándalo del otro lado de Marchena dejó volar sus ecos hacia el sur y a él se añadieron pronto los relinchos de los caballos y el estruendo metálico del combate. Había llegado la hora. Desenfundó su espada y la alzó, luego miró atrás y descubrió el rostro contraído de los árabes más cercanos. Empuñaban sus armas nerviosos, expectantes, atentos a los chillidos de dolor que se arrastraban por el aire a través de Marchena. El *sayyid* movió su arma adelante y espoleó a su montura. Enseguida, las dos tribus árabes se estiraron en una columna caótica que avanzó hacia el norte, bordeó la alcazaba y giró poco a poco a poniente. Utmán hizo cobrar velocidad a su caballo, impaciente por ver cuál estaba siendo el resultado de la batalla. De pronto, cuando el rodeo de la ciudad llevaba cumplido su primer cuarto, advirtió la presencia de infantes que corrían hacia Marchena. Hombres de Hamusk. Andalusíes armados a la cristiana muchos de ellos. Algunos detectaron la nueva columna almohade y empezaron a avisar a sus compañeros, y también a vocear hacia el sur. Pero la algarabía de la batalla era demasiado grande. Utmán consideró sobre la marcha la posibilidad de aplastar primero a aquellos infantes, aunque desechó la idea enseguida. En lugar de ello, completó el perímetro y por fin pudo ver la nube de polvo levantada por el encuentro. Con un rápido cálculo se dio cuenta de que algunos de los árabes de los Banú Riyah habían chocado de frente con la caballería andalusí, pero otros, siguiendo su particular modo de lucha, evitaban el combate cuerpo a cuerpo y caracoleaban a un lado y otro de la refriega. Utmán apuntó su espada hacia la sangría y, ahora sí, los Banú Yusham y los Banú Gadí emprendieron su propio griterío. La columna se fue ensanchando y cobró forma de línea, aunque los jinetes no se preocupaban de mantener la formación.

Los infantes de Hamusk dejaron de desgañitarse llamando a sus compañeros de a caballo. Enseguida se dieron cuenta de que estos iban a ser atrapados entre dos contingentes que los aplastarían sin remedio. Algunos, los más temerosos, arrojaron sus armas y corrieron en un intento desesperado de poner tierra de por medio. Otros consideraron las pocas posibilidades de escapar a pie. Allí, en territorio enemigo, en una zona prácticamente llana y en pleno día. Fueron pocos los que se dirigieron al lugar de la batalla para dar apoyo a Hamusk. Una docena quiso acogerse a los pobladores de Marchena e incluso hubo dos o tres que sopesaron la posibilidad de desertar en medio del combate y pasarse al enemigo.

La tenaza de Utmán se cerró sobre Hamusk. La lucha estaba equilibrada tras el primer choque, pero ahora, rodeados por tropas más ligeras, los jinetes andalusíes se vieron acribillados por las jabalinas enemigas. Los caballeros árabes bajo mando de Utmán rehuían el encuentro; arrojaban sus azagayas desde un corto trecho, volvían grupas y se alejaban mientras escogían un nuevo proyectil de la alargada aljaba que cada uno llevaba colgada de la silla de montar, luego volvían a la carga, pero se detenían a distancia prudencial y lanzaban. Una, dos, hasta tres veces podían atacar así antes de verse obligados a usar la espada o la maza. Los andalusíes trataron de contrarrestar la movilidad enemiga. Se agruparon para lanzar cargas, aun en pequeños grupos, pero aquellos árabes eran como peces que se escurrían de entre las manos del pescador poco avezado. Raramente se enzarzaban en el cuerpo a cuerpo, pues sus pequeños escudos redondos casi no podían oponerse a las lanzas andalusíes. En lugar de ello cabalgaban sin alejarse del combate, rodeando a los grupos que pugnaban por vencer. En poco tiempo, los hombres de Hamusk estaban agotados, sus caballos, derrengados y los capitanes, desesperados. Cierto que los Banú Riyah habían pagado un sangriento precio en el primer choque, pero ahora la ventaja era claramente almohade. Utmán reía mientras veía evolucionar a aquellos ágiles caballeros a los que su padre había añadido al ejército. Comprendió que la victoria era suya y se alzó sobre los estribos para buscar al líder de los enemigos.

—Mochico, ¿dónde estás? —murmuró.

El temor del Señor aborrece el mal: detesto la arrogancia y la soberbia, el mal camino y la boca de dos lenguas.

Hamusk grita de rabia, impulsa su brazo hacia delante y envasa su lanza en el cuerpo de un tipo tocado con un casco cónico rodeado por turbante. La punta de hierro rompe las anillas de su cota, una loriga sin almófar y de media manga. El tipo suelta un bufido y deja caer la maza que lleva, un artefacto más ligero que el que está acostumbrado a ver Hamusk y con una especie de gancho en la parte metálica. El arma queda colgada de un lazo que el jinete enemigo lleva atado a la muñeca. El señor de Jaén tira de su lanza y la sangre abandona a borbotones el cuerpo del árabe; este se estremece e intenta encogerse tras su escudo redondo, aunque la vida escapa de su cuerpo por instantes. Hamusk gruñe y mira alrededor. No conoce a este tipo de guerreros. Es la primera vez que los ve. Su mente, acostumbrada a sacar consecuencias de cada detalle que vislumbra, le advierte de que el imperio de los almohades ha crecido tanto que en sus ejércitos luchan soldados desconocidos. No es bueno eso. No es bueno.

Hamusk ya está buscando a otro de esos exóticos árabes. Localiza a uno e intenta atacarle, pero esta vez no tiene tanta suerte, porque su nuevo adversario tira de las riendas y saca a su animal del tumulto con facilidad. Son resbaladizos, reconoce el andalusí. El señor de Jaén busca otro objetivo más. Entre semejante caos no puede costar tanto cerrar con alguien; gira, galopa entre grupos envueltos en lucha, persigue, pero aquellos enemigos son rápidos. Se alejan lo suficiente para evitar la lanza, aunque no se puede decir que huyan. ¿Qué forma de combatir es esa? Hamusk escupe un juramento e intenta localizar a al-Asad. A su alrededor los hombres mueren, muchos de ellos porque están tan extenuados que no pueden hacer otra cosa que recibir golpes y jabalinas en sus escudos, hasta que alguna de aquellas armas llega a impactar con los yelmos o las lorigas. Entonces caen y son pisoteados por los caballos, algunos de los cuales corren sin rumbo y sin jinete por entre los combatientes. Está saliendo mal. Sus tropas no consiguen encajar el método de lucha de estos nuevos guerreros árabes. El señor de Jaén empieza a preocuparse de verdad.

—¡Mochico!

Hamusk se gira con la cara contraída por la ira. Ha oído la llamada perfectamente a pesar de los alaridos de dolor y los gritos de triunfo. Allí está el hombre que le ha reconocido, sin duda por su edad y su porte, y se ha atrevido a llamarle por su apodo más humillante. No es uno de esos árabes, sino un auténtico almohade de piel casi negra, encaramado sobre una lujosa silla y armado con espada de buena factura. El señor de Jaén supone que se halla ante uno de los dignatarios del califa. Quizás alguno de sus hombres de confianza. Un hafiz tal vez. Incluso uno de esos *talaba* tan mimadamente educados en la *madrasa* de Marrakech. Hamusk aprieta los dientes al sonreír. Bien, aquella batalla puede darse por perdida, pero no se largará de allí sin cobrar su pieza en rica sangre almohade. Clava las espuelas en los costados de su caballo y el animal se levanta de manos al tiempo que relincha; luego inicia un fuerte galope y el señor de Jaén enristra la lanza, sube el escudo y baja la cabeza. Se dispone para el choque.

Pero Hamusk no es ya el muchacho robusto que peleó al servicio de los almorávides, ni el hombre recio y abrumador que se hiciera con el poder en Socovos y Segura. Ahora sobrepasa la cincuentena y por sus venas corre fatigada la sangre de un príncipe displicente, demasiado habituado a los placeres de la carne y al exceso con el vino. Su oponente almohade, mucho más joven, detiene con su escudo la lanzada de Hamusk y devuelve el golpe con la espada. El filo pasa ante el señor de Jaén y se hunde en el cuello de su caballo, que emite un ronco bramido antes de vencerse y arrojar a su jinete por encima de la cabeza.

—¡Mochico! —se ríe el almohade, y habla en un aceptable árabe culto—. ¡Caes por tus pecados! ¡Muere, Mochico!

Utmán se dispone a acabar con la vida de su enemigo. Quizá pueda llevar algo más que una victoria a la tienda roja del califa en el Yábal al-Fath. Tal vez incluso sea capaz de presentarle, clavada en una pica, la cabeza de Ibrahim ibn Hamusk, el peor enemigo del Tawhid después del mismísimo Mardánish. Se inclina a un lado, eleva su espada manchada de sangre y se dispone a rematar al señor de Jaén, que ahora se incorpora con torpeza; pero una adarga descolorida y cruzada de muescas se interpone y salva la vida del andalusí caído. Utmán suelta un mugido de ira e intenta tajar de nuevo, pero una vez más la adarga raída para su golpe. El caballo piafa, y el oscuro salvador de Hamusk tiende la mano a este. Le ayuda a montar a su espalda. Luego el jinete se cuela por entre dos grupos de combatientes rodeados de árabes que trotan, se acercan, se alejan y disparan sus jabalinas. Los andalusíes mueren por decenas, por cientos ya. Utmán se ve envuelto en una nueva refriega y tiene que empeñarse por salvar la vida. Se queda atrás, en medio de la batalla. Mata con furia recrecida: el Mochico se le ha escapado.

Más allá, al-Asad sortea al último grupo de andalusíes rodeados y maniobra para evitar a los árabes que serpentean por la llanura, y persiguen y rematan a los últimos hombres de Hamusk con su huidiza táctica del infierno. Algún que otro jinete de los Banú Riyah repara en él, pero está ya demasiado lejos como para renunciar a la matanza cercana. El León de Guadix nota el débil agarre de Hamusk, que se aferra a su loriga para no caer. Al-Asad sabe que no podrá llegar muy lejos así, de modo que busca con la mirada y localiza un animal que, tras salir de la batalla sin jinete, bebe de uno de los arroyuelos que cruzan los campos de Marchena.

—Mi señor, debes montar. Hemos de ir en caballos distintos o seremos carnaza para los almohades —dice mientras tuerce su rumbo el León de Guadix—. ¿Me oyes?

Hamusk contesta con un bufido. Le duele el cuerpo entero y la cota de malla le pesa como toda una vida. Además se ha golpeado la cabeza y se nota torpe. Oye a al-Asad como si le hablara desde mucha distancia y apenas puede recordar qué ha ocurrido, salvo que todo aquello es un desastre. Un auténtico desastre.

37

Sancho de Navarra

Semanas después. Murcia

El salón de consejos del alcázar estaba engalanado como nunca. Los rayos de aquel sol que ansiaba dejar atrás el invierno para traer la primavera se colaban por los ventanales y creaban juegos de luces al reflejarse en las superficies policromas, arrancaban destellos e iluminaban cada rincón. La mesa alrededor de la que se reunían habitualmente los visires y consejeros de Mardánish había sido retirada, y en su lugar se disponían alfombras de Samarcanda y Tabriz, a juego con los tapices de Chinchilla que desarrollaban antiguas leyendas paganas. En los rincones, pebeteros asentados sobre trípodes quemaban con lentitud el ámbar gris traído de los océanos.

Mardánish inspiró el aroma y se dejó arrastrar por el orgullo. Era un rey cristiano quien venía a visitarle a su capital. Algo que jamás había ocurrido antes desde su llegada al poder en el Sharq al-Ándalus. Pretendía, desde luego, cautivar el corazón de Sancho de Navarra con el atractivo de su corte murciana, pero también mostrarle que los andalusíes no eran los desenfrenados vividores que narraban los juglares intrigantes. Por eso se había vestido con su mejor loriga, y una espada de pomo de marfil colgaba de un tahalí en el reposabrazos de su trono. Para remedar el toque muladí, la propia Zobeyda estaba sentada en un sitial a su izquierda, vestida con un largo *yilbab* que la cubría por entero, aunque su rostro y su cabello estaban despejados, y recogido el pelo en varias trenzas que se anudaban para caer por encima de un hombro. El rey Lobo miró a su favorita y ambos se sonrieron. A la derecha de Mardánish, un tercer trono vacío aguardaba la llegada de Sancho de Navarra, y a la izquierda de Zobeyda, el pequeño Hilal permanecía en pie con una mano apoyada en el trono de la madre. Sobre la otra mano del muchacho, enguantada en cuero, se erguía orgulloso un gavilán encapirotado. El príncipe, con apenas once años, mostraba el gesto serio, consciente de que ocupaba una posición especial en aquella corte. Vestía saya larga de lino de Baza y, sobre ella, un pellizón con bordados en el cuello, en la falda y en las anchísimas mangas. El pelo rubio de Hilal estaba atado en una trenza.

Abú Amir apareció en el salón. Dio un par de órdenes en voz baja a algunos sirvientes y se dirigió sin más preámbulos a la cabecera de la estancia. Los visires del alcázar le observaron desde sus posiciones en ambos laterales, preguntándose qué de nuevo estaría tramando aquel médico poeta, a quien tantos envidiaban por su estrecha relación con Mardánish y del que no pocos sospechaban que tenía mucho que ver con el disoluto estilo de vida de la corte. Abú Amir ignoró las miradas y subió de un salto al pedestal sobre el que se alzaba el trono, acercó su boca al oído del rey Lobo y habló durante un rato. Zobeyda se alarmó cuando vio que la tez de su esposo enrojecía y luego se volvía lívida. La palidez enmarcada por el pelo claro se acentuó durante un instante, señalada descaradamente por la luz tornasolada que se reflejaba en la gran estrella de ocho puntas labrada en la pared del trono. Abú Amir retiró la cara y comprobó el efecto de sus palabras. Luego miró a Zobeyda como pidiendo perdón por arruinar aquel momento tan especial. Bajó de la tarima y se colocó a un lado, con las manos metidas en las mangas de su túnica.

—¿Qué ocurre? ¿No va a venir el rey Sancho? —Zobeyda apremió a Mardánish extendiendo su mano derecha para apretar la de su esposo, que ahora se aferraba crispada al reposabrazos del solio.

—Tu padre, amada mía. —El rey Lobo deslizó las palabras entre los dientes, tal que si al hacerlo pudiera imprimirles el furor que le subía desde el pecho—. Tu padre, que debía estar encastillado en Carmona, hizo caso omiso de mis órdenes.

Zobeyda se envaró y buscó el significado de aquella frase en el rostro de su esposo, pero solo pudo hallar ira contenida.

—¿Está bien mi padre? ¿Le ha ocurrido algo?

—Tu padre está bien, Zobeyda. Pero sí: le ha ocurrido algo. Le ha ocurrido que, tras desobedecerme, ha sido derrotado por los almohades cerca de Sevilla. Y aunque él, para tu alegría, se ha salvado, la mayor parte de sus hombres han caído en la lucha.

La favorita se mordió el labio. A pesar de que Mardánish no había sido muy explícito, Zobeyda adivinaba que la relación entre el rey Lobo y el señor de Jaén no pasaba por un momento de fraternidad sin límites.

—Pero entonces es que el califa está atacando tus nuevas posesiones. Tienes que...

—El califa, amada mía, regresó a África hace ya bastantes días. Me lo ha dicho Abú Amir. Y también me ha dicho que Carmona está asediada por las fuerzas de Yusuf, el hijo de Abd al-Mumín al que derroté ante Sevilla. A eso, a que ese ser débil y medroso me desafíe y sitie mis plazas, es a lo que hemos llegado. A pesar, Zobeyda, de que hasta hace apenas unas semanas era yo

quien asediaba las ciudades en poder almohade. A eso, sí, hemos llegado...
¡por culpa de tu padre!

Los criados, que ultimaban los preparativos de la recepción recolocando los
tapices y alisando las alfombras, dejaron de rumorear ante el súbito arranque
de Mardánish, que había podido oírse en toda la sala. El gavilán aleteó un par de
veces sobre la mano enguantada de Hilal y el propio príncipe desvió la mirada
hacia su padre. Abú Amir cerró los ojos con gesto de pesar y negó casi imperceptiblemente con la cabeza. Los visires aguzaron el oído; el rey Lobo respiró
despacio para tratar de serenarse; Zobeyda, avergonzada, miró al frente.

—Te ruego que me perdones, amada mía —susurró Mardánish al caer en
la cuenta de que la corte era testigo de su arrebato—. Pero tu padre no ha hecho más que retarme con su tozudez. Parece que la insubordinación se ha
convertido en su manera habitual de tratar conmigo. Mis instrucciones fueron claras: nada teníamos que temer si nos acogíamos a nuestras murallas.
Estábamos bien preparados y teníamos guarnición de sobra... Y ahora he perdido a cientos de buenos combatientes en una... aventura absurda por un botín miserable.

Mardánish volvió a perder el control y descargó su puño contra el sitial.
La espada, enfundada y en su correaje, cayó al suelo y rebotó sobre la tarima. La mano derecha de Hilal dejó de apoyarse en el trono y se posó con discreción sobre el brazo de su madre. Fue Abú Amir quien se acercó, recogió el
arma y la colocó de nuevo en su sitio.

—Últimamente pasas mucho tiempo fuera, mi señor —habló el consejero
mientras fingía asegurar el tahalí a su improvisada alcándara de madera—.
Y ahora que estás aquí no puedes mostrar enojo. El pueblo ha de verte seguro y unido a tu favorita, a tus visires, a tus generales...

El rey Lobo alargó la mano y cogió la túnica de Abú Amir por la pechera.
Lo atrajo hacia sí. Sus ojos rutilaban de furia mal digerida, capaz de estallar en
cualquier momento.

—Apariencias, poeta. Apariencias de unidad y seguridad, ¿eh? Y dime,
¿de qué me sirve aparentar que todos somos felices y estamos unidos cuando
mi lugarteniente, mi adalid de mayor poder, me desobedece y causa un desastre en mi ejército? ¿Tienes idea de cuántos andalusíes dejaron su vida en la
campaña del verano pasado? Yo mismo llevo en mi carne la marca del hierro
almohade, ¿sabes?

Unas risas en la entrada interrumpieron la escena, que todos observaban
con expectación. Más de un visir se sorprendió risueño al ver al rey enfrentado a Abú Amir. Mardánish soltó la túnica de su consejero y se tapó la cara con
la mano. Zobeyda, con un nudo en la garganta, miró hacia la puerta. Adelagia
y Marjanna, vestidas al modo de las damas cristianas, acababan de aparecer
entre cuchicheos y risas, aunque ahora, a la vista del silencio que reinaba en el

salón de consejos, se detuvieron indecisas. Zobeyda les hizo un gesto y ambas caminaron por el centro de la estancia, concentrando como siempre todas las miradas; luego, como si fueran su séquito de honor, se sentaron en un lecho de cojines bordados en oro y plata a la izquierda de la favorita, justo tras el príncipe Hilal y su ave de caza. Marjanna, intrigada, observaba su entorno y trataba de averiguar a qué venía aquel ambiente de amargura, mientras que Adelagia, más ingenua, sonrió a Mardánish desde su sitio.

—Disculpa mis palabras, mi señor. —Abú Amir alargó una inclinación. Luego se retiró sin dar la espalda y regresó al lugar que él mismo, como maestro de ceremonias, se había asignado.

—¿Dónde están Zeynab y Sauda? —preguntó Mardánish, que ahora se arrepentía de haber ofendido a su consejero. Habló por hablar, sin dar en realidad importancia a que solo dos de las cuatro doncellas de su favorita estuvieran presentes. Sin embargo, Zobeyda sintió acentuarse su vergüenza. Bajó la mirada al contestar:

—Las he liberado. Perdona que no te consultara, mi rey.

Mardánish se sintió intrigado al oír la respuesta.

—¿Liberado? Ah... Bien, bien... Son tus esclavas, y el derecho de manumisión es tuyo. Pero me parece raro... Es decir, Adelagia no es esclava, y ahí está. Yo pensaba que las mujeres del Sharq consideraban un honor pertenecer a tu... —El rey Lobo observó a las dos doncellas, que, sentadas sobre los cojines, escuchaban las palabras de una y de otro. Ambas conocían lo ocurrido con Zeynab y Sauda, y habían sido instruidas para no contar nada de ello a nadie—. Quiero decir que, aunque ahora sean libres, me extraña que no estén aquí...

—Sauda me confesó que deseaba volver a su tierra. Quería reunirse con su familia. —La mentira de Zobeyda había sido reflexionada, pero ahora, al soltársela a su esposo, le pareció más débil que cuando la había imaginado en la soledad de su cámara—. Tal vez vuelva de África después de ver a su madre, no sé... En cuanto a Zeynab, ya sabes que Sauda y ella eran inseparables. Se han ido juntas.

Mardánish hizo un gesto de hastío. Sentía aprecio por las dos esclavas y le gustaba el modo en que se complementaban: una de piel tan oscura, otra de tez tan clara... En fin, Zobeyda tenía cantera en la que recolectar decenas de bellas muchachas dispuestas a servirle. Miró de nuevo a Adelagia y Marjanna. Las dos rondaban la treintena, al igual que su señora, y aunque su hermosura podía cautivar cualquier corazón, ya no eran las adolescentes danzarinas que habían hecho famoso el cortejo de la favorita. El secreto estaba en que entre las cuatro mujeres y Zobeyda había algo más que la relación entre la reina y sus doncellas, o entre el ama y sus esclavas. Todas ellas eran confidentes, compartían penas, alegrías y hasta los momentos más íntimos de cada una. No parecía normal que ahora Sauda y Zeynab hubieran desaparecido así, dejando atrás... Mardánish negó en silencio y recobró el sabor de la bilis ocasionada por la mala noticia traída por Abú Amir. ¿Qué importaban dos esclavas al fin y al cabo?

—¡Dad la bienvenida a Sancho, hijo de García! ¡Rey de Navarra por la gracia de Dios, que a todos nos proteja!

Decenas de miradas confluyeron en la puerta ante el sonado anuncio cantado por uno de los sirvientes del alcázar. Mardánish abandonó sus erráticos pensamientos y hasta su sensación de congoja desapareció. El sirviente se hizo a un lado y el conde de Urgel, vestido con una rica túnica bordada, pasó seguido de cerca por su hermano. Ambos anduvieron con flemática afectación y ocuparon el lateral izquierdo. Álvar Rodríguez, como conde de Sarria, entró a continuación y su enorme figura se situó a la derecha de la puerta. El rey Lobo se puso en pie y extendió la mano izquierda a media altura. Zobeyda, ya recuperado el aliento perdido, imitó a su esposo y apoyó la mano diestra en el dorso de la de Mardánish. Ambos avanzaron dos pasos para bajar del pedestal, pues el rey Lobo quería recibir a Sancho de Navarra a su misma altura, sin muestras de soberbia.

La entrada del rey navarro fue tan espectacular como esperaban. Se trataba de un monarca que pretendía impresionar con su llegada a otro monarca que quería impresionarle su recibimiento. Sancho era alto y de porte recio, de pelo abundante y oscuro sobre una cara barbada que, aun marcada por los sinsabores de la vida, mostraba a un hombre de poco menos de treinta años. Arrastró su capa ribeteada de armiño por el suelo del salón mientras, con gesto de suficiencia, observaba a los visires, secretarios y funcionarios del alcázar murciano. Tras él entró un séquito de señores del norte engalanados y con sus armas de ceremonia, encabezados por Pedro de Azagra. Los nobles navarros pasearon sus miradas asombradas por el lujo de la estancia. Mardánish, siempre flanqueado por Zobeyda, anduvo con la misma parsimonia que Sancho de Navarra y se reunió con él en el centro del salón. Ambos reyes se sonrieron. Se estudiaron por un momento, comparando lo que les habían contado con lo que ahora tenían ante sí. Mardánish habló en romance mientras soltaba la mano de Zobeyda y agarraba con afabilidad los hombros de Sancho.

—Querido amigo, sé bienvenido a Murcia.

El rey de Navarra apretó también los hombros de Mardánish. Este notó que su agarre era más forzado, como si el de Pamplona quisiera dejar bien claro que su pujanza, la de un cristiano norteño, era mayor que la del andalusí.

—Te doy las gracias, Abú Abd Allah Muhammad ibn Saad ibn Mardánish, por acogerme en tus tierras.

Los dos monarcas se abrazaron y palmearon de forma notoria sus espaldas. Tal como estaba previsto por el protocolo dictado por Abú Amir, los presentes estallaron en aplausos. Mardánish se separó sonriente y señaló a la favorita.

—Mi esposa, Zobeyda bint Hamusk, hija del señor de Jaén y Segura.

—Me habían hablado de su belleza. —Sancho siguió dirigiéndose a Mardánish a pesar de hablar de una mujer que se hallaba presente. Dudaba sobre cómo tratar con la esposa de un mahometano. Ella se dio cuenta y sonrió sin tapujos para, acto seguido, inmiscuirse en la conversación.

—Eres muy amable, Sancho, al apreciar los pocos dones que Dios tuvo a bien concederme. Me han dicho que tu esposa, la reina Sancha, es también muy hermosa.

El rey de Navarra miró ahora a los ojos de Zobeyda y quedó de inmediato atrapado por ellos. Mientras intentaba sustraerse al hechizo de la andalusí, sonrió pensando en cuántas mentiras hacía decir la cortesía. Sancha era muchas cosas, pero desde luego no hermosa. Aquello era más gracioso aún cuando salía de la boca de una mujer tan sensual como Zobeyda. Mardánish adivinó lo que pasaba por la mente de Sancho e hizo un gesto para invitarle a ocupar el sitial reservado.

—Amigo Sancho —el rey Lobo se volvió y señaló con la mano abierta al niño que sostenía el gavilán—, he aquí Hilal, mi primogénito.

El rey de Navarra hizo una breve inclinación que el pequeño príncipe devolvió.

—Hilal es el heredero del Sharq —se apresuró a completar Zobeyda.

—Y ahora, Sancho —Mardánish dejó de señalar a Hilal y apuntó a su trono—, concédenos el honor de sentarte con nosotros. Considérate en tu hogar.

El rey de Navarra asintió satisfecho, se recogió en un brazo la pesada capa cargada de piel y avanzó a la par que Mardánish y Zobeyda. Los tres tomaron asiento y los nobles navarros se alinearon en pose respetuosa, con las manos apoyadas en los pomos de sus espadas y la barbilla erguida. El rey Sancho los señaló y habló en voz alta para que todos los presentes pudieran oír sus nombres.

—Mi gran amigo, el señor de Estella. Pedro Ruiz de Azagra es quien primero me habló de tu reino —Sancho separó un poco su espinazo del respaldo y miró a Zobeyda un instante—, y también quien me contó de tu gran hermosura, mi señora. Y a fe mía que su descripción, sin poder ser más halagadora, no consigue hacer justicia a tu belleza. Las palabras se tornan inútiles cuando la naturaleza nos sorprende con tal donaire.

La favorita hizo una ligera inclinación para agradecer la lisonja. Sancho de Navarra volvió a hablar al tiempo que apuntaba al caballero más anciano de su séquito:

—Al lado de Azagra está su suegro, Pedro de Arazuri, señor de Tudela y Artajona, vuelto recientemente a mi obediencia.

Un noble de avanzada edad, firme junto al de Azagra, inclinó la cabeza durante un largo rato. Luego fijó su vista descarada en Zobeyda, y no la apartó ni cuando se dirigió a Mardánish.

—Noble rey Lope, con licencia de mi señor don Sancho, considérame tu amigo. Y a ti, dama Zobeyda, solo puedo dedicarte esta estrofa de un bardo cristiano: *hermosa señora, nada te pido; tan solo que me tomes por servidor, que te serviré como a buen señor.* Bellos versos, ¿verdad?

Zobeyda asintió con media sonrisa. Le desagradaba aquel hombre, y no le gustaba la forma que tenía de mirarla. Y su ofrecimiento de vasallaje cortés en nada se parecía a la sincera adoración de Álvar Rodríguez. Mardánish se limitó a aprobar con un gesto, aceptando ya que los cristianos se dirigieran a él como rey Lope. Al lado de ambos, el príncipe Hilal torció la boca. Durante un instante cruzó su mirada con Pedro de Arazuri, y el noble entornó los ojos en lo que solo al niño le pareció un centelleo de burla.

Sancho de Navarra siguió presentando a los barones que le habían acompañado. El conde Vela Ladrón, señor de Álava, Vizcaya y Guipúzcoa; uno de los hermanos de Pedro de Azagra, Martín, y otros nobles como Jimeno de Aibar, García Almoravid... Mardánish dejó de prestar atención a la retahíla de nombres, aunque fingió interesarse por los señoríos que cada uno ostentaba. En lugar de ello se centró en la forma de hablar del rey de Navarra y la unió a la sensación que le había causado con su entrada, su saludo y sus palabras. Sancho era un hombre que había accedido al reino más débil de toda la Península, rodeado por estados grandes, poderosos y regidos por hombres de ilimitada ambición, que al más mínimo resquicio no dudarían en saltar sobre Navarra para posesionarse de ella. El territorio que gobernaba Sancho era como un coto de caza: los demás reyes cristianos se lo repartían entre ellos en sus pactos... Pero ahora el monarca pamplonés estaba lanzado en una galopada hacia su propio prestigio. La crisis y la guerra civil en Castilla le habían devuelto a los nobles que, como Vela Ladrón, prestaran otrora vasallaje al emperador Alfonso. Y los territorios fronterizos con Castilla, siempre en boga, eran codiciados sin disimulos por Sancho de Navarra.

—Algunos de estos hombres, amigo Mardánish, o al menos muchos de los caballeros que les rinden vasallaje, estarían dispuestos a servirte en tu justa lucha contra los almohades.

El rey Lobo fingió recibir la noticia con moderado agrado, aunque desde luego era algo que le venía muy bien, sobre todo después del descalabro de Hamusk y de la situación de Carmona.

—Sin duda serán bien recibidos en mi ejército. Precisamente ahora, en breve, debo enviar a un nuevo contingente. Seguro que sabes, amigo Sancho, que el califa Abd al-Mumín cruzó el Estrecho hace poco y trajo consigo muchas tropas.

—Ah, pues claro que sí, amigo Mardánish. —Sancho palmeó la mano del rey Lobo un par de veces y volvió a señalar a sus nobles—. Este mismo verano podrás contar con las espadas de muchos de mis fieles. Quien no ha venido conmigo es mi primogénito. Me perdonarás por ello, amigo Mardánish, lo sé. El tiempo es duro, hay nieve en los puertos y las noches son muy frías para tan tierno infante. Aunque sé —Sancho volvió a separarse del respaldo para dirigirse directamente a Zobeyda— que os habría gustado conocerlo. Seguro que Hilal y él habrían hecho buenas migas. Y también con la princesa... ¿Cómo se llamaba?

—Zayda —dijo la favorita.

—Zayda, claro. Qué bonito nombre. Estoy convencido de que la princesa es también bella, como su madre.

—Y de cabello rubio, como su hermano Hilal —aclaró ella—. Y aún tengo otra hija, Safiyya. Algo más joven, pero igualmente hermosa.

—Qué gozoso. Presiento que semejante belleza aumentaría el honor y el prestigio de mi corte en Pamplona. ¿No te parece, mi señora?

Zobeyda asintió y suspiró satisfecha ante lo que insinuaba Sancho de Navarra. Aunque ella, más sagaz incluso que su esposo, también había adivinado que aquellas palabras estaban dictadas por los intereses de un monarca que, según el viento soplase desde poniente o levante, podría ver su reino tan pronto recrecido como amenazado y al borde de la nada. La vista de la favorita recorrió los rostros de los señores navarros y, aparte de Pedro de Arazuri, descubrió a más de uno con los ojos clavados en ella, las pupilas dilatadas y los pechos inflados: la inevitable mezcla de admiración y deseo. Esas mismas miradas se paseaban también por las figuras de Marjanna y Adelagia. Zobeyda contuvo su sonrisa. Hombres. Todas las trovas corteses no servían para ocultar qué tipo de servicio ambicionaban prestar a las mujeres que cayeran en su red. Pues bien, si los intereses o los deseos de su rey no eran suficientes, ella conocía los métodos para atraerlos a su bando. Eso le recordó a otro noble. Miró por sobre el hombro de Pedro de Azagra y lo vio allí, todavía plantado con majestuosidad y rostro inescrutable junto a la puerta del salón, recolocándose el flequillo cada poco. Armengol de Urgel atrapó la mirada de la favorita y se la devolvió discretamente. Zobeyda creyó ver cómo las comisuras de los labios del conde se curvaban hacia arriba.

La velada diplomática se alargó. Sancho de Navarra había oído hablar de las fiestas del rey Lobo y se moría por comprobar si el desenfreno era tal como le habían contado. Mardánish no podía decepcionarlo, así que urgió a Abú Amir a preparar un agasajo especial para el rey pamplonés. Del salón de consejos, los nobles cristianos y andalusíes pasaron al *maylís*. Y ya sin presencia de niños ni mujeres, salvo las escanciadoras, músicas y danzarinas, el protocolo dio paso al exceso. Corrieron el vino especiado y el *nabid*, los laúdes y panderetas se unieron a los cantos y hermosas bailarinas atraparon la pasión atenazada de los hombres del norte. En muy poco tiempo, los barones se hallaban cubiertos por la nube de la embriaguez y enzarzados en combates de amor por todo el salón de banquetes. Solo uno de ellos desapareció antes de que la orgía se desatara.

Armengol de Urgel empujaba con todas sus fuerzas. Bajo su peso, Zobeyda apretaba los dientes y clavaba las uñas en la espalda del conde. Gemía y daba a su voz un punto de exageración para complacer la hombría de su amante. La música del banquete se escuchaba de fondo y apagaba los chillidos de la favorita.

Como en cada ocasión en que se consumaba el adulterio, Zobeyda había ordenado a eunucos y criados alejarse del harén. La puerta de la cámara estaba entreabierta para oír a tiempo a los visitantes inesperados, pero era imposible entrar en el serrallo sin pasar antes por el filtro de Marjanna y Adelagia: sus doncellas se encargaban aquella noche de asegurarse de que nadie accedía desde las otras dependencias del alcázar. Por ello no pudieron ver que la propia oscuridad del harén escupía una sombra. Una mancha negra y furtiva que se escurría entre las higueras y las columnas del patio, sorteaba los canalillos de agua y se introducía en el aposento principal.

Dentro, la favorita cimbreaba el cuerpo y separaba la espalda de las sábanas. Intuía que Armengol de Urgel se acercaba al final, y ella lo animaba con impaciencia. Lo peor era que casi saboreaba el placer, adobado por el sentimiento de culpa y el miedo. Balanceaba las caderas y dejaba que sus senos rebotaran a cada embestida del conde. Y se mortificaba, porque creía gozar. Porque a pesar de todo, la sensación del orgasmo inminente trepaba por su vientre y le encogía el corazón. Soltó un quejido prolongado justo cuando sintió el calor del conde vaciándose en su interior. Armengol se derrumbó sobre ella y ambos rivalizaron en sus jadeos. Callaron mientras las risas apagadas del *maylís* se mezclaban con los tañidos de laúd.

—Cada vez es mejor, Zobeyda —susurró él.

—Sin duda, amor mío. Cada vez me satisfaces más. Solo espero que tu deseo no decaiga.

—Eso es imposible. —El conde besó la mejilla de la favorita. En momentos como ese, incluso parecía que Armengol estuviera realmente enamorado de ella. Tal vez lo estaba, y no todo era lascivia desatada.

—Ahora debes irte. Tengo miedo.

—Claro —dijo él, aunque no hizo ademán de salir de las entrañas de Zobeyda. En lugar de ello, empezó a moverse de nuevo, muy despacio—. Pero antes debes decírmelo. Hay algo que me escama, amor mío.

Ella maldijo para sus adentros cuando notó que la virilidad del conde se recuperaba por momentos. En ese instante se deshacía de vergüenza por haber gozado con el conde. ¿O acaso la engañaban sus sentidos? Lo último que necesitaba ahora era una segunda sesión de lujuria adúltera. Una nueva ocasión para sentirse culpable.

—¿Qué es lo que te parece extraño?

—Todos saben que te afanas por buscar compromiso para tu hija Zayda. —Armengol afirmó sus manos a los lados de Zobeyda y acentuó las acometidas—. Pero has de saber que para casar con rey cristiano, la mujer infiel debe renunciar a su fe.

La favorita se removió y consiguió rodar hasta quedar encima del conde. Lo montó como a un alazán, elevó las caderas y luego se dejó caer. Armengol quedó envainado en ella como espada que se hundiera en su tahalí. Un discordante lamento de placer acompañó al movimiento y, enseguida, tan ansiosa de hundirse en la culpa como de abreviar su calvario, Zobeyda se removió. Resbaló a los lados, subió y bajó. Su voz vibró con el vaivén.

—No me detendré ante nada. Zayda se convertirá al cristianismo si es preciso.

Justo en ese momento, Zobeyda sintió un escalofrío en la espalda. Giró la cabeza a la derecha y, casi con el rabillo del ojo, la vio.

Era Tarub. Su cara, con sonrisa de verdugo, asomaba por la rendija de la puerta. Un nudo trabó la garganta de la favorita, y Armengol notó el súbito estremecimiento que tensó los muslos de su amada. La agitación se detuvo, y el conde se incorporó sobre los codos para seguir la mirada de ella.

—¿Qué ocurre?

La cabeza de Tarub había desaparecido, pero la puerta seguía entreabierta. Zobeyda empezó a temblar.

—He oído algo. Creo que alguien se acerca. Será mejor que te vayas.

El conde de Urgel no necesitaba más explicación. En cuanto la favorita se desclavó, olvidado el frenesí de un instante atrás, él recogió las ropas repartidas por el aposento. Mientras se vestía, su cabeza se inclinaba y afinaba los sentidos. Sabía que se desataría una tragedia si era sorprendido allí. Pero era imposible no caer. Ningún hombre habría renunciado a arriesgar su propia vida por yacer con Zobeyda. La miró. Ella acababa de sentarse en el borde de la cama, y el cabello enredado le caía sobre los hombros mientras seguía con la vista fija en la puerta. Su pierna derecha se sacudía ostensiblemente.

—No te preocupes, mujer. Tus doncellas te habrían avisado.

Zobeyda chascó la lengua y caminó hasta el batiente de madera entornado. Lo abrió medio codo más y miró fuera.

—Corremos un gran peligro —musitó—. Si él se enterara...

—No se enterará. —Armengol se anudó el ceñidor y alisó los pliegues de su túnica—. Sobre todo por tu bien. No se enterará.

La favorita no supo interpretar si aquello era un deseo o una advertencia. Se apartó y terminó de abrir la puerta. Al pasar junto a ella, Armengol acarició uno de sus pechos desnudos con el dorso de los dedos. Amagó una sonrisa, se recolocó el flequillo y salió.

Zobeyda no se movió. Escuchó cómo los pasos del conde se alejaban y dejaban de oírse al encontrar la hierba del patio ajardinado. No fue mucho lo que tuvo que esperar antes de que otros pasos, más ligeros y no tan precipitados, brotaran del silencio y se aproximaran a su cámara. Adelagia entró y se sorprendió de hallar a su señora junto a la entrada, desnuda, temblorosa y con la cara desencajada. La italiana, que vestía de negro y se cubría el rostro con el extremo de su *miqná*, interrogó a Zobeyda con la mirada.

—Tarub nos ha visto.

La italiana se descubrió la cara y frunció el entrecejo. Cerró la puerta y tomó el cobertor del lecho para tapar el cuerpo desnudo de la favorita.

—¿Tarub? ¿Cómo?

—Sospechaba algo. O tal vez fue solo casualidad. Se ha asomado mientras el conde y yo...

—Oh, no. —Adelagia arrugó la nariz y se frotó las manos con nerviosismo; recorrió el aposento antes de detenerse junto a las arquetas de marfil con figuras de grifos y dragones, los cofrecillos de joyas y las redomas con agua de violetas—. ¿Estás segura, mi señora?

—Lo estoy. Tantas precauciones para que nadie entre en el harén, y la desgracia nos llega desde dentro.

Adelagia se volvió a acercar a Zobeyda y apoyó las manos en sus brazos temblorosos.

—Es culpa nuestra, mi señora. Debimos haberlo previsto.

—No. Es muy arriesgado. Y aun con todo, la fortuna nos ha sonreído.

Adelagia enarcó las cejas.

—¿Fortuna? Tarub te odia. En estos momentos podría estar diciéndolo por todo el alcázar.

—Tarub es una concubina. —Zobeyda se sentó en el lecho y entornó los ojos—. Buscará la manera de aprovechar lo que ha ocurrido, pero no lo tiene fácil. Yo lo negaría todo, por supuesto. Y no soy una vulgar esclava, como ella. Soy la favorita y la gente me conoce, y lo que es mejor: también la conocen a ella. Todos saben que la rabia se come a Tarub. ¿Quién la creería? Ella sería capaz de cualquier cosa por dañarme. Incluso piensa que puede sustituirme. Su sueño debe de ser que su hijo Gánim se convierta en heredero. Eso sí: aunque es una perra rabiosa, no le falta seso. Debe de estar pensando lo mismo que yo.

—Comprendo. —La italiana tomó asiento junto a su señora—. Aun así debemos tener cuidado con ella.

—Desde luego... —Levantó la mirada hacia su doncella cristiana—. Ve a llamar a Marjanna. No tiene sentido que vigile más. Y yo me siento sucia. Por favor, amigas mías. Ayudadme a limpiar mi cuerpo.

38

Conspiración en Granada

Primavera de 1161. Granada

Abú Yafar caminaba por las callejuelas de su ciudad mientras se estrujaba los puños y mascaba la rabia. Volvía la vista a cada esquina sobrepasada y escrutaba los rostros de aquellos con los que se cruzaba. Algunos, al reconocerlo, lo saludaban con respeto por la dignidad de su puesto y la nobleza de su familia, los Banú Saíd, pero Abú Yafar lo notaba: aquel respeto estaba corrupto. Él era después de todo un secretario del *sayyid*, un colaborador de los almohades. Su ira rebosaba cada vez que una mirada de sumisión traslucía un atisbo de esa decepción en algún granadino.

Había pasado poco tiempo desde su regreso. Demasiado poco como para olvidar la humillación en Gibraltar, en presencia del califa. Demasiado poco como para perdonar el gesto despectivo de su señor, el gobernador Utmán. Miró arriba, a al-Qasbá al-Qadima, que se recortaba contra las nubes cuando, al avanzar por las calles, su silueta aparecía entre los tejados abigarrados. Abú Yafar se detuvo ante una puerta baja y giró la cabeza a ambos lados. Tras asegurarse de que no era observado, tocó un par de veces con los nudillos y esperó. Oyó unos pasos que se arrastraban, y el poeta casi pudo oler la desesperación. Miró el hueco vacío en la jamba de su derecha, el lugar donde debería estar la *mezuzah* hebrea, ahora prohibida por el nuevo orden africano. El pestillo sonó con un chasquido y el rostro prematuramente envejecido de Sahr ibn Dahri asomó cuando se entreabrió la puerta. El falso musulmán no se molestó en evitar el mohín de fastidio, pero al ver la mueca de rabia de Abú Yafar, terminó de abrir y se hizo a un lado sin decir palabra. El poeta entró y, en lugar de esperar a que su anfitrión cerrara, lo hizo por sí mismo. Se recostó contra la madera mientras sus ojos se acostumbraban a la penumbra interior. Ibn Dahri, remiso aún a saludar a Abú Yafar, regresó a una de las piezas anejas al vestíbulo. Se trataba de la habitación que utilizaba como despacho privado, ahora inútil al carecer de trabajo. El poeta siguió al judío y observó de reojo cómo el resto de la familia de Ibn Dahri estaba en otra salita. Tomaron asiento en torno a una mesa polvorienta y todavía se dieron un rato para digerir cada uno su propia amargura, sin hacer otra cosa que mirarse fijamente y en silencio. Abú Yafar puso ambas manos sobre la madera y apretó fuerte para disimular su temblor.

—Utmán no ha regresado con nosotros. Ha encabezado una expedición de castigo contra las fuerzas del rey Lobo, y después volverá a Gibraltar para terminar la construcción de una imponente fortaleza.

Ibn Dahri asintió sin ganas, como si todo aquello no le importara lo más mínimo. El poeta suspiró. No podía culpar al judío. No podía culpar a ninguno de los judíos de Granada.

—Hace un tiempo —continuó Abú Yafar— te envié a entrevistarte con el suegro del rey Lobo, Hamusk.

Ibn Dahri enarcó las cejas, ignorante todavía de adónde quería ir a parar el poeta.

—El Mochico. Un tipo inquietante.

—Bien. Sahr, ha llegado el momento de que vuelvas a verle.

Ibn Dahri se echó atrás y su gesto de indiferencia se trocó por otro de prudente interés.

—¿Yo? ¿Por qué yo? Ese Mochico estuvo a punto de matarme. Y pareció que se divertía, ¿sabes?

—Sé que Hamusk es difícil —repuso Abú Yafar—, pero también sé que es muy osado. Y sobre todo, codicioso. Amigo mío, hemos de aprovechar este momento.

Ibn Dahri se levantó y, con las manos a la espalda, caminó hacia un ventanuco alto que permanecía cerrado. Por sus rendijas, la luz del atardecer se filtraba débil. El judío observó de reojo a su visitante y respiró profundamente un par de veces. Las figuras de ambos empezaban a desdibujarse. La hora parecía propicia para la conspiración.

—¿Por qué ahora? ¿Tiene algo que ver con eso que se cuenta? —El tono del judío era ahora irónico. Se volvió a sentar enfrente de Abú Yafar y, al igual que él, puso las manos sobre la mesa.

—¿Qué se cuenta?

—Hafsa. Los rumores llegan también aquí abajo. Se ve que la embajada de Granada ante Abd al-Mumín no quedó muy bien parada, y que el *sayyid* se sirvió de tu amada para salir del aprieto con su padre. No es que yo dé crédito a las habladurías...

—Eso no es asunto tuyo. Y menos ahora.

—Te equivocas, amigo mío. Es asunto mío desde el momento en que yo seré quien arriesgue la vida. Lo que me pides es que abra las puertas de Granada a uno de los mayores enemigos de los almohades. ¿Te acuerdas de

Rubén? Yo me acuerdo muy bien. Sus gritos aún visitan mis pesadillas. Y a veces, cuando miro allá arriba, a la Sabica, todavía me parece verlo colgado de esa cruz... —Ibn Dahri se pasó la mano por la cara, pero la oscuridad inundaba ya la sala e impedía a Abú Yafar ver si su amigo judío lloraba—. Ha pasado tiempo desde entonces. Y es cierto que fue mucha la rabia que sentí en aquellos momentos; por eso te hice caso y me entrevisté con el Mochico. Pero en estos dos años, ¿acaso no ha habido ocasión para entregar Granada? Oh, por supuesto que sí... Mientras tú estabas en esa gran recepción con el califa africano, por ejemplo, o durante cualquiera de las visitas de Utmán a las otras ciudades que gobierna, cuando se lleva una buena parte de la guarnición. Sin embargo, es ahora, precisamente ahora, cuando vienes y me dices que el momento ha llegado. Supongo que la escenita delante del califa no debió de ser agradable. ¿Me equivoco? No, no me contestes. Sé que tengo razón. Ah, Hafsa, cuyo rostro no puede ser contemplado por nadie, ni siquiera por ti...

—¡Ya basta! —Abú Yafar golpeó con las palmas de las manos sobre la madera. El murmullo de la familia de Ibn Dahri, que parloteaba en otra habitación, se detuvo de repente—. No seas estúpido, amigo mío. Por supuesto que odio a ese africano, ahora más que nunca. Pero eso debería darte lo mismo. Harías bien en alegrarte, de hecho, porque ese mismo odio me está llevando a reunirme en habitaciones oscuras parecidas a esta con otra gente. Andalusíes como nosotros, y los hijos y nietos de nuestros antiguos amos almorávides, que abrazaron el Tawhid tan falsamente como tú y como yo. Ah, ¿quién iba a decir que echaríamos de menos a esos tipos? Ellos tienen sus motivos, pues se vieron privados del poder. Y vosotros, los judíos... Todos tus compañeros de fe, que al igual que tú siguen viendo en sueños al pobre Rubén agonizar en aquella cruz. Ibn Dahri, tenemos a más de media Granada de nuestra parte aun antes de abrir las puertas a Hamusk. Olvida a Hafsa. Olvida mis motivos. ¿Acaso tú no los tienes?

—Abú Yafar tiene razón, esposo mío.

El poeta se levantó de la silla al oír la voz de la esposa del judío. Había llegado en silencio, de seguro atraída por las voces del poeta musulmán. La penumbra no dejaba distinguir su rostro, aunque casi podía adivinarse el gesto triste mientras permanecía en la puerta de la sala.

—¿Qué sabes tú, mujer? —se quejó Ibn Dahri.

—Sé que vivimos como si ya estuviéramos muertos. No solo nos obligan a abrazar una fe ajena. Es que además hemos de mirar atrás a cada momento porque cualquier gesto, cualquier palabra indiscreta, podría ocasionarnos la muerte en la cruz. Y todo por no querer abandonar esta ciudad...

—Eso fue culpa mía —reconoció Abú Yafar—. Yo le convencí.

—Ah, no le justifiques —se impuso de nuevo ella—. Nadie nos obligó a quedarnos. Nadie te obligó a quedarte, ¿verdad, esposo? Pues bien, prefiero arriesgarme a perderlo todo antes que seguir viviendo así.

—No deberías haberle contado nada —reprochó el poeta a su amigo judío. Ella protestó al momento:

—¿Por qué no? ¿Por qué debería yo permanecer al margen? Mi vida y la de mis hijos también están en juego. Además, ¿quién crees que convenció a mi marido para ir en aquella ocasión hasta el Mochico? Ah, Abú Yafar, tú también cometes el error de despreciar la importancia que una mujer puede tener. Pero mi esposo tiene razón: si hoy estás aquí es por la rabia que te causa no poder poseer a esa Hafsa. Otra mujer.

Una vez más, el silencio penetró en la salita y se mezcló con la creciente oscuridad. Abú Yafar reflexionaba sobre las palabras de aquella judía y se daba cuenta de que, al fin y al cabo, toda su ira y su despecho, todas las inmensas ganas de ver Granada arrebatada a los almohades venían únicamente de su amor no satisfecho. Suspiró y volvió a sentarse.

Sahr ibn Dahri, por su parte, también pensaba. Pensaba en las palabras de su esposa y masticaba el miedo. Miedo a viajar de nuevo hasta el Mochico y ponerse a su merced. Miedo al momento en que los hombres del rey Lobo se posesionaran de Granada. Miedo, sobre todo, a lo que pudiera pasar después, cuando Utmán regresara a recuperar lo que consideraba suyo. No solo la ciudad, sino a sus esposas y sus hijos recién nacidos. Y por encima de todo a su amante, a la que idolatraba. Ibn Dahri se venció contra el respaldo y resopló, y ante el silencio de los dos hombres, fue la mujer la que acabó por decidir. Se acercó al ventanuco y lo abrió para dejar que una débil claridad horadara las tinieblas. Su rostro se mostró sereno y resuelto cuando se colocó a un lado de la mesa, entre Abú Yafar e Ibn Dahri.

—Se hará —dijo sin más.

Sitio de Carmona

El almirante supremo Sulaymán dirigía su caballo al paso por entre los guerreros de las distintas cabilas. Recibía largas inclinaciones y los hombres se apartaban ante él. El preboste almohade no respondía a los saludos. Ni siquiera era consciente de ellos. Su mirada iba a un lado, por encima de los parapetos de madera y del foso que los andalusíes del ejército cavaban para circundar la ciudad rebelde. Sulaymán sonrió al ver ondear al viento, en una de las torres de Carmona, el estandarte negro con la estrella plateada de ocho puntas. Sus ojos expertos, acostumbrados a analizar cada fortaleza y cada formación enemiga, recorrían las líneas abruptas de la elevación sobre la que estaba construida Carmona. Como de costumbre, al final de aquel paseo por las líneas de asedio alrededor de la ciudad sitiada, Sulaymán terminaba convencido de que sería poco menos que imposible conquistarla al asalto sin sufrir un buen número de bajas. Y no era que le pareciera un alto precio por recuperar Carmona. Era que necesitaba a sus hombres para la campaña posterior, la que quería acometer antes de que el califa regresara a al-Ándalus con su enorme ejército. Se trataba de Sulaymán, el más capaz líder militar de Abd al-Mumín, y se resistía a dejar pasar el tiempo sin presentar una honrosa victoria a su señor.

Un bostezo que rompía el soniquete habitual del ejército en campaña llamó la atención del almirante supremo. Sulaymán detestaba el sonido de la pereza en sus soldados. Los quería a todos trabajando o en guardia. Miró al origen de aquel molesto ruido, dispuesto a fustigar cuanto fuera necesario al indolente. Un andalusí, a buen seguro. El almirante tiró de las riendas a la izquierda, inclinó su corpachón y descubrió que el *sayyid* Yusuf se desperezaba en medio de un grupo de sirvientes. Eran sus criados personales, que le traían una jofaina de agua y toallas, así como varias bandejas de pastelillos. Sulaymán trocó su gesto de enojo por otro de condescendencia y desmontó con pesadez. Entregó las riendas de su caballo a un escudero y caminó hasta la puerta de la tienda de Yusuf. El hijo de califa se secaba la cara mojada, recreándose en los ojos aún legañosos.

—El sol está alto —dijo a modo de saludo el jeque—. Incluso los andalusíes llevan ya rato trabajando, pero el hijo del califa encuentra que el momento de recibir al día es ahora. Bien, sea.

Yusuf sonrió avergonzado y entregó la toalla a uno de los criados. Luego rechazó con un gesto los pastelillos de almendra y miel. El almirante supremo miró los dulces e hizo un nuevo ademán de desprecio. Él, como militar almohade, jamás consentía que en campaña sus hombres comieran otra cosa que las habituales tortas de cebada y la carne hervida con cebolla. Yusuf carraspeó.

—No pensarás, Sulaymán, que no he recibido al día con la oración del alba.

—Oh, no, Yusuf. Sé que eres piadoso. ¿Cómo, si no, habría sido yo tu mayor valedor ante el califa para... el asunto de la sucesión?

El *sayyid* enrojeció y se acercó deprisa al almirante.

—Por favor, discreción. Nadie sabe nada.

—Ah, todos lo sospechan ya. —Sulaymán enfatizó el gesto de desdén—. De eso se trata, de que lo vayan sospechando. ¿O piensas que lo de tu puesto en el Yábal al-Fath fue un desliz? Yo creo que hasta Utmán se ha dado cuenta.

—Yo no. Mi hermano Utmán es muy respetuoso con la tradición. Casi obsesivo. Pude leer en su cara la extrañeza por verme ocupar el lugar del heredero, pero también vi la ofuscación en él. Además..., sé que me considera un incapaz.

El *sayyid* había dicho lo último con la cabeza baja. Sulaymán, inflexible con las muestras de debilidad de sus hombres, sintió una pizca de piedad por el hijo del califa.

—No desesperes, Yusuf. Utmán se ufana de sus proezas en el campo de batalla, pero eso es tan malo como lamentarse por las derrotas. No: puede ser incluso peor.

El *sayyid* alzó la mirada de nuevo y asintió. Tenía una fe casi ciega en aquel hombre menudo y regordete porque conocía su fama. Junto a él se sentía seguro. Sulaymán no había sido derrotado jamás, y ahora no iba a ser la primera vez. Yusuf señaló a Carmona por encima del hombro del almirante supremo.

—¿Será este el triunfo que romperá mi mala racha?

—Ah, pues... sí, desde luego. Pero no como guerrero, eso está claro. Carmona está muy bien defendida y no disponemos de tiempo para expugnarla. —Sulaymán se giró y volvió a observar inquisitivamente las murallas erguidas sobre la colina y salpicadas de torres—. No, no tomarás esa ciudad por las armas. He pensado en otra cosa. Algo más sutil. ¿Conoces al tipo que gobierna Carmona por el rey Lobo?

Yusuf se mordió el labio durante unos momentos antes de recordar el nombre.

—Ibn Sarahil... Sí, Ibn Sarahil. Un visir que entregó la ciudad mientras el gobernador venía a verme a Sevilla. Mardánish lo confirmó en el puesto. Es leal al demonio Lobo.

—Leal, ¿eh? Bien. —El almirante Sulaymán se metió los pulgares en la banda parda que ceñía su amplia cintura—. Ibn Sarahil es un andalusí. Debes empezar a comportarte como si fueras el califa, ¿eh, Yusuf?, y tratar a esta gente según su naturaleza. Los andalusíes son traidores desde que nacen. No se puede confiar en ellos. Por eso el gobernador almohade cometió un error al dejar a Ibn Sarahil al frente de Carmona. Pero tenemos a Dios de nuestro lado, como bien sabes. Porque los andalusíes son aún peores cuando se trata de sus paisanos. Leal, dices, ¿no, Yusuf? Pues bien, no hay nada tan poco leal a un andalusí como otro andalusí. Tendrás oportunidad de comprobarlo. Por de pronto, estimularemos la desesperanza de esos desgraciados de Carmona con un poco de presión. Dejaremos que nos vean aquí cada día, y luego, cuando el hambre empiece a atenazar a los de ahí dentro, les haremos una propuesta. A todos.

—¿A todos?

—A todos —confirmó el almirante—. He ordenado que se construyan almajaneques y he mandado traer cántaros.

Yusuf se rascó la cabeza sin comprender.

—Cántaros...

—Cántaros que llenaremos de pequeños billetes con un mensaje para los de dentro. Los mismos billetes que enrollaremos en cientos de flechas sin punta, y que cada día lanzaremos dentro de Carmona. Billetes firmados por ti, que ofrecerán la paz y la libertad a los vecinos de Carmona a cambio de ese Ibn Sarahil.

Yusuf sonrió con media boca mientras digería la estrategia. Asintió con lentitud y su sonrisa se estiró.

—Lealtad andalusí.

—Lealtad andalusí —repitió Sulaymán, y empezó a reírse. Sus carcajadas llamaron la atención de los guerreros que pululaban alrededor, que aún se sorprendieron más cuando el *sayyid* Yusuf se unió al jeque con sus propias risotadas.

Semanas después. Jaén

Hamusk paseaba despacio por el patio de su palacio, en lo alto de la alcazaba de Jaén. Llevaba una copa de vino aromatizado en una mano, y con la otra se pellizcaba la barbilla cada dos pasos. Bajo los arcos que rodeaban el espacio rectangular, al-Asad permanecía erguido y miraba a su señor mientras este reflexionaba. Contestaba con gestos de asentimiento cuando Hamusk se dirigía a él.

—¿La gente de Segura? —preguntó el señor de Jaén tras un corto trago de vino.

—Vienen hacia aquí, tal como ordenaste.

—Bien.

Hamusk siguió caminando. Tras el desastre de Marchena, había mandado reclutar hombres en sus tierras de la sierra para que acudieran a Jaén. Había que reforzar la guarnición y sustituir las bajas. Consideraba que sus guerreros eran mucho más útiles allí, cerca de la amenaza almohade. De ser preciso porque Segura corriera peligro, ya requeriría ayuda a su yerno. Ah, su yerno...

—¿Se sabe algo de Mardánish?

Al-Asad negó con la cabeza desde el otro lado del patio cubierto de flores y cruzado por un pequeño canal por el que fluía el agua.

—Debe de estar ocupado con sus amigos cristianos.

Hamusk hizo un gesto de desprecio antes de volver a pellizcarse la barbilla. Luego desanduvo lo andado y se largó otro trago de vino.

—Mandarás un mensaje a Écija. Y otro a Guadix. Que se queden allí solo los hombres necesarios. Los demás deben acudir aquí.

—Tu yerno no estaría de acuerdo...

—Ah, lo sé. Lo sé. —Hamusk miró a al-Asad y este sonrió con malicia—. Pero mi yerno tiene demasiado miedo, y no es así como se conquista el poder, ¿verdad? No. Claro que no. Se conquista atacando a tu enemigo, no encerrándote en casa como una mujerzuela. Aunque... eso supone un riesgo.

El León de Guadix asintió sin borrar la sonrisa de su cara. El riesgo del que hablaba Hamusk era el mismo que había corrido junto a Marchena. Una jugada ciertamente arriesgada y que había estado a punto de costarle la vida.

—Así pues, piensas atacar.

—Por supuesto. —Hamusk había iniciado una nueva caminata a lo largo del patio—. Atacaré. No sé aún dónde, pero atacaré. Esos africanos pagarán lo de Marchena. Tal vez vaya a Carmona y caigamos sobre ellos. Sí, antes de que consigan rendir la ciudad...

Un sirviente hizo su entrada en el patio del alcázar y Hamusk calló. El hombre se inclinó ante el señor de Jaén con el temor pintado en el rostro.

—Creí haberlo dejado bien claro. No quiero que se me moleste —reprochó este mientras miraba al criado como a un condenado a muerte—. Has de tener algo muy importante que decir para interrumpirnos así, perro. Eso, o te veo acarreando madera en Socovos.

El sirviente trató de tragar saliva, pero a la tercera intentona fallida se decidió a hablar con voz temblona.

—Mi señor, hay un hombre que ha insistido mucho en verte. Lleva medio día en la puerta de la alcazaba y repite que ha de tratar un importante asunto contigo. Es un judío que dice llamarse Ibn Dahri...

Hamusk entornó los ojos hacia el suelo cubierto de flores. Ibn Dahri. ¿De qué le sonaba el nombre? Buscó la respuesta en su fiel León de Guadix. Al-Asad tenía el rostro iluminado por la satisfacción.

—Granada, mi señor —afirmó el guerrero—. Es el hombre que te ofreció Granada.

39

El secreto del califa

Semanas después. Rabat

El califa Abd al-Mumín permitió que la brisa atlántica despejara su rostro. Con el soplo del viento llegó también el ajetreo de los marinos que descargaban fardos, de los canteros que tallaban la piedra y de los carpinteros que martilleaban la madera. A su alrededor, las obras progresaban a buen ritmo, aunque todavía faltaba mucho para ver aquellos muelles acabados totalmente y las galeras y naves de transporte fondeadas, los almacenes llenos y las tropas formadas y listas para embarcar. Dos años, decían sus asesores. Dos años, y el imperio almohade reuniría el mayor ejército jamás visto en aquellas tierras. Uno tan grande que superaría incluso a los de los antiguos héroes de las leyendas paganas.

—Dos años —transformó en palabras su pensamiento.

El gran jeque Umar Intí, un par de pasos por detrás del califa, interpretó aquello como el inicio de una conversación. Se adelantó y observó a los operarios que manejaban enormes tornos junto al agua.

—En dos años habrás convertido este erial en un símbolo para tu imperio, mi señor. En dos años habrás reunido aquí a las fuerzas de Dios, alabado sea.

Abd al-Mumín asintió. No podía haber escogido mejor lugar para dar inicio a ambas cosas. En la desembocadura del Bu Raqraq, justo al otro lado de Salé y sobre un farallón natural, se elevaba el Ribat al-Fath. Un nuevo monumento a la victoria del Único. Un lugar de culto y de armas que él mismo había ordenado construir once años atrás con la intención de convertirlo en la nueva capital de su imperio. Dejando atrás Marrakech, lo antiguo, para dar cabida al nuevo orden almohade. Porque el mundo cambiaba. Se renovaba según lo inspirado por Dios y lo ganado por la guerra Ah, Dios, guerra. Sin duda, la elección del lugar había sido un acierto.

—Dios y guerra —volvió a pensar en voz alta el califa.

—En dos años podrás declarar la yihad, mi señor. De la mano de Dios, alabado sea, nos llevarás a la guerra santa.

—Sí. Sin duda me guía la mano de Dios. Pero soy un hombre, mi buen Umar. Y algún día Dios me llamará a su lado. Ni siquiera el Mahdi pudo librarse de eso.

—El momento tardará en llegar —aseguró el gran jeque.

—Y aun así me sigue preocupando el asunto de mi sucesión.

Umar Intí aprovechó el ruido de las obras para suspirar con hastío. Había hecho bien en quedarse junto al califa mientras el almirante supremo Sulaymán estaba en al-Ándalus. No era bueno dejar solo a Abd al-Mumín. El califa pensaba demasiado y, en las últimas semanas, estaba más indeciso. Ya no era aquel guerrero santo y decidido que jamás dudaba. Ahora necesitaba apoyo.

—Tu preocupación es natural, pero sabes muy bien que has hecho lo correcto. Yusuf es la persona adecuada, y tu servidor Sulaymán se encargará de completar su formación.

El califa asintió y miró al norte, como si así pudiera atisbar la lejana península de al-Ándalus, que tantos quebraderos de cabeza le daba últimamente.

—Se está cumpliendo todo tal como ordené, supongo.

—Por supuesto, mi señor. El mandato del príncipe de los creyentes viaja ahora por todas las tierras bajo el Tawhid. Cientos de mensajeros recorren las montañas, los bosques y los desiertos. Dentro de poco, miles y miles de guerreros comenzarán a marchar desde sus hogares. Y se reunirán aquí.

—Recuerda, Umar, que no conviene que se adelanten demasiado. Dos años. —Abd al-Mumín lo repitió como si se tratara de un lapso eterno—. Dos años aún. No. Mis ejércitos no pueden estar aquí tanto tiempo.

—Mi señor, jamás se me ocurriría contradecirte, pero temo por tu salud. Te preocupas demasiado. Debes dejar esos detalles en manos de tus visires. Confía en ellos. Y confía en mí. O haz algo mejor: confía en tu hijastro Abú Hafs, que viene a saludarte.

El califa se volvió al oír el nombre del *sayyid* que más influjo tenía sobre él. Abú Hafs, apartado de la sucesión porque la sangre de Abd al-Mumín no corría por sus venas, pero dispuesto a mandar a través de sus hermanastros. El califa recibió con un gesto de cariño la inclinación de Abú Hafs. Este le miró con sus grandes ojos de globos enrojecidos, que daban a su mirada un aire ausente. Umar Intí sintió un escalofrío, como siempre que el joven Abú Hafs, que aún no había cumplido los treinta años, estaba cerca de él. La barba del *sayyid* crecía negra y frondosa, desmesuradamente larga, y cubría su cuello, su barbilla y las mejillas. Pero rasuraba a diario su bigote, por lo que el aspecto de su rostro era tan agresivo que intimidaba a los alfaquíes más radicales. El color de su piel era incluso más oscuro que el del califa y sus vástagos. Su expresión, más propia de un fanático medio chiflado que de un *sayyid* almohade. Sin embargo, no se trataba de un lunático. Aquel hombre, inteligente como pocos, tenía en sus manos el corazón del califa y sabía cómo usar su influencia. Tal vez por origen no pudiera gobernar, pero había otras maneras...

—Mi señor, he oído decir al gran jeque Umar Intí que te preocupas demasiado. Y déjame confirmar que, como siempre, está en lo cierto. ¿Es por la campaña contra los infieles? Descuida, pues este humilde siervo tuyo cargará con ese peso. —Abú Hafs señaló a las obras que tenían lugar junto a la orilla del mar y luego se acarició la barba—. Escúchame, pues también yo temo por tu salud: he visto a esas dos nuevas concubinas a las que has traído desde al-Ándalus. Si no me engañan mis sentidos, pienso que todavía no has yacido con ellas, como es deber de todo buen musulmán. ¿Por qué no olvidas estos menesteres y cuidas un poco de tus obligaciones religiosas? Mi buen maestro me dará la razón. ¿No es así, gran jeque?

Umar Intí sonrió a medias y asintió.

—Una mujer sería el bálsamo adecuado en estos momentos, es cierto. Pero además de la próxima campaña, hay otros asuntos que ocupan la mente de nuestro señor: el príncipe de los creyentes aún tiene dudas acerca de la sucesión. —Una mirada de complicidad cruzó el aire entre Umar Intí y Abú Hafs sin que el califa pudiera apreciarla. Su hijastro hizo un gesto de comprensión y se frotó las manos como un médico que acabara de descubrir el mal que aquejaba a su paciente y se dispusiera a aplicar un lenitivo.

—La sucesión... Sí. Es propio de un hombre sabio dudar, mi señor. Malo sería que tomaras por buena cualquier opinión sin reflexionar sobre ella. Incluso tú has de tener bien presente la máxima del viejo persa: *quien no duda no reflexiona; quien no reflexiona no ve, permanece en la ceguera, la perplejidad y el error.*

»Es el gobierno del pueblo elegido el que está en juego y debe recaer sobre el hombre adecuado. Solo Dios, alabado sea, disfruta del privilegio de no dudar. Tal vez también el Profeta, la paz sea con él, y hasta puede que el Mahdi... Pero nosotros, aun cercanos a la voluntad divina, padecemos de los males humanos. —Abú Hafs inspiró antes de continuar y clavó la mirada exaltada en su padrastro—. Aunque si a alguien podemos encontrar que padezca más que nadie los peores vicios, aquellos que no consentimos a nuestros vasallos, es a tu primogénito, Muhammad. Ah, no sabes cuánto me duele recordarte esto una vez más, mi señor, pero conoces muy bien los defectos de mi hermanastro. Vino, fraudes, adulterio... Oh, no me hagas repetir todas las faltas que nos hemos visto obligados a ocultar a los ojos del pueblo, te lo ruego. Pero aun a riesgo de que, en tu gran sabiduría, castigues mis osadas palabras, me atrevo a preguntarte: ¿de verdad piensas que un ser tan imperfecto como Muhammad debería ser el califa de todos los creyentes? ¿Acaso tu primogénito puede compararse en virtud al Mahdi, a quien Dios proteja? ¿O a ti, que eres modelo para todos nosotros?

Abd al-Mumín torció el gesto sin ocultar su pena y volvió a otear la lejanía, la línea en que se confundían océano y cielo. Abú Hafs sabía expresarlo como nadie. Su sucesor natural, Muhammad, era pendenciero, abusaba de su poder, traficaba con sus influencias, copulaba con las esposas de sus adalides, se apropiaba del botín ajeno... El califa apretó los dientes, tentado de preguntar a Dios por qué le había castigado con semejante hijo.

—No sufras, mi señor —intervino Umar Intí al adivinar lo que atormentaba la mente de Abd al-Mumín—. Abú Hafs está en lo cierto, pero por fortuna tienes más hijos, y Dios te ha bendecido con uno muy piadoso: Yusuf, que sigue en la sucesión a Muhammad. Tu decisión de nombrarlo heredero fue acertada. Es más, fue justa e inevitable. Lo sabes.

—Pero... entonces deberíamos proclamarlo a los cuatro vientos. No tenemos por qué seguir ocultándolo a todos. Es simplemente que parece que estemos conspirando contra nosotros mismos.

—Mi señor —Abú Hafs apretó el brazo de su padrastro con suavidad—, Dios lo sabe, porque Él lo sabe todo. De hecho, tu decisión está inspirada por Él. Y si no fuera así, ya te habría indicado que cometes un error, lo cual es imposible. ¿Dudas de los caminos que llevan a tus decretos? Ah, bien, puesto que como te he dicho, dudar es humano. Pero no dudes de tus decisiones ya tomadas ni de que siempre tomarás las adecuadas, pues están inspiradas por Dios, que sabe vencer tus naturales incertidumbres e inducir en ti la justicia. Eres infalible, príncipe de los creyentes. No por ti, sino por Dios. Espero que perdones este gran atrevimiento, pero vengo así a recordarte que eres el instrumento del Único. Y quien duda de ti duda de Él.

—Claro que sí. Claro que sí, es cierto —murmuró el califa—. No hay error posible, aunque los caminos que Dios escoja sean extraños.

—Bien dicho, mi señor —aplaudió Umar Intí—. Y ahora relaja tu mente y haz caso de los consejos de Abú Hafs. Toma a una de tus concubinas traídas de la Península y solázate. Piensa que al sembrar su vientre te preparas para sembrar el seno de al-Ándalus con la simiente de la verdadera fe.

El califa aflojó la crispación de su cara y por fin sonrió. Miró a su gran jeque y a su hijastro e hizo un gesto de complacencia.

—Ambos sois buenos súbditos. Grandes consejeros y estupendos creyentes. Os obedeceré, ya que habéis hablado con sabiduría.

Umar Intí y Abú Hafs alargaron su reverencia mientras el califa se alejaba rumbo al *ribat*. Esperaron a que estuviera suficientemente lejos y el más joven de los dos hombres hundió sus ojos sanguinolentos en los del viejo compañero del Mahdi.

—Es evidente que tampoco confía en Yusuf. —El tono era más duro que el que había empleado hasta el momento—. No es de extrañar. Las acciones de mi hermanastro no han sido afortunadas.

—Sulaymán y yo estamos de acuerdo en eso contigo. Para poner remedio, él se ha quedado en al-Ándalus. Acompañará a Yusuf y se asegurará de que no comete más errores. Debe conseguir un triunfo que conmueva de una vez al califa. —Umar Intí también fijó su penetrante mirada en la de Abú Hafs, como si fueran halcones desafiándose en el cielo y dispuestos ambos a cazar a una cercana paloma—. Aunque tenemos el problema de tu otro hermanastro. Hace sombra a Yusuf.

—Utmán —murmuró Abú Hafs—. Sí, era de esperar. Lástima que no sea tan manejable como Yusuf, porque él sí sería el candidato perfecto. Pero tienes razón. Su presencia en al-Ándalus puede entorpecer nuestros planes.

—Sulaymán es consciente, y obrará en consecuencia cuando llegue el momento.

—Bien —el *sayyid* entornó sus acuosos ojos y pensó mientras metía los dedos entre la maraña de su barba—, pero no debemos dejar nada al azar. Nuestro principal problema es ese demonio Lobo y sus hombres... Los que acabaron con el hafiz Ibn Igit. Córdoba parece ser su objetivo prioritario, y esa ciudad está ahora indefensa. Córdoba. Junto a Granada y Sevilla... El trípode de nuestro poder en al-Ándalus...

—¿Qué estás pensando?

—Los trípodes se quiebran siempre por su parte más débil, pues una pata ha de ser por necesidad más endeble que las otras. Hasta ahora, nuestro trípode en la Península se sostenía sobre Yusuf en Sevilla, Utmán en Granada e Ibn Igit en Córdoba. ¿Cuál era la pata débil, maestro mío?

—Yusuf, ya lo sabes —respondió de inmediato Umar Intí.

—Exacto. Yusuf. Esa pata ya ha sido reforzada con la presencia de nuestro querido Sulaymán. ¿Cuál es la pata débil ahora?

—Utmán tiene bajo su mando un nuevo contingente de caballería árabe. Hace poco incluso derrotó al Mochico cerca de Marchena, con lo que se habrá granjeado la admiración de sus caballeros recién llegados. Y en cuanto a la guarnición de Granada, está formada por sus fieles masmudas. Guerreros que llevan años con él y a los que conoce por sus nombres; compañeros de fatigas que lo han visto batirse a la cabeza de todos. No. Utmán no es la pata débil. Es Córdoba, desprovista de gobernador y expuesta al demonio Lobo.

—Me parece mentira que por ti mismo no hayas llegado a esa conclusión antes. —Abú Hafs miró de reojo a Umar Intí y sus ojos enrojecidos largaron un destello de reproche. El gran jeque, que no se amilanaba ante nadie, bajó la cabeza por las palabras del taimado *sayyid*—. Los lobos, demonios o no, siempre atacan al cervatillo más joven, al más inofensivo. Al más fácil de cazar. Sabemos que la presa de nuestro particular lobo ya no es Yusuf. Lo que debemos lograr es que sea Utmán. Así pues, viajarás a Córdoba y te harás cargo de su gobierno. Lograrás que esa ciudad sea un pilar firme, inquebrantable, como lo es ahora Sevilla. Y de ese modo, la pata débil pasará a ser Granada. El cervatillo será Utmán. En su momento, además, Sulaymán y tú os aseguraréis de que los fieles masmudas de mi hermanastro o sus nuevos caballeros árabes no constituyan un problema.

Umar Intí apretó los puños hasta hacerse daño. Le irritaba que aquel muchacho se mostrara tan desvergonzado con todo un gran jeque de Abd al-Mumín. Con él precisamente, capaz de reprender sin un ápice de vacilación al heredero Yusuf o al bravo Utmán... Pero Abú Hafs tenía razón, como siempre. Umar Intí levantó la mirada y la expuso de nuevo a la furia escarlata de los ojos del *sayyid*.

—Así se hará.

Los dos esclavos del Majzén entraron en la tienda del harén en la que Zeynab moraba junto a Sauda y otras dos concubinas más, también recién llegadas de al-Ándalus. Ninguna de ellas había sido todavía llamada a presencia del califa, por lo que se habían limitado a pasar los días afanadas en su propio cuidado y en aburrirse con la monótona rutina del harén almohade. Zeynab cepillaba en ese momento la cabellera ensortijada y crespa de su compañera africana, y se sobresaltó al ver entrar a los dos enormes guardias, los únicos que podían penetrar en las jaimas reservadas para las esposas y concubinas del califa. Uno de ellos señaló con dedo seguro a Zeynab.

—La rubia.

Sauda, que ya iba entendiendo las palabras bereberes de sus nuevos amos, giró la cabeza y miró con gesto preocupado a su compañera. Zeynab palideció como si hubiera sido la misma muerte la que acabara de llamarla. La africana se levantó del cojín en el que estaba recostada y tomó de manos de su amiga el cepillo.

—Sabíamos que llegaría este momento. Era extraño que aún no hubiéramos sido obligadas a cumplir con nuestro deber: somos concubinas.

—No quiero, no quiero... —balbuceó Zeynab—. Tengo miedo de que me haga daño...

—No puedes negarte. Serás castigada si te opones, lo sabes. Piensa en nuestra misión. Vas a estar a solas con él. Fíjate en todo. No pierdas detalle.

—Sauda vio por el rabillo del ojo cómo uno de los Ábid al-Majzén se acercaba. Apresuró sus palabras al tiempo que bajaba la voz—. Concéntrate en los puntos débiles de sus aposentos. Recuérdalo todo bien, pues luego me lo tendrás que contar...

Uno de los guardias negros agarró a Zeynab por la muñeca y la obligó a incorporarse. La rubia esclava asentía aún a los consejos de su compañera, pero el labio inferior le temblaba como un diente de león sacudido por el viento. Se dejó arrastrar hacia fuera, rumbo a la tienda roja del califa, levantada en las cercanías. Más allá se distinguía la elevación gris que dominaba la desembocadura del Bu Raqraq, con el *ribat* en lo alto. Tras el montículo, el azul del océano suavizaba los ocres y grises de aquel lugar siniestro. Con un nuevo tirón, el guardia cambió la dirección y Zeynab se vio llevada hasta una tienda intermedia entre el harén y la jaima califal. En la puerta, cubierta por un toldo que se sostenía sobre dos delgados postes, más Ábid al-Majzén montaban guardia con sus impresionantes lanzas empuñadas y las miradas dirigidas al frente. Zeynab penetró en el ambiente sumido en penumbra y se dio casi de bruces con un oscuro tipo de barriga prominente y papada antinatural. El hombre, de piel brillante que se adivinaba aún más suave que la de la propia concubina, hizo un gesto a los guardias. Estos se detuvieron y obligaron a la muchacha a subir los brazos. Las manos del hombre rechoncho se afanaron alrededor de la túnica de Zeynab, se colaron por entre los pliegues y recorrieron cada rincón. Palpó sus caderas, su cintura, sus senos, que levantó y dejó caer de forma grosera, y se introdujo por las axilas y por entre sus glúteos, lo que acabó por arrancar un grito de protesta de la eslava.

—¡Por favor, basta! ¿Por qué me haces esto?

El tipo redondo soltó un gruñido en aquella lengua enrevesada y siguió arrastrando sus manos regordetas por entre la ropa hasta alcanzar el sexo de la muchacha. Zeynab dio un respingo y enrojeció, más de ira que de vergüenza, y entonces comprendió quién era aquel zafio. En su estupor, la mujer no se había dado cuenta de que el hombre que la sometía a tan intenso cacheo era un eunuco, aunque este no tenía ningún parecido con los que había en el alcázar de Murcia. Saber que se hallaba ante un castrado calmó un poco el sentimiento de estar siendo vejada, pero no consiguió apartar el temor por lo que se le venía encima. Recordó las palabras de su compañera Sauda y luchó por sosegarse. El eunuco, mientras tanto, continuaba recorriendo sin miramientos toda la anatomía de Zeynab, asegurándose de que la mujer penetraba en aquella jaima sin esconder nada entre sus ropas. Probablemente se trataba del único hombre a quien se permitía manosear así a las concubinas del califa. Zeynab intentó prestar atención al lugar. La tienda estaba distribuida en corredores y habitaciones merced a bastidores de madera y telas que colgaban de cuerdas. No había un solo punto de luz, lo que daba al lugar un aspecto siniestro. Sin duda se trataba de evitar un incendio, pensó la muchacha. El eunuco se alzó y abrió la boca, acribillada de dientes amarillentos y mal colocados. Señaló a Zeynab, y la mujer comprendió. Imitó el gesto del grueso servidor. El castrado se acercó, dejando que Zeynab notara su aliento avinagrado. El tipo miró a conciencia, pero el lugar estaba demasiado oscuro, así que optó por meter los dedos en la boca de Zeynab. Ella apretó los párpados con fuerza. Se sentía humillada, tratada como un animal. Notó que las uñas del eunuco hurgaban bajo la lengua y se colaban entre los dientes y la carne. Estuvo tentada de morderle, pero el terror podía más. Se dejó hacer hasta que el tipo cesó y se restregó los dedos húmedos de saliva por la ropa. Entonces fue el turno del cabello. El orondo esclavo revolvió la melena rubia, la sacudió, tiró del pelo hacia arriba. Hizo una mueca de asentimiento, como si todo estuviera en perfecto orden. Luego se dirigió a la muchacha en un árabe tosco.

—Ahí. —Señaló una de las piezas formadas por paredes de tela y madera adornada con tapices—. Haz tu aseo.

Zeynab comprendió. Conocía los deberes del concubinato y sabía que la ablución era preceptiva antes del encuentro con el amo. Aquello no era extraño. Al contrario: como concubina, estaba obligada a purificarse antes de ser tomada por el califa. La sensación de saberse a punto de yacer con Abd al-Mumín arrancó una náusea a Zeynab mientras entraba en la habitación. Allí, una vieja esclava de encías desnudas permanecía sentada con un codo apoyado en una pila de almohadones. Observó a Zeynab como el matarife que ve pasar ante sí los corderos destinados al sacrificio, e hizo un gesto con la barbilla hacia a una jofaina de gran tamaño llena de agua. La muchacha se desvistió, oculta ahora a los ojos del eunuco y los guardias, y entregó sus ropas a la vieja. Tenía que concentrarse, le había dicho Sauda. Debía fijarse en todo, observar los detalles, recordar cada rincón. Volvió a mirar alrededor mientras quedaba desnuda. Aparte de los almohadones, la jofaina y los útiles de aseo, no había nada más en aquella sala. Ni un solo pebetero, ni una lamparita de aceite. Nada. Supuso que incluso la vieja guardiana del baño sería cacheada por el eunuco antes de entrar allí. Una sonrisa desconsolada se pintó en la cara de Zeynab al imaginarse al rechoncho esclavo sobando a la vieja desdentada.

Notó un escalofrío al mojarse. El agua estaba demasiado fría para su refinado gusto, hecho a los placeres suaves y templados del Sharq al-Ándalus. Ah, qué lejos quedaba ahora el hogar. Allí, las abluciones serían hechas en compañía de sus amigas o de su señora, gozaría del aroma del ámbar o el sándalo y contaría con la ayuda de cada sirvienta del alcázar. Allí ella no se había sentido nunca como una concubina. Un nudo le atascó la garganta y notó las lágrimas subir a pesar de sus esfuerzos. Se aplicó a la tarea de limpiar su piel de impurezas y chapoteó dentro de la jofaina mientras empezaba a tiritar. La vieja reaccionó por fin y, mostrando las encías al sonreír, le alargó un paño áspero para que se secara.

Zeynab apenas tuvo tiempo para cubrirse con el lienzo cuando la vieja, con un rezongo bereber, llamó al eunuco. Este entró y le entregó una burda *mushmala* de color blanco.

—¿No me perfumáis? —preguntó la muchacha con inocencia—. ¿Y el maquillaje? ¿Voy a presentarme al califa así?

La vieja se puso el índice ante la boca desdentada y dijo algo en aquella lengua que Zeynab no entendía. La chica apartó el paño y dejó su cuerpo al descubierto, pero el eunuco ni siquiera se inmutó. Aquel hombre debía de mantener una estrechísima relación de confianza con Abd al-Mumín para que le fuera permitido observar así, en total desnudez, a una concubina del califa. Ni siquiera en la corte de Mardánish estaban permitidas esas libertades a los sirvientes, fueran o no eunucos. Zeynab dejó caer sobre su cabeza y hombros la *mushmala* y notó su aspereza, en nada parecida a las ropas que llevaba siempre en los aposentos de Zobeyda. El recuerdo de su señora le causó una sensación agridulce. La extrañaba. Añoraba su cariño y la forma de cuidar de ella o de sus demás doncellas, de forma que muchas veces parecía que las esclavas fueran las señoras y la señora, la esclava. Pero también, en cierto modo, la odiaba. Ella era quien había decidido acabar con la vida de placeres de Zeynab. Por su culpa estaba ahora allí, en África, a merced de los almohades, vestida con un saco y dispuesta a dejarse poseer por un tipo al que temía más que a la muerte. La primera lágrima asomó cuando el eunuco, con un gesto brusco, la cogió de una muñeca y tiró de ella por los corredores de tapices. Los Ábid al-Majzén habían desaparecido ya, y la jaima permanecía en un siniestro silencio. Zeynab intentaba mirar por las rendijas de cada bastidor o por entre cada cortinaje entornado, pero solo veía más salas vacías. Al fin, en el centro de la tienda, el eunuco la introdujo en lo que a la mujer se le antojó el salón principal. Estaba presidido por el pilar central del pabellón, que se alzaba para sostener allá arriba todo el peso de la tela, cordajes y tapices. Era un madero grueso y redondo, pulido y sin una sola alcándara clavada a él. La sala estaba alfombrada con todo tipo de materiales, desde pieles de animales rayados o moteados hasta cojines de seda. Zeynab forzó en derredor la mirada, pues aquella era la parte más oscura de toda la tienda. Había una mesa, demasiado alta para sentarse a ella con almohadones, pero no vio ninguna silla. ¿Y dónde estaba el lecho?

—Espera aquí. —El eunuco arrastró las sílabas. Después desapareció.

La muchacha se enjugó las lágrimas y pisó los cojines y alfombras con los pies descalzos. Pasó los dedos por las paredes construidas de tela y madera y rebuscó alrededor. Trató de concentrarse una vez más en las instrucciones de Sauda. Eso la distraería de lo que iba a ocurrir a continuación. Debía encontrar un punto débil en todo aquel entramado. Mas no lo había. O sí. Zeynab anduvo un par de pasos y se inclinó junto a la mesa. Aunque no era en realidad una mesa. Era un tocón. El pedazo de un grueso tronco de madera, tan ancho que habría podido servir para comer sobre él. Entonces sí, tal vez fuera una mesa para aquellos toscos almohades. O una tarima especial. Quizá para sostener algún ejemplar del libro sagrado. Pero alto. Ella no estaba allí para rezar precisamente. ¿Aquellos africanos eran capaces de fornicar en presencia del Corán? No, no podía ser. No, eso tenía que ser a la fuerza una mesa. Sin embargo, ¿por qué, pudiendo disponer de las piezas más lujosas y mejor construidas, iba a usar Abd al-Mumín un objeto tan rudo como mesa? Zeynab acarició la rasposa superficie y recorrió con los dedos la corteza; se agachó mientras palpaba y elevó las cejas al tocar la pieza metálica. Forzó la vista y quitó un par de cojines que le molestaban. Era una argolla. Clavada al tocón, casi en su base. ¿Para qué? La aferró y tiró con fuerza. Nada. Continuó examinando la superficie. Otra argolla, justo al otro lado y también en la parte más baja. Se irguió a medias e intentó levantar la extraña mesa. Tampoco pudo. Clavada al suelo, sin duda. Qué extraño. Demasiado para tratarse del mueble de una jaima que hoy dormía allí y al día siguiente a millas de distancia. Realmente eran raros esos almohades. Zeynab dejó de prestar atención al tocón y siguió buscando, pero no halló nada más de interés. Terminó por sentarse junto al pilar y apoyó su espalda contra él. Cruzó las piernas y posó las manos en las rodillas. Aguzó el oído, pero aparte del ahogado martilleo de los obreros, no se escuchaba nada. O sí... Sí que se escuchaba. Se levantó y se aproximó a la salida de la habitación, movió las cortinas y asomó la cabeza. Nadie. Al fondo, un cambio en la intensidad de la sombra la alertó. Fue solo un instante. Una silueta recortada contra la tela casi opaca. Un centinela. Claro, aquel ruidito eran los pasos, cadenciosos y monótonos, apagados por las filas de tejido. Guardias, seguramente aquellos negros enormes del Majzén, que recorrían el exterior. Que vigilaban, atentos a cualquier imprevisto. Negó con la cabeza y regresó a su pilar de madera, contra el que volvió a dejarse caer. Era imposible. El califa gozaba de una seguridad total.

Un tintineo metálico rompió la quietud. Zeynab se sobresaltó. Se oía la voz aguda del eunuco, que reconoció enseguida. Cuchicheaba con alguien, y el sonido del metal continuaba. Se acercaba. Alguien habló con tono más recio que el del castrado y siguió una carcajada apenas contenida. Zeynab se levantó. Su vista se había acostumbrado a las tinieblas y pudo distinguir al guardia negro que la había arrancado de su tienda. El titán penetró en la estancia, y tras él, otro de los enormes guerreros de la guardia personal del califa. Y luego el eunuco, que sostenía algo entre sus manos. Aquello era lo que tintineaba. El tipo compuso una mueca de burla al ver la mirada temerosa de Zeynab. En un instante, la muchacha estaba otra vez asida por ambos brazos y el eunuco caracoleaba a su alrededor.

—Pero ahora ¿qué? ¿Y el califa? ¿Qué es eso?

El chasquido y la presión fría alrededor de la muñeca asustaron aún más a la esclava. Una cadena se descolgó de las manos del eunuco y Zeynab notó el peso que tiraba de su brazo. Uno de los Ábid al-Majzén la empujó por la espalda, haciéndola rebasar el pilar de madera, y luego la forzó a inclinarse. La muchacha miraba alrededor dominada por el miedo. ¿La habrían descubierto mientras curioseaba? ¿Tan grave era aquello?

Un nuevo chasquido, y Zeynab fue consciente de que tenía ambas manos aprisionadas por grilletes. El ruido inconfundible de una cadena resbalando por una superficie metálica, y la mujer sintió otro súbito tirón. Sus pechos se aplastaron contra el tocón de madera y las manos quedaron estiradas hacia delante. En ese momento, el pánico se apoderó de Zeynab. Intentó patalear, y notó cómo uno de sus pies impactaba con el guardia de su derecha. Pero fue como golpear un muro de piedra. El negro del Majzén apenas se estremeció con el golpe; agarró la pierna de Zeynab y en un instante tenía el tobillo aprisionado por un tercer grillete. Y enseguida se cerró el cuarto. La muchacha lanzó un alarido, pero una mano blanda tapó su boca enseguida. Otro discurrir de cadenas, y por fin la mujer quedó totalmente inmovilizada. Las ataduras tiraban de sus brazos y mantenían abiertas sus piernas. El eunuco rebuscó entre sus ropas y la mano gordezuela y tibia fue sustituida por una mordaza de paño. El sabor de sudor viejo se metió en la boca de Zeynab cuando mordió aquello; sus gemidos sonaron apagados en la estancia. La mordaza fue anudada tras la nuca sin miramientos. Eso la asfixiaba. Quiso liberarse de ella. Tiró con fuerza de los brazos, pero solo consiguió hacerse daño en las muñecas. Al fin se venció y la melena rubia colgó por delante del tocón. Una risita sardónica acompañó al eunuco y a los dos Ábid al-Majzén cuando abandonaban la sala, y Zeynab fue abandonada así, encadenada a aquel enorme pedazo de madera, en una pose humillante. Notaba la dureza de la madera en el busto y en el vientre, y las aristas se le clavaban en los muslos, forzados y abiertos. Rozaba el suelo con los dedos de los pies, pero no podía apoyarlos para ejercer palanca. Las lágrimas brotaron ahora sin control, mientras el aire le faltaba y el cuerpo le dolía. Deseó estar de nuevo en Murcia. Y escuchar los tañidos de Adelagia con su cítara. O sentir las amables manos de Marjanna en sus hombros. Añoró el sabor del vino fresco en las noches de verano bajo los emparrados, los requiebros de Abú Amir, las risas infantiles de Safiyya...

Alguien entró, pero Zeynab era incapaz de mirar a la puerta. Su visión se reducía a los cojines bordados ante ella y a un tapiz cubierto de arabescos. Notó la presencia tras su cuerpo, y la respiración que se iba acelerando. Quien fuera que había entrado se había detenido. Tal vez acostumbraba su mirada a la cada vez más creciente oscuridad. O quizá su visitante se compadecía de ella. Incluso pudiera ser que la liberara de aquellas cadenas. Sintió el tacto a través de sus ropas. La túnica basta y fea se movió sobre su piel, y sus muslos y sus caderas quedaron al aire. El súbito frescor se deslizó por sus nalgas cuando fueron expuestas. Zeynab quiso protestar y pedir ayuda, pero la mordaza le impedía hablar. Movió la cabeza a los lados. Agitó su melena rubia. Convulsionó su cuerpo atenazado. Pero aquello pareció excitar más a la persona que se hallaba tras ella. La respiración del intruso se entrecortaba. Sintió las manos que acariciaban sus piernas, que subían y se metían entre ellas. Tensó los músculos, y el extraño soltó una risita. El califa. Sí. Solo había oído una vez aquella voz, en su tienda de recepciones al pie de Gibraltar, cuando ella y Sauda fueron regaladas a Abd al-Mumín por la ingrata Hafsa. Así que estaba por fin con su dueño. Zeynab se desesperó. Quería decir al califa que podía soltarla. Que, aunque muerta de miedo, no se resistiría a ser tomada por él. Que conocía sus deberes como concubina... Pero le había sido negada aquella opción. Empezó a acusar el cansancio, recrecido por el miedo, la desesperación y la falta de aire. El forcejeo se volvió débil. Se vencía. Y sus músculos, rígidos ante lo que no podía ver, se relajaron. De nuevo el tacto frío regresó, se metió dentro de ella y exploró, cada vez más profundamente. La esclava mordió el paño con fuerza y saboreó la sal de sus lágrimas. Las uñas del califa se clavaron en la carne, se abrieron camino y buscaron el calor de su vientre. Zeynab cerró los ojos y se dispuso a padecer, sin más.

40

El cebo almohade

Unos días después. Granada

La luna nueva teñía de un negro infausto las murallas de Granada. Quizá fuera la misma oscuridad la que impelía a los centinelas masmudas a arrebujarse en sus mantos a pesar de que el verano se acercaba. Los veteranos soldados de Utmán, a los que el *sayyid* había dejado en la ciudad cuando marchara a Gibraltar, habían cedido poco a poco al peso de la rutina. Liberados de la disciplina de su señor, se dedicaban a ver pasar los días. Añoraban a sus familias, que habían quedado atrás, observaban con indiferencia los movimientos de los granadinos. Sabían que Utmán estaba lejos, en las costas del Estrecho; que dirigía la construcción de una imponente fortaleza. En ella, se decía, sería albergado el mayor ejército invasor que jamás conociera la Península Ibérica.

La rutina, enemiga del guardián. Ya los viejos almorávides advertían contra ella y avisaban de que esa precisamente fue su perdición. La rutina les había hecho bajar la guardia mientras se acostumbraban a los placeres andalusíes. Por eso no vieron venir a los reyes cristianos, ni las revueltas en el Sharq o en el Garb, ni a los propios almohades.

Abú Yafar miró arriba, a las torres que flanqueaban la Puerta de la Rambla, en la parte baja de la ciudad. Distinguió la silueta de un masmuda que apoyaba su lanza sobre el hombro, apenas una mancha negra sobre fondo negro. Hizo una seña y Sahr ibn Dahri pasó a su lado envuelto en una capa oscura. Acompañándole, varios judíos. Hebreos falsamente convertidos y ahítos de humillación almohade. Abú Yafar masticó su resentimiento. Cerró los ojos mientras los pasos ahogados de sus amigos se perdían rumbo a la Bab ar-Ramla. Imaginó a la exigua guarnición en el puesto de guardia, en el momento en que era degollada con la ira contenida de los hebreos de Granada. Casi pudo ver cómo abrían los postigos y trepaban por las torres para acabar su trabajo y eliminar a los centinelas. Sangre almohade, derramándose por los escalones y corriendo por entre las piedras, filtrándose en la tierra de Granada, regando la hierba de la libertad. Abú Yafar creyó oír un gorgoteo mientras las hojas de hierro horadaban la carne masmuda. Una y otra vez. Como le ocurriera a un judío crucificado en la Sabica, ahora oculta por esa misma maldita oscuridad. El poeta sonrió como lo haría un lobo, si es que los lobos sonreían. Pronto lo sabría, cuando entregara la ciudad a Mardánish en bandeja de plata.

Abú Yafar volvió a abrir los ojos, justo a tiempo para ver cómo la débil llama crecía en lo alto de una de las torres de la Bab ar-Ramla. La antorcha se movió a un lado y a otro con lentitud, y las puertas de pesada madera chirriaron sobre sus goznes. El poeta se dio la vuelta y su vista quedó fija en las hoscas figuras embozadas que aguardaban junto a él, ocultas a las miradas almohades por las sombras nocturnas y los recodos de la ciudad baja. Más judíos convertidos, andalusíes de Granada, almorávides ávidos de revancha. Su gente. No se molestó en bajar la voz:

—Cuando los hombres de Hamusk entren, se dividirán en grupos. Su idea es apoderarse de todos los puestos de guardia almohades y vosotros los guiaréis por las callejas. Con rapidez y sigilo, amigos míos.

Un asentimiento colectivo y silencioso. Bajo los mantos, dagas prestas a seguir la degollina. Rostros crispados, miradas asesinas, sed de muerte. Los primeros guerreros del al-Ándalus libre entraron a la carrera y se plantaron bajo los arcos de la puerta con los escudos alzados y las espadas a punto, atentos a una posible felonía. Vía libre y la llanura inmediata a la Puerta de la Rambla se desbordó, tragando la ciudad el aluvión de soldados. Uno de ellos se dirigió a Abú Yafar al verlo encabezar la comitiva de bienvenida. Llegó corriendo como lo haría un toro bravo, braceando con fuerza, tal que si no le pesaran la espada mellada y la adarga cruzada de tajos. Su loriga desgarrada hizo tintinear las anillas de la malla cuando se detuvo resoplando, y su rostro desfigurado por el combate clavó unos ojos de león en el poeta.

—Soy al-Asad, lugarteniente del señor de Jaén. ¿Eres Abú Yafar?

—Para servirte.

—Bien. ¿Está todo listo?

—Tal y como acordamos. Mis hombres. —El poeta señaló con el pulgar tras de sí—. Ellos os guiarán a los demás puestos de guardia. Será rápido.

—¿Patrullas almohades por las calles?

—No. Desde que Utmán marchó, los masmudas se han relajado. La mayor parte de la guarnición debe de estar durmiendo en la alcazaba Qadima.

El León de Guadix hizo un gesto de asentimiento y distribuyó varias órdenes rápidas. Sus hombres se unieron a los guías granadinos y se perdieron en grupos de seis o siete individuos por las calles sin iluminar. Varios vecinos se habían atrevido a asomarse a las puertas, pero a la vista de gente armada, desaparecían dentro y aseguraban cerrojos sin preguntar. Al-Asad vio desaparecer al último de sus pelotones de exterminio y se volvió al escuchar las fórmulas de salutación a sus espaldas. Hamusk acababa de entrar en la ciudad rodeado de un séquito de sus guerreros. El señor de Jaén miraba a ambos lados y casi se le veía crecer, seguro de su triunfo. Caminaba con autoridad y sin empuñar la espada, con el yelmo sujeto bajo el brazo izquierdo. En ese momento, el judío que había hecho las señas con la antorcha desde la torre llegaba también a la calle. Su mirada se cruzó con la de Hamusk y ambos se reconocieron de inmediato.

—Ibn Dahri... —El caudillo andalusí alzó una ceja—. Tengo que confesar que, cuando te vi por primera vez, me sentí tentado de degollarte. Ahora me alegro de no haberlo hecho.

—Yo me alegro más. —La voz del hebreo sonó rabiosa. Levantó su mano, que todavía empuñaba un cuchillo ensangrentado—. Así, el cuello desgarrado ha sido el de otro.

Hamusk aguantó una de sus carcajadas y miró a al-Asad. Este le señaló a Abú Yafar, que hizo una ligera inclinación.

—El poeta —presentó el León de Guadix con un deje de burla.

—Hermosos versos los que has compuesto, Abú Yafar —siguió la chanza el señor de Jaén—. Escritos con sangre sobre la piel de estos africanos. Pero acabemos cuanto antes. Guíanos a la alcazaba.

El granadino no se molestó por la burla. Le pareció acertada, y se imaginó a sí mismo escribiendo esos poemas con una daga afilada y usando como papel la garganta de Utmán. Dio media vuelta y miró a la elevación que se erguía a su izquierda, sobresaliendo entre los aleros de las casas. La Alcazaba Vieja. Al-Qasbá al-Qadima, el lugar donde, rodeada de guerreros masmudas, languidecía su amada. Inició la marcha con la esperanza de poder abrazar a Hafsa aquella misma noche.

Unos días después. Inmediaciones de Murcia

Hilal ibn Mardánish se agarraba con fuerza a las riendas del caballo negro y clavaba los talones en los costados del animal. Tras él, y compartiendo la silla de montar, era su padre quien realmente guiaba al destrero a golpes de rodilla, atento a que el niño no resbalara. El rey Lobo sonreía satisfecho, ufano del infantil arrojo de su heredero. Los mejores maestros de Murcia instruían a Hilal en gramática, aritmética, física y poesía, pero era el propio rey quien se hacía cargo de su adiestramiento militar. No ocurría así con el resto de sus hijos, aunque todos aprendían de los mejores hombres de letras y armas del reino. El joven Gánim había sido enviado a Denia, ya que mostraba una temprana querencia por los asuntos del mar, y Azzobair recibía su adiestramiento en el norteño enclave de Hisn Banískula. El rey pensaba mandar a los demás varones, cuando crecieran, a distintos puntos de sus reinos para que se familiarizaran con la administración y la defensa del Sharq al-Ándalus. Por otra parte, la prole crecía. Lama y Layla se hallaban otra vez encintas, y si las concubinas no lo estaban aún, no tardarían mucho. Zobeyda, sin embargo, no había vuelto a concebir. De no resultar absurdo, Mardánish habría jurado que la favorita se servía de su sapiencia pagana para reprimir la fertilidad.

—¡Riendas fuera!

El pequeño Hilal obedeció y soltó las cintas que guiaban al caballo. Quedaron flojas, aunque continuaban atadas por un delgado cordel a ambas muñecas del joven jinete. El animal continuó su marcha, ligera, no desbocada, mientras el niño abría poco a poco los brazos y buscaba el punto de equilibrio. Mardánish dio un par de impulsos de rodilla a la diestra para esquivar un grupo de arbustos y, con mano experta, sacó sobre la marcha el arco de su aljaba y se lo tendió a Hilal. El niño lo agarró con mano insegura, inclinándose un poco a la izquierda. El rey Lobo alargó rápidamente el brazo para coger a su hijo, pero el mismo príncipe se repuso del fallo. El destrero siguió la marcha en línea recta. Noble y leal, como si en verdad supiera que sobre sus lomos llevaba al heredero del Sharq al-Ándalus. Hilal se volvió a medias, la trenza rubia volando tras de sí, y miró a su padre con una mezcla de excitación y miedo.

—¡Allí! —Mardánish señaló a un solitario ciruelo cuyo tronco se dividía en dos ramas antes de expandirse en una orgía de vida y color—. ¡Al árbol!

Hilal se mordió el labio, estiró la mano derecha hacia abajo y tanteó en busca de las plumas que sobresalían de la aljaba colgada de la silla. Consiguió coger una flecha entre los dedos índice y medio y, torpemente, la caló en la cuerda. Se venció durante un interminable momento mientras tensaba. Mardánish aflojó la presión de sus rodillas para relajar un punto la cabalgada y el niño disparó. El arco, fabricado a medida para el príncipe, sonó con un tañido agudo cuando liberó el proyectil, que voló tenso pero empezó a perder fuerza antes de llegar al ciruelo. La flecha pasó entre las dos ramas y se clavó perezosa en la campiña.

—¡Muy bien! —felicitó Mardánish, y volvió a imprimir velocidad al destrero—. ¡Y sobre la marcha!

Hilal recuperó la rienda derecha y arreó al caballo con un grito que despertó una sonrisa en su padre. El rey Lobo obligó al animal a dibujar una parábola, aminoró la marcha y frenó junto a la flecha que acababa de disparar su hijo. El destrero cabeceó y se detuvo, obediente. Mardánish bajó primero y luego ayudó a desmontar al muchacho, que aceptó de mala gana los brazos de su padre.

—¿Cuándo podré usar los estribos? —preguntó al tiempo que desclavaba la flecha del suelo húmedo.

—Primero has de aprender a mantenerte arriba, pequeño lobo —respondió el padre con los brazos en jarras—. Luego usaremos un estribo corto, y cuando crezcas un poco más...

—¡Soy alto para mi edad! ¡Puedo usar estribo largo, como tú!

—¡Un momento, soldado! —Mardánish fingió enojarse y alzó la barbilla mientras miraba a Hilal desde arriba. El pequeño, con el pelo rubio y revoltoso sobre los ojos, se quedó plantado con el arco en una mano y la flecha recuperada en la otra—. A ver, veamos tus maneras en la Furusiyya.

El niño adoptó una pose marcial y se puso el puño cerrado, agarrando la flecha, sobre el pecho.

—Pregunta, padre.

—¿Cuáles han de ser tus virtudes como caballero, soldado?

—He de ser hábil, mi señor —recitó con voz teatralmente grave el niño—. Y he de atacar con agilidad. Debo ser sereno y constante en la adversidad, y... —Hilal separó la mano del pecho mientras se volvía a morder el labio—. Ah, sí, y mis armas deben estar prestas, mi armadura, limpia... y... y...

—Y debes obedecer siempre a tu oficial superior, soldado —completó Mardánish—. Y tu oficial superior, que ahora soy yo, te dice que aún no puedes usar estribos. ¿Entendido?

Hilal volvió a colocar el puño sobre el pecho.

—¡Entendido, mi señor!

—¡Correcto, soldado! ¡Y ahora volvamos!

Hilal se acercó a su padre para que le aupara a lo alto de la silla, pero algo llamó su atención. Señaló con la flecha a un punto al mediodía.

—Un jinete, padre.

Mardánish se volvió y abrió la mano sobre los ojos para protegerse del sol. Una nube de polvo perseguía a un hombre montado a caballo que se acercaba por el camino del sur. El rey Lobo reconoció enseguida las vestiduras andalusíes y agitó la mano mientras gritaba. El jinete lo vio y refrenó un poco la marcha. Se desvió del camino e hizo avanzar a su montura al paso por entre los arbustos. Cuando vio que se trataba de su rey, el hombre desmontó y dejó caer una rodilla en tierra al tiempo que inclinaba la cabeza. La suciedad ocre que cubría sus ropas y la espuma que rezumaba del pelo del caballo indicaban a Mardánish que aquel guerrero llevaba millas cabalgando a toda velocidad.

—Saludos, mi rey. Me envía tu suegro, el señor de Jaén, a cuya hueste pertenezco.

Mardánish arrugó el gesto y, suspicaz, se acercó al recién llegado. Hilal, vencido por la curiosidad, también se aproximó sin soltar su pequeño arco y la flecha que todavía empuñaba.

—Habla.

El guerrero se puso en pie y se restregó la cara, manchada de polvo del camino. Abrió el zurrón que colgaba de su costado y alargó a Mardánish un rollo de papel con el sello de Hamusk bien visible. Mientras el rey se aseguraba de su autenticidad, el mensajero siguió hablando. Su voz sonó ronca y fatigada.

—Es un pliego de puño y letra de Hamusk, y marcado por su sello, como ves. Pero su contenido es una distracción. Un disimulo: una carta pidiéndote audiencia solo para demostrarte que soy uno de sus hombres. Me ordenó que te hiciera llegar el auténtico mensaje personalmente y de viva voz, pues no quería arriesgarse a que una patrulla almohade se hiciera con un documento escrito que pudiera comprometernos. Mi señor, tu suegro te ruega que reúnas a todas las tropas de que dispongas y que vayas a valerle a Granada. He cabalgado sin descanso. He parado solo a tomar bocado y sin apenas dormir... Es urgente, mi señor...

—Espera, espera. —Mardánish alzó ambas manos ante el soldado y se dirigió al destrero negro con el que había cabalgado con Hilal. Desenredó del arzón el cordón que sujetaba un odre al tiempo que intentaba adivinar en qué nueva y desastrosa aventura se habría metido Hamusk. Apretó los dientes y entregó el recipiente de cuero al correo. Este quiso sonreír, pero la sed y el cansancio solo le permitieron pintar una mueca en su cara. Bebió con avidez, y el agua resbaló por su barba y se mezcló con la tierra que impregnaba sus ropas. Cuando se hubo saciado, separó el odre y lo apretó para mojarse la cara y el pelo.

—Gracias, mi señor.

—Explica eso de Granada —le apremió el rey Lobo.

—Mi señor, tu suegro entró en Granada hace unos días y tomó la ciudad. Se ha hecho fuerte en una pequeña fortaleza, en una colina roja a la que llaman as-Sabica.

—Hamusk ha tomado Granada. —Mardánish intentaba digerir la noticia al tiempo que cerraba los puños con fuerza. Su lugarteniente había vuelto a desobedecer. No contento con buscarse una derrota como la de Marchena, ahora empleaba el resto de sus recursos en conquistar una de las principales ciudades almohades en al-Ándalus..., aunque esta vez parecía haberlo conseguido.

—La guarnición almohade se ha encerrado en la alcazaba Qadima, la otra fortaleza de Granada. Más antigua, pero mayor y mejor defendida, justo enfrente de la Sabica.

—¿Cómo consiguió Hamusk entrar en Granada?

—Mi señor, gentes afines a nuestra causa nos abrieron las puertas durante la noche. Abú Yafar, uno de los secretarios del gobernador almohade, lo preparó todo auxiliado por los judíos y otros villanos descontentos.

El rey Lobo se volvió ensimismado y su mirada se perdió entre las ramas del ciruelo. El pequeño observaba a su padre con la boca abierta, consciente de que aquel era un momento importante. Luego su vista se dirigió al correo llegado de Granada. El soldado sonrió al pequeño y los dientes contrastaron por su blancura con el rostro tiznado de gris y recorrido por los chorretones de agua.

—Ayer mismo me llegó información de que los dos principales jeques de Abd al-Mumín se han establecido en Sevilla y Córdoba, y además fuerzas recién llegadas de África asedian Carmona. —Mardánish parecía hablar solo, como si necesitara repetir cada dato para darse cuenta de la situación real. Volvió a mirar al correo, que borró la sonrisa dirigida al niño—. No contaré con los refuerzos navarros hasta al menos el verano que viene. ¿Se puede saber por qué Hamusk no me consultó esto antes de actuar?

El guerrero se encogió de hombros.

—Lo siento, mi señor. Como comprenderás, tu suegro no me dice nada de lo que...

—Claro, claro, muchacho. Tú no tienes la culpa. —El rey Lobo se pellizcó la barbilla—. ¿Qué se sabe de Utmán? ¿Ha reaccionado?

—Es pronto todavía, mi señor. Ignoramos si algún masmuda de la guarnición pudo escapar antes de completarse el cerco, pero es posible que la noticia aún no haya llegado a los demás almohades. Por eso tu suegro te pide que acudas rápido con refuerzos. Si expugnamos la Qadima antes de que los *sayyides* y los jeques contraataquen, Granada será tuya.

Mardánish maldijo por lo bajo. Se fijó en la mirada de Hilal, absorto en la contemplación del mensajero y esperando mientras su padre, el hombre capaz de vencer a las bestias, dudaba. El rey acarició el pelo claro de su hijo al tiempo que reflexionaba. ¿Y si después de todo Hamusk había triunfado? ¿Y si este golpe era de los buenos? Granada era una plaza de primer orden. Tanto que hasta los reyes cristianos se volverían deslumbrados desde sus lejanas y frías cortes a mirar al sur. Por fin lo tomarían en serio, y quizás incluso alguno quisiera unirse a Sancho de Navarra en su intención de apoyar los esfuerzos de Mardánish contra los invasores almohades.

—Mensajero, acompáñanos a Murcia. Te has ganado una recompensa y un buen descanso.

Las voces resonaban por los corredores del alcázar y mezclaban las órdenes con las blasfemias, tanto musulmanas como cristianas. Los sirvientes, urgidos por los gritos de Mardánish, se apresuraban por los pasillos y salían a toda prisa, cruzando los patios y los jardines. Abú Amir fue el primero en acudir al salón de consejos, donde halló al rey extendiendo el mapa de al-Idrissí con ayuda de Álvar Rodríguez y de un par de criados. Galcerán de Sales entró a toda prisa, pasó tras el Calvo y ocupó una discreta posición en la esquina de la mesa. Tan solo Abú Amir reparó en lo insólito: el hermano del conde de Urgel llegaba solo. Él, que jamás se separaba de Armengol... Una copa de vino se derramó al ser golpeada descuidadamente por un sirviente, y el rey Lobo estalló en una cascada de insultos y amenazas que obligaron al pobre criado a salir a la carrera del largo aposento. Abú Amir suspiró con amargura al comprobar que los arrebatos de furia de su señor eran cada vez más frecuentes y destemplados.

—Maldito Mochico... Esta vez le arrancaré la lengua con mis propias manos —rezongaba el rey—. Estoy harto de sus insubordinaciones. Ha llegado demasiado lejos. Demasiado lejos.

—Calma, amigo mío —recomendó el Calvo mientras con la manga de su túnica limpiaba la esquina del mapa manchada con el líquido rojizo—. Tiempo habrá para reproches. Ahora hay que encontrar una solución a esto.

—Entonces ¿es cierto lo que se dice? —se decidió por fin a intervenir Abú Amir—. He oído que Hamusk ha conseguido entrar en Granada.

—Es cierto —confirmó el enorme guerrero cristiano, que se rascó el cráneo pelado con descuido—. Ese maldito zorro lo ha logrado. A saber con qué argucias.

—La traición, por supuesto —aclaró Mardánish—. Como en Carmona. Como en Jaén.

Abú Amir asintió. Había creído ver un destello de envidia mal contenida en la respuesta de su rey, pero la sensación pasó enseguida.

—Abd al-Mumín se enfadará mucho —adivinó el consejero—. Y no hablo solo de la pérdida de Granada. Me refiero a que sus hombres no parecen ser capaces de mantener nada en su poder. Mientras intentan recuperar Carmona, pierden una ciudad aún más importante. El califa querrá solucionar eso, y pronto. Debemos anticiparnos a sus movimientos.

Mardánish observó a Abú Amir y entornó los párpados.

—Abd al-Mumín diseñó su solución y ya la está llevando a cabo. Construye su gran fortaleza de Gibraltar, en la que reunirá a sus ejércitos de África antes de arrasarnos y pasar a combatir a los cristianos.

—Lo sé. Y sé también que ha enviado a sus jeques de confianza para asumir el mando de al-Ándalus hasta que eso ocurra. Sulaymán, el almirante supremo de sus ejércitos, ha cruzado el Estrecho para unirse a Yusuf. ¿No es así?

—Así es —confirmó el rey Lobo. Álvar Rodríguez, que había aprendido a detectar cuándo Abú Amir hacía uso de su fino ingenio, prestó atención a las palabras del poeta.

—Y el gran jeque Umar Intí, el más hábil político del califa, acaba de hacerse cargo de Córdoba, según he sabido hoy mismo. ¿No es cierto también?

—También es cierto.

Abú Amir abrió los brazos con las palmas de las manos hacia arriba, como mostrando lo evidente. El Calvo y el rey Lobo se miraron entre sí. El poeta sonrió con suficiencia y siguió hablando:

—Vamos, ¿por qué el califa refuerza Sevilla y Córdoba y desampara Granada, mandando a su *sayyid* más capaz a supervisar una obra?

—Pues... —el guerrero cristiano se encogió de hombros— a lo mejor no tenía previsto que Hamusk fuera tan atrevido...

—¿Después de asediar Córdoba durante un año? —preguntó Abú Amir con gesto de incredulidad—. ¿Después de que el ejército de nuestro rey se plantara ante las puertas de Sevilla? ¿Piensas que los almohades no nos consideran atrevidos?

Mardánish resopló como un caballo a punto de reventar, se metió los dedos por entre los cabellos rubios y los agitó con fuerza.

—Ya no sé qué pensar... A cada triunfo nuestro le sucede un fracaso. Utmán diezmó las fuerzas de mi suegro y luego desapareció, es cierto. También es verdad, según dicen, que se halla en Gibraltar, ejerciendo de arquitecto. Es como si nos hubieran ofrecido Granada. Es como...

—Como un cebo —sentenció Abú Amir—. Un cebo que Hamusk ha mordido.

Álvar Rodríguez y Mardánish volvieron a mirarse inseguros. En ese momento hizo acto de presencia el conde de Urgel.

—Ojalá sea importante lo que quiera que os haya llevado a citarme. Estaba en el *hammam* —dijo mientras se retocaba el flequillo, molesto porque su pelo seguía húmedo.

—Me alegro de que disfrutes de nuestras costumbres, Armengol —ironizó el rey Lobo—. Espero que tu amada Granada sea razón suficiente para ti.

El conde de Urgel abrió con desmesura los ojos y se acercó al extremo de la mesa sobre el que reposaba el mapa y alrededor del cual debatían el Calvo, Mardánish y Abú Amir. Galcerán de Sales señaló con el dedo índice la marca del mapa que correspondía a la ciudad del Darro.

—Parece cierto. Se trata de Granada —informó al conde.

—¿Y qué pasa con Granada?

—Pasa que mi suegro ha entrado en la ciudad y asedia la Alcazaba Vieja —aclaró el rey Lobo—. Es la única parte de Granada que aún resiste, pero necesita refuerzos antes de que los almohades caigan sobre él y frustren la conquista. Recuerda la promesa que te hice un día y dime, Armengol, ¿de cuántos hombres puedes disponer para socorrer a Hamusk ya?

El conde de Urgel, por lo común impertérrito, tamborileó con los dedos sobre la mesa. Movió la cabeza a los lados y tomó aire.

—Granada. A tiro de flecha de Córdoba y Sevilla. Incluso del Estrecho, por donde podría llegar un nuevo ejército califal...

—Vamos, amigo mío —saltó el Calvo—. ¿A qué vienen los remilgos ahora? Tú eras el más interesado en tomar Granada.

—Cierto, cierto... —Sus ojos estaban fijos en el punto marcado como Madínat Garnata en el mapa de al-Idrissí. Entonces los alzó y se dirigió a Mardánish—. Pero dices que es tu suegro quien ha entrado en la ciudad. Él la reclamará para sí, y difícilmente podrías negarte.

El rey Lobo volvió a resoplar. La ambición de Armengol de Urgel por Granada era suficiente incentivo, pero en este caso podía resultar también un obstáculo. Si se concluía con éxito la arriesgada aventura de Hamusk, ¿cómo negar a este la posesión de aquella ciudad? Apreció una sombra de reojo y vio que Zobeyda acababa de llegar. Estaba detenida en la puerta, medio asomada, y su cabellera negra goteaba agua sobre el piso reluciente. Abú Amir también se volvió y amagó una mueca de disgusto. La favorita había aparecido, qué coincidencia, casi al mismo tiempo que Armengol. Y ambos llevaban el pelo mojado. Bajó la mirada para no atravesar con ella al conde.

—Espero una respuesta —apremió el de Urgel al rey Lobo—. ¿A quién darás Granada, a Hamusk o a mí?

Abú Amir habría deseado apretar entre sus manos el cuello del cristiano. Observó de nuevo a Zobeyda y adivinó la desazón que la carcomía. La favorita llevaba años entregándose a Armengol. Años de infidelidad. De engaño. De culpa. A cualquier precio, había dicho. Lo habían dicho todos. ¿Se había prostituido Zobeyda por nada? No. No lo permitiría. El médico levantó la vista.

—Mi rey, sin Armengol de Urgel no tomarás Granada. Suya debe ser.

Mardánish observó que Zobeyda asentía al consejo de Abú Amir. La propia hija de Hamusk... Pues bien. Así sería.

—Mi suegro me ha desobedecido una y otra vez desde que nos separamos tras lo de Córdoba. Todavía no le he reprendido por su aventura en busca de botín, que le costó una severa derrota en Marchena. Ahora, por su cuenta y riesgo, inicia una empresa que trastoca todos mis planes y pone en peligro nuestra resistencia contra los almohades. Hamusk es un guerrero valiente, pero ha de ser castigado. Granada será tuya, Armengol.

El conde de Urgel estiró los labios y sus ojos volvieron al mapa de al-Idrissí. Madínat Garnata... Granada, una de las joyas más preciadas de al-Ándalus. Alargó la mano y acarició con el dedo índice el punto marcado en la suave superficie recorrida por ríos y sembrada con marcas que representaban ciudades, pueblos, fortalezas. Luego miró al extremo más próximo en la mesa, a sus señoríos del norte, tan lejanos, tan aislados. Su sonrisa creció aún más al imaginar en cuánto se disponía a superar a sus ancestros, los anteriores condes de Urgel.

—Mi hermano y yo partiremos con toda nuestra caballería hacia Granada. De inmediato. Dame a la infantería de que dispongas para llevármela también. Hay que asegurar el cerco y prever el auxilio almohade. Con eso será suficiente hasta que tú reclutes un ejército de socorro.

—Puede que me cueste bastante —advirtió Mardánish—. He de mandar aviso a Pedro de Azagra a Navarra, y él tardará un tiempo en reunir a una buena hueste. Estamos hablando de Granada. Abd al-Mumín no se resignará a perder una presa tan apetitosa.

—Si me das lo que te pido ahora, te garantizo la resistencia hasta el verano que viene. —Armengol dejó caer su puño cerrado sobre el mapa—. Los almohades son lentos y tardarán mucho en movilizar un ejército lo suficientemente grande para expugnar la ciudad. Pero recuerda: poseeré Granada como señor por ti.

Mardánish iba a responder cuando Abú Amir se adelantó con tono cauto.

—Antes de tomar una decisión, y a pesar de todo, recuerda lo que te he dicho sobre el cebo de Abd al-Mumín.

El rey Lobo asintió. Su corazón bombeaba la sangre con fuerza y notaba que el rubor subía a sus mejillas. Era todo o nada. Observó al conde de Urgel y percibió sus ansias de poder en el brillo de los ojos. Todo. Luego miró a Abú Amir y vio la prudencia y el deseo de seguir disfrutando de la vida de que hasta ahora gozaba. Nada. Su vista voló por encima del hombro de Armengol y se fijó en la puerta de la sala. Allí estaba ella, Zobeyda, escuchando todo lo que se había dicho a pesar de los reproches y habladurías de alfaquíes y visires. De repente una sombra rubia se asomó por un lado. Hilal, escondido tras su madre, espiaba a los mayores. Mardánish intentó sonreír. El pequeño aún agarraba la flecha desclavada de la hierba. Recordó sus propias palabras reclamando de su hijo que le explicara las virtudes del guerrero. Pero había una virtud que ninguno de los dos había recordado en ese momento. La que, al fin y al cabo, había guiado toda la vida del rey del Sharq al-Ándalus. La que le había permitido enfrentarse a aquel lobo negro entre los peñascos de la Marca Superior. La que Zobeyda había demostrado en la aljama de Valencia, cuando recuperó la ciudad de entre las manos de un traidor. La que el padre de Mardánish, guerrero tagrí, aprendiera de su abuelo. La que él mismo debía enseñar a su hijo y heredero.

El valor.

41

Las murallas de una vieja alcazaba

Verano de 1161. Sevilla

El almirante supremo Sulaymán detuvo su caballo justo en la Bab Qarmuna. Miró atrás e hizo un gesto para que fuera Yusuf quien entrara primero en la capital almohade de al-Ándalus.

El *sayyid* sonrió y cumplió lo que el preboste quería. Un atronador griterío y un diluvio de pétalos de rosa recibieron al hijo del califa a su regreso de Carmona. Yusuf alzó ambos brazos a los lados e irguió la cabeza, orgulloso del reconocimiento de los que un día serían sus súbditos. El almirante, cuyas piernas cortas y macizas colgaban a los lados de su montura, hizo un casi imperceptible gesto de asentimiento. Luego el *sayyid*, en un arranque de soberbia, giró las palmas de las manos hacia abajo y miró a todos con gesto serio. El clamor fue descendiendo hasta que un tenso silencio se posó en aquel lugar de Sevilla. Los hombres, muchos de ellos cubiertos con turbante para ajustarse a la moda almohade, esperaron el siguiente paso de su gobernador, y tras celosías y cortinas, las mujeres veladas aguantaron la respiración. A una nueva indicación del *sayyid*, uno de los Ábid al-Majzén pasó bajo los arcos de la puerta montado en un gran caballo tan negro como él. Sujeta al arzón, una cuerda se extendía tras el animal hasta casi tocar el suelo y luego se alzaba para unirse con una argolla herrumbrosa. Cientos de sevillanos aguardaban atentos a lo que llegaba atado a ese cabo de la cuerda. El cautivo apareció al fin en la ciudad, cabizbajo, cruzado de moratones y arañazos, atrapado su cuello por la gargantilla de hierro ennegrecido. Yusuf inspiró antes de alzar la voz mientras señalaba con desprecio al prisionero.

—¡He aquí el traidor que vendió nuestra apreciada Carmona al demonio Lobo! ¡He aquí un hombre infiel, impío, injusto! ¡He aquí el perro Ibn Sarahil!

Los sevillanos prorrumpieron de nuevo en vítores, esta vez unidos a una cruel retahíla de insultos y amenazas. Decenas de escupitajos volaron desde las bocas de los villanos y regaron el pelo, la cara y las sucias ropas de Ibn Sarahil. Este, resignado ya a su suerte, cerró los ojos y siguió caminando tras la cuerda del guardia negro. Yusuf sonrió complacido y retiró su caballo a un lado para asistir en compañía de los ciudadanos a la entrada triunfal de las tropas. De inmediato fue acompañado por Sulaymán y rodeados ambos por el destacamento personal de guardias negros del *sayyid*. Al cautivo Ibn Sarahil siguieron los hombres de las cabilas y las fuerzas andalusíes y, tras ellos, los presos, cargados de cadenas y marcados de golpes, que el almirante supremo había decidido traer a Sevilla para público escarmiento.

Yusuf no cabía en sí de gozo. Atrás quedaban las derrotas y las fugas. Ahora sus batallas se contarían por victorias. Carmona había sido la primera de una larga serie, estaba seguro. La ciudad rebelde, tras semanas de sitio y por la sagaz estrategia de Sulaymán, había cedido. Las promesas firmadas por el *sayyid* y arrojadas dentro de las murallas habían ido minando la confianza de los carmonenses en Ibn Sarahil, y habían acabado por vender a este a los almohades. Ni una sola baja. Yusuf miró a su lado, al almirante Sulaymán. Él le allanaría el camino, le granjearía una carrera militar plagada de victorias y le ayudaría a ganar la total simpatía de los visires, alfaquíes y oficiales del ejército. Así, cuando llegara el momento, nadie se opondría a su nombramiento como califa.

Fue precisamente uno de esos visires quien se acercó desde la multitud, abriéndose paso a fuerza de codazos y amenazas, y paró junto a uno de los guardias del Majzén. Agitó la mano para atraer la atención de Yusuf, pero este seguía ensimismado al paso de sus tropas y soñando con el futuro. Sulaymán tiró de la manga del *sayyid* y le indicó que aquel visir pretendía hablarle. El propio almirante hizo un gesto para que el hombre rebasara la barrera de guardias negros y se acercara. Su cabeza quedó a la altura de las rodillas de Yusuf. El visir gritó para hacerse oír, pues los sevillanos seguían su particular fiesta de bienvenida sin dejar de aplaudir a los soldados y vituperar a los cautivos.

—¡Algo de vital importancia ha ocurrido mientras estabas en Carmona, mi señor!

El *sayyid* observó con desprecio al visir. ¿Qué podía ser más importante que un triunfo como el suyo? Yusuf elevó las cejas en señal de incredulidad y su vista se desvió de nuevo al desfile. Quería seguir disfrutando de aquel momento de gloria. Fue una vez más Sulaymán quien respondió al funcionario.

—Si era tan importante, ¿por qué no te acercaste al cinturón de asedio para comunicárnoslo? —El visir apretó los labios y miró al suelo—. Da igual, eso lo arreglaremos luego. Di ahora de qué se trata.

—Se trata de Granada... —El hombre se retorció las manos mientras trataba de dar la noticia de forma que él no saliera perjudicado—. Hace dos días llegó un correo de Málaga. Al parecer, un masmuda de la guarnición de Granada se acababa de presentar allí derrengado. El pobre había recorrido el camino a pie, ocultándose por miedo a ser descubierto...

Ahora sí que Yusuf sintió curiosidad.

—¿Un masmuda asustado mientras recorre nuestras posesiones? ¿Por qué? ¿Qué temía?

—A los hombres del demonio Lobo. Su suegro, el Mochico, ha entrado en Granada, al parecer por la traición de algunos villanos. Los fieles se han visto obligados a retroceder y ahora solo se resiste en la alcazaba Qadima. La guarnición está sitiada allí, mi señor.

El *sayyid* dejó caer la mandíbula. En cuanto a Sulaymán, cerró los puños con fuerza pero sus ojos se mantuvieron impasibles, como si estuviera esperando la noticia. Continuó interrogando al funcionario:

—¿Y la familia de Utmán? ¿Se ha dado aviso a alguien? ¿No se ha recibido ninguna otra noticia?

—Ah, mi señor. —El visir miró a ambos lados, atribulado por la lluvia de preguntas—. Las esposas del *sayyid* y los funcionarios del gobierno han quedado encerrados en la Qadima, según creo. Y no, nadie sabe nada. En la ausencia del *sayyid*, consideramos que algo así debía mantenerse oculto. Tampoco sabemos si desde Málaga se ha avisado a algún otro lugar.

—Habéis hecho bien. Yusuf, este hombre debe ser recompensado. —El funcionario suspiró con alivio y detuvo el obsesivo estrujamiento de sus manos—. Pero hay que actuar ya. Acompáñame al alcázar.

Sulaymán se sirvió una copa de jarabe de limón y la apuró. La llenó otra vez. Se la bebió de nuevo entera. Devolvió la jarra al sirviente andalusí y le ordenó con un gesto que se retirara. Yusuf, que todavía trataba de encajar la noticia, miraba sin ver por uno de los ventanales que daban al Guadalquivir. El almirante supremo y el *sayyid* quedaron al fin solos, y Sulaymán se pasó un paño por la boca. Después se secó el sudor de la frente y del cuello con la misma prenda. Estaba deseando despojarse de aquellas ropas polvorientas y disfrutar de un baño, pero asuntos más graves seguían reclamando su atención.

—Lo que ha ocurrido puede responder a la providencia... o no.

—Lo que ha ocurrido es la voluntad de Dios, el Único. A Él debemos dar gracias porque haya sido Granada y no Sevilla la que ha caído en manos del demonio Lobo.

Sulaymán se burló a espaldas de Yusuf de la cándida respuesta. Su sonrisa sardónica se transformó en otra de condescendencia cuando el hijo del califa se volvió con la tez aún lívida.

—Atiende, Yusuf. Es hora de que sepas cómo Umar Intí y yo hemos cuidado de tus intereses, y cómo vamos a seguir haciéndolo.

—¿El gran jeque Umar Intí? ¿Cuándo lo has visto? Pensaba que se había dirigido directamente a Córdoba...

—Me hizo llegar una misiva tras tomar posesión de la ciudad, unos días antes de que Carmona se rindiera. Debes escucharme, pues de lo que ocurra ahora depende que un día ocupes la tienda roja de tu padre y firmes con el sello del Mahdi.

Yusuf cerró la boca y cruzó los brazos. Al igual que le ocurría con Umar Intí, Sulaymán le despertaba un extraño temor que no era capaz de controlar. Habló entre dientes y en voz baja:

—Te escucho.

—Tu hermanastro Abú Hafs acompaña al califa en África. Su consejo es siempre escuchado, y él aboga por ti como candidato a la sucesión. Abú Hafs, como Umar Intí y yo mismo, ha visto que el mayor obstáculo para ti es Utmán, tu hermano.

Yusuf asintió. Así que los jeques conspiraban a espaldas del califa y sus hijos. Bien: fuera como fuese, conspiraban en su favor.

—Utmán no aceptará que yo suceda a mi padre —reconoció el *sayyid*—. Piensa que nuestro hermano mayor Muhammad debe ser el próximo califa. Y de no ser así, incluso él se consideraría mejor partido, estoy seguro.

—Has hablado bien. Por eso Utmán debe decepcionar a tu padre y a todo el Consejo. A toda la nación almohade. Cada creyente ha de saber que el más apto para el califato eres tú, y Mardánish está resultando una herramienta crucial en esto. Nos avasalla sin descanso, y hostiga no solo las fortalezas, sino las principales ciudades. Ha tenido la osadía de asediar Córdoba y de llegarse a las puertas de Sevilla a plantarte cara. ¿Cómo, pues, no iba a probar con Granada?

La sorpresa volvió a mostrarse en el rostro de Yusuf.

—¿Sabíais que atacaría Granada? Pero eso es... es...

—¿Traición? —Sulaymán lo dijo con tono mordaz, pero eso no evitó el escalofrío que recorrió la espalda del *sayyid*—. Si vas a ser califa, debes aprender los mecanismos que te permiten llegar al poder y los que sirven para mantenerte en él. Granada será recuperada, pero no por Utmán. —El almirante supremo paseó por la estancia mientras terminaba de pergeñar su plan. Entornó los ojos y masticó en silencio sus pensamientos. Luego habló en voz baja para asegurarse de que Yusuf ponía toda su atención—. Lo primero que haremos será crucificar a ese Ibn Sarahil y a sus seguidores. Así volveremos a dejar bien claro a estos andalusíes cómo se castiga a un traidor al Tawhid. Luego cortaremos sus cabezas y las enviaremos a Marrakech. Todo el imperio sabrá así de tu triunfo y de tu firmeza. A continuación viajarás a toda prisa al Yábal al-Fath, donde te reunirás con tu hermano Utmán. Si todo marcha según creo, ya le habrán llegado las noticias de Granada, y se dispondrá a tomar a su nueva caballería árabe para recuperar la ciudad. Eso no debe ocurrir.

»Harás saber a Utmán que una operación así ha de ser planeada con detenimiento. Le transmitirás estas órdenes: dejará a su caballería en el peñón y él se dirigirá a Málaga, donde debe esperar a que se ponga bajo su mando una hueste adecuada. Yo le haré llegar la orden de partida, que obedecerá sin demora para preparar el ataque a Granada.

»En cuanto a ti, una vez que te asegures de que Utmán parte hacia Málaga, cruzarás el Estrecho y aguardarás en Qasr Masmuda. Cuando Utmán fracase... Sí, no me mires así, Utmán fracasará. Cuando Utmán fracase, irás a Rabat a reunirte con tu hermanastro Abú Hafs, y regresarás a la Península con las tropas que él ponga bajo tu mando. Recogerás en Gibraltar a la caballería árabe de Utmán y ambos nos reuniremos en Málaga. Triunfarás allí donde Utmán va a hundirse. Tu liderazgo será entonces indiscutible.

Yusuf intentaba grabar en su memoria todo lo que tenía que hacer. No sintió remordimiento al saber que su hermano sería enviado a una trampa, pero le costaba creer que este fuera a caer tan fácilmente.

—Utmán lo verá venir —aseguró.

—No. Utmán estará ciego. No podrá ver nada. No olvides su vanidad, que yo sabré espolear, y sobre todo no olvides quién ha quedado encerrada en la alcazaba Qadima.

Yusuf pareció no entender lo que insinuaba Sulaymán, pero luego su boca se curvó en una sonrisa rapaz.

—Hafsa.

Unas semanas después. Granada

Armengol de Urgel, a la cabeza de la columna de caballería cristiana, infló el pecho al inspirar con fuerza tras atravesar la Bab ar-Ramla. Se dejó acunar por el sonido de los gritos de bienvenida y los aplausos. Notó resbalar por su cara los pétalos que las granadinas lanzaban desde ambos lados del pasillo creado para recibir a su hueste. Una mirada en derredor le mostró que todo cuanto se decía sobre aquella ciudad era cierto. Que no era, pues, extraño que se compusieran versos sobre Granada. Que el amor floreciera en las estrechas callejas o en la alameda del Genil. Que, tal como dijera un poeta del Garb:

Granada...
Bajo sus nubes nocturnas, cuyas lágrimas, pequeñas y gruesas, parecen perlas, cometeréis locuras.

Por eso Armengol, orgulloso con antelación, no pudo evitar decirlo en voz alta:

—Mi ciudad.

Galcerán de Sales, a un par de varas por detrás de su hermano, sonrió y apuntó a las dos elevaciones que dominaban Granada, por encima de las casas y los abigarrados minaretes de la medina.

—Las alcazabas. Allí se decidirá.

El conde se pasó la mano por el flequillo para acomodarlo a la línea de las cejas y observó las dos colinas. A la derecha desde su posición estaba la Sabica y, sobre ella, la pequeña fortaleza roja. Al-Hamra. Los estandartes andalusíes se mecían por la brisa que bajaba desde el Yábal Shulayr, la sierra perpetuamente nevada. A la izquierda, la alcazaba Qadima, ocupada por la guarnición almohade, con las grandes banderas blancas movidas por el mismo viento.

Álvar el Calvo rebasó a Galcerán de Sales, detuvo su caballo junto al de Armengol y siguió la dirección de su mirada mientras los jinetes continuaban entrando en Granada.

—Desde aquí no se ve muy bien, Armengol, pero aun así te diría que esa alcazaba Qadima está muy bien puesta donde está.

Galcerán de Sales se quedó allí, organizando la llegada de la caballería de Urgel. Mientras tanto, los dos condes cristianos arrearon suavemente a sus monturas y siguieron camino entre los saludos de judíos y musulmanes andalusíes, y de algún que otro viejo almorávide. Armengol no se dejó engañar: muchos de los que ahora les daban la bienvenida habían hecho otro tanto cuando los almohades se posesionaron de la ciudad. Y sin duda volverían a hacerlo si la recuperaban. No le importó. Incluso comprendía que aquella gente debía adaptarse al amo que en cada ocasión tocara. Cuando empezaron a trepar por las callejas que llevaban a la Sabica, ambos caballeros miraron atrás. Más allá de las murallas, la columna de dos millares de caballeros se extendía por el camino que habían tomado alrededor de Granada para pasear por los arrabales, para anunciar su presencia a todos y mostrarse a los villanos como una fuerza capaz. La intención de Armengol, que había recibido el mando de toda la hueste, era disuadir a cualquiera de intentar una traición. Una demostración de poder. El conde de Urgel sonrió mientras los primeros infantes, los reclutados por Mardánish en las ciudades cercanas a Murcia, se acercaban a la ciudad por entre sus cementerios de extramuros y las alquerías que bordeaban el río Genil. Granada. Su Granada. Hamusk le vino a la mente. El viejo zorro era tan ambicioso como él, lo sabía. Incluso más. Debía andarse con cuidado. Tiró de las riendas y siguió su ascensión rumbo a al-Hamra.

Álvar Rodríguez rumiaba sus propias preocupaciones. Compartía los resquemores de su gran amigo Mardánish. Llevaba años con él y lo conocía bien, por eso sabía que aquella aventura de Granada no era de su agrado. Había trastocado todos sus planes, y a pesar de todo lo que parecía ofrecerse como recompensa, el momento no era el propicio, con el califa Abd al-Mumín preparando una gran ofensiva. El Calvo suspiró. Él no era hombre de estrategias ni de política. Él era un guerrero, y había ido allí a luchar. Una sombra un poco más adelante le llamó la atención. Apretó la marcha de su caballo y adelantó a la columna que seguía subiendo para acampar en lo alto de la Sabica, y la sombra tomó forma hasta que distinguió lo que era: un enorme almajaneque, tal vez el mayor que había visto. Parecía capaz de salvar la distancia que separaba las dos fortalezas. La pequeña al-Hamra, rojiza y ligeramente más elevada, estaba unida a la muralla que rodeaba la ciudad, y la mayor parte de la colina Sabica quedaba fuera de ella. Por eso las fuerzas de Hamusk, demasiado numerosas para encajar en el exiguo espacio intramuros de al-Hamra, se habían desperdigado por el desprotegido altozano, para lo que habían llegado a abrir postigos en el muro. Aprovechando uno de esos postigos, auténticos agujeros repartidos por los lienzos, Álvar salió del recinto y deambuló por entre las tiendas y grupos de hombres a lomos de su caballo. Se aproximó al borde del barranco para buscar una perspectiva plena mientras recibía los saludos de los hombres de Hamusk, esparcidos por la Sabica. Vio que muchos de ellos eran mozalbetes desconocidos para él. Una lástima, pues sabía que la mayor parte de los veteranos del señor de Jaén habían caído en Marchena.

El conde de Sarria llegó por fin al lugar donde la elevación se retorcía para volver a bajar hacia el Darro. El único camino de descenso, a la sombra de una muralla escalonada, acababa en un puente impracticable, arruinado por manos humanas. El Calvo se apoyó en el arzón y observó con detenimiento. Al otro lado de aquel destrozo, el camino subía hacia la Qadima, también protegido por un largo lienzo de muralla. Llamó la atención de uno de los guerreros andalusíes de Hamusk.

—¡Eh, muchacho! ¿Por qué está destrozado el puente?

El soldado, demasiado joven para haber compartido penurias con él, le miró extrañado, pero respondió al darse cuenta de que era uno de los nobles hombres de armas recién llegados de Murcia.

—Los almohades quebraron el puente cuando empezó el asedio, mi señor. Es la única forma de subir hasta la Qadima sin riesgo de romperse la crisma.

El Calvo asintió y miró al otro lado del barranco, a la Alcazaba Vieja. Vio que el conjunto amurallado de la Qadima, al igual que sucedía con al-Hamra, solo ocupaba parte de la elevación que tenía ahora enfrente. La otra parte apenas contenía algunas casuchas. Su veteranía le decía que aquel lugar podía usarse para estacionar más tropas, aunque por allí la Qadima tenía las murallas más altas y recias. El conde de Sarria señaló hacia el lugar.

—¿Qué me dices de ese arrabal, muchacho?

—Al-Bayyasín, mi señor. Se puede subir, pero ya ves el grosor de las defensas.

—¡Amigo mío Álvar!

El Calvo reconoció enseguida la chillona voz de Hamusk. Desmontó de su caballo y se dirigió hacia el lugar por el que venía el señor de Jaén, esquivando tiendas e impedimenta. Se fundieron en un abrazo que mentalmente ambos calificaron de forzado. Al separarse, Hamusk mantuvo agarrados los anchos hombros del cristiano.

—Tu yerno te envía saludos —dijo este.

—Me envía refuerzos. Cosa que tengo en más estima —respondió Hamusk casi sin pensarlo—. No es gran cosa, pero servirá para aguantar, supongo.

El conde de Urgel presenció el saludo de los dos nobles a unas varas de distancia. Sonrió. Cuando Hamusk se enterara de que el rey Lobo le había prometido Granada a él, herviría de ira. Por el momento era mejor callar ese detalle. Que fuera Mardánish quien diera la noticia al Mochico. Se acercó con aquella misma fingida alegría, estrechó la mano del caudillo andalusí y de inmediato posó sus ojos de halcón sobre la Qadima. Sus almenas se veían vacías salvo por los estandartes africanos y algún masmuda aislado que cumplía guardia.

—Es casi inexpugnable —opinó en un murmullo.

—La inanición acabará con ellos —aseguró Hamusk—. La muralla que baja hasta el Darro es una coracha y gracias a ella pueden subir agua. Dentro también tienen aljibes y creo que hasta disponen de acequias... Bueno, eso no me importa. La sed no será un problema para ellos, pero el hambre sí: hemos cortado todas las vías de aprovisionamiento con patrullas por los caminos que vienen a la ciudad. Al-Asad está precisamente inspeccionando las rutas ahora. El invierno es duro aquí, no como en Sevilla o en Córdoba, y debilitará a esos puercos almohades lo suficiente como para que la Qadima caiga a nuestros pies. Ah, os quiero presentar al hombre que nos ha entregado la ciudad. —El señor de Jaén hizo un gesto a un andalusí de ostentosas vestiduras que aguardaba ligeramente apartado—. Abú Yafar ibn Saíd, antes secretario de Utmán, el gobernador almohade e hijo del califa.

El poeta se inclinó en una larga reverencia.

—Un secretario del *sayyid*... —repitió con desconfianza Armengol de Urgel—. ¿Por qué alguien así vendería su ciudad?

—Soy andalusí —protestó Abú Yafar—. A mí tampoco me gusta que Granada esté en manos de esos africanos.

—Abú Yafar tiene importantes motivos aparte de su dignidad andalusí —añadió con sorna Hamusk—. Dentro de la Qadima está otra de las personas de confianza de Utmán. Una mujer.

El conde de Urgel y el señor de Jaén cruzaron una mirada de complicidad.

—Bien —aceptó Armengol—. Mejor así. Casi prefiero esa excusa. Aunque tal vez Abú Yafar no esté entonces de acuerdo con tu idea de matar de hambre a los de la alcazaba, amigo Hamusk.

—Oh, no. Abú Yafar está de suerte. La mujer que espera a ser rescatada por este noble secretario —el señor de Jaén siguió con su tono burlón— es nada menos que la amante favorita de Utmán. Los almohades de la Qadima cuidarán mucho de que semejante tesoro no pase pizca de hambre.

Hamusk soltó una de sus estruendosas carcajadas, y Abú Yafar enrojeció de vergüenza. Bien sabía Dios que soportaba los desplantes del Mochico por necesidad y, sobre todo, por amor. Pero no tenía por qué llevar más allá su estoicismo.

—Si me disculpáis, nobles señores, me retiraré para que podáis tratar de vuestros asuntos —dijo el poeta sin ocultar su gesto de enojo. Dio media vuelta y se perdió rumbo a la fortaleza rojiza que dominaba la Sabica. Hamusk hizo un gesto de desprecio hacia Abú Yafar y señaló al sur.

—Es motivo de alegría que hayas venido, Armengol, pero no traes fuerzas suficientes. ¿Qué le ocurre a mi yerno? ¿Sigue decidido a encastillarse y aguardar a que el califa venga a echarle de sus tierras?

—Mardánish espera refuerzos importantes de Navarra. A los hombres de Pedro de Azagra se unirán más huestes, ahora que el rey Sancho y tu yerno son grandes amigos —explicó Armengol de Urgel—. Además ha mandado reclutar nuevas levas por todo el Sharq. Pero eso lleva tiempo, Hamusk. No esperes que el ejército al completo esté aquí hasta el verano del año que viene.

El señor de Jaén se golpeó la palma de la mano con el puño.

—¿El año que viene? Pero ¿qué clase de ayuda es esa? ¿Y si el califa cae sobre nosotros?

Álvar Rodríguez se adelantó, dispuesto a defender a Mardánish.

—Tu yerno ordena que bajo ninguna excusa salgamos de Granada para combatir en campo abierto. Ha insistido mucho en que este mandato te concierne a ti en especial, dado que últimamente te inclinas a hacer lo que te viene en gana. Aun así no debes temer nada, pues sabes bien que los almohades son lentos hasta la exasperación. Ellos tardarán todavía más que Mardánish en reclutar un ejército capaz de atacarnos. Además, y para acallar tus protestas, te diré que de haber sabido tu yerno que pretendías dar este golpe de efecto, habría tenido listas sus fuerzas con antelación.

—De haberlo sabido, ¿eh? —Hamusk mostró sus desgastados dientes al sonreír con burla—. De haberlo sabido, mi querido Lobo habría hecho lo posible por evitarlo. Demasiado bien conoces lo remilgado que es. Si por él fuera, compartiría su reino con el califa.

Armengol urgió al Calvo con un gesto para que no siguiera con aquella discusión y cambió de tema.

—Esta Sabica no es precisamente amplia. Y esa diminuta fortaleza no puede acogernos a todos. Cuando Mardánish y Óbayd lleguen con el resto de las tropas...

—¿Y si ocupan aquel arrabal al otro lado? —Álvar apuntó a la colina opuesta—. Al-Bayyasín, me han dicho que se llama. Ahí cabrán sin problemas.

—Pues bien, que ocupen al-Bayyasín si quieren. —Hamusk miró con indiferencia al arrabal junto a la Qadima. Luego señaló a al-Hamra—. Esta pequeña fortaleza roja es demasiado pequeña para todos, tienes razón. Sobre todo si ese estúpido de Óbayd pretende compartirla conmigo.

El Calvo resopló como un destrero en plena carga al escuchar la nueva salida de tono del señor de Jaén. Armengol, al ver que la conversación podía derivar de nuevo por senderos indeseables, señaló a la gran máquina que ocupaba la primera línea de la Sabica.

—¿Y ese almajaneque? ¿Es efectivo?

—Oh, sí. Ya lo creo —contestó Hamusk.

—Permíteme que lo dude —volvió a intervenir Álvar Rodríguez—, no veo por aquí bolaños tan grandes como para poder sacarle partido a ese monstruo.

—¿Bolaños? Ah, los cristianos tenéis muy poca imaginación. Tirar piedras es cosa de pastores. —El señor de Jaén soltó una de sus carcajadas sonoras y cortas, puso ambas manos en torno a la boca y gritó hacia los servidores de la máquina—. ¡Atención, los del almajaneque! ¡Mis amigos necesitan una demostración!

Álvar y Armengol comenzaron a caminar hacia la gran catapulta con aire curioso. A la orden de Hamusk, varios hombres se habían puesto a trabajar con celeridad y tiraban de la viga terminada en una gran bolsa. El señor de Jaén anduvo ufano, orgulloso de la gigantesca máquina de guerra que había ordenado construir. El almajaneque estaba situado muy cerca del comienzo de la pendiente, y eran numerosos los servidores que se ocupaban de su manejo. El Calvo miró al otro lado, justo al sitio adonde, en buena lógica, debían de dirigirse los disparos de la catapulta. La muralla almohade aparecía intacta, y tan solo llamaba la atención una especie de mancha difusa. Un cambio de color en la piedra. Los ojos del cristiano se entornaron cuando creyó distinguir algo extraño abajo, en el lugar en el que la muralla se hundía en la tierra de la colina.

—¿Qué es eso? Parecen... Parecen...

Un grito de angustia llamó la atención de Álvar Rodríguez. Los servidores del almajaneque traían a rastras a un cautivo de piel oscura, atado de manos y pies. El almohade se revolvía con furia y echaba espumarajos por la boca, pero no podía evitar que los andalusíes lo transportaran en volandas. Sus alaridos, escupidos en la enrevesada lengua de aquellos africanos, reverberaron por encima del Darro, encajonado entre ambas colinas, y rebotaron en las murallas de la alcazaba Qadima. El Calvo pudo ver por fin a algunos de los enemigos asomándose en el adarve. Respondieron con más gritos a los de su camarada prisionero, lo que desató una batalla de insultos desde ambas elevaciones.

—¿Qué es esto? —preguntó el Calvo. El conde de Urgel se encogió de hombros, pero señaló a los bultos que Álvar Rodríguez apenas había distinguido al otro lado, al pie de las murallas de la Qadima.

—Son hombres.

El conde de Sarria abrió la boca para decir algo, pero sus palabras quedaron congeladas en la garganta. El cautivo almohade fue metido a puñetazos en la bolsa de dura tela que remataba el almajaneque, como si fuera un proyectil, y Álvar Rodríguez comprendió lo que estaba ocurriendo allí. El pobre desgraciado se revolvió, pataleó y mordió, pero nada podía hacer ya. Los hombres de Hamusk se movieron con agilidad y uno de ellos golpeó con un mazo en la base de la máquina para liberar el mecanismo de contrapeso. La viga osciló con lentitud engañosa y arrastró al prisionero hasta levantarlo. Cuando llegó a su punto de lanzamiento, la bolsa restalló como un látigo y el cautivo salió disparado por encima del tajo que se abría entre ambos cerros.

Álvar Rodríguez se tapó la boca mientras el almohade desgarraba el aire con un chillido de espanto. Su cuerpo, hecho una bola e incapaz de moverse, se elevó durante un trecho y, a mitad de camino, empezó una suave bajada hasta que chocó con un ruido sordo contra la muralla de la Qadima. Un salpicón negruzco manchó las piedras, el fardo se tragó su grito y después cayó a plomo hasta las rocas de la base, donde quedó desmadejado, irreconocible, inmóvil.

—Por Dios. Por la bendita Virgen y por todos los santos... —murmuró horrorizado Álvar el Calvo.

—Sí, por todos ellos, desde luego —rio Hamusk, satisfecho de la exhibición—. Cuando tomamos Granada hicimos un buen número de prisioneros entre la guarnición almohade. Aunque, como ya supondréis, cada vez nos quedan menos. Estoy ordenando cinco lanzamientos diarios, uno por cada oración... ¿No os parece oportuno? Fijaos, aguzad el oído... ¡Silencio, perros! —ordenó a sus hombres, que seguían insultando y carcajeándose de los almohades del otro lado—. Escuchad... Escuchad...

Los cristianos intentaron oír algo, pero ahora, con los aullidos de crueldad acallados, solo sonaba el torrente del Darro allá abajo, discurriendo por entre las rocas del fondo del barranco para atravesar Granada. Su cauce se enrojecía un poco con los regueros de sangre que resbalaban desde los peñascos. Allí, encajados entre las rocas, se pudrían los bolaños humanos lanzados por el almajaneque andalusí.

—Yo no oigo nada —apuntó Armengol.

—Exacto —convino Hamusk—. O no. Lo correcto sería decir que sí se oye algo: el sonido del miedo, amigos míos. El sonido del miedo.

42

Lengua de serpiente

Un mes después. Rabat

Sauda recibió el empujón de los dos Ábid al-Majzén cuando la introdujeron en la tienda del harén. La concubina negra dio un traspié y cayó de rodillas frente a Zeynab, que esperaba a su amiga sentada sobre almohadones. Ambas se abrazaron mientras la esclava dejaba caer algunas lágrimas, pero Sauda sonreía.

—¿Otra vez igual? —preguntó Zeynab entre hipidos.

Sauda asintió al tiempo que se frotaba las muñecas, enrojecidas allí donde los grilletes las habían rodeado. A diferencia de lo que sucedía con Zeynab, la piel de la concubina negra no aparecía despellejada, aunque sus cabellos ensortijados sí estaban revueltos y llevaba las ropas mal puestas, vestidas con precipitación.

—Otra vez igual —confirmó con tono neutro—. Me han sometido a un cacheo profundo, me han obligado a desprenderme de mis ropajes antes de la ablución, y luego me han encadenado. El califa siempre lo hace igual. Así va a ser difícil. No soy capaz de mover manos ni pies mientras me somete. Ni siquiera puedo verle cuando me...

—Pero estás loca, Sauda. —Zeynab, con manos nerviosas, intentaba recomponer el orden de sus cabellos—. ¿Aún estás pensando en rebelarte? ¿Y por qué sonríes? ¿Qué tramas?

Sauda sujetó las muñecas de su amiga.

—Todavía no sé cómo lo haré, pero ya se me ocurrirá. Ven, tengo que enseñarte algo.

La esclava negra se levantó y tiró de su compañera eslava. La guio al otro lado de los bastidores de tela, donde cada una tenía su pequeño aposento. El de Zeynab era el primero, el más cercano a la salida, y a continuación venían el de Sauda y los de las otras dos concubinas con las que compartían jaima. Todas permanecían allí enclaustradas salvo cuando eran requeridas por los guardias del Majzén o viajaban con el resto de la enorme comitiva califal, de una punta a otra del imperio almohade. Sauda retiró la cortina que servía de puerta a su cámara de tela y se arrodilló junto al jergón de paja. Zeynab vio que su amiga ponía la mano sobre la tapa de una cesta de pequeño tamaño y la levantaba con mucho tiento. Abrió una rendija pequeñísima a la que acercó la cara. Junto a la cesta había varias más, del mismo volumen y alineadas, todas ellas cubiertas. La eslava hizo ademán de separarse al comprender lo que su compañera tenía allí.

—Serpientes... —murmuró, olvidado ya su llanto de un momento antes—. Sigues con tus aficiones, por lo que veo.

Sauda volvió la cabeza a medias, pero con mucho cuidado de mantener la tapa de la cesta casi cerrada.

—Sí. Aquí no es como en Murcia, desde luego. No hay zoco al que acudir, ni mercader al que sobornar. No tengo amigos que traigan regalos... Pero este desierto es un paraíso para mis pequeñas... Espera.

Sauda volvió a aproximar la cara a la cesta y su voz se tornó grave. Zeynab sintió un estremecimiento al oír murmurar a su amiga en la antigua lengua de sus ancestros.

—*Oshumaré, Oshumaré... Ehinkulé... Kébere ejó, kébere ejó.*

Una especie de silbido resonó dentro de la cesta, y el vello de Zeynab se erizó. Sauda abrió un poco más la tapa y alejó la cara sin dejar de recitar en voz baja, como si quisiera dormir a un recién nacido.

—*Kébere ejó, kébere ejó...*

El silbido fue bajando de intensidad hasta desaparecer. Sauda acercó la mano libre a la cesta y, con un rápido movimiento que sobresaltó a Zeynab, retiró del todo la tapa y agarró algo en el fondo del recipiente. El soplido estalló de nuevo y algo oscuro y largo se enrolló en torno del brazo de la concubina negra.

—*Beheni, ejó. Ore ejó.*

—¿Qué le dices? ¿Qué es eso?

Sauda pidió silencio con un siseo y sacó el brazo de la cesta. Su mano aferraba con seguridad la garganta de una enorme serpiente negruzca de cabeza triangular que abría la boca y mostraba dos colmillos curvados como dagas. Zeynab retrocedió hasta tocar la tela de la jaima.

—Mira... —Sauda mostró la serpiente a su amiga mientras el animal seguía buscando la forma de liberarse. Su cuerpo hacía y deshacía nudos alrededor del brazo de la mujer y su cabeza se agitaba con desesperación—. Monarub... La encontré hace dos días entre unas piedras, mientras fingía ir a aliviarme. —La esclava puso el rostro de la víbora ante el suyo y miró a sus ojos, convertidos en dos finas líneas negras verticales. La boca de la serpiente pareció desencajarse y los colmillos se inclinaron hacia delante—. Debes tener mucho cuidado con ella. Si te mordiera, tu muerte sería horrible.

Zeynab sintió subir la náusea por el miedo.

—Déjala en la cesta, por favor... —balbució.

Sauda sonrió maternalmente y susurró de nuevo en voz baja mientras depositaba a la víbora en la canasta. Acercó la tapa a su posición y, con un movimiento tan fugaz como el anterior, la serpiente quedó encerrada y soplando. Zeynab suspiró, pero se mantuvo pegada a la pared de lienzo mientras Sauda se volvía hacia ella.

—En las otras cestas hay más. Pero no temas. Ya sabes que no te harán daño.

—¿Y si te descubren? ¿Y si los guardias del califa se enteran de que las tienes? O ese eunuco asqueroso... Parece muy astuto. Además, ¿de qué te sirven?

—No las descubrirán. Y quien lo haga estará condenado —aseguró Sauda—. Y me sirven, por supuesto. Solo tengo que pensar cómo usarlas. Se me ocurrirá algo, Zeynab, ya verás. Se me ocurrirá algo.

Murcia

Zobeyda empujó con ambas manos las puertas de la entrada a la sala de consejos. Uno de los visires de Mardánish, interrumpido en pleno discurso, quedó con la boca abierta y se volvió hacia la recién llegada, sus palabras heladas en los labios y los ojos fijos en la favorita del rey Lobo. El enojo se extendió por toda la estancia como un aroma penetrante y se tornó colectivo. Zobeyda pudo verlo en las miradas de los secretarios y consejeros, en el silencio impuesto, en los disimulados codazos de unos visires a otros. Solo Abú Amir, de entre todos ellos, cerró los ojos y se los tapó con una mano mientras bajaba la cabeza.

—Dejadme con él. —La mujer señaló a su maestro y amigo, médico y consejero, poeta y confidente. Un gruñido de protesta recorrió la sala y, por fin, uno de los visires se atrevió a rezongar abiertamente.

—Esta es una reunión oficial. Tratamos la guerra contra los almohades. Nada tienes que hacer aquí, Zobeyda.

La favorita pareció ignorar el comentario, dicho por un tipo delgado y enjuto de los que, según sus informes, más se prodigaban con alfaquíes e imanes en las críticas al libertinaje de la corte. Zobeyda caminó con seguridad y con la cabeza alta, pasó junto al visir rebelde y se volvió delante del sitial reservado para el rey Lobo. Apoyó ambas manos en la cabecera de la mesa y miró con gesto interrogante al vacío.

—Tratáis la guerra... —repitió en tono de reflexión—. Sí, ya he visto cómo tratáis la guerra. Vi cómo lo hacíais mientras mi esposo caía herido en las murallas de Écija. Y os vi hacerlo mientras los almohades tomaban Almería. Ya veo cómo os apresuráis a reunir tropas para ir a valer a mi padre a Granada.

El visir interpelado dio un paso adelante ante la expectación de sus compañeros. Hasta ese momento, el desacuerdo por las aficiones de la favorita había quedado para las habladurías, pues todos temían la reacción de Mardánish si había un enfrentamiento con ella. Algunos funcionarios lanzaron miradas llenas de intención hacia el osado. Le hacían gestos para que depusiera su actitud. Le intimaban a callar con muecas disimuladas. Pero el hombre sentía el calor subir hasta sus mejillas. La propia Zobeyda parecía esperar su respuesta.

—¿Acaso piensas que la guerra se sostiene sola? —El visir no pudo evitar un ligero temblor en su voz—. ¿Crees que el dinero con el que el rey paga a las tropas extranjeras crece en las huertas del alcázar? ¿Eres tú quien administra el tributo que se cobra al pueblo? Mientras tu esposo dirige ejércitos y tú derrochas en joyas y afeites, alguien tiene que pensar en cómo mantener vivo el Sharq al-Ándalus, ¿sabes, *mi reina*?

Zobeyda saboreó la bilis que le inundaba la garganta. Sus pupilas se dilataron aunque la luz que penetraba en la sala y se reflejaba en los azulejos era intensa y alcanzaba todos los rincones. Abú Amir abandonó la silla y levantó ambas manos en señal de paz. Era difícil que las cosas quedaran así, tras un reproche público, y más aún después del tono de desprecio con el que habían sido pronunciadas aquellas palabras: «mi reina». Pero fue de todo punto imposible cuando algunos de los funcionarios elevaron murmullos de aprobación a lo dicho por su compañero.

—Así que derrocho en joyas y afeites. —Zobeyda arrastraba las sílabas mientras sus ojos se clavaban en los del visir—. Así que tú mantienes vivo el reino...

—No es el momento adecuado para discutir entre nosotros —intervino Abú Amir, e hizo una señal a todos los hombres presentes en la estancia—. Por favor, dejadnos solos.

El visir que se había atrevido a desafiar a Zobeyda ya se arrepentía de ello. La mirada de la favorita no se desclavaba de él, y el temor a las represalias anidó en su corazón. ¿Qué pasaría cuando el rey, de viaje por sus territorios para reclutar levas, volviera a Murcia? ¿Qué le contaría aquella mujer de la que todos desconfiaban? Uno de los funcionarios agarró del hombro al visir y le empujó con suavidad hacia la salida, y todos los demás se retiraron en un silencio solo roto por el arrastre de sus vestiduras y los pasos apagados. Zobeyda golpeó la mesa con ambos puños cuando ella y Abú Amir quedaron al fin solos.

—Me desafían. Y eso es desafiar a mi esposo. Ese perro pagará por lo que ha dicho.

—Vamos, niña. Sabes que debes convivir con ellos. Tal vez sus palabras hayan sido osadas... Incluso ofensivas. Pero en verdad ellos se ocupan de no pocas tareas que, de otro modo, mantendrían a tu esposo atado a la corte. Más te diré: gracias a la hábil gestión de esos tipos, incluido el que se ha enfrentado a ti, tus súbditos aceptan con resignación la presencia de huestes extranjeras en su tierra, y las tasas que se les imponen para sufragar las campañas.

—¿Mis súbditos? —Zobeyda se mordió los labios antes de continuar—. Ya has oído a ese visir. Se burla de mí. No piensa que ellos sean mis súbditos. Me desprecian, lo sé. Lo veo en sus miradas. Y en la forma en que unos murmuran a los oídos de otros. ¿Crees que no sé que hay clérigos que alientan las críticas por mi comportamiento? Sabes que, aparte de ti, tengo otros confidentes. En las puertas de las mezquitas, entre los vapores de cada *hammam*, en los despachos de los alfaquíes... Incitan al pueblo en mi contra. ¿Sabes de qué me he enterado hoy mismo? Se dice que pienso obligar a Zayda a convertirse a la fe de los cristianos.

Abú Amir entornó los párpados.

—No negaré, niña, que yo también he oído ese rumor. Y no negaré tampoco que tal cosa sería como una traición para el pueblo. Pero sé que jamás has pensado en hacer algo semejante... Porque no lo has pensado, ¿verdad?

Zobeyda se mordió una uña nerviosamente.

—A ti no te puedo negar nada, Abú Amir. Sí, lo he pensado. Y lo he dicho. Una sola vez. Ante dos personas. Y una de ellas es la que ha extendido ese rumor.

—No te entiendo, niña.

—Se lo confesé al conde de Urgel en el lecho.

Abú Amir bufó y se sacudió el pelo. Dio la espalda a la favorita y murmuró algo ininteligible. Cuando devolvió la mirada a Zobeyda, el enojo brillaba en ella.

—Has dicho que lo dijiste ante dos personas.

—La concubina Tarub. Nos sorprendió una noche. Nos vio, Abú Amir. Al conde y a mí. En la cama.

Abú Amir era poco menos que un apóstata declarado, como todos sabían. Por eso extrañó tanto a Zobeyda que en aquella ocasión invocara a Dios en voz alta. Y no se conformó con eso.

—¡Por el Profeta! ¡Por el Mesías! ¡Por todos los dioses y los demonios de la tierra y del mar!

—Lo sé. Lo sé.

—¿Lo sabes? Niña... Oh, por mi madre.

—Cálmate, por favor, Abú Amir. Te necesito sereno. Yo sabía que Tarub no diría nada del adulterio, porque difícilmente sería creída sin testigos. Al final sería perjudicial para ella levantar semejante testimonio, aunque fuera cierto. Sin embargo, lo de la conversión ha encontrado oídos atentos, y el rumor se expande.

Abú Amir llenó el pecho de aire, cerró los ojos y luego resopló despacio. Lo repitió dos veces antes de sosegarse.

—Escúchame, niña: el pueblo es veleidoso. Tú lo conoces y has sabido ganártelo siempre. Tus súbditos te aman y no creen en las habladurías...

—Me aman, sí, porque reparto monedas a mi paso por las calles y les regalo la belleza. Me aman porque se saben viviendo en la felicidad y la prosperidad. Pero ahora todo vuelve a estar en juego, y no me refiero a los rumores y a la presencia de Tarub. Si lo de Granada sale mal, el mundo que hemos creado empezará a derrumbarse. El pueblo es veleidoso, tú lo has dicho. Y cuando necesiten a alguien a quien culpar, sus lisonjas se volverán acusaciones, y esos burócratas que me han desafiado serán los primeros en alentar al pueblo contra mí. ¿Podrías asegurar lo contrario? Tal vez entonces Tarub sí encuentre gente dispuesta a creerla.

Abú Amir fue a contestar, pero sabía que el futuro era oscuro. Zobeyda tenía razón. Él mismo había sido testigo de cómo, ante la adversidad, la fidelidad y el honor volaban como bandadas de palomas en presencia del halcón.

—¿Y qué has pensado? —preguntó el consejero a la vista de las irrebatibles palabras de la favorita.

—El asunto de Granada me preocupa. Mucho, ya lo sabes. Pero hay otra cosa que temo todavía más, y es los planes del califa al otro lado del Estrecho. Eso que se dice del inmenso ejército que está reuniendo, de la flota que construye, de sus preparativos para la invasión definitiva... Todos parecen haberse vuelto ciegos y sordos. Castilla se desgarra a sí misma, León derrama saliva con la vista fija en el pequeño Alfonso, y hasta el príncipe de Aragón anda demasiado ocupado al otro lado de los Pirineos para reparar en lo que tenemos aquí. Portugal queda muy lejos para apoyarnos en ellos, o ellos en nosotros... Estamos solos, como siempre.

—¿Solos? No, Navarra...

—Navarra no es nada. Lo vi en los ojos de su rey, Sancho, cuando nos visitó. Sí, yo sería capaz de muchas cosas. Incluso de bautizar a mi hija querida en la religión de Cristo. Pero mi fin es elevado, Abú Amir. A Sancho de Navarra le mueve algo más oscuro y despreciable. Algo que vuelve ciegos a los hombres como él: la ambición. La misma ambición que guía a Fernando de León. La que guía a Armengol de Urgel. Te lo repito: estamos solos. —Zobeyda caminó despacio, sin arrancar ni un solo susurro al suelo al pasear por él con sus pies descalzos. Su mano acariciaba al tiempo la pulida superficie de la mesa—. Y no solo ellos están ciegos. También lo estamos nosotros. Lo hemos estado siempre. Los cristianos nos utilizan, Abú Amir. Como escudo. Dejan que nos desangremos, que desgastemos nuestro esfuerzo, a nuestros hombres y nuestro dinero contra esos almohades. Mientras Abd al-Mumín sigue ocupado en guerrear contra mi esposo, los reyes cristianos se regocijan o nos ignoran. Recuérdame, amigo mío, la estrofa del bardo lorquí...

—*Todos aquellos a quienes amas son amigos sinceros en tanto no tienes que guardarte de la desgracia...* —El consejero entornó los ojos para evocar el resto del verso. Zobeyda lo completó:

—*... pero cuando buscas ayuda o tienes necesidad de socorro, ¡no encuentras más que puertas cerradas!*

Abú Amir movió la cabeza en señal de asentimiento, aunque luego se encogió de hombros.

—Puede que tengas razón, niña. Yo también lo he pensado muchas veces, pero ¿cuál es la alternativa? ¿Someternos al Tawhid?

—No, claro que no. Por eso he venido a pedirte que, como tantas otras veces, cumplas mis ruegos, Abú Amir.

El poeta carraspeó. Por cumplir esos ruegos que tan inocentes se prometían en la voz suave y armónica de Zobeyda, se había visto obligado a recorrer media Castilla y Navarra.

—¿Qué deseas que haga, niña?

—En primer lugar, deseo que no te burles de mí —la favorita adornó su cara con la sonrisa más dulce de que fue capaz y acarició con descuido uno de los gladiolos prendidos de su cabello—, porque lo que ahora te pido te parecerá estúpido... Quiero que traigas hasta mí a Maricasca, la bruja cristiana.

Abú Amir resopló y su labio superior se torció a un lado.

—¿Maricasca? Niña, por favor... ¿Maricasca? Pero... ¿qué piensas? ¿Que esa vieja hallará la forma de detener a los almohades? ¡Maricasca!

—La necesito aquí, Abú Amir. Tengo que hablar con ella. No soporto la incertidumbre. Necesito saber que no envié a Zeynab y Sauda a la muerte. Quiero que me diga qué ocurrirá cuando el califa cruce de nuevo el Estrecho. He de conocer el destino de Granada y el de nuestro ejército, el de mi padre, el de mi esposo... Necesito asegurarme de que Hilal, Zayda y Safiyya no son ilusiones que se perderán. Hay muchas cosas que no entiendo, y ella debe aclarármelas. No comprendo cómo el destino se decidirá a cumplir lo que ella vaticinó...

—El destino y ella no trabajan juntos, niña. Deja las supercherías. —Abú Amir se acercó a Zobeyda y la miró como cuando años atrás, en la corte de Segura, ella era una adolescente y él le enseñaba todo lo que sabía—. Eres una mujer, no una cría mimada. No puedes hablarme en serio. Tú, la que entró a cuchillo en la aljama de Valencia y ganó la ciudad para el Sharq... Tú, que has sabido atraerte al rey de Navarra. Niña, tú, que has sido capaz de ceder a la necesidad incluso en tu lecho. Tú, que has vendido tu honor al de Urgel...

Zobeyda endureció el gesto de forma tal que Abú Amir detuvo su discurso. La agitación le había llevado demasiado lejos. La favorita apretó tanto los labios que se fundieron en un estrecho trazo púrpura. Las últimas palabras del poeta quedaron flotando en el aire. Un aire ahora espeso. Tormentoso. Cruzado de líneas luminosas que revelaban el polvo en suspensión. La ira subió al rostro de Zobeyda y sus ojos se humedecieron.

—Abú Amir, consejero de mi esposo el rey: marcharás a tierras de Segura y buscarás a la mujer a la que llaman Maricasca. Si sigue viva, Dios lo quiera, la traerás a mi presencia. Sin excusa. No..., espera. No la traerás aquí. Hay demasiado alboroto. Demasiado visir despreciable y demasiado rumor. Y el harén está muy revuelto, con tanta preñada y con esa Tarub metiendo las narices en todo. Llevarás a Maricasca a Valencia. Al palacio de la Zaydía, sí. Hazlo con presteza, y que se me avise cuando la bruja haya llegado allí. Yo marcharé de aquí, es lo más conveniente. Pasaré una larga temporada en Valencia, lejos de toda esta podredumbre. Aquí no recibo más que insultos.

La favorita no esperó respuesta. Giró sobre las plantas desnudas de sus pies y enfiló el camino de la salida con el mismo aire de enojo con el que los funcionarios de Murcia habían abandonado la sala.

43

Una carta engañosa

Semanas después. Málaga

Utmán apoyaba ambas manos en un merlón de la muralla. Miraba con impaciencia hacia poniente. Tal vez lo normal hubiera sido que sus ojos se dirigieran justo al otro lado, a la distancia oriental y más allá, por el camino que llevaba a Granada. Sin embargo, el *sayyid* escrutaba por encima de la medina el horizonte, deseoso de ver una columna de polvo en la lejanía o a algún explorador a caballo que precediera al ejército. De allí, de occidente, desde Sevilla o desde el Yábal al-Fath, debían llegar los hombres que liberarían Granada.

Días y días llevaba así Utmán, hirviendo su sangre al sol del estío. Cuando, al atardecer, el astro cegaba al *sayyid*, su atención volaba a la cercana judería y la rabia supuraba por todos sus poros. Al igual que en Granada, los hebreos malagueños que no habían aceptado el destierro se habían convertido al islam. La mayoría falsamente. Utmán también era gobernador de Málaga, así que, por más náuseas que ello le provocara, ya se había ocupado de eso. Y quedaba certificado por las cruces que ahora adornaban los alrededores, con cadáveres de israelitas que se pudrían al sol y servían de festín a los cuervos. Era lo menos que podía hacer después de enterarse de que Granada se había perdido por culpa de una traición judía. Pero era cuestión de tiempo que la perfidia hebrea recibiese su pago. Mientras su boca se secaba y los labios se le agrietaban por el calor, recordaba con vergüenza cómo su corazón había sufrido por verse obligado a crucificar a aquel otro judío de Granada... ¿Cómo se llamaba? Bah, qué más daba. Había ocurrido casi tres años atrás, cuando el *sayyid* adolecía del defecto de la inexperiencia. En el futuro no volvería a suceder. Granada quedaría limpia de hebreos falsamente convertidos al islam. La certeza de que el castigo sería implacable servía para hacerle un poco más agradable aquel tiempo de espera. No le temblaría la voz a la hora de ordenar el tormento a los infieles... ¿O sí?

Utmán entrecerró los ojos y se protegió de los inclementes rayos solares con una mano. Allí, en la distancia, alguien se acercaba por fin. Un jinete a toda espuela. El *sayyid* forzó la vista contra la distancia azulada y le pareció distinguir una delgada nube. Sonrió. La vanguardia de las tropas almohades estaría pronto en Málaga. Este tenía que ser un explorador masmuda, seguro. Cabalgaba a toda prisa. Casi volaba, cerca ya del puente de barcas que salvaba el Wadi-l-Madina. Utmán abandonó las alturas de la alcazaba y gritó órdenes mientras bajaba. Necesitaba presto su equipo de combate. Los sirvientes se pusieron en movimiento, y las consignas recorrieron las dependencias malagueñas. Las provisiones para el viaje debían estar listas enseguida. Había que mandar recado a los puestos almohades en el camino de Granada: que estuvieran preparados para el paso de la gran expedición de castigo. El olor acre del sudor impregnaba las ropas de Utmán y apelmazaba su pelo cuando, jadeante, se detuvo al pie de la cuesta que unía la alcazaba con la medina. El jinete que viera en la lejanía, sin siquiera desmontar, había atravesado Málaga entre las imprecaciones de mercaderes, villanos y esclavos. Apenas había tenido que detenerse antes de atravesar las murallas, avisados como estaban los centinelas de la impaciencia de su gobernador. Utmán se acercó al hombre y comprobó con una pizca de decepción que se trataba de un guerrero andalusí.

—Habla —exigió.

Pero el jinete siguió callado; en lugar de obedecer al *sayyid*, sacó un pliego de su zurrón, saltó del caballo y pegó una rodilla contra el empinado suelo de la cuesta. Su cabeza se inclinó y estiró el brazo. Utmán pudo distinguir, aun antes de recoger la misiva, el sello del almirante supremo Sulaymán. Lo rompió sin miramientos y extendió el rollo de pergamino. Leyó con avidez.

En nombre de Dios, el clemente, el misericordioso.

De Abú Yaqub ibn Sulaymán, almirante supremo, jeque y servidor del príncipe de los creyentes.

Añorado *sayyid* Utmán, Dios te guarde. Mi corazón sufre por ti, pues tus hijos y sus madres languidecen asediados en Granada. Una gran afrenta para el islam. Es eso y no otra cosa lo que nos obliga a actuar cuanto antes.

Apenas leas esta carta, apréstate a cumplir lo que para deleite de Dios he dispuesto. Te envío una fuerza escogida de jinetes fieles a la verdadera fe y prestos a dejar su vida por nuestra causa. A ellos los seguirá un ejército de leales musulmanes sedientos de justicia que yo mismo dirijo desde Sevilla. Tu hermano Yusuf, el Profeta le guíe, también viaja en estos momentos desde el Yábal al-Fath tras haber recibido bajo su mando fuerzas llegadas de África. Consigo llevará además a tu feroz caballería árabe, a cuyo frente Dios te obsequió con el triunfo en Marchena. El valor y la veteranía de esos guerreros sostendrán a tu hermano, peor dotado que tú para el negocio de la guerra.

Las fuerzas bendecidas por Dios, loado sea, confluyen así hacia Málaga, desde donde unidas avanzarán para arrasar al infiel Hamusk, al que el Único confunda. Pero antes, tú, a la llegada de esta misiva, deberás tomar la hueste que te mando y dirigirla sin demora a Granada. Confío en tu valía como líder guerrero para adelantarte y remover todo obstáculo sin rehuir la lucha. Examinarás la ruta y comprobarás que esté franca. Dejarás a tu paso órdenes de preparar la acogida al ejército que te sigue. Una vez llegado a la ciudad rebelde, observarás desde la distancia con ojo certero y te asegurarás de reconocer con qué fuerzas cuenta el enemigo infiel, Dios le destruya, de qué especie son y dónde las tiene estacionadas. Mandarás correo con la información y quedarás allí, a la espera de nuestra llegada. Eres la punta de la espada almohade: actúa como se espera de ti.

Ahora debes destruir esta carta. Asegúrate de que arda. Que el humo que desprenda se eleve para agradar a Dios, alabado sea, y sirva a Él para comprobar que sus hijos no se mantienen ociosos, sino que combaten al infiel allí donde se presenta.

Utmán arrugó el mensaje sin molestarse en leer las fórmulas de despedida de Sulaymán, y volvió su vista al guerrero andalusí, que esperaba en pose sumisa.

—Ocúpate de que esta carta arda —ordenó—. Dime: ¿cuántos hombres te acompañan?

—Quinientos jinetes, mi señor. No tardarán mucho en llegar.

Utmán torció la cabeza.

—¿Quinientos?

El correo asintió. A una señal, se alejó con la carta arrugada en una mano y saltó a su caballo.

—Quinientos jinetes... —murmuró Utmán una vez a solas. Muchos para un simple destacamento de exploración. Quinientos guerreros, seguramente todos ellos andalusíes, como ese correo de vanguardia. El *sayyid* hinchó el pecho con orgullo. Sulaymán lo decía con claridad en su mensaje: confiaba en su superior capacidad como comandante para guiar a aquellas tropas por terreno inseguro. Así era. El almirante supremo sabía que bajo su mando, incluso aquellos volubles andalusíes se convertirían en una bestia arrolladora. Bien. Quinientos jinetes eran algo más que una fuerza de reconocimiento. Eran una hueste capaz de entrar en combate si se encontraba un obstáculo inesperado en el camino.

El *sayyid* resopló e inició el camino de regreso a la alcazaba, ahora más sosegado. Miró a lo alto y calculó que todavía quedaba tiempo para partir con luz. Sí, saldrían ese mismo día, tal como ordenaba el almirante Sulaymán. En cuanto su destacamento de quinientos jinetes llegara. Ni siquiera les permitiría detenerse a descansar en Málaga. Debían partir ya. Granada les esperaba y quería plantarse ante ella cuanto antes. Necesitaba recuperar el honor y su más amada ciudad; a sus mujeres y a sus hijos; pero sobre todo quería verla a ella. Ver a Hafsa.

Granada

Al principio, los almohades sitiados en la alcazaba Qadima no comprendían la relación. El muecín hacía las cinco llamadas a la oración desde el alminar de la mezquita, y a continuación de cada convocatoria, un cautivo salía despedido del enorme almajaneque de la Sabica, volaba por encima del barranco excavado por el Darro y se estrellaba contra la muralla. Pero enseguida se dieron cuenta: los perros infieles del Mochico pretendían acallar la sagrada llamada. ¿Lo consiguieron? No, desde luego. El *adhán* seguía repitiéndose cinco veces cada jornada, como prescribía Dios. Y cada día, cinco prisioneros masmudas partían del lado andalusí y acababan en el lado almohade. Sus cadáveres destrozados, despanzurrados, aplastados, hedían allá abajo, en la orilla derecha del Darro. Yacían en poses imposibles, a veces incluso cómicas, entre las rocas y los arbustos. Nubes de moscas atraídas por el hedor de la muerte infestaban el lugar, y la peste a putrefacción se elevaba, se arrastraba por la piedra de la muralla, se colaba por entre las almenas de la Qadima, aterraba a los asediados. Dentro de la alcazaba, los funcionarios y escribientes del *sayyid* Utmán apuntaban cuidadosamente. Tomaban nota de cómo sus sitiadores, hombres del demonio Lobo, insultaban a Dios y manchaban de sangre musulmana cada *adhán*.

Álvar Rodríguez no ocultaba su repugnancia por aquella decisión de Hamusk. No terminaba de entender qué pretendía el señor de Jaén con ella. ¿Acaso esperaba que los de la Qadima se rindieran por eso? Locos tendrían que estar para entregarse a semejante carnicero. ¿Tal vez quería provocarlos? ¿Enfurecerlos y forzar una salida? Los almohades sitiados ni siquiera habían cedido en las llamadas del muecín, luego su determinación y templanza eran manifiestas. No, el Calvo sospechaba que al señor de Jaén lo movía únicamente su sed de sangre, una especie de vicio antinatural por la crueldad. El guerrero cristiano no lo soportaba. Empezaban a martillearle las sienes con los gritos de terror de cada cautivo en los momentos previos a su lanzamiento con el almajaneque. Por Dios. Aunque infieles, aquellos masmudas eran soldados capturados en la lid. Podía comprender que hubiera que matarlos, pero ¿era necesaria la brutalidad de Hamusk?

Ese día, Álvar Rodríguez se tapó los oídos para no oír los gritos de terror del masmuda antes de que fuera cargado en la bolsa de disparo de la enorme catapulta. El lúgubre chasquido de los huesos de aquel desgraciado coincidió con el final del *adhán*, y mientras los musulmanes de uno y otro lado llevaban a cabo la segunda oración del día, el Calvo se dispuso a comer en el pabellón de Armengol de Urgel. La carne de pollo humeaba ante el gran guerrero y un criado escanciaba vino en su copa cuando el hermano del conde, Galcerán de Sales, apartó a un lado el batiente de tela.

—Acaba de llegar un correo para Hamusk —anunció antes de sentarse a la mesa—. Lo traía un andalusí.

—¿Te has enterado de lo que decía? —preguntó el conde de Urgel al tiempo que clavaba su cuchillo en un muslo de pollo y lo pasaba de la bandeja central a su plato.

—No. Ni siquiera él lo ha hecho. Casi no ha prestado atención al mensajero. Se ha guardado la misiva para continuar con el rito del sacrificio.

Álvar Rodríguez movió la cabeza a los lados mientras daba vueltas en sus manos a medio capón asado. Después de hacer un gesto de desgana, arrojó el pedazo de carne a un rincón. Armengol de Urgel observó extrañado al Calvo.

—Por san Jorge, Álvar, que es la primera vez que te veo despreciar la comida.

—Me saca de quicio. No puedo con él.

Armengol y su hermano Galcerán se miraron en silencio.

—Los almohades no son mucho mejores. Ellos también organizan auténticas degollinas —repuso el conde de Urgel—. Ya sabes por qué estos judíos de aquí nos han entregado la ciudad. Eso de crucificar viva a la gente...

—No excuses a Hamusk. ¿No has visto su mirada? Disfruta con esto. Está deseando que el almuédano los cite para rezar. Creo que no debe de deleitarse tanto ni con sus esposas...

Un crujido brusco hizo volver la cabeza a los tres comensales, y el criado que se ocupaba de mantener las copas llenas se puso lívido. En la entrada de la tienda, Hamusk sujetaba la tela por encima de su cabeza. La expresión de su cara mostraba que había oído las últimas palabras del Calvo.

—¿Crees que disfruto, cristiano? —El señor de Jaén dejó la pregunta en el aire, flotando al mismo tiempo que la violenta sensación que ahora se extendía por toda la jaima. El criado se retiró a pasos cortos sin reparar en que dejaba sin bebida a los nobles cristianos. Tras unos instantes que se hicieron eternos, el conde de Urgel se decidió a intervenir:

—Llevamos demasiados días aquí y no tenemos noticias de Mardánish ni del califa. Todos estamos nerviosos, amigo Hamusk. Y debes reconocer que los gritos de agonía de esos infelices no son muy melodiosos...

—No lo serán para ti, amigo Armengol —contestó el señor de Jaén con la sonrisa sardónica pintada en su cara—. O no lo serán para este tierno guerrero.

Álvar Rodríguez se levantó sin respetar platos, comida ni copas. La tabla puesta sobre caballetes botó y las piezas de plata cayeron alrededor, desparramando salsas y líquidos. Como si alguien hubiera presionado un resorte, de detrás de Hamusk emergió de repente al-Asad, que al parecer había permanecido escondido y a la escucha. Su mano derecha estaba cerrada en torno al puño de la espada, y, orgulloso y con gesto retador, adelantó la cara, presidida por la deformidad con que el propio Álvar había adornado la nariz del de Guadix. El conde de Sarria se llevó la mano a un lado antes de recordar que se había despojado de las armas para comer. Apretó los dientes ante la mueca de triunfo del andalusí.

—Señores, señores. —Armengol de Urgel se levantó raudo y corrió a interponerse entre Álvar y al-Asad. Los observó a ambos, y descubrió que aquel duelo singular a los pies de las murallas de Guadix no había terminado a pesar de los años bajo el mismo estandarte—. Por Dios... Por el Dios de unos y el de otros. Somos amigos y compañeros. ¿No podemos perdonarnos estos deslices, tan propios del campamento?

Al-Asad arreció el gesto feroz y su cara cruzada de cicatrices se tensó al sonreír. Tras él, Hamusk también parecía divertirse, aunque ahora su mano, en lugar de seguir sujetando la tela de la entrada, había aferrado el hombro de su devoto León de Guadix.

—Detén tu brazo, mi fiel al-Asad. El conde de Urgel tiene razón, como siempre. Esto es una tontería. Nada que dos buenos camaradas de lucha no puedan perdonarse... —El señor de Jaén miró al Calvo—. ¿No es así, buen Álvar?

El enorme caballero cristiano estuvo a punto de responder que no, que no era verdad. Que ellos solo eran camaradas por un capricho del destino, y que a veces consideraba más cercanos a aquellos guerreros masmudas que a él, el Mochico, insidioso y sanguinario. Pero no lo hizo. La amistad que debía al rey Lobo fue más fuerte, y por eso Álvar Rodríguez arrancó como un toro bravo, pasó junto a al-Asad y su señor y salió del pabellón. Se alejó hacia donde sus hombres habían levantado las tiendas. Hamusk rio entre dientes, no con las carcajadas sonoras que acostumbraba a soltar. Hizo un gesto a al-Asad para que saliera y montase guardia en la puerta, y él ocupó el sitio que el Calvo acababa de dejar vacío. Recogió con lentitud, casi con parsimonia, la copa tirada en el suelo, la escudilla volcada y el cuchillo arrojado algo más allá. Armengol de Urgel también tomó asiento.

—Amigo Hamusk —volvió a hablar Armengol de Urgel, ahora más reposado—, sé que es difícil que todos nos llevemos bien con todos, pero estamos embarcados en una empresa difícil... No es bueno enemistarse, cada uno de nosotros es necesario...

—Unos más que otros, buen Armengol —contestó con aire enigmático el señor de Jaén—. Unos más que otros.

Galcerán de Sales miró a su hermano y señaló en silencio y con disimulo el rollo de pergamino que sobresalía del ceñidor de Hamusk. Este, mientras tanto, hizo una señal al criado huido a un rincón del pabellón para ordenarle que le sirviera vino. El hombre obedeció de inmediato y derramó con manos temblorosas una generosa cantidad de líquido en la copa que unos momentos antes estaba en manos de Álvar Rodríguez.

—¿Has recibido carta, amigo mío? —preguntó el conde de Urgel.

—Ah, sí. —Hamusk bebió de un trago todo el vino, sacó el pliego y lo extendió sobre la mesa sin importarle que la misiva se manchara—. Hummm... Veamos...

El señor de Jaén fue leyendo con desgana al tiempo que alargaba la mano, tomaba una porción de carne y se la llevaba a la boca. El caldo caliente discurrió por las comisuras de sus labios y manchó su barba encanecida. De pronto, Hamusk se paralizó con los dientes aún clavados en el pollo. Alzó la pringosa misiva de la mesa, la puso ante sus ojos y arrojó al suelo el muslo mordisqueado. Los dos hermanos de Urgel volvieron a cambiar una mirada de inteligencia.

—Es importante —aventuró Armengol.

Hamusk gruñó por respuesta y siguió estudiando la carta. Luego miró al conde de Urgel y a Galcerán de Sales, calculando hasta qué punto podía hacerlos partícipes de lo que acababa de leer. Al fin se decidió, pero habló en voz baja, como si la presencia de al-Asad en la puerta del pabellón no fuera suficiente garantía.

—Esta carta viene de Sevilla. Su remitente me da la oportunidad de jugar una partida ganadora si soy lo suficientemente avispado.

—Cuidado con eso, amigo mío —advirtió Armengol de Urgel—. Recuerda a aquel olivarero del Aljarafe al que tu yerno degolló a las puertas de Sevilla. De allí no nos han llegado más que mentiras.

—Yo no soy mi yerno —escupió Hamusk sin ocultar su desprecio—. Pero haces bien en prevenirme. Sí, conocemos los métodos de esos africanos para el engaño, y esta podría ser una de esas patrañas destinadas a distraernos... si no fuera por la persona que la envía.

El señor de Jaén había conseguido captar la atención de los dos hermanos, ahora inclinados sobre la mesa y atentos a las palabras del andalusí.

—¿Quién la envía? —preguntó Galcerán.

—La misma persona que me pide que queme la carta una vez que la haya leído: Sulaymán, lugarteniente del califa Abd al-Mumín, almirante de su flota, general de sus ejércitos.

Los dos nobles se echaron atrás en sus sillas sin ocultar la sorpresa.

—Sulaymán... ¿te da una oportunidad?

—Una oportunidad de oro —completó Hamusk con gesto soñador—. Me dice que el *sayyid* Utmán viene hacia aquí con medio millar de jinetes desde Málaga, con orden de reconocer el terreno y preparar la llegada del ejército almohade.

Galcerán de Sales miró a su hermano con gesto de no comprender. De nuevo fue el conde quien puso en palabras su desconfianza:

—Medio millar. Son muy pocos. ¿Por qué habría de darte esa ventaja Sulaymán? ¿Y si trata de atraerte a una batalla fácil para emboscarte?

Hamusk asintió y su vista se clavó en la nada, por encima de las cabezas de los dos hermanos; pero pronto volvió a la realidad.

—Me asegura que este año no nos atacarán. Dice que el califa no puede preparar una expedición lo suficientemente capaz en tan poco tiempo. Me aconseja que compruebe por mí mismo que lo que dice es cierto: Utmán viene al mando de una unidad pobre, una avanzada de reconocimiento a la que derrotaremos sin esfuerzo.

—No lo entiendo. No tiene sentido —repuso el conde.

—Sí lo tiene. Sulaymán ha puesto bajo mando de Utmán a jinetes andalusíes, a los que desprecia. Su intención es deshacerse de ellos y culpar al *sayyid* de la derrota. Por lo visto, Utmán se está convirtiendo en una molestia.

—Pero eso es traición. —Armengol se compuso nerviosamente el flequillo—. Sulaymán es hombre de confianza del califa. Y sabemos que la devoción de estos almohades raya en la locura... Lo que ahí te propone significa la muerte de un hijo de Abd al-Mumín. Si todo eso no es una gran farsa, insisto, sin duda es traición.

—Traición —repitió Hamusk—. Traición... ¿O no? A veces el buen sentido político puede parecer traición, pero demuestra una sagacidad que muchos no alcanzan a detectar y que puede llegar a confundirse con una farsa. Sulaymán no pierde nada con esto, ni se lo hace perder al califa. ¿Granada? Él mismo lo reconoce: no está en condiciones de recuperarla. No aún, al menos. ¿Quinientos jinetes andalusíes perdidos? No son para él más que chusma de la que no puede fiarse. ¿Y Utmán? Por lo visto ha llevado demasiado lejos sus triunfos... Pensad en el califa, capaz de mandar que se mutile y sacrifique a sus propios hermanos, como ya ha hecho. Sentido de la política, amigos míos. Sentido de la política. No traición.

El conde de Urgel se volvió a retocar el flequillo mientras su hermano atendía a algo que le superaba con creces.

—¿Y si el califa o alguien fiel a él hubiera interceptado la misiva? ¿Y si tú mismo se la hicieras llegar? Sulaymán se pone en tus manos. Es un suicidio. No puede ser verdad.

—La carta no está firmada. Ni lleva el sello del almirante supremo. Cualquiera podría haberla escrito. Solo el mensajero debe de saber la verdad.

—Razón de más para desconfiar. Te recuerdo de nuevo cómo Ibn Igit engañó a tu yerno con una carta sin firmar.

—Si esto fuese una trampa y el califa estuviera al corriente, Sulaymán no habría tenido problema en firmar la carta. ¿De qué podrían acusarle después? ¿De intentar engañarnos para conseguir la victoria? No. Yo creo que es al contrario: el hecho de no firmar ni usar su sello demuestra que el mensaje es muy comprometedor para el jeque —razonó Hamusk.

—Sigo sin confiar en esa carta. Todo eso me parece muy retorcido. Demasiado —sentenció Armengol—. Pero tú tienes el mando aquí. ¿Qué harás?

Hamusk se levantó y anduvo despacio sin salir de la tienda. Removía en su boca un pedazo de pollo mal masticado que se empeñaba en permanecer entre dos dientes. Consiguió escupirlo y contestó, todavía en voz baja.

—Yo tampoco confío ciegamente en esto, lo confieso. Pero no puedo desaprovechar la oportunidad, para lo cual necesito que me auxilies con tu caballería. Mandaré exploradores a confirmar lo que dice esta misiva. Los enviaré a los cuatro vientos para que adviertan de cualquier maniobra extraña, venga de donde venga. Si es verdad que Utmán se acerca con ese medio millar de hombres, lo esperaremos cerca de aquí y con un buen contingente. Que no suponga un riesgo enfrentarnos y que nuestra retirada sea fácil. ¿Eso te tranquiliza?

Armengol de Urgel estaba insólitamente alterado. Sus dedos se empeñaban en arreglar el flequillo y se mordía los labios. Su sentido de la estrategia parecía ceder ante las nuevas circunstancias y las vueltas y revueltas de los razonamientos del señor de Jaén. Aun así, lo que proponía Hamusk no era muy temerario y las ventajas se presentaban como obvias. Calculó sus propias posibilidades: si el señor de Jaén conseguía acabar con Utmán, se habrían librado de un temible enemigo, pues aquel *sayyid* era prácticamente el único que había conseguido plantarles cara. Por otro lado, salir a campo abierto con parte de las tropas representaría un nuevo desafío de Hamusk a su yerno Mardánish, cuyas clarísimas órdenes eran resistir dentro de Granada hasta su llegada con los esperados refuerzos. Y esta nueva muestra de rebeldía no haría sino acercar más a Armengol de Urgel al señorío de Granada, que ambicionaba con mayor ansia cada vez y para el cual Hamusk era el único rival. Y aún había una tercera posibilidad interesante: si el señor de Jaén era derrotado y caía en una trampa, el conde se habría librado de él definitivamente. En cualquier caso, Armengol no debía verse salpicado por ninguna de las contingencias.

—Te prestaré a parte de mi caballería, suficientes hombres para superar ese medio millar de Utmán —dijo por fin a Hamusk, aunque aparentaba pugnar consigo mismo para ceder ante la propuesta—, y mi hermano Galcerán irá con ellos. Pero me reservaré la otra parte de mi hueste, y yo no te acompañaré. No es por el riesgo... Es porque no sería inteligente emplear todo lo que tenemos en tu plan. Espero que lo entiendas. Si tú caes, ¿quién seguirá dirigiendo este cerco?

Hamusk explotó en una de sus carcajadas, se acercó al conde y palmeó sin miramientos su espalda. Luego saludó con la mano repleta de anillos a Galcerán de Sales y salió del pabellón. Tomó del brazo a al-Asad para alejarse rumbo a la pequeña alcazaba de al-Hamra.

—Lo he oído todo —confesó el León de Guadix—. A mí tampoco me parece sensato. Las razones de Sulaymán no convencen. Es una trampa.

—Querido y fiel amigo, por supuesto que es una trampa. Aunque no para nosotros: Sulaymán se la ha tendido a Utmán, el hijo del califa. Pero aun así tus recelos son lógicos. Ah, al-Asad, debes aprender que no siempre puedes decir todo lo que sabes. —Hamusk palmeó su abultada cintura allí donde la misiva quedaba atrapada por el ceñidor—. Yo no les he dicho todo lo que sé a esos dos cristianos ahí dentro. Por eso tú también desconoces que Sulaymán me propone más aún. Utmán será derrotado, por supuesto, pero le dejaremos marchar con vida como garantía de nuestra disposición. A él solo. Así lo solicita el almirante supremo Sulaymán. Sus objetivos se habrán cumplido entonces, pues el *sayyid* quedará desacreditado ante su padre y sus hombres. A cambio, Sulaymán nos ofrece la posibilidad de entendernos en el futuro.

Al-Asad puso cara de no comprender nada.

—¿Entendernos? ¿Con los almohades? ¿Con esos mismos a los que arrojas contra las murallas de la Qadima?

—Ah, amigo mío... Eres un guerrero y, al igual que el conde Armengol, no entiendes el sentido de la política. Tú, que eres el más hábil con la espada, ¿por qué usas adarga y loriga?

—Para protegerme de los golpes de los enemigos —respondió al momento al-Asad.

—Pues bien: ¿no puedo yo, a pesar de ser implacable, revestirme con una buena protección? Tanto me da matar a Utmán que no hacerlo, puesto que con la derrota perderá la gracia de la que hasta ahora ha disfrutado. Y así Sulaymán, que me sirve en bandeja al hijo del califa, tendrá una deuda conmigo. Una deuda que solo nosotros conoceremos. Una protección, amigo al-Asad, para cuando sean otros quienes repartan los golpes. Sulaymán nos está ofreciendo un buen escudo.

Los dos hombres continuaron andando hasta las cercanías del almajaneque gigante. Allí los esperaba el correo sevillano, el que había traído la carta presuntamente redactada por Sulaymán. El León de Guadix retuvo al señor de Jaén por el brazo.

—Ese hombre es el único que conoce la procedencia exacta del mensaje, ¿no es cierto?

—Así es —reconoció Hamusk. Miró a su fiel guerrero a los ojos y entendió lo que quería decir. El caudillo andalusí soltó otra de sus sonoras risotadas—. Y el almirante Sulaymán también dice algo de eso en su carta. Ah, mi buen amigo al-Asad, el hijo que debí tener... ¿Cómo andamos de cautivos masmudas?

—Se acaban, mi señor. En unos días nos quedaremos sin proyectiles que arrojar al otro lado del río.

—Es una pena. —El señor de Jaén levantó ambas cejas y apuntó con la barbilla al correo sevillano—. No falta mucho para el próximo canto del muecín. Que él acuda a su llamada.

44

El prado del sueño

Dos días después. Valencia

El séquito armado se detuvo a la puerta de la flamante *munya* junto al río y los soldados formaron a los lados del carro. De inmediato, varios sirvientes colocaron un escabel y corrieron a abrir puertas y apartar criados. El calor húmedo hacía sudar al hombre que, rodilla en tierra, aguardaba a que la recién llegada se dejase ver.

Zobeyda bajó risueña. Era la primera vez que se hallaba ante la Zaydía después de que, apenas unas semanas antes, se hubiera dado por acabada la obra. Desde fuera, el palacio anunciaba un vergel que asomaba tras los muros de tapial circundante, y los pájaros cantores habían hecho suyos los rincones del patio, los enramados que formaban corredores y los arrayanes que se arracimaban en las umbrías. El hombre arrodillado, un eunuco de baja talla que ejercía de criado jefe en el nuevo palacio, elevó la mirada hacia la favorita. Tras él, a los lados del acceso exterior a la *munya*, la servidumbre formaba en línea para el recibimiento. Adelagia y Marjanna también bajaron del transporte, y las tres mujeres caminaron hasta traspasar la entrada. Una tras otra exclamaron admiradas por la belleza de la *munya* expresamente construida para la princesa Zayda. El eunuco se deslizó por un lado mientras la favorita y las dos doncellas se extasiaban con el verdor de los mirtos y la blancura resplandeciente del mármol. Las adelantó para dejarse ver y señaló la entrada, flanqueada por columnas cubiertas de enredadera.

—Sé bienvenida a la Zaydía, mi señora. Todo ha sido dispuesto para tu llegada. Perdona mi atrevimiento, pero ¿no traes contigo a la joven princesa?

Zobeyda hizo un mohín de satisfacción.

—Se ha quedado en Murcia con su hermanita, Safiyya. Pero pronto vendrá a tomar posesión de su palacio. Una gran obra. Haré que todos los que han trabajado en esta *munya* sean recompensados con largueza. ¿Dónde está Abú Amir?

El criado se acercó con la familiaridad descarada propia de los eunucos y, en voz baja, movió la barbilla hacia la muralla de Valencia, que se alzaba al otro lado del río.

—Estos días visita con frecuencia a una danzarina de Úbeda que vive en la medina, mi señora. Ahora estará todavía durmiendo en la taberna en la que ella trabaja.

Adelagia no se preocupó de disimular una mueca de desagrado al oír aquellas palabras. En cuanto a Zobeyda, no dejó traslucir nada por lo dicho acerca de su consejero.

—Bien, luego lo veré. Dime, buen hombre: ¿está la aquí bruja cristiana?

El eunuco se estremeció y, disimuladamente, trazó un signo contra el mal de ojo con los dedos de la mano izquierda.

—Abú Amir dio orden de no dejarla salir. La hemos acomodado en una de las estancias de la servidumbre. Si lo deseas, mi señora, te guiaré hasta allí.

Zobeyda se volvió y dio orden a sus dos doncellas de preparar los aposentos; luego siguió al solícito jefe de los criados de la Zaydía. La favorita notó el agradable cambio de temperatura propiciado por la floresta y la irrigación del contorno arbolado. Respiró el delicioso frescor que reinaba bajo los arcos recién tallados, y sus manos acariciaron al pasar las columnas y las paredes alicatadas. Cada estancia gozaba de un aroma distinto merced a los pebeteros hábilmente disimulados en los rincones. Quemaban maderas aromáticas y ámbar, y extendían nubes que abrazaban los pilares o se deslizaban junto al techo labrado. Las cámaras de los criados estaban en la parte posterior del palacete, junto a una puerta de servicio. Allí mismo había estacionadas varias pequeñas carretas a medio descargar. La llegada de la favorita había puesto en funcionamiento a todos los esclavos y operarios a sueldo de la *munya*, y ahora los cocineros, camareras y escanciadores se apresuraban a preparar sus respectivos servicios. El eunuco abrió la puerta de una estancia, dio medio paso a un lado y se inclinó de nuevo cuando la favorita entró. Luego cerró y su eco se perdió enseguida entre el trajín de criados.

Maricasca parecía no haber envejecido en todos aquellos años. O quizá fuera que había alcanzado un límite tras el que era imposible arrugarse más. Sus ropas negras y deslucidas debían de estarlo desde décadas atrás, y su cabello gris y desmadejado tenía sin duda ese color desde tiempo remoto. La bruja, sentada en un jergón y con la mirada perdida en la celosía de la pared meridional, ni siquiera se movió cuando Zobeyda la saludó.

—Maricasca, buena mujer. Espero que me perdones por este abuso.

La voz de la bruja sonó rasposa, con el mismo tono escalofriante que aquella lejana noche en la oscuridad de su caverna.

—No creo que te perdone, morita. Es más, deberías temer mi ira. ¿No has oído hablar de mis métodos? Si quisiera, podría hacer que tu cabello se marchitara como una flor regada con cal, y tu cráneo quedaría más pelado que el de tu amigo cristiano, ese Álvar.

—¿Tú conoces a Álvar Rodríguez? —preguntó sorprendida la favorita—. ¿Cómo es posible?

La vieja se volvió entonces, y mostró sus ojos de un color tan claro que parecía blanco. Zobeyda sintió un escalofrío al ver la sonrisa de la vieja, imprecisa por los pocos dientes que aún conservaba.

—Yo sé mucho más de lo que parece que sé, morita. Que viva en una cueva no significa que no conozca el mundo. Tú tienes tus cartas y tus confidentes. Tienes a tu Abú Amir. Yo tengo eso.

Maricasca señalaba a sus herramientas de trabajo, un desbarajuste de ollas, bolsitas de cuero remendadas, hatillos de ramas y hierbas secas, colgantes fabricados con conchas, piedras y cortezas, redomas de barro cocido y rollos de hojas atados con cintas aceitosas.

—No debes enojarte, anciana. Aquí tendrás cuanto pidas y harás lo que te plazca. La única condición será que permanezcas en la Zaydía y que me sirvas bien. ¿Deseas riquezas? Yo te las daré. ¿Alguna otra cosa? Dime qué, y serás complacida.

Maricasca pareció cavilar sobre las palabras de Zobeyda.

—Todos tenemos un precio, morita. Crees que el mío es todo eso que me ofreces. Bah. Naderías. Lo que más valoro es poder andar por donde se me antoje y no tener que dar cuentas a nadie. ¡A nadie! No cambiaría mi gruta renegrida por todos los palacios del mundo. Devuélveme a mi hogar o padecerás las consecuencias.

—Te devolveré, anciana. —La favorita mantenía un tono afable, casi sumiso. No terminaba de creer que Maricasca fuera a cumplir ninguna de sus amenazas, pero una aprensión casi inconsciente la compelía a tratarla con deferencia—. No sé cuándo, pero regresarás a tu cueva. Y durante el tiempo que estés aquí, te prometo que no padecerás hambre ni frío. Pero debes ayudarme. Si no lo haces por riquezas, hazlo por eso que tanto dices amar: tu libertad. Tú, que mucho sabes, ¿acaso ignoras lo que ocurrirá si los almohades aplastan a los ejércitos de mi esposo? Cristiana y bruja... Te auguro un trato especial por esos africanos.

La anciana volvió la mirada a los haces de luz que se colaban por los huecos de la celosía, dibujando estrellas de ocho puntas que entrelazaban sus extensiones y se cruzaban hasta el infinito.

—Sé lo que ocurrirá. Ya estuvo a punto de pasar hace tiempo, cuando el rey Batallador de los aragoneses asoló con sus guerreros las tierras de los otros africanos...

—¿Ves? Tú conoces el pasado y también el futuro —susurró Zobeyda.

—El futuro no está escrito esta vez, morita. No puede leerse aún. Pero sí puedo ver quién lo escribirá. Sucede que a veces uno escribe con trazos más claros lo que teme que lo que anhela. O al revés. El germen del destino reside en cada corazón.

Nuevos enigmas que nada revelaban. La favorita se notó abordada por la impaciencia. La misma que la había llevado a ordenar a Abú Amir que localizara y trajera a Valencia a la bruja.

—Pues bien, el futuro está escribiéndose ahora, anciana. Los escribanos empuñan los cálamos y los clavan en la carne de sus enemigos. De sus palabras sangrientas depende que tú vivas o mueras bajo las picas africanas. Todos dependemos de ello. Muéstrame de nuevo el porvenir, lo necesito.

La vieja no se dio la vuelta. Su espalda encorvada pareció bajar más aún cuando Maricasca encogió los caídos y huesudos hombros.

—Procúrame un poco de sangre de paloma y otro poco de sangre de halcón. Ordena que me traigan un brasero. Vuelve esta noche. Sola.

Las noches de verano en Valencia eran a veces más insoportables que los días. El calor, la humedad y las nubes de mosquitos parecían renegar de que aquella fuese una de las más preciadas joyas del reino, y se empeñaban en mortificar a los villanos saltando las murallas, recorriendo las callejas, colándose en las alamedas, instalándose en los huertos. Pero nadie podía resistirse a la belleza de la ciudad, y todos daban por buenos los calores del infierno con tal de disfrutar de la perla del Sharq al-Ándalus. Así había enamorado a reyes sarracenos, aventureros cristianos y poetas:

> *Valencia; si meditáis sobre ella y sus maravillas,*
> *es la más resplandeciente de las ciudades.*
> *Mi mejor testimonio es su belleza manifiesta.*
> *Nuestro Señor la ha revestido del brocado de la hermosura*
> *y adornado de dos orlas: el mar y el río.*

A pesar del bochorno y de que en el fogón ardía una llama de un inusitado color verdoso, la estancia de la bruja Maricasca estaba fría. Y frío era lo que estremecía a Zobeyda, que se agarraba los brazos y notaba la piel de gallina bajo sus ropas. Ante ella, Maricasca removía en un caldero desportillado una mezcla pastosa y negruzca. Sangre de halcón y sangre de paloma. No le había costado mucho a la favorita conseguir ambas cosas, y de hecho otras de mayor dificultad se habría agenciado de haberlas pedido la bruja. Porque Zobeyda estaba impaciente y necesitaba saber.

—¿Qué ves?

—Shhh... —La vieja reprimió a la favorita sin importarle, porque jamás le había importado, que su cliente fuera un campesino o un príncipe—. No voy a ver nada. Este brebaje es para ti, morita. Tú verás el destino.

Zobeyda se acercó por la espalda de la anciana y contempló cómo a cada vuelta del cucharón de madera ennegrecido, aquel caldo maloliente iba perdiendo su espesor. Ahora se asemejaba más a una sopa sucia en la que flotaban largos hilos oscuros que seguían como estelas las idas y venidas del cacillo. La llama verduzca crepitaba bajo el perol, y de vez en cuando aparecían en la superficie del líquido las hojas arrugadas que Maricasca había arrojado a la pócima mientras recitaba algún salmo inspirado por Asmodeo, Behemot o cualquier otro demonio. La anciana se inclinó a un lado y cogió una de las bolsas de piel recosida, aflojó los lazos y rebuscó en ella. Sus encías desdentadas relucieron cuando encontró una pequeña bola blanca con una especie de capilares rojos que recorrían su superficie. Maricasca la levantó y la puso ante la cara de Zobeyda tal que si quisiera enseñarle una perla recién sacada del mar. La favorita dio un paso atrás al darse cuenta de que era un ojo. Un globo ocular, no sabría decir de qué clase de criatura. El iris, alargado y casi transparente, parecía mirarla con fijeza. La vieja rio por la reacción de asco de la favorita.

—Un ojo muerto para ver la muerte... —Señaló a la cara de Zobeyda con un dedo largo y retorcido—. Ojos vivos para ver la vida.

El globo cayó en el caldo y levantó una salpicadura. Enseguida regresó a la superficie y orbitó en torno al remolino central. El cucharón aceleró su viaje y al fin el ojo volvió a desaparecer. Maricasca casi metió su nariz de pajarraco en el brebaje para olerlo e hizo un gesto de asentimiento.

—Es ahora —indicó a Zobeyda—. Ven, morita; toma mi lugar. Acerca tu cara y mira fijamente. Intenta distinguir el fondo de la olla. Pero cuidado: tus deseos podrían mezclarse con el porvenir.

La favorita obedeció aunque el frío y el temor estaban a punto de entumecer sus miembros. Cuando Maricasca se levantó del taburete que ocupaba, Zobeyda se sentó en él. Primero se mantuvo apartada, asqueada por el hedor salobre que subía del cazo. El humo se demoraba, se revolvía en volutas y luego se estrellaba contra su cara para meterse por su boca y su nariz. Los ojos se le humedecieron y notó que el vapor se le condensaba en la piel del rostro. Empezó a sudar.

—Acércate más —susurró la vieja. Su voz sonaba lejana, aunque la favorita no sabía si era porque la anciana hablaba en voz baja o porque ella se distanciaba. Aproximó la cara y empezó a distinguir su reflejo en el líquido ondulante. Vio la tez pálida que contrastaba con el cabello negro. Vio también los ojos oscuros y el gesto de recelo. Luego el líquido se detuvo en su ya lento giro y, de repente, dejó de reflejarse en él. En su lugar vislumbró algo blancuzco allá abajo, en el fondo. Forzó la vista y la mancha clara se hizo más evidente. Y fue tomando forma... y vida.

Zobeyda apoyó las manos en el suelo y lo notó húmedo. Se incorporó y quedó sentada. Era imposible. Hacía apenas un instante estaba en el aposento de la vieja Maricasca, adormecida por aquel vapor penetrante. Debía de haberse mareado. Pero ¿qué hacía allí?

Miró alrededor. Una ladera apenas inclinada, cruzada por multitud de acequias. Líneas arboladas de olivos y campos de labrantío, e incluso algunos campesinos que acarreaban a lo lejos sus aperos. El zureo de las torcaces y el correr del agua por sus canalillos daban a todo un aura de ensueño. Zobeyda se puso en pie y se sacudió las manos para librarse de la tierra y las hojillas pegadas a ella. Anduvo pendiente abajo, todavía sin comprender, cuando una bandada de estorninos se elevó con griterío de protesta desde una higuera cercana. Los silbidos de aquellas aves estremecieron a la favorita, que intuyó que algo iba mal. Se apoyó en la higuera y forzó la vista. Sí. Algo ocurría. Los labriegos dejaban caer sus herramientas y corrían. Desaparecían del prado. Solo entonces, al saberse sola en aquel lugar, reparó Zobeyda en la nube de polvo que se elevaba más allá del cercano horizonte. Al humo blanco siguieron enseguida los estandartes y el retemblar del suelo. La favorita se agazapó tras el tronco de la higuera. ¿Qué era eso? ¿Y qué hacía ella allí?

Los primeros jinetes aparecieron al trote. Llevaban en alto sus pendones. Caballeros andalusíes, iguales a los que ella había visto multitud de veces reunidos en *musalás*, preparados para partir a cada campaña junto con sus aliados cristianos. Cabalgaban despreocupados, con los escudos colgados de las sillas. Una columna de a dos que tomaba una curva tras otra para esquivar el laberinto de acequias. Zobeyda los observó al pasar. Entonces vio al comandante de aquella fuerza. Tenía que serlo por lo lujoso de sus vestiduras y porque le precedía la bandera más flameante. Su piel oscurísima destacaba contra el turbante blanco que le diferenciaba del resto de los guerreros. Como si siempre lo hubiera sabido, el nombre de aquel sujeto atravesó su mente de lado a lado.

—Utmán.

Zobeyda iba girando poco a poco alrededor del tronco de la higuera, ocultándose inconscientemente de la vista de la tropa. Si aquellos hombres la vieran... ¿Y si la reconocían? ¿Qué baza sería para ellos cautivar a la favorita del rey Lobo? Pese a sus temores, aunque muchos de los jinetes atisbaban alrededor, ninguno hizo gesto alguno. Era como si las miradas la atravesaran. Como si no estuviera realmente en aquel lugar.

Un crujido de ramas aplastadas sonó a su espalda y la mujer se volvió. Allí, apenas a unos codos, estaba su padre, Hamusk. Forrado de hierro, montaba su destrero y empuñaba la lanza. Se inclinaba sobre el arzón al tiempo que, como un gato a punto de saltar sobre la liebre, se acercaba sigiloso.

—¡Padre! —gritó Zobeyda, presa de aquella sensación de irrealidad—. ¡Padre!

Pero Hamusk hizo caso omiso a pesar de hallarse justo al lado de su hija. En lugar de responder o siquiera mirar, elevó la lanza mientras soltaba un grito agudo y prolongado. Y a ese grito respondieron otros más allá. Y cientos más sobre el lomo elevado de la ladera. Y al otro lado. Llegaron como ecos distantes, y la columna de Utmán se detuvo. Los caballos piafaron con disgusto, y sus jinetes los hicieron girar. Algunos hombres se inclinaron para embrazar los escudos, y Utmán se envaró sobre los estribos con gesto de sorpresa.

Cuando Hamusk espoleó a su destrero, las briznas de hierba se levantaron a su paso. Zobeyda pegó la espalda contra la higuera y notó la crispación en su rostro. Tras el señor de Jaén cabalgaba al-Asad, inconfundible por su adarga lacerada y la nariz deforme. Y siguiéndolos, una interminable oleada de jinetes. Encorvados los cuerpos, altos los escudos, bajas las lanzas. La ladera se vio invadida por caballeros que venían desde arriba y por ambos lados, que rodeaban a Utmán. Zobeyda clavó las uñas en la corteza cuando la tierra pareció resquebrajarse al paso de cientos de animales. El olor de la hierba húmeda se mezcló con otro más acre. En el lado opuesto del prado, el estandarte de Urgel flameó y una línea impecable de caballeros cristianos llegó como el oleaje en una marejada: barrió a los andalusíes del *sayyid*. Zobeyda gritó al verse cogida en medio de una batalla. Vio con horror cómo muchos de los enemigos trataban de retroceder, volviendo por donde habían llegado, pero los caballos hundían sus patas en las acequias y se quedaban trabados. Otros tropezaban, y sus jinetes caían al suelo. Algunos opusieron resistencia a Hamusk y a los cristianos, pero pronto fueron aplastados. El griterío de furia creció y otro más desgarrador se impuso. Zobeyda vio hombres clavados a tierra desde lo alto, alanceados una y otra vez con golpes fulminantes. Los hombres de Hamusk se ensañaban y herían. Remataban. Mutilaban. Rugían de ira desbocada. Destrozaban los cuerpos de los que ya estaban muertos. Reían, presos de una locura sanguinolenta. Hasta que sus carcajadas llegaban al paroxismo y dejaban de picar carne con sus lanzas. Una sombra oscura se iba acercando desde el sur y cubría el sol. De repente todo quedó en penumbras y el hierro dejó de relucir. Los gritos de dolor se mezclaron con otros. De miedo. Los hombres miraban horrorizados al cielo y se tapaban los ojos. Las armas caían de sus manos, ellos también resbalaban de las monturas y se iban al suelo. Y lo mismo ocurría después con los caballos. Desde el suelo alzaban las manos y suplicaban piedad, pero su voz se iba apagando porque todos sangraban. Su piel se agrietaba y sus miembros se separaban, y se abría la carne y todos morían despacio. Aquel prado de ensueño fue inundándose de sangre, el agua de las acequias se tiñó de escarlata, todos los cursos se derramaron por aquella suave pendiente hasta unirse abajo y formar un río que discurría lento, burbujeante. Su oscura superficie era densa, y cabezas humanas se asomaban para clavar sus ojos vacíos en los de la favorita, y luego se hundían. Un río de sangre. Zobeyda no podía más. No era capaz de quedarse allí, sintiendo cómo el hedor de la muerte se extendía por el prado. Gritó, pero no consiguió oír su propia voz. Entonces se tapó los oídos, pero tampoco pudo impedir que los gemidos de los moribundos siguieran atormentándola. Se despegó de la higuera protectora y corrió para alejarse. Resbaló en el lodo rojo en el que se había convertido el lugar por las pisadas de las bestias cargadas de metal. Trastabilló y cayó varias veces, hundió los dedos en la tierra y se agarró a las raíces medio arrancadas, mojó sus pies descalzos en una acequia ensangrentada y cubierta de hierbajos, se arrastró mientras saboreaba el amargor de sus propias lágrimas. Por fin fue dejando atrás el sonido de la muerte, los aullidos de los heridos, los ruegos de clemencia... Pero había un grito que todavía horadaba su mente. Uno que se repetía y que no podía identificar. Una voz de mujer. Quebrada. Lejana. Una palabra que se iba acercando y que ahora casi era capaz de distinguir. Más cerca. Más clara. Su nombre. Zobeyda. Zobeyda.

—¡Zobeyda!

La favorita abrió los ojos e inspiró con fuerza. Notó el sabor de la sangre en la garganta. Se ahogaba y precisaba aire. Boqueó desesperada y se agarró a lo primero que pudo. Era ella, Maricasca, que la llamaba a gritos a pesar de estar junto a ella. Oscuridad alrededor, y aquel olor pestilente del brebaje.

—¿Qué? ¡No! ¿Dónde estoy?

—Aquí, aquí, morita. —La repulsiva voz de la anciana sonaba ahora amable. Y sus manos aguantaban firmes. Parecía mentira que alguien tan viejo pudiera sostener a una mujer mucho más joven y fuerte. Zobeyda miró alrededor. Estaba tendida en el único camastro de aquella cámara, y a su lado seguía humeando la pócima. Las llamas verduzcas casi se habían consumido y ahora no daban para iluminar la estancia. Pero se reflejaban en las opacas pupilas de Maricasca. La bruja, sentada en el jergón e inclinada sobre la favorita, aflojó despacio su presión al tiempo que la boca se le estiraba en una sonrisa mellada—. ¿Qué has visto? ¿Has visto el porvenir?

Zobeyda se relajó. Estaba fatigada, como si realmente hubiera corrido ladera arriba. Le dolía la espalda. Sentía entumecidas las piernas y le escocían los dedos de las manos. Cerró los ojos y se obligó a respirar más despacio. Se frotó la cara y arrastró la humedad de las lágrimas.

—Una batalla... —empezó a decir—. Mi padre atacaba a Utmán... No podía verme. Y no me oía.

—No, no, claro que no. —La vieja soltó una risita corta—. Una batalla. Bien, bien. ¿Y triunfaba tu padre?

—Sí... pero no. —Cuando Zobeyda trató de incorporarse, un súbito pinchazo le traspasó la cabeza de sien a sien. Se dejó caer de nuevo.

—Ahora no debes esforzarte. Enseguida dormirás. Y mañana quizá no recuerdes nada. Por eso es ahora cuando has de rescatar todo lo que has visto. Hubo una batalla, y tu padre venció, pero hay algo más...

—Sí, hay algo más. —La favorita se restregó la cara para intentar quitarse el sopor que la invadía—. Los enemigos morían a decenas, a cientos. Pero nuestros hombres también. Todos caían. La muerte se enseñoreaba de aquel lugar, y la hierba ennegrecía y se formaba un río. Un río de sangre que atravesaba todo el prado. El prado de mi sueño, Maricasca. —Un nuevo arrebato hizo que Zobeyda se agarrara al basto manto de la vieja, y esta vez pudo incorporarse. Miró a los translúcidos ojos de la bruja sin verlos—. El prado del sueño, Maricasca..., estaba lleno de sangre. No había victoria, Maricasca. Todos morían... en el prado del sueño.

—Sí, morita. Muerte, morita. Un triunfo que traerá la muerte. Ese es el porvenir —asintió la vieja al tiempo que empujaba a la favorita con suavidad. Zobeyda dejó caer sus brazos y se recostó de nuevo. El sopor la invadió y sus labios intentaron hablar sin conseguirlo. Se fue hundiendo en la negrura, esta vez sin pesadillas ni visiones. Ya estaba dormida cuando balbució sus últimas palabras.

—El prado... del sueño...

Hamusk subió a lo alto de la pequeña loma y se volvió, rodeado de varios de sus caballeros andalusíes. A todo lo largo de la ladera, los hombres del conde de Urgel recomponían las líneas y lanzaban cargas postreras. Más allá, en dirección a poniente, algunos grupos de sus hombres perseguían a los pocos enemigos que, tras sortear la maraña de acequias, habían conseguido darse a la fuga. Pero el interés del señor de Jaén caía hacia el campo de batalla de la cercana ladera, donde todavía resistían los más valientes de los adversarios. Ocupaban el centro del prado, dispuestos a plantar cara a las últimas acometidas de los caballeros cristianos de Urgel dirigidos por Galcerán de Sales. Apenas medio centenar de jinetes andalusíes, tal vez del Garb, la mayor parte de ellos desmontados y formando línea. Juntaban sus escudos y se esforzaban en construir una muralla humana erizada con sus lanzas. El señor de Jaén sonrió. A caballo tras esos últimos hombres irreductibles, haciendo aspavientos mientras empuñaba una espada, un almohade de tez oscura y turbante medio caído gritaba órdenes. Un esfuerzo heroico final. Hamusk se volvió a medias y se dirigió al fiel al-Asad, que montaba a su lado mientras su dentada espada goteaba sangre.

—Utmán, el hijo del califa. —El señor de Jaén señalaba al almohade que dirigía la última resistencia—. Tiene valor.

El León de Guadix mostró su acuerdo con una inclinación. Alrededor del comandante enemigo, el prado estaba lleno de cadáveres de hombres y caballos. La mayor parte habían caído allí mismo, en el lugar en el que la columna procedente de Málaga había sido sorprendida. La red de acequias para el riego había impedido a las fuerzas enemigas zafarse de la sorpresiva carga simultánea desde tres frentes.

Hamusk miró a lo lejos. Sus hombres exterminaban a los últimos adversarios en fuga y volvían grupas. Pronto todos convergerían alrededor de Utmán. A su derecha, los caballeros cristianos de Urgel esperaban la orden de Galcerán para barrer a los enemigos supervivientes.

—No podrán aguantar una carga —aseguró al-Asad—. Deberían huir antes de que los nuestros lleguen. Morirán todos.

—Cierto. Y no es eso lo que queremos, ¿verdad?

El guerrero andalusí sonrió ante el comentario de Hamusk.

—Galcerán de Sales se dispone a cargar. Bajan lanzas —observó.

—Bien. Apresúrate y desciende con tus hombres. Separa a Utmán de sus últimos guerreros y llévatelo del prado. Tú podrás hacerlo. Escucha, fiel amigo. —Hamusk se bajó el ventalle y clavó sus ojos en los de al-Asad—. Nada me gustaría más que degollar con mi propia daga a ese puerco de Utmán... Vengarme por lo de Marchena. Pero el *sayyid* debe sobrevivir. Es el trato que tenemos con Sulaymán.

El León de Guadix no contestó. En su lugar, levantó la espada y encabezó la cabalgada ladera abajo. Al mismo tiempo, Galcerán de Sales dirigía a sus hombres las últimas órdenes para la carga definitiva, y los guerreros de Utmán se encomendaban a Dios o arrojaban sus escudos para salir corriendo. Hamusk sonrió. Sus jinetes andalusíes, que ya regresaban del alcance, masacrarían según sus órdenes a todo enemigo. Nada de prisioneros. El señor de Jaén volvió grupas despacio y miró hacia la cercana Granada. Apretó los dientes al vislumbrar los borrosos perfiles de la alcazaba Qadima, recortada contra el azul del Yábal Shulayr. No estaba totalmente satisfecho. Había terminado con todos los prisioneros, y ahora no podía arrojar más cautivos con su hermoso almajaneque gigante para mortificar a los sitiados. Hamusk tuvo una idea entonces y llamó la atención de un guardia cercano.

—Galopa a toda prisa e informa a Galcerán de Sales. Cambio de órdenes. Quiero a esos últimos enemigos vivos. ¡Rápido!

El guardia andalusí azuzó a su montura, que corrió ligera hacia las líneas cristianas. Los guerreros de Urgel ponían ya sus destreros al paso.

Al otro lado de la ladera, el grupo dirigido por al-Asad simuló una carga cerrada contra el flanco de la formación de Utmán. Este, al darse cuenta, condujo la defensa a la cabeza de una decena de jinetes andalusíes aún fieles al credo almohade. Un nuevo griterío se alzó antes de que las dos formaciones, con clara ventaja numérica para la hueste de al-Asad, chocaran. Pero el León de Guadix tiró ligeramente de las riendas a su izquierda. El destrero retardó la marcha y dobló, salpicando la hierba de sangre al pasar sobre los cadáveres tendidos. Algún que otro grito apagado delataba a los heridos que todavía se aferraban a la vida. Al-Asad buscó el turbante del *sayyid* almohade y se cuidó de quedar a su vista. Cuando calculó una distancia suficiente, el guerrero de Guadix detuvo a su caballo y empezó a voltear la espada por encima de la cabeza. Al hacerlo, goterones de sangre salían despedidos y rociaban el prado.

—¡Utmán! ¡¡Utmán ibn Abd al-Mumíííííííín!!

El *sayyid* almohade giró la cabeza. Con el corazón desbocado y las pupilas dilatadas, se disponía a morir como último tributo a su padre y al Tawhid. Ni siquiera pensaba en la trampa en la que había caído; si acaso, tan solo un recuerdo nublado de su amada Hafsa se disponía a quedar grabado en sus retinas antes de recibir el martirio. Pero ahora veía allí, apartado, a un jinete andalusí que le desafiaba. Le llamaba por su nombre. Tañido de hierro y estrépito de muerte: el choque entre sus fuerzas y las de Hamusk tenía lugar a poca distancia. Utmán maldijo a todos los puercos infieles y a los traidores al islam. Los talones del *sayyid* golpearon con rabia los ijares de su caballo, y el animal pisoteó con desesperación a muertos y heridos. Se lanzó a una carrera alocada que al-Asad se dispuso a recibir. Sin embargo, cuando la distancia era tan corta que el combate parecía inevitable, el León de Guadix rompió su galopada, picó espuelas y salió huyendo.

Utmán escupió un grumo de ira y su montura resbaló en una acequia. El caballo saltaba y corveteaba tras el del andalusí mientras esquivaba olivos, higueras y arbustos. Al-Asad se volvió a medias y se burló del *sayyid*.

—¡Utmán! ¡Miserable africano!

El campo de olivos se hizo denso. Las ramas arañaban la piel de los caballos y los guijarros saltaban arrancados de la tierra por las pezuñas. Los ollares expulsaban vapor y una espuma blanca empezaba a teñir el pelaje de los animales.

—¡Detente, cobarde! —gritó Utmán—. ¡Lucha!

Pero el jinete andalusí siguió con su fuga. Al llegar al borde del campo sembrado se encaramó a un pequeño roquedal. El caballo pareció vacilar mientras sus cascos se aposentaban con seguridad, pero el animal consiguió rehacerse. El almohade gruñó de ira y tomó una senda mejor. Utmán se alegró de abandonar aquella trampa arbolada. De pronto descubrió que había perdido de vista a su enemigo.

El *sayyid* puso la montura al paso y aguzó el oído. Nada. El roquedal se alzaba medio cuerpo por encima del campo de olivos. Atrás quedaba el campo de batalla, desde donde llegaban los ecos de la carnicería. Imaginó a sus últimos hombres cayendo muertos o prisioneros, rodeados por las fuerzas combinadas de infieles y traidores. Apretó la mano en torno a la empuñadura de su espada. ¿Dónde estaba el tipo que le había desafiado?

Las rocas dieron paso a una nueva explanada. Una ciudad en ruinas se alzaba allí. Casas de paredes deterioradas por la humedad y el tiempo. La muralla era una simple huella apenas visible en el linde de la villa, las calles estaban llenas de piedras y varias techumbres habían cedido. Incluso se podía ver la vieja mezquita, desprovista ya de puertas y sin adorno alguno. El alminar, ennegrecido, mostraba la suciedad acumulada por años de abandono. Los rastros de los excrementos de aves chorreaban por sus paredes y volvían innoble y triste aquel lugar. Era Madínat Ilbira. La vieja ciudad fantasma. Un lugar donde, según las viejas leyendas andalusíes, habitaban el perverso *gul*, bestia oscura, y los *yunnún*, hálitos infernales que acechaban en los cruces de caminos, en los páramos y en los pantanos. Que encendían hogueras en la noche para atraer a los viajeros solitarios y devorar sus almas.

Utmán llevaba su caballo despacio por el centro de una calle espectral, miraba al pasar por cada bocacalle e inclinaba el cuerpo para escudriñar las casas a través de los huecos de ventanas sin jambas y puertas sin batiente. Tras una de esas esquinas vio el destrero del andalusí, parado y con las riendas colgando indolentes. El *sayyid* desmontó y se acercó sin perder de vista el entorno. El peso de su loriga le hacía sudar. Le molestaba incluso el turbante que envolvía su yelmo. Justo frente al caballo del enemigo, una puerta de dintel bajo parecía invitarle a entrar. Utmán sonrió y adelantó su escudo.

—Rata andalusí... —insultó—. Tu maldita raza lleva el miedo en la sangre.

Nada ni nadie respondió a la provocación. Los ojos de Utmán se acostumbraron a la penumbra que reinaba en aquella casa medio en ruinas de la abandonada ciudad de Elvira. Muebles desvencijados, vigas de madera caídas, escombros y una capa de polvo que lo alfombraba todo. Algunas raíces habían conseguido abrirse paso a través de la argamasa y las piedras, y pequeños tallos leñosos aparecían aquí y allá. La naturaleza recobraba lo que el hombre le había arrebatado siglos atrás. Utmán se coló de un salto y giró con la rodela alta. Fuera, el destrero de al-Asad relinchó, como si quisiera avisar a su dueño.

El León de Guadix surgió de la oscuridad. Utmán no pudo reaccionar y el andalusí le golpeó en la cara con la bloca de su escudo. Un ataque así había acabado con la nariz de al-Asad años atrás, y aquello había costado una ciudad. El *sayyid* sintió estallar todo el firmamento en sus ojos y el tiempo se espesó mientras caía. La loriga se le clavó en la piel y la espada rebotó a un lado. Lo último que Utmán vio antes de perder la conciencia fue la sonrisa burlona de al-Asad.

45

Reunión en Rabat

Invierno de 1162. Rabat

Los masmudas habían sido en sus orígenes campesinos montañeses, y el mar les causaba un espanto que se enraizaba en las supersticiones anteriores a la hégira. Por eso, una vez que consiguieron la victoria sobre esos escrúpulos, se apresuraron a dejar constancia de ella. Así, el principal puerto que los almohades usaban para saltar el Estrecho hacia al-Ándalus había sido bautizado como Qasr Masmuda. Allí, pendiente de las pequeñas naves que cruzaban las violentas aguas entre ambos continentes, Yusuf había pasado semanas enteras. En cuanto el mensaje que esperaba llegó a la costa africana, se hizo rodear de su escolta personal de Ábid al-Majzén, preparó provisiones para un viaje relámpago y partió a toda espuela hacia el sur.

El *sayyid* heredero cabalgó sin descanso, deteniéndose apenas en las postas para cambiar de montura, aprovechando cada instante de luz del sol e incluso la claridad de la luna en las noches magrebíes, y llegó a Rabat sucio y sudoroso, con la rala barba enredada, llena de arena y polvo. Obligó a su caballo a hacer un último esfuerzo y se dirigió al lugar desde el que Abú Hafs solía observar las obras de las instalaciones militares. Allí lo encontró, y saltó ante su hermanastro con una sonrisa de triunfo en la boca. Al posarse los pies en el suelo, una nube parda se levantó desde sus ropas.

—Utmán sufrió una derrota total a poca distancia de Granada. Todas sus fuerzas fueron aniquiladas o prendidas. Solo él consiguió escapar y regresar a Málaga. Ha intentado ocultar el desastre, pero era inevitable que al final se supiera.

El rostro de Abú Hafs, fijo en las obras, no se perturbó. Por el contrario, Yusuf, incapaz todavía de disimular su impaciencia, aguardaba con expectación. Quizás había reflejado demasiado entusiasmo al dar la noticia al hombre más influyente de todo el imperio almohade. El futuro califa carraspeó. Con tan solo veintitrés años, aún no había cultivado la templanza. Varió su gesto:

adoptó una pose indiferente en un intento de imitar a su hermanastro. Los sanguinolentos ojos de Abú Hafs se posaron por fin en él. ¿En qué pensaba? ¿Acaso ignoraba el plan de Sulaymán? Eso no era probable.

—Haré que se informe al príncipe de los creyentes.

Lo había dicho con la misma frialdad con la que un escribano anotaría el gasto diario de cebada para las mulas.

—¿Dónde está mi padre? ¿En Marrakech?

—Su corte cruza de nuevo los dominios del Tawhid, como de costumbre. Su presencia es necesaria. Debe estimular los ánimos de nuestros súbditos para sumarse a esta gran yihad.

Yihad. Los ojos de Yusuf refulgieron al escuchar aquello. Guerra santa.

—Así pues, esta será una invasión definitiva.

—Definitiva —asintió Abú Hafs—. En cuanto el califa sepa que los andalusíes del demonio Lobo no se han arredrado a pesar de que él mismo, el príncipe de los creyentes, llegó a honrar con su presencia el suelo de esa península maldita, declarará la yihad. Y si su convicción no es total, yo me encargaré de que lo sea. Así, las voluntades de los fieles se multiplicarán y los mártires acudirán a la llamada como los enjambres a la miel. Serán miles y miles los musulmanes que crucen el Estrecho para aplastar a esos infieles. Puedes estar seguro.

Yusuf inspiró. Más abajo, las construcciones del puerto militar y de los almacenes progresaban a ritmo vertiginoso. Columnas de carretas y acémilas traían material de todo tipo, incluidas flechas, espadas, escudos, azagayas. Más hacia el sur, desde la desembocadura del río, las tiendas de la guarnición estaban coronadas por estandartes que se mecían a la fría brisa del océano. Yihad. Ahora que contaba con el apoyo de Sulaymán, se sentía capaz de acudir a la batalla. A pesar de todo, Yusuf sabía que aún se tardaría mucho en movilizar el inmenso ejército que había de llevar la guerra santa a al-Ándalus.

—Pero el demonio Lobo se ha hecho fuerte en Granada. El almirante supremo Sulaymán sugirió que yo comandara las huestes precisas para liberarla. Además, mi hermano ha sufrido una gran ofensa. Todos la hemos sufrido.

—Utmán ha fallado —admitió Abú Hafs con un remedo de sonrisa que enseguida desapareció de su rostro—. Era de esperar. Y el almirante supremo tiene razón: esta ofensa ha de ser respondida de inmediato... ¿Se ha extendido la noticia?

Yusuf asintió. Por supuesto que se había extendido. Él mismo se había ocupado de mandar correos a las principales ciudades del imperio, tanto en África como en al-Ándalus. Todos debían saber que Utmán había fracasado. Que había conducido a sus hombres a una carnicería. Que las banderas almohades habían quedado manchadas con el baldón de la derrota.

—¿Comandaré ese ejército? —insistió Yusuf.

Abú Hafs se volvió e hizo cálculos con rapidez. Las expectativas más halagüeñas diferían la partida del gran ejército hasta el verano del año siguiente. Era imposible adelantar la reunión de todas las fuerzas almohades, pero tampoco era aceptable retrasar la liberación de Granada un año y medio.

—Comandarás ese ejército. —El hijastro del califa volvió a mirar a los ojos de Yusuf y vio en ellos la misma bisoñez de siempre. La sonrisa irónica afloró a su boca de nuevo. Sulaymán lo había calculado todo bien. Tan bien como si lo hubiera hecho el mismo Abú Hafs—. Recurriré a las tropas más cercanas. Pondré bajo tus órdenes a una fuerza suficiente y cruzarás el Estrecho con ella. Este verano marcharás sobre Granada como líder del ejército almohade, pero serás asistido por el almirante Sulaymán. Usa también las tropas acantonadas en al-Ándalus y la caballería árabe que el califa prestó a Utmán.

Yusuf no ocultó su alegría. Aquello sí coincidía con lo planeado por Sulaymán.

—¿Y el gran jeque Umar Intí? Tal vez no esté de acuerdo en que yo...

—Umar Intí es un anciano. Todos lo respetamos y admiramos su labor, pero su hora pasó. Es momento de que otros carguen con el peso del Tawhid.

La sonrisa de Yusuf se ensanchó.

—¿Qué pasará con Utmán?

—Dices que está en Málaga... Bien, que permanezca allí. Bajo ningún concepto os acompañará. Toda la gloria será tuya, Yusuf.

El *sayyid* gruñó de contento y empezó a dar órdenes a los guardias negros para el alojamiento en el *ribat*. Se sacudió las ropas y de pronto adquirió conciencia de la suciedad que acumulaba. Necesitaba lavarse, disfrutar en la quietud del *hammam* de la satisfacción de la empresa venidera. Anduvo deprisa, como si la batalla fuera a librarse esa misma tarde. Junto a su excitación, la admiración por la maquinaria almohade crecía: todo salía según los dictados de aquellos tres hombres: Abú Hafs, Umar Intí y Sulaymán... Un escalofrío recorrió la espalda de Yusuf. Los tres jerarcas más influyentes del imperio dictaban la historia. Detuvo la marcha y miró atrás. Abú Hafs había retomado la observación callada de las obras de acondicionamiento del puerto. Ya no se trataba del asunto de Granada, sino de toda una yihad, la más enorme que generaciones de africanos habían conocido. Y él, Yusuf, hijo de Abd al-Mumín, iba a ser protagonista de aquello. Por un momento se vio entrando en la catedral infiel de Toledo, pisando los cuerpos destrozados de guerreros, nobles y clérigos cristianos, la espada chorreante de sangre en una mano y un estandarte almohade en la otra. Y tras Toledo caerían Oporto, León, Burgos, Zaragoza, Barcelona... Yusuf reanudó su marcha mientras llenaba de aire salobre su pecho. Su padre conquistaría toda la Península y él le sucedería. Su califato sería recordado como el mayor de todos los tiempos. El más glorioso.

Primavera de 1162. Valencia

Mardánish se sintió aliviado al saber que las tropas procedentes de Navarra tardarían aún unos días en alcanzar las fronteras del Sharq al-Ándalus. El rey Lobo necesitaba descansar. Precisaba abandonarse en los brazos de Zobeyda y olvidarse, siquiera durante el tiempo de un sueño, de la empresa que debía acometer. Acabado el invierno, no había dejado de viajar por sus dominios para requerir personalmente las levas y fijar sus lugares de reunión. Estaba agotado, y sus arcas también. Además, visitar sus principales ciudades le había llevado a saber que las voces de reproche arreciaban. Ya no era solo en Murcia: el descontento minaba la confianza del pueblo en Lorca, en Orihuela, en Denia, en Alcira, en Guadix, en Játiva... A pesar de que las conquistas en tierras almohades le habían granjeado nuevas fuentes de ingresos, el mantenimiento de su ejército de mercenarios cristianos consumía la mayor parte del tesoro. Había que hacer frente al pago de los tributos al príncipe de Aragón y a las tareas de fortificación por todo el Sharq. Por si fuera poco, el descalabro de Marchena había supuesto la pérdida de una hueste imprescindible. Dinero, dinero y dinero. Sus monedas circulaban por los reinos cristianos a montones. Rara era la ciudad en Castilla, Navarra o Aragón en la que no se conocieran los maravedíes lupinos, como todos los llamaban. Y pese a todo, el rey Lobo estaba cayendo en la pobreza.

Eso implicaba protestas. Porque su pueblo se veía constreñido por los tributos que sus visires debían subir. Más cada vez. Los gobernadores de sus ciudades a lo largo del Sharq le habían trasladado la misma queja: demasiados impuestos. No obstante, aquella era la única forma. Sus ejércitos necesitaban a los caros mercenarios cristianos. Eso era lo que más quebraderos de cabeza ocasionaba a Mardánish. Maldecía su suerte. En lugar de contar con el aliado fuerte que había sido la Castilla del emperador Alfonso, ahora tenía al otro lado de la frontera un reino involucrado en una guerra civil, demasiado ocupado con sus asuntos internos como para mirar al mediodía y darse cuenta de que el verdadero peligro se disponía a cruzar el Estrecho e inundar la Península con el mayor ejército invasor de todos los tiempos.

Porque Mardánish lo sabía. Sus agentes le informaban con regularidad de los progresos almohades. Le decían que las atarazanas de los africanos funcionaban a pleno rendimiento, y sus herrerías escupían al cielo incesantes columnas de humo negro mientras se forjaban a golpe de martillo las armas que acabarían con el sueño del Sharq al-Ándalus. Y de todos los demás reinos hispanos.

Ahora el rey descansaba en Valencia junto a su indócil favorita. La *musalá*, situada entre las murallas de levante y el río Turia, estaba repleta de pabellones. Los guerreros andalusíes llegados de las ciudades cercanas acampaban allí a la espera de que los navarros acudieran a reunirse con ellos. Cuando eso sucediera, marcharían juntos al sur bajo los gallardetes de Mardánish y Azagra. Recogerían al resto del ejército a su paso por cada villa y se unirían a Óbayd y al grueso de las tropas andalusíes, que aguardaban en Murcia. Desde allí se dirigirían a Granada, expugnarían la alcazaba Qadima y plantarían su estandarte, como una punta de lanza brillante y afilada, en el corazón de los territorios almohades en al-Ándalus.

Durante esos días de fingida tranquilidad, Mardánish disfrutaba del aroma del azahar, cuyo estallido marcaba la llegada de la primavera. Había dado órdenes expresas de no ser molestado con asunto alguno referido al reclutamiento y llegada de las tropas, salvo si el estandarte de Azagra aparecía en el horizonte. Su reposo era total, y el gobernador de la ciudad, su hermano Abúl-Hachach, seguía ocupándose de las tareas de gobierno. El rey Lobo incluso había rehusado instalarse en el alcázar. No le gustaba aquel lugar, que todavía conservaba vestigios del incendio provocado por los cristianos cuando, medio siglo atrás, la viuda del Cid abandonó Valencia. Pero tampoco podía alejarse del centro de poder y parecer ajeno a los asuntos de la ciudad. Por eso pasaba los días y las noches intramuros, en el palacio de su familia, no lejos del alcázar y de la mezquita aljama. A esa *munya*, para su disfrute, había obligado a trasladarse a Zobeyda desde la Zaydía.

Finalmente, una tarde, tras gozar del amor de su favorita en las estancias del palacio de los Banú Mardánish, abandonó el disfraz del sosiego. Se levantó del lecho y, sin cubrirse, caminó hacia las ventanas que se abrían al jardín sublevado por la llegada de la primavera.

—No he querido romper el hechizo de volver a reunirme contigo, Zobeyda. Cada vez que se acerca una campaña me asalta la incertidumbre del regreso, y por eso intento olvidar toda preocupación y disfrutar de cada mirada, de cada caricia. De cada beso tuyo.

—A mí me ocurre igual.

—Lo sé. Y por eso siempre, antes de partir a la batalla, acudo a tu cama y olvido a mis demás esposas y concubinas. Nada me importa la Ley. ¿Sabes por qué? Porque cuando visto loriga, embrazo escudo y empuño lanza, mi corazón se siente henchido. Miro atrás al marchar y me despides radiante, llena de mí como yo estoy lleno de ti. ¿Cómo eran esos versos que se cantaban en Guadix?

—*Dejo a la que amo y parto* —le recordó la favorita—, *pero por Dios que no me voy llevándome mi corazón.*

—Eso es, amada mía. Y entonces nada puede hacerme retroceder. Nada. Es como... como si valiera la pena morir después de haber estado contigo.

Zobeyda detectó que aquello tenía más tono de reproche que de halago. Se incorporó y, también desnuda, se acercó a su esposo.

—¿Qué me intentas decir?

—Pues que yo necesito esa sensación antes de partir a Granada. Y estos días ha sido distinto, lo he notado. Parece que no estuvieras conmigo. Siento el miedo en tu mirada.

—Es natural —se defendió ella—. Tengo pánico de lo que pueda ocurrirte. Todo el mundo sabe que luchas a la cabeza de tus tropas, que te arriesgas el primero. Tus cicatrices lo atestiguan. ¿Cómo no voy a tener miedo?

—No, no... Es otra cosa. Como si esta vez tuvieras la certeza de que no volveré.

Zobeyda sonrió y gesticuló con desgana. Quiso restar importancia a lo que decía Mardánish, pero tuvo que apartar la mirada. No pudo ocultar el temblor repentino de sus labios.

—El tiempo pasa... —trató de excusarse—. Ya no eres tan joven. Y yo tampoco. Antes era todo diferente, nada podía oponerse a ti. Ahora pienso en nosotros y en nuestros hijos. Deberías quedarte y mandar a otros. Óbayd te ha dado sobradas muestras de lealtad. Y tus amigos cristianos...

—Sandeces. Mi sitio está al frente del ejército. Lo sabes. En cuanto descuido la vigilancia, la anarquía se apodera del reino. Y el ejemplo más claro es tu padre... —Mardánish apretó los puños y los músculos de la mandíbula se tensaron bajo su piel—. En el momento en el que me alejo de él, actúa por su cuenta y contra mi voluntad. ¿Óbayd? Un buen soldado, desde luego. Un hombre leal. Pero no duraría ni un día si cayera en las fauces de tu padre o en las de su fiel perro al-Asad. Tampoco puedo dejar el mando del ejército a los adalides cristianos: mis hombres no lo aceptarían. ¿Sabes lo que se murmura por todas las ciudades que he visitado estas semanas? Se dice que los prefiero a ellos, a los politeístas, antes que a mi propia gente. Las malas lenguas aseguran que es normal que nosotros, los hijos de los muladíes, reneguemos de unos y de otros según la dirección del viento. Mis súbditos están hartos de ser sangrados para mantener a un ejército cristiano. Por eso deben saber que yo estoy allí, en vanguardia. Que la estrella de ocho puntas reluce en el estandarte de cabeza, y que no la lleva un subalterno. La lleva el rey. —Observó los ojos de Zobeyda y los vio húmedos. La aferró por los hombros y notó el temblor que contraía todo su cuerpo—. Pero ¿qué te pasa? No puedes dejar que me vaya a Granada así. Debo verte sonreír cuando mire atrás. ¿Qué ha cambiado?

Ella se soltó del agarre de su esposo y regresó al lecho, sobre el que se dejó caer con el rostro escondido entre las manos. Mardánish anduvo tras ella y se detuvo al pie de la cama.

—No puedo decírtelo... —gimió ella con la voz apagada—. Y sin embargo debes obedecer mi ruego. No vayas a Granada. No vayas.

—Pero...

—Una gran desgracia nos espera a todos allí. Muerte. Solo muerte.

El rey Lobo se pasó las manos por el pelo y se sentó en el borde del lecho. No comprendía nada. Se inclinó y habló al oído de la favorita:

—Muerte... ¿A qué viene eso? Sabes bien que tu padre venció a Utmán en la vega de Granada. Destrozó todas sus fuerzas. Los informes dicen que solo el *sayyid* logró huir...

—Una farsa, una quimera. —Ella levantó la mirada, ahora suplicante. Sus mejillas estaban sucias de kohl barrido por las lágrimas—. Un sueño. La muerte se cierne sobre todos en Granada. No vayas. No vayas allí.

—¡Basta! ¡Jamás te habías comportado así! —Mardánish se incorporó bruscamente, pero no dejó de mirar a los ojos a la favorita. El miedo era tan evidente en ellos que el rey Lobo se asustó de veras. ¿Acaso se estaba volviendo loca?

—Yo lo vi... —murmuró Zobeyda—. Yo vi la batalla entre mi padre y los almohades de Utmán. Vi ese prado en el sueño. Vi la sombra que luego lo cubría todo. Y el río de sangre. Nadie quedaba con vida.

—El río de sangre... Tú lo viste... ¿Dónde? ¿Cómo?

—El prado del sueño, amor mío. El prado del sueño.

Mardánish soltó una maldición cristiana y recogió de un manotazo su túnica, colgada del respaldo de una silla. Abrió la puerta del aposento y se alejó entre murmullos. Zobeyda seguía llorando, presa ahora de un temblor que se veía incapaz de parar. Hundió su cara entre las sábanas.

—El prado del sueño. El prado del sueño.

46

Los amantes de Granada

Verano de 1162. Cercanías de Granada

Hasta aquel momento, Mardánish había vivido bajo una casi constante sensación de euforia. Tal vez diluida entre los instantes de descanso que lograba arrancar a su ritmo guerrero, cuando se dejaba caer en brazos de sus esposas o disfrutaba de cortos periodos de paz en Murcia o en cualquier otro de sus dominios. Sin duda, los mejores de aquellos hurtos al riesgo se hallaban en el lecho de Zobeyda. Por lo demás, el rey Lobo era consciente de que viviría y, casi con toda seguridad, moriría combatiendo. Luchando por mantener y ensanchar su reino, por dejar su nombre escrito en los anales de la historia, por aumentar la felicidad y la prosperidad de sus súbditos. Así, la mezcla de deseo animal y necesidad le imponía siempre encabezar sus tropas, cargar el primero, luchar en vanguardia, enorgullecerse de sus cicatrices.

Aunque ahora la desazón cabalgaba a su lado.

La columna había partido de Murcia con los refuerzos navarros, y las huestes que se añadían por el camino conformaban ya un ejército nada despreciable. Pedro de Azagra comandaba a sus nuevos mercenarios cristianos mientras el arráez Óbayd hacía lo propio con los musulmanes. Estandartes de todos los colores crujían al viento conforme avanzaban hacia el sur, y los hombres de uno y otro credo entonaban cantos marciales al paso de la columna o en torno al fuego de las hogueras de campamento. En la mente de todos anidaban el optimismo y la ambición. Más aún: muchos soñaban con su regreso tras la conquista de Granada. Participar en semejante hito sería algo brillante que podrían contar a su vuelta. Algunos incluso se imaginaban ya ancianos, con los cabellos blancos y la voz temblona, narrando la hazaña a los nietos en las noches de invierno.

Pero Mardánish no podía compartir aquella fe. Una sombra negra parecía ocultar el cielo, y a su mente volvían de continuo los agüeros de Zobeyda. El temor de la favorita era inaudito y superaba al rey Lobo. Las palabras de

Zobeyda sobre ríos de sangre se le clavaban como aguijones. Le hacían removerse en la silla de su caballo y le despertaban a medianoche, mientras los centinelas se pasaban las consignas en los puestos de guardia. Y lo peor era que tanto Pedro de Azagra como Óbayd adivinaban que algo iba mal. Mardánish se negaba a sí mismo y se esforzaba en reírse de sus miedos sin fundamento, porque en realidad todo debía ir bien.

Cuando el ejército del rey Lobo se aproximaba a Granada, fue avisado por los exploradores de vanguardia de que, tanto a las riberas del Darro como a las del Genil, caravanas de carruajes y mulas iban y venían con cántaros. Los granadinos abandonaban las murallas de la medina o la proximidad de sus arrabales para aventurarse fuera en busca de agua, evitaban la que corría dentro de la ciudad. El propio Mardánish, interesado por semejante dislate, partió al mando de un destacamento de caballería: no era normal que, gozando Granada del paso del Darro, se tuviera que salir a por agua a parajes desprotegidos. La avanzada del ejército del Sharq se acercó así a un grupo de villanos que acarreaban tinajas desde las orillas del Genil y las amontonaban en carros. A la vista de los estandartes negros, los granadinos dejaron su trabajo y aguardaron con expectación. Varios hombres armados a los que Mardánish no reconoció como sus guerreros ni los de fuerza alguna bajo su mando se encararon con ellas con claras muestras de simpatía. Uno de ellos era Abú Yafar, que se sentía extraño con espada al costado. El poeta, que jamás había visto antes al rey Lobo, reconoció enseguida el porte que le habían descrito en innumerables ocasiones, así como la estrella plateada de ocho puntas que tremolaba en los estandartes negros. Se inclinó con gran ceremonia ante Mardánish y abrió los brazos en signo de bienvenida.

—Mi señor y rey Mardánish, hace tiempo que esperábamos tu llegada. Nuestras plegarias han sido por fin escuchadas. Soy Abú Yafar, tu siervo.

El rey Lobo desmontó de un salto y se acercó al granadino. Con una rápida mirada se dio cuenta de que las ropas elegantes, la barba fina y recortada, la tez cuidada y el cabello perfumado no se correspondían con el arma que aquel andalusí portaba a un lado.

—¿Qué es esto? ¿Qué hacéis aquí?

—Hemos menester recoger agua para nuestro consumo, mi señor. —La sonrisa de bienvenida seguía pintada en el rostro de Abú Yafar.

—Pensaba que el río Darro atravesaba la ciudad de punta a punta y saciaba vuestra sed. Y también creía que gozabais de una buena red de acequias.

Abú Yafar trocó su gesto por otro más grave y dio un par de pasos hacia Mardánish. Alrededor, tanto los villanos de Granada como los jinetes del Sharq asistían a la conversación en silencio.

—No podemos beber las aguas del Darro, mi señor Mardánish. Multitud de cadáveres las han corrompido río arriba, entre las dos alcazabas. Algunos villanos cayeron enfermos...

—¿Cadáveres? —le interrumpió el rey Lobo—. Nadie me habló de ninguna batalla, salvo la de la vega, pero creo que fue varias millas aguas abajo del Genil.

—Pero un momento. ¿No lo sabías? ¿Acaso ignoras que tu suegro, el señor de Jaén, ejecuta cada día a un cautivo y arroja sus despojos al barranco? La sangre de esos desgraciados no tarda en pudrirse y contaminar el agua. Al principio no se notaba, pero después, con los días, el hedor a muerte y putrefacción empezó a recorrer la medina junto con el mismo Darro. Aunque supongo que pronto te reunirás con Hamusk. Él mismo podrá contarte cómo martillea las murallas de la Qadima con los cuerpos mutilados de tus enemigos.

»Cuando empezó con esa rutina pensamos que así cerraba aún más la desesperación en torno a los almohades sitiados, pues el agua que suben desde la coracha está podrida..., pero lo cierto es que allí disfrutan de agua más fresca y limpia que nosotros gracias a la que lleva la acequia de Aynadamar desde las montañas... ¿No es absurdo? Los sitiados gozan de mayores comodidades que los sitiadores. En cuanto a nosotros, el canalillo que desde el Genil entra en Granada ha bajado de nivel con los calores, y las fuentes no dan abasto para dar de beber a los de la ciudad y a los muchos soldados; así que aquí nos tienes, haciendo de aguadores para poder abastecer a la medina. Tu suegro no parece estar muy inclinado a escucharme, así que te ruego que le felicites de mi parte por tan astuta estrategia para abreviar el asedio.

Mardánish apretó los dientes y alzó una mano para detener las irónicas palabras del poeta. No quería seguir escuchando nada más, al menos de momento. Se dio la vuelta y tomó las riendas para volver a montar, pero pareció pensar algo antes.

—Has dicho que tu nombre es Abú Yafar.

—Así es, mi señor.

—¿Abú Yafar ibn Saíd, el secretario del *sayyid* Utmán?

El poeta carraspeó antes de seguir hablando.

—Ese Abú Yafar, mi señor.

—Vaya. Ocupabas un puesto de confianza para esos almohades y sin embargo los has traicionado. Hasta mis oídos ha llegado que fuiste tú quien abrió las puertas de Granada a mi suegro.

—Ayudado por varios amigos, sí. Pero yo no lo llamaría traición, mi señor. Soy andalusí, como tú. No almohade.

Mardánish se aupó sobre la silla de montar y se afirmó entre los arzones. Miró a los ojos del poeta y recordó todo lo que unos y otros le habían contado acerca de él. Se decía que el afán de aquel hombre por hundir a los almohades se alimentaba de los celos. Celos por el amor del *sayyid* con una granadina. Y por rabia. Rabia por no poder ver el rostro de esa mujer.

—¿Tan hermosa es? —preguntó el rey Lobo.

Abú Yafar se extrañó por la pregunta. Miró atrás, a las cercanas murallas de la ciudad, que subían y bajaban siguiendo las sinuosas líneas de las montañas que la enmarcaban. Pero luego comprendió. Mardánish no hablaba de Granada.

—Hermosa, sí. Muy hermosa. —La voz del poeta se tornó reposada, como el sonido de las aguas del Genil que discurrían tras él—. Tanto como para entregar Granada. Tanto como para entregar la vida.

Camino de Málaga a Granada

A Yusuf le dolía la cara de sonreír. Ni cuenta se daba de que su expresión bobalicona era recibida con un gesto de burla por el almirante supremo Sulaymán cada vez que este, con discreción, se acercaba para aconsejarle un ligero cambio de rumbo o un lugar apropiado en el que establecer el campamento. Pero el heredero del califa no notaba nada aparte de orgullo y excitación. Se saciaba de deleite cuando miraba atrás y era incapaz de ver el final de la larga comitiva. Marchaba como su propio padre habría hecho, precedido de un grupo de esclavos que portaban en angarillas un lujoso ejemplar del Corán. Tan solo el destacamento de exploradores de vanguardia se adelantaba al símbolo del Único, conjurado para recobrar Granada de manos de los infieles del demonio Lobo. Tras el libro sagrado, el cuerpo selecto del *sayyid*, junto al que viajaba el almirante supremo Sulaymán en calidad de consejero militar privado; y ambos rodeados, cómo no, de varios guardias negros del Majzén. Luego venían las banderas, bendecidas ex profeso en Rabat, en una solemne ceremonia que había presidido el propio Yusuf bajo la atenta mirada de su hermanastro Abú Hafs.

Veinte mil guerreros escogidos entre los mejores. Eso le había entregado el detentador del poder en la sombra. Veinte mil hombres de las cabilas almohades, los más fieros, que llevaban meses acampados en las cercanías de Rabat, dispuestos a aguardar todavía más, años, de ser preciso, para dar el salto a la Península y arrasar a los traidores al Tawhid. A esos veinte mil se les habían unido en el Yábal al-Fath las fuerzas de caballería árabe vencedoras en Marchena, que otrora comandaba Utmán. Y el almirante Sulaymán, llegado desde Sevilla, aportaba también parte del contingente que un año atrás había liberado Carmona y había entrado en la capital almohade de al-Ándalus entre vítores y pétalos de rosa.

El paso por Málaga había resultado especialmente delicioso para Yusuf. Su hermano Utmán, encaramado en las murallas, solo pudo observar el alarde de aquella grandiosa columna con las uñas clavadas en la piedra de los merlones y transpirando impotencia por cada poro. Por consejo de Sulaymán, el heredero del califa se había negado a entrar en la ciudad. Se había limitado a mandar un mensaje a su hermano con orden de permanecer en Málaga hasta nueva orden, y le prometía el reintegro de Granada no bien hubiera sido recuperada a los enemigos. Como apostilla, Yusuf aseguraba a Utmán que sentía sobremanera la desastrosa derrota en la vega del Genil, y advertía que su padre, el califa, sufría como propia la pérdida de vidas de tantos valientes guerreros fieles al Tawhid.

—Mi fiel Sulaymán, deseo apartarme a un lado del camino y observar el paso de mis tropas.

El almirante palideció de vergüenza ajena al escuchar aquello. Miró con la boca abierta al *sayyid* y solo pudo ver, una vez más, aquella sonrisa ancha y tontorrona que destellaba entre su barba jamás bien crecida. Pero Sulaymán se repuso. Al fin y al cabo, aquel necio inoportuno con aires de grandeza sería algún día su califa, y era normal que llegara un momento como ese. «Mi fiel Sulaymán», había dicho el imbécil. Y «mis tropas»...

—Por supuesto, Yusuf. Disfruta del poder que devolverá Granada a la fidelidad del credo verdadero.

Los Ábid al-Majzén tiraron de las riendas para seguir rodeando a la plana mayor de la expedición mientras las angarillas con el Corán se alejaban hacia el nordeste. Frente al *sayyid* y el almirante, los campos de olivos y huertos trepaban por las quebradas del Tayarat. Los estandartes desfilaron camino a Granada, no lejos de las orillas del Genil, seguidos de las mulas que llevaban como alforjas los tambores de guerra, y a continuación pasaron las tropas de las cabilas masmudas, las que por su excelencia racial ocupaban el primer lugar en el corazón de Yusuf: las tribus harga, tinmallal, yadmiwa, yanfisa e hintata. Entre ellos desfilaban los jinetes mejor armados y más experimentados, los que habían conseguido arrebatar su imperio a los decadentes almorávides, y también los célebres lanceros masmudas, que cargaban enormes escudos con los que esperaban oponer una muralla humana a las temidas cargas de la caballería católica. Detrás, a pie y en número inmenso, los clanes zanata y sanhaya, entre los que se contaban los *rumat*, arqueros con el rostro velado, lo que les hacía parecer más fieros. Caminaban con los arcos envueltos en paños y cruzados a la espalda, y flanqueaban los carruajes repletos de flechas, astiles, puntas y material para construir nueva munición. El resto de la infantería la componían los voluntarios que habían ido uniéndose a la columna desde su misma salida de Rabat: las hordas *ghuzat*, armadas en ocasiones con simples cuchillos mal afilados y dispuestas a dejar la vida como mártires para una pronta reunión con Dios. Cerrando el lento avance del ejército, y protegiendo de cerca las acémilas y carretones cargados de vituallas, las tropas montadas árabes que triunfaran en Marchena, los guerreros mejor pagados de toda la hueste y también los más indisciplinados, los Banú Riyah, los Banú Yusham y los Banú Gadí.

—Hay algo que debes saber, Yusuf. —Sulaymán hablaba sin mirar al *sayyid*, con los ojos puestos en la columna de polvo que levantaban los pies de miles de hombres y las pezuñas de miles de bestias. La tierra en suspensión se mecía por una brisa suave que la alejaba hacia poniente—. El momento que han escogido nuestros enemigos es el peor para ellos. Esta misma mañana, un correo me ha hecho llegar la noticia de que el rey de León está metido de lleno en la guerra civil de Castilla. Y además ha tenido que hacer frente a cierta rebelión en una de sus principales villas, Salamanca. Los cristianos del norte miran a otro lado, Yusuf. Ese demonio Lobo está jugando en Granada su última baza. Dios, ensalzado sea, lo ha dispuesto así para que los creyentes hagamos su voluntad.

—El rey de León... —murmuró el *sayyid* con aire distraído. Sus ojos brillaban de emoción al contemplar la enormidad de la hueste que creía dirigir.

—Un sujeto al que habría que tener en consideración. En cuanto murió su padre, el perro que se hacía llamar emperador, dejó ver bien a las claras su ambición por posesionarse de las tierras de Castilla, que pertenecían a su hermano. Y ahora a su sobrino, el pequeño rey Alfonso, que sirve de rehén a los barones cristianos.

—Son aves de rapiña que se picotean por los restos de un cadáver. Pero no sé por qué habría de tener en cuenta a ese rey de León. Un infiel más.

—Fernando, que así se llama —aclaró Sulaymán—, no es un infiel más. Su ambición podría beneficiarnos en el futuro.

Yusuf asintió, aunque el almirante supremo se percató de que apenas comprendía lo que trataba de insinuarle. Sulaymán suspiró con aire cansino. Demasiado joven todavía para las intrigas políticas, complemento indispensable de las maniobras militares. Demasiado joven... o demasiado estúpido.

Granada

Mardánish dio orden a su arráez de encabezar el ejército de refuerzo, aproximarse a Granada desde el norte y tomar la colina de al-Bayyasín, parte de la cual estaba ocupada por la mismísima alcazaba Qadima en la que permanecían sitiados los almohades. La razón estaba clara: la colina roja de enfrente, as-Sabica, no podía contener a todo el ejército del Sharq. De hecho, la parte amurallada en la que estaba la pequeña fortaleza de al-Hamra solo servía de protección a Hamusk, al-Asad y parte de sus huestes. No dejaban otra opción al resto que acampar fuera. Cuando el rey Lobo se dio cuenta de que habían abierto varios postigos a lo largo de la muralla de la fortaleza, montó en una cólera silenciosa: su suegro no solo estaba llevando a cabo un asedio estúpido, sino que además deterioraba sus mejores medios de defensa en caso de ataque almohade.

Por eso, mientras Óbayd se ocupaba de alojar cerca del enemigo al grueso de las fuerzas recién llegadas, Mardánish rodeó la medina y entró por la parte baja en compañía de Pedro de Azagra y varios jinetes navarros y andalusíes. A la vista del estandarte negro y plata con la estrella andalusí, algunos granadinos prorrumpieron en gritos de alegría. El rey Lobo sonrió forzadamente a los hombres de las primeras filas de aquel moderado gentío que se agolpaba en las calles de la ciudad, pero observó que tras ellos, asomados sin ganas en los ventanucos u ojeando desde las esquinas, otros rostros parecían más hastiados.

—Esta gente no está convencida —habló a Azagra, que avanzaba a su lado. El navarro hacía breves inclinaciones de cabeza al escuchar los calurosos agradecimientos que algunos les dispensaban.

—Cierto. Seguramente muchos de ellos no estaban de acuerdo con los conspiradores. Ese... Abú Yafar. Y además, eso de que los judíos convertidos hayan encabezado la rebelión...

Mardánish asintió. Podía ver el miedo en las caras medio ocultas de los más tímidos, e incluso en el falso contento de algunos de los que más vociferaban al paso de las tropas recién llegadas.

—Temen. Lo veo. Y no a nosotros. Temen la venganza que puedan tomarse los almohades. Por la traición de la ciudad y por la crueldad de mi suegro.

Azagra no respondió. Junto a Mardánish, hizo ascender a su montura por las empinadas callejas que llevaban a la Sabica. Pronto se hizo evidente el hedor a muerte del que les había hablado el poeta Abú Yafar en las afueras de la ciudad. Los dos hombres giraron la cabeza para mirar a su izquierda, a la corriente del Darro que penetraba en Granada. Atrás iban quedando los parabienes y, casi sin solución de continuidad, los granadinos volvían a una apatía extraña y seguían deambulando por las calles arrastrando los pies. El rey Lobo no dudaba de que la bienvenida era mero trámite. Tal vez ahora los villanos estuvieran calculando cómo hacer la siguiente ceremonia y, sobre todo, cómo librarse de que alguien les rebanara el pescuezo o los crucificara a lo largo de la muralla.

Hamusk había engordado. Mardánish pudo verlo en la forma en que sus ropas lujosas y coloridas se apretaban en torno a su cintura. El ceñidor del que colgaba la daga se le escurría hacia las piernas, y la papada del señor de Jaén vibraba con cada paso. Se acercaba a pie, vestido como un visir en una fiesta de recepción. Incluso el arma que llevaba era de lujo. A un lado y ligeramente retrasado venía al-Asad, este sí, preparado como siempre para la guerra con su loriga desvencijada y el yelmo abollonado bajo el brazo.

—¡Yerno mío! —La voz chillona de Hamusk se alzó por encima de los ruidos del ejército acampado—. ¡Cuánto deseaba que llegara este momento! ¡Mira! —El señor de Jaén señaló al otro lado del barranco, a la vieja alcazaba ocupada por los almohades—. Ahí tienes el último reducto africano. Ahora, contigo aquí, lo expugnaremos y convertiremos Granada en la punta de nuestra lanza.

Mardánish se quedó mirando a su suegro desde lo alto del caballo. Hamusk venía a pasos cortos y, al llegar a poca distancia, abrió los brazos y las manos adornadas con anillos en señal de cariñosa bienvenida. El más lógico protocolo exigía que el rey Lobo desmontara, abrazara al señor de Jaén y respondiera a sus saludos con varios halagos por la toma de la ciudad y el mantenimiento del sitio. Pero la tensión se había acumulado durante días. Ya en Valencia, junto a Zobeyda, había empezado a anidar la desesperanza en el rey Lobo. Por eso no pudo seguir el protocolo.

—Has llevado demasiado lejos tus estupideces, suegro —escupió. Azagra observó de reojo a Mardánish y luego se fijó instintivamente en al-Asad. Como esperaba, la expresión del León de Guadix se tensó y su mano derecha aferró el nudo del cinturón, muy cerca del pomo de su espada—. Una vez y otra has desobedecido mis órdenes. Cuando nos despedimos tras la muerte de Ibn Igit te dejé claras unas sencillas instrucciones que tú incumpliste sin escrúpulos. Dime: ¿a cuántos hombres perdiste por tu estulticia en Marchena?

Hamusk dejó caer los brazos y unió las manos bajo la abombada barriga. Su sonrisa pasó de la alegría forzada a la ironía despectiva sin apenas arrugar las comisuras de los labios.

—Pregúntame mejor a cuántos almohades he masacrado aquí, en Granada. O pregúntame cómo derroté a Utmán a pocas millas de estas murallas. O pregúntate a ti mismo por qué no has tenido valor para tomar una ciudad de verdad, como esta. ¿Qué pretendes ocultar con tu ira? ¿Que te he desobedecido, dices? ¿Acaso no debe el león desobedecer a la gacela? ¿Dónde estabas tú cuando yo me erigía en señor de Granada?

—¡Tú no eres señor de Granada! —Mardánish apretó las manos en torno a las riendas—. ¡Es más, Granada no ha sido arrebatada aún a su verdadero señor, un almohade que no tardará en venir a castigar tu pretendido valor! ¡Ganaste este mísero botín por una traición, y solo derrotaste a Utmán por las tropas que te envié para ello!

Hamusk se mordió la lengua. Su yerno ignoraba que incluso el triunfo sobre Utmán se debía a una traición: una traición entre almohades. Miró atrás, a al-Asad, y por encima del hombro de este. Los hombres empezaban a arremolinarse atraídos por la discusión entre sus dos líderes. Hizo un rápido cálculo; no necesitó mucho para darse cuenta de que Mardánish contaba con más leales allí, incluso en la misma Sabica. El gesto ceñudo de Hamusk se había suavizado cuando volvió a mirar al rey Lobo.

—Yerno mío, yerno mío... No debemos discutir. Te concedo que tienes razón, pues desobedecí tus órdenes. Te agradezco también que tan prontamente me enviaras a Armengol de Urgel. Y que estés aquí con refuerzos. Pero bien se diría que no aprecias esta joya que viene a acumularse a nuestro tesoro...

—El conde de Urgel. Y el conde de Sarria —cortó con brusquedad el rey Lobo—. ¿Dónde están?

Hamusk arrugó la nariz y apretó los gordezuelos labios. Murmuró algo al oído de al-Asad, y este se dio la vuelta y se fue por entre los soldados reunidos en aquella porción de la Sabica.

—¿Cuál es tu plan? —preguntó el señor de Jaén.

Mardánish se tomó su tiempo. Ante un incómodo Pedro de Azagra, el rey Lobo se aupó en los estribos para estudiar la estructura de madera que se erguía a pocas varas, asomando por encima de la muralla. Un vistazo al otro lado le permitió observar las intactas piedras que todavía rodeaban la Qadima. En las almenas distinguió varias cabezas. Los almohades sitiados contemplaban curiosos y seguramente atemorizados la reunión de nuevas tropas llegadas del Sharq al-Ándalus.

—He oído que usas esa máquina para estrellar a los enemigos cautivos contra la muralla del otro lado. —La voz de Mardánish era ahora neutra, y hablaba sin mirar a los ojos a su suegro.

—Sabes cuál es mi forma de pensar —se excusó el señor de Jaén con cierto aire de altivez—. El miedo es lo que mueve los corazones de esos hombres. El miedo los ha mantenido encerrados ahí. Al principio lanzaba a uno de esos perros con cada oración. Cinco al día. —Una risita floja hizo temblar la papada de Hamusk—. Aunque pronto se me acabó la munición... Después de derrotar a Utmán dispusimos de nuevos prisioneros, pero las semanas son largas y me aburría... Ahora, al poco de amanecer, hago traer a uno de esos desgraciados cargado de cadenas, y a la vista de los enemigos le hago cortar manos, pies, orejas y nariz. Por último lo castro y le saco los ojos. He conseguido que sigan vivos cuando ordeno cargarlos en el almajaneque, y así pueden gritar bien fuerte mientras vuelan hacia el otro lado y se aplastan contra la muralla.

Hamusk remató sus palabras con una carcajada mientras Azagra se tapaba la boca con una mano. Mardánish se pasó la lengua por los labios resecos y cerró los ojos. Imaginó qué pensarían los almohades sitiados allí dentro. ¿Estarían atenazados por el miedo? Sí, claro, pero... ¿cuánto miedo hacía falta para que se transformara en desesperación?

—¿Han abierto sus puertas los de la Qadima, suegro? ¿Te han pedido clemencia? ¿Han servido de algo todas esas mutilaciones?

—No se han rendido, pero...

—¿Por qué no has usado esa máquina para derribar las murallas del enemigo? ¿Por qué, en lugar de ello, te has dedicado a sembrar el odio en sus almas? ¿No has visto que hasta el agua se ha podrido por tu crueldad, mala bestia?

—No puedo consentirte...

—¡No es necesario que consientas! —El rey Lobo apuntó a las rotas murallas de la Sabica, por donde aparecían en ese momento Álvar el Calvo y Armengol de Urgel, este último, como siempre, acompañado por su hermano Galcerán de Sales—. ¡Y he aquí las personas con las que quería hablar! ¡Ibrahim ibn Hamusk, permanecerás acantonado en este lugar con las fuerzas de tus señoríos y seguirás ocupando esa pequeña fortaleza roja! ¡Álvar Rodríguez, tú y mi arráez Óbayd os haréis cargo de las tropas acampadas en esta colina y mandaréis que ese almajaneque gigante arda! ¡Se acabaron los tormentos y las ejecuciones de prisioneros! ¡No se iniciará movimiento alguno si no es por orden mía, y siempre a través de mi arráez! ¿Está claro?

Hamusk enrojeció. Al-Asad, que llegaba acompañando a los condes de Sarria y Urgel, se detuvo junto al señor de Jaén y endureció el gesto.

—¿Me relevas del mando del asedio? —La voz de Hamusk sonó ahora como siseo de serpiente—. ¿Entregas las tropas de la Sabica a ese incapaz de Óbayd?

—¡Yo mismo me haría cargo de ello, pero temo que si me quedo cerca de ti, acabaré lanzándote con ese almajaneque antes de quemarlo! Por eso me llevo a Urgel y a Azagra conmigo a al-Bayyasín. Desde allí apretaremos el cerco a la Qadima, fabricaremos parapetos, nuevas máquinas y escalas, y esperemos poder asaltarla antes de que vengan los refuerzos almohades. Porque vendrán, suegro mío, vendrán. ¡Y ojalá no puedan llegar a tomarse venganza por la barbarie que han visto esas murallas de ahí enfrente!

Al-Asad se plantó firme, con los pies separados y la mirada expectante puesta en Hamusk, como esperando una orden para empezar a cercenar cabezas. El Calvo, que como Armengol y Galcerán se incorporaba a una discusión inesperada, no sabía si alegrarse por la llegada de Mardánish o aprovechar el momento para reprochar al señor de Jaén sus desaires. En cuanto al conde de Urgel, se mantuvo en un prudente silencio y observó las reacciones de unos y otros. Hamusk terminó por soltar un bufido que hizo temblar sus carnes grasas, dio media vuelta y se encaminó hacia al-Hamra.

—¡Espera! —Las arterias de Mardánish resaltaban cada latido bajo la piel del cuello—. Aún no me has informado de cómo logró escapar Utmán de vuestra refriega en el prado del sueño.

Al-Asad y Hamusk cruzaron una mirada.

—¿El prado del sueño? —preguntó el León de Guadix.

Mardánish vaciló. Aquella expresión, a pura fuerza de repetición en los labios de Zobeyda y en el recuerdo del rey Lobo, había terminado por asentarse. Pero ¿qué importaba un nombre u otro para aquella escaramuza?

—Es raro que todas las fuerzas de Utmán fueran aniquiladas o capturadas y sin embargo él consiguiera huir. Por lo que sé de ese hombre, no es de los que se quedan atrás en la batalla.

El silencio se extendió sobre la improvisada reunión. El rey Lobo, aún a caballo, esperaba respuesta. Hamusk y al-Asad se miraban con una mezcla de complicidad y duda, y los demás, incluidos los nobles cristianos, aguardaban extrañados por la confusa insinuación de uno y la callada indiferencia de otros.

—No era su momento —espetó entre dientes el señor de Jaén—. O tal vez esos almohades estén realmente bajo la protección de Dios. ¿Quién sabe? Quizás el mismo Utmán sea quien saque tu cabeza clavada en una pica por la puerta del alcázar de Murcia.

Hamusk retomó su marcha mientras alargaba una risita socarrona. Al-Asad permaneció un momento alerta, pues las últimas palabras de su señor pasaban con desmesura de lo aceptable. Más de uno pensó que el rey Lobo iba a mandar prender a su suegro para hacerle pagar su descaro, rayano en la sedición. Pero Mardánish calló. Se tragó su ira y acabó bajando la cabeza, lo que pareció dar la señal al León de Guadix para reanudar su camino tras Hamusk. Álvar Rodríguez se acercó al caballo del rey Lobo y apoyó su manaza sobre el lomo del animal.

—Sabes, amigo mío, que no está en mi ánimo la maledicencia —el enorme cristiano puso su franca mirada en la iracunda de Mardánish—, y es también mejor a mi entender que saldemos unidos este asunto de Granada. Pero ay de ti si no pones remedio a la rebeldía de Hamusk después.

El rey Lobo asintió y palmeó la mano de su amigo y compañero de armas. Luego observó al conde de Urgel, que seguía apartado y con expresión ausente, como si toda aquella rivalidad no fuera con él.

—Armengol, la Sierra Nevada cubre nuestras espaldas, pero temo la llegada de los almohades desde el sur. ¿Se han mandado exploradores a los caminos?

El conde negó con la cabeza.

—Solo para vigilar si alguien huye de Granada o mete provisiones en la Qadima. Daré orden para que salgan de inmediato varias partidas. Sabes que los africanos se mueven con lentitud, así que serán detectados a tiempo. Mandaré que los puestos avanzados queden fijos hasta que divisen al enemigo.

El rey Lobo hizo un lento gesto de asentimiento y llenó de aire sus pulmones. Hamusk desaparecía en ese instante en la pequeña pero sólida estructura de al-Hamra, y los hombres bajo su mando se arremolinaban allí a la espera de órdenes. El hedor de la carne en descomposición parecía más fuerte que nunca. Mardánish miró al otro lado del barranco, a las lejanas cabezas de los almohades atrapados en la Qadima, que seguían asomadas en lo alto de sus murallas. Sus labios se curvaron con suavidad en una sonrisa que, como todas las de los últimos tiempos, era más amarga que feliz. Prefería la proximidad de los enemigos africanos que la de su suegro.

—Álvar, cuida junto con Óbayd de que Hamusk no siga con sus desafueros. Yo me voy a la colina de enfrente. No quiero seguir ni un instante más aquí.

El rey Lobo hizo volverse a su montura para bajar por el mismo camino tortuoso e inclinado que le había llevado hasta aquella colina roja de as-Sabica. Se alegró de dejar atrás a su suegro más de lo que lamentaba mantener dividido al ejército; sin recordar ya, oculto el temor por la rabia, los oscuros vaticinios de su amada Zobeyda.

Las antorchas y los fuegos encendidos en lo alto de la Sabica otorgaban un aspecto irreal a las tinieblas de Granada, ahora que la luna permanecía oculta por un techo de nubes bajas. El sol llevaba un rato desaparecido pero el calor agobiante se había quedado allí. Y todo empeoraba con la peste pútrida que emanaba del Darro. Arriba, los restos ennegrecidos del enorme almajaneque humeaban.

Abú Yafar pasó el odre de vino a su amigo Ibn Dahri. Ambos permanecían sentados en un poyo de piedra adosado a una de las casas que se asomaban al barranco, y enfrente de ellos se alzaba sinuosa la pendiente hacia la Qadima. El correr del agua allá abajo terminaba de teñir con un toque siniestro el momento. El judío Ibn Dahri se pasó el dorso de la mano por los labios después de trasegar un chorro de vino.

—Me da muy mala espina todo esto.

—Tú y los tuyos, siempre tan agoreros —replicó Abú Yafar—. Lo mismo que esa gente de ahí enfrente.

Ibn Dahri rio de mala gana por la broma. Sobre las murallas de la Qadima, los estandartes almohades apenas se veían, lacios por la falta de viento y oscurecidos por la noche.

—Sabes qué ocurrirá si esto no sale bien... Lo sabes, ¿verdad?

—Prefiero no pensar en eso. —El poeta se levantó y sacudió su túnica del polvo de la piedra, luego apartó de un manotazo una nube de mosquitos que subía desde la corriente del Darro. Puso cara de asco al pensar que aquellos insectos venían tal vez de abandonar su nido entre los huesos putrefactos de un cadáver medio sumergido en el río. Cogió la pequeña lámpara de aceite con la que los dos amigos se alumbraban y la elevó para ahuyentar a sus indeseables huéspedes.

—Pues yo no puedo evitar pensarlo. Pensar en qué pasaría si Utmán lograra regresar. Te diré la verdad, Abú Yafar: ahora sí, a veces me sorprendo pensando en marchar de Granada. Si no fuera porque sigo teniéndolo todo aquí...

—¿Huirías? —El musulmán miró al hebreo con incredulidad—. ¿Después de todo lo que has luchado por esto?

—Tengo miedo. Más miedo del que tuve que vencer para ayudarte en esta tarea, de la que me arrepiento día tras día.

—No hables así —reprochó el poeta.

—Claro... Para ti es fácil. Tú no has visto morir crucificado a uno de tus vecinos, ni has padecido las amenazas de Utmán sobre ti y tu familia. Tú gozas de tu posición, y...

—No seas estúpido. —Abú Yafar subió el candil, iluminó su rostro y creó un juego de sombras entre ambos hombres—. A estas alturas todos los almohades deben de saber quién es el artífice de todo esto. Mi posición no servirá de nada si sale mal. ¿O acaso olvidas lo que se dice que pasó con Ibn Sarahil en Carmona? Él, que era el primer hombre de confianza del gobernador almohade..., crucificado a las puertas de Sevilla. Ambos corremos el mismo riesgo, Ibn Dahri.

El judío se levantó mientras masticaba las razones de su amigo musulmán. Tal vez sí corrieran el mismo riesgo, después de todo. Pero aquello lo hacía más absurdo. Ibn Dahri tenía en Granada su casa y todas sus posesiones. Su estirpe era granadina y allí vivían sus amigos. Abú Yafar poseía muchos más bienes materiales, pero su fama y su fortuna eran tales que, de viajar a un lugar lejano, podría seguir manteniendo su prestigio. ¿Por qué continuaba en Granada, sobre todo después de lo ocurrido con Hafsa? El hebreo miró instintivamente arriba, a las almenas de la alcazaba Qadima. Sombras que se recortaban contra la panza lechosa de las nubes. De reojo vio cómo Abú Yafar también llevaba su vista a la fortaleza asediada. El poeta rebuscó de forma inconsciente entre los pliegues de su túnica y sacó un billete de papel hecho una bola. Lo retuvo en su puño, haciéndolo sonar al mover los dedos en torno a él. No necesitaba leerlo, pues sabía de memoria su contenido. Era uno de aquellos mensajes furtivos que Hafsa le había enviado en la época en la que se citaban de noche, a escondidas de todos, o se visitaban clandestinamente al calor de las calles de la medina. Antes de que Utmán impusiera sus prohibiciones. Antes de que todo se volviera oscuro y asfixiante. Abú Yafar movió los labios sin emitir sonidos mientras Ibn Dahri lo miraba sin comprender.

¿Vienes tú a mí o voy yo a tu lado?
Pues mi corazón se inclina a lo que tú deseas:
mis labios son agua dulce y transparente

y mis bucles, ramas que dan sombra;
así que espero que estés sediento y ardiente
cuando llegues junto a mí a la hora de la siesta.

Abú Yafar apretó el puño y devolvió el billete arrugado a su lugar. ¿Podría volver a gozar de los labios, de los bucles, del corazón de Hafsa? ¿No era por eso por lo que había desatado todo aquel horror en Granada?

Suspiró, y sus ojos recorrían el adarve para penetrar la noche cuando un soplo de viento suave se levantó y removió el hedor a muerto. Allá arriba, un parpadeo blanco refulgió a la luz chispeante de las hogueras. Fue solo un momento, como si un estandarte mecido por el viento aleteara en lo alto de las almenas.

Hafsa bint al-Hach apoyó las manos en el espacio entre dos merlones, se inclinó y contempló el abismo. Enfrente, toda la colina Sabica parpadeaba con las hogueras de los guerreros andalusíes, y podían oírse los ecos de sus risas y comentarios subidos de tono. Y los restos de la máquina de guerra lanzaban al cielo una nube de humo oscuro que se confundía con la noche. Luego la mirada de la poetisa descendió por la escarpada pendiente de la colina roja, hasta el curso de agua emponzoñada que bajaba desde las montañas. Su vista se detuvo en otro punto luminoso. Asomaba entre las casas apoyadas en el escarpe natural y se movía lentamente. Entornó los párpados, tratando de perforar las tinieblas de aquella noche agobiante. Le pareció ver que la luz descubría a su lado un rostro enmarcado por una fina barba... ¿Sería un enamorado que rondaba a su amada en la oscuridad?

Probablemente no. No concebía el amor entre semejante dolor. Entre tanta desesperación. Hafsa se retiró del antepecho y suspiró. Por el adarve se acercaba un guerrero masmuda con paso lento, la lanza apoyada en un hombro y la tez demacrada, como todos los que resistían dentro de la Qadima. La mujer se apartó varios pasos mientras se colocaba el *niqab*, el velo que cubría toda su cara, incluidos los ojos. Estaba segura de que el almohade no la había visto. Por fin quedó oculta bajo las sombras de una de las torres de defensa, reforzadas hacía apenas unos meses por Utmán. El centinela dio algunos pasos arrastrando los pies, giró y continuó su ronda mientras lanzaba miradas fugaces a los fuegos del campamento enemigo. Cuando su figura delgada y triste hubo desaparecido, Hafsa regresó a las almenas y miró de nuevo abajo. Apoyó los codos en la piedra y dejó reposar su cara, cubierta con el *niqab*, sobre las manos. Casi al fondo del barranco, a media pendiente, seguía brillando aquella débil luz. Un súbito arranque de la brisa le trajo el aroma de la muerte, y arrugó la nariz. El velo blanco se despegó de los labios, tremoló un instante a la brisa y liberó su mirada de las nieblas de seda, y allá abajo la luz del candil pareció moverse. Retrocedió para evitar aquella peste a putrefacción y recordó con viveza los alaridos que cada día escuchaban los sitiados de la vieja alcazaba. Ella no había podido ver cómo el enemigo torturaba y ejecutaba a los cautivos almohades, pero los propios guardianes masmudas se lo habían contado con todo detalle, incluso con saña, como reprochándole que sus paisanos andalusíes fueran tan pródigos en despilfarrar dolor y sofocar la vida. Hafsa callaba y asentía, tomando nota mentalmente de todo aquello. Durante el día no salía de la *munya*, pues los guardias masmudas seguían cumpliendo a rajatabla las órdenes de Utmán, aun en su ausencia. Pero por las noches, con el velo bien sujeto y el cabello cubierto, no era difícil aprovechar las mismas sendas de siempre para abandonar su encierro y dejar que el aire que llegaba desde el Yábal Shulayr acariciase su piel.

Volvió a asomarse e intentó localizar la lucecilla, pero había desaparecido. Quizás el enamorado, cansado de requiebros inútiles, se había hartado de aspirar el olor de los difuntos. Su vista flotó hacia la medina, donde pocas celosías mostraban brillo interior. Los granadinos parecían poseídos por un pesimismo sin límites. Era el miedo. Podía olerse tan bien como el aroma pútrido que emanaban los cadáveres mutilados allá abajo, o la resina quemada del almajaneque gigante. Sintió una arcada. Y suerte que podía sentirla. Ella, como amante del *sayyid* y su protegida, era alimentada aun a su pesar con los mejores manjares que se guardaban en las despensas de la Qadima. Solo las esposas de Utmán y sus hijos compartían con ella ese privilegio. Los demás, incluidos los guerreros masmudas, podían pasar hambre, pero ella, Hafsa, debía ser cuidada, hasta mimada a pesar de tratarse de una especie de pajarillo silvestre encerrado en una jaula. Los almohades de la guarnición lo sabían bien, igual que sabían que nadie, absolutamente nadie, debía ver aquel rostro de belleza morena salvo su señor, Utmán.

Utmán. ¿Qué habría sido de él? Los rumores, difundidos a gritos por los propios sitiadores, indicaban que el gobernador e hijo del califa había sufrido una derrota total en las cercanías, cuando acudía para reconquistar Granada. Aunque nadie había dicho que Utmán estuviese muerto. ¿Lo estaba? De ser así, Hafsa no lo sentía. Detestaba a aquel hombre, aunque no tuviera más remedio que fingir amarlo. Y aun así, algo en su interior le decía que jamás, nunca en lo que le restaba de vida, volvería a ser tan amada por otro. Pero ¿y Abú Yafar? Él era la esperanza. Sí. Sin duda. Hasta ese instante, la necesidad y el instinto de supervivencia la habían atado a Utmán, obligándola a apartarse de su verdadero amor. Pero ya no más. Eso no volvería a ocurrir. Si el almohade había castigado al poeta, si le había prohibido la visión del rostro de Hafsa, ella castigaría a Utmán negándole sus caricias y sus besos. No sería suya de nuevo jamás. Se lo juró, una y otra vez. Hasta lo hizo en voz alta. Abú Yafar o nadie. Pasara lo que pasase tras aquel asedio.

Nuevos pasos en el adarve distrajeron a Hafsa. Una última mirada abajo, a la medina envuelta en sombras. Si pudiera volver a ver aquella luz fugaz, tan solo un instante antes de retirarse...

—*Preguntad al palpitante relámpago en la oscuridad serena si me ha hecho recordar mi amor a medianoche. Pues ha vuelto a hacer latir mi corazón y me ha dado la lluvia que cae por mis mejillas.*

Se pasó una mano rápida por el rostro para enjugar aquella lluvia que únicamente la mojaba a ella. Los pasos se acercaban, debía marcharse. Regresar a su encierro. Su estilizada figura se mezcló con la oscuridad sin saber que allí arriba había cruzado su mirada con aquel al que añoraba. Sin saber si volvería a verlo o tendría que conformarse con soñar con él.

47

Río de sangre

Una semana después. Cercanías de Granada

El puesto avanzado de centinelas de Armengol de Urgel era un círculo de mantas extendidas sobre estacas clavadas en el suelo. Tres hombres, jinetes cristianos, se turnaban para vigilar el camino que llegaba por poniente. Dos de ellos charlaban con guasa bajo la sombra de un olivo. Se burlaban de la rivalidad, ya notoria, entre Mardánish y Hamusk. Uno de los soldados imitaba en falsete los reproches del rey Lobo y el otro reía sin parar. En cuanto al tercero, cumplía su servicio de armas a alguna distancia y recostado sobre otro árbol, con el escudo de lágrima apoyado en la parte inferior del tronco. El hombre se cubría con la mano los ojos en un intento de protegerse del sol del atardecer, y a su vista tan solo se extendía el paño verde y uniforme de sembrados a la vera del Genil, así como los olivares desparramados por las suaves pendientes. El cristiano suspiró y dobló la pierna derecha para cambiar el peso de su cuerpo. Tras él resonaban de nuevo las risotadas de burla de sus compañeros.

Un súbito toque frío hizo estremecerse al centinela. De pronto, el estupor se apoderó de él. Notó la piel de su garganta abrirse con un brusco frescor metálico, y a continuación llegó la tibieza de la sangre manando del cuello rasgado. Solo fue consciente de que lo habían degollado cuando sus rodillas toparon con el suelo cruzado por raíces y guijarros. Quiso gritar para advertir a sus compañeros, para pedir auxilio o piedad, pero lo único que logró sacar de su garganta seccionada fue un burbujeo siniestro. Alguien apoyó un pie en su espalda y lo impulsó hacia delante. Se oscureció el sol poniente y la vega se borró.

El guerrero masmuda, un tipo enjuto y de baja estatura, se agazapó con el cuchillo aún chorreante en su diestra. A sus pies, el cristiano se convulsionaba como un corderillo recién sacrificado. Los paños pardos que servían de abrigo a los centinelas distraídos se confundían con el suelo de la colina, pero las cabezas de los guerreros se movían y delataban su posición. Sobre todo uno de ellos, que lanzaba continuas risotadas. El masmuda avanzó un par de pasos para variar su perspectiva y luego, en total silencio, señaló hacia el lugar del puesto de guardia avanzado con su arma chorreante. Los *rumat* aparecieron de la nada, escupidos por la tierra, velados y cubiertos por sus oscuros ropajes de los pies a la cabeza. Solo los ojos, abiertos en gesto de alerta, anunciaban que aquellos bultos eran en realidad seres humanos, arqueros bereberes que ahora alojaban sus flechas en las cuerdas de los arcos. Poco a poco, con lentitud, nueve hombres se alzaron de entre los arbustos. El masmuda, explorador de la cabila hintata, ordenó con severa superioridad a los arqueros que se adelantaran. Necesitó un único gesto silencioso. Las carcajadas de los cristianos subieron de volumen. Ambos reían ahora, y uno de ellos incluso se agarraba las ropas a la altura de la barriga. Un poco más allá, atadas las riendas a unas ramas bajas, los tres caballos de los guerreros de Urgel sí notaron la presencia siniestra de los arqueros africanos. Pero sus resoplidos nerviosos no sirvieron de nada. Las flechas volaron a ras de hierba, se colaron entre las mantas y acribillaron los cuerpos de los cristianos, que se miraron entre sí sorprendidos. Uno de ellos aún pudo levantarse a pesar de llevar cuatro proyectiles encajados entre las anillas de su loriga y un quinto atravesándole el cuello. El otro se venció a un lado con dos flechas clavadas junto al espinazo y se arrastró trabajosamente hacia su espada. El masmuda hintata corrió por entre los *rumat*. Saltó de un peñasco a otro y esquivó los matorrales. Derribó una de las estacas que sostenían los abrigos y se abalanzó sobre el cristiano que aún seguía en pie, tambaleante y con los ojos en blanco, intentando arrancarse el proyectil que traspasaba su garganta. El masmuda tajó de través y rebanó el cuello del cristiano. La sangre salpicó a ambos, el guerrero de Urgel cayó de lado y quedó inmóvil mientras sus venas se vaciaban y formaban un lodo negruzco. El almohade se volvió y propinó una patada en la cara al otro cristiano. Este se quejó con un gemido inaudible y miró aterrorizado al tipo casi negro que ahora le miraba con una sonrisa de zorro. El masmuda se puso en cuclillas e hizo girar la hoja de su cuchillo. Varios gruesos goterones cayeron sobre el rostro del guerrero herido, y el almohade chapurreó en romance:

—Ahora me hablarás de tu ejército, infiel.

Alto de al-Bayyasín, Granada

Mardánish repasó con vista curiosa las estructuras de madera clavadas al suelo. Los sirvientes del ejército consultaban los planos, y discutían a cada momento para interpretar en qué lugar se debía colocar una viga o qué orientación necesitaban darle. Todavía era pronto, pero podía adivinarse cuál sería la posición de cada máquina de guerra. Los hombres, varios toledanos reclamados por Álvar el Calvo, eran los únicos a los que este había podido sustraer a las dificultades que los castellanos estaban teniendo en su reino por la guerra civil y las injerencias leonesas. El rey Lobo se mordió el labio y calculó con rapidez que necesitarían varias semanas aún para tener listos los almajaneques. Luego miró a las murallas de la Qadima. Algunas casuchas pegadas al muro se interponían entre la alcazaba y el ejército sitiador. Tal vez ardieran. Quizás lo arruinara todo. Pero no usaría sus máquinas para torturar a los cautivos. Armengol de Urgel llegó en ese instante con el almófar echado hacia atrás. El conde se atusaba el cabello, y su yelmo era transportado por un escudero que también cargaba con el escudo y un odre medio lleno.

—¿Alguna noticia? —preguntó Mardánish. Armengol negó con la cabeza.

—Ninguna. He pensado en mandar exploradores más lejos. Incluso hasta Loja, para vigilar la entrada en el valle. Pero temo que se crucen con los almohades sin verlos.

—Sí, tienes razón. Podrían llegar desde cualquier sitio. Es mejor esperarlos cerca. —El rey Lobo se pellizcó la barbilla—. ¿Cómo ves lo del asedio?

—Con tiempo, es cosa hecha que la alcazaba caiga —afirmó con seguridad Armengol de Urgel—. Los de dentro llevan tiempo apretados por el hambre. En cuanto al agua, me han dicho en la medina que la Qadima dispone de buenos aljibes. Aun así, he mandado gente para buscar la forma de cortar esa acequia que baja de las montañas. El problema es que los almohades deben de tener mucho miedo de rendirse: temerán que los torturemos y ejecutemos. Eso no nos favorece.

Mardánish gruñó y movió la cabeza a los lados.

—Me gustaría convencerlos de que se puede negociar, pero lo que mi suegro ha estado haciendo durante este tiempo...

—Ha sido un tremendo error, desde luego. —Armengol amagó una sonrisa. La crueldad de Hamusk no hacía sino ayudarle—. De haber estado yo al mando, la Qadima ya sería mí... ammm, ya sería tuya. Da unos días a esos almohades. Vieron arder ese engendro gigante de tu suegro, y saben que las ejecuciones ante sus murallas han acabado: pronto recuperarán la esperanza. Luego mandaremos emisarios y les ofreceremos respetar sus vidas. ¿Te parece?

El rey Lobo hizo un tímido gesto de acuerdo y observó la Sabica y a las tropas acampadas fuera de las murallas.

—No me gusta tener separado al ejército.

El conde de Urgel caminó unos pasos y miró en la misma dirección que Mardánish. Aunque al-Bayyasín quedaba por debajo del nivel de la colina roja, se podían ver los destrozos en las murallas. Torció el gesto al pasear la vista por los lienzos rotos y los pabellones más próximos al borde del cerro. A él tampoco le agradaba la división de las tropas.

—Confiemos en que nuestros centinelas nos avisen con antelación si se acercan los almohades. Si no tenemos tiempo para reagruparnos o plantear una defensa, lo pasaremos mal.

El rey Lobo volvió a gruñir. Pidió el odre al escudero de Armengol y dio un trago largo. Se enjuagó la boca y escupió a la pendiente. Después se marchó hundido en sus pensamientos, sin siquiera despedirse del conde.

Cercanías de Granada

El explorador masmuda levantó la cara del suelo tras permanecer postrado un rato, el suficiente para que el almirante supremo Sulaymán le diera su permiso. Yusuf estaba tras este, a la espera de las noticias que aquel hombre debía traer de su avanzadilla.

—Habla.

El explorador se irguió. El polvo se desprendió de sus ropas en forma de tenues nubecillas.

—Había un puesto de guardia en la vega, a menos de media jornada de Granada. Hemos acabado con ellos sin problemas. He interrogado a uno de los cristianos antes de eliminarle.

Yusuf dio un par de pasos para adelantar a Sulaymán. Sus ojos se posaron sobre las manchas de sangre que salpicaban al explorador.

—¿Qué te ha dicho? —preguntó el *sayyid*. El almirante supremo se esforzó por mantener el gesto impávido ante la interrupción de Yusuf.

—Los infieles tienen unos ocho mil hombres junto a al-Qasbá Qadima. —El masmuda condensó en una profesional síntesis lo que el cristiano le había confesado entre gritos de dolor mientras le cortaba los dedos y le arrancaba los ojos—. Casi todos de caballería. Su rey Lobo ha acampado allí. Al otro lado del barranco del río Darro, en as-Sabica, el Mochico está al frente de una fuerza algo menor. Han abierto huecos en las murallas y han repartido sus tiendas por lo alto del monte. El Mochico se refugia en la fortaleza pequeña, al-Hamra, pero hay tropas de infantería al aire libre y sin defensa.

—Vayamos mañana hasta Granada y ataquemos al demonio Lobo. Si cae él, los demás se retirarán —propuso sin apenas pensarlo Yusuf.

Sulaymán levantó una mano y la mantuvo alzada. Sus ojos, todavía clavados en los del masmuda, habían dejado de ver para sumirse en la reflexión. Conocía por las indicaciones de los escribanos la disposición de las dos alcazabas y cómo el río Darro cortaba la tierra entre ambas, abriendo un pequeño abismo que impediría unirse a las dos partes del ejército enemigo. Salvo que los vieran llegar desde muy lejos y tuvieran tiempo de formar una sola línea para hacerles frente.

—El demonio Lobo tiene consigo la mayor parte de las tropas. Eso has dicho, ¿no?

—El cristiano no mentía, mi señor —confirmó el masmuda—. Tengo experiencia en saber cuándo un cautivo atormentado dice la verdad.

—Bien... Y dices que en la Sabica, las huestes bajo mando del Mochico están divididas también por una muralla rota.

—Así lo ha explicado el infiel antes de morir.

—¡Somos más! —se inmiscuyó de nuevo Yusuf—. ¡Los superamos en número! Enviemos a nuestra caballería por delante contra el demonio...

El almirante Sulaymán estuvo a punto de llamar estúpido al hijo del califa. Lo único que lo evitó fue la convicción de que un día, tal vez no muy lejano, aquel muchacho sería el hombre más poderoso del imperio almohade. Masticó su ira y, poco a poco, dejó que Yusuf siguiera proponiendo cargas frontales de caballería colina arriba. Ataques que el *sayyid*, por supuesto, no iba a encabezar. Cuando hubo escupido suficiente ignorancia, Sulaymán moduló la voz con fingida amabilidad.

—Ambas colinas son alturas fácilmente defendibles —explicó despacio, como si Yusuf fuera un niño pequeño—. No podemos acercarnos de frente y en pleno día. Eso les daría tiempo para reunirse o para hacerse fuertes. Además, la Sabica parece un punto mucho más débil. Piensa. O mejor, deja que yo lo haga. ¿Imaginas qué sería enfrentarte al mando de tus numerosas tropas al enemigo y ser derrotado?

Yusuf apretó los labios. Pensó en la satisfacción que le había producido la carta enviada a su hermano Utmán; suponer su sensación al conocer que era apartado del mando máximo del ejército almohade en al-Ándalus. El *sayyid* miró al suelo. Ahora no podía permitirse que las tornas cambiaran. Debía regresar triunfante de aquella campaña. Habló con la mansedumbre que provoca la ruin necesidad.

—¿Qué haremos?

Sulaymán sonrió y oteó el horizonte, medio cubierto de nubes y teñido de naranja por los últimos rayos del sol. Se acercaba la noche. Una noche muy larga.

—Esto será lo que haremos...

El cielo a oriente aún no había empezado a clarear cuando los primeros hargas, vestidos con ropajes oscuros y armados simplemente con sus cuchillos curvados y anchos, empezaron a trepar por los riscos de la colina Sabica.

Habían viajado en silencio y al paso durante toda la noche, rompiendo la arraigada costumbre almohade de marchar en campaña solo por las mañanas, montar el campamento a mediodía y reservar la tarde para el descanso. El almirante Sulaymán había impartido órdenes tajantes. Muy claras. Tras una breve cena, todas las cabilas masmudas se adelantaron a caballo bajo el mando del jeque, seguidas después por el resto del ejército, dirigido por Yusuf. En el último trecho del camino a Granada, los masmudas habían desmontado y dejado a los animales a cargo de los sirvientes y esclavos del ejército. Sulaymán, tan hábil en manejar las mentes como las tropas, había exhortado a sus hombres al martirio. Les había hablado de las inconmensurables recompensas que Dios reservaba para ellos, de que sus nombres figurarían en letras doradas en los anales almohades, de que escribirían la historia con las puntas de sus cuchillos. Era Tawhid o muerte. Y aquella madrugada iba a tocar muerte. Un nuevo bocado y una marcha nocturna larga y ligera sirvieron para que los almohades se presentaran en los arrabales de Granada como ángeles exterminadores.

El almirante supremo, único en permanecer a caballo junto con algunos hargas de su escolta personal, se adelantaba ahora en la oscuridad y daba un rodeo para aproximarse a la ciudad desde el sur. Su llegada coincidía con la de los primeros masmudas a pie, sombras pequeñas y fugaces que se acercaban a la ciudad en penumbras. Se extendieron por ambas orillas del Genil evitando los claros de luna, pegados a las murallas, deslizándose por entre las acequias, los álamos, los olivos, las cercas bajas de los huertos y las tapias del cementerio. Sortearon las albacaras y se convirtieron en fantasmas que se arrastraban por los arrabales de casas bajas y desordenadas. Nadie fue capaz de ver a los almohades que se cernían sobre la ciudad, y si alguien los detectó, nada dijo. Cruzaron el tranquilo curso del río sin ruidos y, como cucarachas que huyeran de un agujero, las negras siluetas se encaramaron a las rocas que iniciaban las pendientes de la Sabica. Se agarraban con sus dedos nudosos a las piedras y buscaban las rendijas; sus uñas se clavaban en la tierra y sus cuerpos rozaban las raíces y los guijarros. Pronto fueron oscuridad entre la oscuridad, manchas que se fundían con la espesura arbolada que trepaba Sabica arriba. El almirante Sulaymán, con su montura detenida junto al curso del Genil y rodeado de sus guardias, vio venir la siguiente oleada, que se deslizaba de forma igualmente furtiva. Los yadmiwas tal vez. O los yanfisas. Siempre por tribus, unidos unos a otros por lazos de sangre que los obligaban a luchar hasta el último esfuerzo para defender o vengar al pariente. El almirante llevó la vista arriba. Pronto despuntaría, y la luz traería a los infieles la mayor sorpresa que podían esperar.

Alto de as-Sabica, Granada

El centinela cabeceaba ceñido por la brisa del amanecer. Solo ese frescor previo al alba lograba mantenerlo despierto mientras apoyaba su peso sobre la lanza. Forzó los párpados y se dio cuenta de que casi podían distinguirse los bosques de arrayán que se perdían hacia la Sierra Nevada. A su derecha, el cerro de la Sabica se rompía y caía sobre el Genil, y por eso podía ver las copas de los olivos y las huertas aterrazadas, los chamizos precariamente agarrados a las rocas, las viñas y la alfombra verde de la colina que descendía hacia el río. A su izquierda, las tiendas bajas de los hombres de guerra, unos pocos caste-llanos de Álvar Rodríguez y muchos andalusíes del Sharq. Los ronquidos traspasaban las telas y se mezclaban con toses y palabras dichas en voz baja. El centinela ladeó la cabeza para desentumecerla. Tras él, el tramo de la muralla que rodeaba la medina terminaba de trepar por el risco y se unía a la pequeña fortaleza de al-Hamra. Sus lienzos estaban quebrados a trechos. Cuatro o cin-co huecos suficientes como para dejar pasar a la vez a un par de hombres a pie o a un caballo. Pronto, los primeros rayos del sol arrancarían a la Sabica sus hermosos reflejos rojizos y el centinela sería relevado. Lo estaba deseando. Necesitaba dormir. Ni pensaba en cumplir la oración del alba. Bostezó y vio la silueta de uno de sus compañeros que paseaba con lentitud a unas varas, al norte de la pequeña e irregular meseta que era la Sabica.

La voz del muecín creció lejana, procedente de uno de los minaretes de la Qadima. El centinela sonrió. Los almohades siempre se adelantaban unos ins-tantes, o bien los musulmanes de la medina esperaban a que los africanos co-menzaran la llamada. Las voces se repitieron, reverberaron y se deslizaron por las callejas de Granada.

—*Allahu akbar!*

La puñalada vino por la espalda y quebró la espina dorsal del centinela andalusí como si fuera una rama de mirto. El golpe fue tan brusco que el gue-rrero se quedó sin aire. Y luego vino un segundo puñal, y un tercero. Cayó de rodillas y vio cómo desde detrás salían corriendo varias sombras y se metían por entre las tiendas de los aún dormidos soldados.

—Aaaaagggghhhh...

Una mano que olía a sudor, a tierra mojada y a sangre le tapó la boca. El puñal buscó su carne una cuarta vez, y una quinta. Las sombras salían ahora también desde los bordes del llano que coronaba la colina Sabica, surgían de entre las copas de los árboles más cercanos y se arrastraban desde los troncos retorcidos. Algunas desaparecieron dentro de las tiendas. El estallido de dolor llegó tarde, pero el centinela todavía pudo ver cómo otro de sus compañeros era sorprendido de igual forma y degollado sin piedad. Más sombras, más hombres. Era como si se materializasen allí mismo, desde la nada. Había cien-tos, y el hierro de sus dagas brillaba con los primeros rayos del sol. El centine-la se dejó caer en la oscuridad y se olvidó de todo. A su alrededor, el infierno almohade se extendía por el campamento andalusí.

Mardánish soñaba.

Zobeyda, su esposa favorita, ya no era bella. Su rostro estaba arrugado y sus encías, desnudas. Había menguado. Su espalda se encorvaba para hacerla parecer más pequeña aún. Y su voz estaba quebrada. El aliento le hedía y el cabello, escaso y lacio, se escapaba en mechones blancos para caer ante sus ojos hundidos y rodeados de piel cuarteada. Le miraba, y en sus pupilas acuosas se reflejaban llamas rojizas. En la lejanía, un muecín alargó su llamada para el rezo del amanecer.

«Un prado de sueño y un río de sangre.»

El rey Lobo hizo un gesto de aprensión. Eran las mismas palabras que Zobeyda le había dicho antes de partir de Valencia. Incomprensibles, por más que la primera ya hubiera dado nombre al triunfo de Hamusk sobre la caballería de Utmán. El prado del sueño.

«Y un río de sangre», repitió la voz, desagradable y ajada, dentro de su sueño.

«¿Qué quieres decir?», preguntó a la vieja.

«Debes despertar. La sangría ha comenzado», contestó ella con una sonrisa desdentada.

—¡Debes despertar! ¡¡Debes despertar, mi señor!!

Mardánish se estremeció y abrió los ojos. Ante él, uno de sus sirvientes lo zarandeaba sin miramientos. La tez del muchacho estaba pálida y le temblaban los labios.

—¿Qué ocurre?

—¡Un ataque! ¡Un ataque!

El sirviente seguía agitándolo como si aún estuviera dormido. Mardánish comprendió que el infeliz se hallaba fuera de sí, superado por lo que fuese que estuviera ocurriendo. Se levantó y, cubierto solo por sus zaragüelles, salió del pabellón. Antes de ver la luz del día le llegó la confirmación de que algo raro pasaba. Algo raro incluso para estar sufriendo un ataque. Había gritos, sí, pero solo de alarma. Nada de alaridos ni trotar de caballos, ni rugidos de carga ni lamentos de dolor.

El brillo del sol, cuyos rayos apenas rozaban las murallas de la Qadima, le cegaron durante un instante. Luego miró a su alrededor. Vio correr a los guerreros de Urgel mientras requerían a sus criados las lorigas, gambesones y escudos. Mardánish agarró por la camisa a uno de ellos, que le encaró con la mirada perdida. Sostenía un tahalí con la mano izquierda y la espada desenfundada con la derecha.

—¿Dónde están? ¿Por dónde viene el enemigo?

El cristiano se encogió de hombros y se desembarazó del agarre. Luego siguió corriendo, aunque quebró su carrera y giró a la izquierda al tiempo que miraba a ambos lados. Por todo el campamento la confusión era igual. Los hombres tropezaban entre sí, permanecían quietos sin saber qué hacer o voceaban para repetir la voz de alarma. Eran muchos los que, como Mardánish, intentaban averiguar qué ocurría exactamente.

El rey Lobo sacudió la cabeza para apartar los últimos restos de modorra y entró de nuevo en el pabellón. Todos sus sirvientes estaban levantados, algunos de ellos desnudos, y esperaban sus órdenes con gesto acongojado.

—Tú y tú, salid y enteraos de lo que pasa. Volved enseguida e informadme. Los demás, mis armas.

Los gritos arreciaron fuera. Ahora parecían alejarse todos hacia el mismo lado. El barranco. Mardánish aceptó la jarra de agua que le tendía uno de los criados, bebió y se aclaró la garganta. Recordaba apenas el sueño, como si este se hundiera cada vez más profundamente en el pozo del olvido. En su lugar, la memoria le traía el sonido reciente del muecín llamando a la oración del alba. Las palabras se cruzaban. Sonaban a derecha e izquierda del pabellón. Tal vez a noches de distancia. Tal vez solo en su mente. Al otro lado del río. Un ataque. Sangre. Los almohades. Muerte.

Se dejó vestir y requirió la loriga. Se arrodilló para que los sirvientes pudieran elevarla y dejarla caer alrededor de su cabeza. El peso de la cota de malla le reconfortó. Mantuvo los brazos alzados mientras su cintura era ceñida, y en ese instante volvió uno de los criados a los que había mandado en busca de noticias. Casi se dio de bruces con el rey Lobo.

—Algo ocurre en la colina Sabica, mi señor. Nuestra gente se arremolina a este lado del barranco, pero no se ve nada más. Creo que los almohades atacan allí.

Mardánish frunció el ceño, tiró de los lazos del barboquejo y se acomodó el yelmo que le acababan de ajustar sobre el almófar.

—¿En la Sabica? ¿Atacan subiendo la montaña?

El sirviente se encogió de hombros. El rey Lobo rumió su rabia y no aguardó más. Aferró el escudo negro marcado con la estrella de su linaje y abandonó el pabellón a toda carrera.

Al-Qasbá al-Hamra, Granada

> *Y aquel día del Señor Dios de los ejércitos, día será de desagravio, para vengarse de sus enemigos. La espada devorará, y se hartará, y se embriagará con su sangre.*

Una mezcla de alivio y angustia invade a Hamusk. Está en lo alto de una de las torres de al-Hamra, la más espigada, adonde acaba de subir alertado por los gritos de sus hombres en la fortaleza roja. El sol está bajo, alzándose de frente desde los picos de la Sierra Nevada, y esos rayos casi horizontales le molestan mucho. Pero en realidad no le hace falta ver para saber qué está ocurriendo entre todos esos bultos oscuros que se mueven rápido en lo alto de la Sabica. Los hombres de Álvar Rodríguez y los de Óbayd están siendo masacrados. Degollados sin piedad dentro de sus pabellones, envueltos aún en sus mantas. Parece que algunos logran salir, pero el asalto es brutal, y de la falda de la colina no dejan de brotar soldados enemigos. Más y más, en oleadas. Es eso, la forma que tiene la arboleda de vomitar guerreros, lo que causa angustia a Hamusk. Y es el hecho de saberse aún seguro, dentro de lo que queda de muralla y encerrado en una torre de al-Hamra, lo que le proporciona alivio.

Al-Asad aparece a su lado y apoya la diestra en un merlón de la torre. Lleva todo su equipo de combate puesto y aprieta los dientes con media sonrisa salvaje. Hamusk le observa y sabe que el León de Guadix es muy capaz de aventurarse en solitario por uno de los huecos de la muralla para enfrentarse a cara de perro con los almohades. Y a buen seguro mandaría al tártaro a buen número de ellos antes de caer. Pero eso no debe ocurrir. Hamusk vuelve la vista a la matanza. Algunos de los andalusíes y cristianos han conseguido agruparse a su izquierda y se repliegan. Empuñan lo que pueden: lanzas, espadas, cuchillos, piedras. Se apelotonan contra el borde del cerro y se acercan al barranco por el que el Darro vierte sus aguas en Granada. El sol está subiendo. Hamusk casi puede distinguir los rostros de los guerreros enemigos. Oscuros, casi negros. Cabilas masmudas. Hombres que todavía recorren las tiendas y salen de ellas con las dagas, curvas y anchas, ensangrentadas hasta la empuñadura. Y los árboles siguen escupiendo almohades. Mismo color de piel, distintos ropajes. Hamusk sabe que esos africanos se agrupan en torno a sus tribus. Que así combaten con más furor, pues luchan para proteger a sus parientes o los ven morir junto a ellos, lo que alimenta su rabia. Los nuevos masmudas que han trepado por la Sabica llevan lanzas y escudos. Eso es muy malo. Los lanceros almohades tienen su fama bien ganada. Él lo sabe, porque los ha combatido varias veces en su vida.

Hay gritos de júbilo. Llegan del otro lado del barranco, de la alcazaba Qadima. Los asediados acaban de darse cuenta de lo que ocurre sobre la aplanada cima de la Sabica y ahora animan a sus compañeros. Gritan en esa enrevesada algarabía bereber. Seguramente los exhortan a matar a todos y cada uno de los enemigos infieles. Y no muy lejos de las murallas de la vieja alcazaba, sobre la llanura de enfrente, las fuerzas de Mardánish acampadas en al-Bayyasín asisten impotentes, estupefactas, a lo que ocurre ante sus ojos. Hamusk chasca la lengua. No hay posibilidad de que ese medio ejército, tan cerca pero a la vez tan lejos, pueda acudir en ayuda de las fuerzas de la Sabica.

—Hay que taponar las brechas de la muralla —advierte al-Asad entre dientes—. Hay que oponer resistencia o se nos colarán dentro. Pronto acabarán.

El León de Guadix ha sido expedito y certero. Hamusk recorre con la vista los lienzos de la muralla de Granada que, siguiendo el relieve, protegen al-Hamra de la degollina almohade de la Sabica.

—Baja y da órdenes de que nuestros hombres resistan en las murallas, pero que no salgan a socorrer a los de fuera.

Al-Asad mira un instante a Hamusk. No tiene intención de desobedecer. Ni siquiera se plantea otra posibilidad. Tan solo pretende saber qué se propone exactamente el señor de Jaén. Ve que este, a su vez, mira temeroso a las fuerzas masmudas que no parecen acabarse nunca. Que salen desde la arboleda, acumulan cabila tras cabila y arrinconan a los supervivientes de la Sabica. Al-Asad comprende. La intención de Hamusk es la más básica. La primordial. Salvar la vida. Gruñe a modo de asentimiento y abandona la altura de al-Hamra. Abajo, sus hombres, las fuerzas de Guadix, Segura y Jaén, son una mezcla de veteranos y novatos. Consecuencia del desastre de Marchena. Hamusk tiene razón: al-Asad debe hacerse cargo personalmente de la defensa de la muralla.

El señor de Jaén, mientras tanto, sigue examinando el panorama. Las fuerzas masmudas allá arriba casi triplican a los supervivientes del ataque sorpresa. Los lanceros almohades se han adelantado a sus compañeros armados con cuchillos chorreantes, y un muro de escudos erizados forma una línea en mitad de la Sabica. Por detrás, algunos de los atacantes sacan a rastras de las tiendas a varios andalusíes y cristianos heridos o suplicantes. Siempre hay quien se hace el muerto para evitar la muerte, pero por lo visto eso no sirve allá arriba. Los masmudas actúan casi mecánicamente. Uno de ellos arrastra a un desgraciado, lo saca de la protección de las bastas telas y lo expone a la furia de los demás almohades. Al momento, una lluvia de puñaladas lo hace picadillo. Hamusk ve gente agarrada a los tobillos de los africanos. Ve incluso cristianos arrodillados y clamando a Jesucristo crucificado. La desesperación es así. Tampoco es probable que los masmudas entiendan nada de lo que dicen sus enemigos antes de abrirles la garganta con esos cuchillos de matarife.

Se oye la voz segura y ronca de al-Asad a los pies de la muralla. Ruge el León y organiza la defensa. Hamusk lo observa de reojo mientras su mente calcula cómo salir con bien de aquello. El paladín de Guadix actúa con mucho oficio: pone a los más novatos en primera fila y los manda a los huecos de las murallas, por entre los que puede verse a los masmudas en plena degollina. Es curioso, los africanos no han intentado siquiera atravesar los agujeros que los colocarían dentro de la ciudad. Se limitan a hacer su trabajo fuera, con una disciplina que explica por qué el imperio almohade es lo que es. Dentro, guerreros bisoños y temblorosos oponen sus escudos y se pegan a los muros. Tras ellos, otros más veteranos preparan sus lanzas. Las posiciones son fuertes y los andalusíes tienen una de las más antiguas ventajas del arte de la guerra, la de aprovechar un espacio reducido para anular el número del enemigo. Pero Hamusk no se hace ilusiones. Los masmudas siguen llegando y llenan todo el alto de la Sabica. El señor de Jaén bufa, y su papada tiembla. Se muerde el labio mientras recorre el solitario torreón de al-Hamra y se asoma a uno y otro lado. Entonces otro detalle llama su atención. Es a poniente. Una polvareda lejana, revelada por los tempranos rayos solares. Maldice en romance. Lo que está acabando con las fuerzas de la Sabica es solo una avanzada. El auténtico ejército almohade viene detrás y se aproxima ya a Granada. Granada. Casi en sus manos.

—Granada está perdida —dice, y abandona al-Hamra.

Alto de al-Bayyasín, Granada

Mardánish llora.

Siente caer las lágrimas en chorretones gruesos que se detienen un momento al topar con el ventalle. Luego se cuelan entre las anillas de hierro y, poco a poco, le mojan toda la cara.

Hay un silencio inmenso a su alrededor. Miles de hombres se agolpan junto al borde de al-Bayyasín como si fueran espectadores en un anfiteatro. Ante ellos, el barranco se abre y cae hacia el Darro para luego subir hasta el cerro de enfrente, la Sabica, que queda más alta. Allí sus compañeros no guardan silencio. Los llaman, aterrados. Les piden auxilio. Se empiezan a empujar y algunos resbalan en el borde. Los guijarros se desprenden, ruedan y rebotan entre los peñascos antes de caer al río. De momento, los pobres desgraciados de la Sabica se sujetan unos a otros. La mayoría están desarmados. Otros empuñan dagas, y algunos han podido incluso hacerse con un escudo y una espada. Se diría que unos pocos intentan organizar una defensa desesperada, aunque en ese instante es imposible saberlo, pues los que quedan a la vista son los más alejados de los almohades.

Hay otro griterío a la derecha. Son vítores procedentes de la alcazaba Qadima. Los sitiados animan a sus compañeros a seguir masacrando al ejército que los ha cercado. A esos politeístas y falsos musulmanes que han torturado a los cautivos, los han mutilado en su presencia y los han lanzado con un almajaneque gigante contra las murallas. Los cadáveres descarnados de abajo son la prueba muda de las barbaridades que allí se han cometido.

Mardánish se pasa el dorso de la mano por la cara y alguien llama su atención. Es Armengol de Urgel, a quien pidió hace un rato que diseñara un contraataque con garantías. El conde advirtió que primero debía examinar la situación, y ahora se presenta allí, ignorando a propósito la humillante escena que tiene lugar al otro lado del barranco.

—Algunos de los exploradores no han vuelto —dice. Lleva el yelmo en la mano y el flequillo, sorprendentemente descolocado, le asoma por el borde del almófar. Está pálido a pesar de que su rostro lleva meses recibiendo los rayos del sol en el cerco de Granada—. He mandando a mi hermano para que eche un vistazo allá abajo. Los masmudas ocupan toda la parte de levante y siguen subiendo a la Sabica. Es imposible saber su número porque muchos están ya ahí arriba... En fin, de todas formas doy por perdida esa colina.

Es como una sentencia, piensa Mardánish. Urgel da por perdida la colina. Y ya está. Aunque en ella todavía hay cientos, tal vez miles de guerreros vivos.

—¿Podemos organizar un contraataque y retomar la Sabica? —pregunta el rey Lobo.

—Podríamos intentarlo, pero no es aconsejable. El resto del ejército almohade se aproxima por el camino de Málaga. Aún no sabemos cuántos son, pero por el tamaño de la nube de polvo que levantan, es posible que pronto estemos metidos en un buen lío.

Mardánish se muerde el labio y vuelve a mirar al otro lado del Darro. Los hombres parecen más aterrados y varios intentan deslizarse por el borde del abismo, junto a la muralla. Pero el tumulto no les deja. Uno pierde pie y se resbala una vara hacia abajo. El compañero más próximo estira el brazo para sujetarlo y ambos caen. Se alarga un grito cuando uno de ellos rueda. Su cuerpo se separa de la pendiente y la cabeza golpea contra una roca. El otro ha conseguido hundir las uñas en la tierra y lucha por mantenerse allí. Se oyen comentarios en al-Bayyasín. Los hombres se preguntan qué hacen allí parados. Hay protestas que suben de tono y alguien habla de cobardía.

—Hamusk —dice Mardánish—. ¿Qué hace Hamusk?

Armengol de Urgel se encoge de hombros. Nadie puede saber si los almohades han logrado penetrar las murallas por los huecos imprudentemente abiertos en las semanas anteriores. Delante suenan más gritos. Por lo visto, los masmudas están avanzando, y los guerreros del ejército andalusí retroceden. Los que están al borde chillan y empujan para no caer. Miedo a las lanzas contra miedo a las rocas. Cunde el pánico y los gritos desgarran el aire. Cae un hombre y arrastra consigo al que hasta ese momento se agarraba a las raíces que brotan de la tierra. Cae otro. Dos más al otro extremo de la masa humana. Algunos dejan de resistirse y miran abajo. Sus ojos desorbitados examinan el barranco y buscan el mejor lugar. Uno de ellos salta, pero sus piernas se rompen unas varas más abajo y acaba destrozándose contra los peñascos. Ahora caen en grupo. En la Qadima se desata la euforia en forma de chillidos de triunfo. En al-Bayyasín, maldiciones y más acusaciones de cobardía, ahora descaradas. Mardánish se mueve a un lado y pide a gritos su caballo, pero Armengol de Urgel lo sujeta por los hombros, le mira fijamente y niega con la cabeza.

Desde la Sabica se despeña la gente a decenas. Algunos llegan vivos al fondo, y varios de ellos incluso parecen capaces de arrastrarse medio metidos en el agua. Pero son los menos. Las rocas están enrojecidas, y los que se quedan agarrados a ellas son golpeados por nuevos cuerpos que caen. Mardánish deja de mirar abajo, pero lo que ve frente a él le desazona todavía más. Varios de sus hombres han formado una línea de defensa en el límite de la hondonada y se oponen a los masmudas. Aunque no tienen nada que hacer. Ve sus espaldas y aprecia que muchos no llevan puesta loriga y ni siquiera embrazan escudos. Han sido sorprendidos mientras dormían, y algunos solo pueden empuñar un triste cuchillo para enfrentarse a la ingente horda que ahora domina la colina. Retroceden, y los que están tras ellos también, empujando a los últimos contra el borde. Apenas si les queda una estrecha franja de terreno. El rey Lobo ve caer a algunos acribillados a lanzazos. Lo peor de todo, sin duda, es no saber qué ocurre realmente allá arriba. Mardánish arroja su escudo al suelo y maldice a gritos.

—Por Dios y por san Jorge... —susurra Armengol de Urgel a su lado—. Es Álvar...

Ambos miran, presagiando lo peor, hacia la Sabica. Ahí está. Inconfundible. El más alto, y tan ancho que destaca sobre las pocas decenas de hombres que todavía resisten allí. El conde de Sarria se ha afirmado en el comienzo de la pendiente y lleva su maza en la mano derecha. Está en camisa y calzas, y a su alrededor se abre un círculo en el que nadie se aventura. Los masmudas que tiene delante no se atreven a acometerle, seguramente porque le ha reventado la cabeza a más de uno. Mardánish da un paso y se sitúa justo al borde de al-Bayyasín. Del barranco llega un sinfín de gritos agónicos que corean a los que siguen despeñándose. Alguien gatea a espaldas del Calvo. Es un hombre herido que intenta no resbalar; lleva las ropas teñidas de sangre, a la que ahora se pega la tierra de la colina. El rey Lobo ve la larga trenza negra que arrastra por tierra.

—Mi arráez. —La voz de Mardánish está quebrada. Ha reconocido a Óbayd—. No, no, amigo mío —dice, aunque sabe que no puede oírle—. Aguanta.

Es absurdo. El rey Lobo lo sabe. ¿De qué sirve aguantar? Su cuñado ha llegado al filo de un saliente en pleno barranco y mira abajo. Cientos de cuerpos muertos y heridos se siguen amontonando, y la pendiente está atestada de guerreros sobrecogidos que se aferran a la vida aprovechando cada raíz y hierbajo que asoma de la tierra rojiza. Óbayd se incorpora, con gran dolor por lo que parece. Ahora se puede ver que las manchas escarlatas se abren desde su pecho. Tal vez lleva un buen par de puñaladas. Mardánish cae de rodillas, y el silencio se hace de nuevo a su alrededor. El arráez alza la vista y localiza a su cuñado y rey al otro lado de la hondonada. Un poco más arriba, un masmuda vuela al recibir un mazazo en la boca, y sus compañeros se acercan temerosos; alargan las lanzas y atosigan al Calvo, hacen ademán de pincharle pero no se atreven a hacerlo. Se diría que prefieren que ese gigante retroceda y se despeñe, pues ni con las largas astas lo alcanzan. Uno de los almohades se decide y, con un grito, embiste. Álvar solo tiene que moverse medio pie y la lanza con que le arremete pasa rozando su costado. El masmuda empalma el alarido de rabia con otro de terror y se ve precipitado al vacío.

—Aguanta —repite con voz temblorosa Mardánish.

Óbayd respinga cuando el almohade que ha fallado su lanzazo pasa a su lado y se despeña. El africano rebota tres o cuatro veces y su grito se apaga. Por el resto del borde, varios cristianos y andalusíes han sido capturados o están heridos, y son arrastrados hacia arriba sin miramiento alguno por los almohades. Otros, en la orilla del abismo, están también de rodillas, como Óbayd, pero en lugar de mirar hacia al-Bayyasín entrelazan las manos y suplican por su vida de cara a los bereberes. Un masmuda flanquea al Calvo mientras este aparta una lanza con la mano izquierda y revienta el cráneo a su adversario con un tremendo mazazo desde arriba. El rey Lobo ve con claridad cómo, poco a poco, los africanos rodean al valiente conde cristiano, arriesgándose algunos lanceros enemigos por el borde inclinado de la Sabica; pero no puede avisarle. El primer rejonazo a traición le viene por el costado derecho, obliga a Álvar a arquearse y baja la guardia. El momento lo aprovecha otro almohade y le mete la pica por la barriga. Pero el africano lleva mucho impulso y atraviesa al Calvo, de modo que queda peligrosamente cerca de él. El cristiano se tambalea y está a punto de caer hacia el Darro, pero aguanta como un toro; expulsa todo el aire con un mugido y aplasta la cara del masmuda. Una tercera lanza entra por debajo de su brazo derecho. La maza cae al suelo. Las lágrimas nublan la visión de Mardánish.

Pedro de Azagra llega en ese momento a la carrera, a codazos para abrirse paso hasta el borde de al-Bayyasín. No sabe lo que está ocurriendo ahora en la Sabica y se planta ante Armengol de Urgel. Mira extrañado al rey Lobo, que sigue de rodillas y sollozante.

—¡Podemos bajar por este lado y romper el cerco junto al Genil! —dice con voz desesperada el navarro—. ¡Ahora mismo son pocos allí! ¡Vayamos, y entremos en Granada por la llanura! ¡Les haremos frente desde dentro y...!

Se detiene. Mientras grita su propuesta ha echado la vista a su izquierda y mira al otro lado del Darro. Está viendo a su amigo y compañero de armas acribillado a lanzazos. Álvar todavía está en pie, y un masmuda muerto sigue agarrado a una pica que atraviesa al conde de Sarria. Tras él, Óbayd vacila. Su cuerpo arrodillado se tambalea hacia el abismo. Pedro de Azagra cree estar soñando. Debe de ser una pesadilla. Lo que ve es el infierno. Una colina que es más roja que nunca, pues ríos de sangre discurren entre las peñas y hierbajos para derramarse en el Darro. Y abajo, a semejanza de las almas en pena que sufren su condena junto a Satanás, cientos de pingajos humanos suplican que alguien los salve. Algunos intentan salir de un río que baja teñido de escarlata. Mardánish ve lo mismo y comprende. Comprende los ruegos de Zobeyda. Ahora sabe a qué se refería su favorita.

Óbayd cae. No grita ni intenta detener su desplome. Recorre un par de varas por el aire y rebota sobre otro tramo de pendiente. Sus miembros inertes son arrastrados y resbala, para luego perder suelo y estrellarse contra una roca. El cuerpo parece troncharse y rueda antes de topar con varios cadáveres amontonados junto a la orilla.

Todos vuelven la vista arriba. Álvar Rodríguez, el Calvo, conde de Sarria, héroe de Almería y paladín del difunto emperador Alfonso, continúa en pie. Está desarmado y sangra como todo un ejército, pero los masmudas que lo rodean siguen mirándolo con pavor. Da un manotazo al almohade muerto, todavía aferrado a la lanza que traspasa el corpachón del cristiano, y el cadáver cae como un pelele. Álvar vuelve a tambalearse hacia atrás pero no cae, aunque las tropas de al-Bayyasín ahogan un gemido de temor. Todos esperan el desenlace allí. Algunos rezan, pero los más no se hacen ilusiones. El Calvo es el único que aún resiste en la Sabica, y lo hace con un coraje tal que avergüenza a amigos y enemigos. El cristiano se recupera del momento de desfallecimiento, se afirma y agarra el asta de la pica que lleva clavada. El rugido que suelta resuena por toda la colina y rebota contra los muros de la Qadima. Hace que hasta los almohades allí encerrados callen. Se ha desclavado la lanza y ahora la blande inseguro. Su cuerpo de héroe legendario oscila como si fuera un árbol a punto de caer. Entonces los masmudas se animan unos a otros y, tras unos instantes de indecisión, atacan todos a la vez. Uno de ellos cae en el intento, pero todos los demás clavan. Mardánish cierra los ojos y Azagra reprime un gemido. Armengol de Urgel simplemente se retira con la cabeza baja.

Al pie de la colina as-Sabica, Granada

El almirante supremo Sulaymán, montado en su caballo y con las riendas en la mano, recibía en todo momento noticias sobre la toma de la Sabica. Cada pocos instantes, un masmuda aparecía al pie de la colina desde la arboleda, cruzaba el Genil y se dirigía al cuerpo de mando que el régulo almohade había establecido en lugar seguro. Los mensajes traían satisfacción creciente, y la única sombra en el horizonte del almirante era la tardanza de las fuerzas que traía Yusuf.

Uno de los hargas que hacían de correo llegó jadeando y con los ropajes mojados. Se plantó ante Sulaymán, apoyó las manos en las rodillas y, después de tomar un poco de aire, desgranó las últimas novedades.

—La colina es nuestra, mi señor. Hemos acabado con la última resistencia y ahora intentamos forzar la muralla. Hay huecos abiertos, pero los de dentro se nos oponen. Ah, hemos detectado tropas que bajan de al-Bayyasín por poniente.

Sulaymán asintió y miró atrás, ansioso por ver aparecer en cualquier momento las tropas de infantería y los arqueros. Chascó la lengua. No debía hacerse ilusiones. Se volvió hacia el destacamento de caballería masmuda que le había servido de escolta.

—Regresad junto al *sayyid* Yusuf, que viene de camino, e informadle de que debe llegar aquí cuanto antes. Que forme sus tropas frente a la medina hasta que el enemigo ataque o nosotros abramos las puertas desde dentro. Llevaos mi caballo.

Sulaymán desmontó con una agilidad que no casaba con su tamaño. Luego hizo un gesto al mensajero harga y ambos anduvieron hacia el cercano vado del Genil. A sus espaldas, los jinetes almohades obedecían sus órdenes y cabalgaban ya por la orilla izquierda del río. El almirante avanzó resuelto, con el agua por las rodillas, cavilando qué siguientes pasos debería dar. Fortificaría la Sabica, por supuesto. Y él no cometería el mismo error que acababa de aprovechar. Se haría fuerte allí de ser preciso, y forzaría la entrada por esos huecos en la muralla. El mensajero harga, que caminaba ligero por delante del almirante, se volvía cada poco para asegurarse de que Sulaymán le seguía. Ambos dejaron atrás los huertos de la orilla derecha y alcanzaron el arbolado que marcaba el inicio de la colina. Dirigieron una mirada aprensiva al este, y pudieron ver que la vanguardia de una pequeña fuerza de caballería cristiana se acercaba al galope.

—Justo a tiempo —se sonrió el jeque antes de desaparecer tras los árboles.

La Sabica se inclinaba abruptamente a poco de arrancar, pero la multitud de troncos y raíces otorgaba un buen agarradero para ganar altura. La respiración de Sulaymán se entrecortó, y el harga fue relajando su ritmo para esperar al pesado almirante. En lo alto, los ululantes gritos masmudas marcaban el triunfo de la incursión y también, con toda seguridad, la burla dirigida a los enemigos de la colina de enfrente. Sulaymán se detuvo un instante para tomar aire y miró arriba. Los rayos del sol no caían aún a plomo, pero la mañana estaba avanzada y se había conseguido una posición inmejorable. Intentó vislumbrar por detrás y abajo a los jinetes cristianos, pero no los oyó. Lo más probable era que se hubieran lanzado en persecución de su destacamento de caballería masmuda. Escupió a un lado y reanudó la escalada con ayuda de las ramas bajas.

Cuando llegó arriba, el sudor le recorría los pliegues del cuerpo bajo la ropa. Un vítor unánime lo recibió al darse cuenta los almohades de que su líder, diseñador de la táctica vencedora, acababa de aparecer en el campo de su reciente batalla. Sulaymán miró en derredor mientras boqueaba en busca de aire. Las tiendas de los enemigos habían sido casi todas abatidas, aunque de algunas de ellas, todavía en pie, salían africanos que acarreaban botín. Entre ellas y a los pies de sus hombres, cadáveres degollados o acribillados a cuchilladas se recalentaban al sol, con la sangre secándose en charcos en torno a ellos. Los líderes tribales se acercaron a la carrera e hincaron la rodilla en tierra. Sus ojos nublados y la costra de sangre, polvo y sudor adherida a su piel demostraban que aquellos hombres no habían permanecido ociosos. Que se habían unido a la matanza con pasión.

—Alejad a los hombres de las murallas —ordenó Sulaymán en cuanto hubo recuperado el resuello—. Mantenedlas vigiladas, pero no malgastéis esfuerzo. En lugar de eso, quiero la colina fortificada de inmediato. Esperamos que los enemigos intenten reconquistarla, así que castigaré con la cruz a todo aquel que desfallezca en su deber.

Todos los pequeños caudillos corrieron rumbo a los hombres de sus cabilas para trasladar las órdenes del almirante supremo, pero uno de ellos se quedó allí, aguardando con un gesto significativo el permiso para hablar. Sulaymán apuntó hacia él con la barbilla.

—Mi señor, tenemos a muchos prisioneros junto al borde del barranco, y desde allí podemos ver el campamento de al-Bayyasín, donde están los demás enemigos.

El preboste almohade asintió.

—Llévame hasta allí.

No era necesaria guía alguna. Por toda la Sabica reinaba el pillaje y el campo sembrado de muertos, y solo en el extremo norte de la colina había tropas aún formadas en línea. Sus lanceros masmudas. Sulaymán los observó sin disimular el orgullo. Dirigiendo a aquellas tropas, había construido un imperio para Abd al-Mumín; y ahora esos mismos hombres abrirían la conquista de al-Ándalus. Por el camino, el almirante recibía las inclinaciones respetuosas de los soldados, que se apartaban a su paso y tiraban de los cadáveres de cristianos y andalusíes. Casi sin darse cuenta, Sulaymán pensó que el nombre de Colina Roja, que era como los granadinos llamaban a la Sabica, estaba esa mañana más que merecido.

Al llegar a la línea de lanceros se hizo camino sin contemplaciones, empujando a sus guerreros para llegar hasta el pequeño espacio de tierra que se abría al barranco. Su vista se sintió atraída por un instante hacia la izquierda: un montón de vigas carbonizadas se erigía en insólito monumento en ese lado del barranco, justo enfrente de la Alcazaba Vieja. Dejó de prestar atención a aquella hoguera absurda y apagada. Allí mismo, varios soldados almohades armados con espadas mantenían arrodillados a decenas de prisioneros, todos ellos con las manos atadas a la espalda. Sin duda, aquel era el lugar donde la lucha había sido más encarnizada, pues la tierra estaba cubierta de cadáveres con espantosas heridas, y la sangre había formado un lodo ocre que hedía con el calor de la mañana. Sulaymán no hizo gesto alguno de asco. Conocía el aroma de la muerte desde años atrás y le había tomado gusto. Casi podía apreciar los matices de aquella pestilencia. No era lo mismo que regara los campos sembrados de al-Ándalus o las arenas de Ifriqiyya, y tampoco olía igual tras una batalla o después de ajustar cuentas con poblaciones rendidas. Sulaymán caminó despacio, recreándose en el modo en que sus pies se hundían en la tierra húmeda de sangre, sudor y orines.

Al sobrepasar un círculo especialmente limpio se detuvo. Varios lanceros tiraban del cadáver de un cristiano gigantesco vestido tan solo con sus prendas interiores. El color blancuzco de esas ropas apenas podía distinguirse, pues la sangre lo teñía todo. Sulaymán pisó algunos cuerpos muertos y oteó el otro lado del barranco. A la izquierda estaba la Qadima, con los estandartes propios ondeando orgullosos. Desde allí gritaban y saludaban los hombres de la guarnición almohade de Granada, que veían ya pronta su liberación del prolongado asedio. A la derecha, ocupando parte de la colina de al-Bayyasín, estaba el campamento enemigo. Sulaymán estiró aún más su sonrisa. La desazón flotaba sobre aquellos hombres, muchos de los cuales se agolpaban en una apretada fila junto al borde del barranco, y miraban abajo y arriba, expectantes, como si no supieran qué paso dar después de aquello. El almirante supremo lanzó un silbido de admiración cuando su vista descubrió la escabechina del fondo del barranco. Había trechos en los que resultaba imposible distinguir el Darro.

Sulaymán se volvió con gesto de satisfacción y recorrió con su vista la línea de lanceros. Para los soldados, aquella mirada de reconocimiento significaba más que toda la baraka recibida antes de la partida. Se sentían parte de algo grande. Un proyecto que iba más allá de la creación del gran imperio africano. Eran los guerreros de Dios, los hombres que distribuían la verdadera fe, el credo único, el Tawhid. Alguien ululó a la manera bereber y los masmudas hicieron entrechocar sus lanzas con los escudos. El almirante supremo asintió repetida y ostentosamente, y observó de nuevo el cadáver de aquel cristiano enorme que habían conseguido arrastrar hasta ponerlo a sus pies. El hombre todavía tenía pintado en la cara un rictus de fiereza.

—Mató a muchos de los nuestros antes de ser derrotado —le explicó uno de los sudorosos soldados que acababan de ayudar a llevarlo a rastras—. Algunos lo han reconocido como uno de los nobles rumíes que comandan las fuerzas del demonio Lobo.

El almirante lanzó una mirada de desprecio hacia el muerto. Había oído hablar de aquel guerrero gigante que acompañaba a Mardánish desde hacía tiempo. Según sus agentes y los desertores, se trataba de un conde llegado del norte frío y profundo de la Península. Un tal Álvar. El cráneo rapado del muerto, así como su increíble altura eran la prueba de ello. De modo que el Calvo había muerto así, peleando hasta el final y llevándose consigo a varios guerreros de Dios. Miró al otro lado, donde la consternación seguía plantada como un estandarte. Estandartes. Forzó la vista, algo desmejorada por la edad, y preguntó al masmuda que acababa de informarle.

—Dime si entre los enemigos ves algún pendón negro y con una estrella plateada.

El soldado obedeció, y lo mismo hicieron otros varios que habían oído la orden. Al instante, uno indicó el pabellón central del campamento, el más grande, presidido por un enorme mástil en cuyo pico tremolaba la estrella de ocho puntas de los Banú Mardánish.

—Y allí enfrente. —Otro señaló a los hombres arremolinados en el borde de al-Bayyasín—. Hay uno que acaba de recoger su escudo del suelo. Negro y con la estrella. Aunque parece armado a la cristiana...

—Es él —interrumpió el almirante. Se puso una mano sobre los ojos para protegerlos del sol, que ya imperaba en lo alto de aquel día sin nubes—. Es Mardánish. Está ahí, y ha visto cómo hemos derrotado al Calvo.

Sulaymán rio entre dientes. Qué gran ocasión para demostrar al enemigo lo que podía esperar de los almohades.

—¡Lobo! —Se puso las manos abiertas a ambos lados de la boca—. ¡¡Lobo!! ¡¡He aquí tu paladín, el Calvo!!

El jeque señaló al cadáver de Álvar Rodríguez, pero se dio cuenta de que la menor altura de al-Bayyasín era un inconveniente para el espectáculo. Entonces ordenó acercarse a uno de los masmudas.

—Manda, mi señor.

—Decapitad a ese guerrero gigante y clavad su cabeza en una pica. Que desde el otro lado puedan verla bien. Luego acercad a los prisioneros al borde del barranco y cortadles manos y pies. Después degolladlos. A todos. —Dio media vuelta sin abandonar su sonrisa acerada, pero añadió algo más antes de desaparecer tras las líneas de lanceros almohades—. Aseguraos de que los de ahí enfrente lo presencien todo. Dadles un buen final para lo que han visto esta mañana.

Alto de al-Bayyasín, Granada

Mediodía pasado y viento de levante. Tras un agónico tormento, todos los supervivientes de la Sabica fueron degollados y arrojados barranco abajo. En el Darro, con las aguas más teñidas de sangre que nunca, miles de cadáveres empezaron a heder. No era el olor de la putrefacción, ese que en los días previos apestaba en la medina. Se trataba de otro olor, áspero y penetrante, que procedía de infinidad de heridas abiertas, de huesos descarnados y miembros mutilados.

Mardánish era de los pocos que permanecía allí, al borde de al-Bayyasín, con el barranco a sus pies. Estaba sentado, y observaba fijamente el otro lado mientras la hediondez de la muerte y la derrota subía desde el agua. Había asistido a cada ejecución, precedida de la tortura individual de cada cautivo. Ahora su vista estaba fija en una lanza clavada al otro lado, justo en el margen de la hondonada. Sobre ella, una cabeza humana, con varios pingajos colgando de los bordes cortados. El cráneo afeitado relucía entre costras rojizas al sol granadino. Una muestra horripilante y burlona de cómo el monstruo almohade ignoraba todo honor. El rey Lobo no podía ver más, aparte de a algunos masmudas que paseaban con indolencia y vigilaban los movimientos del ejército andalusí. A espaldas del rey Lobo, los hombres del conde de Urgel recogían sus pertenencias y desmontaban el campamento. De los guerreros de Azagra nada se sabía. Habían salido bajo el mando del noble navarro para intentar combatir a los almohades, y desde entonces no había noticias. Los pocos andalusíes de Mardánish, apenas una guardia personal, permanecían inmóviles, sin saber qué hacer. El resto de sus fuerzas del Sharq yacían ahora en el fondo de aquel barranco maldito que tanto sufrimiento había visto por uno y otro lado desde el inicio de la operación; un asedio malhadado iniciado por Hamusk.

—Mi señor, el conde de Urgel pregunta qué planes tienes.

Mardánish se volvió a medias. El hombre que acababa de hablar, uno de sus escuderos, mostraba en el rostro la incertidumbre mezclada con el miedo.

—Qué planes tengo... —repitió el rey Lobo. Planes. Planes de tomar Granada, codiciada ciudad. Planes de establecer allí su nueva punta de lanza contra la invasión almohade. Planes fallidos. La única punta de lanza en la que ese momento podía pensar Mardánish se clavaba insolente en la carne muerta de su amigo Álvar Rodríguez.

Un súbito revuelo en el extremo oriental de al-Bayyasín llamó la atención del rey. Varios jinetes cristianos acababan de llegar a lo alto de la colina. Armengol de Urgel corrió hacia el caballero que encabezaba la patrulla, Pedro de Azagra. El navarro refrenó a su destrero, desmontó y, mientras caminaba hacia el rey Lobo, se quitó el yelmo. El conde de Urgel andaba a su lado y le hablaba con premura. Con la cabeza cubierta por el almófar, Azagra llegó junto a Mardánish. Este se levantó y miró fijamente al navarro, y vio cómo el noble dirigía la vista por encima de su hombro hacia la colina del otro lado. Armengol acababa de informar a Azagra de que aquella cabeza solitaria, pinchada en la punta de una pica, era la del conde de Sarria. Un símbolo de su ejército.

—El resto de las tropas almohades acaba de llegar —informó el navarro mientras hurtaba su mirada del cráneo brillante de Álvar Rodríguez—. Hemos podido perseguir a parte de su caballería avanzada y hemos tenido una escaramuza. Nada serio. Hemos perdido a cuatro o cinco hombres por cada lado, pero entonces ha aparecido el grueso del ejército enemigo y no ha quedado más remedio que volver. Galcerán venía detrás de mí.

—Dile lo de Hamusk —urgió Armengol. Mardánish miró al navarro con preocupación.

—Hamusk... —Pedro de Azagra se echó hacia atrás el almófar y se arrancó la crespina. El pelo apelmazado por el sudor se le pegaba a la frente, y las marcas rojas de las anillas de hierro en la piel vestían su imagen de derrota—. Hamusk ha salido de Granada por la Puerta de ar-Ramla. Ha sido antes de que llegara la infantería almohade. Lo hemos visto de lejos. Se lleva a toda su gente. Y, por supuesto, al-Asad se va con él. No han dejado nada para la defensa; es más, creo que no se han preocupado ni de cerrar las puertas tras de sí.

Mardánish sonrió con amargura. Por un momento había temido que su suegro pudiera quedar atrapado por las dos fuerzas enemigas, la de la Sabica y la que llegaba de Málaga. Pero Hamusk era perro viejo. No se dejaría agarrar tan fácilmente.

—Todas las tropas de Jaén, Segura y Guadix se han ido de la medina —susurró al tiempo que digería el significado de aquello—. Los almohades están ahora mismo tomando posesión de su ciudad... de nuevo.

Un griterío procedente de la alcazaba Qadima vino a rubricar aquello como un veredicto. Los almohades que hasta ese día habían estado asediados, sometidos al hambre y al tormento salvaje de sus camaradas cautivos, agitaban ahora sus estandartes hacia los guerreros africanos que se esparcían por la medina. El conde de Urgel carraspeó antes de hablar:

—Si te sirve de consuelo, en ningún momento tuvimos oportunidad de salir triunfantes. Nos superan en mucho, y nosotros estábamos divididos en estas dos colinas...

—Tú eres el estratega, Armengol —intervino Azagra—, pero hasta un simple como yo sabe que Hamusk no ha defendido la medina como es debido. Abrió huecos en la muralla ahí arriba y ha rendido la ciudad antes de siquiera formalizarse el asedio. ¿Nadie le advirtió de que no debía romper el muro en la Sabica?

—Y lo que es peor —completó el rey Lobo—, durante meses se ha dedicado a regodearse en su estúpida crueldad. Si en lugar de arrojar cuerpos torturados hubiera apedreado la Qadima con bolaños, tal vez ahora todo fuera distinto. ¿No es cierto, Armengol?

El conde de Urgel observó a ambos guerreros con una ceja levantada.

—Ya no vale la pena hacer conjeturas. Aceptadlo: hemos sido vencidos.

Tanto Mardánish como Azagra mantuvieron sus miradas en Armengol de Urgel. La voz del conde había sonado neutra, como si aquello fuera un mal anunciado. Al rey Lobo le resultó hasta gracioso que el acicalado Armengol, hasta ese día máximo aspirante a la posesión de Granada, se mostrase ahora tan resignado. Como si el conde de Urgel pudiera leer los pensamientos de Mardánish, se encogió de hombros.

—Hemos cometido un error tras otro —dijo—. Errores de cálculo. El primero fue dejar que Utmán cercase Almería y creer que podríamos derrotarle. El segundo fue subestimar el poder de estos africanos. El ejército que han traído para recuperar Granada es una monstruosidad. Ahora —el conde de Urgel señaló con el dedo al rey Lobo— es asunto tuyo no cometer un tercer error, pues se dice que las fuerzas que Abd al-Mumín prepara al otro lado del Estrecho multiplican con mucho a las que nos ha mandado aquí. Hubo quien, hace unos años, llamaba a estos tipos «cabreros africanos» y se reía de que se atrevieran a venir hasta aquí. Pues bien: han venido. Y nosotros no tenemos otro remedio que retirarnos. Y cuanto antes.

Mardánish bajó la mirada. Tal vez Armengol de Urgel fuera un hombre codicioso. Quizás incluso esa codicia le había llevado a dejar que Hamusk se enredara en un asedio estúpido. Hasta podía pensarse que su objetivo era el descrédito total del señor de Jaén. Así, si Granada caía, su camino al señorío de la ciudad estaría libre. ¿Podía culpar al conde de Urgel? Él mismo le había tentado con Granada. Esa y no otra debía de ser la razón por la que el poderoso Armengol continuaba a su lado, al mando de sus afamadas tropas. En momentos como aquel, los juramentos honorables caían como los velos de las doncellas vírgenes en su noche de boda, y aparecía la verdad desnuda. Mardánish volvió la cabeza y se fijó en el rostro congestionado de Pedro de Azagra. Otro que perdía su oportunidad, pues todavía confiaba en aquella promesa hecha en la Sahla: el señorío de Albarracín a cambio de su cooperación en la toma de Granada. Bien, con Álvar Rodríguez decapitado, su arráez Óbayd despeñado, Hamusk en franca retirada y Azagra y Urgel fracasados...

—¿Qué ocurrirá ahora?

Azagra apretó los dientes y puso una mano sobre el hombro del rey Lobo.

—Pase lo que pase, no nos entregaremos a esos africanos.

Mardánish lo observó con una mezcla de aprecio e incredulidad. El navarro ya nada tenía que ganar y, a juzgar por la cabeza afeitada y clavada en una lanza al otro lado del barranco, sí mucho que perder. El rey Lobo palmeó la mano amiga de Azagra y luego posó los ojos en el conde de Urgel, a la espera de su respuesta. Solo obtuvo silencio.

—El emperador Alfonso solía decirlo —continuó Pedro de Azagra—. Y Sancho, su hijo, me lo confesó en cierta ocasión: su padre, antes de morir en La

Fresneda, le dio la solución. Una solución que todos conocíamos de cualquier modo: solo unidos venceremos.

Mardánish asintió. De sus conversaciones con el difunto Alfonso, siempre recordaba una mantenida en Lorca, cuando juntos planeaban su futuro común en la Península. En su mente revoloteaban sobre todo las palabras de ánimo del emperador, que ahora se le antojaban ilusas al rey Lobo: «Imagina —le decía el viejo Alfonso— las lanzas empuñadas de occidente a oriente: portugueses, leoneses, castellanos y andalusíes unidos bajo un mismo estandarte y dispuestos a derrotar a esos almohades. Y al amparo de esas lanzas, a millas de distancia, nuestras mujeres e hijos disfrutarán tranquilos de la paz y la prosperidad».

Galcerán de Sales, el hermano de Armengol, se acercó a grandes zancadas. Se quitó el yelmo y mostró su cara, gris ceniza por el polvo adherido a su piel, y surcada por goterones de sudor que se marcaban como barras verticales hasta desaparecer bajo el almófar. Se dirigió al conde de Urgel directamente, como solía:

—Con la infantería almohade viene caballería. Mucha. Por su aspecto deben de ser esos árabes que derrotaron a Hamusk en Marchena. Se han dividido en haces y avanzan por la otra orilla del Genil.

Armengol de Urgel expulsó el aire entre los dientes.

—Debemos abandonar este lugar antes de que nos cerquen. O nos convertiremos en corderos destinados al matadero, como los de la Sabica.

Mardánish hizo un gesto de asentimiento. Lanzó una última mirada a su alrededor, a todo lo que había estado a punto de ganar. Ganar. Esa era una palabra que, ahora estaba seguro, tardaría mucho en usar de nuevo.

48

Un mal hermano

Día siguiente. Granada

Hafsa bint al-Hach se alisó los pliegues del *mizar* y dejó que sus brazos colgaran a los lados mientras los pasos resonaban en el pasillo de la *munya*. Estaba de pie en el centro de su estancia, sin sirvienta alguna, cuando la puerta se abrió.

Hafsa vio cómo el guardia negro del Majzén se hacía atrás y adquiría una pose solemne. El resonar de hierros indicó a la poetisa de que eran varios los esclavos almohades que llegaban. Cuando todos aquellos ruidos metálicos y estrepitosos se acallaron, oyó otros pasos más suaves y lentos, como si se recrearan en el paseo a lo largo de la balconada de tablas que conducía a la cámara particular de la granadina.

El *sayyid* Yusuf apareció con las manos cogidas a la espalda. Llevaba puesto uno de aquellos *burnús* rayados que tanto gustaban a los africanos. La capucha echada hacia atrás mostraba su rostro de piel negruzca y su barba nunca completa. Yusuf sonreía con suficiencia. Pasó sin molestarse en cerrar la puerta tras de sí, se situó frente a la mujer y la contempló con descaro, de arriba abajo. Exageró un mohín de disgusto al comprobar que la poetisa ocultaba pelo y rostro bajo una larga *miqná*, tan ajustada que solamente los ojos se entreveían por una estrecha rendija. La tela apenas permitía adivinar los rasgos de Hafsa, y el vaporoso movimiento de la prenda al ritmo de la respiración daba una sensación de agobio que el *sayyid* se esforzó en ignorar.

—¿Sabes quién soy, mujer?

—Mi señor Yusuf, hijo del príncipe de los creyentes. —Hafsa se dobló para extremar una inclinación que sostuvo hasta que dejó de hablar. El *sayyid* alargó su sonrisa con satisfacción.

—Veo que te fijaste en mí en aquella reunión de charlatanes.

Yusuf no pudo ver el gesto de desprecio de Hafsa ante el vanidoso comentario. Pero ella, mujer diplomática, sabía de qué velamen dotar a su nave según las aguas que cruzara.

—¿Cómo no fijarme en el ilustre *sayyid*, vástago querido del califa?

—Sí, claro. Cómo no fijarte. Y haces bien, mujer. Haces bien, porque no soy alguien a quien convenga ignorar. —Yusuf miró con fingida indiferencia a su alrededor—. Y te lo voy a demostrar. De momento, y para ahorrarte trámites, dime: ¿tienes tú algo que ver en la conspiración?

La respiración pausada de Hafsa se detuvo tras la *miqná*. Conspiración. La leve sensación de repugnancia que le provocaba el *sayyid* se vio sustituida por otra más punzante que subía desde el vientre y se abría paso por el pecho. Era el miedo, que quedó atravesado en su garganta. A Hafsa le habría gustado penetrar en los pequeños ojos de Yusuf, pero el velo se lo impedía. Sus manos dejaron de colgar inertes y se unieron para entrelazar los dedos. Tal vez así disimularía su temblor.

—No sé de qué me hablas, ilustre.

Yusuf asintió sin borrar su sonrisa y dio un par de palmadas. Dos de los Ábid al-Majzén entraron en la pieza y se colocaron a ambos lados del *sayyid*. Hafsa llevó la vista, medio nublada por la tela, a los enormes sables que descansaban en aquellos tahalíes cruzados. Los guardias negros miraban al vacío, como si fueran bestias desprovistas de alma. Aquello les daba un aire todavía más temible.

—Registradlo todo. Buscad en especial documentos.

La poetisa dio un paso atrás y sus talones desnudos chocaron contra la madera del lecho. Ambos esclavos se aplicaron a su tarea sin contemplaciones. Arrojaron al suelo prendas, abrieron cofres y desplegaron rollos de papiro. Levantaron con brusquedad las sábanas y miraron bajo la cama y las alfombras, tras los tapices y dentro de los pebeteros. Esparcieron incluso las cenizas de madera aromática, todavía calientes, que habían ardido la noche anterior. Acabaron destripando a cuchilladas los cojines de brocados. Y mientras todo eso ocurría ante la mirada oculta pero aterrorizada de Hafsa, Yusuf se paseaba por la cámara con las manos aún a la espalda.

—Ayer, cuando izamos de nuevo los estandartes del califa en la medina, no nos entregamos a la desidia. Sabíamos ya antes, por boca de buenos musulmanes, que Granada había sido traicionada y entregada al demonio Lobo, al que Dios arroje a las llamas eternas. ¿Tú estabas al corriente de esa traición?

—¿Yo?... Yo solo soy una mujer. ¿Cómo iba a saber yo...?

—Ya, ya, claro. Bien. No sería tan extraño, pues además de los informes acerca de la traición sufrida por los verdaderos creyentes en Granada, también conozco otras noticias. Algunas de ellas, de hace tiempo. Por ejemplo, sé, y en la reunión del Yábal al-Fath quedó bien claro, que eres la concubina de mi hermano Utmán.

—No soy concubina —protestó débilmente Hafsa—. Soy libre. No me insultes, por favor.

—Ah, perdona. No he sido certero con mis palabras. Es el problema de quienes no somos poetas, como tú. Entonces, ya que no eres concubina, podrías ayudarme a encontrar la expresión adecuada para ti. Tal vez... ¿perra lujuriosa y sedienta de hombres?

Hafsa quiso dar un nuevo paso atrás, pero el desordenado lecho se lo impedía, así que perdió el equilibrio y quedó sentada sobre el revoltijo de sábanas y cojines. Al hacerlo arrancó parte de la tela del dosel, que cayó sobre ella con mansedumbre.

—Mi señor. —Uno de los esclavos del Majzén llamó la atención de Yusuf. Los ojillos de este relumbraron al ver en manos del guardia un pedazo de papel. Se adelantó, lo cogió con avidez y paseó la lengua por los labios mientras daba la vuelta al pequeño documento y leía su contenido.

—Ah. Sí. —El *sayyid* mostró los dientes al sonreír, y estos destacaron sobre su piel oscura—. Este es uno de esos billetes que aquí, en esta tierra de fornicadores, soléis usar para vuestras citas, ¿no? —Yusuf alargó el escrito a Hafsa y ella se dispuso a recogerlo, pero aquel lo retiró con rapidez y lo puso de nuevo ante sus ojos—. No, pero este no es para quedar bajo un álamo y retozar como animales. A ver..., ¿qué dice aquí? Ah, ya veo: *Ah, ese Utmán. Utmán, Utmán... ¿Cómo tienes esa pasión tan fuerte por él? Yo puedo comprarte en el mercado de esclavos un negro mejor por veinte dinares.*

Hafsa tragó saliva y apretó con ambas manos las sábanas sobre las que se sentaba.

—Eso no es... Eso...

—Esto no es poesía, desde luego —aseguró Yusuf, cada vez más cómodo en su papel—. Ah, mi pobre hermano Utmán... ¿Quién podría odiarle tanto como para escribir esto? ¿Tienes alguna idea, mujer?

El *sayyid* elevó las cejas en señal de burla. Luego dobló cuidadosamente el billete y volvió a cogerse las manos tras la espalda. Sus ojos seguían ahora los movimientos de los esclavos negros, en espera de que le trajeran algo más. La habitación era ya un total desbarajuste de objetos y telas desparramados por el suelo: joyas, vestidos, cofrecillos, esencias, pinceles... De repente, todos, Yusuf, Hafsa y los esclavos del Majzén, se sobresaltaron al escuchar un grito femenino que venía de otra estancia.

—¿Qué es eso? —La voz de la poetisa temblaba ostensiblemente. El *sayyid* recompuso la sonrisa.

—¿Eso? Nada. Los sirvientes de la *munya*. Esclavos, cocineros, camareros... También se están registrando sus estancias. Y hablamos con ellos. Charla amistosa, por supuesto. Pero sigamos con lo nuestro, mujer. Sigamos con ese billete acerca de mi hermano. Porque aún no me has contestado. No me has dicho quién puede odiar tanto a Utmán como para insultarle así. Alguien... —Yusuf volvió a pasearse de un lado a otro—, alguien..., ¿alguien celoso? Sí, sin duda, esa pasión a la que se refiere parece más amorosa que de otro tipo. Lo que yo te decía, mujer: el típico pecado andalusí. Y ni tu sangre bereber te ha librado de él, por más que se ufanara de ello mi hermano ante nuestro padre, el califa. Así pues, ya tenemos la razón: los celos. Ahora bien, ¿quién podría estar celoso de Utmán?

Hafsa siguió en silencio. Aquello era una burda farsa, y el africano la llevaría tan lejos como quisiera. Sus hombros se vencieron y el lejano grito se repitió, más alargado ahora. Entonces el otro esclavo del Majzén soltó un gruñido de triunfo y se acercó al *sayyid* con un nuevo papel.

—Estaba en una rendija entre dos tablas, ahí, al fondo de ese arcón.

Yusuf se relamió y cogió el papel, doblado a lo largo varias veces. Lo extendió con cuidado y lo alisó con mimo. Luego leyó en voz alta, entonando con un falsete chirriante:

—*Envío un saludo, que abre los cálices de las flores y hace zurear a las palomas en las ramas, a quien ausente está pero mora en mis entrañas aunque de verlo mis ojos están privados. No creas que tu ausencia me hace olvidarte. Eso, por Dios, no sucederá jamás.*

El último verso terminó con una risotada del almohade, como si estuviera ante el torpe intento de un niño que desea abarcar más de lo que puede.

—Qué bonito —añadió entre carcajada y carcajada.

Hafsa sintió transformarse el miedo en náusea, pero en ese instante otros dos Ábid al-Majzén aparecieron en la puerta arrastrando a una muchacha. La poetisa se quedó sin aire al reconocer a una de las esclavas que trabajaban en la cocina de la *munya*. Era la misma que en el pasado, echada en la puerta de su aposento, había servido de guardiana mientras Hafsa y Abú Yafar se entregaban a su amor prohibido. La sirvienta llegaba en volandas, con los brazos y las piernas desmadejados y la cara sangrando. Tenía una ceja rota y bajo ella los párpados aparecían hinchados y de un color violáceo. Hafsa reprimió una arcada al ver que los dedos de la mano derecha de la esclava también sangraban y dejaban un reguero tras ella. Le costó un poco darse cuenta de que varias uñas le habían sido arrancadas. Los guardias negros dejaron caer a la mujer, que quedó inmóvil sobre el suelo. Luego uno de ellos acercó la boca al oído de Yusuf y estuvo susurrando un rato. Cuando terminó, Hafsa descubrió que aquella sonrisa cruel y sardónica parecía no encontrar límites a la hora de estirar los delgados labios del *sayyid*.

—Tu fiel sirvienta, me dicen, ha aguantado bien. Más de lo esperado. Teníamos que confirmar lo que, sin necesidad de tormento alguno, alguien nos apuntó ayer: que tu relación con el secretario Abú Yafar es públicamente conocida.

—Eso fue hace tiempo... —intentó justificarse Hafsa—. Desde que Utmán llegó...

—No te esfuerces, mujer. —Yusuf sacudió el papel con el poema—. La sirvienta ha admitido que compartiste tu sucio cuerpo con ese Abú Yafar, engañando a mi hermano. Y que cuando Utmán tuvo la cabal idea de encerrarte aquí, aun así recibías en la noche las visitas de ese secretario, o bien salías tú a verle a su hacienda de extramuros. ¿Lo niegas?

Los cuatro Ábid al-Majzén, que rodeaban el cuerpo inconsciente de la esclava, asistían divertidos a la escena. La mirada de Hafsa mostraba su crispación; no entendía dónde estaba la necesidad de someter a tortura a alguien para descubrir que ella mantenía una relación pecaminosa. O incluso dos. ¿Por qué era eso tan importante?

—No lo niego, me acostaba con ambos —reconoció al fin Hafsa. Yusuf recibió la confesión con un gesto triunfal.

—Bien, mujer. Así pues, yo tenía razón, eres una perra lujuriosa y sedienta de hombres. Veamos si tampoco me equivocaba en lo demás. Esta poesía en la que dices añorar a tu amado... ¿la escribiste para ese Abú Yafar?

La mujer se mordió el labio. Sus ojos fueron hacia la esclava desmadejada en el suelo, y luego al cuerpo fibroso y recubierto de hierro de los Ábid al-Majzén.

—La escribí para él, pero jamás se la envié.

—Eso es evidente —se burló de nuevo Yusuf—. Bien. Una cosa más. El otro billete. Ese en el que se desprecia a mi hermano y se le compara con un esclavo..., ¿lo escribió Abú Yafar?

Hafsa cerró los ojos en un intento por concentrarse. ¿Adónde llevaba todo aquello? ¿Realmente era tan importante saber si Abú Yafar y Utmán competían, con o sin conocimiento por parte de ambos, por su amor? ¿Era incluso vital saber si los insultos al gobernador de Granada eran obra de su secretario o no? ¿No se acababa de poner fin a un asedio de meses tras cometerse auténticas matanzas? ¿Tenían unas cosas algo que ver con las otras?

—¡Responde! —apremió Yusuf. La poetisa dio un saltito sobre la cama y palideció tras la *miqná*.

—No... No lo sé. Recibí el billete sin más. Iba sin firmar. Tú puedes verlo, mi señor.

El *sayyid* había borrado su sonrisa burlona, y ahora respiraba con forzada sonoridad, ensanchando las aletas de la nariz al expulsar el aire. Se volvió hacia los esclavos de la guardia negra y señaló a la muchacha torturada.

—Sacad eso de aquí. Fuera todos. Y cerrad la puerta.

Aquello aquietó un tanto el pánico en el que Hafsa estaba empezando a caer. La presencia de los Ábid al-Majzén era estremecedora, pero el *sayyid* Yusuf, por muy poderoso que fuera y a pesar de sus gritos y ofensas, estaba lejos de amedrentarla. La poetisa no acertaba a darse cuenta del peligro que suponía mantener encolerizado al *sayyid*. De algún modo, y a pesar de todo, confiaba en que su relación con Utmán fuese suficiente protección. De todas formas, cuando ambos quedaron solos en el aposento, entre todo aquel desorden que violaba lo más íntimo de Hafsa, ella se sintió indefensa.

—El velo. Quítatelo. Deseo contemplar tu rostro.

Hafsa estaba desconcertada. ¿Qué pretendía ahora el *sayyid*? Titubeó al responder:

—Mi señor Utmán ha prohibido que todo hombre, excepto él, vea...

El sonido de la bofetada fue amortiguado precisamente por la tela de la *miqná*, pero la cara de ella giró impelida por el golpe. El velo se soltó y arrastró el extremo que cubría el cabello hasta dejarlo del todo descubierto. Hafsa se llevó la mano a la mejilla, que ahora irradiaba un calor repentino. Yusuf miró satisfecho el rostro de la mujer, su nariz ligeramente aguileña y los ojos verdes enmarcados en kohl. Los mechones castaños que ahora se abatían libres sobre la frente y las cejas de la granadina.

—Tu señor Utmán no está aquí. Tu señor Utmán fue humillado por esos infieles cuando venía a socorrer a Granada. Yo soy quien ha triunfado a los ojos de Dios. Quien ha logrado la victoria para el califa y ha mantenido la ciudad en el Tawhid. Tu lealtad debe quedar clara, mujer. Por la cuenta que te trae.

Hafsa no ocultó el odio que aquella bofetada acababa de desatar. Pero no era un odio salvaje e incontrolado, sino uno frío, ladino y que prometía. Un odio que dilataba las pupilas y aumentaba el torrente de aire que entraba en los pulmones de Hafsa. Un odio que le permitía ver que aquella fanfarronada, aquella jactancia con la que Yusuf se arrogaba el triunfo y reclamaba para sí el honor, era en realidad un esfuerzo por despreciar la valía de su hermano Utmán, por oponerse al temor que debía de causarle a pesar de todo. La mujer se frotó la cara, donde empezaban a marcarse en rojo los dedos del *sayyid*. Retiró a un lado los mechones que estorbaban su vista y se notó serena, como si aquel golpe la hubiera sacado del estupor. La rabia eliminaba otro velo. Uno que enturbiaba las imágenes con una *miqná* de sumisión y vergüenza imaginaria. Ahora veía que lo que Yusuf sentía por su hermano era en realidad envidia. Envidia, quizá mezclada con cierto miedo. Algo que parecía querer desatar allí, lejos de Utmán, y ensañándose con alguien a quien este amaba. Hafsa decidió aventurarse y comprobar si sus sentidos le mentían.

—Este es mi rostro, pues. —Alzó la barbilla y sostuvo la mirada de Yusuf. Tras unos instantes se levantó para disminuir la diferencia de alturas. Aquello le dio más valor para seguir—. Aunque ya lo viste una vez, en Gibraltar.

—No se llama Gibraltar, meretriz. —El *sayyid* apretó los dientes—. Hemos cambiado su nombre, por la gloria de...

—Gibraltar es el lugar donde antes viste mi rostro, Yusuf. Por lo que parece, no es tan grande la hazaña que acabas de acometer, cuando el mismo Utmán te permitió observar mi cara allí.

Yusuf arrugó el ceño.

—¿Quieres decir que necesito el permiso de Utmán para ver tu cara, zorra?

—Así es. Y lo tienes, por eso la ves.

—¡Falso! —Alzó la mano, dispuesto a abofetearla por segunda vez, pero Hafsa se mantuvo desafiante, con la cara alta y la mirada fija. Yusuf vaciló un momento, pero luego bajó el brazo e intentó que su sonrisa de suficiencia regresase. Solo consiguió una mueca—. Verás, adúltera, cómo consigo lo que quiero sin necesidad de que nadie me dé permiso. ¿O crees que tu señor Utmán me concedería licencia para lo que voy a hacer ahora?

Y se abalanzó sobre ella, arrastrándola a la cama deshecha. Hafsa no lo esperaba y tardó en reaccionar. Cuando quiso darse cuenta, el *sayyid* la oprimía con su cuerpo y le daba torpes lametazos en la cara. Lanzó un grito, pero advirtió que no podía esperar que nadie fuera en su ayuda. Se removió y logró estorbar los movimientos de Yusuf. Él gruñía mientras trataba de inmovilizar sus manos, pero ni uno ni otra podían hacer más que forcejear. En ese instante, él abandonó la brega y se dedicó a tirar de las ropas de ella. Se oyó el crujir de la túnica, y las uñas hollaron piel. Hafsa notó el contacto frío e incisivo en el cuello y en el pecho. Trató de cubrirse, pero Yusuf encontraba en todo momento un hueco por el que meter las manos y apretar sus carnes.

—Zorra... —jadeaba con voz entrecortada—, no puedes negarte. No puedes negarte.

Hafsa consiguió rodar y ambos rebasaron el borde de la cama. Yusuf cayó de espaldas, y ella, sobre él. Entonces, con un rápido movimiento, la rodilla derecha de Hafsa se clavó en los genitales del *sayyid*, arrancándole un bufido. Su fuerza se disipó como por ensalmo y se encogió mientras se agarraba la entrepierna. Ella se arrastró fuera de su alcance, se levantó y retrocedió unos pasos. Su túnica estaba desgarrada y un pecho desnudo y arañado asomaba desafiante. Ni siquiera se molestó en cubrirlo.

—Claro que puedo negarme... —escupió Hafsa con rabia.

—Idiota. —La voz de Yusuf sonaba apagada. Seguía hecho un guiñapo en el suelo, frotándose el escroto a través del *burnús* a medio quitar—. ¿Quieres que llame a mis guardias negros? Ellos me ayudarán a tomarte. Y luego les permitiré desgarrarte las entrañas...

Hafsa sufrió una sacudida, pero no se dejó amilanar.

—Hazlos pasar, sí. Y entrégame a ellos. Pero asegúrate de matarme, porque Utmán sabrá todo lo que ha ocurrido aquí. Y por muy poderoso y triunfante que te creas, no te quedará más remedio que enfrentarte a él. ¿Acaso no lo sabes? Él está loco por mí. Sería capaz de atravesarte si se enterara de esto, puerco. Sí. Claro que sí. Tú también crees que lo haría. Lo veo en tus ojos. Lo he visto antes, cuando te ufanabas de haber logrado la victoria allá donde él había fracasado. Le temes. Sabes que es mejor que tú. Él jamás tuvo que forzarme para disfrutar de esto —se adelantó medio paso y su seno desnudo apuntó al *sayyid* dolorido—, pero tú, incapaz, no eres digno ni de besar el suelo que Utmán pisa.

Yusuf se levantó con dificultad. Hafsa se puso en guardia, dispuesta a seguir resistiéndose. Por un momento pensó que sí, que el *sayyid* iba a llamar a los Ábid al-Majzén. Se vio a sí misma sujeta sobre la cama, inmovilizada por los brazos fuertes y nervudos de los guardias negros, y al *sayyid* sobre ella, embistiendo como un animal. Y después los negros se turnarían, y gozarían de su cuerpo como si fuera botín de guerra... Pero no. Realmente Yusuf temía a su hermano. Temía a Utmán. El *sayyid* gimió y se agarró el escroto con una mano mientras se apoyaba con la otra en las barras del dosel. Miró a Hafsa con los dientes apretados.

—Zorra andalusí... Zorra, zorra y mil veces zorra. Maldita seas por Dios. Maldita tu sucia raza... Crees que Utmán me ha ganado. Crees que tú misma has ganado, ¿eh? Eso crees... —Yusuf dio un par de pasos y se agachó antes de continuar sus maldiciones entre dientes. Recogió del suelo los dos papeles: uno, el poema de Hafsa a Abú Yafar y otro, el billete anónimo que insultaba a Utmán—, pero hay algo que no puedes evitar, sucia perra granadina. No puedes evitar que yo lleve a tu amante ante mi hermano, y ese mismo amor que Utmán te tiene... —El *sayyid* puso los ojos en blanco al incorporarse y notar el dolor punzante en los testículos—. Ese mismo amor... será el que acabe con tu amante. Y yo me aseguraré de que tú lo veas.

Dos días después

Solo las luces del atardecer llegaban nítidas hasta el sótano de la torre de al-Hamra, cuya única ventana —pequeña, alta y enrejada— estaba orientada a poniente. Por ese ventanuco, apenas un tragaluz, se colaban también los chillidos de los vencejos, que se desafiaban unos a otros, se perseguían y requebraban a ras de tierra antes de remontar el vuelo y perderse en la altura de la tarde.

Dentro, un hachón crepitaba. Despedía chispas y un olor pringoso, dulzón, al iluminar a medias la puerta abierta de una de las mazmorras. Poco más que un rectángulo de brillo apagado marcaba en el suelo húmedo e irregular el sitio donde el almirante supremo Sulaymán permanecía firme, mirando al interior.

—Luz —ordenó. Un sirviente se apresuró a pasos cortos, descolgó el hachón y se acercó al caudillo almohade. Un chisporroteo persiguió al esbirro, y el goteo de resina marcó su senda. El almirante supremo entró en la mazmorra seguido por el criado. Al hacerlo, el hachón iluminó la pared, también rocosa y chorreante, en la que había clavadas varias argollas. Dos de ellas estaban unidas por cadenas a las muñecas de un hombre desnudo. Su cuerpo mostraba cortes largos y estrechos que envolvían sus músculos y las curvas de sus caderas, cintura, pecho y hombros; tenían sangre seca alrededor y otra más reciente se deslizaba en goterones hasta el suelo. Las muñecas, desolladas a fuerza de rozarse con el hierro negruzco de los grilletes, también sangraban. Reclinados contra otro muro de la mazmorra, dos guardias masmudas intercambiaban miradas silenciosas mientras Sulaymán reflexionaba sin quitar ojo del cautivo. Junto a los soldados, un cubo contenía sumergidos en un líquido sanguinolento varios chuzos más o menos afilados, uno de los cuales mostraba un borde de pequeños dientecitos. Colgando de la mano de uno de los masmudas, un látigo de piel trenzada con una pequeña pieza de hierro atada en la punta se balanceaba indolentemente y dejaba caer de vez en cuando una gota de sangre.

Sulaymán cogió la antorcha de manos del sirviente y se acercó al cautivo. Las sombras se deslizaron por la pared de la mazmorra y el prisionero parpadeó tres o cuatro veces, deslumbrado por el súbito brillo de la llama que ahora se aproximaba a su cara. Abú Yafar gimió, temeroso de que el siguiente tormento estuviera relacionado con el fuego. Quiso rogar, decir algo, pero los dientes rotos le dolían si intentaba hablar. Tosió un par de veces y escupió un cuajarón negruzco. Luego alargó su gemido en la esperanza de hacerse entender mientras su lengua sangrante despertaba del entumecimiento provocado por sus propios mordiscos. Sulaymán se fijó en la cara tumefacta, en la que golpes de tres días recorrían cejas, nariz y boca; y en el pelo apelmazado de sudor, humedad y sangre. Y de otros fluidos con los que los verdugos masmudas habían regado al preso, convirtiéndolo en su letrina particular. El almirante supremo arrugó la nariz por el olor nauseabundo que Abú Yafar desprendía. Después inclinó la cabeza y observó con curiosidad al cautivo. Extraño. El secretario y poeta granadino había confesado casi enseguida su liderazgo en la traición y su relación con los conjurados judíos. En apenas medio día tras su captura ya estaba gritando los nombres de los conspiradores y de quienes habían abierto la Puerta de ar-Ramla a los andalusíes de Hamusk. Incluso dio detalles acerca de los hebreos que habían llegado a matar a los miembros de la guarnición almohade de la medina. Sin embargo, y eso era lo que despertaba la curiosidad del veterano almirante, Abú Yafar se negaba a confesar que era el amante de Hafsa bint al-Hach. Intrigante.

Sulaymán suspiró. Para él aquello era un trámite más. No sentía piedad por Abú Yafar. Y no porque se tratara de un andalusí. Al contrario. Él era más indulgente con los defectos de aquellos seres débiles y de piel clara, pues conocía que no estaban dotados de la fe inquebrantable y la fidelidad absoluta de los almohades. Tampoco le inquietaba la escabechina que sus masmudas estaban cometiendo con el cautivo. Aunque no era lo normal, desde luego. Se trataba de Abú Yafar ibn Saíd, todo un noble andalusí, de antigua estirpe y fundamental, según los criterios políticos del viejo Umar Intí, para mantener el poder almohade en al-Ándalus. Y no era que esos criterios hubieran perdido su validez. Era que a los nobles, aunque fueran traidores, se los ejecutaba. Así había sido con Ibn Sarahil, el gobernador de Carmona. Se los ejecutaba, sí. Pero no se los torturaba. Eso estaba reservado para la chusma. Bueno —rio para sí el almirante—, y para los hermanos del califa, a quienes él mismo había ordenado castrar y linchar tras su conspiración de hacía años en África.

Ah, sí. Sulaymán debía reconocerlo. Nada tan placentero como sobrepasar los límites. Torturar a un noble andalusí o arrancar los testículos a un familiar del príncipe de los creyentes. El almirante supremo se relamió. Mejor estar allí, asistiendo al tormento de Abú Yafar, que en la Qadima, dirigiendo las sesiones de tortura a los judíos conspiradores. Su trabajo con Abú Yafar era mucho más fácil, y por ello, divertido. No necesitaba arrancar confesiones que ya conocía. Torturaba por torturar. Porque todos los enemigos de Dios merecen el tormento, en este mundo y en el otro.

—Agua —mandó secamente.

Uno de los esbirros cogió el cubo y con un gesto pidió al otro que sacara de dentro el instrumental. Luego baldeó a Abú Yafar, y este se convulsionó. El sirviente tomó el pozal vacío y desapareció a la carrera en busca de más agua. Mientras tanto, el cautivo parecía despertar del letargo en el que le habían sumido los golpes con el látigo y los pinchazos y cortes con los hierros mal afilados.

—Lo... he contado... todo —se atropelló al morder sus propios dientes y los pingajos de piel que colgaban de labios y paladar.

—Casi todo —corrigió Sulaymán. Se irguió y alejó la antorcha de la cara de Abú Yafar. El granadino pudo abrir los ojos luchando contra la hinchazón de los párpados, y vio al almirante supremo andar de un lado a otro de la mazmorra. Las sombras se le antojaron genios del infierno que se movían por allí dentro y esperaban pacientes para llevárselo con ellos. El poeta deseó morir cuanto antes, sobre todo cuando su vista se posó en la chorreante pared de su derecha, sobre la que estaban apoyados los dos verdugos masmudas con los que llevaba varios días conviviendo. Entre los tres, torturadores y torturado, se había creado un vínculo de dolor extremo. Una violenta náusea conmovió todo el cuerpo de Abú Yafar, pero no era capaz ni de vomitar su propia sangre.

—Por favor... —repitió—. Lo he contado todo...

—Nooo. No lo has contado tooodo. —La voz del almirante sonaba apacible; casi dulce, como sonaría la de un abuelo al narrar una fábula a su nieto—. Y no es que a mí me importe. Yo ya sé lo que quería saber. Lo que necesitaba saber. Para poner orden, digo. Esos judíos amigos tuyos... —Sulaymán se plantó a un lado, ocultando a los dos masmudas de la vista del cautivo. Observaba el goteo incesante de la antorcha y la hacía girar en su mano—. He tomado una decisión con respecto a ellos. Y con respecto a sus familias, claro.

El andalusí respingó. Levantó la cabeza y mostró a la luz del hachón su nariz tronchada y la piel desgarrada de sus mejillas. Una de sus orejas sangraba por el corte que había eliminado parte del lóbulo, pero no se dio cuenta.

—Sus familias... —El granadino recordó de repente a la mujer del judío Ibn Dahri, tan resuelta a llevar a cabo la rebelión—. Sus familias no. Sus mujeres; sus hijos... no sabían nada.

—Oh, tranquilo, tranquilo. Sus mujeres e hijos vivirán. Como esclavos, eso sí. Los llevaremos a África. Allí nos hace falta mano de obra. Braceros para el nuevo puerto de Rabat, sobre todo. Ah, y esparcimiento para nuestras tropas, claro. Es lo menos que se puede hacer. Deberían estar agradecidos, ¿no crees, Abú Yafar? Así compensarán a Dios, aunque sea en una pequeña parte, por el tremendo daño que le han causado.

El poeta tosió y escupió otro grumo sanguinolento. Al removerse, su piel maltratada rozó la roca y el dolor le obligó a apretar los dientes. Los masmudas se habían empleado bien allí, en su piel. La habían abierto, pinchado y desgarrado. Pero no se habían ensañado mucho con los huesos, aparte la dentadura, la nariz. Bueno, también le habían roto un par de dedos cuando lo engrilletaron desnudo tres días atrás. Esa primera tarde, Abú Yafar se había mostrado muy airado y ofendido. Gritaba e insultaba a los almohades. Ahora ya no.

—¿Y ellos? ¿Y los hombres judíos? —se atrevió a preguntar.

—Pues mañana los verás. Tendrás la oportunidad de despedirte de ellos.

—¿Ma... mañana?

—Sí, mañana. —El almirante sonrió, aunque a la luz del hachón pareció más bien que deformaba su rostro en un rictus diabólico—. Mañana salimos de viaje, Abú Yafar. Tú y yo. Nos vamos a Málaga a ver a Utmán, tu señor. Hemos dispuesto que tus amigos judíos, con quienes tan buenos ratos has pasado en los últimos meses, te despidan personalmente. Pero, como te decía antes, creo que no lo has contado todo. Y te lo repito: no es que me importe mucho. Es cosa de Yusuf, ya sabes. Lo de Hafsa. Insiste en que nos aclares si eres su amante.

Abú Yafar removió los labios un rato y luego escupió un pedazo de diente.

—No lo soy... Casi... Casi no la conozco. Ya te lo he dicho...

Sulaymán chascó la lengua un par de veces.

—Mala cosa. El problema es que a Yusuf se le ha metido en la cabeza que eso no es verdad, y me ha asegurado que lo negarás para protegerla, porque ella también podría estar metida en esto. En lo de la conspiración, me refiero. Tal vez tengamos que traer a Hafsa aquí y dejarla en manos de estos dos fieles guerreros...

Abú Yafar boqueó en busca de aire y volvió a toser, muy violentamente esta vez. La sangre salpicó los pies de Sulaymán, aunque el almirante no pareció molestarse por ello. No era poca la sangre con la que el almohade se había manchado a lo largo de su vida.

—Nooo... Ella no tuvo nada que ver. No sabía nada. Lo juro. Lo juro. —Las lágrimas asomaron a los hinchados ojos del poeta y un par de goterones rodaron por los pómulos tumefactos, tiñéndolos de rojo antes de perderse en la barba a medio arrancar.

—Vaya. Para no conocerla apenas, te muestras muy inquieto por la posibilidad de que la traigamos aquí. Y ¿sabes una cosa? Te creo. Creo que no la hiciste partícipe de tu traición. Porque en verdad eres su amante, y como la amas, te preocupaste de no causarle más problemas que los de tu propio amor. A pesar de eso, es posible que Utmán, ante quien debes comparecer en breve, no te crea con tanta facilidad como yo. Así, para convencerle, ¿no será apropiado que reconozcas ser amante de Hafsa? Una cosa por otra. Dame solo eso, Abú Yafar. Dame esa confesión, y repítela ante Utmán. Decide: que Utmán la vea como fornicadora o que nosotros lo hagamos como traidora.

Abú Yafar seguía llorando lágrimas de sangre. El dolor físico había pasado a segundo plano, y ahora lo que atenazaba su alma era el pánico al sufrimiento de su amada. Si confesaba ser su amante, ella podría ser acusada del pecado de fornicación. Eso acarrearía igualmente su muerte. Pero no... Él había visto a Utmán llorar como un niño tras crucificar a aquel judío, Rubén. ¿Cómo iba a ser capaz de dejar que lapidaran a Hafsa? Gimió de impotencia. Tiró de las cadenas, solo para clavarse de nuevo el hierro de los grilletes en la piel de las muñecas. Al cabo de un rato de arrastrar de eslabones y chisporroteo de brea, dejó caer la cabeza sobre el pecho.

—Está bien. Reconoceré ser... el amante de Hafsa. Lo reconoceré ante Utmán.

Día siguiente

Bab ar-Ramla, la puerta por la que una noche entraran en Granada las fuerzas de Hamusk, abría el paso a una plaza en la que solía celebrarse el mercado. Un gentío enorme sustituía aquella mañana al zoco, a los puestos de especias, perfumes, carnes, verduras, frutas y telas. Pero no estaban allí por propia voluntad, sino obligados por el ejército almohade que acababa de recuperar la ciudad. Nada de gritos de los mercaderes anunciando sus productos ni de los típicos corros de vecinos que cuchicheaban de este o aquel. Un silencio lúgubre invadía la explanada y mantenía a los granadinos cabizbajos, amontonados por orden del *sayyid* Yusuf, glorioso vencedor de la Sabica y salvador de Granada para Dios, el Único.

Era día de partida. Una variopinta columna iba a salir desde Granada hacia el oeste, rumbo a Málaga. El almirante supremo Sulaymán viajaría con ella, aunque él tenía pensado seguir camino hasta Córdoba. En cuanto al aclamado héroe de Granada, Yusuf, todavía permanecería unos días en la ciudad recobrada antes de partir para Sevilla.

Mezclados con los granadinos, los guerreros de las cabilas asistían también al evento y, de paso, los intimidaban con su presencia. Les recordaban que estaban allí y que el hedor a muerte que se extendía por la ciudad era obra suya. Y muy bien que lo sabían los villanos, pues bajo pena de azotes todos los hombres se habían aplicado en los días anteriores para limpiar de cadáveres el barranco entre las alcazabas, llevándose a los muertos para quemarlos en grandes piras que todavía ardían y despedían columnas de humo negro que el viento se llevaba a levante. Aun así, la fetidez de la muerte se desplazaba por el agua podrida del Darro y cruzaba la ciudad, se disolvía en el aire y penetraba por bocas y narices hasta arrancar arcadas a todos. Gran triunfo almohade, sin duda.

El mismo almirante supremo se había preocupado de extender el rumor con categoría de certeza incontestable: Yusuf, el hijo del príncipe de los creyentes, había sido el auténtico artífice de la victoria. Él, Sulaymán, no la quería. ¿Para qué? Tener contento al futuro califa era premio más que suficiente, y de seguro rentaría mucho más que cualquier triunfo militar. Además, tampoco había sido tan difícil. Los interrogatorios a los granadinos, lo mismo musulmanes sinceros que judíos falsamente islamizados, le llevaban a concluir que Hamusk no había sabido aprovechar su ventaja, y que en lugar de apretar el asedio de la Qadima se había dedicado a atormentar a los cautivos almohades, arrojándolos incluso con aquel almajaneque gigante cuyas cenizas estaban limpiando sus hombres en lo alto de la Sabica.

Sulaymán aguardaba montado a caballo, vestido con sus ropas militares y luciendo en su estandarte una consigna de adhesión a muerte al Tawhid. Como única muestra de vanidad por la matanza de cuatro días atrás, se permitía llevar colgado de su silla de montar el pendón verde del conde de Sarria. El almirante supremo sonrió ufano. La comitiva que partía hacia Málaga se abría con un guerrero harga que guiaba un carro tirado por dos mulas. La única carga era una vasija de tapa sellada con cera, en cuyo interior, sumergida en miel, viajaría la cabeza cortada de Álvar Rodríguez. Su destino final, Córdoba, donde sería exhibida sobre la Bab al-Qántara.

La escolta de jinetes masmudas mantenía a raya a la multitud y abría un pasillo que atravesaba la plaza hasta la puerta, todavía cerrada. Los guerreros, a los que se había permitido repartirse como botín las pertenencias de los conspiradores, no habían ahorrado esfuerzos en descubrir a los culpables de la traición, pues les iba la ganancia en ello. Así, aparte de los verdaderos autores de la intriga, entre los arrestados en esos días había multitud de andalusíes que no tenían que ver con rescoldos almorávides ni resentimientos hebreos. Aunque de nada habían servido sus súplicas y los testimonios de parientes y amigos en la alcazaba Qadima. De los arrestados, tan solo dos se habían salvado de la condena: un hebreo que cayó fulminado a los primeros golpes de látigo y un andalusí que consiguió escapar y se arrojó al Darro cuando lo conducían a las mazmorras. El pobre desembocó ahogado en el Genil, pero nadie daba por mala su solución sabiendo cómo las gastaban los almohades en asuntos similares. Así, la purga estaba siendo extrema. Ni Sulaymán ni Yusuf querían dejar detalle alguno al azar. Hasta sospecharon de los que se habían mantenido fieles y sitiados en la Qadima. Por ello, el heredero del califato había decidido llevar consigo a Sevilla a todos los funcionarios de Granada. En la capital almohade de al-Ándalus podría tenerlos más controlados y alejados de tentaciones andalusíes. El primero en ser requerido por Yusuf fue Ibn Tufayl, a quien pareció incluso agradarle la idea de ir a parar al alcázar sevillano.

Un rumor que no provenía de una voz concreta, sino de cientos de personas que atendían a un solo estímulo, marcó la llegada de Hafsa bint al-Hach. En boca de todos estaba que la poetisa marchaba a Málaga para presentarse ante Utmán, aunque no se sabía si era para rendir cuentas o como simple cortesía. En cualquier caso, la mujer sería transportada en otro carruaje y formaría parte de la comitiva. Todos reconocieron a Hafsa por su llamativa presencia, imposible de disimular ni aun con aquellos ropajes anchos y poco sensuales, ni por la *miqná* bien ajustada que cubría por entero su rostro. El propio Sulaymán indicó a la poetisa que debía subir a un carro, también tirado por dos mulas, que aguardaba parado a un lado de la explanada. Hafsa obedeció y entrecerró los cortinajes que, sobre una estructura de cañas, cubrían la carroza, pero dejó una abertura suficiente para ver cómo se desarrollaba la partida.

El siguiente en llegar fue Yusuf. Apareció a pie y vestido con una elegancia que chocaba con la habitual sobriedad de los prebostes almohades. Sulaymán arrugó el gesto al ver al *sayyid* cubierto por un aparatoso turbante del que brotaba, larga y curvada, una pluma verde. Llegaba acompañado por los visires de su ejército expedicionario y por el cuerpo de funcionarios granadinos que, en breve, pasarían a prestar sus servicios en la corte sevillana. Los masmudas irrumpieron en aclamaciones y corearon el nombre de Yusuf y el de su padre, y lanzaron bendiciones al Profeta, al Mahdi y a Dios. Hafsa asistió a la mascarada desde su carro. Su rostro invisible se contraía en una mueca de asco inmenso al recordar cómo Yusuf había intentado poseerla, y cómo después había cedido al miedo a su propio hermano. El *sayyid* miraba a su alrededor con la cabeza alta, y aquella pluma verde se mecía al débil soplo de brisa que apenas aliviaba el calor veraniego. Condujo a su pléyade de burócratas a un lado del pasillo y subió a un estrado de madera especialmente construido para el momento. Cuando Yusuf se hubo acomodado en el estrecho asiento levantado en la tarima, llegó el plato especial.

Abú Yafar apareció arrastrado por un muchacho, apenas un niño. Tal vez un esclavo de alguno de los condenados, o quizás un mozalbete pagado para esa labor por los almohades. El jovenzuelo, vestido con andrajos, tiraba de una cadena unida al cuello del poeta por una argolla. Hafsa apretó el puño en torno al cortinaje del carro y se retiró con disimulo parte de la *miqná*. Abú Yafar iba descalzo, cubierto tan solo por una especie de túnica hecha de arpillera y remendada. Tenía la cara hinchada y arrastraba los pies, y sus manos permanecían atadas al frente por una cuerda. Un par de exclamaciones de conmiseración se elevaron desde el público cuando todos pudieron ver las marcas e hinchazones del rostro y los brazos desnudos del poeta. Era evidente que aquel hombre no podría caminar más de unos pocos pasos. Hafsa rompió a llorar en silencio.

Sulaymán gritó un par de órdenes y la columna se puso en marcha. El carruaje que transportaba la cabeza de Álvar el Calvo fue el primero en doblar el recodo de la Puerta de ar-Ramla cuando las hojas de pesada madera claveteada se abrieron; a continuación, fueron saliendo los jinetes masmudas, que hacían avanzar a sus caballos a paso de ambladura y mantenían bien altos los pendones de sus lanzas. El propio almirante supremo ocupó el centro, seguido por sus asistentes montados, y siguió el cautivo Abú Yafar, arrastrado por el mozalbete como símbolo de humillación extrema. Hafsa se agarró a las cañas que sostenían las cortinas cuando su carro se puso en movimiento. Ella cerraría la columna, justo detrás de su amante. Una sucia y última burla de Sulaymán, o tal vez de Yusuf. La poetisa se asomó apenas al pasar junto a la tarima de madera, desde la que el *sayyid* asistía con aire ausente a la marcha del almirante supremo. Sin embargo, un pequeño tumulto llamó la atención de la lloriqueante Hafsa. Se restregó la cara, se desplazó a la parte trasera del transporte y retiró un ápice las telas que lo cerraban. Su mano presionó la *miqná* al llevársela a la boca. Ella no cerraba la columna. Lo hacía una comitiva inacabable de mujeres y críos, algunos de ellos, de pecho y en brazos de sus madres. Marchaban a pie dentro de la jaula humana que formaban los caballeros masmudas, sin atadura alguna salvo la de la afinidad en la desgracia. Hafsa sintió que su angustia se redoblaba al ver que algunas de aquellas mujeres y niños tenían cosidos en sus vestiduras parches de color amarillo. Judíos. También reconoció a algunas de las esposas de los almorávides sometidos de Granada, y a varias damas andalusíes, dos o tres incluso de prestigiosas familias de la ciudad o de las aldeas de alrededor. Comprendió enseguida. Se trataba de las familias de los conspiradores. Pero ¿dónde estaban ellos?

Cuando el grupo de cautivos traspasó las murallas, Hafsa obtuvo una respuesta. Todas las mujeres prorrumpieron en chillidos de angustia, y varias se desplomaron, arrastrando en la caída a los bebés. Las crías lloraban. Llamaban a sus madres. Y hasta una mujer tuvo que ser obligada por los masmudas, a golpes de contera, a volver a la comitiva. Semejante escándalo llamó la atención de los granadinos de dentro, que sin que nadie lo impidiera empezaron a salir por la Puerta de ar-Ramla. Los rostros palidecieron y el llanto se extendió. Hafsa, que ya intuía la causa de todo aquello, retiró por completo los cortinajes y se asomó.

El camino que llevaba de Granada a Málaga estaba flanqueado por cruces. Clavadas en la tierra a trechos regulares y afirmadas con montones de piedras en su base. La poetisa, incapaz de arrancar más lágrimas a su dolor, vio cómo decenas de judíos, almorávides y musulmanes andalusíes, todavía vivos, colgaban de los travesaños empapados en sangre. El corazón de Hafsa estuvo a punto de detenerse cuando uno de los crucificados localizó en la columna a su familia y gritó sus nombres. La poetisa forzó los ojos. Conocía a aquel hombre martirizado que llamaba a su mujer desde la cruz. Sahr ibn Dahri. El revuelo creció y se convirtió en disturbio y, al final, los masmudas tuvieron que emplearse a fondo para evitar que cada esposa, hijo, hija, hermana, madre... se lanzara a los pies de una cruz e intentara descolgar a un ajusticiado. Hafsa, vencida por el sufrimiento, elevó los ojos arrasados en lágrimas, solo para ver una enorme y oscura bandada de buitres que, describiendo lentos y amplios círculos, sobrevolaba Granada.

49

A las puertas de Málaga

Invierno de 1163. Valencia

Algo se había roto en el corazón del tagrí. De alguna manera, el rey ávido de guerra y placeres había vislumbrado la realidad. Una realidad que no tenía mucho que ver con la belleza de la Zaydía, ni con el azul del cielo valenciano, ni con la espuma de las olas marinas que rompían contra las costas del Sharq, ni con el sabor del vino, el honor de la lid o la belleza de las mujeres de al-Ándalus.

Tras el desastre de Granada, Mardánish, Urgel y Azagra habían abandonado buena parte de sus pertrechos y habían huido. Atrás quedaba pues, perdida, una de las ciudades más codiciadas por andalusíes y cristianos. Y atrás quedaba también la cabeza humillada de Álvar el Calvo. Así, lo que había comenzado como un audaz golpe de mano de Hamusk terminó de forma vergonzosa, con una retirada agónica hacia el Sharq al-Ándalus, y con la retaguardia del ejército cristiano hostigada por aquella maldita caballería árabe, que atacaba, dejaba en el camino una decena de muertos y desaparecía al galope para, poco rato después, volver a surgir, a hostigar, a matar.

Otra parte del ejército almohade marchó en persecución del rey Lobo, pero algo les hizo pensarse mejor su plan y se desviaron de la ruta para dirigirse a Jaén. En cuanto Hamusk tuvo noticia de ello, abandonó la ciudad a la que había trasladado su residencia y corrió como un fugitivo hasta refugiarse en sus montañas de Segura. Un visir del caudillo andalusí, al-Waqasí, organizó la defensa de Jaén y aguantó con bastante dignidad el corto asedio al que le sometieron los almohades hasta el final del verano. Nada serio, por lo visto. Un simple toque de atención; aunque eso sí, los africanos se entretuvieron en devastar los alrededores de la ciudad y en tomar esclavos de las aldeas vecinas. Nunca se sabía cuándo habría suficiente mano de obra en los preparativos militares de África.

Pero el estío trajo más novedades, y algunas de ellas muy interesantes para el Sharq al-Ándalus. En agosto, el rey de León invadió abiertamente tierras castellanas acompañado de uno de los principales de la familia Castro, Fernando, al que acababa de nombrar mayordomo real. Y al otro lado de la Península, Ramón Berenguer, príncipe de Aragón, el mayor azote cristiano de Mardánish, murió en Provenza.

El rey Lobo pasaba el invierno en Valencia, adonde había acudido con Hilal, Zayda y Safiyya. Era petición expresa de la favorita, que quería ver a sus hijos tras mucho tiempo alejada de ellos. Mardánish se había vuelto retraído, taciturno y lacónico, y parecía sospechar de todos; por eso se hospedaba fuera de Valencia, apartado de los contubernios del alcázar y de las tareas políticas. Dormía en el cómodo palacio de la Zaydía, donde también se hallaban Zobeyda y los hijos de ambos, y una nutrida guarnición de mercenarios cristianos se ocupaba de su seguridad. Era como si estuviera aislado del mundo, y el propio Abú Amir, en su condición de primer consejero, había asumido el gobierno para ejercer de puente entre el indolente rey y su abandonada responsabilidad.

Al principio, Mardánish, tal vez por orgullo, se resistió a preguntar a Zobeyda cómo lo había sabido. Por qué sus temores habían resultado tan certeros. Un prado de sueño y un río de sangre. Y así había sido en verdad. Cuando el rey se decidió a interrogarla, la favorita le rogó que lo olvidara. Lo que necesitaban era cerrar las heridas de Granada, no hurgar en ellas hasta desangrarse. A Mardánish casi no le extrañó la negativa de Zobeyda. De algún modo, unos y otros a su alrededor se las arreglaban para ocultárselo todo. ¿Por qué no ella también?

Aquella tarde, junto a la Zaydía, las hojas se acunaban arrastradas por el viento a lo largo del Turia y las ramas de los árboles desnudos se recortaban contra un cielo gris que amenazaba tormenta. Mardánish se cubría con un manto mientras, recostado en un diván, escuchaba los tañidos de laúd de una jovencísima esclava de piel oscura. En un rincón, los carbones del pebetero consumían con lentitud el almizcle y contribuían a dar calor a la estancia.

—*Y yo digo* —cantó con voz infantil la muchacha—, *mientras mi oscuridad se hace eterna: pero ¿es que a la noche no la seguía el día?*

Mardánish recibió el verso con una mirada de reojo. Sobre la mesa, el vino estaba sin tocar y los frutos secos llenaban todavía las bandejas; los cojines, vacíos alrededor de la cámara, esperaban a convidados que jamás llegarían.

—Te complaces en atormentarte con esos cantos. —La voz de Abú Amir desde la entrada hizo volverse a medias al rey Lobo—. En lugar de eso, ordena a la muchacha que nos deleite con algo más divertido.

Mardánish hizo un gesto para invitar a Abú Amir a sentarse con él y despidió a la esclava con una sonrisa de agradecimiento. El consejero tomó la jarra, se adelantó a los sirvientes que aguardaban en pie junto a la pared y escanció vino en una copa. La del rey permaneció intacta, con el rojo líquido rebosante en ella. El consejero se permitió pedir a los criados que lo dejaran a solas con Mardánish, lo que este confirmó con una significativa mirada. En fila y sin hacer ruido siquiera, los camareros y escanciadores abandonaron la sala.

—No quiero cantos de gozo y dicha —se excusó Mardánish mientras Abú Amir bebía con lentitud—. Mi corazón pide otra cosa.

—Bien. Recréate en tus penas. Mientras tanto, tus enemigos conspiran contra ti.

Mardánish se incorporó, retiró a un lado el manto con el que se cubría y miró fijamente a su consejero.

—¿Qué dices?

—Fernando de León. Ha llegado a un acuerdo de alianza con el joven Alfonso de Aragón.

El rey Lobo frunció el ceño. Se levantó y caminó por entre los almohadones hasta llegar a la celosía que daba al patio. El sonido del viento se mezclaba con el del arroyuelo artificial que surtía de agua el jardín.

—Alfonso de Aragón... —repitió al tiempo que su silueta se recortaba contra la luz cenicienta del exterior.

—El joven hijo del príncipe de Aragón, al que Dios haya arrojado a los infiernos —aclaró Abú Amir—. Su madre, la reina, lo llamó Alfonso, y con ese nombre ha subido al trono.

—Alfonso de Aragón...

—Alfonso, sí. Como aquel que arrebató Zaragoza a los almorávides. El que llevó sus tropas hasta los límites de al-Ándalus. Ese al que llamaban Batallador.

—Lo sé. Lo vi en Fraga. Desde las murallas. —Los ojos del rey se perdieron entre el enrejado de la celosía, que reproducía la estrella de los Banú Mardánish. Por un momento evocó la figura de su padre, Saad, armado como tagrí y dispuesto a derrotar a los aragoneses. El viejo rey Alfonso causaba pavor con su solo nombre, pero el padre del rey Lobo no parecía temerlo más que a cualquier otro enemigo.

—El nombre no es lo de menos —siguió Abú Amir—. Sé que la intención del casal de Aragón es seguir empujando hacia el sur. Tú también lo sabes.

—Siempre lo hemos sabido.

—Alfonso de Aragón. Seis años de edad y toda una vida por delante. Bajo su cetro reúne el reino de Aragón y el condado de Barcelona.

A Mardánish le entró una risita floja. El destino se ensañaba con él. Mientras que el emperador Alfonso, su principal valedor, había dividido sus reinos al morir, sus enemigos se unían y se asentaban para largo.

—Es solo un niño... ¿Y dices que se ha aliado con Fernando de León?

—En contra de todo enemigo común, cristiano o musulmán —completó Abú Amir, y apuró el vino de su copa—. Su primera previsión es el reparto de

Navarra, así que ve imaginando qué será lo siguiente. En cuanto a su edad, no temas: está rodeado por toda una codiciosa legión de nobles de los territorios que reúne bajo su corona.

El rey Lobo caminó de vuelta a su diván. Esta vez sí cogió la copa y bebió hasta vaciarla. Luego la posó despacio, sin hacer apenas ruido.

—Confiemos en nuestros amigos. Ambos sabemos que Armengol de Urgel está muy bien considerado en la corte de León. Ahora mismo debe de andar por allí, explicando a Fernando el gran peligro que se cierne sobre todos...

—¿Armengol de Urgel? —Abú Amir no ocultó una mueca de desagrado al nombrarlo. Era algo que extrañaba a Mardánish, aunque nunca había logrado saber el porqué de la animadversión de su primer consejero contra el conde—. Armengol de Urgel no tiene nada que ganar ya aquí. Fernando de León, perdóname, es mejor baza que tú. En este momento es el rey más poderoso de todos y su ambición tiene varios cofres con los que saciarse.

El rey Lobo se recostó de nuevo y suspiró. Sabía que Abú Amir tenía razón. Lo sabía desde que fue un hecho que Granada jamás caería en su poder. Aunque, de alguna forma, Mardánish se negaba a aceptar que el conde de Urgel, que tantos servicios le había prestado, hubiera marchado para no volver.

—Volverá —musitó sin mirar a su consejero—. Armengol volverá.

Abú Amir negó con la cabeza. «Ojalá no vuelva —se dijo—. Ojalá no tenga que verlo correteando furtivamente por los pasillos para reunirse con Zobeyda.» Observó a su señor y se fijó en su expresión soñadora. Siempre había admirado ese afán de gloria que tanto los diferenciaba, pero por otro lado no comprendía cómo, en el transcurso de todas aquellas marejadas militares y políticas, Mardánish podía dejar que la vida se le escurriera entre los dedos. Quiso mitigar un poco sus temores, y por eso estiró los labios para sonreír.

—Azagra sí volverá. Él sí es de fiar. Volverá, aunque solo sea para vengar la muerte de su amigo Álvar.

Nombrar al Calvo no fue buena idea. Si Abú Amir pretendía reconfortar a su señor, consiguió lo contrario. A la mente de Mardánish volvió el momento en el que el conde de Sarria se batía sin posibilidad alguna en lo alto de la Sabica, rodeado de enemigos a los que destrozaba a mazazos. Sus ojos se cerraron con fuerza cuando la imagen de la cabeza de Álvar clavada en una lanza almohade iluminó su recuerdo como un relámpago.

—Discúlpame, por favor. No pretendía entristecerte más aún.

El rey Lobo hizo un gesto con la mano para quitar importancia a aquello.

—No. Tienes razón. Siempre la tienes. Y ahora necesito de nuevo tu consejo y tu sabiduría. Temo que mi gente caiga, como yo, en la tristeza y en la desesperación. Eso sería fatal.

—Nefasto —reconoció Abú Amir—. Cada vez que hemos sufrido un contratiempo, los clérigos se han afanado en presentarlo como un castigo de Dios, y siempre encuentran oídos atentos y dispuestos a creer sus patrañas. No era mi intención importunarte, como ya te he dicho, pero lo cierto es que varios alfaquíes y algún que otro imán se están yendo de la lengua, sobre todo en Murcia. Eso no es bueno.

—Por eso debes partir, amigo mío. Tú, que sabes qué tabernas frecuentar y a qué baños acudir, pronto descubrirás por dónde puede romperse nuestro reino. También quiero que te enteres de las intenciones de mi suegro, del que no he vuelto a saber desde lo de Granada. Confío en ti, ahora que mi ánimo ha decaído. Tú siempre has estado, como Zobeyda, más dotado para ver allí donde mis ojos no llegan, cegados como están por la niebla de la guerra. ¿Me servirás?

—Sabes que sí, mi señor.

Málaga

Utmán examinó con indiferencia el pequeño pedazo de pergamino y lo movió para que la luz incidiera sobre las letras, garabateadas con letra insegura. Releyó cada frase. Buscó un segundo sentido, una referencia oculta o una muestra de sedición. Luego miró por encima del billete, hacia el andalusí que, en pie ante él y con la vista puesta en el suelo, aguardaba su veredicto. Detrás, junto a la puerta, uno de sus fieles masmudas esperaba con la mano puesta sobre el pomo de su espada.

—¿Y dices que eres pariente de Abú Yafar? —preguntó el *sayyid*. Estaba reclinado en un diván, tan indolente que parecía tendido, con el brazo izquierdo colgando a un lado y el *burnús* medio abierto. El andalusí asintió con la cabeza de forma rápida.

—Primo suyo, mi señor. He venido a visitarlo, pero como los guardianes no me permitieron verle, le mandé una carta. Él contestó con eso. —Señaló el billete que sostenía el *sayyid* en su mano derecha—. Entonces fue cuando tus hombres me prendieron.

—Por supuesto. Está prohibido que los cautivos se comuniquen con el exterior. Demasiado benévolo he sido al permitir que tu primo conserve la vida hasta ahora. Demasiado benévolo... —La mirada de Utmán se perdió un instante y su voz se volvió débil—. Esperaba un gesto. Que me pidiera perdón. Que lamentase su felonía... Qué estúpido he sido.

El andalusí tragó saliva.

—Yo sí te pido perdón, ilustre *sayyid*. Perdón, por favor. No sabía de esa prohibición.

Utmán contestó con un murmullo indiferente, y luego leyó en voz alta.

—*¿Esas lágrimas se derraman por mí, que he gozado de todos los placeres de este mundo, que me he alimentado con las pechugas de las aves, que he bebido de las copas de cristal, que he montado los mejores corceles, que he reposado en los más mullidos lechos, que he vestido las más finas telas y brocados, que me he alumbrado con velas de cera y que he gozado del amor de las más bellas mujeres?*

El pariente de Abú Yafar carraspeó incómodo, pues sabía que aquellos almohades eran contrarios a toda molicie y gusto por el placer desnudo que reflejaba el corto mensaje de su primo encarcelado.

—Ya conoces a Abú Yafar, mi señor.

—Sí, lo conozco. Entonces, al final no has podido verlo.

—No, mi señor. Como te he dicho, tus guardianes me lo han impedido y...

—No sufras —le interrumpió Utmán, y se levantó de pronto. Cojeó hacia la mesa de la sala y abrió un cartapacio forrado de piel oscura. Manoseó los pergaminos que había dentro hasta que dio con un par de billetes de la misma hechura que el que acababa de leer. No había duda. Era la letra de Abú Yafar. Miró al masmuda de su guardia personal.

—¿Quién ha encontrado el mensaje?

—Yo, mi señor.

—Debes interrogar a los guardianes y enterarte de cómo ha conseguido Abú Yafar la tinta, el cálamo y el pergamino.

—Ya lo he hecho, mi señor —contestó el masmuda con orgullo—. En realidad hacía tiempo que sospechábamos de uno de los vigilantes de los calabozos, un andalusí como este. —Señaló con la barbilla y con gesto de desprecio hacia el primo de Abú Yafar—. Por lo visto, el guardián quería seducir a alguna de estas furcias malagueñas y pidió al prisionero que le escribiera unos versos de amor. A cambio le prestó aparejo de escritura. Ese mismo guardián es el que ha servido de correo para estos dos.

Utmán gruñó, satisfecho por la eficacia de sus masmudas. El billete en sí, concluyó, no era insidioso. No podía decirse lo mismo de los otros que guardaba en aquel cartapacio, los dos que su hermano Yusuf le había hecho llegar desde Granada junto con Abú Yafar y Hafsa. Lo primero que deseó al leerlos, preso de la rabia, fue lanzarlos al fuego. Pero no lo hizo. ¿Por qué enterrar sus errores? Aquellos poemas le recordarían siempre su ingenuidad. Ah... ¿Cómo no había sido capaz de reconocer la traición de ambos? Sonrió sin dejar de observar los billetes. De los dos engaños que había sufrido, la entrega de Granada al enemigo no era el que más le enfurecía. Cerró el cartapacio y volvió a mirar al masmuda.

—Buen trabajo. Serás recompensado.

—He ordenado apresar al vigilante, mi señor... ¿Qué hacemos con él?

Utmán enarcó las cejas. Un andalusí que cedía al amor y traicionaba para ello la confianza de sus amos almohades. El viejo pecado de siempre al fin y al cabo. No sintió odio por el vigilante. Pero tampoco podía permitirse caer en los mismos defectos que aquellos andalusíes. Él era, a pesar de todo y de todos, un *sayyid* almohade. Y no necesitaba odiar a nadie en concreto para desatar la cólera que encerraba su corazón tras las últimas traiciones.

—Ejecútalo. Y asegúrate de que sus compañeros conocen la razón y asisten a su muerte. Ve.

El masmuda hizo una reverencia, dio la vuelta y abandonó la sala con la mano todavía puesta en la empuñadura de su espada. Utmán quedó a solas con el primo de Abú Yafar, que ahora mostraba el semblante pálido por la rápida sentencia que acababa de dictar el *sayyid* almohade y, sobre todo, por la frialdad con la que había decidido sobre la vida y la muerte. Intentó tragar saliva y temió que las siguientes palabras fueran las de su propia condena. Utmán detectó el pánico del andalusí.

—Y hablando de ejecuciones... Acabo de decidirlo. Tú también vas a tener la suerte de asistir a una.

El hombre cayó de rodillas, dobló el cuerpo y acercó la cara al suelo.

—¡No, mi señor! ¡Perdona a este pobre siervo tuyo! ¡Yo no pretendía hacer nada malo, tan solo visitar a mi primo!

—Ah... —Utmán dedicó una mueca de desprecio al andalusí humillado y suplicante—. Sois todos iguales. No temas, cobarde. No es tu muerte la que toca hoy. —El *sayyid* pateó débilmente el costado del hombre, que se levantó con la mirada huidiza y retrocedió un par de pasos sin abandonar la servil inclinación.

—Entonces... ¿no me vas a castigar?

Utmán dio un par de palmadas. Otro de sus masmudas abrió la puerta y se asomó con mirada interrogante.

—Llevad a esta rata a la judería. Ocúpate de que Hafsa también esté allí antes de la caída del sol.

La judería de Málaga, fuera del recinto amurallado, estaba precisamente junto a la puerta que llevaba a Granada. Ambos detalles parecían escogidos de forma expresa por Utmán. O eso pensaba Hafsa.

La poetisa seguía ocultando su faz, ahora demacrada, tras la *miqná* que cubría por entero su cabeza y su rostro y solo dejaba al aire su mirada. Había llegado allí conducida por varios guerreros masmudas desde el aposento en el que se la mantenía encerrada en la alcazaba de Málaga. Ahora aguardaba, medio extrañada, medio hastiada, al motivo de la reunión en aquel batiburrillo de casas vacías y calles estrechas y desiertas. Los batientes de algunas puertas golpeaban con un sonido débil sus marcos, y unos pocos ladridos recorrían las líneas quebradas de manzanas, de casuchas apoyadas unas en otras y de callejones sin salida. La judería de Málaga, como tantas otras, estaba abandonada. Una primera diáspora ya casi la había vaciado cuando los almohades llegaron a la ciudad. Los hebreos, avisados de las matanzas ocurridas en Fez y Marrakech, amontonaron sus enseres y huyeron a tierras cristianas del norte. Aquellos que pudieron disponer de dineros para un embarque, viajaron a Sicilia, a Egipto o incluso a Palestina. De los pocos que quedaron, y una vez que Utmán tomó posesión de la ciudad, algunos marcharon ante la amenaza oficial de ser ejecutados según la doctrina oficial almohade: Tawhid o muerte. La tercera huida no había llegado a tener lugar. Tras la rebelión de Granada, el *sayyid* había ordenado una dura investigación que dio con los huesos de casi todos los judíos islamizados en las mazmorras. Utmán sabía que los que decían haberse convertido mentían, y según esa convicción los condenó. Hafsa miró al camino de Granada, que pasaba junto al grupo de casas desiertas. Allí estaban todavía las cruces, ahora vacías, en las que habían muerto meses atrás varios de esos condenados, aunque algunos de ellos juraron mientras agonizaban que su sumisión al islam era sincera. En fin. Para Utmán, era más fácil no arriesgarse.

Junto a Hafsa, en silencio y escoltado por los masmudas, había un hombre al que la poetisa conocía vagamente. Un pariente de Abú Yafar, según creía. El andalusí permanecía quieto y miraba a su alrededor como si una horda de demonios estuviera a punto de devorarle. A pesar del notorio pánico y de sus evidentes ganas de correr lejos de allí, los guardianes ni siquiera le habían atado, y no parecían poner mucha atención en él. Hafsa había intentado hablarle, pero el hombre callaba con los labios apretados y los ojos muy abiertos.

Utmán llegó a caballo, vestido con ropas ceremoniales y con una lujosa espada colgando de su tahalí cruzado. Detrás de él, por la misma Puerta de Granada, salían de Málaga dos cortas columnas de jinetes masmudas, y al final, un carruaje tirado por una mula. Hafsa dirigió la mirada hacia los gruesos barrotes de madera que formaban una jaula sobre el carro. Un hombre vestido con algo parecido a una túnica parda rebotaba con el traqueteo de las ruedas, pequeñas y macizas. Iba sentado sobre algunas briznas de paja sucia y se apoyaba en los travesaños de su prisión móvil. A Hafsa se le cerró la garganta al reconocer a Abú Yafar. Su gemido de amargura hizo sonreír a los guerreros almohades que la escoltaban, y uno susurró algo al oído de otro. Utmán detuvo su corcel ante Hafsa y gritó en su lengua bereber. La poetisa entendió que ordenaba a sus hombres descargar al prisionero junto al camino.

—Hafsa bint al-Hach —llamó solemnemente el *sayyid*. Los hombros de la poetisa, vencidos hacia delante, se estremecieron. Su figura estaba ahora vacía de la voluptuosidad del pasado, y los ropajes, otrora bien compuestos, colgaban ahora mustios. Utmán no pudo dejar de pensar en ese cuerpo que él había acariciado tantas veces en Granada, en las caderas firmes que daban arranque a los muslos largos y esbeltos, en los pechos arrogantes que habían llenado sus manos... Ahora nada de eso se adivinaba bajo las sedas de buena calidad que todavía vestía Hafsa. Utmán se dio cuenta de que ya no sentía la atracción animal que antes le despertaba aquella mujer. Y el amor, por supuesto, había volado del corazón del *sayyid*. Claro que si no la amaba, ¿qué era ese dolor sordo que estrujaba su alma cuando veía a la poetisa? No, se decía Utmán. No podía ser. No debía. No la amaba. Otra cosa bien distinta era su deseo de venganza.

—Sí, mi señor —respondió Hafsa con voz llorosa y apagada. Incluso desagradable. Hasta eso había cambiado. ¿Cómo podría ahora declamar sus versos la mujer más hermosa de Granada? Utmán se obligó a apartar aquellos pensamientos de su mente.

—A partir de ahora quedas libre de la obligación de cubrir por entero tu rostro —sentenció, erguido sobre la silla de montar—. También te libero de tus demás obligaciones, y después de la puesta del sol podrás abandonar Málaga.

Hafsa observó el camino, donde en ese instante Abú Yafar era desencadenado de sus ataduras por los guardianes, ya fuera de la jaula. El poeta ni siquiera podía tenerse en pie. Sus piernas y brazos, que el remedo de túnica no alcanzaba a cubrir, parecían simples huesos revestidos de piel. Una piel llena de cicatrices y de cortes recientes. Con ojos llorosos, la mujer volvió la cabeza para dejar de torturarse con la imagen de su amante, convertido en un pingajo. Al hacerlo vio que el rojizo globo del sol se dejaba caer sobre los tejados de la judería. Muy pronto la voz de los muecines empezaría a sonar desde los minaretes de Málaga.

—¿No seré libre hasta que atardezca, mi señor?

La pregunta había sonado a súplica. Hafsa quería irse. Evitar el espectáculo que Utmán le había preparado. El *sayyid* giró la cabeza. Sus hombres apartaban las piedras amontonadas al pie de una de las cruces, manchada con viejos chorretones de sangre. Luego volvió a mirar a Hafsa. La escena, pensó, era la misma que aquella de tiempo atrás junto a al-Hamra, cuando ordenó crucificar vivo a un judío falsamente convertido en presencia de los demás hebreos de Granada. Recordó los gritos del condenado y la forma en que él mismo, irritada su alma por la crueldad del tormento, atravesó el cuerpo torturado con una lanza. Fueron los brazos de Hafsa los que le acogieron aquel día y le dieron consuelo, mitigaron su dolor y enjugaron sus lágrimas. Lágrimas de remordimiento. Buscó el alivio en Dios. En sus dictados. No era él quien torturaba y mataba al indefenso. Era la voluntad del Único, implacable con quienes le traicionaban, la que ordenaba capturar a los ingratos y a los que no creían, a los que rompían los pactos y no temían a Dios. Así rezaban las inspiradas palabras del Profeta:

Dispersa con el espectáculo de su suplicio a los que los sigan,
a fin de que reflexionen.

La cruz resonó al caer a su espalda: sus hombres habían conseguido arrancarla de la tierra y ahora se preparaban para clavar al condenado. El primo de Abú Yafar no pudo aguantar más tiempo en silencio y empezó a gimotear como un perro apaleado. Hafsa, vuelta de espaldas y mirando al sol poniente, temblaba tanto que toda su ropa se estremecía. Utmán levantó una mano hacia los guardianes que se disponían a ejecutar la sentencia de muerte de Abú Yafar.

—Aguardad a que acabe la oración para ejecutar al reo. —Desmontó y, parsimoniosamente, descolgó del arzón el rollo en el que guardaba su almozala. Desde Málaga llegó clara, arrastrada por el viento marino, la voz del muecín. Uno a uno, los almohades fueron preparándose para la oración del ocaso. El primo de Abú Yafar, acongojado, reparó en que carecía de alfombrilla y se apresuró a despejar la porción de tierra a sus pies. Antes de extender su propia esterilla, Utmán se dirigió por última vez a Hafsa—. Puedes marchar.

La poetisa levantó lentamente su mano derecha, tiró de la *miqná* y liberó su rostro surcado por las lágrimas. Miró al *sayyid* almohade, pero Utmán estaba ya vuelto hacia La Meca y comenzaba su oración. Desde Málaga, la llamada se repetía de un minarete a otro, confundiéndose las voces y los ecos de los muecines. Todos los masmudas, incluidos los guardianes del prisionero, estaban a pie firme y con ambas manos a los lados de la cara mientras recitaban el *takbir*. Ante el desprecio de Utmán, Hafsa fijó su vista en Abú Yafar, sentado ahora en tierra y con la espalda apoyada contra una de las ruedas claveteadas del carruaje. Su rostro, perdido entre el dolor y el abandono, pareció acusar la visión de su amante, y con una mueca giró la cara y buscó los ojos de Hafsa, enrojecidos por el llanto. Quedaron así los dos enamorados unidos por el puente de sus miradas, y lo mantuvieron tendido durante un corto instante antes de que ella diera la espalda a las murallas de Málaga. Luego, pugnando contra la desesperación para no caer rendida al suelo, empezó a andar muy lentamente, se alejó de las casas de la judería y se incorporó al camino de Granada, flanqueado por cruces vacías y recubiertas de una costra negruzca. Anduvo vacilante, logrando poco a poco que cada paso fuera más firme que el anterior, con la cabeza gacha y la mirada fija en el polvo de la senda, huyendo de aquella oración del ocaso y de toda la desgracia en que se había convertido su vida, hasta que el rezo terminó y los ecos de los martillazos volaron con el viento desde Málaga, y se colaron por entre sus vestiduras y su cabello e invadieron sus oídos. Un grito se alargó y perdió fuerza a la vez que las lágrimas de Hafsa se redoblaban. No miró atrás. En lugar de ello se llevó las manos a ambos lados de la cabeza y apretó con fuerza para no oír. Y siguió caminando y caminando hasta que cayó la noche. Y recordó el juramento que se había hecho a sí misma en la muralla de la alcazaba Qadima y lo confirmó en silencio, sabiendo que jamás sería de ningún otro hombre, y que el único al que había amado de corazón moría ahora tras ella, a las puertas de Málaga.

50

El califa debe morir

Unos días después. Valencia

Zobeyda se revolvió en el lecho y apretó su cuerpo desnudo contra el de su esposo. Notó su respiración rítmica y pausada: al fin el rey Lobo había conseguido dormirse. La favorita suspiró. Sabía que antes de que la luna completara su recorrido en el firmamento, Mardánish se despertaría sudando y maldiciendo tras alguna pesadilla. Así era desde que había regresado de Granada.

Ella no dormía. Velaba, preocupada por lo que ocurría en el Sharq al-Ándalus. Por lo que le pasaba al propio Mardánish. Su cuerpo todavía retenía el aroma del agua de rosas, y el color azafranado de sus labios estaba intacto, lo mismo que las marcas de henna que se había hecho pintar aquella misma noche por Marjanna. Zobeyda había insistido en decorar su cuerpo como el de una estatua pagana, y puntos y líneas oscuros recorrían sus párpados y estilizaban sus ojos, rodeaban su garganta y se perdían en arabescos imposibles hasta rodear sus senos. Bajo las sábanas, finísimos billetes contenían invocaciones a al-Uzzá, la diosa, y a los eternos amantes Isaf y Nayla. Se había recreado en cada detalle y escogido su mejor perfume. Luego, al recibir a Mardánish en su aposento, se había mostrado desnuda tras su manto de piel de fénec, dejando relucir a la luz de las velas aromáticas sus brazaletes y ajorcas. Incluso había ordenado a Adelagia que tañera la cítara en los jardines para que hasta ellos llegara apagada su música lánguida, acompañada por un escogido verso de amor de los que Abú Amir enseñara a la italiana.

Llegó la medianoche, y la oscuridad era como su pelo negro
[o el azabache.
Me daba a beber su vino, que esparcía al aire su perfume,
mientras otro licor se les unía, prensado por sus ojos y sus labios.
Y me emborraché tres veces: de su copa, de su saliva y de sus ojos
[negros.

Nada de eso había dado resultado. Mardánish se dejó caer en la cama sin reparar siquiera en la belleza lindante con lo diabólico de su esposa favorita. Su rostro, crispado por la inquietud, parecía imperturbable cuando, insistente y lasciva, Zobeyda se había rozado contra él bajo las sábanas. Al final, tras dar vueltas y revueltas y agitarse en una larga duermevela, el rey Lobo había conciliado el sueño. Y a saber cuánto tardaría en empezar a soñar con hordas africanas que invadían el Sharq y degollaban a todos sus soldados para luego esclavizar a sus mujeres e hijos.

En realidad, no muy distintos eran los temores que atenazaban a la favorita. Al oeste, Castilla se desgarraba por las luchas internas y por las injerencias de Fernando de León. Al norte, el joven rey Alfonso, bajo la influencia de sus belicosos nobles, reunía bajo su cetro el reino de Aragón y el condado de Barcelona y los aprestaba para continuar el trabajo de su antepasado Batallador. Y al sur, la inmediata amenaza de Abd al-Mumín estaba lista para borrar de la historia el reino que Mardánish había conseguido en pugnas y alianzas con unos y otros. ¿Cuánto de vida le quedaba al sueño del Sharq al-Ándalus?

Zobeyda retiró a un lado los cobertores, se incorporó con cuidado y envolvió su desnudez con el manto de fénec. Abrió despacio la puerta de la cámara y avanzó por los corredores de la Zaydía, sumidos en la negrura. Atravesó el suelo tapizado de hierba húmeda, y notó el frío trepar por su piel aromatizada y apagar su ansia de placer no satisfecho. Debía acabar con aquella sombra que se extendía amenazadora sobre todo lo que poseía.

Maricasca estaba despierta. Siempre lo estaba por la noche. Zobeyda ignoraba si la vieja dormía, aunque tampoco le importaba mucho. La sorprendió en su cámara, en la que se calentaba al calor de aquel fuego verduzco mientras la estancia mantenía una tenue nube blanquecina pegada al techo. Sobre las llamas, las retorcidas trébedes fulguraban de vez en cuando con el brillo del hierro rusiente. El olor dulzón que la favorita ya conocía se metió por sus fosas nasales y le raspó en la garganta hasta hacerla toser.

—De nuevo aquí, morita —la recibió con zafiedad la bruja—. ¿Qué quieres ahora?

Zobeyda se acercó al pequeño fuego y se acuclilló enfrente de la anciana para que el calor de las llamitas se filtrara por las aberturas del manto.

—No te quejes, vieja. No puedes hacerlo. Me he mantenido apartada de ti. No he reclamado tus servicios durante todo este tiempo, ¿no?

—Cuidado, morita. No fui yo quien pidió que me encerraran aquí. Ni pretendo que me mantengas a cambio de nada. Lo que quiero es irme de una vez, así que di lo que tengas que decir y libérame.

Zobeyda no se molestó en enojarse.

—Todo lo que vi la otra vez —dijo en voz baja—. Lo del prado del sueño.

Y lo del río de sangre. Todo cierto. Cumplido tal cual. Tus sortilegios son certeros, vieja.

—¿Lo dudabas? —Las encías de color rosado asomaron tras la sonrisa burlona de la bruja—. Yo cumplo, morita. Así que si la reina del mundo no lo tiene a mal, ¿podría volver ya a mi cueva?

—Todavía debes servirme más, anciana. Mis preocupaciones no han hecho sino empezar.

—Y seguirán creciendo, morita. —La vieja soltó una carcajada chillona que enseguida silenció—. Y ya ves que ni aun conociendo el porvenir o penetrando en lo más profundo de tu mente, puedes escapar del destino. ¿Valió de algo que tu visión se adentrara en el futuro y vieras el desastre de Granada? No. Así pues, ¿de qué te sirvo realmente? Que tanto llegará la mala fortuna si la ves venir como si no.

Zobeyda miró a su alrededor, a los rincones en penumbra en los que temblaban las sombras creadas por aquel fuego fantasmal. Buscaba algo sin saber qué. Tal vez solo pretendía agotar su última esperanza. Cuando las almas de los hombres nada pueden, quizá las fuerzas ignotas sean capaces de lograr lo imposible.

—¿Ya has agotado tu arte, entonces? ¿Es que no hay otra cosa que se pueda hacer aparte de conocer lo que ha ocurrido y lo que ocurrirá? ¿No hay un medio para influir en la voluntad de los otros? Tienes que conocer algún hechizo, bruja. Algo que me permita oscurecer el juicio de mis enemigos, o avivar el de mis amigos...

Maricasca paró la charla de Zobeyda al apuntarla con un dedo delgado y sarmentoso.

—No conviene provocar, morita. Ni a ti ni a mí nos conviene.

—¿Provocar? ¿A quién? ¿Cómo?

—Bah. Tú no lo entenderías... Eres infiel. Tibia y pagana, sí, pero infiel. Y hay fuerzas que desconoces. Si supieras lo que puede ocurrir...

—A mí no me dan miedo tus demonios, bruja. No temo a genios que vayan a aparecer de noche para absorber mi vida mientras duermo. Tú tendrás tus *yunnún*. Yo tengo los míos.

—Tan poderosos no serán tus genios, morita, que vienes a mí y me pides hechizos. Y me exiges un medio para que haga aparecer a esos genios junto al lecho de otros. ¿O no es eso lo que pretendes?

—¿Y qué pretendes tú? ¿Quieres que te acuse de usar tus artes para hacer el mal? Siempre puedo decir que tus sortilegios son los que nos han hecho caer en el infortunio. Son miles las viudas y huérfanos que el desastre de Granada ha dejado por todo el Sharq al-Ándalus. Esa buena gente se sentiría aliviada de poder descargar su rabia contra alguien, ¿sabes?

Maricasca apretó las encías y nuevas arrugas se abrieron en su alargado rostro. Los hundidos ojos se empequeñecieron bajo las cejas repletas de pelos largos y blancos. Masculló unos instantes en su jerga ininteligible y luego se levantó de su diminuto escabel. Sin dejar de rezongar, sacó de uno de sus cestos un frasco de cristal en cuyo interior crecía una especie de musgo negruzco, lo destapó y extrajo algo de su interior. También tomó uno de sus saquitos, regresó junto al fuego y lanzó una mirada de odio a Zobeyda. Recogió el perol y lo instaló sobre las trébedes. La favorita pudo ver dentro de la cazuela el líquido oscuro de la otra vez, ahora en menor cantidad. No tardó en mandar a la superficie burbujitas que estallaban al aflorar.

—Escupe —exigió la bruja.

Zobeyda dudó un momento, pero luego acercó la boca al perol hirviente e hizo lo que la anciana le ordenaba.

—Más.

La favorita suspiró y se aplicó a ello. Cuando a Maricasca le pareció que la sopa de la olla estaba suficientemente recrecida, apartó la cabeza de Zobeyda sin miramientos, abrió la mano y mostró una rama cubierta de florecillas rojizas. Era lo que había cogido del frasco musgoso. Partió la rama en pequeños trozos y los fue echando al perol mientras recitaba sus conjuros. Después desató los lazos del saquito y colocó los ingredientes que necesitaba, alineándolos en el suelo antes de murmurar nuevas abominaciones en su jerigonza de arpía revenida. Espolvoreó cenizas de mandrágora, dejó caer ojos de rana macerados y vertió picadura de pezuña de cabra. Añadió su propia saliva en una cantidad que sorprendió a Zobeyda, y después se volvió a levantar para acudir a uno de esos rincones de la habitación a los que la luz del fuego verduzco no llegaba. Revolvió en un hato y la favorita oyó entrechocar de huesos y piedras, crujir de arpillera, blasfemar de nigromante.

—¿De qué se trata en verdad? —preguntó la bruja mientras rebuscaba entre sus aparejos—. ¿A quién hemos de dedicar nuestras atenciones?

—Es el califa. —La vieja se volvió al oír la respuesta y observó a Zobeyda desde la penumbra. La favorita no supo si el susurro que emitió la ensalmadora fue una carcajadita mordaz o un refunfuño de hartazgo, así que siguió hablando—. Abd al-Mumín, el líder de esos malditos africanos. Está decidido, ahora sí, a acabar para siempre con nosotros. En estos momentos se rodea del mayor ejército que se ha visto en todos los tiempos. Construye barcos y amontona lanzas, espadas y flechas al otro lado del Estrecho. Este verano, sus preparativos habrán concluido y vendrá sobre el Sharq al-Ándalus para barrernos. Ni memoria quedará de nosotros. En cuanto a ti, anciana, ignoro qué hacen los almohades con las brujas. Tal vez te entierren hasta la cintura, apilen leña a tu alrededor y te quemen viva. O quizá se limiten a lapidarte, o te despellejen para dejar que los cuervos picoteen tu carne desnuda.

La bruja encontró lo que buscaba mientras Zobeyda seguía describiendo los métodos de tortura más horripilantes que se le ocurrían, pero la vieja parecía haber dejado de escuchar. Se acercó al perol con el puño cerrado y lo colocó encima de la densa humareda que ya empezaba a brotar del líquido aliñado con plantas y raspaduras.

—Para lograr lo que pretendes, morita, necesito que me muestres alguna pertenencia del califa.

Zobeyda puso cara de decepción.

—No tengo nada que le haya pertenecido... —Se mordió los labios mientras removía en su memoria. Tal vez algún objeto sacado de un botín... Pero no. No había nada. La cabeza de la favorita se venció para mostrar derrota—. ¿No hay otra forma de conseguirlo?

Maricasca apartó el puño cerrado de la espiral de humo y su bulbosa nariz se arrugó.

—Necesito un lazo. Es imprescindible que haya algo o alguien que te una con él para que podamos terminar el hechizo. Tú debes tener algo suyo. O él algo tuyo.

Zobeyda se llevó las manos a la cabeza. Aquel olor dulzón le provocaba náuseas y la palabrería de la vieja no llevaba a ningún sitio. Algo o alguien. La favorita se frotó la cara y se manchó con el kohl y el azafrán que hasta hacía poco le servían de afeite.

—¿No se puede hacer sin ese lazo?

La bruja negó con la cabeza y curvó sus velludas cejas. La favorita volvió a suspirar.

—Será mejor que me dejes en paz —rezongó Maricasca, a punto de abandonar el conjuro.

—No... Espera. —Zobeyda se frotó la cara de nuevo en un intento de espantar la febril modorra que le causaba el humo acumulado en la cámara—. Hazlo de todos modos. Quizás él sí tenga algo, no sé... En Granada, mi esposo dejó atrás todos sus pertrechos. Y el califa tiene derecho a parte del botín...

—Está bien, está bien —decidió bruscamente la bruja—. La verdad es que pierdo más tiempo dejándote divagar que complaciendo tu capricho de niña tonta. Allá tú con las consecuencias.

Zobeyda no se sintió ofendida por las palabras de la vieja. En lugar de ello se masajeó las sienes, molesta por la sensación de pesadez, que empezaba a resultar insoportable. Mientras tanto, Maricasca puso de nuevo el puño sobre el guiso de inmundicias y lo abrió. Si algo cayó de él al líquido viscoso y fétido, la favorita no pudo verlo.

—¿Qué pasará si el lazo no... existe?

La vieja alargó sus manos sarmentosas sin miramiento alguno y las puso a los lados de la cara de Zobeyda, agarró su cabeza y clavó las largas y deformes uñas en su piel hasta hacer soltar un gritito a la favorita.

—Si no hay lazo, habremos perdido el tiempo. Y si Belcebú lo quiere, tal vez perdamos algo más —sentenció la hechicera, y atrajo la cara de la mujer hacia el efluvio humeante que brotaba del perol.

Zobeyda, que no esperaba aquello, aspiró sin querer y sintió que la vaharada se colaba por nariz y boca. Notó la quemazón en la lengua y en la garganta, y los ojos, aun cerrados, empezaron a lloriquear con lágrimas negras y espesas. Quiso toser, pero una repentina sensación de ahogo la paralizó. Era como si el aire no pudiera entrar ni salir. Agarró con sus manos las de la bruja para liberarse, pero la fuerza había huido de ella. Intentó respirar, y solo consiguió que una segunda nube escaldara sus labios. Oyó el borboteo del mejunje bajo su cara y empezó a soltar espumarajos por la boca. Se notó desfallecer, y supo que eran las uñas de Maricasca las que impedían que su cabeza se hundiera en el brebaje que hervía en la marmita. Luego, simplemente, se dejó rodear por la irritante oscuridad.

Abrió los ojos y la boca a la vez, y aspiró el aire frío con desesperación salvaje, buscando librarse del ahogo mortal que pretendía arrastrarla al infierno. Su pecho se hinchó agradecido y reclamó más vida, que ella atrajo a bocanadas mientras cada pulgada de su cuerpo se sosegaba.

Su respiración se fue acompasando y con ello llegó la conciencia; poco a poco, sin otra guía que los aromas que se filtraban y apagaban la empalagosa peste de la cámara de Maricasca. Reconoció la fragancia de la artemisa y la verbena. Y otro perfume se coló después como un bálsamo en la oscuridad para sustituir al de las plantas aromáticas. Era un olor conocido, penetrante, que asoció de inmediato con la felicidad. Una esencia que llegaba unida al recuerdo de la amistad. Incluso del amor. Guiada por un instinto que ignoraba poseer, giró la cabeza a un lado y sus manos se extendieron hasta rozar algo suave y caliente. Posó las palmas y se pegó a aquello con delicadeza. Era un cuerpo humano. Un cuerpo familiar. Y estaba acostada junto a ese cuerpo. Se apretujó contra él, deslizó las manos y descubrió las sinuosidades que las tinieblas le negaban. Paseó las yemas de sus dedos para recorrerlo y le agradó su tacto. Y pegó su nariz a esa piel y aspiró largamente su olor. Hasta posó los labios y notó el sabor salado y también familiar. Abrazó a quienquiera que fuese la persona que compartía el lecho con ella. Solo por aquella sensación valía la pena el mal rato pasado sobre el mejunje burbujeante de Maricasca. Luego, poco a poco, fue tomando conciencia de lo que la rodeaba. Bajo ella notaba la dureza de un suelo quizá pedregoso, y sobre su piel, la aspereza de una manta pobre que apenas lograba protegerla del frío. Aquello la obligó a apretarse más aún contra el cuerpo que yacía a su lado, de modo que este se estremeció y su respiración relajada se interrumpió.

—¿Quién eres? —susurró su acompañante. Zobeyda separó su boca de la piel ajena. Reconocía la voz, pero su mente le decía que era imposible que estuviera con ella. Entonces el olor de aquella piel, su sabor, las curvas que la recorrían... Todo tuvo sentido. Un sentido absurdo.

—¿Sauda?

—¿Mi señora? ¿Mi señora Zobeyda?

La esclava negra se giró en la estera sobre la que dormía y abrazó a su dueña, y esta le devolvió el abrazo. Muy fuerte. Como el de dos hermanas que se reunieran tras años de ausencia.

—Sauda...

—¿De verdad eres tú, mi señora?

En la pregunta se mezclaban la alegría infinita y la pena sin límites, pues la doncella perdida sabía que aquello no podía ser más que un sueño. Un sueño cruel, que la invitaba a recobrar la felicidad de antaño y al mismo tiempo la advertía de que nada de ello era real. Zobeyda habló con una voz pastosa que a ella misma le sonó lejana. Casi ajena.

—Pero... ¿por qué tú? ¿Qué haces aquí? ¿Qué es de ti?

Sauda rompió a llorar mientras estrechaba los brazos alrededor de su señora. Esta, conmovida también por aquel reencuentro onírico, dejó caer lágrimas que se mezclaron con las de su esclava. Sauda la besó en las mejillas, en la frente, en los húmedos ojos y en los labios temblorosos.

—Quédate conmigo, mi señora. Esta noche solamente. Aunque al despertar ya no estés...

—Pero respóndeme, Sauda. ¿Estoy soñando? ¿Vives aún? ¿Y Zeynab?

La doncella recorrió con las manos el rostro de su señora para asegurarse de que aquella voz era realmente la suya. Que no era presa de un engaño de la oscuridad. Enseguida reconoció la curva de la barbilla, la suavidad de los pómulos y los arcos de las cejas. Recorrió con la yema de dos dedos los labios de Zobeyda y acarició su cuello, su nuca y su cabello revuelto. No le cupo duda. Y confirmarlo pareció entristecer más a la esclava, que redobló su llanto.

—Zeynab y yo vivimos. Vivimos una pesadilla como concubinas del califa almohade. La suerte quiso que de la felicidad sin límites cayéramos en la más sucia humillación, mi señora.

Zobeyda también se deshizo en lágrimas, y ahora fue ella quien besó a Sauda con avidez para retener en pequeñas dosis de cariño toda la vida de su amada esclava. La culpa le subió al paladar como un vino agrio, y terminó hundiendo la cabeza en el pecho de Sauda.

—¿Qué os hice? ¿Cómo fui capaz? Os he perdido por mi mala cabeza...

La esclava pasaba la mano amorosamente por el cabello de Zobeyda. Se recuperaba poco a poco de su ataque de añoranza y ocupaba de nuevo el papel que llevaba grabado a fuego desde niña. Se sintió obligada a consolar a su dueña, a mostrarle su entrega. Y a cambio, se dio cuenta, ni siquiera necesitaba el calor sensual y lánguido con el que Zobeyda la obsequiaba aquella noche.

—Cumplimos tu voluntad. Como siempre.

La favorita del Sharq siguió llorando, conmovida por la renuncia que iba más allá de la condición de esclava de Sauda. Y lentamente recuperó, dentro de ese torbellino de confusión parecido a la vigilia, el sentido que tenía aquella reunión en una oscuridad remota, engaño de los sentidos, puente entre almas separadas. Un espejismo a lo más, sin duda. ¿En eso consistía el hechizo de Maricasca? No se parecía mucho a aquella otra premonición onírica en el prado del sueño... No. Esta era distinta. En aquella ocasión, ni su propio padre, metido en la batalla, había sido capaz de reconocerla. Con toda seguridad ni siquiera la veía. Ni él ni el resto de los cientos de guerreros que luchaban y morían en aquel lugar. De repente, la fetidez del brebaje regresaba. Primero en vaharadas casi imperceptibles, luego acercándose e inundándolo todo poco a poco. Zobeyda apretó a Sauda instintivamente mientras el aroma dulce de la esclava la abandonaba. Habría querido quedarse con ella y seguir besándola, acariciándola. Gozar de su compañía una vez más, aunque fuera la última; abandonarse al placer, como antaño en cualquier *hammam* o bajo las hojas de los sauces en verano junto al Segura, o en la intimidad de los aposentos del alcázar murciano. Pero debía sobreponerse a aquel cruce de sensaciones con el que el sueño jugaba, y que confundía sus pasiones y sus pensamientos. Adivinó que no le quedaba mucho tiempo.

—Sauda... —Zobeyda sacó la cabeza de entre los pechos de la esclava, rozó con los labios la piel de la mejilla húmeda de lágrimas y la recorrió hasta que encontró su oreja adornada con aros—. Sauda, no sé si esto sirve de algo, pero puedes ser mi última esperanza. La última esperanza de todos nosotros. Tal vez el futuro de todo al-Ándalus dependa de ti, mi amada amiga.

La esclava se dejó acariciar por el aliento de áloe verde. Se frotó contra la cara de su señora como una gata en celo y se sintió dispuesta a complacerla, como siempre había hecho, hasta el fin si fuera necesario.

—Manda, que yo obedeceré —dijo.

Zobeyda se sintió ir. El tacto de la piel de Sauda se alejaba, su fragancia ya no existía, y su voz no era más que un murmullo en la distancia de un espacio sin límites. La favorita dijo sus últimas palabras antes de despertar, y sin saber si alguien las había oído, fuera quien fuese y estuviese donde estuviera:

—El califa debe morir.

51

Las heladas aguas del río Nafis

Mañana siguiente. Al suroeste de Marrakech

Sauda se incorporó con los ojos abiertos como panderetas y miró alrededor. Mientras lo hacía, se restregó la cara cruzada de chorretones. Un lengüetazo de frío la obligó a subir la manta basta con la que se cubría el cuerpo desnudo. A su lado dormitaba Zeynab, con el rubio cabello enredado sobre la cara. Dormían juntas en invierno; era la única forma de robar un poco de calor a las noches del desierto. Presa de una gran inquietud, la concubina retiró el pelo del rostro de su compañera para comprobar que realmente se trataba de ella. El gesto contraído de la joven eslava, dominado por la amargura desde el comienzo de su condición de esclava sexual, no se borraba ni aun durmiendo. Era ella, sin duda.

Sauda se levantó tiritando mientras pasaba el pie por encima del bulto tapado de su amiga. Cogió la túnica, se la dejó caer y frotó sus brazos por encima del tejido áspero y parduzco. La luz del amanecer entraba tamizada por el grosor del pabellón, y el viento frío procedente de los montes Atlas se colaba por las rendijas de la tela. Sauda se tocó con suavidad los labios. Aún le parecía tener en la boca el regusto embriagador de su señora. Zobeyda. Había soñado con ella. Pero había sido tan vívido. Tan real.

El califa debe morir.

Aquellas palabras resonaban todavía en la cabeza de la esclava. La voz de su verdadera dueña acariciaba aún la oreja de la mujer. Casi podía sentir el tacto de sus dedos en la cintura y en el vientre, y las lágrimas mojando sus pechos desnudos bajo el cobertor.

—Un sueño. Ha sido solo un sueño.

Zeynab se revolvió en su jergón y, sin despertarse, tiró de la manta para cubrirse en aquel fresco amanecer africano.

Sauda desató el lazo de su tienda y asomó la cabeza. Las sombras de la cadena montañosa, coronada por el imponente Yábal Toubqal, se alargaban sobre el campamento montado a orillas del río Nafis. Alrededor del círculo de tiendas, los guardias almohades paseaban envueltos en sus mantos y con las lanzas apoyadas en los hombros. La mujer bostezó y reprimió un escalofrío al observar el agua del Nafis, cristalina y crecida por los hielos que ahora reverberaban en lo alto de las montañas.

Habían salido dos días antes de Marrakech en aquella interminable caravana que era en todo momento la corte del califa Abd al-Mumín. En esta ocasión, como cada año, el príncipe de los creyentes se dirigía a Tinmal, la ciudad sagrada de los almohades —una segunda Medina para los musulmanes del nuevo orden—, a postrarse frente a la tumba del Mahdi Ibn Tumart. La comitiva iba menguada, no obstante. El califa viajaba con una nutrida escolta, pero para aligerar la durísima marcha por sendas que trepaban montes y cruzaban ríos, el séquito de funcionarios, sirvientes, cronistas, eunucos y concubinas era reducido. Abd al-Mumín contaba ya casi setenta años, aunque su apetito sexual no parecía correr parejas con su decrepitud física. A pesar de todo, el califa se conformaba con poseer a alguna de sus mujeres o concubinas con la regular periodicidad de una a la semana. Los sábados, concretamente, justo después de la oración del alba. Y aquel día era sábado.

Sauda sufrió otro escalofrío, esta vez acompañado de una náusea. Ella y Zeynab eran las dos esclavas de lecho a las que Abd al-Mumín había reclamado para su peregrinación al sepulcro del Mahdi. Muy piadoso por su parte. Pero es que en verdad el califa se había tomado en serio —y comprobado— que las dos muchachas se complementaban como el día y la noche. La una, de piel blanca y cabello lacio y rubio, la otra, negra y de melena ensortijada; de mirada dócil y temerosa la eslava, de gesto salvaje y agresivo la africana. Sauda dejó su vista vagar por las gargantas que se abrían rumbo a las alturas heladas, por las que discurriría el camino de esta nueva marcha de humillaciones y dolor.

—El califa debe morir —se dijo de nuevo, esta vez en voz alta.

Abd al-Mumín, no obstante y de acuerdo con lo que se decía de él, sentía obsesión por las mujeres rubias. Y Zeynab acusaba esa obsesión. La muchacha abultaba ahora la mitad que cuando fue puesta al servicio de Hafsa en Granada. Sus costillas se marcaban a cuchillo contra la piel y los pómulos querían romper las mejillas desde dentro. Sus ojos azules, antes poseedores de una belleza insultante, se hundían ahora y miraban temerosos cada vez que la tela de su tienda se descorría y daba paso a los sirvientes armados del califa o su eunuco, especializado en la preparación de las concubinas. Y luego, cuando regresaba después de la sesión de entrega al califa, esos mismos ojos parecían muertos o idos.

Sauda se acercó a sus cestitos, amontonados como siempre en un rincón de la jaima. En ellos llevaba sus pocos enseres, los que precisaba para su aseo, sus escasas ropas, dos o tres amuletos que conservaba desde Gibraltar... y algo más. Separó la tapa de uno de ellos con cuidado y asomó la vista por la rendija antes de retirarla del todo. La esclava se movía despacio, sin tirones bruscos ni titubeos. Se pasó la lengua por los labios antes de introducir la mano en la cesta y acercó los dedos al dorso negruzco de la serpiente. Sin llegar a tocarla, recorrió la piel espigada hasta casi alcanzar aquella cabeza ancha y plana. En un instante, su mano aferraba ya al reptil, que apenas se removió con pereza, sin despertar de su letargo invernal. Con mayor soltura, Sauda sacó el ofidio entero, más largo que ella misma, y lo alzó con cuidado para que su cuerpo no rozara el suelo. Luego, con la mano libre, tomó un frasquito de esencias vacío y acercó su boca de cristal a la de la serpiente. Lo hizo con lentitud y entornando los ojos, calculando el lugar para, con una leve palanca, lograr que el animal abriese las fauces. Aquello pareció frustrar el descanso del ofidio, y el cuerpo se encogió y trató de enrollarse en el brazo desnudo de Sauda. La mujer susurró como si cantara una nana a un bebé con el sueño ligero.

—*Kébere ejó, kébere ejó...*

Con el borde del frasquito metido entre las mandíbulas del reptil, la esclava movió la mano y buscó el lugar correcto en el que presionar. Trabajaba despacio, consciente de que la mordedura podía causarle la muerte en unos instantes, pero cuidando de no dañar a la serpiente. Mientras tanto, esta abrió los ojos y su cuerpo se apretó en torno al brazo de Sauda. Ella deslizó los dedos meñique y pulgar por los lados de la cabeza del animal y presionó cuidadosamente. A pesar del frío de la mañana, una gota de sudor se deslizó por la frente de Sauda.

Al fin, como una burbuja creciente, una pizca de veneno apareció en la punta de un colmillo, y luego en el otro. El líquido se estiró hasta desprenderse y cayó en el frasquito. Sauda sonrió. Masajeaba los bordes de aquella cabeza y notaba la fuerza del animal que luchaba por despertar de su letargo.

—*O mú obinrin... Horó milé agbekehim... A ki i binú aatán ka dalé sigbeé... Ikú abenú gboro...*

Zeynab volvió a removerse bajo la manta. Al tiempo, Sauda musitaba aquellas palabras en la lengua de sus ancestros junto a la temible bocaza de la serpiente. Dos nuevas burbujas se convirtieron en gotas, y a estas se unieron otras dos, y dos más..., hasta que la base del frasquito se llenó con una pequeña cantidad de aquel veneno capaz de mandar al averno a varios hombres en el tiempo de una oración. Sauda sacó con precaución el borde acristalado y, luchando contra la resistencia del reptil, desenrolló su cuerpo. Luego le cubrió la cabeza con un paño y depositó la serpiente en su cesta igual que si devolviera a un niño a su cuna.

—*Orún, Monarub. Orún, kébere ejó.*

Se pasó la mano por la frente y la retiró humedecida por el sudor. Suspiró. Lo peor había pasado. Al igual que había hecho Maricasca en la Zaydía muy poco tiempo antes, Sauda escogió de entre sus enseres los ingredientes que, con infinita paciencia y según las enseñanzas de su niñez, había ido recogiendo de parajes agrestes, desiertos inclementes, montañas ásperas y bosques profundos a lo largo de todo el imperio almohade. Desenrolló un paño húmedo sobre el suelo. En su interior guardaba una bola de estiércol que extendió a conciencia. Después tomó una hoja de acebuche que se había tornado parda, la deshizo en la palma de su mano y la machacó con el pulgar mientras añadía un poco de su propia saliva. Lamentaba no recordar las rogativas precisas, pero confiaba en que su memoria no la engañara con la receta. Cuando decidió que la pasta de acebuche estaba lista, la mezcló con el estiércol. Por último, derramó el veneno de serpiente sobre el mejunje y lo espolvoreó con briznas de torvisco.

—El califa debe morir —se recordó una vez más.

—¿A qué huele?

La pregunta había sido hecha con tono torpe y somnoliento. La voz de Zeynab se apagó con rapidez y Sauda siguió a lo suyo, concentrada en el emplasto. Lo removió todo con una ramita, y pronto adquirió color verduzco y consistencia pastosa. Fuera de la jaima se oían ya los primeros movimientos de los sirvientes que se aprestaban a iniciar el día. Ruidos de vajilla de cerámica y hierros, comentarios en voz baja, bostezos y plegarias de la mañana. De fondo, el río Nafis arrastraba por el valle su frío contenido, aumentado por los torrentes que procedían de los montes vecinos. Así hasta pasar cerca de la ciudad de Marrakech y verterse en el más ancho Wadi Tensift. Algunas voces se acercaron a la tienda. Sauda trató de controlar sus nervios. Sabía que el califa mandaría llamar a una de ellas tras tomar su acostumbrado desayuno a base de tortas de cebada cocida, leche y manteca.

—Huele... mal...

Sauda se volvió y vio cómo Zeynab arrugaba la nariz, medio cubierta por la manta, antes de regresar de nuevo al sueño. Zeynab... ¿Y si aquel sábado el califa escogía a su rubia compañera? Era algo en lo que no había pensado. Se frotó las manos para desprender la ligera costra de estiércol y plantas picadas. Con una sonrisa, notó el escozor en los dedos. El alma irritante del torvisco empezaba a hacer su efecto.

Tomó otro de sus pequeños tesoros. Era la hoja de uno de aquellos *gazzula*, los cuchillos recurvos y anchos que los masmudas usaban tanto para cortar la carne como para degollar a los cautivos. Su dueño lo había arrojado a un lado del camino en un viaje desde Salé a Ceuta hacía dos meses, considerándolo inútil tras partirse. Pero Sauda recuperó el fragmento de la hoja y lo guardó como joya de la más fina factura. Ahora podría darle uso. Empuñó el pedazo de hierro con la mano derecha y lo apretó contra el dorso de la izquierda. Cerró los ojos e hizo una incisión corta. Apretó los dientes al notar el tajo en la piel, y sintió el torrente cálido que brotó de inmediato de la herida. Soltó el pedazo de puñal y se impregnó la mano de sangre. Después la metió bajo la manta y la acercó al cuerpo de Zeynab.

La eslava se removió de nuevo al notar los dedos de Sauda metiéndose entre sus muslos. Abrió un ojo y vio a su compañera allí, acuclillada junto a la estera de junco sobre la que ambas dormían.

—No... —murmuró la rubia—. Déjame dormir...

Sauda sonrió y sacó la mano ensangrentada cuando Zeynab se dejó vencer por el sopor una vez más. Luego se aplicó a vendar su herida con un pedazo de tela que ya no le serviría jamás como vestido. No después de aquella mañana. Miró a la eslava con ternura. Se arrodilló cerca de su cabeza, le acercó los labios a la cara y dejó en su mejilla un beso apenas perceptible. Esta vez Zeynab no se movió. Fuera, el muecín comenzó su llamada a la oración.

—Adiós, amiga mía. Sé fuerte —dijo, más para sí que para su compañera de esclavitud y concubinato.

Después aspiró un poco del aire frío que se colaba por las rendijas de la jaima y miró su mejunje como si viera a un buen amigo que llegaba para rescatarla del cautiverio. Sauda se desvistió despacio, arrojó la túnica a un lado y hundió en el emplasto verduzco la mano con la que poco antes había tocado a su compañera. Notó el tacto viscoso de la pócima, cerró los ojos y buscó su sexo. Frotó despacio y se extendió aquello como si fuera un afeite aromático. Poco a poco fue hundiendo los dedos en la abertura caliente, y con ellos metió también la mezcla. Y volvió a untarse la mano, y siguió aplicándola a sus entrañas con calma, ignorando el suave picor que reptaba desde los bordes húmedos y se extendía por su pubis. Con el último grumo de mejunje se hundió hasta lo más profundo de su ser, y apretó los dientes para aguantar el escozor que le quemaba por dentro. El sudor volvió y el miedo quiso invadirla, aunque ella se esforzó por recordar las caricias y los besos de Zobeyda, que la había visitado en sueños, y por encima de todo puso su deber y el sacrificio por ella, la favorita del Sharq, la reina dulce, su señora, a quien amaba más que a nadie desde que, siendo una niña pequeña, la arrancaran de su poblado en lo más frondoso de la selva africana.

Sauda acababa de ponerse su túnica cuando los dos guardianes masmudas entraron en la jaima y la sorprendieron, tambaleante y con la tez arrebolada, junto al jergón. Ambos le dirigieron una mirada indiferente y se acercaron a Zeynab, que una vez más arrugaba la nariz, molesta en medio de algún sueño. Sauda habló con voz insegura, como si estuviera embriagada.

—No... Manteneos lejos de ella, pues su cuerpo está impuro.

Uno de los masmudas hizo un gesto de extrañeza. El otro, más vivo, creyó entender y tiró de la manta para descubrir el cuerpo desnudo y enflaquecido de Zeynab. Ambos almohades llevaron la vista hasta el rastro de sangre que manchaba los muslos, la estera y el cobertor. Uno de ellos escupió un insulto en su jerga bereber. La eslava, repentinamente aterida al verse destapada en el frío de la mañana, se encogió y agarró sus piernas. Luego se miró extrañada la entrepierna, sabedora de que aquella rara hemorragia menstrual no debía estar allí.

—Llevadme a mí —añadió Sauda con los párpados caídos—. Yo estoy limpia, y satisfaré al príncipe de los creyentes.

Los masmudas se miraron entre sí un momento. Se encogieron de hombros. Al fin y al cabo, perdidos en medio de la montaña y con una sola concubina pura para aplacar las ansias lúbricas de su anciano califa, ¿qué otra cosa podía hacerse?

Sauda se dejó arrastrar fuera de la tienda. Quiso caminar para que sus pies no se lastimaran con los cantos de la ribera, pero su vientre hervía como el veneno de la serpiente que ahora llevaba dentro. Se mordió la lengua hasta casi hacerla sangrar, y de nuevo creyó encontrarse en un sueño. Sonrió a pesar de todo. Y aún sonreía cuando la ataron al tocón para poner su sexo a disposición del príncipe de los creyentes.

El califa tomó las riendas mientras fingía ignorar la fiebre y el dolor que a ráfagas le traspasaba el cuerpo. Miró tras de sí y confirmó que toda la comitiva estaba lista para la partida. Alzó una mano y luego la bajó. Los caballos se pusieron en marcha, seguidos de las mulas que tiraban de carruajes, de sirvientes y esclavos que acarreaban fardos y de la acostumbrada compañía de santones y mendigos que perseguía a la corte itinerante de Abd al-Mumín.

Un nuevo rasponazo le hizo encogerse sobre la silla de montar. Lo estaba sintiendo dentro: estallaba desde el estómago y se clavaba en sus costados y en sus piernas, que notaba dormidas. Siseó despacio, arrojando el aire por entre los dientes, e intentó que sus hombres no se dieran cuenta de que algo iba mal. Pero los almohades del séquito lo notaron. Lo llevaban notando toda la mañana, desde que el propio califa había salido trastabillando y despavorido de su pabellón tras poseer a su concubina negra. Era pronto, poco después de acabada la oración, el frío de la madrugada todavía se arrastraba por las orillas del río Nafis, y los forrajeadores habían salido en busca de provisiones a alguna aldeúcha de pastores de cabras. Aun así fueron muchos los que vieron a Abd al-Mumín atravesar el campamento medio desnudo y agarrándose su miembro, ya mermado por la edad y supurante de una especie de papilla verdinegra, mientras profería gritos de angustia. Apenas unos instantes después, con el califa atendido por su cuerpo de médicos personales, el eunuco encargado de las esclavas había salido del pabellón con aquella negra sobre el hombro. Los brazos y piernas de la mujer colgaban inertes, y de su boca manaba una baba que se alargaba en hilos transparentes hasta el suelo. Pero lo peor era que de entre sus piernas se derramaba un suero verde y espumeante mezclado con chorros viscosos de sangre oscura y hedionda. El eunuco la miró con aprensión tras dejarla caer junto a la orilla del Nafis.

—Está muerta —dijo, y ordenó a varios sirvientes que cavaran un hoyo para enterrarla.

Eso había sido temprano, y el resto de la mañana había transcurrido entre los sollozos desgarrados de la otra esclava, la rubia, aquella tal Zeynab, que pretendía quedarse allí, de rodillas junto al improvisado sepulcro de su compañera. Y la cosa empeoró cuando, al registrar la jaima de las concubinas por órdenes del jefe de la guardia masmuda, encontraron en cestos varias serpientes aletargadas por el frío, así como raspaduras de hojas secas, ramas de arbustos envueltas en paños, limaduras de colores y frascos con bebedizos y cocciones resecas, y también con acebuche, espantapulgas y otras bayas irreconocibles. Cosas de hechiceras africanas, sin duda. Al final, y sin poder dar explicación alguna ni otra cosa que no fueran alaridos de dolor mientras se arrancaba mechones enteros de su pelo rubio, la concubina Zeynab tuvo que ser atada a los arreos de un asno, y todavía seguía vociferando cuando la comitiva arrancó rumbo a las montañas.

El califa se volvió a encoger. Sus médicos habían sido incapaces de averiguar qué le había sucedido a la esclava negra. Y sobre todo, y aquello era peor, se mostraban ignorantes acerca del repentino mal que aquejaba al príncipe de los creyentes. Todos coincidieron en que la tal Sauda se lo había contagiado, claro, pero las implicaciones de aquello eran tan desagradables que no se atrevían a aventurar causas o proponer diagnósticos. Abd al-Mumín apretaba los dientes y lagrimeaba, preso de un escozor inaguantable que le quemaba el prepucio, que se clavaba en su miembro viril hasta arrastrarse por sus testículos y su bajo vientre. Había resuelto que se degollara a la mitad de sus médicos particulares. Eso soltó la audacia de los demás, que asistieron a las ejecuciones con el corazón encogido y a continuación se pusieron a aplicar ungüentos sobre las partes nobles de su califa, arrasadas por ampollas purulentas y cubiertas de piel resquebrajada. Al mismo tiempo, todo el séquito rezaba a Dios para pedir que Abd al-Mumín se librara de su mal.

El príncipe de los creyentes, sucesor del Mahdi y conquistador de un imperio, azote de infieles y modelo de virtud, llevaba consigo, además de una nutrida escolta, de sus concubinas favoritas y de su cuerpo médico, una hueste de escribanos y funcionarios cuya misión era dejar constancia escrita de todo acontecimiento, así como de las órdenes que se daban, de su cumplimiento, de los detalles del viaje, de las alcabalas cobradas, de los dones otorgados por Abd al-Mumín, de las reclamaciones de los gobernadores y embajadores, de las respuestas que estos recibían e incluso, a veces, de las reflexiones religiosas o políticas —que al cabo eran lo mismo— que al califa se le ocurrían mientras paseaba su corte por el imperio. Pues bien, Abd al-Mumín había sido tajante esa mañana: ordenó a cada uno de sus escribanos que silenciara toda referencia a lo ocurrido con la esclava negra. La impía muerte de la concubina, con ese pus verdoso brotando de sus orificios corporales, no debía conocerse más que por ellos. Cualquier indiscreción sería pagada con el correspondiente tormento seguido de la castración, mutilación de pies, manos, lengua, nariz y orejas; y todo rematado con la lapidación. Tampoco debía decirse nada del extraño mal que aquejaba al califa desde ese maldito coito con la concubina Sauda. No era propio de alguien infalible y tocado por Dios. Y por tanto no había ocurrido. Silencio total. Bajo la misma pena: castración, mutilación y todo lo demás.

El califa detuvo su montura antes del vado que cruzaba el Nafis. Otra de aquellas punzadas ardientes le había recorrido el cuerpo desde la punta del pene hasta la de la lengua. Maldijo en silencio y se preguntó qué pérfida enfermedad le había contagiado aquella puerca adoradora de ánimas.

—Mi señor. —La voz de uno de los guardias masmudas de confianza del califa sonó tras él, preocupada. Sincera—. El río baja muy crecido. El sol pega fuerte allá arriba y sin duda ha fundido las nieves antes de tiempo. Permite que te aconseje: sube a uno de los carruajes para mantenerte seco. En tu estado...

El califa alzó la mano para detener la charla de su súbdito. Era muy posible que el guerrero tuviera razón, pero Abd al-Mumín no podía permitirse flaquear a la vista de todos sus hombres. Y menos ahora, después de las inauditas escenas vividas aquella mañana. Además, el agua parecía realmente fría, y él sentía tal quemazón entre los muslos que por momentos deseó verse dentro del torrente, ponerse de cara a él y dejar que el caudal helado refrescase su piel tras saltar por entre los cantos del fondo. El Nafis, que nacía no lejos de donde reposaba el sagrado cadáver del Mahdi Ibn Tumart, fundador de su credo, impulsor del Tawhid. En él siempre podía encontrarse el remedio a todo mal, ya fuera del cuerpo, ya fuera del alma.

Por eso espoleó a su corcel y lo hizo entrar en el río. Y después de asegurar sus patas en el fondo del Nafis, el caballo avanzó hasta alcanzar la parte central, por donde el torrente discurría más rápido y fuerte. Y los fieles masmudas fueron tras el califa, temerosos de lo que le ocurría. El agua ya chocaba contra el flanco de la montura y salpicaba al jinete, y Abd al-Mumín cerró los ojos y dio gracias a Dios, al Profeta y al Mahdi por aquel gélido alivio que venía a calmar las llamas que quemaban su virilidad. Su cuerpo se venció a un lado, sumido casi en el sueño reparador de la cura divina, y el príncipe de los creyentes cayó a las cortantes aguas.

TERCERA PARTE

(1163-1172)

Cuando hicieres promesas a Dios, no tardes en cumplirlas.
Cumple lo prometido.
Mejor no prometer que prometer y no cumplir lo prometido.

ECLESIASTÉS 5:4,5

52

Una fiesta en la alameda

Final de la primavera de 1163. Valencia

En un intento por vencer el abatimiento del alma del rey Lobo, que se arrastraba desde hacía casi un año, Zobeyda organizó una estupenda fiesta a orillas del Turia para celebrar el Mihrayán. Invitó a toda la nobleza andalusí de Valencia, y también a los cristianos y judíos, sobre todo prestamistas y mercaderes pisanos y genoveses, así como a los embajadores del rey Sancho de Navarra, que se hallaban en la ciudad para interesarse por los volúmenes que se guardaban en las bibliotecas.

A falta de Abú Amir, que aún se hallaba en Murcia recorriendo tabernas, mezquitas y baños, y recogiendo confidencias y comentarios capturados al vuelo en los rincones, Zobeyda había tomado la responsabilidad de organizar la fiesta de la entrada del verano. Incluso había invitado a Maricasca al recordar que una de sus visitas a la cueva en tierras de Segura había coincidido precisamente con aquella celebración, y con las hogueras que los cristianos encendían por la noche para quemar en ellas los malos recuerdos. Maricasca se negó a acudir, por supuesto, y Zobeyda sintió no poco alivio, pues habría sido difícil de soportar su desagradable presencia entre tanta elegancia y belleza como la que la favorita pretendía mostrar en aquel Mihrayán.

El lugar escogido fue la alameda que bordeaba el Turia por su orilla izquierda, justo entre el río y el arrabal de al-Yadida. Guerreros andalusíes con ropas de lujo se mostraban firmes e impertérritos, con las puntas doradas de sus lanzas señalando al cielo y un *tiraz* brocado en plata en cada una de sus lorigas. Todos bordados con la misma leyenda, aquella que la favorita se empeñaba en recordar a todos aunque bien parecía que nada de eso existía ya; o si existía aún, sería por poco tiempo: *al-yumn wa-l-iqbal*.

La felicidad y la prosperidad.

Zobeyda había dispuesto a los soldados, los más fuertes y apuestos de lo que quedaba del ejército de Valencia, alrededor de la alameda, en un espacio amplio y dividido en tres partes: una, la que permitía el paseo bajo los árboles, que además invitaba a los amantes a esconderse entre la vegetación que la primavera había vuelto frondosa para abandonarse a los placeres del vino y de la carne; otra, en la explanada inmediata, sobre la que se habían dispuesto tablados para las actuaciones de volatineros, ilusionistas, juglares cristianos, danzarinas musulmanas y cómicos de toda procedencia, y en la que Zobeyda pretendía mostrar duelos con armas romas entre soldados católicos y mahometanos; y un tercer espacio destinado al banquete, con una larguísima mesa sobre caballetes de madera fijados al suelo, y con una legión de escanciadores y sirvientes que la recorrían llevando capones, salchichas, albóndigas, buñuelos y galletas, y llenando las copas de cristal, plata y oro de vino aromático, jarabe de dátiles y refrescos de limón.

Durante toda la mañana habían disfrutado del juego del *yawgán* y, sobre todo, de alardes en los que valerosos jinetes libraban carreras y demostraban su habilidad con los arcos y las lanzas. Incluso el joven príncipe Hilal había hecho las delicias de todos mientras, armado a la manera andalusí, guiaba a su corcel en un recorrido de obstáculos rematado por varias dianas montadas sobre toneles de paja que el muchacho, con mano casi firme, había asaeteado desde la silla de montar. Luego llegaron las luchas a mano desnuda y los duelos simulados, con un público más atento a las apuestas de los mercenarios que al resultado de los combates, pues más de una vez tuvo que intervenir la guardia para evitar reyertas entre guerreros pasados de licor. Después el jolgorio se generalizó con las representaciones, todas cómicas, y con las atracciones servidas por titiriteros llegados desde Alcira, Játiva y Murbíter, e incluso procedentes del norte y de las tierras castellanas cercanas al Sharq al-Ándalus. A las canciones y danzas populares se unieron antes del banquete muchos valencianos, y formaron corros en los que la gente se cogía de las manos, como harían después, al caer la noche, alrededor de las hogueras. Espantaban así el miedo a aquella sombra negra que se aproximaba desde el mediodía, la que hacía que en cada corazón se guardara —a pesar de las risas, la música y los vapores del *nabid*— una angustia que se atragantaba y obligaba a todos, cuando pensaban que nadie miraba, a dirigir su vista al sur, por donde un día quizá no muy lejano aparecerían las hordas africanas.

Mardánish, por su parte, reposaba sobre un trono de caoba adornado con pedrería. Zobeyda lo había hecho colocar en un lugar de honor para luego ser transportado a la cabecera de la gran mesa de banquetes. El rey, con la piel del gran lobo negro colgada del sitial, parecía ausente a pesar de los desvelos de su favorita, y ni siquiera las hazañas de su hijo fueron capaces de arrancarle una expresión de júbilo. De todos, era él quien más volvía la cabeza hacia el sur.

Y así, cuando los estómagos andaban ya llenos y los comensales se dejaban caer a las sombras de los álamos y los naranjos, un caballero atravesó el puente de tablas que unía la ciudad con la explanada de los festejos. Tanto Zobeyda, que repartía órdenes a sirvientes, como Mardánish, indolente en su sitial, se asombraron al ver que el jinete era Abú Amir. Los guardias engalanados se hicieron a un lado y el consejero tiró de las riendas para refrenar al caballo, levantando una nube de polvo que cayó sobre las vajillas vacías, las copas mediadas y los restos de pitanza. La gente, sorprendida, se acercó con prisa. Importantes debían de ser las noticias que llevaba Abú Amir cuando irrumpía así en el lugar.

—No he consentido en viajar en palanquín —empezó a hablar el poeta con la rodilla puesta en tierra ante su señor—. Dos han sido los caballos que he reventado desde Murcia, que Dios me perdone si está en su ánimo. Traigo nuevas que debes conocer. Nuevas de África. Nuevas del califa.

El rey Lobo se separó de su sitial, tomó al consejero de los hombros y le obligó a alzarse. Abú Amir llevaba la cara sucia de polvo del camino, y el sudor humedecía su piel y sus ropas. Ambos hombres se miraron a los ojos.

—Habla, por favor —pidió Mardánish con el semblante desencajado.

—Durante meses, el califa Abd al-Mumín ha preparado en Rabat el mayor ejército que ha visto nuestro tiempo. —Abú Amir lo dijo serio, con el gesto neutro, alzando la voz para ser escuchado por todos los que ya iban formando corro alrededor del rey—. ¡En el nombre de Dios e invocando a la yihad, las cabilas del Magreb, del Sus y de Ifriqiyya fueron convocadas! Más de dos centenares de naves se construyeron en los puertos almohades, y se dice que las montañas de trigo y cebada para las caballerías eran tan grandes como los mismísimos montes Atlas. Columnas de humo negro que podían verse desde Sevilla se alzaban de los fuegos en los que los herreros masmudas forjaban espadas, puntas de lanzas y flechas, yelmos y lorigas. ¡Diez miríadas de jinetes dicen que reunió el príncipe de los creyentes, y a más de cien mil peones armó para la invasión de al-Ándalus!

Abú Amir se fijó en las caras pálidas de todos, en sus labios apretados. Observó a su alrededor mientras hacía una pausa y calibraba el efecto que causaban sus palabras. Más invitados a la fiesta, hasta hacía unos momentos tumbados a la sombra de los árboles o en las orillas del Turia, llegaron atraídos por la voz siempre bien modulada y atractiva del consejero. Volvió a mirar al rey Lobo y esta vez extendió los brazos a ambos lados para reafirmar la magnitud del ejército almohade.

—Quienes vieron estas maravillas cuentan que el califa, convencido de que sus fuerzas se aprestaban ya para la batalla, viajó al sepulcro del Mahdi, Ibn Tumart, para conmemorar su muerte y buscar la inspiración que necesitaba en la titánica misión que Dios le encomendaba.

»Y siendo la estación del frío, mientras vadeaba un río que baja desde las montañas africanas, el califa cayó de su montura y se hundió en la corriente, y tuvo que ser rescatado de la profundidad gélida.

Un punto de esperanza brilló en los ojos de Mardánish. Entornó ligeramente los párpados y se fijó en la expresión de su favorita, pero Abú Amir seguía hablando, y hacía resonar su voz en medio de un silencio sobrecogedor solo roto por el susurro del Turia.

—El viejo Abd al-Mumín fue llevado de vuelta a Marrakech, donde siguió dictando sus órdenes a los jeques y *sayyides*. A tal fin, todos ellos fueron convocados a África. Y abandonaron Sevilla, Córdoba y Granada, y las tropas y pertrechos se congregaron en Rabat. Hacían temblar el suelo bajo sus pies y rompían el aire con el sonido atronador de sus tambores de guerra. Al-Ándalus ha aguantado la respiración. Ha esperado a ver cómo desde el otro lado del Estrecho, guiadas por el califa, las hordas almohades se abalanzaban sobre la Península. Adiós a la libertad. Adiós a la prosperidad. Adiós a la felicidad...

Zobeyda, incapaz de aguantar más, se cubrió la cabeza con ambas manos. Mardánish esperó firme el remate del discurso de Abú Amir. Este hizo una pausa más y dejó caer los brazos a lo largo del cuerpo; luego echó atrás la cabeza y tomó aire. Su grito salió limpio y llegó a todos.

—¡¡El califa ha muerto!! ¡¡Su ejército se ha disuelto!! —Y, al igual que Mardánish le había aferrado por los hombros unos instantes antes, así hizo ahora Abú Amir con su rey—. ¡¡El peligro ha pasado!!

El rey Lobo sintió que un tremendo peso desaparecía de su espalda. Se agarró a las manos de su consejero al notar un temblor en las piernas y buscó el apoyo de Abú Amir. Este ya sonreía, pasado el momento de temor que había conseguido propagar por la explanada. Todos gritaban, se abrazaban y se felicitaban. Zobeyda se dejó caer en una de las sillas y arrancó a llorar.

Los soldados cerraban un círculo a discreta distancia, y Abú Amir y su rey departían abajo, ocultos de la vista de todos por el terraplén de la orilla y la densa vegetación que el agua del río alimentaba. Mardánish había conseguido por fin relajarse y acompasar su respiración. De repente sentía hambre y sed, y un deseo loco de gustar todos los placeres de la vida. Pero debía imponerse la cordura.

—Todo no puede ser tan hermoso —le decía a su consejero—. La muerte de un hombre no significa tanto. No es posible.

—En realidad sí. —Abú Amir hablaba sin quitar ojo de la saltarina corriente del Turia—. Todo el poder almohade converge y emana de la figura del califa. Y debes tener en cuenta que Abd al-Mumín ha sido el primero; el único sucesor que el Mahdi ha tenido hasta ahora. Se abre un nuevo camino, pero su misma incertidumbre nos beneficia.

—No sería lógico... —El rey Lobo negaba con la cabeza. Se resistía a abandonarse a la despreocupación—. Reunir semejante ejército, construir esos puertos, y toda la flota... Armas, provisiones, animales... Para nada. No. No sería lógico.

—Y sin embargo las tropas se han desmovilizado. Las confidencias que he recibido, algunas de ellas ciertamente caras, así lo confirman. Hace cosa de un mes, el califa murió al fin en Rabat. Sus hijos estaban con él, pues como te he contado, llevaba enfermo desde el invierno. En cuanto murió, su primogénito Muhammad empezó a actuar como heredero, pero se ha encontrado con la oposición de sus hermanos. Sobre todo de Abú Hafs, hijastro del difunto califa.

—Ah... —Mardánish sí sonrió más aliviado ahora. Rencillas familiares. Rivalidades por la sucesión. Conocía el asunto, pues él mismo había accedido al trono del Sharq en medio de grandes turbulencias creadas por quienes se creían con derechos de sangre a reinar—. Eso me agrada. Así pues, lucharán entre ellos por quedarse con el imperio almohade.

—No exactamente. Se dice que, de hecho, el califa ha mantenido como un secreto la elección de su heredero, pero hay un detalle muy importante que mis agentes han sabido ver: el último viernes antes de su muerte, en todos los sermones se ignoró el nombre de Muhammad, y junto al del califa... se invocó el de Yusuf, su segundo hijo.

—¡Pero eso es extraordinario! —se alegró Mardánish—. ¡Yo he luchado contra Yusuf y le he vencido! ¡Es un incapaz! ¡Bajo su mando, el imperio almohade se resquebrajará y caerá!

Abú Amir detuvo la euforia que se desataba en su rey. Alzaba ambas manos abiertas para pedir prudencia.

—Tanto Abú Hafs como los dos jeques más importantes, Sulaymán y Umar Intí, apoyan la sucesión de Yusuf. Ellos son quienes en verdad le han aupado hasta esa posición en detrimento de su hermano mayor. Mis informantes están seguros, aunque Yusuf no ha sido nombrado oficialmente califa. Debes darte cuenta de que los más poderosos caudillos almohades están detrás de esta maniobra. Puede que sea Yusuf quien llegue a lucir algún día el título de príncipe de los creyentes, pero serán ellos, sus jeques y su hermanastro Abú Hafs, quienes gobiernen en realidad. Y eso no nos beneficia.

El gesto de Mardánish se agrió. El almirante supremo Sulaymán... Ese puerco era quien había diseñado la estrategia para retomar Granada. Él era el culpable de las muertes de Álvar el Calvo y de Óbayd, así como de una buena parte de su ejército.

—Sulaymán... —repitió en un susurro.

—Y se dice que Sulaymán, así como el gran jeque Umar Intí, no son más que novicios al lado de Abú Hafs. Su mente ambiciosa, ávida de sangre y poder, es la que ha guiado al califa estos últimos años. Abú Hafs jamás podría heredar el título de califa, pues no es hijo directo de Abd al-Mumín, pero su influencia ha sido decisiva. Además, él estaba al mando de ese monstruoso ejército cuando sobrevino la muerte del califa. Ha aprovechado el momento como un verdadero maestro. Deberás cuidarte de Abú Hafs.

—¿Y Utmán? ¿Qué pasa con él?

Abú Amir se encogió de hombros.

—Regresó a la Península cuando su padre murió. Lo último que sé es que se hallaba camino de Granada. Por lo visto, él no ha participado en el asunto de la sucesión.

Mardánish se dio la vuelta. A unas cuantas varas, fuera del círculo de seguridad cubierto por los guardias andalusíes, el follaje temblaba y se oían susurros alargados. Y por toda la ribera, la vegetación daba paso a colores apenas vislumbrados. Sayas desvestidas con precipitación, pieles sudorosas, risas entrecortadas... El vino, el calor del sol y la alegría de las noticias recientes hacían su trabajo. Abú Amir también se daba cuenta, y casi podía sentir cómo la felicidad regresaba a su corazón. Incluso con todos los obstáculos que aún entorpecían el camino, el destino les ofrecía un respiro. Estaba deseando unirse a la alegría de los valencianos. Apurar el trago que le regalaba el tiempo:

¡Ah, amigos míos, ardo por tener la copa en mis manos
y respirar el perfume de las violetas y el mirto!
Vayamos a entregarnos a los placeres,
prestemos oído a los cantos
y ocultemos este día huyendo de las miradas indiscretas.

Pero Mardánish, por muy tentado que se sintiese, no podía dejarse llevar por esa misma despreocupación. Había detalles a los que atender.

—¿Qué ocurre con mi pueblo? ¿Has escuchado su voz?

—Así lo he hecho —asintió Abú Amir—. En estos momentos, la nueva de la muerte de Abd al-Mumín ya corre de boca en boca desde el sur. Al igual que ocurre aquí —el consejero señaló con un movimiento de cabeza a las parejas que se amaban, ocultas tras las masas de lujuriosa vegetación—, por todo el Sharq regresa la esperanza. Pero antes de eso las voces empezaban a clamar contra ti. En Guadix se te culpa de lo ocurrido en Granada. Se dice que fuiste un imprudente por dividir tu ejército.

—Guadix está dominada por al-Asad —pareció excusarse el rey Lobo—, y ambos sabemos que él está bajo el influjo de mi suegro... Por cierto, ¿qué sabes de Hamusk?

Abú Amir carraspeó. Mardánish se dio cuenta enseguida de que el tema iba a resultar incómodo.

—Regresó a Jaén cuando los almohades se retiraron, pero he estado en Segura y por allí se dice lo mismo que en Guadix. Se considera a Hamusk un héroe de al-Ándalus, y se achaca la derrota a tu... Perdóname, por favor...

—Sigue —ordenó Mardánish.

—A tu incapacidad.

El rey Lobo suspiró, dio un par de pasos hacia el río y siguió preguntando sin mirar a su consejero.

—¿Y Murcia? ¿Cartagena? ¿Orihuela?

—Por todas partes se extendió la desesperanza. No te negaré que sobre todo los ulemas y los imanes hablan en tu contra, y que sus invectivas empiezan a calar. Su lengua se ha soltado por estar tú lejos de allí y haberte trasladado a Valencia. Tampoco puedo ocultártelo: algunos han llegado a insinuar a sus fieles que el Tawhid es una opción mucho más práctica que la resistencia contra los almohades, y lo más importante: se considera impío que te valgas de tus alianzas con los reyes cristianos, que les pagues parias o que contrates a sus mercenarios.

—Era de esperar —reconoció Mardánish—. Deberás darme los nombres de todos aquellos que conspiran contra mí.

Abú Amir calló un instante. A lo lejos, una muchacha soltó un gemido ronco que hizo reír a los guardias andalusíes.

—Debo advertirte —se atrevió a hablar al fin el consejero—: Tomar represalias contra los hombres de Dios podría ser negativo para ti.

—No voy a tomar represalias... aún. Pero debo saber con quién puedo contar. Y con quién no. —Giró la cabeza a medias e interrogó a Abú Amir con la mirada antes de hacerlo de palabra—. ¿Puedo contar contigo entonces, mi buen amigo? ¿O no?

Al consejero aquello le sonó más como una amenaza que como una pregunta hecha de buena fe y a un amigo sincero. Carraspeó de nuevo.

—Por supuesto, mi señor. Puedes contar conmigo.

53

Las dudas de Utmán

Verano de 1163

En el nombre de Dios, el clemente, el misericordioso.

Por vestirme de luto me amenazan.
Por mi amado, al que a hierro mataron.
Dios sea clemente con las lágrimas abundantes;
con el llanto por aquellos a quienes dieron muerte sus enemigos.
Las nubes del crepúsculo rieguen su tumba, allá donde se halle,
con la misma generosidad que tenían sus manos.

Estos han sido mis últimos versos, y se los dedico al único que fue capaz de hacerme sentir amada en toda mi vida. Jamás hubo otro, y sé que no lo habrá. Mi corazón, así lo juré, ya nunca pertenecerá a hombre alguno. Y para evitar que mi cuerpo sea forzado por aquel que tiene poder para ello, dejo Granada. Me alejo del lugar donde caza el león para ocultarme en su propia guarida. En Dios pongo mi esperanza. Que Él me proteja.

Así pues marcho a África, donde consagraré mi vida a los demás. Tal vez me permitan enseñar a los más jóvenes a mimar las palabras. De tal modo que esta será la última misiva que nos una, generosa Zobeyda, amiga mía a pesar de que jamás besé tus párpados ni acogí tus manos entre las mías.

Me fue imposible escribirte tras la llegada de tus dos esclavas, Sauda y Zeynab. Con ambas debí viajar a Gibraltar, donde tuvieron lugar hechos luctuosos. Nuestros planes quedaron en nada, como en nada queda el ámbar cuando arde en el pebetero. Humo que flota en la estancia, y acaricia el techo y las telas del dosel. Sauda, ojos como perlas engastadas en almizcle, de parvo seno y bellas caderas... Y Zeynab, cabellera que por su espalda se vertía como rubia cascada. La promesa de su compañía quedó en un resplandor efímero, cual rocío que se desvanece cuando la aurora da paso al día caluroso. Ambas cayeron en manos de Abd al-Mumín, al que Dios confunda. Las pérfidas insidias de los hijos del califa las arrancaron de mi lado y jamás volví a saber de ellas. Ignoro qué será de ambas ahora que aquel que se hacía llamar príncipe de los creyentes —Dios sea loado— ha muerto.

Yo regresé a Granada y mi reclusión se endureció, pues bien has de saber que los ejércitos de tu esposo y señor asediaron durante meses la vieja alcazaba de la villa, donde a la firma de la presente aún me hallo. Desde los muros fui testigo de cómo los odiosos almohades llegaban para derramar ríos de sangre desde la colina Sabica hasta las aguas del Darro.

Tras el desastre sufrido por tu esposo, el rey Lobo, llegó la más áspera y cruel purga que tu mente pueda imaginar. Al día siguiente del triunfo de los fanáticos, Granada entera era un lamento de viudas y huérfanos, y los gritos de sufrimiento por las torturas y las ejecuciones se adueñaron de la ciudad. Todos los judíos convertidos, así como los viejos leales al poder almorávide y los andalusíes descontentos, fueron crucificados vivos en el camino de Málaga, y yo misma partí con la comitiva de sus familias rumbo a su destierro y esclavitud. Pero antes los almohades, a los que Dios hunda en el abismo, obligaron a aquellos desgraciados a ser testigos de la agonía de sus esposos y padres. Todavía hoy esas cruces siguen erguidas junto a las murallas, y los cadáveres, puro hueso descarnado y apenas tendones y pellejos, continúan secándose al sol. Lo mismo que nuestro río Darro, en cuyo cauce fermenta la putridez de la muerte y lo seguirá haciendo durante años. La guerra, Zobeyda, es la peor enfermedad que puede un pueblo padecer. Ojalá nunca la veas a las puertas de tu hogar, ruego a Dios por ello.

Mas no había alcanzado su fin mi sufrimiento: Abú Yafar, aquel que poseía mi corazón, fue prendido y acusado de traición, atormentado en las mazmorras de al-Qasbá al-Hamra y condenado a viajar encadenado a Málaga. Allí fue llevado ante el *sayyid* Utmán.

En cuanto a mí, fui obligada a acompañar a Abú Yafar hasta Málaga, expulsada de Granada por el odioso Yusuf, que a más de infame y cobarde, trató de forzar mi voluntad y mi cuerpo sin conseguirlo. Junto a una caravana de desheredados y viendo a mi amor arrastrar sus cadenas cada día, llegué hasta Utmán, y él mismo ordenó crucificar a Abú Yafar ante mí un atardecer. En aquella odiosa hora dictó mi libertad para ir a donde gustara. Último arranque de piedad de un corazón desahuciado por Dios, sin duda.

Desde mi regreso de Málaga he vestido las ropas del luto, del mismo modo que haré de aquí en adelante. Ya has leído mis versos: por ello he sido amenazada; tildada de cómplice de los conspiradores, de traidora, de impía. Y para mi desgracia, hace poco que el *sayyid* Utmán ha regresado a Granada. Sé que está aquí, muy cerca de mí. No he vuelto a ver su cara despierta, pero sí dormida. En mis sueños condena y crucifica a mi amor una y otra vez. Es algo que no puedo soportar.

Anda en boca de todos que el taimado Yusuf fue designado por el califa para la sucesión, aunque me temo que la noticia no ha sido recibida de grado por Utmán. Eso podría desatar un nuevo conflicto que, como el anterior, tendría a Granada en su vórtice. Por lo demás, sé que el perverso Yusuf deseará seguir la labor de su padre y reducir a la sumisión todas las tierras libres de al-Ándalus. Mucho me temo, amiga mía, que las dificultades os seguirán acosando.

Comprenderás, pues, que me retire de este inquietante escenario. Me marcho de Granada, y no sé dónde estableceré mi morada. Solo sé que el único lugar a salvo de las ansias de sangre almohades es el propio corazón de su imperio. Ruego a Dios para que mis enemigos dejen de hostigarme, y para que me conceda una vida tranquila y una muerte pronta, pues sé que cada noche me seguirán visitando como fantasmas los gritos de mi amado, aquellos cuyo eco dejé atrás cuando abandoné Málaga sin siquiera volver la cabeza para verlo clavado en la cruz.

Habitarás mis oraciones y añoraré, aun sin haberlos conocido, el calor de tus abrazos y el sabor de tus besos. Dios te conceda una vida larga y placentera.

Tu amiga Hafsa bint al-Hach

Zobeyda se enjugó las lágrimas con un pañuelo de seda que pronto quedó empapado. Enrolló cuidadosamente la delicada lámina de pergamino en la que la granadina Hafsa le había escrito su última carta, y la introdujo en su recipiente de cuero, traído al Sharq por un mercader almeriense. Uno de los pocos que se sacaba unos dineros extras haciendo de correo, y todavía se atrevía a recorrer las rutas entre los territorios del al-Ándalus libre y aquellos en los que el Tawhid había impuesto su imperio de terror. Adelagia, de pie junto a la favorita, guardaba un tenso silencio. Marjanna sollozaba también, sentada al otro lado de la estancia sobre un escabel. Zobeyda había leído la misiva en voz alta, y la mención de Sauda y Zeynab había desatado las lágrimas de la esclava persa.

—Tal vez estén bien —aventuró la italiana.

Zobeyda golpeó el cilindro de cuero en la palma de su mano y negó con la cabeza.

—Puede que jamás lo sepamos —susurró. Sauda y Zeynab, en poder del califa desde hacía tiempo... Por supuesto. Por eso el hechizo de Maricasca la había llevado, en aquel sueño vívido y extraño, a sentirse abrazada a su esclava. Y no había duda: justo tras aquella entrevista onírica en la que se había rozado la piel blanca con la piel negra en el lecho, el califa había caído enfermo. Y luego muerto. Tal como la misma Zobeyda rogara a Sauda. ¿O no? ¿Sería todo una simple coincidencia? ¿Acaso no se estaría dejando llevar por la imaginación?

Observó el recipiente cilíndrico de nuevo, como si a través de él pudiera ver los trazos suaves y cuidados de la escritura. Lo que Hafsa relataba era el sacrificio de su amor y la pérdida de la libertad. Y además la granadina vaticinaba que aquella sombra negra de muerte y esclavitud seguiría extendiéndose hacia el norte. Hasta cubrir todo el Sharq al-Ándalus. Eran vanas pues las noticias felices llegadas tras la muerte de Abd al-Mumín. El enemigo no cejaba. Simplemente se veía obligado a tomarse un descanso.

Pobre Hafsa, privada de su amor y de su ciudad. Tal vez en pocos años Murcia fuera anegada también por ríos de sangre, y Valencia viera sus caminos ornados por cruces de las que colgarían los insumisos. Un temor creciente se adueñaba de Zobeyda. De repente, la amenaza del norte, la del reforzado casal de Aragón, se tornaba una nimiedad. Ah, ¿de qué había servido todo? ¿Para qué, su adulterio con el ladino conde de Urgel? ¿Para qué, la muerte del noble Álvar Rodríguez? Y por lo demás, ¿dónde quedaba la vieja profecía de Maricasca, aquella que prometía la unión de los reinos por la sangre de su sangre?

Maricasca. Sin duda se había ganado el derecho a salir de su prisión dorada. Zobeyda se levantó y entregó el cilindro de cuero a Adelagia.

—Procura que sea puesto a buen recaudo. Nadie debe saber nada de esto.

La italiana asintió y tomó entre sus manos la funda que contenía el rollo de pergamino. La favorita abandonó su cámara de la Zaydía y anduvo por los corredores, a través del calor pegajoso que ya empezaba a arreciar. Salió al jardín y se cubrió los ojos con la mano. El sol descargaba inexorable sus rayos, como si fuera ajeno a las tinieblas que se cernían desde el mediodía. Zobeyda pensó en lo inútil de que los campos siguieran labrándose, de que los huertos fueran regados y de que las flores recibieran los cuidados de los jardineros. Qué efímero sería en verdad aquel reino de ensueño que junto a su esposo había pretendido crear. Empujó la puerta ante la que otras veces se había presentado temerosa. Irrumpió en el aposento de Maricasca, y la bruja la miró sin sorprenderse, tal que si esperara su visita desde mucho tiempo atrás. La vieja sonrió como de costumbre, mostrando sus feas encías.

—¿Qué desea ahora la morita caprichosa?

—Poca cosa, anciana —respondió Zobeyda, que ni siquiera se había molestado en limpiar su cara tiznada del kohl humedecido por las lágrimas—. En realidad vengo a anunciarte que eres libre. Ordenaré que seas escoltada hasta tu covacha en tierras de Segura. Sabe que me has servido bien...

—Te he servido bien..., ¿pero? —La bruja no renunciaba a su sempiterno tonillo mordaz.

—Pero sigo sin ver de qué modo se cumplirá aquel vaticinio. Lo he intentado. He tratado de unir las sangres de ambos lados, pero nada ocurre. El Sharq al-Ándalus sigue solo. Un poco más, y estará abandonado a su suerte. Todo se hundirá y se pudrirá, como una cosecha agostada por el calor o arrasada por un diluvio. Esa tierra de felicidad y prosperidad... Una utopía más.

Maricasca se encogió de hombros y comenzó, muy lentamente y con crujidos de sus articulaciones, a recoger peroles, bolsitas, ramitas, frascos y hatillos.

—Yo no soy más que la forma en que las almas se comunican entre sí, saltando del futuro al pasado o al contrario, salvando mares, abatiéndose desde las montañas. ¿Quieres un bebedizo para soltar la lascivia de tu amante? ¿Necesitas recomponer un virgo? ¿Tienes un enemigo al que echar mal de ojo? Para todo eso puedes contar con mi sapiencia. Para lo demás soy tan ignorante como tú. Demasiada condena es contar con el don de abrir puertas dentro de peroles.

—¿Condena?

—Condena —repitió Maricasca—. Porque hasta mi propio destino conozco sin siquiera haberlo pedido y a pesar de que intenté evitar ese conocimiento: yo sé que todo lo que dices, morita, es cierto. Todo se morirá y se pudrirá, y mi ciencia y mis dones serán mi perdición cuando ellos lleguen. Ha tiempo que lo sé, y no pretendo huir de ello.

Aquellas palabras terminaron de vencer a Zobeyda. Si la misma bruja Maricasca se resignaba a su destino, era que no había forma de evitarlo. Dejó atrás a la vieja, que preparaba el bagaje para su regreso a Segura. Inspiró con fuerza, pero en lugar del aroma del azahar, una fetidez penetrante, como la de un animal en descomposición, se abrió paso hacia sus pulmones. Nuevas lágrimas asomaron al borde de sus párpados. Aquel hermoso palacio y el reino todo... tenían sus días contados. Y sin embargo, la profecía de Maricasca seguía allí, flotando en el aire desde aquella noche de San Juan en la cueva de la anciana. Si acertaba en lo demás, también en eso lo haría.

¿Por qué no dejarse iluminar por ese rescoldo de esperanza?

Granada

Utmán paseaba por el adarve de la alcazaba Qadima. Lo hacía a zancadas largas y lentas, y arrastraba levemente la pierna herida en Almería. Llevaba las manos enlazadas a la espalda, detrás de aquel largo *burnús* listado que le cocía de calor. Había dejado crecer su barba, negra y frondosa, hasta colgar por encima del pecho, y dos grandes bolsas se hinchaban bajo sus ojos.

Afirmó las manos en las almenas, reforzadas a órdenes suyas en los años anteriores, para asomarse al borde de la muralla. Su previsión había sido buena aunque innecesaria, pues ni un solo bolaño de piedra había impactado contra los recios muros durante el asedio sufrido el año anterior. Eso le recordó qué proyectiles habían usado los andalusíes de Hamusk: cautivos leales al Tawhid.

El fondo del Darro no mostraba ya despojos humanos, y las orillas habían sido cuidadosamente limpiadas por la población de la medina. Las órdenes habían sido tajantes y los granadinos, atemorizados por la última purga almohade, no habían vacilado en ponerse a la tarea. Pese a todo, el agua del río seguía apestando a muerto y nadie se atrevía a beberla.

Los pasos de un centinela masmuda que hacía la ronda por el adarve con la lanza apoyada en el hombro sacaron al *sayyid* de su ensimismamiento. Por su mente pasaron de nuevo aquellas tentaciones que lo asediaban desde días atrás. Las mismas que se esforzaba en contener y ahuyentar. Ciertas palabras que, de ser dichas en voz alta, podrían acarrearle la desgracia.

Sedición. Rebeldía. Insumisión.

Utmán devolvió con un gruñido el saludo que el masmuda le dedicó al cruzarse con él, y su vista se dirigió ahora a poniente, al camino que serpenteaba más allá del recinto amurallado de Granada y se perdía rumbo a Málaga. A la fila interminable de cruces todavía clavadas en los filos de la senda, ocupadas por cuerpos descompuestos cuyos miembros, tan solo sujetos con jirones de piel apergaminada, se caían de cuando en cuando y tenían que ser apartados del camino por los viajantes y pastores. El camino de Málaga, por el que él mismo había regresado a Granada después de la infame farsa del año anterior, cuando su odiado hermano Yusuf se alzó con un triunfo teatralmente regalado por el almirante supremo Sulaymán. Ambos se habían permitido burlarse de él. Sulaymán, además, era el culpable de la derrota de Utmán en aquella desastrosa batalla a la que todos, no sabía por qué, llamaban del Prado del Sueño. Pero no tenía forma de demostrarlo. Él mismo había ordenado destruir la misiva del almirante siguiendo sus instrucciones y, a continuación, había caído en la trampa del maldito Hamusk. Una matanza que parecía diseñada al detalle. Y el hecho de ser el único superviviente de la batalla lo escamaba aún más... Y peor que lo de Sulaymán era lo de Yusuf.

La muerte del califa en primavera los había sumido a todos en el dolor... ¿O no? Utmán en persona cruzó el Estrecho para asistir a los funerales, aunque partió de regreso enseguida, temeroso de que la ausencia de los *sayyides* y jeques más importantes atrajera de nuevo las ansias de conquista de andalusíes o cristianos. Luego llegó la orden desde Marrakech: en la *jutbá* de los viernes, el nombre de Yusuf sustituiría al del difunto califa Abd al-Mumín en todas las mezquitas. Aquello mismo era lo que en su día sospechó Utmán en la excelsa reunión del Yábal al-Fath, cuando el pusilánime de su hermano tomó el lugar preferente junto al califa.

Así pues, no cabía duda alguna: Yusuf había sido designado heredero de todo el imperio almohade en perjuicio del hermano mayor, Muhammad. Hasta Utmán, además, había llegado recientemente la noticia de que el primogénito había empezado a actuar como nuevo califa en cuanto Abd al-Mumín fue sepultado, pero Abú Hafs había ordenado su detención y encarcelamiento. Era la prueba definitiva, y se veía bien claro quiénes eran los artífices de semejante plan.

Utmán apretó los puños. Sabía que Muhammad no merecía la dignidad de ser el segundo califa del imperio almohade, pues adolecía de innumerables vicios, pero ¿Yusuf? Yusuf era todavía peor. No solo se dejaba dominar por el hermanastro de ambos, Abú Hafs, y por los poderosos Umar Intí y Sulaymán. Además era un cobarde probado, tal como se había visto cada vez que se había enfrentado al enemigo. En cambio él, Utmán, era corajudo y eficaz. Amado y respetado por sus hombres, que siempre lo veían luchar en vanguardia. Sus heridas en combate, especialmente aquella horrible cicatriz en la pierna, recuerdo de Almería, lo demostraban.

En fin, no había más que encajar las piezas. Todo formaba parte del mismo pérfido plan. Desde la engañosa carta de Sulaymán hasta la confesión de culpabilidad de Abú Yafar. Como si los prebostes almohades, junto al propio Yusuf, se hubieran empeñado en quitar de en medio a Utmán, en demostrar a todo el mundo su incapacidad. Que sus enemigos no le temían y sus allegados no le respetaban. ¿Quién había quedado como el derrotado por el Mochico, el engañado por sus consejeros, el burlado por su amante? ¡Él! ¡Quien menos lo merecía! Y eso no era noble. El Mahdi no lo habría tolerado jamás. De hecho, la doctrina de al-Ghazalí, el maestro espiritual de Ibn Tumart, lo dejaba bien claro: solo la ley o la herencia legitimaban al soberano. En caso contrario, el súbdito tenía no solo el derecho, sino ¡el deber! de desobedecer y derrocar al tirano.

Bien. Abú Hafs y los jeques podían, si así lo deseaban, encontrar la razón para apartar a Muhammad de la sucesión. Pero según esas mismas normas, ¿debía Utmán, un hombre puro y de incuestionable fidelidad al Tawhid, dejarse dominar por la perfidia de aquel grupo de cuervos? ¿No sería más justo oponerse a sus planes de usar a Yusuf como un títere, sin duda para ser colmados de honor y riqueza? Ah, en qué estaba quedando el legado del califa Abd al-Mumín...

El *sayyid* se detuvo de nuevo y se asomó al vacío. Miraba hacia el interior del recinto fortificado de la alcazaba Qadima. ¡Qué aspecto tan doliente y abandonado! Casi todos los funcionarios habían viajado a Sevilla para ser controlados de cerca, y su propio consejero Ibn Tufayl formaba ahora parte del séquito de consejeros de Yusuf. Su vista se desvió hacia uno de los edificios nobles del recinto, a la *munya* que hasta una semana antes ocupaba su amada Hafsa.

—En qué mala hora... —empezó a susurrar, aunque calló a mitad de frase. Se arrepentía de haberle dado la libertad allá en Málaga, ante el aún vivo Abú Yafar y junto a la cruz en la que este iba a ser ejecutado. Pero ¿qué podía hacer? Conocer su engaño había sido como recibir mil puñaladas. Mucho peor que saber que el poeta y consejero Abú Yafar era el máximo dirigente de la conspiración para entregar Granada a los andalusíes del rey Lobo. No, no había nada que el *sayyid* pudiera hacer, más que crucificar al uno y repudiar a la otra. Era lo mínimo que se esperaba de él. Aunque en su fuero interno, la muerte de Abú Yafar era su venganza personal por robarle el corazón de Hafsa... si es que el corazón de Hafsa había sido realmente suyo en algún momento.

Unos días después. Agmat

Abú Hafs no sonreía con los labios. Como siempre, los mantenía apretados hasta convertirlos en una finísima línea que cruzaba su rostro casi negro. Pero en sus ojos enrojecidos se adivinaba una expresión de burla.

Se hallaba a la sombra de un enorme palio sujeto por varios esclavos, y junto a él también sonreía el almirante supremo Sulaymán; y este lo hacía abiertamente. A su alrededor, un anillo de Ábid al-Majzén se ocupaba de mantener alejados a los curiosos, y más allá del círculo de seguridad, rodeado de más guardias negros que apartaban sin miramientos a la multitud, se lucía un eufórico Yusuf.

Era domingo, día de mercado en Agmat, y la corte almohade, a excepción del anciano Umar Intí, se encontraba allí por orden expresa del nuevo príncipe nobilísimo. Ese era el título oficial de Yusuf. Nadie podía referirse a él todavía como califa ni como príncipe de los creyentes. La decisión la habían tomado los tres jerarcas almohades por unanimidad y para alejar los recelos del pueblo, que aún no entendía por qué se había privado de la sucesión al primogénito de Abd al-Mumín, Muhammad. El supuesto heredero, que durante varios días estuvo convencido de que era el líder del poderoso imperio de su padre, fue derrocado y encarcelado antes de que pudiera darse cuenta. Ahora tocaba esperar. Yusuf debía ser jurado por todos los jeques almohades, y eso requería convencerlos. No sería tarea fácil.

Agmat. Toda la ciudad era un zoco. Solo el sacrificio de animales para alimentar a mercaderes y clientes constituía causa de prosperidad para la villa. Hasta allí llegaban los comerciantes desde el país de los negros, al frente de caravanas repletas de esclavos. De estos, los niños más jóvenes y sanos serían escogidos por los funcionarios del gobierno para entrar a formar parte de la guardia negra del Majzén. Serían educados en la más estricta obediencia, en la ciega confianza en el califa y en la obligación de dar la vida por él. Los mayores expertos, casi todos guardias negros como ellos, los entrenarían desde infantes en las artes del combate, y su vida transcurriría sin otra obligación que la de entregarla por su líder, solo sujetos a la disciplina del adiestramiento con las armas o sin ellas. Gozando de las más bellas esclavas negras, compradas exclusivamente para el disfrute de ese cuerpo de élite. Nada de trabajos, nada de familia. Los secretarios ya corrían entre los puestos de venta de esclavos con los escribanos y tesoreros tras ellos. Los niños negros, recién capturados en las profundas selvas del sur, lloraban y moqueaban tras las vallas, separados de sus padres y sin entender qué hacían allí, en aquel lejano y polvoriento país, examinados como ganado por individuos de largos *burnús* que se intercambiaban monedas cuadradas y se los llevaban sujetos con argollas.

Pero Yusuf no se ocupaba ahora de escoger a los futuros guardianes de los califas almohades. En lugar de eso, acompañado por su nuevo consejero andalusí Ibn Tufayl, paseaba entre otros puestos de esclavos más alejados, en los que mercaderes llegados de levante y del norte vendían muchachas blancas. Cristianas capturadas en al-Ándalus por las tropas almohades o raptadas en Sicilia o en Italia por los piratas para ser vendidas en las costas de Ifriqiyya. En Agmat confluían las rutas antes de partir para la cercana Marrakech, y por eso las caravanas de Siyilmasa, Fez o Tremecén eran esperadas allí por los compradores avispados. Sin embargo, ese día la preferencia era, por supuesto, del príncipe nobilísimo. Los vendedores se inclinaban ante él, mostraban a las más bellas cautivas y le hablaban de la suavidad de sus pieles, de la claridad de sus ojos o de la estrechez de sus cinturas. Yusuf parecía no hacerles mucho caso. En lugar de ello se pasaba la lengua por los labios y buscaba por sí mismo, fijándose en todas aquellas de cabello rubio. El mismo Ibn Tufayl le avisaba al vislumbrar entre el ganado humano a alguna mujer del norte. Cuando eso ocurría, Yusuf ordenaba al mercader que trajera a la esclava y comprobaba si era de su gusto: la obligaba a levantarse y palpaba sin miramientos su cuerpo para comprobar la robustez de sus piernas, la firmeza de sus nalgas o la dureza de sus pechos. Ante cualquier desaire, la esclava era reprendida, aunque los tratantes se guardaban mucho de golpearla para no estropear la mercancía.

—Tiene debilidad por las rubias, como su padre —comentó Sulaymán.

—Por eso nos ha hecho venir aquí. —Abú Hafs apenas separó los labios al hablar—. Lo mismo que hacía Abd al-Mumín. Y es posible que se vea aquejado por sus mismas... apetencias.

Sulaymán observó de reojo y con gesto extrañado al *sayyid* más poderoso de todo el imperio almohade, que ahora además ostentaba el aparatoso título de visir omnipotente. Abú Hafs había sido el último confidente del califa, ya en su lecho de muerte. Él aseguraba ser depositario de las postreras voluntades de Abd al-Mumín, y una de esas voluntades, inmediata al deseo de que Yusuf fuera el sucesor, era que Abú Hafs ostentara la segunda magistratura del imperio. ¿Alguien se había atrevido a dudar de las últimas palabras del califa? Nadie, por supuesto. Abú Hafs estiró todavía más la línea rosada de su boca en algo que debía ser interpretado como una de sus inusuales sonrisas.

—Las... apetencias del difunto califa —repitió Sulaymán sin atreverse a parecer curioso. Hasta a él llegaba a intimidar la presencia del hijastro de Abd al-Mumín, y temía despertar su recelo. Abú Hafs elevó las cejas de forma casi imperceptible y continuó:

—Abd al-Mumín, que a la derecha de Dios sea guardado, gozaba siempre igual de sus concubinas, fueran rubias, como era su gusto, o de cualquier otra apariencia. ¿Lo sabías?

—Jamás me interesé por ello.

—E hiciste bien, noble Sulaymán. —La febril mirada del *sayyid* se clavó por un momento en la del almirante supremo—. Es propio de los grandes hombres tener grandes virtudes, pero también grandes vicios. Y aunque nuestro ya ausente califa rozaba la santidad, era humano, como el mismo Mahdi. Y Satanás acecha y encuentra siempre ese pequeño resquicio por el que mancillar las almas nobles, como la de Abd al-Mumín... ¿Sabías que nuestro buen califa murió por ayuntarse con una esclava negra?

Sulaymán no ocultó su gesto de sorpresa. Luego miró a su alrededor para asegurarse de que nadie más oía su conversación.

—No creo que sea preciso que yo sepa...

—Es preciso, puesto que debemos aprender de nuestros errores. Fíjate en él. —Abú Hafs señaló a Yusuf, rodeado por guardias del Majzén mientras caminaba entre los cercados de esclavos—. Su padre era mucho más astuto, y aun así cayó por su lujuria. ¿Cuánto más estará él expuesto a esa flaqueza? Debemos proteger su vida, pues mientras gobierne, nuestra posición será inmejorable.

El almirante supremo se secó el sudor con la manga del *burnús* y carraspeó incómodo.

—No te entiendo, querido Abú Hafs. Abd al-Mumín cayó al río Nafis desde su caballo, y eso le provocó la enfermedad. Dios, en su sabiduría, quiso atraerlo a su lado. Y escogió ese camino.

El visir omnipotente volvió a observar al almirante con uno de aquellos gestos que helaban la sangre. La burla estaba pintada en las gruesas venas que cruzaban el blanco de sus ojos.

—Abd al-Mumín fue envenenado por una de sus esclavas de la forma más infamante que puedas imaginar, apreciado Sulaymán. Que Dios me perdone por lo que te voy a decir, pero nuestro buen califa holgó con una de sus concubinas y a continuación recorrió el campamento medio desnudo y con su miembro convertido en una pústula. Ese fue el origen de su enfermedad; lo que le hizo perder la conciencia y caerse del caballo. ¿No te parece ridículo?

—Con su... Con el... ¿Convertido en una pústula?

—La negra murió aún antes que él, supurando de sus asquerosas entrañas un brebaje de hechicera. En sus aposentos se hallaron hierbas, amuletos y hasta serpientes. Los médicos del califa dijeron que la esclava se había untado un poderoso veneno en ese engendro monstruoso que las mujeres esconden entre sus piernas y que Dios, en su enigmática sabiduría, ha puesto al alcance de los hombres para probar su impiedad.

Sulaymán no salía de su asombro.

—Pero... Eso no puede ser...

—Claro que no. No puede ser. Pero fue. Y nadie debe saberlo. El califa Abd al-Mumín fue un digno sucesor del Mahdi. Un hombre puro y un fiel seguidor del Tawhid. Y para mantener ese sucio secreto oculto, di orden de ejecutar a todos los médicos, sirvientes y soldados que acompañaban al califa en aquel infausto viaje. Tras interrogarlos, por supuesto, y asegurarme de que nadie más sabía nada incómodo.

—Es comprensible, pero —el almirante supremo no pudo evitar un estremecimiento de miedo— si esto ha de quedar en secreto, ¿por qué me lo cuentas a mí?

Abú Hafs, que hablaba en voz muy baja, acercó su boca al oído de Sulaymán.

—Mi total confianza es solo para con el gran jeque Umar Intí y para contigo. Sobre todo para contigo. El gran jeque es ya muy anciano y no debemos importunarlo con estas nimiedades. Nosotros dos somos los únicos que sabemos que semejante infamia fue la que terminó con la vida de mi padrastro Abd al-Mumín. Y el secreto debe acompañarnos a la tumba. Pero temo por Yusuf. Del difunto califa ha heredado su viciosa atracción hacia las mujeres. Su enfermiza obsesión por las infieles rubias es la prueba. Fíjate bien en él. Mira cómo la lujuria guía sus actos. En lugar de viajar por el imperio para afirmar su majestad ante los súbditos, cosa que ahora necesita más que nada, se dedica a comprar esclavas de pelo amarillo a fin de poseerlas en el lecho. Lo que fue la perdición de su padre puede convertirse también en la suya, y debemos evitarlo. Por eso te lo he contado, porque tú eres, de nosotros tres, el más cercano a él.

—Bien, es cierto... —asintió Sulaymán—. Nuestra campaña en al-Ándalus nos acercó, y Yusuf confía en mí. Pero no sé cómo podría yo evitar que él meta en su lecho a toda rubia que le plazca.

—No te pido que lo evites, pero te sugiero que te tomes esta misión muy en serio. Usa de todo tu poder y procura que las concubinas del nuevo príncipe de los creyentes estén vigiladas. Sobre todo desconfía de las que le sean regaladas. Tengo algo más que contarte. Algo muy importante que te permitirá comprender la razón:

»Cuando mis hombres torturaron a los acompañantes del califa en su infausto viaje, una de las esclavas, una rubia precisamente, confesó algo que me resultó muy curioso. La mujer era una esclava a la que el califa había recibido como regalo de parte de Utmán. La esclava pertenecía antes a esa puta granadina, la tal Hafsa.

—Sí, lo recuerdo. Utmán regaló a esa mujer al califa en la reunión del Yábal al-Fath. Y Hafsa le regaló a su otra esclava, una negra muy hermosa... —Sulaymán calló un momento y se dio cuenta de la coincidencia—. Esa negra ¿no sería la que...?

—Exacto. La esclava negra que antes perteneció a la granadina Hafsa fue la que se sirvió de la lujuria de nuestro califa y preparó la celada para matarlo. Ambas, la negra y la eslava, habían llegado a Granada muy poco tiempo antes de ser donadas en el Yábal al-Fath. Pero Hafsa no es en realidad el origen de semejante perfidia. ¿Sabes quién era su anterior dueña? ¿Sabes de dónde procedían esas dos putas del infierno?

Sulaymán entornó los ojos e intentó cavilar, pero le faltaban datos. Por un momento había pensado que la propia Hafsa era la artífice del plan, la que había urdido aquella asquerosa traición al califa; pero ahora entraba en juego alguien más.

—¿De dónde venían? ¿Quién era su dueña?

—Zobeyda, hija de Hamusk, el lugarteniente del rey Lobo.

El almirante supremo dejó caer su mandíbula. Era la primera vez que oía el nombre de aquella mujer, pero tenía muy presente el del señor de Jaén, con quien ya había mantenido oscuros y lejanos tratos.

—¿Estás seguro?

—La esclava rubia lo juró mientras le arrancábamos las uñas, y siguió jurándolo cuando, enterrada hasta la cintura, estaba a punto de arder viva, e incluso mientras su piel se ennegrecía devorada por las llamas. La tal Zobeyda las había entregado a Hafsa con la misión de infiltrarse en la corte de Utmán y matarlo, pero el destino les deparó un lugar aún más alto: la propia cama de Abd al-Mumín.

Sulaymán pensaba a toda velocidad. Ahora encadenaba hechos y se daba cuenta de cuánto había subestimado a sus enemigos. ¿Habría algún otro punto oscuro?

—¿Sabemos con seguridad que Utmán no tuvo nada que ver?

Abú Hafs no varió su gesto de maníaco, pero negó con la cabeza.

—Utmán es mucho más piadoso que Yusuf, y siempre fue un ferviente seguidor de su padre. Jamás habría sido capaz de planear algo así. Él fue engañado, como nosotros. Aunque sí es bien cierto que por su culpa, por su absurda fascinación por esa Hafsa, las dos zorras esclavas de los andalusíes pudieron llevar a cabo su felonía. Eso nos favorece, sin embargo.

—Ahora sí que no te entiendo, Abú Hafs.

—Utmán no aceptará de grado que su hermano Yusuf sea el nuevo califa. Pero algún día tendremos que empezar a llamarlo así. Cuando llegue ese momento, este error imperdonable de Utmán nos servirá para convencerle. Es más: en caso de que se muestre demasiado intransigente, podemos incluso acusarle de haber tomado parte en la conspiración.

—O amenazarle con ir a por Hafsa.

—Cierto, bien pensado. Y mucho más eficaz... —aceptó Abú Hafs, y palmeó la espalda del almirante supremo—. Afortunadamente, no he dado orden de acabar con esa zorra granadina... Viva nos servirá mejor que muerta.

Sulaymán inspiró con fuerza los olores mezclados de especias, de carne asada, de bosta de ganado y del sudor de miles de cuerpos que regateaban a voces, que compraban o vendían o eran comprados o vendidos en el zoco de Agmat.

—¿Cuándo haremos de él un verdadero califa? —El almirante supremo señaló con un movimiento de cabeza a Yusuf.

—Paciencia, buen amigo. Paciencia. Cuando se canse de magrear a esas rubias infieles, lo convenceré para que inicie un largo viaje por sus territorios africanos. Nuestra presencia hará que, de grado o por la fuerza, todos los súbditos de Abd al-Mumín vean en Yusuf a su sucesor. Mientras tanto, el buen hacer de Utmán mantendrá nuestros dominios a salvo en la Península de al-Ándalus. Y cuando la autoridad del nuevo príncipe nobilísimo no sea cuestionada a este lado del Estrecho, pasaremos a la otra orilla y requeriremos de Utmán la total sumisión a su hermano como indiscutible califa almohade. Y después, nuestra ira se volverá de nuevo contra los infieles, sobre todo contra ese maldito demonio Lobo. Yo mismo me encargaré de ello.

54

El escudero de Pedro de Azagra

Verano de 1164. Valencia

Pedro de Azagra, con la ropa polvorienta por el viaje, entró en el alargado salón, mucho más pequeño y sencillo que el del alcázar de Murcia, pero también más cálido y acogedor. Una sonrisa de sincera alegría asomó al rostro del navarro cuando vio a Mardánish levantarse de su sitial y recorrer toda la longitud de la sala sin disimular su prisa y apartando a los presentes. Los dos hombres se fundieron en un abrazo y las palmadas resonaron en toda la sala.

—Doy gracias a Dios por volver a reunirme contigo, mi buen amigo —dijo Azagra.

—Yo te doy las gracias a ti por no olvidarme en este momento, como otros han hecho.

El rey Lobo sostuvo la mirada de su amigo mientras mantenía las manos apretadas en los hombros anchos y recios del cristiano. Vio la pena reflejada en la cara de este al recibir el comentario de Mardánish, pero la sonrisa afloró de nuevo y los dos dejaron volar, como en un acuerdo tácito, todas aquellas sombras que los cubrían. El rey Lobo se hizo a un lado y señaló con la mano el asiento libre a la derecha del trono. Azagra avanzó y estrechó la mano de Abú Amir mientras Mardánish, con algunas palmadas, hacía abandonar el salón a un par de sirvientes y a un funcionario que llevaba bajo el brazo algunos rollos de papel arrugados. Azagra reparó entonces en el muchacho que se erguía digno en un lateral de la sala. Hilal ibn Mardánish, el hijo del rey Lobo, mantenía una pose orgullosa a pesar de que ni siquiera el bozo había asomado aún a su rostro. El navarro le saludó con una inclinación de cabeza a la que Hilal respondió de igual modo. El propio rey sirvió vino en una copa de plata que Pedro de Azagra apuró con rapidez. Se pasó el dorso de la mano por los labios y volvió a sonreír, contagiando con su alegría al rey y a su principal consejero.

—Desde que viajo por las tierras del Sharq no he visto más que júbilo —aseguró Azagra—. La gente me saludaba y me invitaba a beber para aliviar el calor de la estación, y todos hablaban maravillas de su rey Lobo.

Mardánish apoyó el codo en uno de los reposabrazos del trono y dejó descansar la barbilla sobre la mano. Se fijó en el buen aspecto del navarro.

—Pasar una temporada en tus dominios te ha hecho bien, Pedro. Supongo que habrás tenido oportunidad de ver a tu familia.

—Mi esposa intentó convencerme para venir conmigo. Dice que no creerá nada de lo que le cuento acerca del Sharq si no lo ve con sus propios ojos. Naturalmente —rio el navarro—, negué tal posibilidad. Ella no sabe nada de tus banquetes.

Abú Amir acompañó la alegría del cristiano, pero de reojo vio que su rey adoptaba la pose extenuada de los últimos tiempos y su mirada se desviaba. Pedro de Azagra siguió hablando hacia el consejero y le contó cómo había añorado las fiestas con danzarinas, música tras los cortinajes, malabaristas y manjares. De vez en cuando gesticulaba hacia Hilal para hacerle partícipe de la conversación. De pronto se dio cuenta del aire ausente de Mardánish.

—¿Qué te ocurre? Pensaba que mi regreso te satisfacía.

—Ah. —El rey Lobo carraspeó y se removió en el trono—. Debes disculpar mi falta de hospitalidad... Claro que sí, ya te he dicho que soy feliz de tenerte aquí. Tu alegría, amigo mío, me ha hecho recordar la del buen Álvar. Él reía también a carcajadas y se solazaba con mis fiestas.

El gesto del navarro se ensombreció.

—Por supuesto —habló ahora en voz más baja—. Eres tú quien debe perdonarme. La pérdida de nuestro amigo Álvar y la de tu cuñado Óbayd todavía pesan en mi alma, al igual que en la tuya. Y aun así me permito actuar como si nada de eso hubiera ocurrido.

—Nuestro rey se deja llevar demasiado por la añoranza —intentó salvar el momento Abú Amir—. Sería bueno agradar un poco a la corte con alguna historia de tus tierras. Dinos, Pedro, ¿fuiste de caza con el rey Sancho, como era tu deseo?

El navarro se sirvió de la jarra de vino y bebió despacio. Su gesto no había retornado a la alegría demostrada al llegar.

—Estuve con mi rey, sí. Pero no fuimos de caza. Nuestro encuentro no fue muy... cordial.

Mardánish salió de su ensimismamiento y puso atención en las palabras de Pedro de Azagra.

—¿Ha ocurrido algo?

—Bueno... Recordé a mi rey el compromiso que había adquirido contigo antes de lo de Granada. Le dije que ahora era un buen momento para persuadir a sus barones, convencerlos para que acudieran aquí, al Sharq, y así podríamos preparar una gran ofensiva contra las plazas almohades. Hay que aprovechar la muerte del califa.

—¿Y qué opina el rey Sancho de eso? —preguntó Abú Amir—. ¿No estuvo de acuerdo contigo?

—Mi rey Sancho tiene ahora otros objetivos. Le ha parecido más cabal aprovechar la debilidad de Castilla que la de los almohades, y ha llevado sus ejércitos hasta La Rioja y la Bureba. Bien cerca de Burgos llegaron a estar sus tropas. Ha tomado Logroño, Briviesca, Santo Domingo... Él sabía de la gran amistad que mi familia ha tenido siempre con Castilla, y en Pamplona tuvimos algunas palabras...

—¿Te has enfrentado a tu rey? —preguntó alarmado el consejero.

—Mi rey yerra. Piensa que el momento es inmejorable. Que los dos niños que gobiernan Castilla y Aragón cederán ahora ante su empuje, y que Navarra volverá a ser el gran reino de antaño... Toma de nuevo el camino de la división y del enfrentamiento, sin darse cuenta de que el auténtico enemigo, aquel del que todos debemos cuidarnos, está mucho más al sur. Sí. Me he enfrentado a mi rey. Y me ha desposeído de mi señorío de Estella.

Mardánish apoyó ambas manos en los lados del trono.

—Contaba con la amistad de Sancho de Navarra para poder rehacerme...

—Ya no —siguió Pedro de Azagra—. Él cree que fuiste un imprudente y no demostraste gran sagacidad al dejarte derrotar en Granada.

—¡Maldita sea! —El puñetazo sobre el trono hizo crujir la madera noble. Mardánish se alzó y caminó a un lado de la sala hasta que se detuvo ante un tapiz decorado con hilo de oro—. ¡Todos insisten en culparme de eso! ¡Y no fue culpa mía, sino de ese agitador de Hamusk! —Se volvió hacia Azagra y su gesto cambió. Al navarro le pareció incluso que de la ira, repentinamente desatada, el rey Lobo pasaba al ruego desesperado—. ¿Cómo es que el rey Sancho no ve hacia dónde ha de dirigir sus armas? ¿Por qué esos estúpidos se empeñan en luchar entre sí e ignorar a los africanos? ¡Deben darse cuenta de lo que se nos viene encima! ¡Deben ayudarme a resistir!

Un silencio tenso se extendió por la sala de recepciones de la Zaydía. Pedro de Azagra, incómodo, miró al techo. Allá arriba, las estrellas de ocho puntas rellenas de vidrio de colores tamizaban la luz y la hacían llegar hasta las maderas nobles, el oro y la plata, y les arrancaban esos reflejos de ensueño que rodeaban todo aquel utópico reino atrapado entre ambiciones e incomprensión. El navarro intentó confortar al rey:

—Si te sirve de consuelo, muchos navarros cabales están dispuestos a valerme para batir a los almohades bajo tu mando. Esperan en sus tierras a que los llame, y algunos cuentan con buenas huestes. No estoy solo en esto, amigos míos. Mis bravos de Oñate, Segura, Ocón... Me seguirán hasta donde sea. También puedo viajar a Castilla, donde cuento con muchos y nobles compañeros de armas. Sin embargo, me temo que los problemas por la rivalidad entre los Lara y los Castro los tengan muy ocupados.

—Vendrán si se sienten tentados por el oro —aseguró el rey Lobo—. Y los tentaré. Todo lo que sea preciso. Pero, aun contando con esos mercenarios cristianos, ¿será suficiente? —Mardánish hablaba ahora con voz más calmada. Seguía de pie a un lado de la sala, apoyada la mano sobre una columna y con los hombros vencidos. En aquel momento parecía derrotado por los acontecimientos—. El desastre de Granada destrozó mis fuerzas andalusíes. Armengol de Urgel se fue con sus tropas, y muchos mercenarios castellanos regresaron a sus tierras y no he vuelto a saber de ellos.

—¿Y Hamusk?

Mardánish hizo un gesto de desprecio.

—Él y su perro de presa, al-Asad, salieron bien parados de Granada, pero desde entonces no han hecho más que desobedecerme. No he vuelto a saber de ellos, salvo que se retiraron de al-Qasbá al-Hamra y abandonaron a su suerte a los hombres de Álvar y Óbayd... Ni siquiera sé si me siguen siendo fieles.

Azagra chascó la lengua y reflexionó unos instantes mientras observaba la copa vacía que tenía ante él. El joven Hilal, que hasta ese momento había permanecido en silencio, abrió la boca por primera vez

—¿Y qué ocurre con las fuerzas acantonadas en la Marca Superior? Llevan años allí sin hacer más que vivir de los tributos, salir de caza y disfrutar de la tranquilidad.

Los tres hombres se volvieron hacia el muchacho de catorce años. Hilal, con su pelo rubio largo y recogido en una trenza al modo andalusí, esperó la respuesta con mirada inquisitiva. Azagra reconoció la sinuosa sagacidad de Zobeyda en aquellos ojos claros.

—Si abandonan nuestras tierras del norte, Aragón caerá sobre Albarracín como el grajo sobre la carroña —explicó Abú Amir.

—Eso sería fatal para el Sharq —completó Azagra—. Durante mi estancia en Navarra he oído hablar de los nobles que rodean al jovencísimo rey de Aragón. No solo son codiciosos como urracas. Es que además incitan al pequeño Alfonso. El rey de Aragón —señaló a Hilal— es un crío de siete años, y le han metido en la cabeza que sus grandes enemigos, los sarracenos, habitan al sur de sus posesiones. Según se dice, el próximo invierno se celebrará la primera curia regia de ese niño, que ahora gobierna sobre las tierras de Aragón y Barcelona. Todos piensan que se exigirá el cumplimiento de los viejos tratados con Castilla, y Valencia es una de las primeras plazas que Aragón querrá abatir.

Hilal rodeó el trono de su padre ante la vista de los tres guerreros, se acercó así a la silla en la que reposaba Azagra, llegó hasta muy cerca de él y le miró a los ojos. A tan poca distancia, los rasgos heredados de Zobeyda se hacían más evidentes.

—Tengo entendido, mi señor don Pedro de Azagra, que siempre has sentido debilidad por Albarracín. Incluso se dice que mi padre llegó a prometerte su tenencia en caso de que le ayudaras en la toma de Granada.

El navarro intercambió un vistazo rápido con Mardánish. No era solo el óvalo de la cara o la forma de inclinar la cabeza lo que aquel muchacho había heredado de su madre. El rey Lobo intervino antes de que el joven pudiera decir alguna inconveniencia.

—Mi querido amigo Pedro, considero que en nada puedo ayudar ya con mi instrucción a Hilal. Pero pienso que no sería mala cosa ponerle al servicio de un buen caballero para que continuara su adiestramiento. Había pensado en ti.

Azagra enarcó las cejas sorprendido. Hilal, que sin duda estaba al corriente de las intenciones de su padre, aguardaba sin quitar ojo del navarro.

—Es un gran honor... Pero no veo en qué puedo yo mejorar lo que le hayas inculcado a tu hijo...

—Mi hijo —atajó el rey Lobo— siempre ha vivido en palacios. Ha pasado demasiado tiempo en la corte, cerca de su madre y de todos los visires, funcionarios y eunucos que cotillean tras los tapices. Lo habrás comprobado al escuchar su... aguda observación sobre Albarracín. No le falta seso, desde luego. Pero será algo más que inteligencia lo que necesite en el futuro. A su edad yo ya había probado mi hierro contra el enemigo, y también tenía alguna que otra cicatriz. Se avecinan tiempos difíciles, y quisiera que Hilal estuviera... preparado para lo que haya de venir. Sea del sur o del norte.

Azagra asintió, comprendiendo lo que Mardánish le pedía entre aquellas palabras medidas. Debería proteger al joven Hilal, en quien sin duda Mardánish había pensado como heredero del Sharq.

—Y en cuanto a Albarracín... —insistió el hijo del rey Lobo.

—Albarracín no debe tocarse —afirmó Abú Amir—. No aún, al menos. Pedro tiene razón. Si desguarnecemos la Marca Superior, Aragón caerá sobre ella y la perderemos.

—Y no se hable más de eso —sentenció Mardánish. Hilal aceptó la orden con una breve reverencia y se volvió de nuevo a Azagra.

—Estoy entonces a tu servicio, mi señor don Pedro.

Azagra dibujó una sonrisa forzada en el rostro. La mirada clara del joven Hilal le había helado la sangre en las venas.

Otoño de 1164

Pedro de Azagra pasó una corta temporada en Valencia y se solazó con la prosperidad que el Sharq ofrecía siempre a sus huéspedes. También aprovechó para pasar largos ratos con su nuevo escudero, el joven Hilal. Intentó ganarse su confianza y le instruyó en la caballería puramente cristiana. Aun así, el hijo del rey Lobo y Zobeyda no llegó a abrir su corazón al noble navarro, a quien siempre miraba con respeto, pero también con aquel brillo irritante en sus ojos. Un brillo que desazonaba y que hacía desconfiar. A finales del verano, Pedro de Azagra anunció que marchaba de vuelta a Navarra para firmar contratos de soldada con sus guerreros leales, y que tras ello viajaría a Castilla con intención de renovar el compromiso de algún antiguo mercenario de las campañas anteriores. Hilal, como escudero suyo, lo acompañaría.

Una semana después de la partida de Azagra y del heredero, Zobeyda solicitó la presencia de Mardánish en su aposento. El resto del harén, incluida la concubina Tarub, seguía en Murcia, y Zobeyda imponía ahora su primacía también en el lecho del rey. Este galopó hasta el hermoso palacete después de una aburrida reunión con su hermano, el gobernador Abú-l-Hachach, y tras una relajante sesión en un *hammam* de la ciudad, cerrado al público a propósito y en cuyo interior había requerido la presencia de Marjanna y Adelagia. Las hábiles manos de la persa, la música de la italiana y los aceites repartidos por toda su piel contribuyeron a crear en el rey la disposición perfecta para satisfacer a su amada Zobeyda.

Mardánish se presentó en la cámara privada de su favorita espoleado por la imaginación, prometiéndose una larga noche de placer como las que solo Zobeyda sabía proporcionarle, ansioso por desnudarla y acariciar su cuerpo. La halló preparada, vestida con una de sus vaporosas túnicas malagueñas y sentada en el borde del lecho, rodeada de cojines bordados con hilo de oro. Un aroma suave, casi lejano, se extendía desde el pebetero situado en un rincón, y las velas que ardían por toda la estancia contribuían a crear el ambiente oportuno para la misión que llevaba al rey Lobo a la estancia de su favorita. Esta se levantó y anduvo despacio, con la elegancia de una pantera, hasta situarse frente a su esposo. Zobeyda contaba ya treinta y cuatro años, y la belleza arrebatadora de su juventud se había afirmado, incluso reforzado, con la serenidad de la madurez que se anunciaba en los casi imperceptibles pliegues junto a sus ojos. Sus formas, algo más redondas que antaño, guardaban todavía su legendaria sensualidad, e incluso la hacían más apetecible a los ojos de su señor. Solo con el paso de los años, pues, la belleza salvaje de la favorita se había domado hacia la hermosura suave y exquisita de la auténtica reina. Era como si las palabras del viejo poeta cobraran todo su sentido en Zobeyda:

Al contemplarla, no podrás detener tus ojos en un límite,
pues su belleza es siempre creciente e inagotable.

Mardánish notó su virilidad llamar a gritos y se dispuso a abrazar a Zobeyda, pero ella mostró entonces un pliego que guardaba a la espalda.

—Quería mostrarte esto a solas. Y únicamente podemos estar a solas así. Espero que no te desagrade.

El rey Lobo torció la boca.

—¿Qué es?

—Una misiva de mi padre.

Mardánish resopló y todo el hechizo del instante se desvaneció. Se frotó las sienes con ambas manos y recorrió la estancia. Tomó asiento en el poyo bajo y alicatado que la recorría, recostó la espalda contra la pared y olvidó todo el descanso que los masajes de Marjanna le habían proporcionado.

—¿Te escribe a ti o a mí?

—A ambos... Es un mensaje para ti, pero te lo hace llegar a través de mí.

—Bien. —Mardánish apoyó la cabeza contra un tapiz bordado con formas de pájaros de largas patas que entrelazaban sus cuellos entre juncos—. Sabe que lo único que me une a él es mi matrimonio con su hija. Y ahora yo también lo sé.

Zobeyda se acercó y se puso otra vez frente a él. Así, su silueta se recortó contra la luz de las velas y mostró, a través de la transparencia de la túnica, las líneas que delimitaban su cuerpo. Puso el pliego de papel entre ambos.

—No debes hablar así de mi padre. En esta carta me cuenta lo apenado que está por lo ocurrido en Granada, y dice que no tuvo más remedio que marchar para no ser masacrado por los almohades, como ya había ocurrido con tu fiel Óbayd y con el buen Álvar el Calvo. Siente mucho sus muertes, y confiesa que lloró por ellos durante innumerables noches...

—¡Ja!

Zobeyda se interrumpió en su relato. Miró a su esposo con severidad, pero él tenía los ojos cerrados y seguía masajeándose las sienes. Decidió continuar.

—Para demostrarte lo mucho que siente lo ocurrido, y también para convencerte de que su fidelidad hacia ti es completa, te pide ayuda para atacar Córdoba de inmediato. Asegura que la pondrá bajo tu absoluto dominio antes del próximo verano, y de hecho dice que ya ha partido para allá con sus fuerzas y las de al-Asad...

Mardánish se palmeó las rodillas con violencia y se levantó, lo que sobresaltó a Zobeyda. De un manotazo le quitó el pliego, aún enrollado, y lo arrojó a un lado. Sus ojos chispeaban al reflejar las llamitas de las velas repartidas por la cámara.

—¡Otra vez! ¡Ahora Córdoba! ¿Es que tu padre no entiende? ¿Hasta tal punto la codicia le nubla la razón?

»¡Pues bien! Ya que piensa que tu mediación será capaz de ablandar mi ánimo, a través de ti recibirá mi respuesta. Escucha bien, amada mía, porque a más tardar mañana responderás a tu padre con otra carta que escribirás de tu puño y letra. Dile que su señor y rey le ordena regresar a Jaén, y que al-Asad retorne también a Guadix. Que le mando que suspenda toda acción militar contra los almohades y que aguarde nuevas órdenes, pues estoy reclutando fuerzas para atacar bajo mi único mando a nuestros enemigos. Estaremos juntos en esto o no lo estaremos nunca más. Dile que deberá hacer preparativos, y tanto él como al-Asad recaudarán nuevos impuestos en sus tierras, tal como yo voy a hacer aquí, para poder reclamar hueste mercenaria de los reinos cristianos. Dile sobre todo que los ejércitos del Sharq al-Ándalus están bajo mi único mando, y que él no debe inmiscuirse en ello más de lo que yo disponga.

—El pueblo está descontento —rebatió Zobeyda, que ahora afilaba su gesto—. Aquí, en Valencia, y también en Murcia. Subiste la tasa para los comerciantes en la Bab al-Qántara, y eso hace que la gente deba comprar más caro el mismo género. Tus súbditos se empobrecen día a día. Si endureces más los impuestos, empezarán a protestar. Llegará el momento en el que esa copa rebose, esposo mío...

—Explícale eso también a tu padre, mi amor. Dile que por su culpa sufrimos una derrota humillante en Granada, y lo mejor de mi ejército pereció bajo el hierro o despeñado en un barranco. Dile que por eso nos veremos obligados a apretar a nuestro pueblo y reclamar un dinero que podríamos haber sacado del botín almohade, y que deberíamos haber empleado en embellecer una Granada bajo mi autoridad. Recuérdaselo también, sí.

Mardánish dio por concluida la conversación. Ignoró todo lo demás y, sin despedirse, pisó el rollo de papel tirado en el suelo y abandonó la cámara de Zobeyda. Ella quedó atrás dolorida, mordiéndose el labio inferior y diciéndose que lo que su esposo afirmaba no era cierto; que su padre no había obrado con tan gran infidelidad. Recordó también sus sueños pasados y cómo advirtió a Mardánish antes de partir para Granada. Recordó cómo él no había prestado atención a sus ruegos. Hombres. Tanto su padre como su esposo. Y ella entre ambos. Se dirigió al extremo de la sala y retiró el cortinaje que cubría la alhanía. A su vista aparecieron los betilos de invocación al pagano Salim, guardián de la prosperidad. Cogió el atril y los aparejos de escritura, acercó una de las velas y extendió una hoja de papel xativí. Y se dispuso a escribir, una por una, todas las palabras que el rey Lobo acababa de gritar en su aposento.

Unos días después. Sitio de Córdoba

El grito atronó la tienda plantada en lo más protegido de la línea de asedio. Los soldados de guardia se tensaron, apretaron las manos en torno a las lanzas y se miraron. El ruido de vidrio al quebrarse y metal que entrechocaba precedió a la salida de Hamusk de su pabellón. La cara crispada mostraba un color cárdeno. Al-Asad caminaba tras él con mirada neutra. El señor de Jaén rebasó al mensajero que acababa de llegar desde Valencia, un muchacho muy joven y asustado, y rugió como un oso. En las manos llevaba un papel que arrugó con toda la rabia que pudo reunir, y luego lo arrojó contra la cara del correo. El chico cerró los ojos y rezó en silencio porque aquel colérico noble no la tomara con él. Hamusk propinó una patada a un estandarte clavado en la tierra y quebró el poste de madera. Después caminó varios pasos y gritó al vacío:

—¡Traidor! ¡Traidor y cobarde!

El León de Guadix paró, sorprendido por la reacción del caudillo andalusí, y recogió del suelo el papel arrugado. Era una carta de suave papel de Játiva que al-Asad desplegó y leyó con curiosidad. Los trazos elegantes se sucedían en las letras escritas por Zobeyda, relataban la furia del rey Lobo y transmitían las órdenes que este daba a sus súbditos del sur. Al-Asad leyó despacio, masticando cada palabra. Cuando finalizó, comprendió el enfado de Hamusk: Mardánish no solo se negaba a acudir en su ayuda, sino que además les mandaba retirarse de Córdoba y permanecer quietos, encerrados y en espera de una campaña que nadie sabía cuándo iba a llegar.

Hamusk caminaba en círculos. A su alrededor, los guerreros bajo sus órdenes se retiraban despacio para no verse afectados por la furia desatada del señor de Jaén y Segura.

—¡Se niega a venir aquí! —repetía una y otra vez—. ¡Se niega! ¡Y conseguirá que esos malditos africanos nos arrebaten todo lo que tenemos!

—Tal vez deberíamos hacerle caso —aventuró al-Asad—. Si consigue todas esas fuerzas cristianas, podríamos planear un nuevo ataque a Granada...

—¡No! —Hamusk alanceó con la mirada al León de Guadix—. No seas iluso tú también. Mi yerno deja pasar los años confiando en la ayuda de los cristianos. Siempre lo ha hecho. —Se acercó hasta al-Asad y bajó voz, aunque su rostro seguía crispado y la mirada, rebosante de ira—. Yo se lo advertí, ¿sabes? El mismo día en el que tomamos tu ciudad, Guadix. Y él no me hizo caso. Y sigue sin hacérmelo. No es capaz de ver que los reyes del norte nos ignoran. Para ellos no somos más que infieles, y poco les importa si perdemos lo que tenemos. ¿O crees que el rey de Castilla vendrá finalmente a ayudarnos a echar a esos almohades al mar? ¿Lo hará Fernando de León? ¿O ese mocoso que lleva la corona aragonesa? ¡No! ¡Estamos solos! ¡Siempre lo hemos estado!

Al-Asad asintió despacio. Observó una vez más la misiva enviada por Zobeyda, y arrugada por Hamusk. Él también apretujó la carta en su mano y la tiró a un lado.

—Tienes razón, como siempre. Pero sin la ayuda de Mardánish no podemos hacer nada aquí.

Hamusk resopló. Entonces se sintió cansado. Más que nunca. Allí estaban las murallas de Córdoba, reforzadas en los últimos meses por los almohades. No. Jamás podrían tomar la ciudad sin el apoyo del rey Lobo. Y aun con él, lo tenían realmente difícil. Como siempre había sido. Hamusk se preguntó si no habría estado él también engañándose una y otra vez. Estrellándose contra los invasores africanos en un esfuerzo baldío por conservar sus posesiones. Se pellizcó la papada cubierta de pelo cano. Ladeó la cabeza y miró enigmáticamente a al-Asad. Este entornó sus ojos negros y enmarcados por las cejas hirsutas y morenas antes de preguntar:

—¿Qué piensas?

—Pienso... Pienso que hemos desperdiciado tiempo y esfuerzo. El rey Lobo —murmuró con desprecio—. Ciego. Engañado por la falsa lealtad de sus amigos cristianos. Quizás... Quizás equivocamos nuestras alianzas.

Al-Asad seguía sin comprender.

—Pero si no confías en los cristianos, y tampoco en tu yerno... ¿Qué otros aliados...? —El León de Guadix calló de repente. Ahora comprendía. Entendía lo que insinuaba Ibrahim ibn Hamusk. Pero ninguno de los dos se arriesgó a decirlo en voz alta.

—Quiero estar solo. —El señor de Jaén escupió al pasar junto a al-Asad—. Que me traigan vino.

El León de Guadix amagó una inclinación de cabeza y lo siguió con la mirada hasta que desapareció dentro de su pabellón. Después anduvo despacio, con la mirada puesta más allá de las murallas de Córdoba. Se preguntó hasta dónde llevaría a todos aquel pulso frenético entre Mardánish y Hamusk. Entonces, con el rabillo del ojo, vio que el joven mensajero se acercaba a él por su derecha. Al-Asad giró la cabeza y observó al correo. Seguía blanco por el miedo al arranque de ira del señor de Jaén.

—Tú eres a quien llaman León, ¿no, mi señor?

—Así es.

El muchacho metió la mano en su zurrón y sacó un pliego. Al-Asad arrugó el ceño.

—Esta otra carta es solo para ti. La persona que me la entregó me hizo jurarle que Hamusk no la leería. Mi cuello está en juego.

El guerrero sonrió y tomó la segunda misiva.

—¿Qué persona es esa?

—También me hizo prometer que no diría...

El movimiento de al-Asad fue rápido como el relámpago. Antes de que el mensajero pudiera verlo, la daga del León de Guadix presionaba su garganta. Los guardianes se miraron entre sí y dieron la espalda al incidente. El muchacho intentó tragar saliva, pero el filo de hierro le tenía trabada la nuez.

—¿Quién? —repitió al-Asad.

—La *umm walad*... —La voz salió ronca de la temblorosa boca del correo—. Se enteró de que me alojaba en el alcázar de Murcia de camino hacia aquí. Como soy correo real, tenía derecho...

—¿La *umm walad*? —El León de Guadix entrecerró los ojos.

—La *umm walad* Tarub... La madre del noble Gánim. Concubina del rey.

Aquello no tenía mucho sentido, pero era evidente que el mensajero no mentía. La mirada de terror del muchacho anunciaba que perder la vida por un secreto no formaba parte de sus planes inmediatos. Al-Asad se llevó el índice a los labios para ordenarle silencio. Luego retiró la daga de su piel trémula e hizo un gesto con la cabeza que el correo entendió al punto. En un parpadeo estaba tan lejos que no se oían sus pasos al correr.

El León de Guadix se dispuso a leer la segunda carta. ¿Por qué una concubina de Mardánish le escribía? ¿Y por qué Hamusk no podía saber nada? Rompió el sello de cera de abejas. Liso, como correspondía a una esclava que además pretendía ser anónima. Leyó con avidez, espoleado por la curiosidad. Pasó por encima de las cargantes fórmulas de salutación y reconoció el estilo esmerado y florido de las mujeres de harén. Aquella concubina explicaba a al-Asad que había oído hablar de él y que lo admiraba, y le juraba que conocía un secreto que podía servir al León de Guadix para el futuro. Nadie como él, un hombre que solo obedecía a la voluntad viril y a la sana ambición, para ser depositario de aquel misterio. Para saber que Zobeyda bint Hamusk, la favorita del Sharq al-Ándalus, era en realidad una perra infiel y adúltera que copulaba con cristianos. Al-Asad elevó las cejas. La concubina juraba que había visto a aquella meretriz lujuriosa acostada con Armengol de Urgel. Y se quejaba de que semejante corrupta pudiera ser la *sayyidat al-qubrá*. La reina madre. No había derecho a que su hijo Hilal, que a saber de qué cerdo politeísta descendía, pudiera un día heredar el Sharq al-Ándalus. Y si para que la creyera necesitaba pruebas, ella tenía la definitiva. Una que, en el momento adecuado, serviría para acusar a la favorita y arrebatarle todo lo que poseía sin derecho...

Al-Asad siguió leyendo y sonrió. Ahora quedaba claro por qué la remitente había insistido tanto en que Hamusk no supiera nada de aquello. Tarub no era más que otra víctima de la envidia, pensó. Tal vez confiaba en que el León de Guadix usara ese secreto para derribar a Zobeyda y cerrar el paso a Hilal hasta el trono. Tal vez deseaba que fuera otro, su hijo Gánim, quien heredara el Sharq al-Ándalus. Pero al-Asad usaría esa información según su propia conveniencia, por supuesto.

55

El enemigo interior

Invierno de 1165. Gibraltar

Las obras de la inmensa fortaleza del Yábal al-Fath avanzaban al inmisericorde ritmo del trabajo de siervos y esclavos. Nada importaba que el viento que siempre azotaba aquel lugar trajera una humedad que pudría los huesos de los obreros. Las órdenes de los capataces y los azotes a los rezagados restallaban y se imponían al rugido del vendaval, sus ecos eran arrastrados tierra adentro y se colaban en el pabellón de Utmán.

El *sayyid* aguardaba en solitario en su tienda. Mascullaba su propio temor mientras fuera montaban guardia sus fieles masmudas. Había sido citado allí a través de una carta remitida directamente desde Marrakech, firmada por Yusuf y avisándole de que un importante emisario llegaría para tratar asuntos ineludibles. Era el primer contacto que tenía con alguien de África desde la muerte del califa. De pronto, uno de los guerreros retiró la lona que cubría la entrada y asomó la cabeza. Una nube de tierra levantada por el viento se coló dentro y obligó a Utmán a entrecerrar los ojos.

—Mi señor, han empezado a descargar las naves recién llegadas. También ha desembarcado una comitiva que viene hacia aquí.

El *sayyid* se restregó los párpados para librarlos del polvo.

—¿Qué estandartes traen?

—Los de tu hermanastro Abú Hafs, mi señor.

Utmán no pudo evitar que el corazón se le encogiera. Tragó saliva y ordenó al guerrero que se retirara.

—Abú Hafs... —murmuró una vez a solas. Así que ese nada menos era el emisario que le enviaba Yusuf. Abú Hafs. Cerró los ojos e inspiró profundamente. Se dispuso a enfrentarse a su hermanastro. A su mirada inyectada en sangre y a su fría manera de arrastrar las palabras, siempre en voz baja. De un modo que causaba mayor pavor que el grito más desaforado. Abú Hafs, que había logrado imponer su influencia sobre el difunto Abd al-Mumín hasta el punto de superar a los poderosos Umar Intí y Sulaymán. Abú Hafs, auténtico artífice de la entronización camuflada de Yusuf. Ese hombre terrible, que jamás antes había pisado al-Ándalus, venía en persona a visitarle.

Utmán salió del pabellón y se cubrió con la capucha del *burnús*. La punta quedó colgando hacia atrás y se agitó con el viento. Miró al mediodía, a la elevación sobre cuya cima seguía construyéndose la fortaleza planeada por Abd al-Mumín. Más cerca, cubiertos por las nubes de polvo en suspensión, se veían los mástiles de las naves, con las velas recogidas y los marinos afanados en cubierta. Desde allí venía, sí, una docena de jinetes, el primero de los cuales enarbolaba una gran bandera verde bordada con versículos coránicos.

El *sayyid* suspiró con alivio. Era una comitiva demasiado pequeña como para sentirse amenazado, aunque llegara presidida por aquel símbolo tan propio de Abú Hafs. Incluso este debía de saber que los masmudas de Utmán darían su vida por él, y allí había más de un centenar de aquellos guerreros fieles hasta la muerte.

Los caballos dibujaron una parábola y frenaron ante el círculo de guardias masmudas. Uno de los recién llegados, que en nada se diferenciaba de los demás, desmontó y, con autoridad, entregó las riendas a otro jinete. Luego anduvo sin mirar siquiera a los guerreros de Utmán. Este se fijó en la lujosa espada que pendía del tahalí repujado en cuero y en el velo que, a la manera almorávide, cubría medio rostro del almohade. Abú Hafs se retiró la prenda que le tapaba la boca y sonrió. Su barba negra y rizada crecía a partir del mentón y colgaba sobre su pecho. Observaba con gesto interrogante a Utmán, de modo que este se hizo a un lado y le cedió el paso al pabellón.

Una vez dentro, los dos hombres se abrazaron y besaron en las mejillas. A Abú Hafs le sorprendió que Utmán fuera capaz de sostener su mirada. Cada uno de ellos mantenía, a pesar de la aparente cordialidad, una actitud vigilante.

—Mi querido Utmán —empezó Abú Hafs—, que el Único, alabado sea, te guarde siempre. He cruzado la lengua de mar que separa nuestra sagrada tierra de esta península maldita sin apenas descansar, después de sofocar las rebeliones de las tribus en las montañas, donde nuestro hermano Yusuf ha liderado como un león a las huestes de Dios.

—Me halagas entonces, Abú Hafs —fingió Utmán—. Tus acciones, dignas de encomio, merecían el reposo del que todo guerrero del islam debe disfrutar, y sin embargo vienes aquí a honrarme con tu presencia. Espero que me acompañes a Málaga, donde podrás gozar de la tranquilidad...

—No hay tiempo para eso ahora —atajó Abú Hafs—. Nada de ceder a la tentación en las ciudades andalusíes. Antes bien regresarás conmigo a Marrakech, donde nuestro hermano espera tu sumisión completa y la promesa de tu ayuda. Estoy aquí como visir omnipotente, y usaré todos los ruegos a mi alcance para convencerte.

Utmán apretó los labios. Su hermano uterino había dicho aquello sin rodeos y con la gélida mirada clavada en él. Y para reforzar su determinación, apoyaba la mano izquierda en el pomo de su espada. El *sayyid* tragó saliva.

—Hablas de Yusuf como si fuera el califa.

—Nuestro hermano Yusuf *es* el califa. Si todavía no lo llamamos así abiertamente es porque esperamos a contar con la fidelidad de los más renuentes. —Abú Hafs apretó su puño en torno a la piedra verde que coronaba su espada—. Y no quisiera pensar que tú eres uno de esos.

Utmán se mordió la lengua. Había algo que no encajaba. Llevaba meses. No, años. Años sin reconocer la autoridad de Yusuf. Jamás había mandado misiva alguna a su hermano. Incluso había mascado la posibilidad de rebelarse contra el poder de Marrakech. Y ahora Abú Hafs venía a exigir sumisión... ¿con una docena de jinetes?

—Mi presencia es necesaria aquí, Abú Hafs. Yusuf no sabe de lo que son capaces...

—No oses hablar así de tu señor, el príncipe nobilísimo y amado por Dios. Él sabe lo que es mejor. Por supuesto que lo sabe. Él es el sucesor del Mahdi, y por tanto no yerra. Jamás.

Abú Hafs seguía hablando en voz baja e incluso sonreía, pero aquella mirada era más amenazante que cualquier palabra. Utmán inspiró con fuerza.

—¿Qué pasará si me niego?

El viento arreció en ese momento y azotó las lonas del pabellón hasta hacerlas crujir. Las acribilló con una lluvia de arena y las golpeó contra los palos que sostenían el entramado. Abú Hafs no borró la sonrisa de su cara, pero asintió con levedad, como si estuviera esperando aquella reacción.

—Hay varias cosas que debes conocer, mi querido hermano Utmán. La primera de ellas es que una parte del ejército de Yusuf ya ha desembarcado en al-Ándalus. Salieron de Qasr Masmuda hace días y están listos para dirigirse hacia cualquier objetivo. Cualquiera —recalcó al tiempo que le apuntaba con el índice derecho.

Así que era eso. Abú Hafs, después de todo, no había venido solo.

—Has dicho que hay varias cosas.

—Así es. La segunda, y supongo que la más importante para ti, es Hafsa.

El sobresalto de Utmán despertó una corta risotada en Abú Hafs.

—¿Hafsa? ¿Qué le pasa? ¿Qué has...?

—Nada, nada, Utmán. Nada... aún. Pero la tenemos bajo vigilancia. Vive en Marrakech, ¿sabes? Allí se dedica a estudiar y a dar clases a nuestros pequeños. Su sangre bereber ha sido garantía suficiente. Oh, bueno; su sangre y también el pequeño detalle de que así puedo permitirme espiar sus movimientos día y noche. Una sola orden mía o de Sulaymán, y Hafsa será arrestada. Y esa sangre bereber dejará de correr por sus venas.

Utmán dio la espalda a Abú Hafs. Se clavó las uñas en las palmas de las manos hasta herirlas y cerró los ojos con fuerza. Intentó evitarlo, pero una lágrima rebelde se atrevió a asomar por entre sus párpados. Tembló un instante de miedo, pero no por él, sino por la mujer a la que más había amado en su vida. Se volvió despacio y descubrió a su hermanastro con la sonrisa todavía dibujada en la cara. Tenía que reconocerlo: jamás podría enfrentarse a él. Jamás podría evitar ser dominado.

—Está bien —admitió—. Iré a Marrakech y me someteré a Yusuf.

Primavera de 1165. Valencia

La extensión plagada de huertas exhibía toda su feracidad ante Mardánish. A levante, la costa se extendía en una línea fina y el mar relucía con las velas de los pescadores que regresaban a sus hogares. El rey Lobo posó ambas manos sobre uno de los merlones de la muralla de Valencia y entornó los párpados. Últimamente notaba que le fallaba la vista, y le parecía que lo más distante se diluía en sombras que no podía interpretar. A lo lejos, varias columnas de polvo tenues se elevaban hacia el cielo. Correos. Fieles jinetes que viajaban hacia los reinos cristianos con salvoconductos y órdenes de localizar a Pedro de Azagra.

—No tardarán mucho en hallarlo —dijo Abú Amir, que se mantenía un paso por detrás del rey en el adarve—. Pronto sabrá que lo reclamas a tu lado.

Mardánish asintió con desgana. Luego suspiró y anduvo lentamente a lo largo de la línea almenada, aunque sin perder de vista el horizonte. A poniente, el sol se dejaba ver antes de ocultarse tras las montañas. Un estandarte negro, fijado por su mástil al antepecho, flameó a pocos codos e hizo tremolar la estrella de ocho puntas de los Banú Mardánish. El rey se aferró al asta en actitud pensativa.

—Recuerdo que el emperador Alfonso soñaba con ver nuestras banderas unidas y presentando batalla a los almohades. —Se volvió hacia Abú Amir—. Tal vez ahora, con la alianza entre León y Portugal, podrían cambiar las cosas. ¿No te gustaría conocer a ese tipo portugués? ¿Cómo se llamaba? ¿Gerardo?

—Gerardo —confirmó el consejero—. Le llaman Gerardo Sempavor. Gerardo sin miedo.

El rey Lobo apretó aún más su puño en torno al mástil de su estandarte.

—Ah, cómo me gustaría conocer a ese guerrero.

Abú Amir sonrió, aunque le causaba preocupación ver que su rey caía con cada vez mayor frecuencia en aquellos pozos de ensoñación. Ahora, después de tantos varapalos, todavía se dejaba llevar por ingenuas esperanzas.

—Ese Gerardo Sempavor, es un aventurero —explicó el poeta—. Se ha enfrentado a los almohades en el Garb, sí. Y les ha tomado varias plazas. Y es incluso posible que su rey le apoye. Pero no cuentes con Fernando de León para otra cosa que las artimañas políticas. Su alianza con Portugal sirve a sus intereses en la frontera común, pero nada más. Eso sí, la existencia de Sempavor es muy útil a nuestros planes.

—Como nuestra existencia lo es a los suyos.

—Cierto. Por eso no me parece mala tu idea de actuar ahora, cuando ese portugués hostiga a los almohades al otro lado de la Península. Dos frentes muy alejados dividirán a nuestros enemigos. Pero no deberías hacerte ilusiones: ni los leoneses ni los castellanos moverán un dedo salvo para seguir matándose entre ellos.

El rey Lobo bajó la cabeza y observó a su escolta armada, que esperaba al pie de la escalinata de acceso al adarve. Le irritaban las palabras de su consejero, aunque tuviera toda la razón del mundo. Y no podía conseguir que le abandonara la sensación de que todo estaba perdido. Si tiempo atrás, contando con las fuerzas unidas del Calvo, Azagra y Urgel, y con sus ejércitos del Sharq al completo, no había sido capaz de imponerse a los invasores, ¿cómo iba a lograrlo ahora?

—¿Qué pasa con nuestras levas? Mis visires me dicen que cuesta mucho hallar hombres hábiles y que incluso algunos corren a refugiarse en las montañas. No he podido creerlo. —Miró a Abú Amir—. ¿Es cierto acaso?

El consejero carraspeó.

—Digamos que la gente no está muy... convencida. Tiempo atrás era habitual ver a las huestes de tus mercenarios cristianos acampadas cerca de nuestras ciudades. No siempre se las recibía de buen grado, pero no dejaban de dar seguridad a tus súbditos. Te sabían líder de un ejército fuerte, y eso los animaba. Ahora, tras la marcha de Armengol y la muerte de Álvar...

El rey Lobo no dejó acabar a Abú Amir.

—Eso no puede ser excusa. Mis vasallos no son estúpidos y saben que todo esto se acabará si los almohades nos someten. ¿O qué esperan? ¿Piensan que esos africanos respetarán sus tabernas y sus lupanares? ¿No conocen acaso las degollinas que organizan en toda ciudad rebelde? ¿No temen por sus vidas? ¿Por sus familias? ¿No lucharán por ello?

El poeta resopló. No quería dar a su rey la noticia que traía, pero tampoco le quedaba otro remedio.

—Verás, mi señor... Hace un tiempo me encargaste que examinara a tu pueblo. Que escuchara con atención los sermones en las mezquitas y los rumores en los rincones. Y por Murcia, Lorca, Orihuela, Alcira... Incluso aquí, en Valencia, todos piensan que... que el Sharq...

—Sigue —apremió Mardánish ante la indecisión de Abú Amir.

—Que el Sharq tiene los días contados. Es más, ya se alzan voces que insinúan que quizá no sería tan estúpido aceptar como señor a...

—¡Calla! ¿Aceptar a otro señor? Eso es traición, Abú Amir. Quien propone eso me traiciona a mí. Y se traiciona a sí mismo. A su libertad... —Soltó el mástil y caminó con rapidez por el adarve. Luego giró sobre sus pasos. El poeta tragó saliva al ver la ira reflejada en los ojos de Mardánish, y una brisa húmeda se levantó de repente. Entonces, coincidiendo con la desaparición del último rayo de sol y con el canto de los muecines, el rey Lobo se acercó al consejero y detuvo su cara a escasa distancia de la de Abú Amir. Bajo la barba rubia, los músculos de la mandíbula temblaban de pura cólera—. Cuando te ordené observar a mi pueblo también te encomendé otra misión. Te mandé que tuvieras bien presentes los nombres de los sediciosos. De todos aquellos que podrían vendernos a los almohades.

—Mi... mi señor, piensa bien cada paso que des. No debes enemistarte con tu propio...

—¡No! ¡Ya es tarde para eso! —Abú Amir cerró los ojos al sentir los gritos de rabia del rey rompiéndose contra su cara—. ¡Quiero esos nombres! ¡Y los quiero ya! ¡Todos! ¡Los de Murcia los primeros! ¡Y los de aquí! ¡Y luego los demás! ¡Mañana tras la primera oración te presentarás ante mí con una lista! —Mardánish pasó junto al consejero y se dirigió a uno de los estrechos tramos de escalera que descendían de la muralla, pero aún se detuvo antes de iniciar la bajada y se volvió una vez más hacia Abú Amir—. Y espero, mi querido amigo, que nada te tiente a dejar de escribir ni uno solo de los nombres de los traidores. Que no deba yo enterarme de que alguno de esos cobardes escapa de mi ira por tu dejadez. O por tu infidelidad.

La amenaza flotó en el aire y la brisa que llegaba del mar la arrastró hacia poniente al tiempo que la oscuridad empezaba a velar con sus sombras la vieja ciudad de Valencia. Abú Amir notó que un escalofrío trepaba desde las piedras del adarve y dominaba toda su piel. Mientras veía bajar los escalones a su señor, se preguntó si aquel era el mismo guerrero al que había conocido en su juventud, cuando era un tagrí apasionado, amante de la guerra y las mujeres, enemigo de la política de pasillo y *hammam*, indiferente a los sermones de los ulemas y a los comentarios de las alcahuetas. Se preguntó si aquel hombre furibundo, que miraba ahora atrás y a ambos lados mientras era rodeado por su escolta, seguía siendo su amigo.

Las tinieblas habían cubierto con su manto la ciudad de Valencia, y hasta empezaban a oírse los primeros grillos que anunciaban la llegada del verano. El cuarto menguante iluminaba apenas la oscuridad que caía sobre la antigua ciudad y creaba sombras en los jardines de la Zaydía. Abú Amir observaba aquellas sombras en espera de descubrir un movimiento, y se sobresaltaba cada vez que la brisa conseguía colarse por encima de las tapias de la *munya* y agitaba los arbustos. Tenía miedo. Más del que recordaba haber tenido nunca desde su llegada a la corte del rey Lobo.

Un chasquido quebró el silencio al otro lado del jardín, y a continuación vio acercarse a la silueta alta y espigada. Reconoció enseguida a su antigua pupila Zobeyda, que venía descalza, como de costumbre, y pisaba la hierba a pasos cortitos mientras se sujetaba un velo transparente en torno a la cara. Sonrió al acercarse a Abú Amir, aunque sus ojos mostraban extrañeza.

—No sé para qué me has citado aquí —dijo a modo de saludo la favorita—. Sabes que no te está prohibido visitarme en mis aposentos, como siempre has hecho. Mi esposo tiene plena confianza en ti.

—Es posible que esa confianza haya desaparecido. Es posible que todo haya cambiado.

Zobeyda dejó caer su *litam* y la sonrisa voló. Ella había sido testigo de cómo las relaciones entre su esposo y su maestro se enfriaban, pero lo había atribuido a los golpes del destino y de los almohades. Ahora era algo más lo que reflejaban aquellas amargas palabras de Abú Amir.

—¿Qué ocurre?

—Tu esposo me obliga a delatar a todo aquel que predica en su contra en el Sharq al-Ándalus.

Zobeyda asintió. Conocía desde muchos años atrás a Abú Amir y sabía que el poeta no era amigo de las intrigas. Que le incomodaba incluso mezclar la vida de la ciudad con la vida de la corte. No en vano, el consejero era famoso por saber compaginar los placeres del palacio con los del zoco, las tabernas y los callejones oscuros.

—Abú Amir, debes comprender a mi esposo. Son momentos de incertidumbre, y el rey teme que la perdición llegue desde dentro. Ha ocurrido antes y puede volver a ocurrir. Y sería tristemente cómico que, después de resistir con semejante ímpetu ante las hordas africanas, después de tanto esfuerzo y tanto coraje, el Sharq cayera por la traición.

—No cuestiono su esfuerzo. Ni su valor. Se ha enfrentado a los almohades en solitario y sin esperar nada a cambio. Lo sé porque lo he ayudado a hacerlo. Pero tú sabes tan bien como yo, Zobeyda, que tu esposo ha cambiado. Ya no es ese muchacho que disfrutaba de la vida como si cada día fuera el último. Ahora se hace rodear de una escolta armada allá adonde va. Y desconfía. De todos. Falta muy poco para que considere a tu padre un traidor, y ahora me amenaza a mí para que delate a los tibios.

Zobeyda se mordió el labio y elevó los ojos negros hacia el cuarto menguante. Como aquella luna, el Sharq parecía apagarse poco a poco, al mismo ritmo con que la alegría desaparecía del corazón de Mardánish. Claro que sí. Ella lo sabía. Lo había notado. No era indiferente ni ajena a la forma en la que la amargura se iba apostando en el alma del rey.

—El desastre de Granada fue fatal para él —reconoció la favorita—. La muerte de Álvar sobre todo. Y la tozudez de mi padre no ha contribuido precisamente a arreglar las cosas.

—Tu padre... —Abú Amir se lamentó negando con la cabeza—. Hoy mismo he recibido noticias que no he querido dar a tu esposo, lo cual podría suponerme algún que otro disgusto, tal y como están las cosas.

—¿Noticias de mi padre?

—El rey le ordenó claramente abandonar el asedio de Córdoba y preparar levas en sus dominios para unirlas a las del nuevo ejército que quiere reclutar. Pues bien, tu padre hizo caso omiso y se dedicó a algarear en los dominios de los almohades. Hace unos días, un destacamento enemigo batió a sus hombres cerca de Luque y le causó muchas bajas. El mismo error de Marchena. Y por la misma desobediencia.

La mujer se agarró a la manga de la túnica de Abú Amir.

—¿Está bien mi padre?

—Ah, sí. Él siempre se las arregla para salir con bien, ¿te has fijado? Pero el caso es que ha vuelto a contravenir al rey. No recuerdo cuándo fue la última vez que cumplió sus órdenes. Y, como te he dicho, yo no me atrevo a informar a tu esposo.

Zobeyda suspiró aliviada. Su padre seguía vivo. Sin embargo, Abú Amir tenía razón y ella lo sabía.

—A veces pienso que la única razón por la que no se han enfrentado abiertamente soy yo —confesó la favorita—. Ambos me quieren y eso los frena.

—Es muy cierto. Y por eso, por la influencia que siempre has sabido usar, es por lo que te he citado aquí.

—Te escucho.

—Mardánish ha mandado emisarios a los cuatro vientos para encontrar a Azagra. Le ha entrado prisa, porque hay un caballero portugués que está atosigando a los almohades en el Garb y eso los obliga a retirarnos su atención. El rey piensa que es un buen momento para golpear al enemigo y recuperarse de los agravios sufridos hasta ahora. Pero hace falta dinero, y tu esposo ha ordenado la imposición de nuevos tributos que se darán a conocer en unos días. Eso molestará al pueblo. Mucho.

Zobeyda se encogió de hombros.

—No hay nada que yo pueda hacer. Los tributos son primordiales para sostener a los mercenarios, y los mercenarios son imprescindibles en nuestro ejército. Si los súbditos del Sharq disfrutan de la felicidad y de la prosperidad, es precisamente por ese ejército. ¿Acaso no lo saben?

—El pueblo es capaz de comprender eso, pero todo tiene un límite. Y mañana, cuando entregue a Mardánish la lista que me ha pedido, ese límite será traspasado. Porque empezarán a ver cómo se apresa a sus imanes, y a los alfa-quíes y ulemas ilustres. Y quién sabe lo que tu esposo habrá pensado para ellos, pues los considera traidores. No quisiera verlos ejecutados como ejemplo. Eso volvería más desconfiado y rebelde al pueblo.

»Dentro de poco estarán aquí los mercenarios cristianos de Pedro de Azagra. Sí, lo sé: son vitales para el Sharq. Pero entonces, cuando lleguen, tus súbditos verán que los musulmanes han sido arrestados y tal vez ajusticiados, mientras que los hombres del norte gozarán, como siempre, de los privilegios que suele otorgarles Mardánish: fiestas en el palacio, soldadas y regalos. Cosas que no pasan desapercibidas para ese pueblo que ve menguar sus arcas mientras se llenan las de los extranjeros. Y tu esposo no puede prescindir del pueblo. Los mercenarios no bastan por sí solos.

—¿Me propones que convenza a Mardánish para que no se indisponga con el pueblo? ¿Perdonando a los traidores?

—Muchos de ellos no lo merecen, lo sé —admitió el poeta—. Incluso a algunos los habría descabezado yo mismo cuando los oí insinuar que el Sharq debería abrazar el Tawhid... Pero estas cosas nunca terminan bien. Junto a los perversos caerán los demás, y no todos son tan peligrosos como los primeros. El pueblo interpretará esto mal, Zobeyda. Se sentirán oprimidos por el rey, y entonces verán pocas diferencias entre él y los almohades.

»Soy leal a nuestro señor. Y además no puedo evitarlo: tengo miedo. No soy un guerrero, y menos aún un héroe. Me gusta la vida, tú lo sabes, y quiero seguir disfrutando de ella largo tiempo. Por eso mañana entregaré a Mardá-nish la lista que me ha pedido. En ella habrá muchos nombres. Nombres de personas que son respetables para los murcianos, los valencianos, los jative-ses, los oriolanos... Mardánish está desconocido. No puedo saber hasta dón-de es capaz de llegar, ni cómo actuará cuando el pueblo proteste. Tú debes hablarle. Apaciguar su ánimo. Convencerle de que debe seguir siendo como un padre para la gente del Sharq. Su escudo y su espada. No su flagelo. ¿Lo harás?

Zobeyda miró largo rato a su maestro. Hacía tanto tiempo que lo cono-cía... Y siempre había recibido de él consejos cabales. Nadie como Abú Amir para interpretar con lucidez lo que ocurría en el presente y suponer con lógica lo que deparaba el futuro.

—Lo intentaré —prometió.

—Hay otra cosa, Zobeyda. Es necesario que el pueblo esté con nosotros. Pero también lo es que Hamusk sea fiel a Mardánish.

—Es cierto.

—Tienes que volver a escribirle. Pero en esta ocasión no puede quedar opción a la duda: tu padre obedecerá a tu esposo y se unirá a él cuando sea necesario. Lo veo venir: es una gran batalla la que se avecina. Mucho mayor que la de Granada. Porque Mardánish está decidido. Incluso más de lo que la razón aconseja. Irá a por los almohades con todo. Lo sé. Lo he visto en sus ojos. Es una mezcla de desesperación y arrojo suicida.

—Me estás asustando, Abú Amir.

—Debes asustarte. —Por un instante, se trasladó muchos años atrás, a las cercanas mazmorras de Valencia, y recordó el rostro de Ibn Silbán, el viejo rebelde. De sus palabras en el límite de la locura, cuando del fanatismo de la fe almohade brincaba en un salto imposible a la fría razón de la crueldad sin límites. Hordas incontables. Hojas afiladas y puntas ensangrentadas—. Yo estoy asustado. Y mucho. De esto depende que el sueño continúe. O que acabe y lo siga una pesadilla.

Hacía mucho tiempo que las argucias de Zobeyda se habían debilitado ante la obstinación de Mardánish. Su belleza, la habilidad de sus manos y de sus labios, los secretos compartidos con sus doncellas y su don para hallar la oportunidad... Todo ello se demostraba inútil en los últimos tiempos para manejar la voluntad del rey Lobo. El último intento para influir en una decisión importante no le había reportado más que un terrible ataque de ira de Mardánish. Cuando este se enteró de la pertinaz desobediencia de Hamusk, rechazó a su favorita y la dejó sola en su cámara, despreciando los placeres que le prometía.

Ahora Zobeyda debía actuar con rapidez si quería cumplir los ruegos de Abú Amir. Como tiempo atrás, cuando las palabras susurradas al oído en medio de caricias y besos pesaban más que las largas reuniones en salas de consejos, las entrevistas con visires y secretarios y los sermones en la aljama. Maldijo el momento en el que había dejado marchar a Maricasca. Jamás lo había necesitado antes, pero en esta ocasión le habría venido bien algún sortilegio o un bebedizo para ablandar el alma del amado y excitar su pasión. Un embrujo que adormilara la razón, desatase la voluntad y la pusiera a los pies de la amante. Aun así se sirvió de las más viejas enseñanzas, las que recorrían las alcobas de las esposas y las concubinas. Las que habían hecho caer ante ella como un roble recién talado al conde de Urgel, o las que habían subyugado en un sentimiento de adoración caballeresca al noble Álvar Rodríguez. Marjanna y Adelagia decoraron a toda prisa las manos de la favorita, tiñeron sus dedos y alargaron las líneas oscuras por las muñecas adornadas con pulseras. Pintaron las uñas, aplicaron el kohl a los párpados y crearon lunares que marcaban como una senda el recorrido que los labios del amante deberían seguir desde la boca de la amada hasta sus senos. Zobeyda se roció con agua de azafrán mientras masticaba un tallo aromático, y las doncellas la vistieron con un *burd* corto y de amplio escote y cubrieron sus caderas y piernas con el *mizar*. Dejaron las trenzas largas y negras sueltas y engalanadas con cintas, y las propias doncellas se vistieron con sendos trajes de seda ligera y estriada, apropiados para la danza y para poder desembarazarse de ellos con la rapidez que demandaba el ardor desatado.

Y así avanzaron por los corredores silenciosos y oscuros de la Zaydía. Marjanna, pechos de diosa antigua cincelados por el mejor artista, llevaba consigo la crátera llena de vino y una gran copa en la que todos compartirían el sabor del néctar fresco. Adelagia, cabellera roja como el fuego, acariciaba su cítara para arrancarle el sutil sonido que enmarcaría sus versos de amor. Y tras ellas, Zobeyda, que ordenaba a los guardias abrir paso y les reclamaba silencio antes de entrar en la cámara de Mardánish. Los soldados, incapaces de retirar la mirada de las transparencias rayadas de seda que apenas recubrían los enormes senos de la persa, obedecían a toda prisa, tropezaban entre sí o se miraban con complicidad al tiempo que las tres bellezas desaparecían en el aposento del rey y cerraban las puertas tras de sus figuras de ensueño.

Mardánish estaba despierto, sentado en el lecho y con las cortinas del dosel abiertas. Examinaba documentos con cuentas de pertrechos, informes de tesorería y cálculos de gasto en soldadas. A los pies de la cama, una mesita baja sostenía un pequeño pebetero humeante y una bandejita con pasas. El rey arrugó el ceño ante el ímpetu de las mujeres, pero pronto adivinó qué se proponía la favorita.

—No es el momento, amada mía —protestó sin mucha convicción mientras Adelagia ocupaba el lateral de la alcoba y preparaba un escabel para empezar su serenata privada—. Esta noche toca trabajar.

—Esta noche nos toca a nosotros. Hace mucho que no compartimos unos momentos de dicha, como antaño. ¿Recuerdas cuando Zeynab y Sauda estaban a nuestro lado? Qué gozo el de la juventud. Qué felices éramos. Qué fácil era todo. Mucho más que ahora.

El rey Lobo hizo un gesto que quería ser de fastidio, pero el perfume que exhalaban las tres mujeres se había extendido ya por la cámara. Penetraba sutil y empezaba a hacer el trabajo que pronto continuarían la música, el vino, la danza y la poesía. Antes de que pudiera reaccionar, Marjanna ofreció a Mardánish la gran copa dorada llena de vino hasta el borde. Lo hizo inclinándose para mostrar al rey la inmensidad de su busto, e incluso aplicó sus propios labios al rojo líquido para beber antes que él. Luego sonrió conforme acercaba el cáliz a la boca de Mardánish. El rey no fue consciente de que los papeles llenos de números abandonaban sus manos y se esparcían por el suelo. La música empezó a invadir la estancia bajo la guía virtuosa de Adelagia, y de su boca surgieron los primeros versos.

—*A menudo, de noche, hemos pasado de mano en mano el rojo vino, al tiempo que entre nosotros corría un gozo tan suave como la brisa que sopla entre las rosas.*

El rey Lobo bebió casi involuntariamente, y su paladar se inundó de la dulzura de aquel fluido frío que se deslizaba por su garganta. Marjanna tomó de nuevo la copa y volvió a beber, dejando en todo momento sus pechos a escasa distancia de los ojos de Mardánish. Detrás, Zobeyda se apoyó contra la puerta cerrada, indiferente a los murmullos de los soldados de guardia, que seguramente aplicaban sus oídos a la madera. Caminó despacio. La cítara de Adelagia seguía sonando. Tomó la gran copa de manos de Marjanna y bebió ella misma, mientras su esposo y la esclava persa acortaban la distancia sobre el lecho.

—*Mimándote, yo jugueteaba con la rama que crecía en el campo arenoso y besaba el rostro del sol cuando aparecía un día hermoso.*

Mardánish cerró los ojos al sentir que la persa acariciaba su virilidad, solo cubierta por las sábanas. A la suavidad siguió el ímpetu cuando Marjanna cerró los dedos. Ella sonrió al notar el súbito impulso que poco a poco llenaba su mano.

—*Tus manos se paseaban por mi cuerpo* —continuó la italiana—, *unas veces hacia mi cintura, otras hacia mis senos.*

Él obedeció el cántico y alargó los brazos. Agarró a la mujer por la cintura con la mano izquierda y apresó uno de sus pechos con la derecha. Marjanna mantuvo la sonrisa mientras su cabeza caía hacia atrás y masajeaba despacio el miembro de Mardánish. Zobeyda bebió de nuevo y, con un movimiento imperceptible, hizo un gesto hacia donde se encontraba la italiana. Adelagia se levantó sin dejar de pellizcar las cuerdas.

—*Quítate el* washy *de seda y oro, pues esconde una belleza que los más ricos vestidos no han poseído jamás.*

El rey Lobo esperaba que la persa, siguiendo los versos de la doncella cristiana, se despojara de sus ropas, pero fue Zobeyda quien, tras ella, posó la copa sobre la mesita. Luego se deslizó las manos por la piel hasta el cuello y después las bajó, recorriendo su escote e introduciéndolas bajo su ropa; se acarició así delante de él y aflojó la presión que el *burd* ejercía sobre su cuerpo. La sangre batió las sienes de Mardánish como tambores de guerra, y su mano apretó el seno de Marjanna hasta que esta lanzó un débil quejido de protesta. La favorita y Adelagia intercambiaron una mirada rápida y aquella vaciló un instante, pero terminó de arrancarse la prenda que cubría su busto. Las notas de la italiana cobraron vigor y los dedos de Zobeyda se introdujeron por entre la piel de su vientre y el estrecho cinturón que ceñía el *mizar*. Entonces Marjanna volvió a quejarse, pero de verdad esta vez. No había placer en su voz cuando, revolviéndose, arrancó la garra de Mardánish de su pecho torturado. La persa lo frotó mientras se echaba atrás y se dejó caer al suelo. Zobeyda detuvo sus movimientos y la música de Adelagia se silenció.

—¿Qué ocurre? —protestó el rey. Sus ojos enfebrecidos volaban de las manos de su esposa, medio ocultas por la prenda larga y ligera, a sus senos, desnudos y brillantes por los afeites. Zobeyda, sorprendida por el comportamiento de Mardánish, solo acertó a callar. El ambiente voluptuoso que flotaba en la estancia se había desvanecido. Marjanna seguía doliéndose de su seno maltratado y Adelagia abría la boca con expresión bobalicona. Al fin la favorita reaccionó: sacó sus manos del *mizar* y dio un par de palmadas al tiempo que forzaba una sonrisa.

—Dejadme sola con el rey. —Marjanna obedeció de inmediato y salió de la alcoba sin mirar atrás. La italiana se demoró un instante, como si temiera abandonar a su señora. La mirada de Zobeyda fue suficiente para disuadirla de aquel gesto inconveniente, y Adelagia siguió el camino de su compañera persa.

Una vez a solas los esposos, la favorita mantuvo el gesto alterado. Percibió de nuevo los ojos anhelantes del rey Lobo clavados en sus senos, pero una oleada de temor la invadió. Jamás, en toda su vida, Mardánish había hecho daño a mujer alguna. Siempre era delicado con todas, fueran nobles o esclavas, y era rasgo apreciado por sus concubinas y esposas la dulzura con que las trataba.

—Quítate eso ya —ordenó el rey Lobo. Zobeyda obedeció sin pensar, preguntándose qué le ocurría a su marido. Ella ya había olvidado su misión, la que la llevara aquella noche al aposento de Mardánish. Se acercó solícita cuando él se lo mandó con un gesto brusco, se dejó hacer cuando el rey la aferró y, en volandas, la obligó a postrarse boca abajo; se notó ingrávida cuando las manos de él, inmisericordes, agarraban sus caderas y las elevaban, y aplastó la cabeza contra la almohada cuando el rey la poseyó de inmediato, como un animal, penetrándola sin más trámites, entre jadeos roncos y empujones irregulares. Intentó alzar la cara, pero una mano desprovista de ternura se apresuró a aplastarla de nuevo contra el lecho. El rostro más bello de al-Ándalus se hundió así entre las sábanas y el kohl manchó de negro su seda blanca; los dedos de Zobeyda se clavaron en el tálamo hasta que las uñas rasgaron la tela al ritmo bárbaro de las embestidas. Las lágrimas asomaron antes de que el Lobo aullara con furia, alterando la paz de la *munya* valenciana.

El rey se dejó caer hacia atrás y sus brazos pendieron desde la cama. Jadeaba como una verdadera bestia y el sudor perlaba su piel. Zobeyda se mantuvo inmóvil, con las rodillas y los codos hundidos en el lecho y las uñas clavadas en la seda. Esperó hasta que la respiración de Mardánish se fue acompasando y solo entonces rodó para sentarse al borde de la cama. Observó a su esposo con incomprensión pero sin rencor. Allí estaba él, con la vista fija en el techo y la expresión relajada. Ella ni siquiera había disfrutado. Se pasó la mano por la cintura y entonces descubrió las marcas rojizas. Las manos de Mardánish debían de haberse clavado en su piel mientras la retenía boca abajo. Ahí estaban impresas las garras del Lobo. Se restregó la nariz e intentó limpiarse las lágrimas, pero recordó que iba maquillada y supuso que los chorretones de kohl habrían arruinado su rostro. Aquel detalle absurdo la hizo llorar de nuevo. Se tapó la cara con ambas manos y se inclinó hacia delante al tiempo que se tragaba los hipidos. Notó movimiento en el lecho y respingó: su esposo se acababa de incorporar y la miraba extrañado. De repente parecía reparar en su comportamiento. Alargó una mano hacia Zobeyda y ella se echó atrás instintivamente. Aquel gesto descorazonó a Mardánish, o así lo interpretó la favorita.

—Yo... no sé por qué... —El rey intentaba construir una disculpa. Ella la leía en sus ojos, pero también veía la confusión en la que Mardánish parecía hundido. De pronto él observó su mano izquierda, todavía tendida hacia la favorita. La hizo girar y miró su palma como si no la reconociera. Los dedos aún curvados en forma de garra, las cicatrices bordadas por el hierro almohade—. Te he hecho daño... ¿No? He hecho daño a tu doncella persa...

Zobeyda intentó reponerse. Se irguió y adoptó una pose digna, consciente de que la piel marcada y las manchas de kohl no la ayudaban. Anduvo despacio y se vistió mientras trataba de disimular el temblor. Cuando se enlazó el *burd*, clavó los ojos, negros, húmedos y acusadores, en los de su esposo.

—¿Qué ha cambiado? ¿Por qué no puede ser todo como antes?

Mardánish resopló y hundió la cabeza entre las manos. Se frotó el pelo, rubio y aún abundante, como si quisiera arrancar de su mente los genios malignos que lo habían poseído.

—No lo sé —habló sin alzar la mirada—. Tengo la sensación de que todos conspiran contra mí... Abú Amir, tu padre, mi pueblo... Incluso...

La última palabra se extinguió en su boca como una llama apagada por un soplo de viento. Zobeyda acusó el pinchazo del reproche y supo que no era totalmente falso.

—Si he venido aquí esta noche y he traído conmigo a mis dos amadas amigas, ha sido en realidad por ti. No por engañarte y conspirar, mi señor, sino para endulzar tu amargura. ¿Acaso crees que no sé lo que sientes? Yo amo al Sharq, como tú. Y lo daría todo por conservarlo tal y como lo soñamos.

Mardánish se atrevió a mirarla. Zobeyda descubrió que él también tenía los ojos húmedos.

—¿Has venido solo a entregarme tu amor?

Ella se mordió el labio.

—Sí. Y para lograr esto. —Rodeó el lecho, se sentó junto al rey y entrelazó sus manos con las de él—. Para que puedas volver a ser tú mismo. El hombre al que siempre he amado. El rey que trajo la felicidad y la prosperidad a su reino. Para pedirte que seas de nuevo mi amante. Mi amigo. Y un padre amoroso para tus hijos. Y para tu pueblo.

—Esas palabras son casi las mismas que las de Abú Amir —contestó él sin ocultar cierto deje de decepción.

—Abú Amir me educó y se ganó mi respeto y mi amistad. En un tiempo también fuiste amigo suyo. ¿Ya no lo recuerdas?

—Abú Amir aún es mi amigo —protestó el rey.

—Él lo es, sin duda. Pero tú no. ¿No te das cuenta? Has cambiado. Ya no eres el mismo.

Mardánish apretó las manos de su favorita y la humedad de sus ojos pareció a punto de desbordarse. Zobeyda no supo interpretar si él se mostraba herido por la propia y descarnada acusación o por la verdad de lo que ella decía. Por fin, el rey soltó las manos de su esposa y se dejó caer en su regazo. Ella lo acogió como antaño, acarició su espalda sudorosa y besó el cabello rubio y revuelto. Mardánish se estremeció y Zobeyda supo que su esposo lloraba.

—Todo volverá a ser igual —susurró ella—. Renuncia a tu odio. Y a tu miedo. Tus súbditos te quieren y te respetan, y Abú Amir solo busca lo mejor para todos. Vuelve con nosotros. Vuelve con los que de verdad te amamos y seríamos capaces de darlo todo por ti.

—Tú... ¿lo darías todo por mí? —La voz del rey sonó apagada. Seguía envuelto en los brazos de ella. Zobeyda acarició el pelo del rey.

—Lo daría todo. Mi vida. Hasta mi honor.

Sintió el alivio en el largo suspiro que relajó el cuerpo de Mardánish. Los dedos de Zobeyda se enredaron en el cabello claro. En ese momento notaba que sí, que podría dar la vida por su rey. Sonrió con amargura, ahora que él no la miraba. Su honor ya lo había entregado tiempo atrás, junto con su cuerpo, al ceder al apetito del conde de Urgel. Todo por el Sharq. Todo por el rey Lobo. A cualquier precio.

—¿Qué debo hacer? —preguntó al fin Mardánish.

56

Vientos de tormenta

Verano de 1165. Estrecho de Gibraltar

Los delfines se hundían y asomaban sus aletas junto a las estelas de las naves. De pronto uno de ellos nadaba entre dos aguas y jugaba con la senda pintada por una galera; su dorso de color pizarra desaparecía y más allá, hacia poniente, volvía a emerger entre las olas para saltar y burlarse de la espuma.

El *sayyid* Utmán observaba embelesado aquellas maravillas de Dios. Paseaba por la cubierta de su barco y acariciaba la borda mojada. Atrás quedaba África, a la que tardaría mucho tiempo en volver. Estaba convencido de ello, pues las órdenes de su hermano Yusuf no habían dejado lugar a dudas. Sorteó los fardos y a los hombres de mar, a sus guerreros masmudas y a los funcionarios del Majzén que viajaban con el ejército. Sus ojos recorrían las naves que, a decenas, cruzaban la lengua de agua que separaba al-Ándalus de África. Los estandartes con versículos del Corán se henchían con el viento y señalaban el camino del norte.

Se detuvo junto al gran fardo cilíndrico cubierto por telas. El bulto ocupaba toda la manga de la galera y se apoyaba en ambas bordas, lo que obligaba a la tripulación y a los soldados a pasar por el hueco de debajo. Un escalofrío recorrió la espina dorsal de Utmán. El gran tambor almohade. Algo que, según costumbre que se pretendía inveterada, el ejército transportaba únicamente cuando el califa se hallaba al mando. Solo que ahora no había califa. O si lo había, nadie lo llamaba así. Tal vez por eso aquella costumbre se rompía, y el príncipe nobilísimo enviaba el gran tambor almohade a al-Ándalus como un símbolo de su propia voluntad. Eso sí, Yusuf no cruzaría el Estrecho para poner orden entre los andalusíes rebeldes y los cristianos. El *sayyid* Utmán sonrió al tiempo que acariciaba la tela que envolvía el gigantesco tambor. Su toque podía oírse a millas de distancia si tenía el viento a favor y un terreno llano por el que arrojar su bramido. Y entre las montañas, las paredes de roca repetían su golpeteo como un eco, estremecía las hojas de los árboles y ahuyentaba bandadas enteras de aves. En campaña, el tambor era acarreado sobre un carruaje a un lugar elevado, y un toque triple indicaba al ejército de Dios que debía comenzar la marcha. Después, aquel monstruo de madera sobredorada era llevado a una nueva altura y volvían a golpearlo. Así, el enemigo era consciente de que se cernía sobre él la mano armada del Único. No pocas habían sido las batallas vencidas solamente al toque de ese atabal gigante, cuando ejércitos enteros se daban a la fuga transidos de miedo y con los nervios rotos a fuerza de la percusión.

Utmán se agarró a uno de los cabos que aseguraban el gran tambor almohade a la cubierta y miró de nuevo a su alrededor, a las galeras que llenaban el Bahr az-Zaqqaq. Veinte mil hombres cruzaban el brazo de mar que separaba los dos continentes. Lo mejor de las huestes reunidas por fin para dar el escarmiento definitivo al enemigo: los cazadores que se disponían a cazar al Lobo. En un inacabable ir y venir de embarcaciones, la armada reunida en Qasr Masmuda recogía en la costa africana a los jinetes de las tribus árabes hilalíes, los Banú Riyah, los Banú Yusham y los Banú Zugba, así como a la élite de la infantería y la caballería almohades. Cada cabila navegaba por separado, entonando sus propios cánticos al son del oleaje desatado del Estrecho. Más silenciosos se dejaban llevar los restos de las tribus almorávides añadidas al ejército para completar los cuerpos de arqueros: los *rumat*, usados también como exploradores. Los más vociferantes, hacinados en las bodegas como si fueran forraje para las bestias, eran los voluntarios *ghuzat*, que marchaban alegres hacia el martirio. Las únicas tropas andalusíes a las que se permitiría unirse al ejército serían precisamente otros *ghuzat*, auténticos fanáticos que sabían que su destino en aquella campaña era la muerte. Por último, viajando en las mejores galeras de la flota, cruzaban el inquietante Abú Hafs y los principales jeques, los nobles almohades, sus escribanos, médicos y secretarios, protegidos por un millar de esclavos negros prestados por el propio Yusuf para la ocasión. Utmán, en calidad de *sayyid* hijo de Abd al-Mumín, portador de la sangre del difunto califa, era quien debía figurar como líder de aquella expedición; pero todos sabían que el auténtico caudillo del ejército era el visir omnipotente Abú Hafs.

Utmán inspiró con fuerza el aire salobre de la lengua de mar, testigo de siglos y siglos de invasiones de pueblos de todo credo y raza. Las primeras naves se disponían a fondear en las costas de la Península, y la recia mole inacabada en lo alto del Yábal al-Fath se recortaba contra el cielo. Miró atrás, por encima de las decenas de estelas espumosas y de las nubes de delfines que seguían jugueteando con ellas. África. Y en ella, Hafsa. Solo unos días antes, en Marrakech, Abú Hafs había vuelto a poner sobre la mesa la vida de Hafsa, justo cuando Utmán se disponía a rendir el definitivo vasallaje incondicional a su hermano Yusuf, príncipe nobilísimo. Al final, por caminos rectos o tortuosos, todas las criaturas de Dios hacían su voluntad. Y la voluntad de Dios era ahora arrasar aquel infame reino del Sharq al-Ándalus.

Dos semanas después. Valencia

Abú Amir entró en el salón de consejos del alcázar en medio de una disertación del gobernador de Valencia, Abú-l-Hachach, que tenía a todos los presentes, Mardánish incluido, dando cabezadas y disimulando bostezos. Al menos una docena de sirvientes jóvenes caminaban a lo largo de la estancia y balanceaban grandes plumas para luchar contra el calor húmedo, y cuatro pebeteros se encargaban de extender un bálsamo que, infructuosamente, intentaba espantar la nube de mosquitos que torturaba a visires, secretarios y escribanos. El rey Lobo recibió a su consejero personal con un gesto indolente, y Abú-l-Hachach se interrumpió forzando la última sílaba, como para poner de manifiesto lo inoportuno de la llegada de Abú Amir.

—Debías estar aquí desde hace ya un rato —se quejó sin ganas el rey.

El consejero no contestó. En lugar de ello avanzó y dejó caer sobre la mesa de consejos un par de rollos con los sellos rotos. Todos los presentes clavaron la mirada en los documentos. Todos menos Mardánish, que seguía observando a Abú Amir.

—Las cartas que esperábamos —habló al fin el poeta—. Desde el norte y desde el sur.

El rey se levantó del trono y su gesto apático fue trocado por otro de sumo interés. Un muchacho se apresuró a seguirlo en su rápido caminar, abanicándolo mientras esquivaba los cojines y escabeles.

—¿Del norte? ¿De Azagra?

—De Pedro de Azagra, sí. Te anuncia que estará aquí para finales de verano, y manda una relación de las tropas que ha conseguido unir a nuestra causa. —Abú Amir tomó uno de los rollos y lo extendió para mostrar a todos la caligrafía romance de la misiva—. Con él viene un caballero barcelonés, un tal Guillem Despujol. Dice que cuenta con buena hueste. Pero también se excusa porque los concejos castellanos se resisten mucho a prescindir de sus milicias. La guerra entre los Lara y los Castro los tiene muy ocupados. Lo siento, mi señor.

Mardánish llegó hasta el pie de la mesa y apartó sin miramientos a uno de los secretarios. Alisó la carta de Azagra y leyó con avidez las líneas garabateadas con tinta negra. Un solo vistazo a los números le hizo gruñir entre dientes.

—Esto no es suficiente... No está mal, pero no es suficiente.

—Cierto, no lo es —remachó Abú Amir—. Sobre todo si tenemos en cuenta las otras noticias, las del sur.

La mirada del rey a su consejero hizo estremecerse a más de un visir del Sharq.

—¿Hamusk?

Todos aguantaron la respiración. Desde semanas atrás se rumoreaba que el suegro del rey se obstinaba en hacer oídos sordos a las órdenes de Mardánish. Algunos habían llegado a decir que el señor de Jaén estaba a punto de retirar su sumisión al Sharq para crear un reino propio e independiente en sus dominios del Alto Guadalquivir. Nadie desconocía que las implicaciones de eso serían dramáticas.

—Tu suegro, el señor de Jaén, ha anunciado que se reunirá contigo en Lorca cuando empiece el otoño. Está escrito aquí. Se compromete a acudir con al-Asad y con todas las fuerzas de sus tierras, aunque...

El suspiro de alivio inicial se vio truncado ante la nueva incertidumbre.

—Aunque... —repitió Mardánish, siseando y sin rebajar ni un ápice el tono amenazante de su mirada.

—Aunque te ruega, como reconocimiento a su presteza en acudir a tu llamada, que le des el mando de las fuerzas andalusíes del Sharq. Quiere ser tu arráez, como antes lo fue Óbayd.

El rey sonrió a medias. Las fuerzas andalusíes del Sharq habían sido arrasadas en Granada. Degolladas mientras dormían en lo alto de la colina Sabica, o ejecutadas a la vista de todos a órdenes del almirante supremo Sulaymán. Apenas algunos valencianos y jativeses se habían librado de la mantaza. Los que, para su fortuna, se hallaban con Mardánish en al-Bayyasín.

—Si eso es lo que ruega, se lo concedo. —Y la media sonrisa se completó en la boca del rey. Algunos visires le imitaron, y Abú-l-Hachach, adulador, se permitió soltar una risita.

—El problema —continuó Abú Amir— es que Hamusk se da cuenta de lo exiguo de las huestes andalusíes, por lo que fija una condición más.

De nuevo, el silencio tenso, y la alegría del rey convertida otra vez en mueca.

—Ese perro quiere el mando de todo el ejército —intervino Abú-l-Hachach. Todos se volvieron hacia él con rapidez. Mardánish fue el que lo hizo lentamente, con la piel de la mandíbula tensa por el gesto de rabia. Fulminó a su hermano con la mirada. Aunque por momentos perdía su confianza en Hamusk y su sentimiento hacia él se corrompía con cada acto de insumisión, estaban hablando del padre de Zobeyda. Fue Abú Amir quien medió al introducir un nuevo elemento de preocupación.

—Hamusk, aun antes de conocer las cifras que Azagra escribiría en esta misiva, suponía ya que tus nuevas huestes, mi señor, serían a la fuerza insuficientes. Lo supone porque sus agentes le han informado de que un ejército de veinte mil almohades ha cruzado el Estrecho y se dispone a partir desde Gibraltar, su base, a la que ahora llaman Yábal al-Fath. Veinte mil, mi señor. Por eso la segunda condición de Hamusk es que mandes llamar a las tropas acantonadas en la Marca Superior.

El consejero consiguió su fin. El desatinado insulto de Abú-l-Hachach se hundió de inmediato en el olvido.

—Veinte mil —repitió uno de los visires, visiblemente acongojado.

—Bajo mando de Abú Hafs y de Utmán, sí —incidió Abú Amir.

—¿Abú Hafs?

Un murmullo semejante al zumbido de mil moscas se extendió por la sala. Hasta ellos había llegado la reputación del más sanguinario dirigente del imperio almohade.

—Manda llamar a las tropas del norte, hermano mío —pidió Abú-l-Hachach.

—Si mando llamar a esas tropas, el rey de Aragón hallará vía libre para sí y sus ambiciosos nobles.

Todos asintieron a la respuesta del rey. Incluso el voluble Abú-l-Hachach. Mantener acantonada esa fuerza en la Marca Superior era una estrategia seguida durante años.

—Lo sé —admitió Abú Amir—. Yo mismo te recomendé acuartelar allí a esos hombres, ¿recuerdas? Era preciso para disuadir al difunto Ramón Berenguer. Pero eran otros tiempos. Contábamos con el emperador Alfonso, y eran muchos los cristianos que venían a valerte, mi señor. Y tu ejército... Tu ejército era más numeroso.

Mardánish bajó la cabeza y sus ojos se perdieron en los dibujos del suelo, trazados con esmero por los mejores artistas para decorar el alcázar. A su mente vino la imagen de un ovillo de lana cuyo cabo da una y mil vueltas y forma nudos que cada vez se aprietan más. Y más, y más. Hasta que es imposible deshacerlos, y te ves obligado a cortar para aprovechar el hilo. Así se perdía la pista de cada trazo verde y azul que saltaba de azulejo a azulejo. La Marca Superior. Hacía años que no la visitaba. Desde lo del lobo negro... Su atención voló al trono que ocupaba en la sala, decorado con aquella misma piel. La del animal que le había dado el sobrenombre. Recordó a la enorme bestia acorralada y herida, dispuesta a vender cara su piel para defender a la manada. Curioso. Ahora él, Mardánish, el rey Lobo, tendría que desamparar parte de su reino para conservar el resto. Cortar el hilo para aprovecharlo... Sacrificar a algunos lobeznos para salvar la vida de otros. Habló sin separar la vista de su apreciada piel de lobo.

—Tú conoces las cifras, Abú Amir. Tú sabes si es preciso desguarnecer Albarracín.

El consejero conocía las cifras, sí. Conocía el episodio del lobo también. Y sabía qué pasaba ahora por la mente de su rey. ¿Acaso se reducía todo, al final, a un problema de sumas y restas? ¿En eso estribaba la salvación del Sharq? Abú Amir se restregó la frente perlada de sudor y, al igual que Mardánish, puso a funcionar la memoria. Las mazmorras de Valencia, allí mismo, a tan solo unas varas bajo sus pies. Últimamente pensaba mucho en aquel día, más de diez años atrás. Ibn Silbán, enloquecido y condenado a la podredumbre y la miseria. Y su momento de lucidez, que anunciaba la llegada del final. Recordó sus palabras, que todavía flotaban entre las aguas de la locura y la exaltación mística: «Tú lo verás con tus propios ojos. Todos cederán al nuevo viento: o bien se inclinarán ante él, o bien serán arrastrados. Cuando contemples los tallos caer cercenados al paso del segador, pregúntate qué destino escoges».

Abú Amir imaginó a las hordas almohades que llegaban al Sharq, arrasaban Murcia, avanzaban hacia el norte y dejaban a su paso un rastro de crucifixión y esclavitud. Imaginó Valencia ardiendo, y las aguas del Turia atiborradas de cadáveres. Se preguntó en silencio qué destino podía escoger. Y encontró la respuesta al punto, porque él no quería que los vaticinios de Ibn Silbán se cumplieran. Aunque para ello debiera inclinar la cerviz ante un invasor cristiano. Había que oponerse a los almohades. Ante todo y sobre todo.

—Reclama a tus fuerzas del norte, mi señor. Reclámalas si quieres salvar al Sharq.

Unas semanas después. Sevilla

Utmán despertó sobresaltado y se incorporó en el jergón. Descubrió que sudaba copiosamente y que en sus labios se diluía a toda velocidad un sabor conocido. Añorado. Uno dulce y a la vez amargo. Como de néctar mezclado con lágrimas.

—Hafsa —susurró.

Tomó conciencia del murmullo, y lo sintió crecer hasta que se convirtió en griterío. Abandonó el lecho para espantar los últimos jirones de sopor y hundió las manos en la jofaina. Se arrojó el agua caliente al rostro y salpicó las esteras puestas sobre el suelo arenoso. Luego salió de su pabellón, tendido a la orilla del Guadalquivir. A la izquierda, las tímidas luces de Sevilla iluminaban la noche desde el interior de las murallas. Entre el centro del campamento militar y la ciudad quedaba el hueco vacío de las tribus árabes, que habían partido a poniente para apaciguar la frontera con Portugal. Regresarían después de poner a ese Gerardo Sempavor en su sitio, y entonces daría comienzo la verdadera campaña. Utmán caminó en dirección contraria; dejó el río a un lado para dirigirse a la jaima de su hermanastro Abú Hafs. De allí venían los gritos y las imprecaciones. Hasta le pareció oír una maldición. Aligeró el paso y, aunque cojeando, llegó a la carrera. Varios Ábid al-Majzén montaban guardia en la puerta del pabellón, que, en un alarde de soberbia, Abú Hafs había mandado erigir con tela roja. Como si fuera el difunto califa. Los esclavos negros apartaron sus corpachones al paso del *sayyid*, y Utmán se encontró con un hombre postrado de rodillas, con la cara pegada al suelo y las manos sobre la cabeza. Incluso así se apreciaba con claridad el temblor que lo dominaba. Ante él, Abú Hafs se rascaba la cabellera, y en las comisuras de sus labios se formaban dos marcas blanquecinas. Las venitas que enrojecían su mirada eran ahora vetas gruesas que le hacían parecer un demonio. A ambos lados, pegados a las paredes de tela del pabellón, algunos jeques almohades y un visir sevillano asistían a la escena en silencio.

—¿Qué pasa? —preguntó Utmán.

Abú Hafs le dirigió una mirada sanguinolenta y llena de desprecio. El *sayyid* leyó enseguida su significado: algo muy grave había ocurrido. Algo que transcendía su comprensión. Por muy hijo de Abd al-Mumín que fuera.

—Sulaymán —escupió al fin Abú Hafs—. El almirante supremo Sulaymán. Ha muerto. —Y se adelantó dos pasos de repente. Utmán temió que fuera a patear la cabeza del hombre arrodillado, pero en lugar de eso se detuvo y siguió revolviéndose los cabellos con ira, como si buscara arrancárselos.

—¿Sulaymán? ¿Cómo? Y este hombre ¿qué ha hecho?

Abú Hafs se dio la vuelta sin contestar y cubrió en tres zancadas la distancia que lo separaba de su lecho. Se sentó allí. O más bien se derrumbó. Apoyó los codos en las rodillas y hundió la cabeza en las manos. Utmán no podía saber si su hermanastro lloraba, pero no lo creía capaz de tal cosa. Ante la falta de respuesta de este, su mirada inquisitiva se dirigió a los demás hombres presentes. Fue el sevillano quien rompió el silencio mientras señalaba al hombre prosternado.

—Es un mensajero de Almería. Uno de los marinos de Sulaymán. El almirante supremo tenía orden de recorrer las costas del Sharq hostigando a esos levantiscos del demonio Lobo, pero ha sido traicionado. Lo degollaron en su nave y arrojaron el cuerpo al mar.

Utmán escuchó sin dejar de lanzar ojeadas a su hermanastro. Abú Hafs seguía postrado en su particular turbación.

—¿Quién ha sido el traidor? ¿Se le ha castigado?

—Ni mucho menos —respondió el sevillano—. Ha sido el caíd de Purchena. Sus andalusíes, me avergüenzo de ello, se rebelaron contra el almirante supremo y apresaron a todos los fieles. Este hombre —volvió a apuntar hacia el mensajero— es el único superviviente. Esos perros le cortaron las orejas y lo mandaron aquí a traer el mensaje.

Utmán frunció el ceño. Luego se acercó al mensajero y tiró de sus ropas hacia arriba. Al hacerlo notó el fuerte temblor que lo invadía. El hombre se alzó y lo miró con el rostro congestionado. Era africano y de tez morena. Tal vez uno de los hargas. O quizá de los hintatas. Era imposible saberlo solo por sus rasgos, pues la mutilación de las orejas, visible ahora en toda su crueldad, le había inflamado el rostro. El *sayyid* ahogó una mueca de asco ante las heridas supurantes que marcaban la cabeza del mensajero. Una de ellas, tal vez por los temblores, se había abierto y arrojaba un hilillo de sangre que se perdía cuello abajo.

—¿Cómo se llama? ¿Quién mató a Sulaymán? Dime el nombre de ese caíd traidor.

—No puede oírte, ilustre *sayyid* —habló de nuevo el sevillano—. No hemos sido capaces de hablar con él. Los de Purchena se aseguraron de desgarrar a conciencia. Está sordo. Se ha limitado a hablar. A gritos y entre gemidos de dolor. Creo que está delirando, así que debemos ser prudentes...

—Dime tú, pues, ¿cómo se llama ese perro andalusí? —Utmán dirigió ahora su pregunta al sevillano.

—Ibn Miqdam. Y ahí no acaba la cosa, ilustre *sayyid*... Ese cerdo se presentó por sorpresa en la mismísima Almería y la ha tomado. Antes de mutilar al mensajero, le ordenó decirnos que la ciudad vuelve a la soberanía de Mardánish. Es el demonio Lobo quien manda ahora en Almería.

Utmán apretó los puños. Un dolor repentino y lacerante le atravesó el muslo, allí donde un guerrero andalusí le había hundido su espada a las puertas de Almería. Un guerrero en cuyo escudo negro había podido ver, resplandeciente al sol del Mediterráneo, una estrella plateada de ocho puntas.

Valencia

Mardánish, medio ebrio, bailaba colgado de los cuellos de dos danzarinas de piel oscura. Las muchachas vestían solamente ajorcas y collares dorados, reían escandalosamente y esquivaban los pellizcos de los guerreros cristianos, sudorosos y también borrachos. La música había dejado de resultar armónica cuando la esclava que tañía la cítara la había soltado para ser poseída en el suelo por el caballero barcelonés Guillem Despujol.

Hacía meses, o tal vez años, que el rey Lobo no daba una de sus afamadas fiestas. El banquete, organizado por Abú Amir para dar la bienvenida a Pedro de Azagra, degeneró pronto en una orgía en la que el propio Mardánish se desahogaba de meses de amargura. Despujol tenía conocimiento de aquellas bacanales por las habladurías, y no fue decepcionado: se mostró pronto bien dispuesto y no tardó en dejarse llevar por el desenfreno. Ahora, andalusíes y cristianos gozaban de las bailarinas, músicas y escanciadoras en el mismo lugar en el que, poco tiempo antes, el rey Lobo había tomado la decisión de desamparar la Marca Superior. Allí mismo estaban ahora los guerreros de la Marca. Rudos, como la tierra norteña de la que venían. Los jefes tagríes eran quienes, precisamente, más se dejaban llevar por el ambiente de lujuria desordenada, y dos de ellos poseían a la vez a una flautista cordobesa sobre la mesa de consejos. Mardánish pasó danzando junto al sitial que ocupaba Pedro de Azagra, extrañamente sereno y solitario mientras a su alrededor se desataba el libertinaje. El rey Lobo se soltó de las muchachas de piel oscura y tomó asiento junto al navarro. Se sirvió vino en una copa de plata y llenó la de Azagra, aunque este rechazó la bebida con un gesto.

—Goza de los placeres del Sharq, amigo mío —invitó Mardánish con voz pastosa—. Como antaño, ¿recuerdas? Igual que si Álvar estuviera aquí.

El navarro sonrió melancólico, como siempre que recordaba al gigantesco paladín cristiano.

—No puedo —se excusó—. No hasta que nos libremos de la amenaza de...

—Ah, no me agríes la diversión, hombre —se quejó el rey Lobo, y vació de un trago la dosis de vino. Luego se limpió los labios con el dorso de la mano y posó la copa de plata en la mesa, pero lo hizo torpemente; el recipiente se venció y rodó hasta donde los dos tagríes se turnaban en las embestidas a la joven cordobesa. Mardánish creyó ver que la chica se desgañitaba de placer, pero Azagra se daba cuenta de que la flautista fingía entre quejidos de asco. Apartó su atención de la escena.

—Debes disculparme. —Hizo ademán de levantarse—. Me voy a dormir.

—¿A dormir ya? —El rey apoyó una mano sobre el hombro del navarro y lo mantuvo en el sitio—. Ni hablar. Mira lo que tenemos aquí. Bailaremos, beberemos y gozaremos de estas muchachas hasta el amanecer. Como antaño. Como cuando estaba Álvar. Todo vuelve a ser igual. ¡Felicidad! ¡Prosperidad!

Pedro de Azagra apartó suavemente la mano de Mardánish y consiguió ponerse en pie. Frente a él, uno de los tagríes se desinfló con un mugido al alcanzar el clímax, y su cuerpo quedó tendido sobre el de la cordobesa. El otro tagrí intentó apartarle para tomar su parte, pero su compañero parecía haberse dormido. Varios de los invitados rieron ante el suceso.

—Amigo mío, me alegra que disfrutes de la vida. Pero recuerda que los almohades siguen a las puertas del Sharq.

Mardánish miró con gesto embobado, y cuando su mente fue capaz de descifrar las palabras de Azagra, sonrió, se levantó a su vez y volvió a aferrar el hombro del navarro.

—No hay miedo. Fíjate en lo que ha pasado. Almería. ¡Almería! Almería es nuestra. Es como una señal.

—¿Una señal? ¿De Dios? ¿Ahora te has vuelto piadoso?

—¡Sí! ¡Tal vez! —Soltó una carcajada y observó con ojos turbios todo el vicio que invadía la sala—. Pero sea lo que sea, Almería se nos ofrece como una señal. Y así se la haré llegar al rey de Castilla. Una señal que comprenderá. ¡La comprenderá, Pedro!

Azagra hizo un gesto de extrañeza.

—¿Una señal para Alfonso de Castilla? No te comprendo. Alfonso sigue siendo un crío, y aun con todo tiene otras señales a las que atender.

—Esta no podrá ignorarla. —Las palabras de Mardánish se atropellaban—. En mi generosidad, devuelvo Almería al rey de Castilla, que es su legítimo propietario. Es un regalo. Una señal. Mi fiel vasallo... ¿Cómo se llama?

—Ibn Miqdam, el caíd de Purchena.

—¡Ese! ¡Hombre valeroso que podría estar compartiendo a estas beldades con nosotros! ¡Ibn Miqdam! Ah, si solo pudiera haber visto el momento en el que acabó con ese puerco africano de Sulaymán... Ah, si Álvar lo pudiera haber visto...

Pedro de Azagra negó con la cabeza. De nuevo Álvar. Una y otra vez. Como una obsesión. Como una señal, esa sí. Verdadera señal de otro tiempo que ahora Mardánish se empeñaba en recuperar tejiendo una malla de falsas esperanzas.

—Ibn Miqdam necesitará que refuerces pronto la guarnición de Almería, o los almohades la reconquistarán.

—¡No, amigo Pedro! ¡No será necesario! He mandado correos a Castilla, ¿sabes? Van a entrevistarse con el joven Alfonso. —Mardánish se volvió un momento para buscar su copa, pero vio que ahora estaba junto al cuerpo desnudo y sudoroso de la flautista cordobesa. La muchacha ya tenía encima al tagrí consciente y había dejado de disimular. Cerraba los ojos y clavaba las uñas en la madera de la mesa mientras recibía con espasmos los empujones del guerrero de la Marca. El otro tagrí, dormido, yacía a su lado desnudo y en una posición ridícula. Mardánish rio con ganas y alargó la mano para recoger la copa, pero se detuvo a medio movimiento y volvió a prestar atención a Pedro de Azagra—. Cuando el rey de Castilla sepa de mi regalo, mandará enseguida una hueste para proteger Almería. Otra vez, amigo mío. Juntos, como antaño. Nuestros estandartes, unidos, enfrentados a esos africanos... ¡Guerra perpetua a los almohades!

El navarro asintió para no desairar al rey Lobo.

—Bien. De acuerdo. Todo volverá a ser como antes. Algún día, sí. Pero ahora no descuides tus deberes. Abú Hafs y Utmán avanzan. Recuerda las últimas noticias. Pronto saldrán de Sevilla y remontarán el río. Manda más mensajeros, pero mándalos a tu suegro. Debemos prepararnos. Hemos de cortar el paso a nuestros enemigos. —Ahora fue Azagra quien puso ambas manos sobre los hombros de Mardánish y lo miró fijamente, anhelante por atraer su cordura—. Solo eso. Haz eso por mí.

El rey Lobo se abrazó con fuerza al cristiano y palmeó su espalda.

—Claro que sí, amigo mío —dijo con su acento etílico—. Haré cualquier cosa por ti. Mañana mandaré mensajeros a Jaén. Mañana. Pero ahora bebamos. ¡Bebamos! —Y se separó del navarro para buscar un odre con el que rellenar su copa vacía.

Pedro de Azagra lo siguió con la vista hasta que las danzarinas negras volvieron a enlazarse al rey y este recorrió sus cuerpos con manos ávidas. El cristiano suspiró y se alegró de que Hilal no hubiera sido invitado a la fiesta. Se retiró con discreción, rumiando enviar él mismo a esos mensajeros que debían alertar a Hamusk.

57

Lorca y el gran tambor almohade

Otoño de 1165. Lorca

El río Guadalentín ya barría con sus avenidas todo el valle desde que, antes de la llegada de los musulmanes, fuera llamado Sangonera. Eso no había impedido que los antiguos rumíes construyeran su calzada a la vera de la corriente para comunicar su Mare Nostrum con el sur de la Península. Así, el camino que venía desde Murcia se partía en dos al llegar a Lorca: un ramal, el principal, giraba hacia occidente y se dirigía al interior, hacia Bálish, Baza, Guadix y Granada. El otro ramal continuaba hacia el sur, camino de Almería. Era precisamente junto a esa bifurcación por donde el río Guadalentín corría raudo hacia levante tras los deshielos, y encontraba paso franco en un angosto capricho de la naturaleza. La puerta del Sharq. Y ese desfiladero estaba protegido por la ciudad de Lorca.

Mardánish, recibido entre adulación y nervios en el alcázar, examinaba desde las murallas el paso. Reflexionaba mientras, a su alrededor, una nube de visires pretendía imponer a gritos su opinión para defenderse del avance almohade. El rey Lobo se pellizcaba la barba rubia y cuidadamente recortada y cada poco asentía sin decir palabra, porque lo hacía para sí mismo. Pedro de Azagra, a su lado, también observaba en silencio, igual que en silencio asistían a la ruidosa reunión Hamusk, al-Asad y el joven Hilal. Desde la alcazaba, enriscada en el cerro, se dominaban millas y millas de valle castigado por el sol. Las ramblas confluían a decenas en el cauce del Guadalentín, sembradas de higueras y almendros protegidos por pequeños muros de argamasa. La tierra, agrietada por el castigo del verano, había recibido dos días atrás un buen chaparrón, y después, la lluvia cayó fina e intermitente. Eso había refrescado el aire. El navarro señaló a poniente, ignorando al igual que Mardánish las palabras vacías de los burócratas del Sharq, que sonaban afectadas junto a ellos. Su voz grave se impuso a las de visires y secretarios:

—No cabe duda. Este es el mejor lugar. Aquí, donde acaba una serranía y empieza la otra. Con Lorca a nuestra espalda y todas esas ramblas cruzando el terreno.

Mardánish asintió al tiempo que los visires callaban por fin. Esas mismas ramblas serían un obstáculo para su caballería cristiana, pero la intención era detener a los almohades, no enfrentarse a ellos en campo abierto. No hasta que estuviera seguro de su triunfo.

—¿Y si rehúsan el combate? —aventuró el rey Lobo—. Ellos no son tontos y saben que esto no los beneficia. A nuestra vista podrían girar al norte y viajar entre las sierras.

Azagra levantó una ceja y miró a su derecha, a las fragosidades de la sierra de Tercia y a los elevados picos de la sierra Despuña. Un terreno tan distinto a todo lo que los rodeaba que hasta había pozos de nieve en las alturas.

—No lo creo. Los almohades son como un gran animal torpe y pesado. Siempre buscan el llano arenoso. Sabes que viajan muy despacio, y que cuando el sol está alto dejan de caminar para montar su campamento. —El navarro apuntó con un dedo a las lejanas cumbres de la sierra Despuña, que se perdían en la distancia hasta volverse azules—. Ese es nuestro terreno, y podríamos organizar partidas de incursores para hostigarlos. Las fuerzas tagríes llegadas de la Marca Superior, por ejemplo, se defienden bien en terreno escabroso. Sería como apostarnos en la senda del jabalí para cazarlo. Conocemos dónde están los pasos, las fuentes, los pinares más frondosos... Además, a medio camino tenemos tu fortaleza de Aledo, que sería una estupenda base. Y de todas formas, podrías guiar a tu ejército por el lado derecho de la sierra, en el valle abierto, y aprovechar la calzada romana para llegar a Murcia mucho antes que ellos. Nos refugiaríamos en tu capital y, con nuestro ejército mucho más descansado y al completo, podríamos resistir. Jamás serán capaces de rendir Murcia si no nos vencen antes en batalla.

Mardánish asintió despacio. Hilal, que seguía en silencio junto a Azagra en calidad de escudero suyo, dio un paso para hacerse notar. Con un gesto, su padre le animó a intervenir en la conversación.

—¿No hay otra forma de que los almohades alcancen la costa? Tal vez no lleguen desde occidente. Si dan un rodeo y vienen directamente desde el mediodía, el camino hacia Murcia es al-Fundún. Si no me equivoco, el valle abierto que hemos dejado atrás cuando veníamos. —Mardánish y Azagra asintieron y ambos, a la vez, se dieron la vuelta. La estupenda posición de Lorca en las estribaciones de la sierra del Caño les permitía dominar también al-Fundún, la extensa y fértil llanura que llevaba al corazón del Sharq y por la que el Guadalentín corría hacia el norte, ya calmada su furia, para unirse al río Segura.

—Pero es que ellos no vienen desde Almería, sino desde Granada —opinó Hamusk, que hasta ese momento había guardado silencio—. Los correos dicen que están lanzando algaras por Baza y Caravaca... ¡Hasta a los montes de Segura se han atrevido a llegar! Su ruta está clara: aparecerán por el oeste. Tú mismo lo has dicho: tomar el camino hacia el mar, sin pasar por aquí, los obligaría a dar un gran rodeo por el sur para evitar esta sierra.

—Sí —el joven Hilal sonrió a su abuelo, pero luego miró a su mentor navarro y al rey para buscar apoyo a sus palabras—, aunque también nos obligaría a nosotros a interponernos en su camino en campo abierto. Y ¿nosotros no tratamos de evitar eso precisamente?

—Así es —estuvo de acuerdo Azagra—. Y no podemos aceptar el choque. Nuestras fuerzas no llegan a los quince mil hombres y los almohades, según los informes, ya cuentan con unos veinte mil.

—Yo, por mi parte —Hamusk habló sin mirar al joven andalusí, y su voz adquirió el habitual tono de desprecio—, no tengo problema alguno en enfrentarme a esos africanos donde sea. Tanto me da la estrechez de un desfiladero como una llanura. Y no me importa que nos superen en cinco, en diez o en veinte mil hombres. Pero si os va a servir para calmar vuestro miedo, destinaré a sendos destacamentos de caballería a fin de cubrir las dos posibilidades. Uno avanzará por la calzada romana hacia el oeste, y el otro vigilará la entrada al valle por el sur, camino de Almería. Es una lástima que el mocoso Alfonso de Castilla no haya aceptado «tu regalo», yerno, porque ahora la guarnición cristiana de Almería podría echarnos una mano. Por desgracia, entregas las ciudades bajo tu cetro a cualquiera.

El rey Lobo, visiblemente molesto por lo que decía su suegro, resopló y se le hincharon las aletas de la nariz. Azagra, incómodo también por la forma en que Hamusk hablaba del joven rey de Castilla, se apresuró a completar la estrategia para evitar un nuevo enfrentamiento.

—Si se diera la posibilidad que apunta Hilal, propongo no combatir. Podemos reforzar Lorca para evitar que caiga. Luego la dejaremos atrás y, con clara ventaja, no tendremos problema en alcanzar Murcia antes que ellos. Eso, además, colocará en una embarazosa posición a los almohades, con una hueste nada despreciable esperándolos en nuestra capital y otra en su retaguardia, encastillada aquí. Sin embargo, debo insistir: no es lógico que vengan desde el sur. Debemos concentrarnos en defender el paso del oeste.

Mardánish y su hijo ensancharon la sonrisa, complacidos por la solución que proponía el navarro. El rey puso una mano sobre el hombro izquierdo de Hilal, orgulloso de que su heredero hubiera intervenido con tino en aquel improvisado consejo de guerra.

—Sea. —Miró a su suegro—. Envía esos dos destacamentos y procura que me tengan informado con tiempo suficiente. Que no regresen hasta que el enemigo esté localizado.

Campamento mardanisí a los pies de Lorca

La noche trajo pesadillas y desvelos para la mayoría, y sueños de esperanza para unos pocos. Con cada momento que transcurría, sentían que se acercaba el definitivo. Y todo guerrero andalusí y cristiano escuchó durante su vigilia las consignas de los centinelas, y las toses de unos y los suspiros de otros. La lluvia regresó, aunque por fortuna cayó suave, sin molestar en demasía a los hombres acampados. A la mañana siguiente, el señor de Jaén destacó a dos pequeños destacamentos para cumplir la misión ofrecida por él mismo. Los dos grupos, ligeramente armados y con caballos de refresco, se dispusieron a salir del campamento andalusí, montado a los pies de Lorca, con las primeras luces del alba. Tres hombres partirían hacia el sur y cabalgarían entre la sierra del Caño y el mar. A su frente, Hamusk había colocado al mismísimo al-Asad, con quien hizo un aparte antes de su marcha. Mardánish observó que los dos hombres, inseparables desde hacía años, conversaban en voz baja en un extremo del campamento, junto a un murete de argamasa de los que servían para contener las fieras acometidas del Guadalentín. Sintió cierto alivio al saber que pronto los dos guerreros tomarían caminos diferentes, pues consideraba al León de Guadix como un peligroso complemento de su suegro. Otros tres hombres marchaban al galope hacia el oeste, siguiendo a contracorriente el curso del río. Sus siluetas se desvanecían ahora sobre las ramblas que flanqueaban el cauce.

—Marcharás a toda prisa —le decía muy serio Hamusk a al-Asad. Miraba constantemente a los lados y atrás, y bajó la voz cuando un soldado pasó cerca con un odre para llenarlo de agua en el río—. No te detendrás si no es necesario. Debes llegar a la vista del ejército almohade enseguida. ¿Has entendido?

Al-Asad asentía al tiempo que mordisqueaba un pedazo de carne fría a guisa de desayuno. Estaba ya equipado aunque, para aumentar su ligereza, prescindía de la inconfundible loriga desgarrada y de toda arma salvo espada y daga. Los dos guerreros que le debían acompañar esperaban, ya montados, a unos codos de distancia. A los pomos de sus sillas llevaban atadas las riendas de los caballos de refresco.

—La última vez que te vi con esa cara fue antes de derrotar a Utmán en Granada —reconoció el León de Guadix con gesto burlón—. Entonces fue por un trato. Un trato con nuestros enemigos.

—No seas necio, mi querido al-Asad. Aquel trato con el ya difunto Sulaymán, a juzgar por el resultado, lo hice con un amigo. No con un enemigo.

—Entiendo...

—Lo dudo —murmuró Hamusk, y calló un instante mientras un grupo de campesinos lorquíes pasaban camino de sus huertos en al-Fundún. Cuando los labriegos se hubieron alejado, el señor de Jaén continuó—. El entendimiento de este negocio no pasa precisamente por saber reconocer a nuestros amigos y a nuestros enemigos, sino porque ellos, unos y otros, nos reconozcan a nosotros. Los almohades vienen con todo, según dicen... Bien, no me cabe duda de que su ejército nos supera, y siempre que eso ha ocurrido, las cosas no nos han ido demasiado bien. Sin embargo, entre ese cristiano Azagra y mi odioso yerno han planeado una defensa del camino que, lo reconozco, es muy buena. Tanto como para hacerme pensar que quizás, solo quizás, el Sharq al-Ándalus todavía tiene una oportunidad.

Al-Asad entornó los ojos, oscuros como su conciencia. Aún ignoraba hacia qué lado se inclinaba la balanza de Hamusk. Solo sabía que para él, la del señor de Jaén sería la opción buena.

—Entonces debo cumplir mi misión al pie de la letra. Me aseguraré de que los almohades no avanzan por la costa y...

—Sigues sin entender —le cortó Hamusk—. Hace tiempo que yo escogí mi bando. Hace tiempo que no tengo dudas. Mi nieto Hilal ha heredado mi inteligencia a través de Zobeyda. También ha heredado el temor que su padre disfraza de precaución, y por eso, sin quererlo, me ha dado una idea. Una idea que nos permitirá afianzar el resultado de esta aventura y que nos hará reconocibles a los ojos de nuestros amigos.

—Y nuestros amigos son... —La frase quedó flotando en el aire de la mañana con un deje de interrogación. Hamusk resopló.

—Los almohades son animales de costumbres, en eso tiene razón el navarro. Sin duda pretenden avanzar por la vía rumí, siguiendo el río. Llegarán desde el oeste para darse de cara con la muralla humana que mi yerno quiere construir en ese desfiladero. Eso no debe ocurrir, y por lo mismo debes darte prisa. Cabalgar sin descanso para llegar hasta el ejército de Abú Hafs. Pedirás entrevistarte con él en persona. ¿Me sigues?

—Te sigo. Pero ya has visto que Azagra tiene un plan para evitar el combate si los almohades vienen por el sur en lugar de por el...

—Shhh. Ese plan no servirá de nada si nosotros, aquí, no nos enteramos de que nuestros enemigos vienen por el sur. Es decir, mi buen León: si tú no cumples con tu deber.

Al-Asad asintió, aliviado al empezar a entender cuál era su bando finalmente. Hamusk bajó aún más su voz y acercó la boca al oído del León de Guadix, y así siguió susurrando su plan.

Día siguiente. Campamento almohade cerca de Bálish

Los ecos de los rezos se perdían y los buenos musulmanes recogían las esteras sobre las que acababan de cumplir su oración. Los muecines desmontaban sus minaretes de campaña con ayuda de los sirvientes y, a lo largo de todo el campamento, los guerreros se disponían a comenzar la marcha.

Era toda una ciudad de paño y madera, construida según el rígido modelo que tanto Abú Hafs como Utmán habían conocido en la corte itinerante del difunto Abd al-Mumín. En el centro del campamento, una inmensa tienda escarlata marcaba el corazón del ejército en campaña. Se suponía que el mando estaba dividido entre los dos hermanastros, pero en el fondo todos sabían que era el visir omnipotente Abú Hafs quien dirigía a la hueste, y que Utmán aceptaba a regañadientes las órdenes de su medio hermano. Alrededor del enorme pabellón principesco, los dos mantenían en sendas tiendas dos reducidos harenes, así como un cuerpo de esclavos y sirvientes personales, a sus principales visires y jeques y una compañía de la guardia de esclavos negros que Abú Hafs había pedido traer a al-Ándalus. Al igual que a Yusuf, a su influyente hermanastro le gustaba saberse rodeado de aquellos temibles guerreros del Majzén, y los suponía tan dispuestos a entregar su vida por él como si lo hicieran para complacer al propio príncipe nobilísimo.

Otro de los privilegios que Abú Hafs había solicitado era el uso del gran tambor almohade. Y Yusuf también había cedido en eso. Quizá, de haberse empeñado, el *sayyid* podría haber conseguido incluso contar con el sagrado Corán de Ibn Tumart y con la camella blanca que lo portaba.

Abú Hafs, escoltado por varios de aquellos Ábid al-Majzén, salió del anillo noble del campamento y anduvo con las manos metidas en las anchas mangas de su *burnús*. En cumplimiento de sus órdenes, los líderes de las cabilas gritaban a sus hombres para meterles prisa. Todos desmontaban ya sus tiendas y cargaban carros y acémilas con fardos y provisiones. El visir omnipotente observó que un amplio destacamento de caballería masmuda se preparaba para salir en avanzadilla. Irían por el camino más corto y recto, de oeste a este; por la calzada rumí que había de llevarlos hacia el río Guadalentín, cuyo curso seguirían hasta Lorca. Abú Hafs sonrió: el jefe del destacamento masmuda estaba siendo personalmente aleccionado por su hermanastro Utmán. Se acercó despacio mientras la soldadesca se apartaba ante la presencia de los enormes guerreros negros.

—Mi querido Utmán —saludó Abú Hafs—. Creo que si por ti fuera, partirías al frente de estos guerreros. Tu ardor juvenil no te abandona, ¿eh?

El *sayyid* no sonrió. No podía hacerlo, por mucho que hubiera acabado sometiéndose y su rebeldía se hubiese aplacado. El desprecio se mezclaba con el miedo en su mirada.

—He combatido muchas veces a esos infieles aquí, en esta tierra de al-Ándalus, y sé que siempre usan añagazas. Carecen de valor y de honor. No quisiera que mis fieles masmudas cayeran en una trampa.

—Ah, el veterano Utmán, que ha saboreado tanto la victoria como la derrota. Con su cuerpo cruzado de cicatrices y su espada manchada con la sangre de cien campeones cristianos —ironizó Abú Hafs—. Pero no olvides que la muerte forma parte del deber de estos soldados del islam. Tras ella, toda una corte de *vírgenes de modesta mirada, no tocadas jamás por hombre o genio alguno,* los espera para hacerlos gozar durante la eternidad entre los ríos de leche y miel de al-Yanná. ¿Acaso no será un privilegio para estos valientes caer los primeros? No temas, mi buen Utmán. Mira a tu alrededor y comprueba la inmensidad del ejército de Dios, alabado sea. En cada uno de estos hombres hay un mártir dispuesto a entregar su vida por nuestra fe.

Utmán obedeció a Abú Hafs y recorrió con la mirada el impresionante campamento. Los pabellones a medio desmontar, que cambiaban de color según las cabilas que los habitaran, el tumulto de toda la hueste trabajando, el ir y venir de soldados con toldos enrollados, listones, cuerdas y clavos, el trajín de los escuderos y sirvientes que llevaban de las riendas a los caballos... Un ejército de veinte mil hombres que se movían como hormigas alrededor del hormiguero.

—Veo a los fieles soldados del islam —admitió Utmán.

—Mira, pues, su determinación. Mira su número, que supera al de los granos de arena del desierto. Mira con qué alegría se entregan al trabajo. Y con qué fe se dedicarán muy pronto a la matanza. —Señaló con la barbilla a los jinetes masmudas, a punto de partir hacia Lorca—. ¿Qué puede importar si estos pocos valientes caen? ¡Dios lo permita, y los premie a ellos con antelación, pues los demás los envidiaremos! ¿No es así, soldados?

Los masmudas se miraron unos a otros y algunos asintieron. Otros, ansiosos por alejarse de la inquietante presencia de Abú Hafs, tiraron de las riendas para hacer girar a sus caballos y comenzar la marcha. Entonces sucedió algo que llamó la atención de todos. Varias personas gritaban, llamándose entre ellas. Las voces más alejadas fueron coreadas por otras cercanas a lo largo de la espaciosa extensión que ocupaba el campamento almohade, hasta que todos pudieron oír lo que decían. Era un mensaje para Abú Hafs.

—¡Ilustre visir omnipotente! —habló un hafiz mientras señalaba hacia levante—. ¡Ha llegado un hombre! ¡Un mensajero! ¡Dice venir desde Lorca!

El gentío fue arremolinándose, y los Ábid al-Majzén se emplearon con las conteras de sus lanzas en mantener el círculo de seguridad de Abú Hafs. Utmán hizo un gesto hacia el jefe del destacamento de exploradores masmudas para que aguardaran antes de partir, y él mismo se acercó al tumulto. Cientos de guerreros y sirvientes abrían un pasillo y se apiñaban a ambos lados. Los guardias negros terciaron sus lanzas y esperaron órdenes. Enseguida apareció, andando por el improvisado corredor humano, un visir que sostenía en sus manos una espada sobria y de aspecto envejecido. La sujetó por la hoja y se la tendió a Abú Hafs al tiempo que inclinaba la cabeza. El *sayyid* observó el arma, recubierta de marcas y hasta diríase que de sangre seca. Abú Hafs se abstuvo de tomar la espada y miró con gesto interrogante al visir, pero en ese instante llegaban varios soldados que arrastraban a un hombre. Un andalusí de cabello largo y encrespado, barba cerrada y mirada fiera, acentuada por un profundo y viejo corte que deformaba su nariz. A pesar de llegar como prisionero, sus ojos relucían de orgullo desafiante. No llevaba loriga ni yelmo, y su tahalí estaba vacío. Uno de los almohades que lo tenían sujeto llevaba en la mano izquierda una daga. También estaba manchada de sangre, pero esta era reciente.

—¿Quién eres? —preguntó Abú Hafs. Utmán se situó a la derecha de su hermanastro, un par de pasos por detrás, y se fijó en el andalusí. De inmediato creyó reconocer su rostro. Había visto antes a ese hombre, aunque no recordaba dónde ni cuándo.

—Soy al-Asad. Me llaman el León de Guadix, y traigo un mensaje para vosotros.

Abú Hafs giró la cabeza y observó a Utmán, pero este seguía absorto en el rostro del andalusí, intentando recordar de qué conocía a aquel tipo. De pronto sus ojos se iluminaron. Cojeó hasta rebasar a su influyente hermanastro, paró frente al prisionero y lo observó de cerca. Ahora se acordaba.

—Tú... Tú estabas en Marchena. Tú evitaste que acabara con el Mochico... Y en la vega, cerca de Granada. Tú me tendiste una trampa. —Instintivamente, la mano de Utmán se fue al cogote, allí donde había recibido el golpe que le dejara inconsciente tras la batalla del Prado del Sueño, en las ruinas de Elvira. Luego, con un movimiento rápido, desenvainó su espada y se dispuso a ensartar a al-Asad. Abú Hafs cogió el brazo de su hermanastro y lo retuvo con premura. A la vista de la escena, las lanzas de los Ábid al-Majzén bajaron pero, indecisos sus dueños, las puntas se dirigieron al cuello del León de Guadix. Este tragó saliva al ver tanto hierro a su alrededor, pero no se arredró.

—Lo que tengo que deciros es de sumo interés. Decidid después de oírlo si debo morir.

Abú Hafs arrugó el entrecejo. Tenía que hacer un auténtico esfuerzo para retener el impulso criminal de Utmán.

—Basta. ¡Basta, te digo! —ordenó. Su hermanastro, que tenía los ojos fijos en los del cautivo y los dientes apretados, pareció salir de un estupor asesino y miró a Abú Hafs.

—Es uno de ellos —intentó explicar con voz ronca—. Uno de nuestros enemigos. El lugarteniente del Mochico, si no me equivoco. Déjame atravesarlo.

El hijastro de Abd al-Mumín empezó a encontrar divertida aquella situación. Observó a al-Asad y se fijó en su porte. Era sin duda el de un guerrero veterano. Y de ser cierto lo que decía Utmán, sin duda sobre aquel pesaban la muerte y el tormento de muchos almohades. ¿Qué podía haber llevado a alguien así a meterse en la boca del lobo? El León de Guadix pareció adivinar lo que pensaba Abú Hafs, pero este ya estaba aventurando posibilidades y uniendo hilos.

—Esa sangre —señaló la daga de al-Asad— es reciente.

—He venido en compañía de dos hombres más, aunque, para su desgracia, ellos no debían saber lo que vamos a tratar ahora. Tú y yo. —Señaló con la barbilla hacia el destacamento de masmudas a caballo—. Están a punto de partir, ¿verdad? Tu idea es marchar sobre Lorca en línea recta. Cambiarás tu intención en cuanto hables conmigo.

Abú Hafs soltó una carcajada corta. Aquella risa solía hundir en el pánico a cualquiera, y sin embargo el andalusí cautivo aguantaba bien; incluso se permitía sostener la mirada del visir omnipotente. Ese detalle gustó e incomodó a partes iguales a este.

—Pareces muy seguro de ti. Pero podemos hablar así, a la misma altura, o puedo elevarte un poco. A lo alto de una cruz.

Al-Asad volvió a sorprender a Abú Hafs con una sonrisa. El amarillo de sus dientes resaltó contra la oscuridad de su piel y la negrura de su bigote y su barba. El León de Guadix habló con seguridad desesperada:

—Seré yo quien te eleve a lo alto, te lo aseguro. Más alto de lo que nunca has estado.

Dos días después. *Estribaciones de la sierra de Tercia*

Era la quinta o sexta vez que Mardánish se detenía en aquel cabezo. Tiró de las riendas y encaró el caballo hacia Lorca, que relucía al otro lado del paso. Y, como en las ocasiones anteriores, observó con detenimiento la estrechez del pasillo por el que el Guadalentín se vertía en al-Fundún. Y a pesar de su angostura, le pareció ancho como el mismo mar. Se fijó en los pequeños puntos que se movían despacio allá abajo, a lo largo de una línea que unía ambas estribaciones montañosas.

Suspiró. Tenía la sensación de que algo fallaría. Llevaba sintiendo aquello meses. Quizás años. No se fiaba. ¿Qué sería esta vez lo que no saldría según sus planes? Repasó todos los preparativos y recorrió con la vista el paisaje. A sus pies, bajando desde la altura en la que se encontraba, había una mezcla de pinar y terrazas cultivadas. El paraje era impracticable para el ejército, y esa era la parte buena: ellos no podrían usar las alturas para defenderse, pero los almohades tampoco para atacar. Sobre todo quería creer que la caballería árabe de sus enemigos no sería capaz de subir por allí para rodearle. No. Era imposible sin conocer las sendas. Y tampoco podrían usar la elevación de enfrente, porque estaba ocupada por la mismísima alcazaba de Lorca. Así pues, todo se dirimiría allá abajo, junto al río.

Por eso había ordenado construir fosos para evitar las cargas almohades. Y por eso había estudiado hasta el mínimo detalle cómo deberían posicionarse sus arqueros y los ballesteros cristianos. Y qué lugares ocuparían los mercenarios del norte y sus caballeros andalusíes para luchar a pie. Allí resistirían, encajonados entre las dos masas montañosas. Allí anularían la superioridad numérica del enemigo y le impondrían la lucha en el propio terreno. Terreno andalusí. Allí no valdría de nada la agilidad de aquellos malditos jinetes árabes y todo se decidiría cuerpo a cuerpo, lanza contra escudo y espada contra espada. Y si las cosas se torcían, podrían recurrir a Lorca, de donde jamás serían expugnados. Pero las cosas no tenían por qué torcerse. De hecho, todo estaba yendo a pedir de boca. Para empezar, la lluvia de los días anteriores no había sido tan fuerte como para causar molestias, pero su insistencia llegó a ablandar la tierra, lo que hizo más fácil cavar los hoyos y las trincheras. A su alrededor, los pinos que tachonaban el cerro despedían un agradable olor húmedo que Mardánish aspiró con avidez.

—¿Sabes que los lugareños le han puesto nombre a este monte?

Mardánish se volvió al oír la voz de su hijo Hilal. El muchacho montaba a su caballo, un destrero tordo regalado por Pedro de Azagra, sacado de sus cuadras navarras. El animal era formidable y de gran talla, y situaba al jinete por encima de su padre.

—No. No lo sabía —respondió este.

—El Cabezo del Lobo. Así lo llaman. Siempre te ven aquí. Subes por la mañana. Subes después de comer. Y antes del anochecer...

Mardánish sonrió.

—Desde la alcazaba de Lorca tendría tan buena perspectiva como esta. O mejor incluso. Pero estoy harto de escuchar a todos esos charlatanes que no buscan más que destacar. Debes aprender esto, Hilal, pues un día te será necesario.

El joven detuvo su caballo junto al de su padre y atisbó la extensión que, en tonos rojizos, ocres y verdes, se perdía hacia poniente con el Guadalentín serpenteando entre ramblas.

—Sí. Tienes razón, padre. Además, esas hienas hablan de una forma en tu presencia y de otra cuando no estás.

Mardánish giró bruscamente el cuello y observó a su hijo. La vega del Guadalentín desapareció de su vista, lo mismo que los pinares de la sierra de Tercia, los tomillos, las carrascas, las higueras dispuestas en sucesivas terrazas desde lo alto hasta las orillas del río. Su mirada se ensombreció conforme la sensación de fragilidad crecía. Su voz había cambiado cuando volvió a hablar a Hilal.

—¿Cómo hablan cuando yo no estoy? —arrastró las palabras—. ¿Qué has oído? ¿Acaso conspiran? ¿Qué traman?

El joven Hilal se echó atrás sin pensarlo, y su espalda reposó contra el arzón posterior. De inmediato se arrepintió de haber insinuado aquello. Miró a su alrededor con apuro infantil, tratando de encontrar un agujero donde esconderse. Entonces reparó en varios puntos oscuros que se acercaban a lo largo de la calzada romana desde occidente. Nervioso, señaló hacia allá.

—Alguien se aproxima —dijo. A continuación espoleó a su destrero y se metió por entre los pinos, en busca del camino estrecho y serpenteante que lo debía devolver al valle. Mardánish se quedó un rato allí, con la mente dividida entre los jinetes que llegaban desde poniente y las palabras precipitadas de Hilal. Un estremecimiento le angustió y notó que le faltaba el aire. Sus visires, sus jeques, sus adalides... hablaban a sus espaldas. Seguramente no confiaban en el triunfo. O tal vez lo veían todo como un simple aplazamiento. Quizás hasta su gente más allegada pensaba que la sumisión al Tawhid era inevitable. Y si era así, el propio Mardánish no constituía otra cosa que un estorbo.

Escupió a un lado e instigó a su montura a seguir a Hilal, que descendía entre los pinos más abajo. Pasó por entre las agujas verdes sin reparar en ellas, ni siquiera cuando arañaban su rostro o lo mojaban con las gotas de lluvia acumuladas en sus puntas. La visión del rey se reducía a un simple círculo de desconfianza rodeado de una penumbra indefinida. ¿A quién podía creer? ¿Ya solo le quedaba Azagra? ¿Tal vez únicamente Hilal? ¿Debería conformarse con el abrazo amoroso de Zobeyda cuando regresara al hogar?

Las oscuras figuras que llegaban desde poniente eran los exploradores de Hamusk enviados hacia Bálish. Los jinetes venían derrengados, acuciados por el hambre y por los barrizales que a trechos obstaculizaban el camino. Sus ropas, manchadas de sudor y de fango seco, crujieron al saltar a tierra. Se dirigieron como espectros hacia Hamusk, que organizaba las obras de fortificación en primera línea. En aquel momento mandaba clavar troncos y atar maromas embreadas para detener el paso de los caballos almohades. El señor de Jaén, con la camisa empapada y la tez enrojecida por el sol que se filtraba desde el lecho de nubes, se pasó la mano por la frente y vio de reojo cómo llegaba el rey Lobo hasta el lugar.

—Dad de beber a estos hombres. Y de comer —ordenó. Los guerreros andalusíes y cristianos detuvieron los trabajos, salieron de los fosos y se fueron acercando despacio. Mardánish también desmontó y se abrió paso sin muchas contemplaciones. Los tres exploradores bebieron hasta saciarse, manteniendo elevadas las cráteras de agua para que el líquido mojara aún más sus barbas y ropajes. Uno de ellos, al reparar en la presencia del rey, se dirigió a él.

—Hemos divisado hace poco a un grupo de caballería. —Luego se giró a Hamusk—. Masmuda.

El señor de Jaén asintió y habló a su yerno.

—Nos conocemos. Nos hemos enfrentado en alguna ocasión. Mis hombres saben distinguirlos. Los almohades siempre avanzan igual: mandan por delante un grupo de exploradores a caballo, y los masmudas son los mejores en eso.

—Hay más —continuó el jinete recién llegado—. También hemos oído su tambor. Cada poco resuena, y los montes devuelven su eco por todas partes.

Algunos soldados cristianos se miraron extrañados. Hamusk sonrió con displicencia.

—Así que han traído su tambor... Que yo sepa, jamás antes lo habían hecho cruzar el Estrecho para combatir.

La recia figura de Pedro de Azagra surgió desde el gentío para oír las noticias. Se coló por entre algunos guerreros y tomó posición junto a su escudero Hilal. El caballero Guillem Despujol también hizo su aparición.

—¿Qué es eso del tambor? —preguntó. Fue otra vez Hamusk quien contestó.

—Un enorme monstruo de madera dorada de más de quince codos de circunferencia. Sirve para ordenar la marcha y para marcar su ritmo, pero sobre todo lo usan para infundir pavor a sus enemigos. El sonido de ese tambor puede oírse a media jornada de distancia. Más, si el viento acompaña. Anuncia la llegada de la muerte. De hecho, se dice que los almohades han aplastado revueltas y ganado guerras con el solo sonido de ese timbal gigante. Pero es privilegio del califa portarlo consigo en la batalla. Si lo han traído hasta aquí, es porque lo consideran una misión de importancia.

Como si respondieran a un único impulso, los murmullos se acallaron y todos los presentes, musulmanes y cristianos, aguzaron el oído para intentar escuchar el temible tambor almohade, pero solo se oyó el correr del agua en el Guadalentín y el canto de algún pájaro que cruzaba el valle. Hamusk sonrió de nuevo.

—Puede que tardemos aún en oír su toque. Pero podéis estar seguros de que lo escucharemos. Y entonces es cuando debéis empezar a rezar. —Y remató su sentencia con una de sus carcajadas. La papada, chorreante de sudor, vibró como si la azotara un huracán. Mardánish apretó la mandíbula y miró de reojo a Azagra. Luego elevó la voz:

—¡Basta de charla! ¡Volved todos al trabajo y olvidad esa patraña del tambor!

Los guerreros obedecieron vacilantes. Fueron pasando la noticia a los que llegaban tarde a la reunión y, entre murmullos, se trasladaron los malos augurios y las palabras burlonas de Hamusk. A partir de ese momento, alguien treparía cada poco por el borde del foso y se pondría la mano junto a la oreja, y alguno habría que jurara haber oído un redoble sordo y lejano. Hilal se apresuró a alejarse del lugar para evitar que su padre recordara la última parte de su conversación en el Cabezo del Lobo, y Azagra se aproximó al rey. Guillem Despujol, visiblemente afectado, se retiró con lentitud.

—Barrabasadas de tu suegro aparte, la noticia es buena —dijo el navarro a Mardánish.

—Lo sé. Vienen por donde esperábamos que vinieran. Pero es cierto que deben de considerarla una misión importante. Los informes hablaban de veinte mil hombres y de dos de los hermanos del califa. Y la presencia de ese tambor...

—Los tambores no pelean, amigo mío. Y esos veinte mil hombres ignoran que se dirigen a su ruina. Este apostadero acabará con ellos, como se acaba con la piara de jabalíes en una batida. No pasarán. No, al menos, sin perder a la mayor parte de su ejército. Y entonces su viaje habrá sido inútil. Por muy grande que sea ese tambor.

Día siguiente. Defensas mardanisíes a los pies de Lorca

Las obras habían concluido. Los propios guerreros, obsesionados con la fiabilidad de los fosos y parapetos, se adelantaban a comprobarlos. Por eso de vez en cuando se oían algunos martillazos aislados o alguien se dejaba caer en una zanja para hacerla algo más profunda. Sirvientes y escuderos reparaban anillas sueltas, o limpiaban las cotas de malla con aquella mezcla viscosa de ceniza, bosta y posos de aceite. Los arqueros andalusíes y los ballesteros cristianos se afanaban en retocar sus posiciones; reforzaban los muretes de tierra y madera o achicaban el agua que, tras rezumar del suelo o chorrear desde los bordes, anegaba cada trinchera. Colocaban los virotes y flechas a su alcance, perfectamente ordenados, y comprobaban la sequedad de las cuerdas antes de volver a guardar sus arcos en las fundas o a envolverlos en trapos. Era necesario que estuvieran bien secos, y la humedad de aquellos extraños días de lluvia indecisa no ayudaba.

El silencio era, por lo demás, sepulcral. Nadie hablaba, y los que pretendían comunicarse lo hacían por señas. Si alguien, al entrar o salir de un parapeto, pisaba una rama o removía las piedras, varios soldados chistaban y maldecían para exigir quietud. El viento estaba en calma, y las nubes flotaban bajas y grises en un techo que tamizaba la luz del sol e imprimía una sensación de bochorno.

Fue a media mañana cuando alguien dijo haber oído un golpe apagado en la lejanía. Algo que sonaba como un tambor. Las burlas, inmediatas, no consiguieron acallar al tipo, un mercenario castellano a las órdenes de Azagra. Decía ser de Ávila y se preciaba de haber combatido contra el propio Yusuf cerca de Sevilla, en las algaradas que las milicias abulenses llevaban al mediodía para rapiñar ganado y quemar las granjas. Aseguraba que faltaba aún por nacer quien le asustara, y que los hombres de Ávila no se arredraban ante nada. Y sin embargo, su tez estaba pálida como la nieve cuando pidió silencio. Acababa de oír el segundo toque.

Ahora, cuando la noche se acercaba, todos estaban convencidos de que el abulense tenía razón. Llevaban todo el día escuchando la lejana y rítmica percusión. Cada vez más cerca. Cada vez más inquietante. Como si no proviniera de manos humanas, sino que fuera el cielo el que, encolerizado contra aquellos miles de guerreros, quisiera hacerles sentir el tronar de su furia. Y las oraciones arreciaron en cada trinchera y parapeto, pues a nadie le parecía buen presagio, y los más agoreros atemorizaban a los demás y les repetían las palabras con las que el infiel faraón se humillara ante Moisés:

Rogad al Señor para que cesen los truenos de Dios y el granizo; y yo os dejaré ir, y de ningún modo quedaréis aquí.

Mardánish, en las líneas de defensa de los infantes cristianos, elevaba la mirada tras cada golpe del tambor. Observaba las murallas de Lorca, donde estaban situados como vigías los hombres con mejor vista. El rey Lobo se desgañitaba a cada bramido del tambor, aunque no era necesario. Los centinelas contestaban una y otra vez de igual manera.

No se veía nada.

—Es imposible. —Azagra aguardaba, como todos, enfundado en su loriga y cocido por aquel calor irritante de principios de otoño, agravado por la humedad del Guadalentín y de las recientes lluvias—. Si se oye a media jornada de distancia, deberíamos tenerlos encima.

Aquel argumento impacientó a Mardánish. Había sido Hamusk el que desvelara lo de la media jornada, y en aquellos momentos todo el ejército a sus órdenes hacía los mismos cálculos que el navarro. Eso crispaba los nervios. Más aún que la vista del enemigo. Esperaban. Llevaban todo el día esperando. A un enemigo invisible, al que solo se oía en la lejanía. Que no terminaba de llegar. Algunos soldados, desquiciados, salieron de sus parapetos para preguntar a otros compañeros, pero eran recibidos de malos modos. En poco tiempo se habían desatado varias reyertas, y los adalides de las tropas tuvieron que intervenir para poner paz, castigando en un par de ocasiones a sendos soldados desesperados que habían sacado a relucir los hierros.

—Maldito sea mi suegro —se quejó el rey Lobo—. En mal momento se burló de nosotros con esa estupidez del tambor.

—No es ninguna estupidez —respondió Azagra—. Algo había oído yo también.

—Sí, pero a estos —hizo un movimiento con el brazo para abarcar toda la línea defensiva construida en el paso— no les hacía falta saberlo.

Pedro de Azagra calló y se enjugó el sudor del rostro con un pañuelo que sacó de la manga. Rezó en silencio para que llegara la noche y acabara con el bochorno. Incluso pensó que vendría bien un nuevo chaparroncillo para refrescar el ambiente.

—Hamusk también dice que los almohades solo marchan durante la mañana. Tal vez se han parado y por eso no terminan de llegar.

—No. Ese tambor se oye cada vez más cerca.

Unos pasos a la derecha llamaron su atención. El caballero Guillem Despujol llegaba con lentitud, hundiendo sus pies en el barro. Su cara mostraba la misma crispación que las de los demás guerreros. Venía desde la posición que ocupaban sus hombres, en el extremo norte de la línea defensiva. Allí, como en el resto de la formación, los guerreros se agolpaban en filas apretadas, muy densas, con las que se pretendía erigir un muro de escudos para contener las acometidas almohades. Antes de llegar a ellos, los enemigos tendrían que salvar todo el nudo de trampas hecho de hoyos, zanjas y parapetos llenos de arqueros y ballesteros, que además se cruzaban en un caos imposible con la red de ramblas que desembocaban en el río y con las cuerdas engrasadas que, tendidas de lado a lado y oblicuamente, detendrían a los pocos jinetes que tuvieran la suerte de acercarse a la línea de infantería. Como último obstáculo, dicha línea estaba protegida por una pequeña empalizada. Aquel era un trabajo casi perfecto. Las posiciones del ejército de Mardánish, preparadas a conciencia, estaban ideadas para resistir los proyectiles almohades y ofrecer un sitio ventajoso desde el que tener siempre a tiro al enemigo. Hasta Mardánish, cuyo pesimismo le hacía dudar en todo momento, reconocía que los africanos tendrían que sacrificar a una buena parte de sus hombres antes de llegar al cuerpo a cuerpo.

—¿Qué ocurrirá si esperan a que sea de noche y vienen al asalto en la oscuridad? —preguntó Despujol.

—Eso no puede pasar —respondió con seguridad Azagra—. Están en una tierra que no conocen, y sus exploradores tienen que estar al tanto de lo que hemos construido aquí. No. Ya es peligroso acercarse a esta trampa de día. No se arriesgarán a atacar sin luz.

—Si lo hacen, la oscuridad será tan desventajosa para ellos como para nosotros —añadió el rey—. Pero aun con todo, te juro que prefiero que vengan cuando la noche haya caído antes que esperar hasta mañana.

El caballero barcelonés soltó una risa nerviosa, pero un nuevo golpe del tambor se la heló como si le hubieran atravesado. El impacto retumbó, y su eco trepó por la sierra. Sonaba tan cercano que parecía estar allí mismo. Mardánish miró a las murallas de la alcazaba de Lorca y tuvo la impresión de que algunos centinelas, empequeñecidos por la distancia, señalaban a algún punto en el horizonte que no podía divisarse desde la línea defensiva. ¿Veían por fin al enemigo?

Al-Fundún, inmediaciones de Lorca

El ganado no sabe de guerras. Eso le decía su padre siempre al joven Zakkaríyyah.

Por tal razón, como todos los días, el chaval había salido a pastorear a la docena de ovejas que guardaban en un cercado a los pies de la medina, junto a su casa del arrabal. Y por eso también, su padre y su hermano mayor, Isa, estaban ahora al otro lado del río, donde los pastos, abrevando a las vacas. En al-Fundún, el fértil valle a retaguardia de las posiciones andalusíes.

Zakkaríyyah había iniciado ya el regreso al hogar. Las tinieblas se echaban encima, y todas aquellas nubes que se empeñaban en ocultar el sol hacían que la oscuridad llegara antes de lo esperado. De hecho, aunque a poniente se veía un tenue resplandor rojizo, ya se podía decir que era de noche. Precisamente para adelantarse al crepúsculo, y porque siempre se demoraba con algún cordero díscolo que se resistía a volver al cercado, el chaval solía ir de vuelta antes que su padre y su hermano. Ahora caminaba lanzando piedras a una acequia, y de vez en cuando pegaba un grito para que los dos perros mantuvieran en la senda a las obstinadas ovejas. Zakkaríyyah oyó algo, un sonido lejano. Un golpe sordo y repetido por el eco de las montañas que parecía colarse por el desfiladero entre las dos sierras. El niño miró a la alcazaba, que coronaba el cerro frente a él. Las murallas estaban plagadas de estandartes de todos los colores, pero el que más se veía aquellos días era el negro con la estrella plateada. El del rey. Todos los chavales de Lorca andaban inquietos desde que el ejército había llegado. Para ellos, su presencia era tan excitante como exasperante para los mayores. Su madre había obligado a Nayma, su hermana de quince años, a quedarse encerrada en casa para que los soldados no la vieran, y ella misma, a pesar de ser casi vieja, se resistía a salir a la calle si no era totalmente velada. Y cuando se aventuraba fuera del hogar, caminaba deprisa y pegada a las paredes.

A Zakkaríyyah, por el contrario, le atraía aquel ambiente de guerra. Los soldados repletos de hierro, con las cotas de malla y las lanzas. Los llamativos escudos pintados y los grandes caballos de batalla. Sobre todo le gustaban los estandartes y los pendones de las lanzas. Hasta había pensado en pedir a su madre que le hiciera uno. Tal vez de color negro, como el del rey. Y en lugar de una estrella, bordaría una oveja.

Los dos perros ladraron cuando uno de los corderos, el más joven, se separó del pequeño rebaño y tomó el camino del río. Y no sería por sed, que aque-

llo estaba plagado de acequias. Sería por maldad. El niño dio un par de zancadas e intentó atrapar al animalillo a su paso, pero la luz era ya muy escasa y el
joven pastor calculó mal la distancia. El corderito escapó por poco y siguió su
fuga con un balido de triunfo.

—¡Vuelve! ¡Vuelve aquí! —mandó Zakkaríyyah. Pero el borrego no obedeció. En lugar de eso, corrió con pasos cortos y rápidos para alejarse hacia el
Guadalentín, que ahora discurría más calmado después de describir su curva
hacia el norte. Los dos perros pasaron junto al chaval y ladraron en pos del
animal fugitivo, pero Zakkaríyyah los reprendió a ambos. Les gritó que volvieran atrás, junto al resto de las ovejas. Hasta los insultó, haciéndoles ver que
ya era de noche y que no debían dejar solas a las reses. Los dos canes, listos y
obedientes, agacharon las orejas y caminaron humillados para cumplir con su
misión. El niño tiró las piedras que le quedaban en las manos y empezó a correr tras el corderillo. Atravesó los campos arenosos, algunos de ellos recién
sembrados o en espera de la crecida fertilizante del río, y se dirigió a una de
las norias que sacaban el agua del Guadalentín para conducirla a los huertos
cercanos. El corderito, por su parte, aceleró el paso y se dedicó a atravesar
una viña bordeada de hierbajos. La pieza, abandonada, pertenecía a uno de
los caídos en Granada tres años atrás, y sus hijos eran aún demasiado pequeños para cultivarla. Un nuevo zambombazo estremeció el aire, y Zakkaríyyah se detuvo. Miró al cielo, que conservaba todavía unos trazos de luminosidad rojiza. Olisqueó el aire y creyó identificar un aroma dulzón. Hacía un
momento no soplaba ni pizca de viento, aunque ahora se veían ondular los
estandartes en lo alto de la alcazaba. Giró la cabeza y buscó con la vista a su
cordero. Nada.

La noche se había echado encima. Maldijo por lo bajo y salió de la pieza
sin cultivar. Al hacerlo, el Guadalentín quedó a su vista. El río estaba flanqueado a tramos por muros de argamasa que pretendían proteger los huertos
de la desmedida fuerza del agua en las crecidas. En algunos casos, los campesinos usaban las losas del antiguo camino rumí para afianzar sus vallados. Por
eso Zakkaríyyah no vio lo que tenía delante hasta que estuvo muy cerca. El
niño se asustó y su cuerpo se encogió instintivamente. Se dejó caer de rodillas
y, temblando de miedo, se acercó a gatas a uno de esos muretes de mortero. Al
otro lado se oía un murmullo continuo y sordo. Arrastrar de miles de pies y
de cascos de caballos. Rodar de carruajes y toses apagadas. Relinchos aislados,
órdenes y murmullos. Respiraciones agitadas.

Zakkaríyyah asomó despacio la cabeza por un hueco en la barrera fluvial.
Los ojos estuvieron a punto de salírsele de las órbitas, el corazón se le encogió
en el pecho y un nudo se trabó en su garganta. Olvidó a su corderito, a sus
perros y a todo el pequeño rebaño de ovejas. Ante él, un inmenso ejército caminaba en silencio, a paso vivo, alargándose en una columna que, extendida

desde el sur, se confundía con las tinieblas y no acababa nunca. Los guerreros, a pie o a caballo, miraban en todo momento por encima del río, de los diques de mortero y del propio Zakkaríyyah. Sus vistas estaban puestas en la alcazaba de Lorca, enseñoreada del cerro más allá, a poniente. Miraban con respeto. No. Con miedo. El pastorcillo era muy joven, pero no tenía un pelo de tonto. Enseguida se dio cuenta de quiénes eran aquellos guerreros que marchaban deprisa y con aprensión. Reconoció el color oscuro de sus pieles, eran aquellos de los que tanto hablaba la gente. Se dio cuenta de que muchos llevaban turbantes, y de que avanzaban camino del norte. Iban hacia el corazón del reino. Hacia el alma del Sharq.

Marchaban sobre Murcia.

Zakkaríyyah se encogió sobre sí mismo y pegó la cara al murete de argamasa. Media docena de jinetes salía al galope desde la columna y adelantaba al resto del ejército. Por un momento el niño pensó que lo habían visto, pero no era así. A él mismo le costaba distinguir a los soldados, pues las figuras se difuminaban y se confundían con el entorno. Era otra cosa lo que había llamado la atención de los guerreros. Zakkaríyyah gateó de nuevo a cubierto de la columna militar, oculto por el maltrecho dique. Rodeó la noria y se asomó a la esquina. Los jinetes habían parado más allá y dos de ellos desmontaban. El muchacho forzó la vista, y un nuevo sobresalto le detuvo la respiración: los soldados acababan de localizar a su padre y a su hermano.

Zakkaríyyah pegó la espalda a la pared. El corazón le batía el pecho. Cerró los ojos con fuerza, hasta casi hacerse daño. En la lejanía, aquel golpe sordo retumbó de nuevo, y su eco voló por encima de la sierra. Su respiración se volvió jadeante. Temió que los soldados pudieran oír sus latidos, que de tan fuertes se asemejaban a aquel extraño ruido que estremecía el aire del anochecer cada poco tiempo. Era como un tambor. Un tambor lejano.

Oyó algo. Un grito que se cortó nada más nacer. Zakkaríyyah abrió los ojos. La alcazaba de Lorca era apenas una mancha recortada contra el gris anaranjado del fondo. El niño se asomó a la esquina de la noria y vio caer a su hermano Isa. Uno de aquellos guerreros acababa de ensartarlo con una lanza. Fue el mismo miedo el que impidió que el joven pastor se desgañitara lanzando alaridos. Sus rodillas temblaron, sintió que sus piernas ya no estaban, y cayó al suelo. Otro soldado atravesó a su padre. Sin trámites, como quien corta una mala hierba que le impide el paso. Las vacas, ahora sin amos, parecieron darse cuenta de que nadie las pastorearía más y se alejaron de los dos cadáveres. Zakkaríyyah creyó que las tripas se le deshacían y un repentino espasmo sacudió su pecho. Vomitó sobre la mala hierba mientras lloraba, y a su izquierda oyó, apagado, el balido de un corderito.

Aunque los temores de Guillem Despujol eran poco menos que vanos, el rey Lobo ordenó que todo el ejército trasnochara en la línea defensiva.

A ninguno de los soldados le pareció mal. Nadie protestó. Llevaban casi todo el día escuchando aquella percusión incesante y rítmica, exasperante, cada vez más cercana. Realmente temían que el ejército almohade pudiera presentarse allí en cualquier momento a pesar de que no veían nada. Los soldados se dispusieron a encender fuegos en la retaguardia de las posiciones para prepararse una cena de campaña, aunque la mayoría se conformó con queso, pan y vino. Mardánish se negó a abandonar su puesto en su afán por dar ejemplo, y junto a él quedaron todos los líderes de la hueste. Solo Hamusk, tras reírse de los temores de aquellos a los que llamó «cobardes mujerzuelas», se dirigió a paso vivo hacia su caballo para ir hasta Lorca y dormir en las estancias de la alcazaba. Nada ni nadie, decía, le harían trasnochar al raso como un vulgar soldado.

Cuando el señor de Jaén se alejaba hacia la falda del cerro, se cruzó con un centinela de los de la guarnición de Lorca que, también a caballo, acababa de salir de la medina. Mardánish, Azagra, Hilal y Despujol se pusieron delante del guerrero para que pudiera verlos, pues la oscuridad cubría prácticamente el lugar. El lorquí detuvo su montura y, sin bajar, inclinó con brevedad la cabeza. Estiró la mano hacia poniente y su dedo índice señaló el curso del Guadalentín.

—Un poco antes de ocultarse el sol nos ha parecido ver un pequeño destacamento de caballería. Tras él venía algo... —El guerrero torció la boca. Buscaba la palabra que pudiera explicar lo que fuera que había visto. No fue capaz de terminar la frase.

—Descríbelo —pidió Azagra.

El guerrero, azorado, hizo un gesto con ambos brazos, como si rodeara con ellos un barril o un ánfora.

—Era como una mancha... Una mancha grande y redonda. Estaba oscuro, y se confundía con los árboles y...

—Has dicho que visteis un destacamento de caballería —atajó Mardánish—. ¿Cuántos hombres?

—No más de una docena. Quince a lo sumo —contestó con celeridad el centinela. El rey Lobo se acercó al caballo y lo tomó del freno. Sus ojos se clavaron en los del soldado para reclamar la máxima exactitud.

—¿Estás seguro, muchacho? ¿Estás seguro de que no viste a nadie más acercándose?

El guerrero tragó saliva y su nuez subió ostensiblemente antes de responder.

—Seguro, mi señor. El valle está vacío. Ha estado todo el día así, a excepción de esos jinetes y esa... esa mancha. Llevo aquí años sirviendo, mi señor, y conozco esta tierra.

Mardánish asintió y soltó el freno del caballo. Ordenó al centinela que regresara a su puesto y se volvió hacia los líderes de su ejército. Los observó uno a uno, y finalmente detuvo sus ojos en los de su hijo Hilal.

—Hay que ir hasta allí. Y hay que ir a caballo.

—Imposible —adujo Despujol—. Hemos cerrado todo el paso y la noche se nos echa encima. El que quiera atravesar la línea a caballo caerá en alguno de los fosos o tropezará con las maromas.

El rey Lobo apretó los puños. Luego miró alrededor y se dirigió otra vez a Hilal.

—Escoge a cincuenta jinetes. Sube al cerro de nuestra derecha, al que los lugareños llaman el Cabezo del Lobo. Luego baja por el otro lado. Os costará, pero tú has estado allí y conoces los senderos. Llevaos antorchas, aunque debéis procurar no encenderlas hasta haber pasado al otro lado. Sigue el cauce río arriba. Debes alcanzar esa... mancha redonda.

Hilal no se demoró. La poquísima luminosidad que todavía restaba desaparecía por momentos, y cada vez se volvería más difícil maniobrar a caballo por entre los pinos del Cabezo del Lobo. Como si fuera un arráez experimentado, el muchacho se puso a repartir órdenes para formar un cuerpo de caballería. Mardánish no pudo evitar una punzada de orgullo.

La noche era ya cerrada, y aquel maldito celaje negaba el paso a la luz de la luna o de las estrellas. Sin embargo, el vientre de las mismas nubes todavía reflejaba el brillo del sol a pesar de que llevaba un buen rato oculto. La sensación era extraña, como si Dios hubiera pintado los nimbos de blanco para señalar el camino de Hilal, pero también como si el aire se hubiera vuelto denso. Casi podía cortarse, y se diría que los caballos se esforzaban en luchar contra esa masa incorpórea que lo rodeaba todo y lo volvía pesado y asfixiante.

El muchacho cabalgaba ligero a la cabeza de su cuerpo de jinetes, con el escudo colgado del tiracol y una espada al costado. También llevaba arco y flechas metidos en una aljaba sujeta a la silla. Era su primera misión al mando de los guerreros del Sharq al-Ándalus, y no quería decepcionar a su padre. Precisamente por eso había franqueado a toda velocidad el Cabezo del Lobo, a riesgo de resbalar por las peñas sueltas y caer a algún barranco. Se había arañado con las ramas bajas de los pinos e ignorado los juramentos de los guerreros que lo seguían. Y en su afán por cumplir bien aquel cometido, se negaba a encender las antorchas. No eran necesarias. No aún. Delante de él, a poca distancia ya, algunas sombras se movían, distinguiéndose del fondo a duras penas. Era difícil verlas. Muy difícil. Pero no lo era tanto oír el monótono zambombazo del tambor almohade.

Hilal se guiaba por ese sonido. No le importaba que dos de sus hombres hubieran caído al trastabillar los caballos en una rambla, ni que otro se hubiera desviado tanto que ahora se esforzaba por sacar a su montura del lodoso lecho del Guadalentín. Hilal avanzaba decidido. Rumbo al tambor. Y el tambor no le decepcionaba. Un nuevo martilleo rompió ese aire tupido y llegó diáfano hasta él. Notó retumbar el suelo, incluso a través de los cascos de su montura. Todo su cuerpo se estremeció y el sonido reverberó un rato dentro de su cabeza. Hilal sacó su arco sin detener la marcha, caló una flecha y apuntó al lugar del que venía el martilleo. Delante, las sombras oscilaron. Algunas se difuminaban hasta esfumarse y otras emergían de la negrura del fondo. El repiqueteo de los cascos se salpicó de voces en lengua bereber. Hilal soltó su proyectil y notó un hondo vacío en el estómago. No sabía cómo, pero estaba seguro de que acababa de matar a su primer enemigo. Hubo gritos: unos, de guerra, otros, de dolor. Más cuerdas tañeron en los arcos, y las flechas rasgaron la oscuridad. A su izquierda, un caballo relinchó y un ruido sordo precedió a un lamento. Hilal disparó una vez más. Dos, tres... Pronto perdió la cuenta. Lo hacía como le había enseñado su padre, sin aflojar apenas la cabalgada. Se guiaba por los gritos en aquella lengua bárbara, o lanzaba cuando, de reojo, vislumbraba una sombra que pasaba ante él. Entonces dejó de estar seguro de si el hombre al que miraba era amigo o enemigo, así que frenó y, sin pérdida de tiempo, arrojó el arco al suelo y embrazó el escudo. Alguien intentaba hacer fuego detrás, y se oían más chasquidos de pedernal a varios codos de distancia. Un grupo de sombras huía río arriba. Otras figuras seguían allí, enzarzadas en combate cuerpo a cuerpo. El joven pasó la pierna derecha sobre la silla, se dejó caer por un lado del caballo y hundió los pies en el barro; desenfundó su espada y se acercó al par de sombras más cercano. Distinguió un turbante en la cabeza de uno de ellos y tajó sin contemplaciones. Poco a poco el número se impuso, y los andalusíes fueron llamándose entre ellos para distinguirse en la penumbra. Al fin se iluminó una antorcha.

—¡Varios corren hacia allí! —informó uno cuando la escaramuza terminó. Hilal jadeaba, más por la ansiedad que por el esfuerzo. Sudaba, y la brisa fresca le arrancó un estremecimiento.

—Que se vayan. Encended más antorchas.

Los guerreros andalusíes obedecieron. En tierra, algunos de sus compañeros se dolían de las heridas causadas por los almohades, aunque eran más los enemigos caídos. Hilal ordenó hacer algún prisionero, pero los almohades que todavía vivían se resistieron como perros salvajes y tuvieron que ser rematados. Tras asegurarse de que los heridos propios eran atendidos en el lugar, el heredero del Sharq aferró uno de los hachones y se hizo escoltar por varios de sus hombres; caminó hacia el gran bulto redondeado que se recortaba contra el telón oscuro del horizonte. El fuego reveló los clavos que reforzaban las ruedas de madera maciza y los ejes del carro. Las llamas se reflejaron, crearon ondas brillantes en la madera sobredorada del enorme tambor sujeto con maromas. Hilal alzó su antorcha y vio un sitial elevado sobre la superficie del armatoste. Aquel debía de ser el lugar que ocupaba el atabalero, supuso el joven.

—Pero... ¿dónde están los demás? —preguntó uno de los jinetes andalusíes. Se alejó del carruaje con el hachón en alto y la otra mano armada con su espada. Hilal entornó los ojos y mandó liberar a los dos asnos que tiraban del carro. En unos instantes, el fuego de las antorchas lamía ávido la superficie de madera oscura y las maromas. Una enorme hoguera iluminó el paraje para mostrar el resultado de la escaramuza. Hilal observó a su alrededor y luego su vista se posó en la pira. La membrana de cuero, que no había dejado de retumbar en todo el día, sembrando el temor en el ejército andalusí, crujió antes de ser pasto de las llamas. Las cuerdas chisporrotearon. Uno de los guerreros descubrió, tirado a un lado, el monstruoso mazo que debía manejarse con ambas manos. Su cabeza de cuero relleno reventó en cuanto entró en contacto con el fuego.

—Todo ha sido un engaño —murmuró Hilal.

Sus hombres, absortos también en la contemplación de la gran hoguera, asintieron en silencio. El joven suspiró y se dirigió a su montura.

Defensas mardanisíes a los pies de Lorca

Todo el ejército murmuraba a la vista de la pira que ardía ante ellos. Desde su posición, una nube negruzca se elevaba perezosa al brotar de la hoguera. La estampa era fantasmagórica, y muchos se santiguaron o hicieron señales contra el mal de ojo.

—El tambor ha dejado de retumbar —observó Azagra. Mardánish murmuró algo acerca de los mil padres del almohade que fabricó aquel engendro del demonio.

De pronto los cuchicheos cesaron. El resplandor de la pira escupió varios puntos luminosos que se fueron recortando contra la negrura del paisaje. El rey Lobo, incapaz de aguantar la impaciencia, tomó un hachón y lo encendió en una de las hogueras en las que los hombres preparaban la cena. Anduvo entre los parapetos, y Azagra y Despujol salieron en pos de él, salvaron a brincos las trincheras y cuidaron de no tropezar con las maromas. Los guerreros se aproximaban a la primera línea defensiva con sus propias antorchas en alto. Si los toques rítmicos del tambor almohade los habían llegado a exasperar, aquella incertidumbre los sacaba de quicio. Los puntos luminosos se acercaron y el trote de los caballos llegó hasta ellos. Mardánish se detuvo, flanqueado por los adalides cristianos. El jinete que encabezaba el destacamento tiró de las riendas y el caballo frenó, piafando con disgusto por el olor dulzón de los hachones y el calor que desprendían. Hilal saltó a tierra y se dirigió sin ceremonias a su padre.

—Un puñado de soldados africanos. Nada más. Protegían el maldito tambor del que habló mi abuelo, montado sobre un carruaje. Los hemos masacrado sin esfuerzo, y unos pocos han logrado huir. —El muchacho desgranaba su informe atento al gesto de Mardánish. Calló un momento antes de dejar caer su conclusión—. Nos han engañado, padre. Ningún ejército llega por la vía rumí.

Mardánish asintió pensativo. Junto a él, pero un poco rezagados, Despujol y Azagra cruzaron una mirada preocupada. Los demás jinetes andalusíes terminaban de llegar y frenaban con cuidado de no tener un mal paso en las ramblas.

—No lo entiendo —se lamentó Guillem Despujol—. ¿Para qué este engaño? ¿Qué consiguen con él?

—De momento, lo que han conseguido es tenernos atemorizados todo el día de hoy —respondió enseguida Hilal. El barcelonés se encogió de hombros.

—Pensaba que los almohades tenían mayor aprecio por ese gran tambor. ¿No se supone que consiguen ganar batallas solo con su sonido?

—Todos lo pensábamos —murmuró Mardánish—. Y es cierto: no lo habrían sacrificado así de no ser por una buena causa.

—Es solo un tambor —intervino Azagra—. Es reemplazable.

—Nos han tenido aquí, haciéndonos creer que se nos echaban encima... —El rey Lobo se dio la vuelta y dirigió su mirada a las alturas, a la alcazaba lorquí. Allá arriba, los fuegos de los centinelas tachonaban la muralla y dibujaban su silueta contra aquel extraño resplandor del cielo—. Y mientras tanto... Mientras tanto, ¿dónde están esos perros africanos? ¿Adónde han ido?

La respuesta a aquella pregunta llegó en forma de un nuevo tumulto en la línea defensiva. Más antorchas indicaban que un pequeño grupo se acercaba desde la medina de Lorca. En la oscuridad, todos pudieron ver que a esos fuegos se unían ahora los de los propios defensores. Mardánish y sus lugartenientes, incluido el joven Hilal, se dejaron atraer por el bullicio y penetraron tras las líneas mientras esquivaban nuevamente postes, cuerdas, fosos y parapetos. El griterío crecía por momentos; alguien se empeñaba en hacerse oír y eran muchos los que chistaban para pedir silencio. Todo el ejército era un caos provocado por la enigmática treta almohade.

—¡Silencio! —exigía una voz firme—. ¡Silencio, he dicho! ¡Llevadme hasta el rey!

—¡Buscad al rey!

—¿Dónde está el rey?

—¡Aquí estoy! —contestó Mardánish. A su respuesta, los soldados se apartaron y varios hachones iluminaron la loriga del rey Lobo, de la que no se había desprendido—. ¿Qué ocurre ahora?

Un ancho claro en forma de circunferencia se dibujó entre el bullicio cuando los guerreros hicieron sitio a los recién llegados. Se trataba de dos centinelas de la guarnición de Lorca, y entre ambos llevaban agarrado a un crío de apenas diez años. El niño, de tez morena y ojos relucientes a la luz de las antorchas, tenía las mejillas marcadas por los regueros de las lágrimas, y llevaba la ropa, basta y ajada, sucia de barro y vómito. En su gesto se mezclaba el miedo con la pena.

—Este muchacho, mi señor... —empezó a explicar uno de los guardias, pero Mardánish se aproximó y miró con curiosidad al niño. Este le devolvió la mirada, y el rey pudo apreciar el temblor que dominaba su mentón. Se acuclilló, haciendo resonar el hierro de su cota de malla, y se esforzó en parecer tierno. Cogió con dos dedos la barbilla del niño y sonrió.

—¿Cómo te llamas, amigo?

El crío respingó y vaciló un momento, como si la voz del rey le hubiera despertado de una pesadilla. Miró a los lados y pareció descubrir al gentío que, ahora en silencio, le rodeaba. Decenas de ojos y oídos estaban pendientes de él. Luego su vista volvió a la de Mardánish. Este repitió la pregunta:

—¿Cuál es tu nombre, muchacho?

—Zakkaríyyah, señor. —El crío se sorbió ruidosamente los mocos y se restregó la cara con la manga de su túnica—. Soy pastor.

—Bien. El pastor Zakkaríyyah. —El rey ensanchó su sonrisa. Uno de los guardias hizo ademán de hablar, a buen seguro para comunicar a Mardánish algo importante, pero el rey intuía que el niño era muy capaz de explicar lo que estaba ocurriendo allí, fuera lo que fuese—. Y bien, amigo mío: ¿qué te ha pasado?

—Mi padre... Mi padre y mi hermano. —Zakkaríyyah gimoteó—. Estaban con las vacas, junto al río. —Dos gruesos lagrimones resbalaron a la vez desde los párpados del niño y trazaron nuevas ronchas claras en la suciedad de su cara—. Los soldados fueron a por ellos y... y... —Bajó la cabeza y rompió a llorar. Las siguientes palabras se le atragantaron y nadie pudo entenderlas. Mardánish, sin alzarse, animó a los guardias a hablar.

—Ha llegado corriendo y casi ahogado de tanto llorar —explicó uno de ellos—. Dice que un enorme ejército ha cruzado al-Fundún hacia Murcia por el otro lado del río. Al parecer ellos son quienes han matado a su padre y su hermano. La familia del crío es de pastores. Gente honrada y muy conocida por aquí.

Mardánish estuvo a punto de gritar una maldición. Sus manos se apoyaron en los hombros de Zakkaríyyah.

—¿Es eso cierto, amigo? ¿Un ejército? ¿Camino de Murcia?

El niño pareció tomar conciencia de que todos aquellos hombres enfundados en anillas de hierro y armados hasta los dientes aguardaban su respuesta. El silencio era completo, y los rostros de los soldados desaparecían entre las sombras para renacer a continuación a la luz que despedían los hachones.

—Un ejército muy grande. El más grande que he visto. Muchos caballos. Muchos soldados. De piel oscura, y otros negros. Con turbantes, y lanzas. Muchísimas lanzas. —Su brazo se alzó hacia la derecha y apuntó al norte, a las peñas de la sierra—. Caminaban sin hablar y casi no hacían ruido. Siguiendo el río.

El rey Lobo se incorporó con la furia desatada en sus pupilas. Las palabras de Zakkaríyyah fueron repetidas de uno a otro soldado. Las maldiciones sonaron quedas y crecieron como una ola desde el claro en la línea defensiva del ejército andalusí.

—Han debido de pasar cuando la noche caía —intentó justificarse uno de los guardias de Lorca—. Sin luz, y sin hacer ruido...

—Con la lluvia de estos días, es normal que ni siquiera levanten polvo —explicó el otro—. Y además, todos estábamos pendientes del valle. Esperábamos verlos por el otro lado...

—¡Silencio! —ordenó el rey. Hasta los murmullos y los bisbiseos callaron, y Zakkaríyyah dio medio paso atrás. Mardánish apretaba los puños y los músculos de su mandíbula se tensaban. Respiraba deprisa y sonoramente.

—Ahí está la explicación a lo del tambor —apuntó Azagra tras el rey Lobo.

—Pero... no puede ser —adujo Hilal—. Mi abuelo mandó exploradores por al-Fundún hacia el sur. Habrían detectado la presencia del ejército almohade.

—Salvo que el ejército almohade los viera antes a ellos y los eliminara —rebatió Despujol. Tanto Azagra como Mardánish se volvieron hacia el barcelonés y lo miraron muy serios.

—Eso es imposible. Al-Asad iba en cabeza de esos exploradores —dijo el navarro.

Guillem Despujol se encogió de hombros. Él apenas conocía al León de Guadix, y no sabía nada de su eficacia en las artes de la guerra.

—Todo eso da igual ya —espetó el rey Lobo—. Debemos creer que este niño dice la verdad: un enorme ejército ha pasado a nuestra espalda sin que ni siquiera nos hayamos dado cuenta. —Miró con gesto de reproche a los dos guardias de la guarnición de Lorca, y estos bajaron la vista—. Eso significa que nuestros enemigos marchan ahora hacia Murcia por el llano. Hemos perdido la iniciativa.

Todos callaron. Azagra se mordió el labio hasta casi hacerlo sangrar. Su plan, que preveía adelantarse a los almohades aprovechando al-Fundún, acababa de darse la vuelta. Ahora eran ellos los que estaban separados de Murcia por una barrera de montañas y por un ejército que los superaba en número. De repente, un grito agudo llamó la atención de todos. Una mujer se abría paso a codazos, seguida de una preciosa muchacha. Ambas lloraban: la mayor llegó hasta el claro abierto por el ejército y, a la vista de Zakkaríyyah, se dejó caer de rodillas. Los guardias soltaron al niño y este se abrazó a la mujer. La joven, que venía agarrándola de la saya, parecía no entender qué ocurría allí. Gimoteaba mientras miraba a su alrededor. Casi parecía avergonzarse de la escena. Nadie tuvo que explicar que la madre de Zakkaríyyah y su hermana acababan de enterarse de la noticia. Todos pudieron ver en ellas a sus propias madres y hermanas, llorando por ellos mismos. Mardánish palideció, y con él muchos de sus hombres. Varios se dejaron vencer por la emoción y se apartaron. Se ampararon en la oscuridad para que los demás no vieran sus ojos arrasados por la pena. La madre, con la tez crispada por el dolor, se dirigió a todos sin dejar de abrazar a Zakkaríyyah:

—¿Cómo habéis dejado que los mataran? ¿Cómo habéis sido capaces? ¿Cómo...?

De nuevo se derrumbó, y ahora fue el niño el que consoló a la mujer mientras la joven Nayma, sumida en el estupor, se mordía las uñas. Una ola de culpa se extendió por la hueste, y a todos los apremió el deseo de actuar.

—Hay que decidir algo. —Hilal, a pesar de su juventud, parecía el único que conservaba la calma.

—A Murcia —escupió con rabia Mardánish—. A Murcia, antes de que esos puercos africanos ensucien con sus pezuñas la capital de mi reino.

—Pero... las montañas... —La voz de Despujol sonó dubitativa, como si no se atreviera a llevar la contraria al rey en aquella situación.

—No me importan las montañas. No me importa si tenemos que cruzar diez cordilleras. Hay que ir a Murcia. ¡Ya!

El ejército entero se sacudió al grito de Mardánish. Todos miraron a su alrededor, a los parapetos iluminados por antorchas. A la maraña de obstáculos que habían construido. Hilal fue de nuevo el más presto en reaccionar.

—Subiré a avisar a mi abuelo. Supongo que partiremos de buena mañana...

—¡Avisa a Hamusk, sí! ¡Y dile que su fiel león, al-Asad, ha sido devorado por los cuervos! —siguió soltando su ira Mardánish—. ¡Y todos vosotros! ¡Comed algo y dormid, pues en dos guardias partimos!

Algunos guerreros fueron incapaces de moverse. Unos pocos, incluidos algunos mercenarios cristianos, ofrecían palabras de consuelo a la madre de Zakkaríyyah y la arrastraban con delicadeza fuera de la línea defensiva. Otros, entre juramentos silenciosos, caminaron rumbo a sus puestos para dar cuenta de la cena y aprovechar el poco tiempo que el rey marcaba para descansar. Su orden significaba que comenzarían el viaje mucho antes del amanecer.

—¿Por la sierra? —preguntó vacilante Guillem Despujol.

—¡Por la sierra! ¡Avanzaremos sin descanso! —El rey dio la vuelta para acercarse al parapeto en el que se había cobijado esa tarde, pero se volvió tras dar dos pasos—. Transmitid las órdenes. Las montañas no nos detendrán. Yo mismo arrancaré a latigazos la piel de quien se quede atrás o retenga mi marcha. —Continuó su camino, aunque una vez más paró y giró la cabeza hacia Despujol y Azagra—. Y si mis amenazas no bastan para espolear el ánimo de vuestros hombres, decidles que corremos el riesgo de luchar en campo abierto con esos africanos. Y ellos no se conformarán con despellejarnos a latigazos. La madre y la hermana de Zakkaríyyah... son nuestra madre y nuestra hermana. Nuestras mujeres e hijas. No podemos abandonarlas. Murcia es nuestra salvación, y nosotros somos la salvación de Murcia. ¡La salvación del Sharq!

58

La carrera hacia Murcia

Día siguiente. Murcia

La mañana apenas había apuntado cuando Zobeyda, acompañada de sus dos fieles doncellas, se hizo acompañar por la guardia hasta el adarve de las murallas del alcázar, que eran las que cercaban también la medina por el sur. Allí arriba, el viento azotaba las *miqnás* que ahora cubrían sus cabellos y arrastraba hacia ellas la oscuridad de la tormenta.

El día anterior, ya entrada la tarde, habían llegado a Murcia procedentes de Valencia. Cuatro años había pasado la favorita fuera de Murcia. Cuatro años en los que se había visto libre de las malquerencias de la corte y de los cuchicheos de los visires. Cuatro años sin ver a la insoportable Tarub. Y sin embargo, Zobeyda, que amaba Valencia por encima de todo, se sabía también unida a Murcia aunque una sensación extraña la agobiara allí. La había empezado a notar cuando salió de la Joya del Turia y empezó a viajar hacia el sur, y pronto percibió que era algo más que la irritación por volver a la farsa cortesana. Enseguida se había dado cuenta de qué era en realidad lo que la abrumaba: era el sur. Aquel viaje a Murcia la acercaba al foco del sufrimiento. A la presencia de los almohades. Zobeyda abrió los brazos para requerir a sus doncellas, que se le abrazaron de inmediato. Las tres tenían puesta la vista en los nubarrones que cubrían el sur: se acercaban inexorablemente para barrer el Sharq y traían a sus mientes los temores más oscuros:

Y los ejércitos de las negras nubes cargadas de agua
desfilaban majestuosos, armados con los sables dorados del relámpago.

Adelagia pareció darse cuenta de los miedos que asaltaban a su señora, y acarició una de las trenzas negras que asomaban bajo la *miqná* de la favorita.

—No debemos dejarnos ganar por el desánimo. Todo saldrá bien —aseguró la italiana. Marjanna asintió sin convicción.

Zobeyda sonrió con media boca. A su mente venían las palabras de Maricasca —¿o eran las suyas?— dichas antes de despedirse en la *munya* Zaydía: «Todo se hundirá y se pudrirá, como una cosecha agostada por el calor o arrasada por un diluvio. Esa tierra de felicidad y prosperidad... Una utopía más».

Y desde el sur, para cubrir con tinieblas el Sharq al-Ándalus, llegaban la miseria y la podredumbre. Las nubes de tormenta, que acabarían con su quimera. Con la fantasía de ser reina de una tierra de ensueño.

Los malos augurios quedaron interrumpidos cuando Adelagia se soltó de la favorita y de Marjanna y corrió por el adarve, ignorando a los soldados de la guardia. Abú Amir llegaba con gesto grave, y aunque acogió en sus brazos a la doncella italiana y la apretó contra su pecho, la preocupación no desapareció de su cara.

—Sé bienvenida a Murcia, mi señora.

Zobeyda recibió el saludo con una débil inclinación de cabeza, pero sintió una punzada de agrio dolor al comprobar que su viejo maestro y amigo no la llamaba *niña*, como de costumbre.

—Hemos dejado Valencia sumida en el miedo, Abú Amir. Por favor, dime que no habré de ver Murcia atemorizada también por la amenaza de esos africanos.

El consejero se separó de Adelagia y terminó de acercarse. Su vista se desvió a los densos nubarrones que oscurecían el sur. Posó las manos en un merlón y aspiró el aire fresco de la mañana. Abajo, algunos campesinos cruzaban el Segura para dirigirse a los labrantíos y a las huertas. Caminaban con desgana, arrastrando más que cargando con sus aperos. Y enfrente, al otro lado del río, las sirvientas murcianas lavaban la ropa a toda prisa.

—Hace dos días, un grupo de fanáticos cargados con odres se encerró en una mezquita de la Arrixaca con quienes allí oraban. Trabaron las puertas con tablones y rociaron todo el templo con el líquido que traían a cuestas: grasa de cerdo. Luego prendieron fuego. Desde fuera se oían tanto los gritos de los que se quemaban como los de quienes jaleaban el Tawhid.

Zobeyda se tapó la boca con una mano, y sus dos doncellas quedaron igualmente impresionadas.

—Demonios —susurró la persa.

—Demonios dicen ellos que somos nosotros —replicó Abú Amir—. Cada vez se escuchan las voces discordantes con mayor impudor. Los sediciosos casi no se ocultan para despotricar del rey, acusarle de infiel y de amigo de los cristianos, ensalzar a los almohades o proponer la rebelión. Tu esposo, mi señora, ha tenido que dejar en Murcia a un buen grupo de guerreros que le servirían muy bien en la lucha contra el enemigo. Y lo ha hecho porque aquí, entre estos muros, hay otro enemigo. Uno muy difícil de combatir, porque no lleva estandartes almohades, ni se hace preceder de tambores y gritos de guerra. Y por todas partes se repite esto. En Cartagena surgió este verano una especie de secta que aplaudía la venida del Tawhid y se dedicaba a cortar las manos de los niños a los que atrapaban en descuidos de sus madres. Fueron arrestados por un piquete de ronda cuando se disponían a mutilar a un muchacho, y antes de morir, sometidos a tormento, confesaron que cometían semejantes felonías para evitar que esos pequeños pudieran empuñar las armas contra el Tawhid al hacerse hombres. En una aldea cerca de Orihuela, un imán se volvió loco y degolló a todos los miembros de una familia porque el padre era un soldado veterano de las guerras de tu esposo. El pobre estaba tullido, postrado en su jergón...

—No sigas, Abú Amir, te lo ruego. —Los ojos de Adelagia se humedecían por momentos. El consejero apretó los labios y bajó la mirada un instante.

—Perdonad la crudeza de mis palabras. Y no temáis. Los soldados del Sharq han reprimido todas esas muestras de crueldad y velan por nosotros.

—Abú Amir, me aconsejaste que disuadiera a mi esposo de purgar a su gente.

Las palabras de Zobeyda sonaban a reproche. El consejero asintió, y a su rostro asomó notoria la duda. ¿Había hecho bien, o quizá debería arrepentirse de sus exhortaciones a la piedad?

—Lo sé. Y lo haría de nuevo..., creo. Por el momento, el pueblo sigue leal en su mayor parte. Cada ejecución y cada arresto llevan aparejados la convicción de tus súbditos de que se obra con justicia. Pero si comienzan las detenciones por confidencias... Si empiezan las delaciones veladas... Sigo convencido de que eso podría volver a la gente en contra del rey.

Zobeyda estuvo a punto de gemir de desolación e impotencia. Ella también se apoyó en un merlón de la muralla, como si tuviese que cargar con un peso insufrible y estuviera a punto de desfallecer. Inconscientemente, tomó una de las puntas de la *miqná* y envolvió su rostro para cubrirse la boca. Marjanna, preocupada, acarició la mejilla de la favorita por debajo del velo.

—Todo se arreglará —prometió la persa.

Zobeyda alzó la vista convencida de que aquellas eran palabras vacías. Frente a ella, al sur, las nubes seguían acercándose como un ejército invasor dispuesto a arrasarlo todo.

Sierra de Tercia, camino de Murcia

Las primeras gotas empezaron a caer de madrugada.

El ejército había levantado el campo tras dormir media noche y Mardánish, sin contemplación alguna, obligó a todos a dejar atrás carruajes y a llevar consigo lo imprescindible. Junto a Lorca abandonaban toda una caravana de provisiones e impedimenta que ya no podrían usar, y una línea defensiva, ahora inútil, cuyo desmantelamiento quedaba a la diligencia de los pobres lorquíes.

La columna arrancó por entre los pinares, ascendió al poco por las breñas de la sierra de Tercia y se estiró por sendas de pastores. El propio rey Lobo, en cabeza, imponía un ritmo matador, y cada poco recorría la larga comitiva sin dejar de arengar a los soldados o de insultar a los rezagados. Prometía montañas de oro a quienes alcanzaran antes Murcia y amenazaba con tormento y presidio a los que se demoraran. Antes de aclarar la madrugada, ya había ofrecido paga doble a los mercenarios cristianos.

La soldadesca, o al menos la mayor parte de ella, aceptaba aquellas condiciones. Los hombres sabían que el ejército almohade caminaba al otro lado de las montañas, por el llano y con ventaja, y que se dirigía a la capital del Sharq. Muchos de ellos tenían allí a sus familias, así como a amigos y conocidos. Y quienes carecían de negocio o parientes en la ciudad, sabían que su caída precipitaría la del resto del reino. Hilal, que comandaba la retaguardia, animaba por su parte a los que se quedaban atrás, y no podía dejar de pensar que su madre, a aquellas horas, estaría ya en Murcia junto con sus hermanas Zayda y Safiyya. Miraba a su diestra, a los cerros de la sierra, e intentaba no imaginar qué pasaría si Murcia se rendía a la vista de los almohades, ahora que su guarnición era exigua y los traidores campaban poco menos que a sus anchas. Aquel mismo temor anidaba en el corazón del rey Lobo, que sabía que todo el reino se sostenía sobre Murcia. Debía llegar antes que los enemigos. O al menos hacerlo a tiempo de que los murcianos no se vieran solos ante el inmenso ejército que los africanos habían traído a al-Ándalus. Azagra, que acompañaba en vanguardia en todo momento a Mardánish, razonaba para calmar sus ansias:

—Los almohades se mueven con rapidez inusitada, lo reconozco. Pero eso nos indica precisamente que marchan ligeros. No pueden estar preparados para un asedio, y la ridícula ventaja que nos llevan no es suficiente para rendir Murcia por hambre. Recapacita, amigo mío, y no hagas que tus hombres lleguen allí derrengados, pues es seguro que tendremos que batirnos con esos puercos.

El rey Lobo negaba con la cabeza mientras la lluvia mojaba sus cabellos rubios y resbalaba por su cara y su barba. Las agujas de los pinos siseaban a su alrededor y pequeños regueros se formaban a la derecha, desaguando el diluvio que castigaba las cimas de la sierra de Tercia.

—No tengo dudas de la solidez de mis murallas, y tampoco de la riqueza de mis aljibes y almacenes: Murcia podría soportar un largo asedio, incluso aunque los almohades vinieran preparados para un cerco. Pero no me fío de las gentes a las que he dejado allí. Hay mucho partidario del Tawhid. Mucho melindroso. Mucho traidor. Si ven llegar al ejército africano... Si lo ven plantarse a este lado del río, ¿cuánto tardarán los cobardes en abrirles las puertas de Murcia? ¿Sabes entonces qué ocurriría, amigo Pedro? Mi capital, mis esposas, mi alcázar, mi tesoro..., mi favorita... Todo ello, en manos de mis enemigos. No podría soportarlo. No podría.

—Eso no pasará. Tienes más enemigos en tu mente que...

—A continuación —el rey siguió como si no oyera al navarro—, Valencia se volvería a rebelar, estoy seguro. Mi hermano Abú-l-Hachach no sería capaz de evitarlo. Aunque tampoco creo que fuera a poner mucho ímpetu... Después caerían Játiva y Alcira. Orihuela, Denia, Alicante, Murbíter...

Como si así, nombrando sus posesiones, el rey fuera repentinamente consciente de lo que estaba a punto de perder, espoleó a su caballo y avivó la marcha, que ya era penosa. Detrás, los hombres y caballerías avanzaban cuesta arriba, se apoyaban unos en otros o tropezaban entre sí, hundiendo los pies en un lecho que se ablandaba conforme las torrenteras resbalaban desde las montañas. Un jinete flanqueó la columna y esquivó los pinos. Los cascos de su caballo, avanzando desde la zaga, levantaban salpicones de barro y guijarros. Era Hilal, inclinado sobre el cuello de su montura para no trabarse con las ramas. Recorrió la fila de soldados mientras recibía sus miradas de cansancio, sabedor de que era un largo trecho el que aún restaba. Aunque el joven no conocía el camino, los lorquíes de la columna le acababan de explicar que tras la Tercia llegaba Despuña, una sierra aún más fragosa y de sendas casi impracticables. Hilal llegó a la vanguardia y se puso en paralelo con su padre. El joven parecía haber madurado desde el día anterior, cuando se enfrentó con el destacamento almohade que cuidaba el gran tambor del engaño.

—Padre, los guerreros de la comarca me dicen que por delante, en lo alto de los cerros, tenemos la fortaleza de Aledo.

Mardánish lo observó con gesto ausente. En ese momento salieron a un claro del bosque y, desprotegidos del pinar, la lluvia los castigó con más saña. El rey tardó unos instantes en librarse de los malos agüeros que lo atormentaban y asintió.

—Así es.

—Me dicen también que desde allá se domina el valle por donde avanzan los almohades.

El rey Lobo miró arriba y dejó que la lluvia cayera a plomo sobre su rostro.

—También es cierto, aunque con este temporal, será difícil que se vea algo.

—Aun así —siguió Hilal—, permíteme tomar a algunos de esos lugareños para que me acompañen a caballo hasta Aledo. Intentaremos comprobar si nuestros enemigos nos llevan tanta delantera, o si han variado su ruta. Tal vez podamos calcular sus fuerzas.

Azagra sonrió a medias, orgulloso de la iniciativa de su escudero. Mardánish se encogió de hombros.

—Hazlo si te place, hijo.

Valle del Guadalentín, camino de Murcia

El ejército almohade avanzaba ligero, animado por el botín que Abú Hafs acababa de prometer a las cabilas, tribus y voluntarios. A estos últimos les reservaba, según sus palabras, el privilegio de purificar las mezquitas de los tibios y de asolar las iglesias de los infieles.

Los africanos, de forma contraria a su costumbre, habían pasado la noche sin prestar especial atención al orden de acampada, a lo largo de la propia columna y sin reparar en comodidades. Durmiendo lo justo para poder alargar la jornada de marcha. Las alquerías, huertos y aldeas que salpicaban el curso del Guadalentín se les ofrecían como fuente de comida, así que casi no precisaban forrajear. Los graneros, abarrotados tras la reciente cosecha, habían sido abandonados. Las casas y establos aparecían sin dueño, y casi se alcanzaba a ver a los propietarios huyendo frente a los almohades, sorprendidos por su llegada. Las nubes bajas y la lluvia ocultaban las llamas de alarma de las almenaras. Nadie había puesto sobre aviso a los villanos, y de hecho llegaron a prender a familias enteras en sus hogares. En aquellos casos, las órdenes de Abú Hafs eran tajantes: Tawhid y entrega de todos los bienes para el sagrado ejército de Dios, o muerte.

—Allí, donde la sierra se vuelve más alta —indicó Abú Hafs.

Utmán miró hacia donde señalaba su hermanastro. Las montañas se recortaban contra la opacidad del celaje y las cortinas de agua que caían al otro lado. El aire olía a humedad y a pino, aromas traídos por el mismo viento que arrastraba las nubes cargadas de lluvia hasta la sierra. Pronto, pensó el *sayyid*, esas mismas nubes conseguirían sortear la sierra y descargar sobre ellos.

—Sí, ya veo.

—Los andalusíes de estas alquerías dicen que las alturas están dominadas por una fortaleza. Aledo. Ahora mira al pie de la sierra, a esa villa. La llaman Totana.

—¿Quieres que la arrasemos?

—No —respondió Abú Hafs—. Tenemos prisa. No podemos entretenernos con minucias cuando es Murcia la que nos espera.

Utmán miró atrás con gesto escéptico. Se fijó en la columna, que avanzaba en el escrupuloso orden que imponía la tradición almohade. Jinetes y guerreros, atabaleros y carruajes con provisiones e impedimenta. Algunas acémilas con repuestos para las armas y con proyectiles, y un reducido cuerpo de secretarios y escribanos. Abú Hafs prefería aquella ligereza para poder aprovechar la sorpresa, lo que hasta ahora estaba dando resultado. Pero eso mismo convertía al ejército en una fuerza inútil para mantener un asedio en pleno corazón del reino enemigo del Sharq al-Ándalus.

—No podremos tomar Murcia. —El tono de Utmán sonó a desafío. Su hermanastro clavó sus enrojecidos ojos en él.

—Pero ese estúpido rey Lobo no lo sabe. Por eso ahora, desesperado, podría estar buscándonos por todo su reino. Y si ya se ha enterado de nuestro camino, tal como sospecho, pretenderá llegar antes que nosotros a Murcia para encerrarse en ella y evitar que caiga en nuestras manos. Los exploradores de retaguardia me dicen que nadie nos sigue. Si Dios, alabado sea, quisiera complacerme, el ejército de infieles caminaría ahora en paralelo al nuestro al otro lado de esas montañas. Tu misión será comprobarlo, y por eso te dirigirás junto a un destacamento de jinetes árabes a las cercanías de esa fortaleza de allá arriba. Evita Totana. Evita Aledo. Pero fíjate bien, y verás cómo la gente de la una huye monte arriba hacia la otra. Comprueba también, desde lo alto, que el Lobo sigue el camino que le ha marcado Dios. Si no ves pasar a su hueste, espera. No tardarás mucho en divisar sus estandartes. Después baja sin dilación y alcanza a la columna.

Utmán no respondió, pero se dispuso a cumplir la orden de inmediato. Le irritaba que su hermanastro, que al fin y al cabo no llevaba la sangre de Abd al-Mumín, abusara de su nuevo cargo y se permitiera tratarle como a un subordinado, pero debía reconocer que era mejor estratega que él. Antes de volver riendas y escoger a un destacamento de jinetes árabes, hizo una pregunta más a Abú Hafs.

—¿Y si Mardánish no ha seguido el camino del otro lado de las montañas?

Abú Hafs sonrió con displicencia, como si su medio hermano fuera un ingenuo. Realmente pensaba que lo era.

—No olvides a nuestro recién conocido amigo al-Asad. Él ha invertido tanto como nosotros en que esta empresa triunfe. Ha invertido un ojo de la cara.

Y Abú Hafs se echó a reír, poniendo la piel de gallina a los abanderados, atabaleros e incluso guardias negros que marchaban cerca de él.

Sierra de Tercia, camino de Murcia

Un ojo de la cara.

A al-Asad le chorreaba el agua de lluvia por la piel, se colaba por debajo de sus ropas y le empapaba todo el cuerpo. También notaba que su caballo se hundía a cada paso en el lecho lodoso de aquella ruta de cabreros y montañeses, de esos que subían a las cumbres a recoger nieve de los pozos. Un camino marcado por el uso reciente, con miles de pisadas de hombres y caballerías que habían convertido la senda en un barrizal. En algunos de esos pasos inseguros del animal, el jinete se estremecía y tenía que agarrarse al arzón para no caer. La sensación de mareo regresaba, y al poco parecía marchar. El León de Guadix estaba fatigado, y la fiebre le hacía ver que las montañas de su derecha se estiraban bajo la lluvia para desaparecer en el techo de nubarrones.

Tocó su mejilla diestra y notó que el líquido tibio se mezclaba con el frescor del agua de lluvia. Soltó una maldición y escupió a un lado. Se palpó el paño sucio que llevaba anudado en torno a la frente y que cubría la cuenca vacía de su ojo derecho.

—Africanos hijos de una perra sarnosa —murmuró. Luego, tomando conciencia de que se hallaba en uno de sus cada vez más escasos momentos de lucidez, picó espuelas y arrancó un relincho a su caballo antes de que este apretara el paso.

Las voces llegaron amortiguadas, aunque las figuras, diluidas por la cortina de agua, estaban bastante cercanas.

—¿Quién va?

El de Guadix giró un poco la cabeza para enfocar con su ahora único ojo. Tendría que acostumbrarse a ello, desde luego.

—¡Al-Asad! ¡Soy al-Asad!

Las sombras se volvieron nítidas cuando los jinetes de retaguardia se acercaron a él. Llevaban las flechas caladas en las húmedas cuerdas de sus arcos y se aproximaban despacio. Eran andalusíes, claro. Jienenses. Súbditos de Hamusk. Lo reconocieron enseguida y se pusieron a dar voces. Sonaban extrañas, reverberantes y mezcladas con el ruido del diluvio y el de las ramblas que anegaban la pendiente. Al-Asad se sintió seguro, ahora que por fin había sido localizado. La debilidad creció e invadió sus miembros, y se sintió resbalar desde la silla. De nada sirvió agarrarse a las riendas. Su cuerpo se hundió en el lodo y perdió el sentido.

Las voces volvieron. Se materializaron poco a poco desde el silencio. Una voz enojada hablaba de traición. Alguien frotaba sus miembros y le hacía entrar en calor. Era agradable. Otra persona manipulaba su vendaje. Notó frío en la cara cuando el paño, manchado de sangre seca y pus, fue retirado de su ojo derecho.

—Lo han dejado tuerto —oyó decir. Reconoció la voz de uno de los médicos de campaña.

—¿Qué dices ahora, yerno? ¿Te das cuenta de que tu mente está enfermando? No ves más que traidores y enemigos por todas partes...

Esa era la voz de Hamusk. Inconfundible. Al-Asad pugnó por escapar del letargo. Sintió paños calientes que limpiaban su frente y su ceja derecha, que daban golpecitos sobre el párpado laso y el pómulo rajado. Dolía, pero al mismo tiempo aliviaba.

—Déjame en paz. —Era ahora Mardánish quien contestaba al señor de Jaén—. ¿Despierta ya?

—Sí. Eso parece —respondió el médico.

El León de Guadix estaba confuso. Prefirió no abrir su único ojo y aguardar. Algo le decía que debía estar alerta. Recobrar su juicio antes de nada. Estaba tuerto, sí. Recordaba el dolor, intenso y caliente, cuando los almohades lo habían atado a un poste y uno de ellos, a órdenes de ese maldito Abú Hafs, le había rajado con un cuchillo enorme y recurvo. Una de esas dagas hargas. El corte le vació la cuenca y le rajó la piel y la carne, chirriando sobre el hueso del pómulo hasta casi alcanzar la comisura derecha. Recordaba sus propios gritos y las carcajadas del *sayyid* almohade. Y recordaba también, cosa extraña, el gesto de repugnancia de Utmán hacia aquella salvajada. Recordaba, sí. Recordaba cada vez más. Recordaba las palabras de Abú Hafs, que le aleccionaba mientras le ataban al poste, justo antes de dejarlo tuerto.

«Deberás presentarte ante ese demonio Lobo y decirle que te encontraste con el ejército almohade, y que tus compañeros fueron muertos. Tú te defendiste, pero un tajo de espada te saltó el ojo. Informa a Mardánish de que conseguiste huir a caballo a través de la sierra. Le dirás que nuestra sagrada hueste se dirige a Murcia por al-Fundún. Por último, le suplicarás por tu vida, ya que has fallado.»

Al-Asad, consciente de que el mismo perro rabioso que había ordenado torturarlo era quien le había instruido para no perder la vida, fingió por fin volver en sí. Y a las preguntas de Mardánish, repitió sus palabras con voz pastosa. El médico dejó de limpiar la herida mientras el guerrero tuerto contaba aquellas mentiras.

—Ya lo ves, yerno —reprochó Hamusk cuando al-Asad terminó de hablar—. Mi fiel León de Guadix no es ningún traidor. Ha conseguido sobrevivir pese a esa horrible herida, y ha cruzado las montañas para avisarnos.

—Tarde. Nos avisa tarde.

—¡Por mi sangre! ¿Tarde? ¡Mira esa cuenca vacía!

—Su cometido no era enfrentarse a los almohades, sino vigilar que no se dirigieran a al-Fundún. Tendría que haber sido más cauto. Él ha perdido un ojo. Nosotros nos arriesgamos a perderlo todo. Ha fallado. Tu león ha fallado.

«Le suplicarás por tu vida, ya que has fallado.»

—Perdóname, mi señor. —Al-Asad hizo ademán de incorporarse, pero no lo consiguió—. Te suplico por mi vida, ya que te he fallado. He cabalgado a pesar de que mi deseo era entregarme al sueño y a la muerte... He atravesado la sierra y he seguido el rastro del ejército para volver a ti. Quiero luchar por el Sharq. Perdóname, mi señor. No volveré a fallarte.

El gesto de Mardánish se agrió. Jamás habría esperado súplicas de al-Asad. De hecho, incluso le repugnaba esa actitud sumisa en quien siempre se había mostrado orgulloso y letal. Se separó del médico, de Hamusk y de su lugarteniente mientras aquel volvía a acercar el paño a la cuenca supurante.

—Ese ojo reventado te ha salvado la vida, al-Asad. El próximo error me lo cobraré con el ojo que te resta.

El León de Guadix apretó los dientes al tiempo que el médico reanudaba su cura. Así que después de todo, reconoció, le debía la vida a ese africano fanático de Abú Hafs.

—Gracias —masculló, aunque su agradecimiento iba dirigido al caudillo almohade.

—Abreviad con eso. Dadle algún bebedizo para que se recobre. —El rey Lobo miró a través del agua del diluvio. No podía ver más que el manto verde del pinar que escalaba las laderas escarpadas de la sierra, pero sabía que su hijo Hilal estaría ahora allá arriba, en Aledo.

Fortaleza de Aledo

Aledo era una sólida fortaleza que dominaba las alturas en las estribaciones de la sierra Despuña. Un centinela de piedra que vigilaba las encrucijadas, marcado por la presencia, tanto para defenderlo como para atacarlo, de reyes y héroes antiguos.

El castillo se asomaba a un recorte escarpado de la serranía y acechaba como una gran rapaz el camino que unía Murcia con Almería, a una jornada de Lorca y a dos de la capital del Sharq. No había nada que escapara a la vista de la atalaya. Hilal, encaramado en el antepecho, observaba el llano que se extendía a levante, hasta las alejadas montañas de Carrascol y el camino de Cartagena. En medio de ese valle, el Guadalentín describía curvas hacia septentrión. El joven lo veía todo difuminado, como si mirara a través de una de aquellas bonitas vidrieras que fabricaban en Murcia. Y aun con todo, la oscura columna que ahora cruzaba el río más allá de Totana era inconfundible.

El caíd de Aledo estaba en pie junto a Hilal, con los brazos cruzados sobre el pecho, vestido para la batalla y con la espada colgando de un costado. Era un hombre de avanzada edad, y a sus órdenes contaba con una guarnición de apenas una docena de soldados, aunque su disposición era la de un fiel guerrero que aguardaba órdenes bajo la lluvia. En otro tiempo, Aledo había sido base para algaras, pero ahora, tan cerca del corazón del Sharq, su función había decaído a la de mero guardián.

—¿Puedo decirles, mi señor, que los enemigos pasan de largo?

Hilal se volvió a medias y el caíd señaló con la barbilla al interior de la fortaleza. Desde el patio de armas, los habitantes de Totana y las alquerías próximas esperaban noticias tras resguardarse en Aledo. Habían llegado allí con sus seres queridos a rastras, tras abandonar sus pertenencias y sus hogares, atemorizados a la vista del ejército almohade. Hilal miró abajo y vio rostros crispados bajo el diluvio. Las madres, desesperadas, sostenían en brazos a sus hijos más pequeños mientras otros niños se agarraban a sus sayas. Los hombres también estaban pálidos, temerosos quizá de que fueran reclutados para la lucha. Ellos, que no eran más que pastores y campesinos favorecidos por la paz que el rey Lobo había conseguido guardar en los últimos veinte años. Hilal volvió a mirar al caíd y asintió. Cuando este anunció a voz en grito que no había nada que temer, que las haciendas de los lugareños no habían sido violentadas, los refugiados estallaron en vítores y loas a Dios. La noticia corrió y se extendió hasta las gentes que aguardaban dentro y fuera de los muros, y el griterío recorrió los montes. Hilal amagó una sonrisa apesadumbrada: qué distinto podría ser todo para los murcianos en apenas dos jornadas.

—Caíd, tú eres hombre veterano. Tengo una pregunta para ti.

El viejo guerrero se inclinó, agradecido por la confianza de aquel joven noble que, a pesar de su edad, parecía tan juicioso.

—¿En qué puedo ayudarte, mi señor?

—Mi padre, el rey, insiste en avanzar por el lado de poniente y azuza a su ejército por un camino de cabras embarrado. Quiere adelantarse a ese otro ejército. —Señaló a la columna almohade, que todavía desfilaba por al-Fundún siguiendo la corriente del Guadalentín—. Pretende llegar antes que ellos a Murcia. ¿Es posible?

El caíd torció el gesto antes de llevar la vista al cielo negro que descargaba un océano entero. El agua le chorreaba por la barba, cana y perfectamente recortada a lo largo de los bordes de la mandíbula y la barbilla. Miró de nuevo a Hilal y negó con la cabeza. El joven suspiró.

—Bien. Entonces ordena que se prendan las almenaras. En Murcia deben prepararse para cualquier cosa.

—Se hará como digas, señor. Pero debo advertirte: con esta lluvia, es posible que el fuego no se vea entre los puestos.

Hilal asintió lentamente. ¿Había algo más que pudiera salir mal?

—Gracias, caíd. Me voy. Si esos de ahí se revuelven —el hijo del rey dirigió la mirada a la columna almohade—, haz llegar el mensaje al ejército de mi padre.

El anciano repitió la reverencia y Hilal se dispuso a bajar de la muralla. Al hacerlo, su vista recorrió las crestas de la sierra de Tercia, perfiladas por pinos, encinas, acebuches e hinojos, y los cercanos cultivos aterrazados que dependían de Aledo y Totana. En torno al castillo se había talado todo árbol, pero a lo lejos, los claros blanquecinos se alternaban con las aglomeraciones verdes. En una de ellas, Hilal creyó vislumbrar un movimiento rápido, apenas unas manchas sombrías que cruzaban un calvero. El joven fijó la vista en el lugar y se restregó el agua que discurría desde su frente. Nada. Imaginaciones, tal vez. Demasiada lluvia. Demasiada fatiga. Chascó la lengua y se lanzó escaleras abajo.

Utmán se inclinó sobre el arzón sin perder de vista las almenas de Aledo. Tras él, los jinetes árabes guiaban a sus caballos por entre las ramas, con órdenes en voz baja que los animales obedecían tal que si fueran humanos. Al *sayyid* le pareció ver una figura recortada allá arriba. Un hombre, de pie en el adarve, que miraba en su dirección. Aguardó bajo la copa de un pino, a resguardo de la lluvia, que allá arriba era más torrencial que en el llano. Miró sierra abajo y observó la columna que cruzaba el Guadalentín un poco más al norte de Totana. Jamás antes había visto a una hueste almohade moverse a ese ritmo, rompiendo la costumbre de marchar hasta la oración del mediodía para plantar el campamento y esperar al día siguiente. Abú Hafs, tan conservador, tan intransigente con todo lo que no viniera de la rancia tradición, innovaba como un infiel. No solo era capaz de acampar en una jaima roja y sacrificar el gran tambor de marcha. Además rompía los preceptos sentados por sus mayores. Su vista se dirigió de nuevo a las almenas de Aledo. El extraño centinela ya no estaba allí.

Se giró a la llamada queda de un árabe. El guerrero se resguardaba de la lluvia con su *imama*, que le cubría toda la cara salvo los ojos; señalaba a poniente y abajo. Utmán tiró de las riendas, se acercó al otro jinete y atisbó la ladera. A los pies del cerro, una columna de hombres zigzagueaba por la senda entre pinos. En ella confluían las ramblas, y el camino era más bien un lecho enfangado sobre el que se agolpaban hombres y caballerías. Todos caminaban con gran esfuerzo; luchaban contra el barro que atenazaba sus pies y contra el agua que volvía pesadas sus ropas. Las mulas lanzaban rebuznos cuyos ecos rebotaban por las pendientes rocosas. La hilera humana se alargaba camino arriba, rumbo al noreste, y desaparecía tras un recodo para volver a aparecer más allá, en el claro de un pinar agarrado a la ladera. El *sayyid* asintió en silencio. Comparó las condiciones de marcha y la velocidad de aquel ejército agotado con las del suyo propio, que progresaba en plena llanura. Todo iba según lo planeado por Abú Hafs. Como siempre.

—Hemos cumplido la misión que nos encomendaron —anunció a los árabes—. Volvemos con los nuestros.

Hilal se puso a la altura de Azagra, que arreaba a su montura al paso por entre los riachuelos de barro. El joven miró atrás, a la columna a la que se había incorporado tras descender de Aledo.

—¿Y mi padre?

—Lo han reclamado hace un rato desde la zaga. Había noticias allí —contestó el navarro—. ¿Qué tal por las alturas?

—Mal. Los almohades avanzan a muy buena marcha por el llano. Nos llevan ventaja. No mucha, pero lo peor es que a partir de aquí nuestro camino empeora.

—Por santa María. ¿Nuestro camino empeora? Esto ya no puede ser peor.

Hilal acercó todo lo que pudo su caballo al del navarro y bajó la voz.

—El caíd de Aledo, hombre experto, me lo ha confirmado: no podremos llegar a Murcia antes que el enemigo. Este esfuerzo es inútil. Quizá mi padre debería destacar a algún correo. Alguien que cabalgue ligero.

—Que en Murcia sepan que vamos en su ayuda no es la cuestión. La cuestión es que esta carrera la ganen los almohades. Lo que tu padre teme es que se le traicione desde dentro y alguien abra las puertas al enemigo. Eso puede ocurrir con o sin mensajeros que se nos adelanten. Si al menos dejara de llover...

El caballo de Mardánish apareció entonces desde retaguardia. Sus cascos salpicaron de lodo a los jinetes que marchaban en cabeza de la columna. Al ver a Hilal, le interrogó con la mirada. El joven le puso al tanto de lo que ocurría por el lado de la llanura.

—Tal como esperaba... Así pues, debemos apretar la marcha.

Azagra y Hilal intercambiaron una mirada silenciosa.

—Padre... Soy muy joven y tengo que aprender mucho. Pero temo, en mi inocencia, que nuestros hombres lleguen demasiado cansados a Murcia. Por el contrario, los enemigos marchan sobre llano. ¿No es eso una desventaja?

—No pretendo enfrentarme a ellos, sino tomarles la delantera y entrar en mi capital para verlos llegar desde las murallas.

El navarro y su escudero se miraron de nuevo, lo que no le pasó inadvertido al rey. Azagra se dio cuenta y cambió rápidamente de tema.

—¿Qué ocurría en la zaga?

—Ah, en la zaga. Ha sido muy curioso. El León de Guadix, al-Asad, nos ha alcanzado.

Hilal se envaró sobre la silla.

—¿Al-Asad? ¿Está vivo?

—Vivo, aunque no entero. Los almohades sorprendieron a su destacamento de exploradores y los mataron a todos. Él consiguió escabullirse, pero le hirieron en la cara. Ha perdido un ojo.

—¿Y por qué no nos avisó? Eso nos habría puesto en guardia. Tal vez ahora iríamos por delante de esos africanos, y avanzaríamos por la llanura y no por este infierno de lodo...

—Tuvo que huir a través de las montañas y casi a rastras, por lo que parece. Ya es un milagro que haya conseguido alcanzarnos —murmuró Mardánish.

—Un milagro —repitió Pedro de Azagra—. Desde luego. Aunque deberías aclararme algo: ¿es un milagro que al-Asad conserve la vida? ¿O lo es que no le diera tiempo de llegar a Lorca para avisarnos del itinerario almohade?

Los tres jinetes quedaron en silencio, masticando lo que insinuaba Azagra. Hilal vio mucha lógica en aquella sospecha, pero su padre estaba demasiado obsesionado. El rey Lobo tiró de las riendas y se dispuso a recorrer de nuevo la columna. Lanzó una orden que no era nueva para los hombres que se arrastraban a lo largo de la sierra.

—¡Más deprisa! ¡Hay que apretar el paso! ¡Repartiré entre los más rápidos las pagas de los que se rezaguen!

Se alejó de la vanguardia gritando, mientras Pedro de Azagra y su escudero se miraban por enésima vez. Luego el navarro separó ambos pies y golpeó los ijares de su caballo para aligerar su paso.

—No me gusta nada esto, Hilal. Me siento como una alimaña empujada por los batidores hacia el puesto de un ballestero. No me gusta.

59

Dolor y muerte

Dos días después. Llano de al-Yallab, entre los ríos Segura y Guadalentín

La lluvia cesó el viernes. Para los almohades fue como si Dios, en su día sagrado, hubiera decidido aclarar el cielo con intención de asistir a una gran batalla; la que decidiría la guerra santa.

El ejército africano llevaba desde por la mañana en aquel llano, el que se abría junto a la aldea de al-Qántara Asqaba; justo donde el río Segura giraba para dirigirse a Murcia. Las casas, por supuesto, estaban vacías. Ni un solo habitante quedaba, pues todos habían corrido río abajo hacia la capital, presos del pánico y cargados con lo más valioso de sus enseres. Ahora, guarecidos tras las murallas de Murcia, esperaban el desenlace.

Los almohades, mientras tanto, se abstenían de montar su campamento. Estaban detenidos y en formación de guerra en el llano al que los lugareños llamaban al-Yallab, donde solía montarse un mercado de ganado de gran fama en toda aquella parte del Sharq. Encarados a la sierra Despuña, extendían sus líneas de norte a sur; dejaban su costado derecho algo alejado de al-Qántara Asqaba, pero el flanco izquierdo estaba anclado a las orillas del Guadalentín. El río, que había sido compañero de viaje de las hordas africanas, giraba también en aquel lugar hacia levante para ir a desaguar en el Segura más abajo de Murcia. De esta forma, el camino a la capital quedaba a la espalda del ejército almohade, como si Abú Hafs se estuviera preparando para quitarse una molestia de encima y a continuación girar y dirigirse a su presa, la capital del Sharq al-Ándalus.

El visir omnipotente pasaba revista a sus hombres en la primera línea, y los observaba desde su montura con los ojos más enrojecidos que de costumbre. Tras él, su hermanastro Utmán lanzaba continuas miradas a las últimas elevaciones de la sierra a poniente, por donde se esperaba que apareciera el ejército de Mardánish. Los nervios le obligaban a aferrar con fuerza las riendas para ocultar su temblor. Pero, a pesar de ese miedo que ya conocía, su deseo por encima de todo era luchar. Batirse contra el rey Lobo. Soñaba con derribarlo de su caballo, como hiciera con Hamusk en aquella escaramuza junto a Marchena. Sin embargo, temía que su hermanastro le reservara una posición segura en la zaga, como correspondía al jefe del ejército, aunque este puesto estuviera en realidad ocupado por el propio Abú Hafs. En su examen de las tropas, los dos hermanastros, seguidos de cerca por los jeques de las cabilas y tribus, llegaron al extremo septentrional de la formación.

—Hay demasiado espacio entre nuestro flanco derecho y esa aldea —opinó Utmán—. Eso nos expone a ser rodeados. Si es una trampa, no la entiendo.

Abú Hafs dejó caer una de sus sonrisas de suficiencia.

—No es una trampa. El hueco permitirá salir a nuestra caballería árabe para usarla como mejor nos convenga.

—¿Y por qué no sacarla antes y formar después una línea bien protegida?

Abú Hafs señaló a levante.

—En la retaguardia tenemos Murcia. Aparte del pequeño puente de barcas de esta aldea, que he mandado destruir, el único camino cercano para entrar en la ciudad está tras nosotros. Es posible que Mardánish, ante el inmenso número de los fieles que buscan exterminarle, se detenga y no presente batalla. Pues bien, si eso ocurre, dejaré que vea cómo envío a las tribus árabes rumbo a Murcia. Eso le convencerá y no tendrá más remedio que atacar. Y nuestros hombres —movió el brazo en abanico para abarcar toda la línea que, a lo largo de casi dos millas, estaba plagada de guerreros dispuestos a dar la vida por el islam— se tragarán a ese falso lobo como lo que en verdad es: un cordero destinado al sacrificio.

Utmán ladeó la cabeza.

—¿Y si no ataca pero busca río arriba un vado para pasar?

—Me he asegurado con los exploradores. No le quedaría más remedio que hacer una larga marcha hasta encontrar un lugar hábil. Si opta por buscar ese vado, tendremos tiempo de establecer el sitio de Murcia y preparar la llegada de Mardánish, así que estaríamos igual. No, hermano mío. No desconfíes. Ese infiel presentará batalla. —Abú Hafs miró al cielo protegiéndose del sol con la mano, hizo un rápido cálculo y luego su vista se dirigió a las estribaciones de la sierra—. Y lo hará hoy mismo. En muy poco tiempo.

El paisaje dejó de estar poblado de pinares y ante los ojos de Mardánish se abrió el claro. Llevaban un buen rato de camino cuesta abajo por las últimas revueltas de la senda. Allí, los cerros perdían altura y el arbolado desaparecía. Las estribaciones finales de la sierra se estiraban a septentrión, y pronto, por su derecha, aparecería el llano cruzado por los ríos y acequias. Y un poco más allá, Murcia.

La impaciencia que había atrapado al rey Lobo durante aquel viaje infernal se volvió insufrible. Su caballo protestaba por el esfuerzo y se negaba a apretar la marcha. En la columna, un concierto de quejidos y murmullos acompañaba los pasos de los soldados de infantería, que de vez en cuando se detenían para frotar sus pies, sacudirse el barro seco que formaba costras en sus suelas o quitarse el calzado para sacar piedrecitas que los torturaban al avanzar. Los médicos recorrían la columna con mirada atenta y se acercaban a quienes se quejaban de las ampollas y de los súbitos dolores en las piernas. Los músculos se agarrotaban e impedían continuar a algunos, y otros simplemente se desvanecían tras vomitar el pan duro y el queso con los que se habían alimentado durante aquellas tres interminables jornadas.

A retaguardia, Hamusk llevaba a su montura al paso, retrasándose cada vez más de la expedición. Junto a él, al-Asad había conseguido por fin sostenerse sobre su caballo. Uno de los médicos le acababa de administrar, por orden del señor de Jaén, un bebedizo a base de ruda, acíbar y agáloco cocidos, y llevaba el ojo tapado con un paño impregnado en la misma mezcla. El León de Guadix estaba consciente y montaba sin ayuda, aunque iba encorvado y sudaba a goterones.

—Debes escucharme, al-Asad —le dijo Hamusk cuando estuvo seguro de que nadie los oía—. Tú, que has visto el campamento almohade, podrás decirme si nos superan en mucho. Mi nieto Hilal no ha dado ningún detalle de lo que atisbó desde Aledo.

El guerrero tuerto volvió la cabeza. Su ojo sano estaba amarillento, y la costra del corte hecho con la daga harga asomaba bajo el paño.

—Casi nos doblan en número.

—Lo suponía. —Hamusk hablaba entre dientes—. Sigue atento. Hoy debes valerme como nunca antes. A pesar de tu ojo. A pesar de todo.

—Manda —murmuró al-Asad.

—Mi yerno me dio el mando de la caballería andalusí. Y él siempre nos coloca en los flancos. Yo comandaré una de las alas, pero necesito a alguien de confianza en el otro costado de nuestro ejército. Alguien que me entienda. Que sepa interpretar mis órdenes. ¿Podrás hacerlo?

El León de Guadix asintió sin ganas. En su mente, todavía nublada por los restos de fiebre y debilidad, quería abrirse paso la idea de que su actual estado se debía a las conspiraciones de Hamusk. Pero era justo reconocer que el señor de Jaén siempre lograba salir con bien.

—Podré hacerlo.

Un par de jinetes árabes, enviados en descubierta por Abú Hafs, regresaban a todo galope. Los caballos pisoteaban la tierra de color rojizo salpicada de tomillo y levantaban finas cortinas de agua cuando atravesaban algún charco. Los dos se detuvieron frente a los *sayyides*, que seguían montados tras terminar la revista.

—Ya vienen.

Abú Hafs asintió, y los dos árabes, sin más, hicieron trotar sus monturas hacia el río para meterse entre la aldea de al-Qántara Asqaba y el flanco derecho del ejército.

—Ven a ver esto, Utmán. —El visir omnipotente tiró de las riendas hacia el llano por el que debía aparecer el ejército de Mardánish. Los jeques, sorprendidos, no supieron qué hacer, pero observaron con alivio que Abú Hafs se detenía a doscientos codos. Su hermanastro, que iba tras él, también refrenó a su montura.

—¿Quieres ver al enemigo de cerca? —preguntó Utmán. Pero Abú Hafs se dio la vuelta y miró a las líneas almohades. Aquel le imitó.

—Al enemigo lo veremos enseguida. Muy de cerca. A quien antes quiero ver es a los valientes que ahora se disponen a entregar su vida por Dios, el Único. Observa a las fieles tropas del islam.

Utmán obedeció. Realmente la imagen era sobrecogedora. La formación entre el Guadalentín y el Segura estaba cubierta por la larga línea de infantería almohade, con los guerreros ordenados y a intervalos regulares. Abú Hafs había hecho descabalgar a toda la caballería masmuda, y ahora los jinetes de la raza privilegiada por Dios, aferrados a sus adargas de piel de antílope, ocupaban las filas posteriores de la infantería. Así, seis filas de guerreros densamente apretadas, que creaban un muro de escudos de los que sobresalían las lanzas, serían las encargadas de encajar la potente carga de la caballería pesada cristiana. Los jeques formaban al frente de sus respectivas cabilas, repartidos por tramos los hargas, tinmallalíes, hintatas, yadmiwas y yanfisas. Por detrás, un millar de arqueros procurarían estorbar la cabalgada enemiga. La retaguardia era el lugar en el que se mantenían a resguardo los animales de carga y los caballos de los jinetes masmudas, los bagajes, los carruajes llenos de harina de trigo y cebada, los odres de agua y aceite, los fardos de comida, los molinos de campaña, el forraje para las bestias, las tiendas, las provisiones de flechas, arcos y jabalinas de recambio, escudos, espadas..., y junto a todo ello aguardarían los encargados de las acémilas y camellos, los chambelanes, médicos y escribanos. Por delante, con los timbales colgados de las sillas de sus asnos, los atabaleros se preparaban para atronar el cielo con sus tamborileos. Estaban protegidos por los casi mil Ábid al-Majzén que, también a pie, se aprestaban con sus gruesas lanzas y los sables dispuestos al cinto. Por delante de todo el ejército, medio millar de voluntarios *ghuzat* que se habían unido a la expedición atraídos por la llamada a la yihad; ellos serían los encargados de escaramucear y provocar la carga de Mardánish. O de servir sin más de tropa de choque para probar los primeros la sangre enemiga. Con preferencia en el martirio. Privilegio de su entrega al Único. Abú Hafs los observó sin ocultar su simpatía. Estaban en vanguardia, por delante de las disciplinadas líneas almohades. Los *ghuzat*, salidos de entre los más fanáticos de los bereberes del Atlas y del sur de al-Ándalus, carecían de lorigas o petos de cuero. Algunos vestían, como única coraza, una camisa sucia con versículos del Corán escritos sobre la tela; y muchos de ellos no se protegían más que con un morrión de cuero. Sus armas eran de mala calidad, y había quienes únicamente empuñaban cuchillos largos y mellados. Hachas de leñador, aperos de labranza y espadas cortas de un solo filo eran los instrumentos con los que pretendían ensalzar la gloria de Dios. Utmán también los observó. No le gustaban. Actuaban por libre, y sus caóticas intervenciones no siempre favorecían las maniobras del ejército.

—Es una muralla humana impenetrable. Ese asqueroso Lobo encontrará aquí su perdición.

—Yo he visto las cargas cristianas. —Utmán recordó Almería y, sobre todo, el Prado del Sueño—. Y tal vez no se detengan tan fácilmente ante los escudos y la carne almohades.

Abú Hafs señaló a su ejército con el índice derecho.

—Para ayudarnos en el momento más delicado, contaremos con nuestros súbditos árabes.

Utmán asintió. Las tribus de los Banú Riyah, los Banú Yusham y los Banú Zugba esperaban junto a sus ágiles caballos en la anárquica masa que los caracterizaba. Indisciplinados, desobedientes y caprichosos, los mejor pagados de toda la hueste, considerados en la baraka incluso por encima de los propios masmudas; aquellos árabes, a los que Utmán había aprendido a dirigir tras la venida de su padre al Yábal al-Fath, eran no obstante valientes y eficaces. Su forma de luchar exasperaba a los cristianos, y muchos andalusíes también se veían superados por ella. Los árabes cabalgaban de frente al enemigo y luego se retiraban, y lo repetían una y otra vez por los flancos. Provocaban y sometían a presión constante. Al final, aquella táctica de idas y venidas, *al-karr wa-l-farr*, terminaba por sembrar de muertos las líneas enemigas y por dejar exhaustos e indefensos a los supervivientes, lo que los abocaba al remate final.

De pronto, las filas parecieron sufrir una conmoción. Los almohades se envararon, y los ojos de los voluntarios brillaron enfervorecidos. Miles de dedos apuntaron a poniente y un murmullo siseante se extendió por las filas. Abú Hafs y Utmán se volvieron y vieron aparecer al ejército del rey Lobo.

A la izquierda, los cerros habían sido sustituidos por prominencias volcánicas, y en lugar de pinos ya se veían los sembrados y el matorral. A la derecha, las lomas aterrazadas descendieron súbitamente. La serranía se acababa. Se hundía en la tierra, y un paraje llano, cruzado en el norte por el río Segura, se abrió a los ojos de la cabeza de la columna para dar su oscura bienvenida al ejército andalusí.

Mardánish vio enseguida la línea que se interponía entre él y su adorada Murcia. Un temblor hizo presa de su estómago y la bilis trepó como una araña por dentro de su pecho. Lanzó una maldición cristiana que subió al cielo, y la columna se sumió en el silencio.

—Por la Virgen María y por su hijo, Nuestro Señor —susurró Pedro de Azagra. A su lado, Hilal se mantuvo en silencio.

—Así que esos son —dijo a su vez Guillem Despujol. El barcelonés, despierta su curiosidad, abandonó la senda, que ahora discurría ancha y recta por las últimas estribaciones de la sierra, y sorteó un par de pequeñas elevaciones cónicas de aquel terreno de color parduzco que se volvía rojizo hacia el Segura y se tornaba blanquecino en la orilla. Toda la superficie entre ambos ejércitos era una planicie salpicada de monte bajo y de charcos que reflejaban la luz del sol. Despujol vio las densas filas almohades a lo lejos y reparó en que el terreno descendía suavemente desde la posición que ahora ocupaba él; una sonrisa de triunfo asomó a su rostro.

Tras Despujol, la columna surgía de entre las lomas. Los hombres, uno a uno, iban sorprendiéndose a la vista de la formación enemiga, e instintivamente se erguían o se esforzaban por no cojear para no dar impresión de debilidad. Estaban cerca. Muy cerca de la formación almohade. Apenas un par de millas los separaban de ellos. Aquello despertó la urgencia en el rey Lobo, que se puso a gritar desaforado.

—¡Rápido! ¡No os paréis, haraganes! ¡Ya tendréis tiempo de ver las caras a esos puercos! ¡¡Vamos!!

Despujol se acercó a Mardánish. Respiraba deprisa por la emoción, y su cara, aunque risueña, estaba desencajada.

—¡El terreno nos favorece! ¡Tenemos pendiente casi hasta medio campo! ¡Los destrozaremos!

—No seas iluso, amigo mío —le corrigió Azagra—. Los africanos siempre esperan sobre el sitio. No vienen a tu encuentro.

Aquello ensombreció el gesto del barcelonés. La experiencia en combate de Guillem Despujol se limitaba a escaramuzas con otros guerreros cristianos en Provenza, cuando acudió junto a Ramón Berenguer para auxiliar al rey de Inglaterra en sus pleitos contra Tolosa. Él estaba hecho, pues, a la aproximación y al puro choque de adversarios que se embestían entre sí.

Las órdenes se sucedieron. Los adalides de las tropas mercenarias tomaron posición en lo alto de las pequeñas lomas pardas e hicieron gestos amplios con los brazos, llamaron a este o a aquel, juraron por Dios y la Virgen y mandaron gentes aquí y allá. La poca impedimenta que llevaba la hueste —apenas zurrones medio vacíos o fardos con mantas y esteras— quedó amontonada en la salida del laberinto de cerros que dejaban atrás. Era perentorio tomar posición, a pesar de que, por lo visto, los africanos no iban a estorbar la llegada de los hombres de Mardánish. El rey trepó a una pequeña altura y se llevó la mano derecha a la frente para darse sombra. Desde allí podía observar con detenimiento la disposición de la infantería africana, fila tras fila de guerreros de piel oscura que ahora solo eran pequeñas manchas y que, en la distancia, formaban una masa compacta y ordenada. Por delante, los fanáticos *ghuzat* daban saltos y hacían gestos obscenos mientras mostraban a modo de desafío sus armas. El llano se perdía más allá, entre los dos ríos, pero al rey Lobo le pareció apreciar que un gran número de jinetes subía a sus caballos por detrás de la infantería. Suspiró y se obligó a no prestar atención a la silueta que se recortaba al otro lado de la barrera almohade. Allí estaba Murcia. Allí estaba Zobeyda.

El rey entornó los ojos. Por delante de los exaltados *ghuzat*, dos jinetes tocados con turbantes dejaban colgar las capas por la grupa de sus monturas. Ambos se plantaban allí, mirando hacia el altozano que Mardánish había escogido como observatorio.

—Él está allí. Seguro. Se admira de nuestro ejército de mártires.

Utmán se aupó sobre los estribos. Su hermanastro señalaba a la masa en movimiento que brotaba de la senda de montaña y llenaba poco a poco el espacio al otro lado del llano. Algunos jinetes andalusíes se aproximaban en descubierta, llegaban a prudente distancia y, tras un examen más de cerca pero fuera del alcance de las flechas, volvían grupas para informar al rey Lobo.

—Podríamos atacar ahora, Abú Hafs. Mientras salen de los cerros y toman posiciones. No pueden defenderse.

—No. Ni hablar. No quiero que la mitad de esa hueste de perros huya a través de las montañas. Los masacraremos aquí, a la puerta de su capital. Según las leyes antiguas y las costumbres de nuestros antepasados. Los soldados de Dios lucharán como prescribe el Profeta, Dios le bendiga y le dé la paz. —Miró directamente a su hermanastro antes de recitar—: *Combatid en la senda de Dios contra los que os hagan la guerra, pero no cometáis injusticia atacándolos primero, pues Dios no ama a los injustos.*

Utmán sostuvo la mirada de su medio hermano a pesar de que una fuerza superior le tentaba a retirar la vista. En verdad era horrible verse reflejado en las pupilas orladas de rojo de Abú Hafs. Y en ese trance, con la hora de la guerra tan cercana, el visir omnipotente provocaba aún mayor terror. Utmán se preguntó si era en verdad el poder de Dios, el Único, el que residía en la mirada turbada del preboste más fanático e influyente del imperio bereber.

—Quisiera... Quisiera luchar. Permíteme liderar a los árabes.

Abú Hafs echó la cabeza atrás, como si esperase la inspiración divina. Después asintió al cielo. Tal vez Dios le hablara realmente. Tal vez solo él escuchaba sus planes.

—No, Utmán. Yo guiaré a la caballería árabe. Tú, mi querido hermano, te quedarás aquí, resguardado por los esclavos del Majzén, y procurarás que nuestros escuadrones aguanten las embestidas cristianas. No debes retroceder. Y tampoco dejarte engañar para avanzar. Eso es lo que Dios, ensalzado y bendito sea, te pide en este momento.

Utmán asintió de mala gana. El discurso de su hermanastro parecía cada vez más hermético, y confundía la voluntad de Dios con la suya propia. Empezó a temer que el delirio de Abú Hafs pudiera llevarlos a la derrota aquella tarde. Miró a las líneas enemigas. Los hombres de Mardánish empezaban a formar lo que parecía una tímida fila de caballería. Vio que se trataba de jinetes cristianos, con sus lanzas adornadas por estandartes coloridos que lucían cruces, barras, leones, águilas y todo el resto de la parafernalia politeísta de los reinos del norte. Utmán escupió a un lado y picó espuelas para dirigirse a la retaguardia, a la última línea defensiva formada por los Ábid al-Majzén.

Abú Hafs volvió a fijarse en la posición del sol y descabalgó. Ignoró los frenéticos movimientos de sus enemigos y desenrolló del fardo de su montura una estera basta, la que había seguido sus pasos por todo el Magreb, por Ifriqiyya, por el Sus, y ahora también por al-Ándalus. Abú Hafs la desplegó en el suelo, cuidando de orientarla a levante. Luego se agachó y recogió entre las manos un montoncito de aquella tierra rojiza de al-Yallab.

—¡En el nombre de Dios, el clemente, el misericordioso!

Se frotó la cara y las manos con la arena y embarró su tez casi negra. Al mismo tiempo, como impulsado por un mecanismo oculto, uno de los muecines de campaña llamó a la oración desde la retaguardia. Los guerreros tardaron en reaccionar, pues sabían que estaban eximidos del precepto en un momento tan delicado como aquel, a punto de acometer una batalla; pero Abú Hafs lanzó una mirada dura que recorrió toda la línea. De inmediato, miles de guerreros *ghuzat*, almohades, árabes y negros se dieron la vuelta, al igual que los jeques, médicos, secretarios, escribanos, herreros... Todo el ejército africano ignoró al rey Lobo y a sus tropas, ofreciéndoles la espalda para orar a Dios antes de morir.

El rey Lobo puso los brazos en jarras y miró abajo, a la desordenada línea que estaba formando su infantería a sus pies. Arqueros y ballesteros se estiraban a lo largo del llano y procuraban quedar detrás de alguno de los montículos forrados de retama. Entre ellos, cristianos y andalusíes tropezaban unos con otros mientras se ayudaban a ajustar lorigas y enlazar barboquejos. Algunos, a medio desfallecer, preferían deglutir con esfuerzo algún cuscurro de pan duro, y otros llamaban a gritos a los aguadores para refrescarse antes de entrar en combate. Muchos eran los que rechazaban el agua y reclamaban vino para templar su valor. En vanguardia, los grupos a caballo recorrían el campo para formar una fila. Los navarros y castellanos contratados por Azagra estaban ya alineados, y los barceloneses de Despujol hacían lo propio. Mardánish observó que el goteo de hombres desde el camino de montaña cesaba. Pudo ver a algunos sentados bajo algún pino solitario, con los pies descalzos y la mirada perdida.

Mardánish resopló. Al otro lado del llano, todo el ejército almohade permanecía en el sitio. Le pareció detectar un breve movimiento al unísono.

—Increíble. Juraría que están rezando.

Hilal se acercó por detrás de las líneas, rodeando la masa de hombres fatigados y confusos. El muchacho llevaba ya su loriga puesta y el yelmo ceñido, y el escudo, suelto aún, le colgaba del tiracol.

—Padre, ¿qué dispones?

Mardánish sonrió al muchacho, deseoso de olvidarse por un momento del difícil trance que pasaban. La estrella plateada de ocho puntas que campeaba en aquel escudo pintado de negro le hizo recordar cómo él mismo, a la edad de su hijo, era también impulsivo y estaba sediento de batalla.

—Lucharás junto a tu mentor, el buen Azagra.

—Bien —aceptó Hilal—. ¿Integramos la delantera? ¿Un flanco, quizás?

El rey Lobo se volvió un momento para estudiar de nuevo la disposición del ejército almohade. Encajonados entre los ríos Guadalentín y Segura, los africanos habían adoptado su acostumbrada formación por cabilas. Eso le recordó la escaramuza en las puertas de Sevilla, siete u ocho años atrás, en la que, junto a Álvar Rodríguez, casi consiguió dar alcance a Yusuf. En aquella ocasión, los almohades también formaron entre dos corrientes de agua convergentes, pero cometieron el error de avanzar y abrir huecos por los flancos, por los que él pudo colar a su caballería. Se preguntó si esta vez los africanos fallarían de igual forma. Nadie podía tener tanta suerte.

—Los flancos son de Hamusk, que mandará la caballería andalusí.

—Como tú digas, padre. Pero mi abuelo solo podrá liderar un flanco. ¿Qué hay del otro?

En ese momento llegó uno de los jinetes ligeros que regresaba de espiar el campo enemigo.

—¡Rezan, mi señor! ¡Orientados hacia La Meca! —fue su información, y volvió grupas para cubrir una nueva cabalgada hasta las líneas almohades.

Mardánish se mordió el labio inferior y su vista regresó a la masa enemiga. Así que era cierto: aquellos fanáticos venidos de lo más hondo del desierto y lo más fragoso del Atlas oraban. Daban la espalda a un enemigo que, lo dado por lo recibido, jamás había mostrado piedad por ellos. Recordó la primera vez que vio luchar a los almohades, lanzados a una carga suicida en el asedio de Jaén, aún en vida del buen emperador Alfonso. ¿Arriesgaría la vida de Hilal situándolo en un flanco? ¿Lo enfrentaría cara a cara con aquellos exaltados que se afanaban en entregar la vida por la promesa de un paraíso lleno de vírgenes, leche y miel? ¿Qué pensaría Zobeyda de eso?

—Azagra guiará la zaga, y tú debes acompañarle. Eres su escudero.

Hilal soltó un bufido de disgusto. Su padre lo miró con un deje de lástima.

—No creas que formar en retaguardia te librará de entrar en combate. Fíjate en esos africanos. Al menos veinte mil hombres se enfrentan a nosotros hoy aquí. Nosotros no llegamos ni a quince mil.

Hilal mudó el gesto. El ejército de Mardánish, tras dejar la mínima guarnición en Lorca, todavía debería prescindir de un buen número de hombres que, debido a la salvaje travesía por las montañas, estaban incapacitados para la lucha. La mente despierta del joven calculó con rapidez que apenas contaban con trece mil soldados fatigados y desprovistos de moral.

El señor de Jaén llegó en ese momento, acompañado por un pálido al-Asad. El rey Lobo los miró a ambos con los labios apretados. Habían salido los últimos del camino, y ahora los dos hombres observaban con gesto neutro al rey desde el pie del montículo.

—¡He oído que los africanos se han postrado hacia La Meca! ¿Rezan? —preguntó con incredulidad Hamusk.

—Rezan —confirmó Mardánish.

—¿Y su caballería?

—Tras las líneas. No revelan todavía su posición.

Hamusk asintió y, sin más trámite, hizo trepar a su caballo a la pequeña loma en la que se hallaba el rey. Desde allí observó los últimos momentos de la oración del mediodía.

—Ocuparemos los flancos, supongo.

—Supones bien —contestó el rey.

—Al-Asad comandará la costanera derecha. Yo estaré a la izquierda.

Mardánish se fijó en el León de Guadix, que ni siquiera había empezado a equiparse. El paño blanco que tapaba su ojo derecho adquiría por momentos un tono entre amarillo y gris, y él mismo estaba inclinado sobre el fuste delantero de la silla, con ambas manos agarradas al pomo. Más parecía a punto de echarse a dormir que presto para liderar un cuerpo de caballería.

—No lo veo en condiciones —objetó el rey—. Quizá Despujol podría hacerse cargo del flanco derecho.

—Ni hablar —repuso Hamusk—. Mientras tu cuñado Óbayd vivió, jamás le despojaste del mando de nuestros andalusíes. No seré yo quien ceda los mejores jinetes de la Península a un cristiano. Al-Asad sigue siendo un león. Y dentro de poco lo verás rugir.

Mardánish resopló. Lo último que quería ahora era una nueva bronca con su suegro.

—Sea. Tú ocuparás el flanco izquierdo y al-Asad, el derecho.

—Sabia decisión, pues era la mía. ¿Cómo organizas al resto?

El rey vaciló. La lógica dictaba que él se quedara allí, en aquel montículo privilegiado, para conservar a la vista todo el campo y ordenar su ejército según la necesidad. En ese momento recordó lo que siempre le reprochaban sus visires, sus amigos, sus esposas...

«Un rey no debe arriesgar su vida. Si caes, todos caeremos contigo.»

Pero él siempre solía contestar lo mismo:

«Una vez he de morir; y muerto yo, no habrá nadie que pueda sostenerse.»

Ahora tenía una razón más para liderar a su ejército en primera línea. De entre todos los caballeros que le servían, Mardánish solo confiaba en Pedro de Azagra. Atrás quedaban ya los tiempos en los que luchaban a su lado el conde de Urgel o Álvar el Calvo. El navarro, siempre prudente y práctico en la guerra, sería la mejor garantía para decidir en lo más arduo del combate. Y también sería un buen baluarte para Hilal. Pedro de Azagra se acercaba precisamente en ese momento con el escudo ya embrazado y la lanza bien aferrada con la diestra. Mardánish se dirigió a su suegro:

—Me pondré al frente de la caballería cristiana en vanguardia. Tomaré el mando a la derecha de la línea, y Guillem Despujol hará lo mismo por la izquierda. —Lo dijo bien alto, para que lo oyeran todos sus adalides. Miró a Azagra—. Pedro, tú comandarás la infantería en la zaga junto a Hilal. No creo que los africanos se muevan. Han ocupado un buen sitio y Murcia queda a su espalda, así que tendremos que forzar el paso.

Los jefes del ejército recibieron la decisión con gesto de duda. El rey Lobo se lo esperaba.

—Nos superan en infantería —trató de dar un cimiento lógico a su plan—, y simplemente estamos igualados en número de jinetes. Sin embargo, tenemos la ventaja de nuestra caballería cristiana, tan sólida que cada uno de estos hidalgos señores podría destrozar en su marcha a tres árabes. Para tomar provecho de ello, cargaremos hasta desbaratar sus filas. Debemos quebrantar esa muralla de hombres. Tanto si conseguimos hacerlos retroceder como si ceden a su fanatismo y avanzan, podremos aplastarlos. ¿No estáis de acuerdo?

Hamusk enarcó las cejas. Al-Asad pareció caer un poco más sobre el cuello de su montura. Azagra y Hilal intercambiaron una mirada preocupada, y Guillem Despujol fue el único en asentir.

—Por supuesto —dijo con entusiasmo el barcelonés—. Los barreremos. Antes de caer la noche, muchos de ellos estarán ahogados en esos dos ríos. Y mañana mismo quiero gozar en otra de tus fiestas.

Cuando terminaron de rezar, los que conservaban la esperanza guardaron su almozala, y los más piadosos la dejaron en el lugar como símbolo de que no esperaban volver a usarla. Tal era la presteza con la que aceptaban su muerte. Y con el espíritu limpio, todos se dispusieron a cumplir su voto. Un tenso silencio se extendió por las filas africanas, e incluso los ansiosos *ghuzat* se vieron embargados por una sensación de santidad que los hizo permanecer callados. Los masmudas, por su parte, hinchieron sus pechos de orgullo. Se sentían privilegiados, miembros de la raza escogida por Dios. Los parientes y amigos se despidieron unos de otros, y se desearon todos un pronto y placentero viaje al paraíso. Luego los miembros de las cabilas, a las órdenes de sus jeques, apoyaron las bases de sus escudos en el suelo para formar una barrera de madera y cuero. Las puntas de las lanzas asomaron por entre hombre y hombre, y la línea se tachonó de hierro que relumbraba al sol del mediodía. La segunda y la tercera fila se estrecharon para contribuir a la construcción de aquel erizo impenetrable. En las hileras posteriores, los almohades clavaron en tierra sus azagayas para tenerlas a mano. Serían lanzadas a toda velocidad por encima de sus compañeros de primera línea. Y detrás se aprestaron los *rumat*, exploradores arqueros de las tribus haskura y lamtuna. Comedores de mijo y bebedores de leche agria, oriundos de una tierra de lluvia imposible, con los rostros cubiertos por velos; escogían sus mejores flechas para lanzarlas en primer lugar. Abú Hafs caminó a lo largo de la línea y pudo reconocer a los más afamados de los guerreros que formaban en aquel ejército. Célebres alfaquíes, *talaba*, predicadores, imanes, almocríes, ulemas y cadíes, que abandonaban la seguridad y la riqueza de sus hogares para buscar el sacrificio ante el infiel. Se detuvo en el lugar que consideró como equidistante de ambos extremos y elevó la voz para hacerse oír:

—¡Hermanos! ¡Creyentes en el Único, alabado sea!

El silencio fue apenas roto por un breve murmullo que se extendió a lo largo de la línea, desde el centro hacia los lados y de delante atrás. Eran los propios guerreros, que se disponían a repetir en voz baja la arenga del visir omnipotente para que llegara a los oídos de todos ellos, incluso de los más alejados.

—¡Oíd lo que os dice este servidor de Dios, ensalzado sea por siempre! ¡Oíd lo que os dice Abú Hafs Umar ibn Abd al-Mumín, porque las palabras que salen de mi boca no son mías, sino de vuestro señor, el príncipe nobilísimo Yusuf!

»¡Y él, en su sabiduría y humildad, os pide perdón! ¡Perdonadlo, y perdonadme también a mí! ¡Perdonaos unos a otros, ahora que os habéis puesto a bien con Dios y le acabáis de mostrar la pureza de vuestras intenciones! ¡Pues hoy —giró a medias el cuerpo sin perder cara a sus hombres, y señaló al ejército enemigo, que todavía se afanaba por formar al otro lado del llano— nos enfrentamos a las fuerzas de la oscuridad!

Abú Hafs calló un momento mientras el mensaje viajaba de boca en boca hasta las orillas del Segura y del Guadalentín. Observó las caras de los guerreros más cercanos, los voluntarios. Vio la entrega total en sus ojos. Aquellos hombres se consideraban ya muertos y premiados por Dios.

—¡Hermanos míos! ¡Ante vosotros, los enemigos del Único escupen sobre su nombre! ¡Debemos cumplir nuestro deber, pues así lo manda Él! *¡Oh, creyentes, si asistís a Dios en su guerra contra los malvados, Él también os asistirá y dará firmeza a vuestros pasos! ¡Si morís luchando en la senda de Dios, os alcanzarán su indulgencia y su misericordia!*

Una nueva pausa, ahora más larga. Ante el silencio de Abú Hafs, uno de los jeques hintatas alzó las manos para hacerse notar entre las filas de combatientes y gritó.

—¡Del ilustre visir omnipotente pedimos también nosotros el perdón! ¡Perdónanos, en nombre del príncipe nobilísimo Yusuf, y ora a Dios para que sea misericordioso con nosotros!

La algarabía de gritos se elevó a continuación. Todas las cabilas se unían al ruego de perdón. Las voces crearon un coro agudo que pareció formado por miles de plañideras. El rumor creció y se extendió hasta llenar el aire con sus ecos. Cuando fuera oído por los enemigos, su vibración se les antojaría plaga inmensa de langosta que llega para asolar los campos y destruir la vida.

—¡Yo os perdono, mis hermanos! ¡El príncipe nobilísimo os perdona! ¡Dios, alabado sea, os perdona también! —El dedo índice de la mano derecha de Abú Hafs apuntó arriba—. ¡Porque vuestro Dios es el Único! ¡No hay otro, y es clemente y misericordioso! —El dedo bajó y de nuevo señaló a su espalda—. ¡Pero sobre los que mueren infieles...! ¡Ah, *sobre ellos la maldición de Dios, de los ángeles y de todos los hombres*!

—¡¡Malditos!! —repitió el jeque que acababa de contestar—. ¡¡Malditos!!

El insulto tronó como tormenta de verano y se expandió como ondas en el agua atravesada por una piedra. El ejército almohade al completo lanzó su maldición una y otra vez, y provocó el gesto de satisfacción de Abú Hafs, que llevó las manos a ambos lados para abarcarlos a todos en un abrazo simbólico. Dio dos pasos atrás, subió a su caballo y lo azuzó para recorrer de nuevo la fila hacia el norte. El aura de callada santidad que embargaba a los almohades se acababa de romper, y ahora cedían al ansia de morir y matar por Dios. Los *ghuzat* brincaban, sacudían sus armas y se desgañitaban. Los escudos vibraban y las lanzas temblaban. Algunos soldados entraron en trance y cayeron entre sus compañeros, presos de fuertes convulsiones. Otros se adelantaron y se juramentaron a voces, ofreciendo a Dios sus vidas y las de sus más allegados a cambio de derrotar al demonio Lobo. En la retaguardia, los atabaleros comenzaron a redoblar sus timbales al unísono y crearon un repiqueteo monótono y continuo.

El rumor llegó hasta las filas de Mardánish como si una inmensa nube de insectos se acercara para agostar la cosecha. Los soldados cristianos y andalusíes miraron a su alrededor y se preguntaron de dónde venía aquella vibración en el aire. El rey Lobo, de pie todavía en lo alto del montículo, notó un molesto picor en los oídos y sintió erizarse el vello de todo su cuerpo. Se subió el almófar solo para protegerse de ese estremecimiento que parecía surgir de todas partes. Pidió el yelmo con un gesto y, cuando uno de los sirvientes se lo pasó, se lo caló y lo aseguró con un par de golpes. A pesar de todo ello, cuando enlazaba el barboquejo bajo la barbilla, reconoció el grito que se repetía una y otra vez, formando esa fastidiosa conmoción de la atmósfera.

«Malditos.»

Los almohades los maldecían. Ahora llegaba casi con claridad hasta sus oídos. Y hasta los del resto de la hueste. Varios se santiguaron, y otros hicieron señas contra el mal de ojo o besaron sus amuletos. La maldición de todo un ejército era el primer ataque que sufrían las tropas del Sharq al-Ándalus.

—¡¡Vosotros sois los malditos!! —gritó Mardánish desde la elevación, a sabiendas de que los enemigos no podrían oírle—. ¡¡Maldito vuestro cobarde califa!! ¡¡Maldita vuestra tierra!! ¡¡Y vuestra estirpe!!

Bajó a la carrera desde el montículo, se dejó enlazar el tiracol y trepó a su caballo. Salió de entre las tropas con las miradas de miles de ojos clavadas en él. El rey temblaba de ira, y sus dientes rechinaban al tiempo que seguía escuchando la maldición almohade. Salió a la vanguardia, hizo caracolear a su montura y quedó encarado hacia los guerreros de su ejército. Vio reflejado el temor en sus caras. Leyó la desesperanza y la tentación de fuga. Esperó hasta que todos fueron conscientes de que se disponía a dirigirse a ellos. Por detrás, las voces africanas seguían cruzando el aire.

Malditos, decían. Malditos.

—¡Nos maldicen! —se impuso Mardánish mientras intentaba controlar el nerviosismo de su caballo—. ¡Ellos, que han cruzado el mar para profanar nuestra tierra, nos maldicen! ¡Ellos, que bajo el látigo del califa han logrado reunir a tantos esclavos como granos de arena tiene el reseco desierto en el que habitan! ¡Nos maldicen porque, a pesar de su califa, sus látigos y su número, nos temen! ¡Nos tienen miedo!

Mardánish tiró de las riendas a un lado y al otro, y examinó atentamente la reacción de sus hombres. Se dio cuenta de que sus palabras no conseguían todavía excitar el ánimo de los guerreros. Para colmo, las maldiciones a viva voz se diluyeron en otro sonido más grave y potente: el de los timbales almohades. Ahora la vibración abandonaba el aire, se filtraba por la tierra y trepaba por los pies y las piernas de cada guerrero para aferrarse a sus estómagos y hacerlos temblar. Aquellos miserables cabreros bereberes, pensó Mardánish, sabían bien cómo azuzar el miedo en el adversario. Cada detalle de aquella parafernalia previa estaba diseñado para aterrorizar. Él mismo tuvo que tragar saliva antes de seguir:

—¡Oídme bien! ¡Buscad en vuestros corazones! ¡Sabéis que digo la verdad! ¡Y ellos saben que sus armas nada pueden contra las nuestras! ¡Que no nos superan en valor ni en destreza! ¡Es por eso que nos maldicen y tamborilean! ¿Esperan quizá que Dios les preste oídos y abra la tierra bajo nuestros pies? ¡¡Cuidaos, amigos, pues estáis a punto de ser tragados por el infierno!!

—Algunas risas tímidas en la primera fila—. ¡No, hermanos! —continuó—. ¡La tierra no se abrirá! ¡Dios no nos fulminará con rayos, ni hará caer fuego del cielo, ni mandará un diluvio para exterminarnos! ¡Las maldiciones de los africanos están vacías! ¡No valen nada! ¡Al final, no les quedará más remedio que venir a nosotros con sus armas! ¡Luchar cara a cara! ¡Y Dios no se pondrá a su lado para protegerlos de nuestra ira!

»¡Porque yo no invocaré a Dios! ¡No lanzaré maldiciones! ¡No las necesito! ¡¡Yo cuento con los mejores guerreros de al-Ándalus y con los más valientes caballeros de la cristiandad!!

Ahora Mardánish consiguió arrancar algunos vítores. Calló unos instantes mientras el martilleo de los atabaleros seguía mandando tañidos desde las filas almohades. En las del Sharq, los guerreros se fueron pasando las palabras del rey. Sus líneas, mucho más estrechas que las del enemigo, acabaron antes de difundir la prédica.

—¡No! ¡No me serviré de maldiciones! ¡No os prometeré tampoco un paraíso lleno de doncellas para vuestro solaz! ¡Ni la vida eterna al lado del Mesías! ¡Yo solo os conmino a que miréis más allá de nuestros enemigos! ¡Mirad a la ciudad que se yergue indefensa al otro lado de esa piara de africanos! ¡Esa es la verdadera puerta del Sharq! —La vista del rey se clavó en los mercenarios cristianos de la primera fila—. ¡Pero no os engañéis! ¡Somos nosotros quienes nos hemos enfrentado a los almohades durante todos estos años! ¡Somos la espada del Sharq, sí, pero también somos el escudo de Castilla, y de Navarra, y de Aragón...! ¿De veras pensáis que si hoy cae Murcia, mañana no la seguirán Toledo, Pamplona o Zaragoza? ¿Creéis que esos africanos se detendrán aquí? ¡No! ¡No lo harán! ¡Tras esa puerta de ahí no está solo Murcia! ¡Está Barcelona! ¡Está Burgos! ¡Están vuestros hogares! ¡Al otro lado os esperan los seres a los que amáis! ¡Vuestras esposas e hijos! ¡Vuestras madres! ¡Vuestros padres! ¡Las tumbas de vuestros antepasados y la semilla de vuestros descendientes! ¡Y si hoy no derrotamos a nuestros enemigos, mañana vuestras mujeres serán sus concubinas y vuestros hijos, sus esclavos! ¡Encadenarán a vuestras madres y degollarán a vuestros padres! ¡Profanarán las tumbas y borrarán toda esperanza!

Dejó que los guerreros tomaran conciencia de sus palabras, y él aspiró con fuerza el aire vespertino antes de seguir:

—¡Podría prometéroslo todo en este momento! ¡Podría deciros que prefiero morir antes que ver a mi amor en brazos de un fanático almohade! ¡O jurar que daré la vida para proteger a mis hijos y a mi gente! ¡Todo eso haría! ¡Pero prefiero ahora, por la fe que os debo a todos vosotros, mis hermanos, matar a mis enemigos y bañarme en su sangre! ¡Enviar sus despojos de vuelta al desierto para que sean otras viudas y otros huérfanos los que lloren! ¡Convencer a toda África de que aquí no encontrarán más que dolor y muerte!

Azagra, en la retaguardia, creyó llegado el momento de socorrer a Mardánish en su arenga, y ahuecó las manos en torno a la boca:

—¡¡Dolor y muerte!! ¡¡Lucharemos por los nuestros!! ¡¡Dolor y muerte!!

Los vítores sonaron más fuertes y algunos guerreros levantaron las lanzas para corear la consigna.

—¡¡Dolor y muerte!! ¡¡Dolor y muerte!!

—¡¡Dolor y muerte!! —gritó el propio rey Lobo al tiempo que subía la punta de su lanza al cielo. El pendón se desplegó y la estrella de los Banú Mardánish flameó a la brisa. El clamor creció, y cristianos y andalusíes lo consiguieron: apagaron con sus gritos los tambores almohades. Los caballos relincharon y la tierra tembló bajo sus pezuñas. El rey se volvió con los ojos inflamados, enardecido por sus propias palabras, y dio la orden de avanzar.

60

Fahs al-Yallab

Los pensamientos deben ser más denodados,
los corazones, más valientes,
los esfuerzos, más grandes,
mientras nuestra fuerza disminuye.

Retaguardia almohade

Abú Hafs ordena a los abanderados que desplieguen los estandartes. Obedecen, y justo tras los Ábid al-Majzén, los colores rojos, verdes, blancos y negros ondean al aire. Los sagrados caracteres cúficos, los ajedrezados, las medias lunas y las estrellas ornan el cielo y cierran al enemigo la vista de la ansiada Murcia. El visir omnipotente se regocija en una de las banderas, mandada bordar por él mismo con hilo de seda dorado sobre un verde puro.

Todo el que vuelva la espalda en el día del combate, a menos que sea para volver a la carga o para reponerse, será herido por la ira de Dios. Su morada será el infierno, ¡qué horrible mansión!

Desde su montura, Abú Hafs llama con un gesto al jefe de los esclavos negros del Majzén, un guerrero que descuella en tamaño incluso entre los suyos. El hombre se acerca y, a pesar de ir a pie, su cabeza queda casi a la altura del pecho del visir omnipotente.

—Atravesad a todos los nuestros que intenten huir. Quien carezca de valor para luchar que oponga su carne desnuda al hierro del infiel. No deben pasar de aquí.

El imponente soldado hace un solo movimiento afirmativo y regresa a su puesto para pasar la consigna a los demás guardias de élite. Al momento, sus lanzas dejan de apuntar al cielo para hacerlo contra las espaldas de los arqueros *rumat*. Cumplirán la orden aunque ellos solos tengan que exterminar a todo el ejército almohade. Abú Hafs sonríe satisfecho y arrea el caballo hasta donde está su hermanastro. Este le recibe con un anuncio preocupado.

—El Lobo avanza despacio. Toma posesión del campo, como si esperase nuestra acometida.

—Eso no ocurrirá, ya lo sabes. No cometeremos el mismo error que nuestro hermano cometió en Sevilla. Debes permanecer aquí, Utmán, y dirigir la resistencia de la línea. Me darás tiempo para volver con la caballería. Ahora envía a un mensajero a los caudillos de los *ghuzat* y mándalos a un tiro de flecha de nuestra línea masmuda. Que Dios te acompañe, hermano.

—Espera... Dime al menos qué vas a hacer. Necesito saberlo... —Utmán, a pesar del callado desprecio que siente por su influyente hermanastro, comprende que su deber ahora es contribuir a la victoria. Se traga su orgullo y baja la mirada—. Por favor.

Abú Hafs resopla como si las necesidades de Utmán fueran insignificantes. Señala por encima de las cabezas de los miembros de las cabilas.

—Observa las alas del ejército enemigo. Mira allí, a nuestra derecha. Esos son los colores del Mochico, el suegro del Lobo. Comanda la caballería andalusí. Es lo que esperaba, y ahora se cumple. Me llevo a todos los árabes a ese lugar.

Utmán le mira sin entender.

—Pero espera... La caballería cristiana en pleno cargará sobre nosotros. Me dejas sin los árabes, Abú Hafs...

—Deja de gimotear, hermano mío. Dios lo ha previsto todo. Lo único que debes hacer es resistir aquí. Los cristianos se verán frenados por nuestros voluntarios y tú podrás acribillarlos a placer. Aun así persistirán. Querrán romper la barrera masmuda. No cedas, Utmán. Ni un codo de terreno. ¿Serás capaz de hacer eso?

Abú Hafs no espera respuesta. De inmediato se dirige a los jeques de las tribus árabes, desenfunda su espada y, tras apuntar con ella al frente, espolea a su caballo hacia la brecha que hay entre el extremo derecho del ejército almohade y la desolada aldea de al-Qántara Asqaba. Los árabes ululan. Sus caballos, bellamente enjaezados, de pequeña y fibrosa planta, relinchan y se alzan de manos antes de arrancar como exhalaciones en pos del visir omnipotente. No levantan polvo. La tierra todavía retiene la humedad de las últimas lluvias y salta en pequeños terrones al paso de la enorme columna de cinco mil jinetes. Utmán los ve salir como una serpiente del desierto que abandona su agujero excavado en el suelo. Se abren hacia el norte. Como si en lugar de ir a por Hamusk, quisieran abandonar el campo de batalla. Suspira y observa el estandarte verde y bordado en oro que hasta hace un momento admiraba su hermanastro. Lee el versículo del libro sagrado, cierra los ojos y desgrana una plegaria. Cuando los abre, es capaz de distinguir los rostros en las filas delanteras del ejército cristiano.

Flanco izquierdo mardanisí

Hamusk levanta la mano derecha con la lanza en horizontal. Está viendo cómo una gran columna de caballería ligera sale tras las filas del ejército almohade y gira hacia el norte. Maldice al califa, llama perra sarnosa a su madre y chacales a sus hermanos. Y todo eso lo dice en voz alta para que lo oigan sus hombres más próximos. Luego se apoya en los estribos y se recoloca entre los dos fustes de su arzón. El delantero se le clava en la barriga y le causa una sensación de angustia. Gira a medias la cabeza y se le acerca el ayudante de campo que ha escogido hace apenas un instante. Es un tagrí de los que estaban destinados en la Marca Superior.

—Manda, mi señor —se ofrece solícito el guerrero de frontera.

—Allí. Sus jinetes. Son árabes.

—¿Quieres que los persiga, mi señor?

—No. Eso les gustaría. Pero los conozco: me he enfrentado a ellos y sé cómo luchan. No, nada de ir hacia ellos. Que vengan ellos a nosotros.

El tagrí de la Marca no comprende lo que oye. Piensa que el señor de Jaén reflexiona en voz alta, de modo que vuelve a repetirlo:

—Manda, mi señor.

Hamusk se vuelve otra vez y lo mira de arriba abajo. Tagríes. Acostumbrados a la vida de guarnición en la frontera. Eso acaba por licuarles el seso. El caudillo andalusí se sorprende al recordar que él mismo fue uno de esos tagríes. Sonríe. Está a punto de soltar una de sus carcajadas, pero el sobrepeso se lo impide. En lugar de reír, tose sonoramente. Cuando acaba, su semblante está serio.

—Te mando que cruces el campo por delante de nuestras líneas. El ala derecha no va a tener trabajo allí, por el lado del Guadalentín, pero aquí los necesitamos. Dirígete a al-Asad y trasládale mis instrucciones: que se presente aquí, ante mí, con toda su hueste.

El tagrí no cuestiona las órdenes. Ni siquiera intenta interpretarlas. Simplemente obedece, y su caballo vuela por delante de la vanguardia. Los jinetes cristianos arquean las cejas cuando lo ven cruzar de norte a sur, pero enseguida se les olvida el detalle. Tienen preocupaciones mayores delante.

Vanguardia mardanisí

El rey Lobo ve pasar al jinete andalusí a toda espuela. Lo sigue con la mirada, y observa la suave curva que describe para conducirse hasta el cuerpo de caballería del ala derecha. Allí está al-Asad, piensa.

Luego mira al otro lado. A su izquierda, la línea de jinetes cristianos hace avanzar sus monturas al paso con las lanzas apuntando al cielo. Van despacio;

reservan las fuerzas de sus destreros para el último tramo, en el que habrán de cargar con todo su ímpetu. La hilera de caballeros mide algo más de una milla, así que el otro lado del campo queda lejos. De todas formas ve algo allí. Algo raro. Se adelanta un poco para ganar perspectiva. Desde aquí, la formación cristiana es hasta hermosa. Las lorigas y los yelmos relucen, y las gualdrapas muestran orgullosas los colores de sus dueños. Y todas esas lanzas erguidas, como si fueran un bosque de madera rematada de hierro... Al otro extremo ha de estar Guillem Despujol, y más allá... Mardánish fuerza la vista. Ahora lo ve. Ve el movimiento fluido al norte. Es la caballería enemiga. Los árabes de las tribus sometidas a los almohades. Han salido, y son muchos. Demasiados, aunque parece como si se alejaran. Tal vez pretendan rodearlos y atacar por la retaguardia. Vuelve a apretar los dientes, y no es la primera vez que lo hace desde el mediodía. Un flanqueo enemigo le impediría barrer la línea trazada por los almohades entre los dos ríos. Pero ha tomado una decisión, y lo hecho hecho está. Quizá Hamusk pueda al menos retener a esa maldita caballería árabe. Sí. Si es capaz de eso, será suficiente. No necesita derrotarlos, no. Solo mantenerlos ocupados y lejos de la lucha. Del combate real, el que se va a librar allí mismo. El rey Lobo mira de nuevo al frente y retiene a su animal para volver a la línea. Ya están cerca. En el límite. Dentro de poco llegarán al alcance de las flechas enemigas.

Una sombra a la derecha. Un movimiento brusco. Mardánish dirige allí su atención y ve venir a los mil jinetes a los que comanda al-Asad. Él viene en cabeza, al parecer recuperado de su letargo. El cuerpo de caballería del León de Guadix abandona el ala derecha y cruza por delante de los cristianos. Estos miran a los andalusíes conforme pasan. Ahora han perdido de vista la línea almohade, aunque siguen oyendo los atabales con ese tamborileo que pone los pelos de punta. Mardánish observa con mirada triste a los hombres que cabalgan hacia el norte para enfrentarse a una fuerza que los triplica en número. Les desea suerte en silencio, aunque no deja de envidiarlos en cierto modo. Ninguno de ellos es rey. Ninguno se está jugando el futuro de su patria a una sola tirada. Los últimos caballeros andalusíes pasan, y los pegotes de lodo que ha alzado la columna caen. Los timbales se oyen ahora nítidos, y su toque se cuela por los oídos y tortura las mentes. Ya falta poco.

Retaguardia mardanisí

Hilal se aúpa sobre las puntas de los pies y se pasa la lengua por los resecos labios. Está con Pedro de Azagra, en el montículo que hace poco ocupaba su padre. Ambos observan la marcha de la caballería mientras la infantería cristiana y andalusí espera la orden de avanzar. El navarro es quien, con ojo de cazador, calcula la distancia y el tiempo. Sabe que la caballería de Mardánish necesitará al menos dos cargas para ablandar al enemigo, y no quiere llegar antes de tiempo y entorpecer a los jinetes.

—Al-Asad se ha ido del ala derecha, ¿no? —pregunta el navarro.

—Así es. Cruza por delante de nuestra caballería cristiana. Se dirige al norte.

—Va a reunirse con Hamusk. Allí hace más falta. Además, la línea de infantería almohade sigue en el sitio, encajonada entre los dos ríos, así que de nada nos sirve nuestra caballería en el flanco derecho.

Hilal escucha con atención a su mentor. Necesita comprender todos esos detalles, porque un día será él quien mueva escuadrones enteros en la batalla. Pasa tras Azagra y se empina de nuevo sobre los pies para otear a septentrión.

—La caballería enemiga se aleja. ¿Por qué?

—Pretenden rodearnos —supone el cristiano—. Así podrán atacar nuestra retaguardia.

El joven andalusí devuelve las plantas de los pies al suelo de la loma y mira muy serio a su mentor.

—La retaguardia somos nosotros —observa.

—Confía en tu abuelo. Él mantendrá alejados a esos árabes.

Pero Hilal sigue observando a Azagra con gesto intranquilo. El navarro se da cuenta y adopta un aire despreocupado, como si lo restante fuera mero trámite. Aun así percibe que la duda sigue presente en el muchacho. Frunce el ceño y fuerza la vista hacia el norte. El ala derecha se ha unido al ala izquierda para formar un solo cuerpo de caballería de dos mil jinetes. Ahora todos cabalgan juntos hacia el norte, en pos de los árabes. Enseguida estarán demasiado lejos. Se perderán de vista. De pronto, los lentos redobles de los timbales almohades se aceleran. El navarro cierra los ojos, se persigna tres veces seguidas y murmura algo en voz baja. Se toca el pecho. Tal vez alguna medalla traída desde sus tierras del norte. Un amuleto de su madre o un regalo de su esposa. Hilal siente que lo que ha ocurrido hasta este momento, sea lo que sea, deja de tener importancia. Todo los ha traído aquí y ahora. Azagra abre los ojos.

—Adelante, Hilal.

El movimiento de ambos al bajar del montículo es acompañado por un gesto firme del navarro. Las chirimías andalusíes y los gritos transmiten la orden de marcha. Con paso cadencioso, con cada hombre atento a los lados para mantener la formación, la infantería empieza a moverse.

Retaguardia almohade

Utmán es el único que monta a caballo ahora en las líneas almohades y, ansioso, hace a su montura pasearse una y otra vez por detrás de los Ábid al-Majzén. Algunos *rumat*, también nerviosos por la cercanía de los cristianos, miran atrás con gesto en el que se mezcla el miedo y la impaciencia. A pesar de la protección que representa la infantería almohade, los arqueros están deseosos de soltar sus andanadas. Pero cuando sus caras se vuelven, la atención corre de inmediato a las recias lanzas de los guardias negros, que apuntan a sus espaldas. El detalle corre de voz en voz, y pronto el miedo a los enemigos es sustituido por el temor a esos esclavos gigantes que, lo saben, obedecerán ciegamente la orden que se les dé.

Un poco por delante de los arqueros *rumat*, los jeques de las cabilas también alternan las miradas a la reluciente línea enemiga con las que dirigen al *sayyid*. Este goza de buena perspectiva y además tiene experiencia. A pesar de su intranquilidad, está atento a cada paso, y espera el momento en el que los enemigos choquen con los *ghuzat* y queden al alcance de las flechas. Y ese momento está a punto de llegar. Da una voz en su lengua bereber, y los propios *rumat* la repiten al tiempo que tensan y elevan los arcos para apuntar arriba y conseguir una trayectoria parabólica. El crujir de miles de astas de madera al combarse forma un chirrido que produce escalofríos. Utmán alza la mano armada y se asegura de que es bien visto. Centra su mirada en el avance enemigo y casi sonríe con una mezcla de admiración y envidia. Quienquiera que sea el que dirige a los cristianos sabe lo que hace. En este preciso instante, el paso de los caballos se cambia por el trote, y apenas a unos codos, por el galope. Es una ola interminable que se aviva antes de romper contra las rocas, pero en lugar de agua y espuma, trae muerte y mutilación. Los *ghuzat* rugen y se abalanzan contra los caballos que los embisten. Solo unos pocos de los fanáticos voluntarios sienten volar su fe y dan la vuelta para huir hacia las filas masmudas. Se produce el choque. Utmán baja la mano y acompaña el gesto con un grito.

Las cuerdas tañen con un sonido breve y agudo. Es como si miles de plectros rasguearan miles de laúdes. La melodía que forman sube al cielo del Sharq al-Ándalus transformada en pequeñas ráfagas oscuras que se siguen unas a otras. Se suceden más gritos, y antes de que la rociada de flechas haya alcanzado su cenit, una segunda abandona los arcos africanos con nueva y siniestra melodía. Utmán se vuelve un instante, con su lanza aún levantada sobre la cabeza. Los atabaleros lo ven y golpean con mayor brío sus timbales. Los guerreros sudan y las gargantas se secan. Las flechas siguen subiendo, mientras otras inician ya su senda de caída. Nadie, de entre los miles de guerreros, puede obviar que se está derramando la primera sangre.

Vanguardia mardanisí

El rey Lobo acaba de atravesar a uno de esos locos *ghuzat*. El tipo lo ha recibido con alaridos y empuñando un patético cuchillo de hoja curva. A su alrededor, los caballeros cristianos también aplastan a los voluntarios del

Tawhid. Lo hacen espantados. Incrédulos. No comprenden que esos tipos desarrapados ofrezcan así su vida por nada. Hay muy pocas bajas en el ejército del Sharq. Apenas algún que otro caballo que es derribado al recibir un lanzazo en el vientre. Quinientos *ghuzat* son aplastados en el tiempo que dura un suspiro, pero el trance es suficiente para que la carga se vea obligada a perder velocidad. Ese era el objetivo, sin duda. Ahora el rey ve que una nube oscura se levanta desde detrás de la infantería almohade. Junto a los suyos, miles de ojos quedan por un instante extasiados, admirados de la lluvia negra que, contra natura, asciende hacia el cielo. Las cabezas se echan atrás y por un momento la línea vacila.

Mardánish se sorprende lanzando gritos de atención, que son llevados como un eco por todos los haces. Los cristianos suben los escudos y se encogen tras ellos, pero hacen gala de buen adiestramiento y de templanza norteña, pues mantienen la formación. A la vez intentan reanudar el galope, y cada jinete se preocupa de llevar su animal pegado a los que lo flanquean, buscando rozar los estribos de los compañeros y haciendo cierta esa fanfarronada de que ni un guante podría caer entre caballero y caballero. Casi se oye cómo, todos a un tiempo, los cristianos aguantan la respiración. El rey Lobo también tensa los músculos para esperar el impacto. Los redobles de los tambores almohades se aceleran todavía más, y oye voces secas delante, en la enrevesada lengua de los africanos. Y entonces llega el silbido.

Nadie pregunta qué es. Nadie intenta averiguar su origen. Viene del cielo y vibra. Vibra, sí, como el toque de una chirimía.

Las flechas se estrellan contra el suelo al fin. Y contra los yelmos mal protegidos. Acribillan los escudos y encuentran brazos aferrados a las riendas. Atraviesan las pieles de los caballos sin mallar, o revientan anillas y se abren camino entre las lorigas. Clavan piernas a las sillas, rebotan en el hierro y se rompen. Repiquetean, como la lluvia de verano sobre un suelo reseco. Luego llegan los gritos y los relinchos. Unos pocos guerreros tienen mala suerte y las puntas de los proyectiles muerden su carne. Algunos, vencidos por el pánico, se inclinan demasiado en un vano intento por empequeñecer su silueta, pero lo único que consiguen es que las flechas encuentren su espalda. Mardánish se ladea un ápice a la derecha y mira por debajo de su protección. Sabe que hay gente que muere a su lado. Que hay caballos que caen, y que otros guerreros están resultando heridos. Debe salir de esa lluvia mortal, y solo puede conseguirlo con valor y habilidad. Grita otra vez. Acude a la consigna que hace solo unos instantes —qué largos parecen ahora— improvisó ante la tropa abatida.

—¡¡Dolor y muerte!!

Afirma la lanza contra el costado, clava las espuelas en los ijares de su caballo y se adelanta unos codos. Y a pesar de la sangre y los aullidos de dolor, los cristianos responden. Consiguen pasar del trote al galope y recuperar parte de la velocidad que los *ghuzat*, ahora muertos y aplastados bajo el paso de miles de pezuñas, les han hurtado; y el bosque de lanzas enemigas se abate ante ellos para darles un recibimiento de hierro. Algunos caballeros insultan a sus animales, y otros les prometen un harén de yeguas al regreso. Necesitan forzarlos al máximo. Todavía llueven flechas. Y aún muerden carne. Las líneas traseras esquivan a los caballos caídos e intentan no aplastar a los guerreros que los montaban, y entonces el silbido siniestro deja de sonar. Cargan. Como solo la caballería cristiana sabe hacerlo.

Retaguardia almohade

Utmán se yergue y su mirada se filtra por entre las delgadas líneas oscuras que conforman la cortina de flechas. Ahora los *rumat* tiran en desorden, como cada cual puede. Los proyectiles abandonan las cuerdas y las manos bajan raudas para desclavar nueva munición del suelo. Y cuando esta se agota, rebuscan en las aljabas que los arqueros llevan prendidas a su diestra. Tiran frenéticos, sin preocuparse mucho de calcular parábolas o ángulos. Diríase que quieren acabar con sus flechas para poder dar por cumplida su misión.

Delante, la cortina que subió ha bajado, y Utmán ha visto caer a algunos cristianos. Se van al suelo siempre en compañía de sus monturas, anclados a estas por sus arzones. Con cada baja, la línea parece quebrarse, pero luego se recompone como por arte de magia. Los caballeros cierran filas enseguida, y el caído resulta tragado por la marea forrada de hierro. El *sayyid* intenta tragar saliva, pero no puede. La última vez que sintió algo parecido fue en las cercanías de Granada, cuando resultó derrotado por la infamia y por tipos como esos que ahora se le vienen encima. Caballería cristiana. Se le antoja imparable. Los *ghuzat* han desaparecido a su paso, simplemente. A pesar de todo su griterío y su fanatismo.

Ahora la tierra retumba. Lo nota porque el temblor acaba de subir por las patas de su caballo y hace vibrar la silla. Se transmite a través de su piel y sus huesos y le zarandea las tripas. Ve bajarse de nuevo las lanzas cristianas, y los escudos de los enemigos descienden y muestran sus colores, barras, cruces y bestias a la vista de los almohades. Los *rumat* se vuelven locos. Algunos quieren lanzar con tiro tenso e intentan apuntar por entre las líneas de su propia infantería. Más de uno llega a disparar, pero falla y alcanza en la espalda a un compañero. Otros sienten el pánico apoderarse de ellos y retroceden. Entonces respingan al sentir el hierro de las lanzas en las espaldas. Un guardia negro atraviesa a un arquero que se ha dado la vuelta para huir. Otro de los *rumat*, cercano, se queja y pide clemencia al *sayyid*. Los hombres se están convirtiendo en animales. El suplicante recibe también un lanzazo de otro de los Ábid al-Majzén. Utmán se esfuerza en ignorar las escenas de retaguardia y mira de nuevo al frente. Lo que ve le desencaja las mandíbulas. Los músculos de su cara se tensan bajo la piel y la mano que agarra la lanza aprieta fuerte. Los terrones tiemblan ahora sobre el suelo mojado y empiezan a saltar. Los timbales casi no se oyen. Ni los quejidos de los *rumat*. Los jeques son incapaces de transmitir la orden de resistir. El infierno llega hasta los almohades con gritos en romance que Utmán cree entender. O tal vez es solo su imaginación. El *sayyid* ya no sabe si lo que oye es lo mismo que lo que ve.

Dolor y muerte.

Al norte del campo de batalla. Líneas árabes

Abú Hafs mira al sur cuando oye el inmenso estampido que se desplaza como un trueno por las lomas de tierra blanquecina y por las huertas y juncales que bordean los meandros del río. Hace tiempo que la batalla ha quedado fuera de su vista, pero ha sabido interpretar todo sonido. Desde el redoble cada vez más insistente de los atabales propios hasta los silbidos agudos que la brisa traía desde el sur. Y hasta allí, parece mentira, ha llegado el retumbar de los cascos de los destreros cristianos. Abú Hafs jamás ha visto una carga masiva de caballería pesada, pero ahora casi puede creer todo lo que le han contado. No envidia a los hombres a los que supone muriendo en la línea de contención almohade. Entre otras cosas, porque él tiene sus propias preocupaciones.

Se ha detenido, y ha ordenado a su caballería árabe desplegarse a lo largo de la orilla del río. Eso hace que los hombres estén adelantados unos, retrasados otros. Las tribus árabes, indisciplinadas como siempre, buscan apartarse para tener terreno por el que moverse. Ellos no luchan como esos cristianos; no se lanzan brutalmente hacia delante. Necesitan espacio para maniobrar, envolver, fingir ataques, simular huidas, regresar, desaparecer...

Ahora Abú Hafs ve que la caballería andalusí también se detiene ante él. La figura del Mochico es inconfundible. Tal como le han contado, es demasiado grueso para un guerrero. Tanto como para engañar al enemigo. El visir omnipotente sabe que el aspecto del señor de Jaén no le ha impedido derrotar varias veces a fuerzas almohades. Y sobre todo conoce que la mejor arma de ese guerrero rechoncho y aparentemente inofensivo es la astucia. Abú Hafs mira atrás y su vista recorre las líneas de la caballería árabe. Los jinetes llevan ropajes distintos y sus colores difieren según las tribus, pero todos se parecen en realidad. Azagayas, mazas y pequeños escudos redondos. Caballos menudos y ágiles. Luego se fija en las fuerzas andalusíes de Hamusk. Se diferencian poco, casi nada, de esa misma caballería pesada cristiana que ahora debe de estar organizando una buena escabechina entre los almohades. Los árabes los superan en mucho por número, pero eso no quiere decir que el trabajo que queda sea fácil. Si el Mochico es listo —y lo es—, la contienda entre caballerías podría extenderse durante lo que resta de tarde y llegar a la noche. Los árabes no pueden enfrentarse cara a cara con los andalusíes. Deben rodearlos y consumirlos poco a poco. No hay otra salida posible que la victoria, pero esta puede demorarse mucho.

Así pues, se decide a cumplir lo que ya empezó a concebir hace un rato. Solo le falta tantear a su enemigo. Comprobar si Hamusk es tal como él espera. Tal como le contó el difunto almirante supremo Sulaymán.

Llama con un gesto al jeque de los Banú Riyah, y este se acerca en una corta cabalgada. Su caballo, un precioso animal de color blanco, patea la tierra húmeda e inclina la cabeza mientras sacude la crin. Parece bailar con su jinete, moviéndose a cada pequeño golpe de rodilla, sometido a un dominio que hace que hombre y animal sean uno. El árabe se luce ante el *sayyid*, y ante los suyos y el resto de las tribus, con ese remanente de orgullo que aún les queda a los árabes tras ser asimilados por el implacable imperio almohade. Es bien sabido: para los árabes, todo bereber es un bruto ignorante y violento. Pero Abú Hafs es inmune a todo eso. Sus ojos enrojecidos no se dejan impresionar, y los clava como una amenaza en los del jeque. Le señala el norte, donde una sierra comienza sus elevaciones y forma un ángulo con el sinuoso río Segura.

—Finge aproximarte al enemigo, pero quiebra sin atacar y dirígete a esos montes. Si no reaccionan, vuelve. Si alguien sale a tu encuentro, procura que te sigan y aléjalos de aquí.

El jeque asiente y tira de las riendas. Vuelve con la misma elegancia hasta sus filas y las recorre al tiempo que transmite las instrucciones a los hombres. Se alegran. No les gusta estar allí, mirando, cuando ven que pueden aplastar al enemigo y saquear todo ese hierro que parecen llevar encima. Ululan, como es su costumbre, y blanden sus jabalinas cuando salen a galope vivo hacia las líneas andalusíes. Sin orden. En masa. Como si fueran una manada de caballos salvajes.

Al norte del campo de batalla. Líneas andalusíes

Hamusk no ha dejado de observar a ese jinete cuya larga capa verde cuelga por encima de la grupa de su caballo. Es el único almohade de toda la fuerza de caballería. Lo sabe por su piel, mucho más oscura que la del resto. Y por sus ropas. Lo sabe porque su caballo es grande y fuerte, muy parecido al suyo y nada a los ágiles animales en los que cabalgan los árabes. Lo ve mirar detenidamente. Aunque los separa una buena distancia, casi puede sentir cómo calcula las posibilidades. Hamusk ya las ha calculado y sabe que lo único que debe hacer es aguantar sin caer en la trampa de los árabes. Nada de cargas precipitadas, como en Marchena. Nada de dejarse atraer por esos cebos ululantes que rehúyen la lucha. No sueña con vencer: sabe que es imposible. Pero también sabe que esta maniobra da una clara ventaja a su yerno al sur. Y aun así, Hamusk está muy lejos de pretender un sacrificio. No en su persona, al menos. Aunque si es necesario, mandará a la muerte hasta al último de sus andalusíes, incluido al-Asad. Queda por saber si el almohade al que tiene delante le va a causar problemas. Espera que no se trate de Abú Hafs. Casi reza por que no sea él.

—Ese es Abú Hafs.

Hamusk se vuelve y ve al León de Guadix junto a él, algo por detrás. Ha abandonado su cuerpo de mil jinetes para acercarse al señor de Jaén. Y lo ha hecho en silencio, como siempre. Su rostro está relajado. Debe de ser por efecto de las drogas que le han proporcionado los médicos para calmar el dolor. Y esos médicos son buenos. De la escuela de Abú Amir, por lo menos. De otro modo, al-Asad no podría haber reconocido a Abú Hafs desde esa distancia.

—¿Estás seguro?

—Sí. No lo olvidaré jamás. Fue lo último que mi ojo derecho vio antes de que un sucio africano hundiera su cuchillo en él. Estoy seguro.

Hamusk chasquea la lengua y remete la barriga para evitar el fuste delantero. Piensa un rato y, sin quererlo, su mirada se dirige al sur. Hasta allí llega el fragor del combate. En esos instantes debe de estar liándose muy buena allá lejos. Su yerno, el rey Lobo, estará ya trabado con los almohades. Él no puede ayudarle. Lo único que ha de hacer es mantener a la caballería árabe lejos de la lucha. Observa de nuevo a Abú Hafs. Entorna los ojos. El visir omnipotente está hablando ahora con un árabe que monta en un precioso animal blanco. Abú Hafs señala de forma ostentosa el norte. Tanto el señor de Jaén como al-Asad, atentos, siguen con la mirada el gesto del caudillo almohade. Allá están las primeras elevaciones de la sierra de Ricote.

—No es muy discreto —apunta Hamusk. Al-Asad emite un sonido gutural que tal vez sea una risa burlona. El señor de Jaén se vuelve.

—Será porque quiere que veas lo que pretende —dice el León de Guadix.

El caudillo andalusí se fija en el paño que tapa el ojo del guerrero. Ese ojo se ha quedado atrás como parte de un acuerdo. Un oscuro acuerdo que los ha llevado hasta allí. Hamusk, que envió a al-Asad hasta los almohades, lo sabe. Y Abú Hafs, que mandó al León de Guadix de regreso, también. Las miradas de los dos líderes, el andalusí y el bereber, vuelven a cruzarse en la distancia, y el señor de Jaén podría jurar que el almohade sonríe.

Entonces el árabe del caballo blanco sale a galope tendido hacia los andalusíes. Hay una conmoción entre los jinetes de Hamusk cuando arrancan mil quinientos caballeros árabes. Son solo un tercio del contingente enemigo, y casi los igualan. Hamusk tarda en reaccionar. En realidad sigue mirando a Abú Hafs, y sigue sintiendo la vista de este clavada en él. ¿Qué trama el visir omnipotente?

Al-Asad, por su parte, vuelve atrás y lanza varios gritos a sus hombres, los guerreros de la Marca Superior. Les ordena permanecer atentos. Pero nada más. Los hombres se empiezan a mover indecisos. No saben por qué no se aprestan a combatir. Los árabes ya están cerca. Blanden sus jabalinas y aúllan. Hay miradas de preocupación y se murmura.

De pronto, cuando los árabes llegan casi a distancia de azagaya, su jeque tira de las riendas y el caballo blanco gira con presteza hacia el norte. Toda la tribu de los Banú Riyah lo imita, describiendo una curva. Los andalusíes los siguen con la mirada tensa y los escudos embrazados. Hamusk permanece ajeno a todo. Simplemente observa a Abú Hafs. En silencio. Como si ambos mantuvieran una callada conversación a distancia. El principal visir de los almohades continúa destacado, separado de los demás árabes.

Finalmente, el señor de Jaén reacciona. Se vuelve e intercambia una mirada cómplice con al-Asad. Luego observa a los guerreros de la Marca Superior. Ve la excitación en ellos. Casi todos son de familias tagríes y han crecido en un ambiente de constante expectación, siempre preparados para combatir. Están nerviosos y sus monturas piafan, caracolean, agitan las cabezas y lanzan bocados al aire. Estos guerreros son hombres del norte. No muy distintos de los cristianos que ahora deben de estar muriendo al sur. Guerreros fieros que darían la vida por Mardánish. No son como Hamusk. Ni como al-Asad.

—Toma a tus hombres de la Marca —ordena el señor de Jaén—, y persigue a esos árabes hacia el norte.

El León de Guadix pone su único ojo en Hamusk. Parece dudar un instante.

—¿Nos dividimos? ¿Estás seguro? Si Abú Hafs te ataca cuando nos hayamos ido, te aplastará como a una sabandija.

El caudillo andalusí lo sabe. También duda. El visir omnipotente sigue plantado allí, y los árabes se alejan. Tal vez no vuelva a tener otra oportunidad. Debe decidir. Ya.

—Haz lo que te he dicho.

Al-Asad arrea a su destrero y grita a sus hombres. Los tagríes de la Marca reciben la orden con alborozo, entre otras cosas porque los números se igualan para ellos. Cabalgan prestos; salen de ese lugar que consideran poco menos que un matadero. Abandonan a sus compañeros y los dejan atrás, sin plantearse por qué Hamusk se sacrifica así. Los tagríes no cuestionan las órdenes. No las interpretan. Las cumplen y se alejan.

El señor de Jaén espera a que los últimos jinetes bajo el mando de al-Asad se hayan separado y adelanta su montura, destacándola aún más. El movimiento es imitado por Abú Hafs. Cada caballo se acerca unos pasos y espera. El de enfrente lo imita. La distancia se acorta. Son ambos hombres los que sonríen ahora.

Vanguardia mardanisí

El rey jala de las riendas hacia atrás y su caballo sale a duras penas del caos de cuerpos rotos, madera astillada y hierro ensangrentado. Al tiempo, tira de su lanza para desclavarla del escudo de un almohade, pero su dueño está al otro lado, también ensartado en la punta. El rey Lobo la retuerce. La ladea y la agita. Empuja y tira; busca el modo de recuperarla. Al final desiste. La suelta, y su contera golpea contra un infante caído. El almohade al que el rey ha matado se derrumba, y tras él aparece otro que asoma su pica por encima del nuevo escudo.

El temblor de la carga ha cesado, y el redoble de los atabales domina ahora el campo, coreado por los gritos de furia y dolor. El choque ha sido brutal, como se esperaba. La primera fila almohade simplemente ha dejado de existir. Los hombres han volado por encima de sus compañeros para caer sobre los acongojados *rumat* o los impasibles Ábid al-Majzén. Estos han apartado los despojos a un lado con desprecio y siguen apuntando sus lanzas contra los arqueros. Otros guerreros de primera línea han sido aplastados por el impacto de los caballos forrados de malla, o ensartados como pichones en un espetón. Muchos han quedado cosidos a sus escudos; otros han reventado como granadas que caen desde el árbol. La mayor parte ha muerto sin apenas enterarse, encogidos detrás de sus escudos, que hasta hace poco consideraban buenas defensas. Ahora los supervivientes saben qué es una carga de caballería cristiana. Lo están degustando mientras los enormes caballos de combate, forrados de hierro y cargados de guerreros de gran talla envueltos a su vez en metal, los pisotean, quiebran sus huesos, aplastan sus cabezas dentro de los cascos. Todo cruje alrededor. La sangre sube como un surtidor o chorrea lentamente de heridas abiertas, y forma charcos rojizos sobre una tierra que ya ha absorbido demasiada humedad. Eso está volviendo el suelo resbaladizo, y la orina y el sudor no contribuyen a arreglar el asunto. Pronto se extiende por toda la línea un olor nauseabundo.

—¡Atrás! —ordena Mardánish—. ¡Replegaos!

El extremo derecho obedece como puede, pero son bastantes los que han quedado atrapados. Se han clavado ellos solos en las lanzas almohades que los aguardaban, o han sido sus monturas las que se han empalado. Han quedado trabados, y alguien los ha alanceado desde las filas posteriores. Otros se han venido abajo, cogidos entre los arzones y estorbados por los estribos. Una vez en el suelo, no hay defensa posible. Son los propios compañeros quienes, a pesar de que intentan evitarlo, aplastan a los infortunados. O bien los almohades heridos, coléricos y deseosos de largarse de este mundo en compañía, se arrastran, desenfundan sus cuchillos y los meten por entre almófar y loriga para degollar a quien les haya caído en suerte.

—¡Atrás, he dicho! —repite el rey. Su orden se extiende. Cada haz obedece a su líder, y en el otro extremo, Guillem Despujol hace lo propio. Algunos cristianos se entretienen picando desde arriba. Los más hábiles consiguen encabritar a su destrero y aprovechan la bajada para que el animal patee la inamovible línea; al tiempo, la lanza baja y perfora yelmos u hombros, o clava pies al suelo.

Mardánish se aleja de las filas enemigas mientras las azagayas vuelan para buscar las espaldas cristianas, y poco a poco lo imitan los que han superado la primera carga. Han de replegarse. Apenas lo suficiente para tomar impulso y lanzar un segundo envite. Al cabalgar en retirada, el rey ve que su infantería se aproxima en buena formación. Los infantes delante, y los arqueros y ballesteros detrás. Acierta a distinguir que Azagra dirige el avance. El navarro ordena algo, y los arqueros lanzan una salva en parábola para cubrir el repliegue de la caballería cristiana. El rey busca a su hijo entre las filas de la infantería, pero no puede verlo. Al igual que Azagra, Hilal ha preferido marchar a pie, como sus hombres.

La retirada concluye y los caballos giran. Están fuera del alcance de las jabalinas almohades, pero el tipo que dirige al enemigo no anda torpe, porque aprovecha el momento para mandar tirar a sus arqueros. Los *rumat* lanzan con menos ímpetu y más despacio, pero algunas flechas consiguen impactar contra los agotados caballeros cristianos. Mardánish eleva el escudo y siente un par de golpes. Los gritos de dolor son ahora más débiles. El cansancio sobrevuela el campo de batalla. El rey tiene sed. Mucha. Y le cuesta mantener alzada su protección negra con el brazo herido en Écija. Toma la espada que cuelga de su silla y la empuña, aunque también siente que pesa más de la cuenta. Mal momento para que la fatiga llegue. Pero han sido varios días de marcha forzada por un camino de montaña y bajo la lluvia, sin apenas dormir y atenazado por la angustia. Retira el escudo a un lado, sin importarle las flechas perdidas que ahora se cruzan en el aire con las que arrojan los andalusíes. Ve la carnicería que tiene ante sí. Hay caballos que se desgañitan a relinchos en tierra, con las entrañas enredadas en sus patas. Y hombres aplastados por ellos, intentando liberarse de la bestia que tritura sus huesos. Observa que algunos almohades salen de la formación para rematar a algún cristiano. Cuando lo hacen, los africanos se encarnizan; clavan desde bien arriba, y luego retuercen las lanzas para hacer saltar las sortijas de hierro que forman las lorigas. Las manejan a modo de torno hasta que las hunden en los cuerpos de los enemigos. O ensartan machaconamente, moviendo sus picas arriba y abajo, como si quisieran destrozar la carne de cada caído. Y lo consiguen. La línea almohade es todo un río de sangre. Un río de sangre. Aquella imagen le trae a Mardánish recuerdos. De Granada, y de los temores de Zobeyda.

Zobeyda.

El rey ya no ve a los muertos y a los heridos que se arrastran, ni oye los silbidos de las flechas, los gritos de los moribundos ni los atabales almohades. Se fija en la silueta de Murcia, que puede distinguir entre los estandartes africanos, e imagina a su favorita esperándole en lo alto de las murallas. La suerte que ahora corren los caídos ¿será la misma que padezcan los murcianos?

—¡Adelante! —vocifera, reanimado por sus propios temores—. ¡A la carga! ¡¡Dolor y muerte!!

Los caballeros cristianos desenfundan espadas y aferran mazas. Casi todos han perdido sus lanzas, y los sirvientes que llevan las armas de repuesto forman en la infantería. Pero los mercenarios del norte no están tan motivados como Mardánish. No tienen a una bella reina que los aguarda en el adarve de un alcázar, ni la pérdida de Murcia supondrá gran cosa. Como mucho, la merma de la siguiente soldada. La arenga del rey de hace unos instantes, el riesgo de que el fanatismo almohade termine por ahogar a todos, andalusíes y cristianos, se va diluyendo en el penetrante olor de la sangre. Por el contrario, la visión de los compañeros muertos o mutilados delante de ellos retiene a los cristianos. A pesar de todo, la segunda carga se inicia. Más despacio. Sin temblores de tierra. Mardánish lo ve, y la agobiante sensación de soledad parece regresar. De nuevo su imaginación le tienta a verse abandonado. Incluso traicionado. Es curioso, pero en ese momento, mientras eleva la espada para golpear cuando llega al galope hasta las líneas enemigas, se pregunta qué hace él allí. Y dónde está el rey de Castilla. Y el de Aragón. ¿Dónde están los reyes cristianos?

Retaguardia almohade

Desde lo alto de su caballo, Utmán pide a gritos un odre de agua, y un sirviente se adelanta y cumple la orden del *sayyid*. Este bebe, y el líquido resbala por las comisuras de sus labios, moja la barba y se cuela bajo la loriga hasta empapar la ropa y mezclarse con el sudor. Luego arroja el recipiente vacío a tierra, y sus ojos se resisten a volver al combate.

Cada vez le angustia más toda esa sangre. Es la misma sensación que tuvo en Granada hace años, cuando mató por su propia mano al judío Rubén, crucificado en la colina Sabica. O cuando ordenó ajusticiar a decenas de hebreos a las puertas de Málaga. O cuando ejecutó a Abú Yafar ante la mismísima

Hafsa. Siente náuseas, y una violenta arcada despacha parte del agua que acaba de tragar. Se restriega la boca. Quiere gritar. Lanzar órdenes a los jeques. Pero es inútil. No pueden oírle. Hace tiempo que dejaron de volverse para observarlo y obedecer sus gestos. Ahora todos pelean por su vida ahí delante. Los versículos del Corán o las bellas palabras de las banderas almohades importan bien poco. Incluso la amenaza de los esclavos negros a retaguardia es algo banal. La segunda carga de la caballería cristiana ha barrido de nuevo a la infantería almohade, y la última línea es la que se apresta a relevar a los que han caído ante ellos. Ve cómo el espacio entre esas filas traseras y los *rumat* se aclara. Cada vez quedan menos fieles, y los infieles siguen presionando. Es como un gran monstruo sanguinolento que traga hilera tras hilera de hombres. Incluso puede ver que los que avanzan para unirse a la matanza deben subir sobre el escalón de cadáveres desmembrados y destrozados. Se está formando una muralla de carne y hueso.

Galopa a la derecha y pasa tras los guardias negros, impertérritos mientras sus lanzas apuntan a las espaldas de los desesperados *rumat*. Alcanza el claro y siente la tentación de salir por el hueco para ver qué hace el resto del ejército enemigo. Por fortuna, las filas cristianas son más cortas y no han pensado en flanquear ni en tratar de forzar su entrada por allí. Utmán mira al norte, a la espera de ver el retorno de la caballería árabe. Nada. Abú Hafs no regresa. A pesar de que lo prometió. El *sayyid* se vuelve y observa el rostro de un atabalero cercano. Como sus compañeros, está montado en una mula y golpea rítmicamente los timbales ceñidos a los lados de la silla. Es un muchacho muy joven. Tanto como era él mismo cuando llegó a al-Ándalus. El chico mira a su *sayyid*, y este reconoce la angustia que reflejan sus ojos. Su faz está desencajada, y el color casi negro de su piel torna hasta el blanco. Toca mecánicamente, redoblando al ritmo frenético que impone el combate, y su labio inferior tiembla con mayor viveza aún. Utmán se fija mejor en la mirada del atabalero, oscura y rezumante de lágrimas por la matanza que está presenciando. Los gritos siguen. El hierro choca contra el hierro, taja la madera y se hiende en la carne. Se oyen súplicas de piedad. Hay guerreros que llaman a sus madres en varias lenguas. Y ese olor nauseabundo... Utmán vuelve a vomitar, inclinado a un lado y sin preocuparse de que sus hombres le vean. El joven atabalero detiene el tamborileo y su ánimo termina de derrotarse. Sabe que va a morir. Que cuando los cristianos consigan forzar los restos de la barrera almohade, él será quien reciba dos palmos de hierro en las tripas. Y será doloroso. Gritará y se retorcerá como esos tipos de ahí delante. Observa a su *sayyid*, presa de una nueva arcada que le estremece el vientre, y el propio Utmán se da cuenta entonces de que va a ser derrotado.

Azagra y Hilal cubren corriendo la última parte del camino. Lo hacen forzados por la prisa, porque ven la carnicería que se desarrolla ante sus ojos.

Casi todos los jinetes cristianos han desmontado, con sus caballos heridos o simplemente porque los animales no son capaces de permanecer en pie en medio de toda esa locura. Otros muchos caballeros han caído y se encorvan de dolor mientras agarran sus muñones o intentan desclavarse sables y lanzas. La primera línea de infantería almohade se ha convertido en un escalón humano. Una masa sangrienta de hombres apretados unos contra otros, mezclados con caballos destripados y escudos de todos los tamaños y hechuras. De vez en cuando, una mano solitaria y ensangrentada asoma por debajo de la montonera y queda inerte. Se lucha sobre ese escalón, batiéndose en grupos los soldados por hacerse con el dominio de la altura improvisada por la propia carnicería. Media docena de cristianos sube y consigue trabar los escudos arriba. Sueltan tajos y mazazos a los almohades, pero al punto los africanos empujan desde las filas posteriores y, con el sacrificio de los luchadores de vanguardia, consiguen desalojar a los caballeros. Así, el escalón crece y, de vez en cuando, una parte se desparrama y los cadáveres ruedan y resbalan con un sonido espeluznante. Los guerreros pierden pie y caen, y son de inmediato rematados. Otros se escurren en la sangre y se agarran a otros soldados, amigos o enemigos. No suelen correr mejor suerte.

Azagra y Hilal han ordenado a arqueros y ballesteros acompañar a la infantería hasta el lugar mismo de la pelea. Toda mano será necesaria, y a esa distancia sirven de poco las andanadas parabólicas. De ese modo, varios cristianos se acercan a la refriega y disparan sus ballestas de cerca. Es imposible fallar, y muchos almohades son lanzados sobre sus filas traseras con los rostros atravesados por virotes. Pedro de Azagra se vuelve un momento para asegurarse de que el joven heredero del Sharq le sigue. Tuerce su carrera a la derecha, hacia el río. Sabe que el rey Lobo debe de luchar por allí y le preocupa su suerte. Cuando llega al escalón, el concierto de gritos de dolor le provoca un escalofrío. Aun así se rehace y anima a los refuerzos.

—¡Al ataque! ¡¡Dolor y muerte!!

Los cristianos reciben a su infantería como aire fresco en día de canícula. Los peones armados con sables, hachas, mazas y largas astas rematadas con cuchillas se introducen por entre las filas de fatigados caballeros. Repiten la arenga del día y embisten a los también extenuados almohades hasta que logran desalojarlos del escalón humano en toda la línea. El alborozo se extiende por el campo en forma de gran clamor, y los atabales enemigos se apagan por un momento.

—¿Dónde está mi padre?

Azagra no responde. Mira a lo alto de la montonera de despojos y busca el escudo negro, pero no ve al rey. Entonces, a causa del peso de los miles de nuevos guerreros que se unen a la lucha, el escalón cede. Lo hace a tramos. Los muertos resbalan sobre otros muertos y se esparcen. Así, el navarro puede ver que los almohades, por fin, parecen retroceder. Se da cuenta de que los cristianos han superado la amarga barrera, y que ya avanzan por el otro lado y acosan a los africanos. Mardánish debe de estar allí, en lo más recio del combate.

Retaguardia almohade

El sol ha bajado. Mucho, pues hace rato que tocó el horizonte. ¿Tanto tiempo ha pasado?

Así ha debido de ser. Utmán no piensa mucho en ello. Su mente sigue puesta en la caballería árabe, a la que ahora necesita más que nunca. Se pregunta una y otra vez qué ha sido de Abú Hafs.

El *sayyid* se ha dado cuenta de que atardecía al ceder el escalón de despojos humanos. Entonces las filas de los enemigos han descendido, y Utmán se ha visto deslumbrado por el sol poniente.

Todavía, aunque con gran esfuerzo, resisten las últimas filas de guerreros almohades. Son los jinetes descabalgados, con sus rodelas de piel de antílope que apenas pueden cubrir su flanco. Ve cómo los cristianos lo aprovechan y clavan sus armas en las piernas de los fieles, haciendo que se derrumben. Luego avanzan hacia la siguiente fila sin molestarse en rematar a los caídos. Esa tarea la dejan para los que vienen detrás. Tipos que golpean con ballestas o degüellan con dagas. Arqueros que han desenfundado espadas cortas con las que apuñalan una y otra vez, con inquina obsesiva. Los almohades se defienden bien a distancia de lanza. Logran clavar una o dos veces, pero pronto son superados cuando se llega al cuerpo a cuerpo. Utmán ya puede ver a los cristianos que luchan en vanguardia. No son muchos, porque han sufrido severas bajas. Tantas como las de los propios almohades. Pero lo peor es que por detrás siguen llegando más infieles. Y aún más allá, los caballeros que han sobrevivido a las dos brutales cargas toman aire para descansar y volver de inmediato a la lucha. El *sayyid* se da cuenta de que en muy poco tiempo los enemigos llegarán hasta sus Ábid al-Majzén. Recorre la línea a caballo y lanza su nueva orden:

—¡*Rumat*! ¡Al combate!

Los arqueros velados se estremecen de terror, pero la guardia negra carece de piedad. Las puntas de sus lanzas empujan y punzan espaldas, glúteos y piernas, y los *rumat* dejan a un lado los arcos, que hace ya largo rato que no usan. Desenfundan sus puñales, aunque la mayor parte se apresura a rebuscar por el suelo, cerca de la refriega. Recogen adargas y sables de los caídos. Los Ábid al-Majzén siguen empujando. Por fin, los arqueros se unen al combate y son engullidos por el horror. Utmán consigue imponer su orden a todo el ejército, y los almohades reciben el refuerzo con alivio. Entonces el *sayyid* se da cuenta del gran número de enemigos derrengados que, en las filas traseras, toman aire con las bocas abiertas de par en par. A su izquierda puede ver decenas de hombres que, sin desembarazarse de sus petos y lorigas, se introducen entre los juncos y meten la cabeza en el río para beber. El *sayyid* pone más atención y enseguida lee en los rostros de cristianos y andalusíes: están al borde del desmayo. No es al ejército de Dios, el Único, al que temen. Es el agotamiento el que puede contenerlos. Así pues, lo único que debe hacer es forzar ese agotamiento. Inmovilizarlos un poco más sobre la carnicería. Justo lo que dijo Abú Hafs: resistir. Utmán se dirige al jefe de los esclavos negros con firmeza. El hombre sigue impávido, ajeno a la matanza que muy probablemente le alcanzará en breve. No le importa la muerte. La muerte forma parte de su trabajo.

—Pasa la orden a todos los Ábid al-Majzén. A mi voz, penetrad por entre las filas y masacrad al infiel. Cumplid con vuestra misión.

El gigante asiente y se da la vuelta. Su espalda, ancha y cruzada por las correas, se aleja, y el *sayyid* lo ve dirigirse con gran calma a otros esclavos. Cada uno de ellos recibe la noticia sin alterarse, y a continuación comprueba sus correajes o musita unas palabras en voz baja. Quizás alguna invocación ancestral consagrada a dioses paganos de los que apenas quedan rescoldos en su mente.

Vanguardia mardanisí

Mardánish oye gritar al propio dolor. Hace tiempo que ha dejado de sentir su brazo izquierdo, salvo las cicatrices de las heridas de Écija. Las condenadas parecen abrirse de nuevo y queman. Su hombro derecho también está entumecido, y a cada tajo que da, se diría que el brazo se desgaja de su cuerpo. El sudor chorrea desde su frente y le empapa pómulos y mejillas. El sabor salado en la boca le recuerda que se muere de sed. Sabe que lo han herido. Tres veces, al menos. Una de ellas es muy evidente, pues la sangre no le permite ver con el ojo izquierdo y nota un escozor apagado en la cabeza. Cree que ha sido un sablazo, y está seguro de que el yelmo le ha salvado la vida. Es igual. No le duele. No aún. Las otras dos heridas las ha visto venir. Un lanzazo en pleno pecho le ha desmallado la loriga y le ha roto varias anillas, aunque no parece haber penetrado mucho. La otra herida no es de las que sangran. Se trata de un mazazo en el escudo que ha hecho crujir su muñeca, y a ese le atribuye parte del adormecimiento del brazo. Los almohades que lo han dañado están muertos. O deben de estarlo, porque pasó sobre ellos y los dejó atrás, a merced de arqueros y ballesteros.

Pese a todo, sigue luchando en primera línea. El refuerzo de la infantería ha sido crucial, y gracias a ello han logrado vencer la insólita resistencia almohade. Quebrar esas primeras líneas parece haber puesto el triunfo al alcance de su mano, y los que antes parecían guerreros venidos abajo, ahora se animan unos a otros. Se arrastran porque no pueden con su alma, pero combaten. Y matan almohades. Ahora es más fácil, pues las líneas traseras de los africanos carecen de esos escudos grandes y solo llevan adargas. Sus lanzas son más ligeras también. Pero los malditos están frescos. Cada nueva línea de guerreros los recibe descansada, mientras que ellos acusan, y mucho, el cansancio de los últimos días. Él mismo nota que desfallece. Quiere ensartar a un tipo que acaba de plantarse ante él y mira con cara de pavor. El muy imbécil lleva un simple peto acolchado y empuña un sable. A su derecha pende una aljaba vacía. Un arquero. El rey Lobo se esfuerza por levantar el brazo para quitarlo de en medio, pero sus miembros no responden. Está a punto de perder la espada. De pronto, una ballesta se apoya desde atrás en su hombro y oye el crujir de la cuerda. El virote sale zumbando, acaricia el almófar de Mardánish y su punta entra en la garganta del arquero enemigo. La atraviesa entera, destroza el cuello y sale por la nuca para continuar un débil vuelo que lo lleva, totalmente ensangrentado, al suelo. El africano se desploma y otro ocupa su puesto, pero el rey se da cuenta de que no puede seguir luchando.

Se hace atrás, y es de inmediato relevado. Incluso da la espalda al enemigo. Deja caer los brazos. Un par de sus propios súbditos lo apartan a codazos sin reconocerlo. Mardánish retrocede a la montaña de cadáveres desmoronada y la rebasa, y a continuación cae de rodillas. Suelta la espada y se desenlaza el barboquejo. Mira a su izquierda. Hay hombres metidos en el río, saciándose. A él también le mata la sed, pero es incapaz de cubrir los escasos codos que hay hasta el agua.

—¡Padre!

La voz viene de la línea de combate. El rey no puede girarse, pero reconoce de inmediato a Hilal. Se alegra de que siga vivo, aunque no puede sonreír.

—¡Amigo mío! ¿Estás bien?

Es Pedro de Azagra. Se pone delante de Mardánish y palpa su loriga, toda empapada en sangre.

—La mayor parte es del enemigo —aclara el rey Lobo con voz ronca.

Hilal se descuelga un odre que lleva colgado del tahalí y lo vuelca sobre los labios de su padre. Mardánish echa la cabeza hacia atrás y abre la boca para dejar que el agua la inunde. Nota que el frescor se abre paso por su pecho reseco, poco a poco siente volver la vida a sus miembros. Azagra pone rodilla en tierra para acercar la cara a la del rey.

—Avanzamos en toda la línea, pero ellos resisten muy bien —informa.

Mardánish termina de beber y Hilal pasa un paño sucio por la cara del rey. La limpia de la sangre que chorrea desde la frente.

—¿Seguro? ¿Y el flanco izquierdo?

—No hemos llegado hasta allí, pero no se ha quebrado, así que Guillem debe de estar cumpliendo.

Mardánish asiente. Todavía necesita unos instantes para recuperarse.

—¿La caballería de mi suegro?

—Ni rastro. Estará batiéndose contra los árabes al norte.

—Eso está bien... —El rey carraspea y suelta un escupitajo sanguinolento, luego tose durante un rato mientras Azagra y Hilal se miran preocupados y alternan la vista con la del frente, cada vez más desplazado hacia los almohades—. Si Hamusk consigue entretener lo suficiente a esos árabes, podremos poner en fuga a estos hijos de perra.

El navarro se yergue preocupado. Ve a una multitud de guerreros andalusíes y cristianos sentados en el suelo, apoyadas unas espaldas en otras, mientras sus compañeros se baten en vanguardia contra una cada vez más fina línea enemiga.

—No podremos aguantar mucho más. Los hombres apenas pueden levantar las armas. Y los almohades no ceden. Mueren por cientos, pero no ceden.

Mardánish lo sabe. Él mismo se ha cansado de matar, y siempre ha visto a cada víctima relevada por un nuevo africano. Acuden a la muerte como reses a la hecatombe. Se diría que ofrecen directamente su pecho en la esperanza de que sea la fatiga la que derrote a los guerreros del Sharq.

—Falta tan poco... Tenemos la victoria al alcance de la mano... —Un nuevo acceso de tos. Ahora la sangre fluye desde la boca del rey. Para ocultarlo, Hilal abrocha el ventalle de su padre y enlaza de nuevo el barboquejo.

—Por la santa Virgen María... —susurra Azagra.

Hilal, alarmado, lleva la vista en la dirección en la que mira el navarro. De inmediato ve cómo la línea propia está frenada e incluso retrocede.

—¿Qué ocurre? —pregunta el muchacho, angustiado.

—Son esos titanes negros. Se han unido al combate.

Mardánish recoge la espada y emite un quejido de dolor al ponerse en pie. Le crujen los huesos, y su brazo izquierdo se niega a plegarse. Así, apenas podrá sostener el escudo. Se gira y ve que una muralla negra y brillante se alza ahora ante sus hombres. La altura de los Ábid al-Majzén permite distinguir su oscura piel sin problemas, y además se están abriendo hueco a lanzazos. Andalusíes y cristianos vuelan desmadejados o son espetados con lanzas tan gruesas como mástiles. Los esclavos negros son pocos, pero enseguida se enseñorean del combate.

—Id al flanco izquierdo —ordena el rey a Pedro de Azagra y a Hilal—.

Que los que están descansando se levanten. Obligad a luchar a los heridos. ¡A todos! Decidle a Despujol que este es nuestro último reto. Acabad con esos negros y venceremos.

No espera a ver si se cumple la orden. Él mismo se dirige al río, llama a gritos desgarrados a los hombres que beben y los reclama para la lucha. Con la parte plana de la espada azota a los que ve sentados o tumbados, y los obliga a entrar de nuevo en la lid. Todos lo observan con ojos vidriosos. Su voz se rompe y tose. Mira alrededor. Ve que sus hombres no pueden ir más allá. Sabe que algunos aceptarán la muerte ahí mismo, mientras boquean en busca de aire. Siempre ha sido así, en realidad, ¿no? El Sharq al-Ándalus no es más que un orgulloso guerrero que, pese a todo, no puede vencer.

Traga su propia sangre y se lanza al combate. Cristianos y andalusíes lo ven entrar en lo más denso y enfilar directo hacia un enorme negro; esquiva su lanzazo y, llevado el rey por su propio impulso, hunde la espada hasta la empuñadura, cortando las dos correas de cuero que se cruzan en el pecho del africano.

Retaguardia almohade

Utmán acaba de hacer un gesto inequívoco con su lanza hacia el frente. Y como si fueran uno solo, todos los Ábid al-Majzén han avanzado para sembrar el desconcierto. Sus propios compañeros de credo, casi tan temerosos de ellos como de los adversarios, se han hecho a un lado para dejarlos pasar.

Y han entrado matando. Han logrado frenar el ímpetu enemigo. Han elevado una delgada pero sólida muralla de piel bruna y resplandeciente, que ahora estira sus sombras hacia Murcia cuando el sol está a punto de desaparecer por completo tras las montañas de occidente.

Utmán siente que la esperanza vuelve. Los guardias negros son pocos, pero no se los puede detener. Admirado, observa cómo los Ábid al-Majzén desbaratan las caóticas filas cristianas y andalusíes. Se plantan con ambas piernas flexionadas y sus enormes lanzas agarradas con las dos manos. Pinchan con un impulso repentino y desgarran pechos. Hacen estallar las lorigas, despidiendo anillos en todas direcciones. Hunden los rostros de sus oponentes y desgajan miembros. Atraviesan los escudos y destrozan los brazos. Luego retiran el arma hacia atrás, y con ello arrancan entrañas, abren grietas por las que escapa rauda la sangre o se traen clavado a un desgraciado que cae roto a sus pies. Los Ábid al-Majzén son imparables. Máquinas de matar. Y lo mejor es que ninguno de ellos cae.

Tras las líneas enemigas se recomponen los ballesteros, y la gente asoma desde los juncales. Algunos que parecían muertos se levantan y se acercan a duras penas y con el corazón encogido. Varios guardias negros pierden al fin sus lanzas, que ya no pueden agarrar porque las manos les resbalan en la sangre. Desenfundan sus grandes sables y empiezan a cortar. Los miembros humanos vuelan, las cabezas se separan de los troncos. Los refuerzos enemigos llegan cada vez más cerca, pero con gran coste de vidas. Se agolpan, obstinados, y arremeten contra los enormes esclavos del Majzén. La guardia negra detiene su avance, simplemente porque cada uno de ellos lucha contra media docena de enemigos. Uno de los Ábid al-Majzén cae por fin y un rugido surge de las líneas enemigas. Utmán mira atrás, a los atabaleros. Es ahora o nunca. El tamborileo se torna frenético. Algunos muchachos caen de sus asnos, incapaces de seguir tocando. Otros arrojan sus mazos lejos y, presos de un arrebato místico, corren hacia la lucha desarmados. Varios miran hacia Murcia, con claras intenciones de huir. Utmán sabe que el momento definitivo ha llegado. Ha ofrecido a Dios, el Único, todos y cada uno de los sacrificios del día, y ahora le toca a él. Desmonta con parsimonia. Deja caer la lanza. Desenfunda su sable y lo mira con devoción. Esa hoja ha catado carne infiel varias veces y ahora volverá a probarla. Cierra los ojos un instante, se encomienda a Dios y no puede evitar que la imagen de Hafsa se presente en su memoria. Un aguijonazo de dolor acompaña a la granadina y Utmán siente un extraño regocijo al saberse amparado por su recuerdo. Abre los ojos y ve al jefe de los Ábid al-Majzén delante de él, abatiendo enemigos. De pronto, una hoja ensangrentada asoma por la espalda del enorme guerrero negro y las dos correas cruzadas caen a los lados.

Retaguardia mardanisí

La oscuridad se cierne lentamente desde levante. Un viento fresco ha sustituido a la brisa, y aunque aleja un tanto el olor a muerte, también consigue helar el sudor y emponzoñar la esperanza.

Azagra y Hilal han cogido sendos caballos de los que desde hace un rato campan a sus anchas por la llanura. Son los que los cristianos han tenido que abandonar para luchar a pie, o bien aquellos cuyos jinetes han muerto alcanzados por flechas. Los destreros parecen sentirse felices de contar de nuevo con hombres que los guíen, y llevan fielmente al navarro y al andalusí hasta el extremo izquierdo de la línea. Los dos llegan pegando grandes voces, animando a los que descansan para que hagan un último esfuerzo. No consiguen gran cosa, pero al menos da la sensación de que la lucha se ha equilibrado.

—¡Allí! —Hilal alarga su lanza hacia lo más alejado del flanco—. ¡Guillem Despujol!

Azagra lo ve y pica espuelas. El caballero barcelonés conserva su escudo y empuña una maza. Se bate muy bien con uno de esos gigantescos Ábid al-

Majzén. Ambos se han enzarzado y nadie parece tener intención de molestarlos. Por un momento, el navarro teme por la suerte de Despujol, porque el esclavo le puntea hasta conseguir que retroceda. Pero en una de las acometidas del africano, la maza del barcelonés parte por la mitad el asta de la gruesa lanza almohade. La sorpresa se dibuja en la cara del negro y, a continuación, su cráneo se hunde por un tremendo golpe del caballero. Hilal no puede evitar un aullido de triunfo; Despujol lo oye y se vuelve. Su rostro, medio cubierto por el nasal del casco y el almófar, está ennegrecido de barro y sangre seca, pero se le ve sonreír.

De pronto Pedro de Azagra refrena su montura. El pobre animal resbala con la sangre y las vísceras, y el guerrero está a punto de caer al suelo. Su vista está fija en el norte, y tanto Despujol como Hilal reconocen el terror en el gesto del navarro. Sus cabezas giran lentamente. El sol, desaparecido, ha pegado fuerte durante todo el día y por fin ha conseguido secar la humedad. Lo primero que ven, pues, es la nube de polvo que se levanta a septentrión.

Vanguardia almohade

Utmán ve caer al guardia negro atravesado. Una hoja recta acaba de asomar por su espalda. Se derrumba como uno de esos árboles gigantescos que pueblan las espesas junglas de las que proceden muchos de los Ábid al-Majzén. Ha caído con gran dignidad, sin soltar un gemido y con la lanza empuñada.

El *sayyid* está ahora frente al paladín que ha matado al titán negro. La sorpresa le abofetea duro, y un dolor súbito y agudo le aguijonea la pierna derecha. Es una vieja herida que alguien le hizo en Almería. Alguien que llevaba en su estandarte la misma estrella plateada que ahora puede ver en ese escudo negro. Una estrella de ocho puntas. Como los ocho años que han pasado desde aquel combate al pie de una empalizada.

—¡Lobo!

Su oponente, agotado, le presta atención. La sangre chorrea desde debajo del yelmo y mancha su ojo izquierdo, y el escudo en el que ha reconocido la enseña de los Banú Mardánish cuelga inerte a un lado. Los dos hombres sostienen las miradas. Nadie se interpone entre ellos.

Utmán reacciona y ataca, y Mardánish detiene el tajo con su espada en lugar de interponer el escudo. El *sayyid* prueba suerte de nuevo, enfervorecido por el triunfo que Dios acaba de servirle en bandeja. Aquello que no pudo cumplir en el asedio de Almería... Presentarse ante su hermano con los despojos del peor adversario de los almohades. Utmán se emplea a fondo y ataca desde todos los ángulos. Incluso parece que su cojera le ofrece una tregua para poder hostigar a su jurado enemigo. Hace retroceder al rey Lobo sin darse cuenta de que supera sus filas y las deja atrás. Pero el caos es enorme. Nadie se preocupa más que de su propia estrella. Mardánish solo puede defenderse con dificultad. Está muy cansado, mientras que Utmán acaba de entrar en combate. Cruza su espada una y otra vez, pero los golpes del almohade arrecian. La desesperanza se impone. Llega el abandono. El rey ve claro que va a caer ante un adversario más joven y fresco. Era de esperar: ha consumido lo último de su resuello en derribar a aquel negro enorme que destrozaba sus filas. No da por malo ese final, con la espada en la mano y un reguero de cadáveres tras de sí. Detiene un golpe más y trastabilla; se da cuenta de que ha pasado sobre la muralla de cadáveres, ya derribada. Intenta ganar distancia para tomar aire y aprovecha para desembarazarse del escudo, que ahora es simplemente un peso muerto. Eso le alivia. Mira al almohade y aguarda un nuevo ataque. Se dispone a morir.

Retaguardia mardanisí

Guillem Despujol deja de prestar atención a la línea de combate. Durante un instante suelta la maza para que cuelgue del cordón que la une a su muñeca derecha y, lentamente, se persigna. Luego afirma ambos pies en tierra, eleva su escudo y fija su mirada en el norte.

Azagra y Hilal asisten horrorizados y dan la alarma. La caballería árabe llega desde el flanco izquierdo. Miles de jinetes, frescos y limpios, blanden sus jabalinas mientras se acercan. Ululan, y eso sirve también de aviso a los restos del ejército del Sharq. Los almohades supervivientes paran un momento, rebuscan en su interior y sacan fuerzas para aclamar a sus compañeros árabes.

—¡Vámonos! —apremia Azagra—. ¡Vámonos!

Pero Hilal se niega. No quiere dejar solo al caballero barcelonés. Instintivamente coge la lanza con la izquierda, sostenido el escudo con las correas, y lleva la mano derecha atrás para buscar su arco, pero entonces se da cuenta de que no monta su propio caballo, sino un destrero cristiano. Azagra ve lo que el joven andalusí se dispone a hacer. No puede consentirlo: además de su escudero, ese muchacho es el hijo de su amigo. El hijo del rey. Espolea a su caballo y arranca hacia él, y justo en ese instante uno de los árabes más adelantados arroja su jabalina contra Hilal. El navarro, con el corazón en un puño, estira el brazo izquierdo, se cruza en el camino del proyectil y levanta el escudo. La jabalina rebota contra la madera forrada de cuero.

—¡Vámonos! ¡Por tu vida!

Cientos de hombres, muchos de ellos heridos, corren espantados a su alrededor. Se dirigen al sur, hacia el río Guadalentín, o intentan dispersarse. Los más osados tratan de ganar las cercanas orillas del Segura o la empalizada que rodea la aldea de al-Qántara Asqaba. Los almohades aprovechan para lanzar un último ataque. Unos pocos arqueros, varios infantes y la mayoría de los Ábid al-Majzén cargan a pie contra los enemigos en fuga. Hilal, por su parte, ve horrorizado cómo los jinetes árabes pasan de largo, aparentando ignorar a Despujol. Pero luego se giran y arrojan sus azagayas. El valiente barcelonés cae acribillado, y luego es pisoteado por otros caballos. Azagra sigue gritando mientras hace aspavientos, y el muchacho reacciona al fin y tira de sus riendas.

La caballería árabe alcanza el flanco izquierdo mardanisí. No hay cuartel y empiezan a disparar de lejos, pero pronto los enemigos se dan cuenta de que los cristianos y andalusíes no se defienden, así que desenfundan los sables y agarran las mazas. Comienza la verdadera carnicería. Hilal cabalga ya junto a Azagra a toda espuela. En sus retinas ha quedado grabada la muerte de Guillem Despujol, y no puede dejar de pensar que quizá su padre acabará igual. Conforme pasan rumbo al sur, los supervivientes de la línea mardanisí se dan cuenta de que son atacados de flanco y las voces recorren el ejército, que se da a la fuga sin orden ni concierto. Los más vivos corren a los caballos que deambulan cerca sin jinete, pero otros se ven aislados en medio de la llanura, entre la caballería árabe que se les echa encima y los almohades que quieren rematar el triunfo. Varios cristianos se arrodillan, se santiguan y se encomiendan a Dios o a sus santos patronos. Muchos andalusíes se postran para implorar piedad. Suplican el amán y gritan su sumisión al Tawhid. Todos son exterminados.

Azagra ha tomado la delantera y llega al extremo sur de la desgarrada línea. Apenas lleva diez o doce cuerpos de ventaja a Hilal, pero ve antes que él lo que sucede: Mardánish está encorvado, aunque se mantiene en pie. Ha perdido su escudo y lleva empuñada la espada, pero la punta de esta se apoya en el suelo. Sangra mucho por la cabeza. Ante él, un almohade de ricas vestiduras se dispone a despacharlo de un sablazo. Se está tomando su tiempo, como si quisiera saborear el momento. Como si hubiera reconocido a su oponente. Como si supiera que va a matar a un rey. El navarro grita para llamar la atención del africano.

—¡Aquí! ¡Puerco infiel! ¡Aquí!

Utmán se vuelve sorprendido. Cuando quiere darse cuenta, tiene encima al cristiano y solo puede rodar a un lado para evitar ser arrollado por el destrero. Se recupera enseguida y da la cara. Azagra se detiene y gira. Ve que Hilal se apercibe de lo que sucede. Bien. El navarro embiste de nuevo al almohade, pero el tipo cojea tras el cadáver de un caballo destripado y lo elude una vez más. El africano parece fresco, como si no se hubiera batido en toda la jornada. Azagra espolea al destrero, pero se da cuenta de que el animal también es víctima del cansancio. Decide limitarse a mantener a raya al almohade.

Hilal, mientras tanto, se acerca a su padre y le tiende la mano. Mardánish mira como si no lo conociera. El rey está empapado en sangre, lleva la loriga desmallada y el brazo izquierdo le pende lánguido. El joven mira atrás. La caballería árabe se entretiene al norte, pero pronto acabarán la matanza allí y seguirán barriendo las líneas hasta llegar al Guadalentín.

—¡Padre! ¡Mi señor! ¡Sube ya! ¡Hemos perdido! ¡Debemos huir!

Mardánish no se mueve. Sigue ahí, con la mirada perdida.

—¡Hazlo por nosotros, tu familia! ¡Hazlo por mi madre! ¡Por Zobeyda!

El rey Lobo se sacude y retorna al mundo. Mira alrededor, a través de la cortina de sangre, sudor y derrota. Toma conciencia de los gritos. A poca distancia, la infantería almohade remata a los heridos y pone sus ojos en el lugar en el que está Mardánish. Zobeyda. Tiene tantas ganas de verla. De dejarse caer en su regazo y llorar. Ella lo arreglará todo. Ella siempre calma su espíritu.

—¡Padre, monta ya!

Por fin obedece, toma la mano de su hijo y se sirve del estribo que Hilal deja libre; nota la fuerza del muchacho, que tira de su padre con el afán de la desesperación, y se sienta a horcajadas sobre la grupa del destrero. La espada cae de su mano y Hilal llama a gritos a Azagra.

El navarro lanza una mirada desafiante que el *sayyid* almohade le devuelve sin dudar. Luego clava las espuelas hasta hacer relinchar al caballo y emprende la huida junto a Hilal.

61

La sombra de la traición

Esa noche. Murallas de Murcia

Zobeyda se arrebujó en el manto y arrugó la nariz.

—¿Qué es ese olor? —preguntó Marjanna.

Adelagia miró a su señora antes de responder.

—Es el olor de la muerte.

Zobeyda cerró los ojos y suspiró. A su lado, la esclava persa soltó un gemido, abrumada por la respuesta de la italiana. Por fortuna, el viento volvió a rolar y, de nuevo, regresó al adarve el aroma de los campos, que todavía retenían la humedad de las lluvias.

La noche estaba bien avanzada, y ellas llevaban toda la jornada allí, sobre la muralla que daba a poniente. Oteaban río arriba por encima de las almenas, hacia al-Qántara Asqaba. Desde ese mismo lugar habían sido testigos de cómo las manchas negras que empezaron a llegar desde el sur de buena mañana se aposentaban entre los dos ríos, el Guadalentín y el Segura. Muy poco después, los primeros habitantes de la aldea de al-Qántara Asqaba alcanzaban el puente de tablas y anunciaban la presencia de un inmenso ejército almohade. Zobeyda vio muy extraño que los africanos se hubieran presentado allí así, de repente y sin previo aviso. ¿Qué había sido de las almenaras? ¿Nadie veía venir a semejante ejército por el valle de al-Fundún? ¿Por qué no se les había mandado mensaje alguno?

Abú Amir se encargó de disipar aquellas incógnitas. La lluvia era la que había impedido, de seguro, encender los fuegos para dar la alarma desde las cadenas montañosas del sur. Y en cuanto a los correos, los exploradores almohades se habían encargado sin duda de silenciar a todo aquel que pudiera delatar su aproximación.

Después, las noticias llegaron casi a susurros. Durante todo el día, la plebe visitó las murallas, empeñada en subir para intentar ver algo, pero la guardia lo impedía alegando que eran momentos delicados. Nada de acercarse a puertas, postigos y torres. Nada de subir a los adarves. Vigilancia de los alrededores y control exhaustivo de todo aquel que pretendiera entrar o salir de Murcia. Los molinos flotantes se detuvieron. Los hortelanos se quedaron en sus casas. Las alquerías se vaciaron o se cerraron a cal y canto. Las puertas de Murcia se encoraron con pieles de buey frescas empapadas en vinagre para evitar que las llamas almohades las consumieran. Ningún comerciante se aventuró fuera de las murallas. Había órdenes que Abú Amir repartió e hizo cumplir a rajatabla. Temía que algún traidor fanático viera llegado el momento y quisiera regalar Murcia a los africanos.

Mientras tanto, algunos viajeros confundidos llegaron a la ciudad desde poniente y anunciaron entre temblores que una gran batalla tenía lugar entre el Segura y el Guadalentín. Miles de hombres se enfrentaban allí. A media tarde, los primeros desertores aparecieron a rastras por las orillas enlodadas del río. Venían siguiendo la corriente tras huir de la matanza. Eran andalusíes y cristianos, muchos de ellos heridos. A estos se los acogió en la ciudad para ser curados, pero a los que llegaban indemnes se los apresó a la espera del desenlace de la batalla.

Bien entrada la noche, llegaron las peores noticias: las mismas aguas del Segura, a su paso ante Murcia, arrastraban cadáveres, así como vestiduras teñidas de sangre y miembros humanos cercenados. A pesar de las precauciones, el espanto se extendió por la ciudad, y Abú Amir prohibió bajo pena de encierro que se difundieran las malas nuevas. Al tiempo, todos los que conseguían alcanzar Murcia eran aislados para que el desastre no hiciera cundir el pánico.

Zobeyda se había quedado sin lágrimas a media tarde. Y sus doncellas, mucho antes. Abú Amir subía cada poco al adarve para comprobar el estado de la favorita, seguro de que si ella se desmoronaba, toda Murcia se vendría abajo a continuación. La gente, por lo demás, acudía a requerir rumores a las tabernas y a las puertas del alcázar, pero después volvían a sus hogares para mascar la desgracia en familia. La desolación y la muerte tenían lugar allí mismo. Tan cerca que su olor apestaba las calles.

—¿Qué nos ocurrirá, mi señora? —preguntó impaciente Marjanna.

Zobeyda se restregó los ojos, hinchados a fuerza de sollozar. A lo lejos, hacia la sierra Despuña, se veían puntos luminosos que llenaban toda la llanura y que la favorita tomaba por hogueras de campamento. Pero era imposible saber a quién pertenecían.

—Los muros de Murcia son resistentes. Aquí estamos a salvo —contestó sin gran convicción.

De pronto se oyó algarabía. Había sonidos metálicos y órdenes perentorias pero susurradas. Las tres mujeres se asomaron al interior de la ciudad desde el adarve, y pronto vieron los hachones encendidos que portaban varios miembros de la guardia.

—¿Mi señora Zobeyda? —preguntó alguien allá abajo.

—¡Aquí estoy!

—¡Mi señora, baja al punto! ¡Tu esposo ha regresado y te aguarda en el alcázar!

Zobeyda se precipitó por los pasillos del palacio e hizo un alto ante cada puerta. Esperaba ver algo que le indicara dónde estaba el rey. Se cruzó con un par de grupos de guardias que se movían con presteza, pero no pudo arrancarles información alguna. Adelagia y Marjanna iban en pos de su señora con las sayas recogidas, jadeantes por el esfuerzo y admiradas de que la favorita tuviera todavía fuerzas para seguir corriendo. Bajo el manto de Zobeyda, los *alherzes* traqueteaban atados con lazos a su cuello. Billetes de pergamino virgen de piel de gacela sobre los que había escrito nombres prohibidos de dioses prohibidos se arrugaban en saquitos de cuero junto a polvo de hueso de zorro y manos talladas en azabache.

Al fin dio con Abú Amir, que venía con un hato de aspecto envejecido. Zobeyda reconoció enseguida el fardo y su gesto de impaciencia se trocó por otro de alarma.

—¿Eso no es tu instrumental?

Abú Amir contestó con un gruñido y continuó ligero. Zobeyda se cubrió la boca con ambas manos y siguió al consejero. Hacía mucho, mucho tiempo que Abú Amir no ejercía como cirujano. ¿Qué era tan grave como para hacerle desempolvar sus herramientas?

Ante la sorpresa de la favorita, el consejero tomó el camino del harén y torció a la derecha para dirigirse a los aposentos privados de Zobeyda.

—Pero ¿está ahí?

Abú Amir, castigado por sus excesos, apenas si podía respirar. Carraspeó antes de contestar.

—El primer sitio al que ha pedido ir es tu lecho. Pensaba que te hallaría allí.

Zobeyda no se tomó aquello como una buena nueva, así que adelantó al consejero y atravesó el patio a la carrera. Al llegar al pasillo principal de sus aposentos se cruzó con guardias del alcázar y con algunos guerreros cristianos y andalusíes. Estos tenían los ojos enrojecidos y las caras manchadas de polvo, y sus ropas estaban hechas jirones. Las tiras de malla colgaban, esparciendo un traqueteo metálico al moverse, y todos ellos despedían un olor ácido y penetrante. Un par de andalusíes se inclinaron al paso de la favorita, y los demás se hicieron a un lado. Zobeyda encontró a Pedro de Azagra en la puerta de su cámara y no pudo evitar arrojarse a sus brazos. Las lágrimas que parecían haber abandonado a la favorita surgieron de nuevo. El navarro la acogió con cariño.

—Calma, mi señora. Calma. Tu esposo está herido, pero seguro que se recuperará.

Zobeyda levantó la cabeza y miró a Azagra con los ojos anegados. Sonrió con amargura para agradecer su consuelo. De entre todos los mercenarios y aliados de Mardánish, tan solo el navarro y el difunto Álvar Rodríguez le habían merecido tanto respeto como confianza, y eso era lo que necesitaba ahora. Abú Amir llegó por fin y se metió en la cámara sin más trámite. Zobeyda hizo ademán de seguirle, pero Azagra intentó evitarlo.

—Déjame, Pedro, por caridad.

—Debes permitir que los médicos trabajen. Ahora ellos son los que pueden...

—Pedro, él ha venido a mis aposentos por algo. Mi presencia es necesaria para él. Déjame ir.

El navarro calló y apretó los labios. Zobeyda advirtió que él también tenía la cara tiznada de polvo rojizo y marcada por los surcos del sudor. Su loriga, todavía ceñida, despedía ese espeluznante hedor que el viento traía de vez en cuando desde la llanura de al-Yallab, y costras de sangre seca manchaban sus manos y sus pies.

—Tienes razón —adujo Azagra—. Él te necesita. Como siempre. Ve.

Zobeyda se despidió del cristiano y esquivó a los demás guerreros y visires que atestaban el corredor. Entró y descubrió a varios médicos de la ciudad en torno a su tálamo. Tras ellos, un par de sirvientes mantenían en alto velas grandes y aromáticas para alumbrar la estancia al tiempo que intentaban alejar aquella insana pestilencia que los guerreros traían consigo. La voz de Abú Amir se impuso, aconsejando a uno y preguntando a otro. Los médicos hablaban entre sí.

—¿Mi amor? —se atrevió a llamar la favorita. Los hombres de ciencia callaron al unísono y miraron en su dirección.

—Zobeyda...

Era su voz. La voz del rey. Sonaba ronca y temblorosa. Ella no lo dudó más, apartó a los galenos y se abalanzó sobre la cama, pero se detuvo al ver a Mardánish echado y las sábanas de seda empapadas en sangre. De nuevo tuvo que esforzarse por no gritar. El rey llevaba puesta todavía la camisa y los zaragüelles, pero le habían recortado tiras de ropa para despegarlas de la piel. Su cabeza mostraba una fea brecha sobre una ceja que alguien había limpiado. Un médico sostenía la mano izquierda de Mardánish al tiempo que otro la palpaba. El rey tenía el torso arañado y los rasgones de ropa mostraban varias punzadas, algunas de ellas aún abiertas pero no sangrantes. Una de las heridas, en el pecho, parecía especialmente peligrosa y recibía en ese instante la atención de uno de los médicos. Mardánish abrió los ojos y reconoció enseguida a su favorita. Iba a decir algo, pero un violento acceso de tos le hizo envararse.

El rey giró la cabeza sobre la almohada y un hilillo de sangre brotó de entre sus labios.

—Preparad oro para esa herida. —Abú Amir señaló el lanzazo en el torso de Mardánish—. Se ha vuelto a abrir.

El rey no parecía escuchar los comentarios de unos y otros. Sus ojos nublados recorrían las siluetas que lo rodeaban pero no se detenían en nadie.

—Estoy aquí, contigo. —Zobeyda intentaba imponerse a sus ganas de llorar—. Estás bien. Estos buenos amigos cuidan de ti.

El rey sonrió al vacío y luego fue cayendo en una especie de sopor.

—Le acabamos de administrar un bebedizo del sueño —aclaró Abú Amir. Agarró suavemente los hombros de la favorita y la obligó a dirigirse a la salida—. Ahora ya sabe que estás aquí. Ya siente que ha vuelto a casa. Debes dejarnos. Necesitamos calma para curar sus heridas.

—¿Qué le pasa? —gimoteó ella.

—Ha sido un día muy largo. Han sido varios días... Su cuerpo está cansado. Y ha recibido mucho castigo.

Ella se dejó llevar. Entonces reparó en que Hilal estaba al fondo del aposento, con la misma expresión fatigada que los demás guerreros. Zobeyda se libró de las manos de Abú Amir y corrió a abrazar a su hijo. El consejero hizo un gesto hacia el muchacho y este fue quien se encargó de salir de la cámara con su madre. Zobeyda usó a Hilal como apoyo, y Pedro de Azagra los siguió hacia el jardín.

—¿Qué ha ocurrido? —insistió ella—. ¿Puede alguien decírmelo?

—Hemos sido derrotados —confesó al fin Hilal. Zobeyda detectó algo nuevo en su voz. Y lo descubrió en sus ojos cuando los miró, iluminados por las antorchas que colgaban de los rincones. Sus cuitas de madre sustituyeron a las de esposa al darse cuenta de que Hilal ya no era el mismo. Aquel día el joven había sido testigo de algo que le marcaría para el resto de su vida.

—¿Ha muerto mucha gente?

—Mucha —asintió el navarro a la espalda de la mujer—. Casi todos los nuestros.

Un nuevo sobresalto, y esta vez Zobeyda se agarró a la loriga de Pedro de Azagra.

—¿Y mi padre? ¿Está bien?

El cristiano intercambió una mirada rápida con Hilal. Algo que no pasó desapercibido para ella.

—No sabemos nada de él —se apresuró a decir el joven andalusí—. Comandaba nuestra caballería y tuvo que apartarse del campo de batalla.

Zobeyda miró a su hijo y a su amigo alternativamente.

—No soy estúpida. Sé que me ocultáis algo.

—No ocultamos nada, madre. En verdad ignoramos qué ha sido de mi abuelo. Solo sabemos que cabalgó hacia el norte en pos de la caballería enemiga, y no lo hemos vuelto a ver. Es listo, y seguramente habrá salido con bien. Confía en su astucia. Siempre le ha salvado.

Las últimas palabras sonaron sardónicas, pero Azagra, al quite, se encargó de acaparar la atención de Zobeyda.

—Hemos logrado escapar de la matanza cuando la noche caía. Por suerte, algunos de nuestros hombres nos han seguido y hemos conseguido alcanzar los cerros. Esos cerdos árabes nos han perseguido matando a placer... Solo se han detenido al cerrarse la oscuridad.

—Entonces los almohades siguen ahí mismo.

—Así es —respondió Hilal—. Hemos fingido que acampábamos en los cerros, y allí seguirán todavía nuestras hogueras encendidas. Cuando llegue el día, los enemigos descubrirán que ya no estamos. Pero esta es nuestra tierra. La conocemos como la palma de nuestra mano, y no nos ha costado mucho escabullirnos en la oscuridad, rodear el campo de batalla en silencio y vadear el Segura río arriba para venir a acogernos a Murcia. El esfuerzo casi mata a mi padre, y en los momentos de flaqueza solo hemos sido capaces de hacerle avanzar recurriendo a tu nombre, madre.

Zobeyda volvió a abrazar a Hilal para deshacerse en lágrimas. Azagra creyó llegado el momento de ausentarse y comenzó una discreta retirada, pero antes de haber dado dos pasos se volvió para despedirse de su joven escudero.

—Asumo la defensa de Murcia, si te parece bien.

Hilal miró agradecido al navarro. El cristiano ya no le hablaba como al joven inexperto que aprendía a su servicio, sino como al heredero del rey y responsable de lo que hubiera de ocurrir, a pesar de la nutrida presencia de visires y altos funcionarios. El muchacho hizo una breve inclinación, seguro de que no existía mejor baluarte para Murcia que Pedro Ruiz de Azagra.

Dos días después. Alcázar de Murcia

Azagra entró en los aposentos de Zobeyda, ahora convertidos provisionalmente en los del rey Lobo. Una guardia permanente de dos médicos se mantenía despierta junto a la cama, en turnos que, de cualquier forma, eran supervisados por Abú Amir en persona. Aparte de los físicos y sus asistentes, varios soldados escoltaban los accesos y cercaban el alcázar, convirtiéndolo en un lugar en el que nadie, salvo los más allegados, podía entrar. Por su parte, Zobeyda, en calidad de favorita, tenía derecho a tomar el aposento de cualquier otra esposa, pero prefirió acompañar al convaleciente Mardánish en un diván que hizo colocar a los pies del lecho.

Aquel día era lunes y se celebraba la fiesta de los sacrificios. O al menos debía haberse celebrado. Sin embargo, la tradición se rompía, y las familias no abandonaban sus hogares con sus mejores galas ni se preparaban banquetes. En lugar de ello, Murcia entera era un lamento. El luto sobrevolaba cada casa y se ceñía sobre los corazones de madres que acababan de perder a sus hijos, de esposas recién enviudadas o de críos que estrenaban orfandad.

El navarro llegó a la cámara de la favorita con la loriga ceñida y la espada al cinto, el almófar echado atrás y el yelmo bajo el brazo. Halló a Mardánish despierto, si es que podía llamarse así al estado de medio letargo en que le sumían los brebajes para calmar el dolor. En esa situación, el rey no parecía capaz de tomar decisión alguna, pero aun así Azagra se sentía obligado a rendirle cuentas de lo que sucedía en la capital de su reino.

—Me alegra ver que sigues recuperándote, amigo mío.

Zobeyda agradeció por su esposo el desvelo del noble navarro. Mardánish se limitó a esbozar media sonrisa. Sobre su tez pálida destacaba el moratón que se extendía desde la brecha de la frente. Los ojos del rey estaban amarillentos, y cada poco tiempo debían humedecerle los labios agrietados. Intentó hablar, pero solo fue capaz de emitir un sonido ronco que se convirtió en un débil acceso de tos. Uno de los médicos se apresuró a inclinarse sobre el paciente para vigilar si las toses iban acompañadas de hemorragia. Se retiró complacido al comprobar que no era así.

—¿Qué hacen ahora esos malditos africanos? —preguntó Zobeyda.

—Hace un rato que terminaron de montar su campamento al norte. Por lo visto siguieron nuestro rastro y encontraron un lugar por el que vadear el río.

Mardánish debió de comprender lo que decía el cristiano, porque se removió en el lecho, aunque esta vez no intentó hablar.

—¿Han acampado? —se angustió Zobeyda—. ¿Se quedan entonces?

—Bueno, no exactamente... No parece que vayan a sitiar la ciudad, pero...

Tanto el rey como la favorita quedaron expectantes, y sobre todo temerosos por lo que el navarro no terminaba de anunciar. Ella fue la encargada de animar a Azagra:

—Nada puede empeorar ya. Son miles los muertos que abonan la tierra a poca distancia, Pedro. Podemos olerlo cada día. Y aunque el olor no existiera, esas nubes de buitres que planean sobre al-Yallab se encargan de recordárnoslo.

—Sí. Claro. Bien. Los almohades están devastando la huerta. Destrozan alquerías y aplastan las norias y los molinos. Por fortuna, todo el mundo estaba avisado y consiguieron acogerse a las murallas a tiempo, pero nuestros enemigos se desquitan. Inutilizan las acequias y derriban los árboles. Las columnas de humo negro deben de estar viéndose en todo el Sharq. Una de ellas, la mayor, asciende desde el Qasr ibn Saad.

Esta vez el acceso de tos atacó violentamente a Mardánish. Aquel castillo era una de sus obras más ambiciosas, y sin duda la que más orgullo le causaba. Los dos médicos de guardia se inclinaron sobre el rey y uno de ellos le aplicó un paño húmedo, pero el paciente fue capaz de apartar la mano del galeno con violencia y logró, a duras penas, enderezarse. El otro médico, sin saber muy bien qué hacer, ayudó a Mardánish a incorporarse y colocó los cojines tras la espalda del rey.

—¿Han... han mandado a alguien a... negociar?

La pregunta surgió de la garganta del rey como si lo hiciera desde un profundo agujero anegado de miseria. Zobeyda lanzó una mirada intencionada a Azagra para que no dijera nada que pudiera seguir torturando a su esposo.

—No. Nadie se acerca. Y si alguien lo hace, me abstendré de llegar a acuerdo alguno sin consultártelo antes.

Mardánish pareció sentirse aliviado por la pronta respuesta de su amigo cristiano. Reposó la cabeza sobre los cojines doblados y tomó aire antes de volver a hablar.

—No debes entregarles nada. No llegamos a acuerdos con ellos.

Azagra asintió, pero se pasó la lengua por los labios y miró a Zobeyda, visiblemente incómodo. Mardánish captó la indecisión del cristiano y entornó los ojos en espera de las palabras del noble navarro.

—Hay algo más... Tu gente. Tu pueblo... quiere que seamos nosotros los que pidamos una entrevista para negociar. No. No se trata de ceder a exigencia alguna. Es para salir a enterrar a los muertos. Muchos de los que se pudren en al-Yallab son hijos, padres o hermanos de murcianos...

El rey Lobo se apresuró a negar con la cabeza.

—No llegamos a acuerdos con los almohades.

Zobeyda alargó la mano y tomó la de su esposo.

—Creo que Pedro habla de una tregua para recoger a los muertos... No sería negociar. Y el pueblo lo agradecería...

—¡No llegamos a acuerdos con los almohades!

La favorita retiró la mano y los dos médicos respingaron. Azagra se limitó a asentir.

—Se hará como tú digas. De todos modos, no creo que tarden mucho en irse. Ni siquiera están construyendo ingenios de asedio. Y además, ellos también están muy diezmados. Ahora, con tu venia...

El navarro retrocedía a medida que hablaba, y al llegar a la puerta se dio la vuelta y abandonó la estancia. El rey Lobo cruzó la mirada con la de su esposa y descubrió que ella parecía observar a un desconocido. Mardánish cerró los ojos y apretó los labios para contener un nuevo ataque de tos. La favorita se levantó del diván y caminó sin hacer ruido en pos de Pedro de Azagra. Lo alcanzó en los jardines del harén, y el cristiano se volvió. Habló con pena pero usó un tono conciliador:

—Es normal. Los odia. No ha recibido más que crueldad de su parte. Desde que vio morir a Álvar en Granada, su rencor hacia ellos se ha acrecentado. No temas: lo que he dicho es cierto. No creo que tarden mucho en levantar su campamento y abandonar nuestras tierras.

Azagra iba a continuar su marcha, pero Zobeyda agarró al navarro por el faldón de la loriga.

—No he querido preguntarte ahí dentro... ¿Se sabe algo de mi padre?

—No, mi señora. No se sabe nada. Ni de él, ni de los dos mil jinetes que se llevó consigo al norte en pos de la caballería árabe.

Zobeyda suspiró, y el cristiano creyó detectar alivio en ese suspiro. La favorita, no obstante, quiso asegurarse de que Azagra no le mentía.

—Pedro, tú eres el mejor amigo de mi esposo. En nadie como en ti confía, y es capaz de dejar en tus manos no solo Murcia, sino también a su propio hijo y lo mejor de su reino. Y yo también confío en ti, porque te tengo por honorable como nadie. Y sé que jamás me ocultarías la verdad. ¿Es así?

—Jamás, mi señora. No lo haría aunque tu esposo y yo fuéramos enemigos enconados. Por Dios. Por la santa Virgen. Por la fe que te debo. Lo juro.

—Dime entonces, Pedro, mi paladín, mi amigo... Dime que mi padre no está al lado de los almohades, devastando la huerta y amenazando el reino de mi esposo.

Pedro de Azagra miró fijamente a Zobeyda. Lo hizo durante un largo rato antes de contestar, y tardó tanto por dos razones: la primera, para calcular hasta qué punto pensaba la favorita que su propio padre era en verdad un traidor; la segunda, para asegurarse de que ella tomaría por cierta cada una de sus palabras.

—Mi señora Zobeyda, como amigo de tu esposo y como amigo tuyo. Como tu paladín, si así gustas: tu padre no está junto a los almohades.

Ella dejó marchar aliviada al cristiano y, cuando se vio sola en los jardines del harén, rompió a llorar.

62

Cruce de lealtades

Invierno de 1166

El *maylís* de banquetes del alcázar murciano estaba en silencio. Ya no se oían laúdes ni panderetas, ni los cantos pícaros de las esclavas. Nada de risas ni entrechocar de copas, ni gemidos alargados, ni gritos de alegría.

Zobeyda se miraba los pies descalzos y decorados con henna. Estaba en pie, con la espalda pegada a una de las paredes del salón. A su lado, con la cabeza alta y la vista perdida en las estrellas de ocho puntas que decoraban el techo, se hallaba Hilal, el heredero. El tercer ocupante del *maylís* era el propio rey, apartado de su favorita y del príncipe. Aislado en su trono, elevado sobre una tarima e iluminado por un solitario rayo de sol invernal. Examinaba un documento sobre cuyas líneas hundía la cabeza. Su rostro estaba enflaquecido, y las marcas de la frustración se habían instalado en él y le restaban la apostura de los años pasados. Bajo las comisuras de los labios, la barba rubia mostraba hebras blancas que también invadían las sienes de Mardánish. La piel del lobo negro pendía lánguida y arrugada del respaldo del sitial.

Pedro de Azagra carraspeó al entrar en la estancia. El rey lo observó durante un largo instante y le invitó a acercarse con un ademán. El navarro recorrió la estancia y miró de reojo a Zobeyda al pasar. Hilal seguía con la vista fija en el celaje artificial del salón.

—Pedro, amigo mío. —La voz de Mardánish sonó débil. Nada que ver con el tono seguro de los tiempos afortunados—. Te esperábamos hace un rato.

Azagra inclinó la cabeza.

—Perdóname. Quería ultimar ciertos detalles antes de mi marcha y me han entretenido tus visires.

El rey Lobo asintió, satisfecho por la disculpa. Luego miró con severidad a Zobeyda, pero ella no se dio cuenta. Fue Hilal quien avisó con un codazo a su madre. La favorita se volvió hacia el hijo y después hacia el esposo. Comprendió enseguida y se movió para colocarse junto a Pedro de Azagra.

—Esperaba esta carta hace tiempo. —Mardánish levantó el documento que había estado leyendo para mostrarlo al cristiano y a Zobeyda—. Tanto tiempo, que ya pensaba que jamás llegaría. Es una misiva de mi suegro, Hamusk.

Zobeyda cerró los ojos y sus labios se transformaron en una fina línea carmesí. Los músculos de la mandíbula de Hilal, que todavía estaba a un lado del salón, se tensaron bajo su piel. Fue Azagra quien, ante el incómodo silencio y la actitud de espera del rey, se decidió a hablar:

—Celebro que el señor de Jaén se haya decidido a escribir. Supongo que esa carta nos desvelará algunos enigmas.

Mardánish miró a su amigo cristiano sin ocultar la expresión de burla. Luego, sin más, carraspeó y leyó en voz alta.

—«En el nombre de Dios, el clemente. Sus bendiciones caigan sobre ti, mi querido yerno, mi fiel amigo y señor.

»Me dirijo a ti desde la aflicción y el dolor por todo lo perdido. Tanto es mi sufrimiento, que no ha sido hasta ahora cuando mis manos han dejado de temblar y han sido capaces de sujetar el cálamo. Cuán caprichoso es el destino.»

—Mi abuelo no debe de tener escribanos a su servicio —interrumpió Hilal. Mardánish sonrió sin separar la vista de la carta. Fue una sonrisa fiera que remarcó los ángulos de su cara maltratada. Continuó leyendo:

—«Hora es de relatarte qué males nos sucedieron, unos tras otros, en la aciaga jornada que ninguno de nosotros será capaz de olvidar. Te ruego que comprendas, no obstante, que nada de lo que ocurrió fue culpa mía, pues puse todo mi ímpetu y mi industria, y arriesgué incluso mi vida, para llevar a buen fin tus dictados, a los que me mantuve siempre leal.

»Sabe ya pues, oh, yerno mío, que dirigí tus escuadrones con fe y confianza en Dios, y que alejé a los malditos árabes de la batalla que se libraba entre los dos ríos. No sabes cuántos buenos amigos cayeron ante mí y bajo los dardos de esos salvajes, y cuántas veces yo mismo tuve que hurtar mi cuerpo a los venablos que nos lanzaban los enemigos.»

—Me lo imagino —se metió otra vez Hilal, que no apartaba la vista del techo—. Mi abuelo saltaba de un lado a otro, esquivaba las jabalinas o las apartaba a barrigazos.

Esta vez, la fiera sonrisa de Mardánish se transformó en una carcajada que exageró hasta atronar la sala. Azagra sintió un escalofrío al verse incapaz de calcular cuánto odio anidaba en el corazón de su amigo. Zobeyda lanzó una mirada de represión a su hijo, pero Hilal siguió con su apariencia ajena, paseando la vista por los adornos que los cubrían y tamizaban la luz del sol.

—«La jornada se acercaba a su fin, y los pocos supervivientes que aún nos batíamos bajo tus estandartes tocábamos la gloria con los dedos, cuando los jinetes árabes consiguieron separar a tus jinetes de la Marca. Estos, ávidos de sangre enemiga, no fueron capaces por más tiempo de contener su ansia y persiguieron al enemigo hacia los montes de Ricote. Mi buen al-Asad, que comandaba los escuadrones tagríes, no pudo retenerlos por más que se desgañitó, que bien parecía que se le iba a saltar el ojo sano. No volvimos a ver a tus guerreros de la Marca, aunque no será preciso investigar cuál fue su destino, pues los árabes los superaban por muchas lanzas.»

Hilal, por fin, mostraba curiosidad por el relato de su abuelo. Entornó los ojos y anduvo a pasos cortos. El rey Lobo se dio cuenta y detuvo un instante la lectura.

—Eso parece encajar con lo que después encontramos —dijo el joven.

Zobeyda, que deseaba con todo su ser anclarse a la esperanza de que su padre no hubiera faltado a la lealtad debida a Mardánish, se estrujó ambas manos.

—Te refieres a los cadáveres hallados en la sierra de Ricote, ¿no?

Hilal asintió.

—Los cadáveres de mis tagríes, sí —confirmó Mardánish—. Desfigurados a lanzazos. Mutilados. Acribillados. Allí hallaron su fin, por lo visto a manos de esos árabes que lograron separarlos del resto de la caballería y arrastrarlos hasta los montes...

—Hamusk comandaba el resto de tu caballería andalusí —apuntó Azagra—. ¿Qué ocurrió después?

—«En cuanto a mí —retomó la lectura el rey Lobo—, privado de gran parte de mis fuerzas, resistí hasta la extenuación en el afán de mantener alejada a la caballería árabe de tus bravos. Tal como me ordenaste, yerno. Pero los enemigos eran tan numerosos como las arenas del desierto, y mis hombres estaban derrengados. Rendidos por las jornadas de marchas forzadas a las que tú, en tu inteligencia sin par, nos sometiste en los días anteriores. Cómo se batieron, oh, mi señor. Con qué coraje recibían en su carne el hierro de esos fanáticos ululantes. Con qué gran dignidad daban su vida por ti. Cientos de fieles guerreros murieron allí, ante mis ojos. Lágrimas de dolor y de tristeza, yerno mío, manchan ahora esta carta cuando recuerdo la hazaña de esos héroes.

»Fue mi fiel al-Asad quien, contra mi voluntad, me arrastró fuera del sangriento combate cuando todo estaba perdido. Quise resistirme y dar allí mi vida, tal como hacían mis hombres, que eran los tuyos. Maldije a los almohades, mostré mi pecho a los venablos del enemigo y exigí la muerte. Sí, mi amado pariente. Quería morir. Tan desesperado estaba al ver que todos nuestros esfuerzos se veían superados por las hordas africanas.

»Cabalgamos por entre los riscos y aprovechamos las tinieblas que se disponían a cernirse sobre tus tierras. Para cubrir mi retirada, el último resto de tu indómita caballería, apenas unas decenas de hombres malheridos y desfallecidos, se aprestaron al sacrificio y erigieron una muralla humana ante los inmundos árabes. Salvada la vida, no soporté mucho tiempo la vergonzosa fuga y tuve que postrarme y orar a Dios para rogarle que mi esfuerzo hubiera sido suficiente. Que tú hubieras conseguido batir a los almohades entre los dos ríos y Murcia estuviera, al fin, a salvo. Que la sangre vertida en tu honor hubiera servido para alcanzar la victoria. Qué gran pena me embargó, yerno mío, cuando mucho después supe que no. Que mis esfuerzos no se vieron recompensados, pues no conseguiste quebrar a tiempo la barrera almohade.»

La carta crujió cuando Mardánish tensó los dedos sobre ella. Su cara se transformó con un rictus de cólera. Poco a poco, como si fuera el cuello de su suegro lo que apretaba en lugar de un papel. Zobeyda se estremeció e, instintivamente, dio un paso lateral para acercarse a Pedro de Azagra. Hilal escupió una maldición en voz baja.

—Así es —rezongó el rey— que los miles de muertos que se pudrieron en Fahs al-Yallab mientras los puercos almohades sitiaban mi capital fueron los culpables, por su indolencia, de que los esfuerzos de mi suegro no se vieran recompensados.

Azagra resopló.

—Mi señor —se atrevió por fin a hablar Zobeyda—, la masacre alcanzó a tus fuerzas y a las que dirigía mi padre. Más te diré, y disculpa mi atrevimiento: tal como el buen Pedro de Azagra y nuestro hijo Hilal me refirieron, tus tropas y las de los almohades estaban más igualadas en el llano que las de mi padre con los árabes al norte... —La favorita inclinó ligeramente el tronco y cruzó los brazos sobre su pecho—. Castiga mi impertinencia, esposo mío, pero qué lógico sería compartir la tristeza, y no buscar culpables...

—¿Acaso no ves que es él, tu padre, quien insinúa que la derrota fue culpa mía? Y todo ello a pesar de «sus esfuerzos»... —Mardánish remarcó, entre la furia y la ironía, las últimas palabras.

—Lo sé, lo veo —reconoció la favorita—. Ya conoces a mi padre. La vanidad es su principal defecto. Pero la suerte estaba echada, y ni él por su lado ni tú por el tuyo habríais podido evitar el desastre. ¿No es eso lo que está diciendo en su carta después de todo? —Zobeyda se volvió a Hilal para reclamar ayuda. El muchacho, en un gesto significativo, caminó despacio hacia el trono de su padre y apoyó una mano en el respaldo. Ella volvió a mirar al suelo.

—Madre, como ha dicho el rey, los cadáveres de los bravos guerreros andalusíes y cristianos que lucharon bajo su mando se pudrieron durante días. Hasta aquí mismo estuvo el viento trayendo el hedor de la carne corrupta, y tardamos mucho, mucho tiempo en enterrarlos cuando los almohades abandonaron nuestras tierras.

—Razón de más para apiadarnos del corazón desgarrado de los que hemos quedado con vida —adujo Zobeyda, aún con la voz y la vista bajas—.

Tantas viudas y huérfanos, tantos... Aquí, pero también en las tierras de tu abuelo...

—¿Es que no lo entiendes? —Hilal se separó del trono y se aproximó de frente a su madre, agarró sus manos con delicadeza, apartándolas del pecho, y buscó sus ojos hasta que consiguió que ella levantara la vista del suelo—. En los montes de Ricote, cientos de tagríes muertos esperaron con sus carnes pudriéndose al sol hasta que pudimos darles sepultura. En el llano de Fahs al-Yallab, los buitres se atiborraron con la carne de nuestros amigos y aliados... ¿Dónde están los caídos de tu padre? ¿Por qué no hemos hallado cadáveres al norte del llano, donde con tanto denuedo se batió mi abuelo?

Zobeyda torció el gesto, incapaz de comprender, en su tristeza, lo que le indicaba su hijo. Poco a poco, los negros ojos se abrieron a la verdad de aquellas insinuaciones. Negó despacio, moviendo la cabeza a los lados.

—No... No puede ser. Eso sería... Sería...

—Traición, madre. —Hilal soltó las manos de Zobeyda y volvió atrás, al pie del trono de Mardánish—. Sería traición.

—Fue traición —remató el rey Lobo.

—Pero hay cosas que no encajan —intervino al fin Pedro de Azagra, que sufría por el dolor que adivinaba en el corazón de Zobeyda—. Conozco a Hamusk desde hace tiempo y sé que no es corto de entendederas. Todo lo admitiría yo menos que el señor de Jaén es un necio. Si de veras hubiera pretendido traicionarnos, no habría cometido el burdo error de dejar el campo de batalla limpio de sus muertos, como afirma Hilal.

Todos guardaron unos instantes de silencio. La mirada de Zobeyda estaba fija en su esposo. Gesto suplicante, el torso aún humillado. El rey se pasó la mano por las canas que adornaban su barba.

—Yo tengo cada vez menos dudas —siseó Mardánish—. Pero tú, esposa mía, estás segura de tu padre. Bien, nos devanamos los sesos por un asunto de fácil solución. No hay más que comprobarlo. Aquellos que murieron en combate no pueden estar vivos. Del mismo modo que miles de familias lloran a sus difuntos al norte de Lorca y llenan de dolor todo el Sharq al-Ándalus, así debe de sufrir ahora mismo Jaén. Y Úbeda, Baeza, Guadix, Segura... La caballería andalusí que comandaba mi suegro era la suya. Sus hombres. Sus fieles. A los que él mismo salvó del exterminio en Granada. Los que le seguirían en el camino de la gloria, y también en el de la traición. Así pues, o bien son traidores, o bien están muertos.

—¿Qué dispones? —preguntó Hilal.

—Dispongo conceder el beneficio de la duda a Hamusk —contestó el rey Lobo mientras observaba con ojos entornados a su favorita—. Dispongo posponer mi sentencia hasta que tú, mi amada esposa, compruebes por ti misma qué clase de persona es tu padre.

Zobeyda arrugó la nariz.

—¿Por mí misma?

El rey Lobo volvió a posar los ojos en el escrito de Hamusk.

—«Tiempo es ya, yerno mío, de que procuremos nuestra salvación. Los jeques y *sayyides* almohades han regresado a África, donde sin duda celebrarán con albricias su victoria. Allí, según informan mis agentes, preparan la expedición definitiva, la que los llevará a aplastar la última resistencia de al-Ándalus para poder dirigirse hacia esos ingratos aliados nuestros, los cristianos. Sus banderas y su gran tambor avanzarán de nuevo desde el sur, y lo primero que arrasarán será mis tierras. Estoy en la vanguardia de tus fuerzas, mi señor. Soy tu escudo y tu espada. Y te juro por la fe que te debo que te seré fiel, y que antes moriré bañándome en sangre almohade que entregar mis posesiones.

»Pero mi ánimo no ha sido nunca aguardar el envite enemigo, sino atacar yo antes, pues es bien sabido que quien golpea primero golpea dos veces. Mientras nuestros enemigos se rehacen y reúnen su nuevo ejército en África, el cristiano portugués Sempavor se ha dirigido contra las haciendas almohades en el Garb y les ha conquistado Cáceres. Dame la oportunidad de emularle y envíame a cuanto guerrero quede dispuesto para la lucha. Acecharé como halcón y descubriré dónde picar para hacerles más daño. Que sean ellos quienes sufran nuestras acometidas. Si no lo hacemos así, ten por seguro que el mismo Yusuf será quien se plante a las puertas de Murcia y Valencia, y esta vez vendrá preparado. Dispuesto no a arrasar tus huertas, sino a derribar tus murallas, incendiar tus casas y aniquilar a tus súbditos. Envíame todo lo que tengas, yerno mío. Manda a los mercenarios cristianos que aún permanezcan contigo. Recluta si es preciso nuevas levas, tal como yo hago ya en mis tierras. De tu decisión y presteza depende nuestro futuro.»

Mardánish separó la vista de las letras. Arrugó la carta con saña y apretó los dientes al mismo tiempo que sus manos trituraban el papel xativí. Arrojó la bola a un lado y miró a Zobeyda con fijeza. Se dirigió a Azagra, aunque sus ojos no se apartaban de la favorita.

—¿Qué crédito concedes a mi suegro, amigo Pedro?

El navarro carraspeó incómodo.

—Me reservo la opinión hasta que, como tú mismo has dispuesto, se compruebe si la matanza de andalusíes al norte de la batalla tuvo lugar. Es más propio del cazador seguir el rastro de la presa que fiar a la suerte su captura.

—Pero necesitaré a alguien de confianza para seguir ese rastro —repuso el rey—. Un buen cazador. Uno cuya fidelidad esté fuera de toda duda.

—Con gusto me ocuparía de ello, amigo mío. —Azagra se adelantó un paso—. Y si tú me lo pides, sin reparos lo cumpliré. Pero era mi intención, como bien sabes, viajar a Castilla y entrevistarme allí con el joven rey Alfonso, así como con los barones del reino. Debo convencerlos de que esta es la puerta que hay que guardar. Debo hacerles ver, de una vez por todas, que el verdadero enemigo se dispone a rematarnos aquí, en el Sharq al-Ándalus.

Mardánish no apartaba la vista de Zobeyda, y ella la sostenía con una mezcla de incertidumbre y desafío.

—Sufriré tu ausencia, amigo Pedro —reconoció el rey—. Más aún cuando me recordará la del conde de Urgel, quien también dijo marchar a por ayuda y jamás volvió.

La mención del cristiano Armengol se clavó como un virote de ballesta en el ánimo de Zobeyda, pero su estupor duró apenas un instante. Mardánish inclinó la cabeza a un lado y, por un largo momento, la favorita creyó que él lo sabía. Conocía el engaño. El adulterio. ¿La traición? La voz recia de Pedro de Azagra se impuso a las dudas de uno y otra.

—Por nuestra amistad y por la lealtad que te he jurado, tanto ante el vino como ante la sangre. Por la fe que te debo y por la que debo a la dama Zobeyda. Si marcho a Castilla, es para procurar la salvación de tu reino. Nada puedo hacer aquí, pero es mucho lo que soy capaz de conseguir allí. Llevaré en persona tu petición a Alfonso para que guarnezca Almería y también para que te envíe mercenarios cristianos. Le instaré a que negocie con León, con Navarra y con Aragón. El viejo emperador lo sabía, y tú también: solo la unión de todos podrá acabar con la amenaza almohade. ¿Qué he de hacer para contar con tu total confianza?

Mardánish estiró la mano izquierda, abierta, hacia Azagra.

—Nada, amigo Pedro. Mi confianza es total para contigo. Así como la tenía para con el buen Álvar. Marcha en buena hora a Castilla y regresa si puedes.

El navarro se interpuso entre las miradas de Mardánish y Zobeyda, apoyó una rodilla en el suelo y cogió la mano de la favorita. Ella salió de su aturdimiento y dirigió una sonrisa vacilante al cristiano.

—Suerte, amigo Pedro. Te llevas nuestros corazones y nuestra esperanza.

Azagra besó la mano de Zobeyda y se demoró, estirando el contacto de sus labios y la piel trazada de henna de la favorita. Se alzó con un suspiro, se dio la vuelta y encaró al rey Lobo.

—Vuelve, Pedro de Azagra. Vuelve.

Mardánish apoyó ambas manos en los reposabrazos del trono para levantarse, descendió de la tarima con dificultad y se abrazó al cristiano al tiempo que palmeaba su espalda.

—Volveré. Lo juro.

El navarro apretó la mano de Hilal antes de abandonar la sala con paso firme. Su marcha los sumió a todos en algo parecido al desamparo. Ninguno pudo evitar el temor de que jamás volvieran a ver a Pedro de Azagra. Fue el heredero quien rompió el nuevo momento de desesperanza.

—Tal vez ordenas, padre, que sea yo quien descubra las verdaderas intenciones de mi abuelo.

El rey, que no regresaba al trono, posó una mano sobre el hombro de su hijo.

—Has demostrado tu valía en el combate, pero todavía te falta mucho por aprender de la vileza humana. Para ti tengo una misión más noble, Hilal: viajarás al norte, y llevarás contigo parte de las guarniciones de Alcira, Játiva, Valencia y Murbíter. Dirígete a la Marca y asegura Albarracín. Luego vigila la frontera. Atento a los movimientos de Aragón. Ahora que mis tagríes se pudren en sus tumbas, no me extrañaría que nuestros vecinos aprovecharan, tal como siempre han hecho, para rapiñar los despojos del Sharq al-Ándalus.

Hilal hizo una rápida inclinación de cabeza. Se volvió, besó a su madre en la frente y marchó tras los pasos de Azagra. El sentimiento de abandono creció en Zobeyda, que ahora estaba sola ante su esposo. Las miradas de ambos se cruzaron, y a ella le pareció percibir la inmensa fatiga del rey Lobo. Un agotamiento que transcendía al corporal. ¿Cansancio de la vida?

—¿A quién enviarás pues, esposo mío, para acreditar la franqueza de mi padre?

—A alguien a quien el señor de Jaén no pueda mandar a los montes de Ricote para ser masacrado por los enemigos. A alguien a quien Hamusk no sea capaz de engañar. A alguien a quien tampoco le importe descubrir por sí mismo la verdad, a pesar de todo. A alguien capaz de arriesgarlo todo por el Sharq al-Ándalus. He mandado a mi baluarte cristiano a poniente y a mi querido heredero al norte. Ahora envío al amor de mi vida al sur.

Zobeyda cerró los ojos e inspiró despacio. Su esposo sabía que el sur le inspiraba terror, y aun así la acercaba a las garras de Iblís.

—Era mi intención viajar a Valencia. Zayda y Safiyya están allí...

—Zayda y Safiyya están a salvo en Valencia. No temas por ellas.

La favorita asintió, aunque la misma fatiga que parecía haber atrapado al rey Lobo se apoderaba ahora de ella.

—Viajaré al sur, amado mío. Lo haré por ti, y demostraré que mi padre te es leal.

—Hazlo, y enviaré a Hamusk todo lo que me queda.

Se adelantó y la agarró con suavidad por los hombros. Zobeyda irguió la barbilla, dispuesta a entregar los labios a su esposo, pero él se limitó a besar su frente, tal como acababa de hacer Hilal.

—Vuelve, Zobeyda. Vuelve.

Ella aguantó la lágrima que pugnaba por escapar. No contestó. Solo se volvió y anduvo con ligereza, dejando volar tras de sí las telas estriadas de su ropaje. Por tercera vez, el rey Lobo acusó el golpe de la soledad extrema, acompañada por el despiadado zarpazo de la duda. Aquello, se dijo, era tanto apresurar su seguridad como tal vez acelerar su perdición. Trepó a la tarima y se dejó caer en el trono. Sus huesos crujieron al hacerlo, y los músculos, cruzados de tajos y estocadas, gritaron en su interior. Se removió hasta hallar una pose medianamente cómoda y sus ojos se posaron con descuido en un rayo de sol que dibujaba una estrella de ocho puntas sobre el mármol del suelo.

—Puedes salir, Abú Amir.

El tapiz de Diana se movió al instante, creando un hueco oscuro entre los motivos coloridos y la pared del salón. El consejero se restregó los ojos, acostumbrados a la negrura del pasadizo que tantas veces había usado Zobeyda para espiar las confidencias de la corte. Caminó inseguro y se colocó ante Mardánish.

—¿De quién debía ocultarme?

—¿Lo has oído todo?

—Sí..., pero no entiendo. Azagra, Hilal..., Zobeyda. No tengo secretos para ellos. Ni creo que ellos los tengan para...·

—No tengo dudas acerca de Pedro de Azagra. Sé que hará todo lo posible por ayudarnos desde Castilla. De todas formas, poco es lo que puede hacer aquí. En cuanto a Hilal, me demostró su lealtad en el lugar donde no caben las mentiras: el campo del honor.

Abú Amir, cuya vista ya se había habituado a la tenue claridad invernal del *maylís*, asintió despacio.

—Zobeyda, entonces.

—Es la hija de Hamusk.

—Es tu esposa. Más que eso. Es tu amor. Capaz de todo por ti. Yo vi a esa mujer entrar a degüello en la aljama de Valencia. Renunciaría a su vida. Renunciaría a... —Abú Amir se obligó a cerrar la boca. No podía explicarle que Zobeyda era incluso capaz de abandonarse a la lujuria de un conde cristiano para sostener el Sharq al-Ándalus.

—Extraño momento. En un extraño mundo —reconoció Mardánish, ajeno a la repentina vacilación de su consejero—. Cruce de lealtades. ¿A quién será más fiel Zobeyda? ¿A mí, con quien comparte el lecho? ¿A su padre, que le dio su sangre y toda su sibilina inteligencia? ¿Al Sharq al-Ándalus? ¿Qué hay de ti, Abú Amir?

—¿Yo?

—Tú la conoces desde antes de entrar a mi servicio. Fuiste su preceptor y su confidente. Tú has tenido siempre acceso a su corazón. Lo sé. Y siempre lo he aceptado.

—Mi señor, debes dejar de dudar. No te hace bien. Lo noto. Mi lealtad a Zobeyda está fuera de toda duda. Y la de ella para contigo también. Comprendo tu incertidumbre acerca de Hamusk, pero usar a su hija, a tu mujer...

Mardánish golpeó con la mano derecha abierta en la madera del trono. Abú Amir silenció sus palabras, aunque detectó que el arranque del rey Lobo se debía más a sus propios conflictos, los que causaban la tormenta en su interior y asomaban por los ojos de pupilas dilatadas y venas marcadas. Los que le causaban esas ojeras inmensas y hacían palidecer su piel.

—Yo sé que Zobeyda jamás me lo ha contado todo. Lo sé, Abú Amir. Y sin embargo hay cosas que la intimidad del lecho proporciona, aparte de placer y amor. Zobeyda siempre ha estado... obsesionada con su destino. Con el destino de su sangre. Recuerda la absurda dependencia que tuvo con esa vieja bruja, Maricasca. Y las maniobras humillantes con las cortes cristianas para emparejar a nuestra Zayda. Tú mismo has expresado siempre tu descontento con todo eso. Sí, yo también recuerdo el degüello en la aljama de Valencia. Algo que ella decidió mientras yo me hallaba lejos. Sabes que, de haber estado a su lado, no se lo habría permitido. Zobeyda no es de las que se resignan a obedecer. Ella decide. Lo sabes, Abú Amir. Lo sabes. Incluso mejor que yo.

El consejero se frotó el cabello y luego se restregó los ojos.

—¿Qué debo hacer?

—Tú no harás nada. Ella te conoce, y Hamusk también. Pero cuentas con agentes que trabajarán bien para ti. Acepta cuanto pidan y dóblalo. Que sigan a mi favorita. Que la vigilen. Mientras ella se asegura de la fidelidad de Hamusk, tus hombres se asegurarán de la fidelidad de Zobeyda.

Abú Amir dejó caer los hombros.

—Sea. Aunque queda el pequeño detalle de... mi fidelidad. Hamusk puede mentir. Zobeyda puede mentir. Y yo. ¿No es eso?

El rey Lobo sonrió por fin. Durante un corto instante, los males que lo atormentaban dieron paso a un rescoldo de la antigua confianza. Fue un brillo apenas. Un recuerdo de tiempos mejores.

—Hamusk prevalecerá a los almohades —dijo, y su tono en verdad parecía haberse serenado—. Zobeyda... Zobeyda también prevalecerá. Pero tú, Abú Amir, no. Tú no vivirás en un Sharq sometido. No renunciarás a tu libertad. Puedes mentirme a mí, sí. Puedes mentir a todos, incluida Zobeyda. Pero ¿te mentirás a ti mismo?

Otoño de 1166. Marca Superior

La pequeña aldea de al-Hawáratt se hallaba peligrosamente cerca de la frontera. Tanto, que casi todos sus pobladores habían emigrado hacia el sur. Ahora, apenas un par de docenas de familias se apretujaban en unas cuantas casas cuyas únicas empalizadas eran las vallas de madera que servían para retener al ganado.

Hilal llevaba todo el verano viajando por lo más alejado de la Marca, recorriendo las villas más próximas a los dominios del joven rey de Aragón. En lo apretado del calor estival, le habían llegado noticias de algaradas cristianas. Cortas. Tímidas. Aisladas. Pero allí estaban. A veces, Hilal, acompañado por un destacamento de jinetes valencianos, llegaba a una aldea y los pastores se quejaban del robo de ganado por parte de los aragoneses. Incluso se habían registrado un par de muertes y media docena de muchachas cautivas. Con la entrada del otoño, los ataques disminuyeron, y justo cuando Hilal se disponía a regresar a Albarracín, en una mañana nublada y fresca, divisó en la lejanía una columna de humo gruesa y blanquecina. Levantó la albergada que habían montado en la cima de un suave cerro y ordenó a su destacamento avanzar hacia el lugar.

Al-Hawáratt reunía a los labriegos y pastores que disfrutaban de una tierra fértil y arbolada a orillas del río, plagada de campos de olivos y frutales; pero ahora casi todos huían, acarreaban hatos y tiraban de las manos de unos pocos críos mocosos y lloriqueantes. Hilal se cruzó con ellos al llegar desde el sur, y un pastor le señaló, sin dejar de correr, la columna de humo que se alzaba en la distancia.

—¡En la casa rumí, mi señor! ¡Los cristianos!

Hilal picó espuelas y sus hombres le siguieron. Se apartaron de la senda y jalaron de las riendas a la izquierda para vadear el río al que los andalusíes llamaban Matraniyya y los aragoneses conocían por Matarraña. El agua cubrió a los animales hasta los corvejones, y las columnas de espuma salpicaron los juncales y mojaron a los jinetes. Hilal dio un grito ordenando a sus hombres que se dispersaran, y todos empuñaron los arcos al tiempo que guiaban a sus caballos por la ribera.

La casa rumí era una antigua construcción, aunque todavía seguía en pie. Quizá los aldeanos tuvieran razón al llamarla así y se tratara de un resto de los antiguos romanos. Sus piedras centenarias, algunas de ellas caídas, rodeaban el lugar, ahora transformado en refugio de pastores. Dos carruajes ardían al otro lado, y el humo, blanco y espeso, se deslizaba hacia las ruinas empujado por el viento, se colaba por la puerta, acariciaba las columnas latinas y las rodeaba para ascender después al cielo lleno de nubarrones; un rebaño de ovejas, apenas cincuenta cabezas, se alejaba hacia el norte. Varios jinetes intentaban conducir al ganado para que no se desperdigara, asustados como estaban los animales por el reciente incendio. Entonces los algareadores vieron a la caballería andalusí y se avisaron unos a otros a gritos. Hilal reconoció en la distancia la lengua romance, pero algo llamó su atención y dejó de escuchar a los cristianos. En el suelo, con una inmensa mancha de sangre sobre el pecho, un pastor yacía muerto, extendidos brazos y piernas y la cabeza ladeada. En su boca abierta y también sangrante se dibujaba el rictus del terror. Hilal observó la honda aferrada aún en su mano derecha: el hombre había intentado defenderse a pedradas, pero de poco le había servido.

Las primeras flechas volaban ya desde los arcos andalusíes, pero los cristianos dejaron al ganado para galopar a toda velocidad. Hilal se dio cuenta de que no podrían seguirlos, pues ellos cargaban con los fardos repletos de mantas que los abrigaban en las acampadas nocturnas, y con las provisiones y utensilios que transportaban. Levantó la mano con el arco en horizontal, y los valencianos detuvieron su andanada. Eran todos muchachos jóvenes. Algunos incluso más que Hilal. Eso era lo único que había podido rapiñar a su tío Abú-l-Hachach de la mermada guarnición de Valencia.

Los jinetes cristianos continuaron con su cabalgada, pero no daban por perdido el ganado: uno de ellos se detuvo e hizo caracolear a su montura. A continuación pararon los demás.

—Puede que vuelvan y tengamos diversión —escupió uno de los andalusíes. Un par de ellos acompañaron la bravata con sendos comentarios valentones.

Hilal negó sin hablar. Los cristianos apenas llegaban a la media docena, mientras que él mandaba un destacamento de veinte hombres. Uno de los enemigos descolgó un olifante de su montura y sopló. El cuerno emitió un quejido agudo y largo que recorrió los campos y la frondosa ribera.

—No están solos —adivinó el heredero del Sharq—. Atentos.

Las fanfarronadas cesaron. Los jóvenes andalusíes forzaron la vista hacia el horizonte, salpicado de verde y de suaves ondulaciones pardas. No tuvieron que esperar mucho. Varios trazos oscuros se destacaron en una de las arboledas y se fueron acercando. Más jinetes. Un par de pendones en lo alto de lanzas. Los valencianos tragaron saliva.

—¿Cuántos son? —preguntó uno.

—Diez... Quince...

—Yo diría que nos igualan.

—¿Qué hacemos, mi señor?

Hilal seguía en silencio. Observaba. Los dos de los estandartes se adelantaron. Rebasaban ya a los ladrones de ganado. Detuvieron a sus caballos todavía a buena distancia. Más atrás, los demás jinetes aguardaban.

—No creo que nos ataquen —dijo por fin el hijo del rey Lobo—. Esos dos... Diría que son caballeros. El resto deben de ser sirvientes. No esperaban encontrarnos aquí y no vienen preparados. No es lo mismo matar a un pastor que enfrentarse a un guerrero bien armado.

Se oyó más de un suspiro de alivio. Hilal pensó que si los cristianos supieran que ante ellos había no mucho más que un grupo de jóvenes bisoños, tal vez se arriesgarían al choque.

—¿Atacamos? —braveó uno de los valencianos.

Hilal gruñó entre dientes. Demasiado lejos. Incluso demasiado arriesgado. Si llegaban a entrar en combate y mataban a dos caballeros cristianos, ¿cómo respondería el rey de Aragón? Miró atrás, a sus hombres. Muchachos de tez pálida por el miedo y por el frío de la mañana otoñal. Dispuestos para la lucha, sí, pero ¿valía la pena arriesgar los últimos rescoldos del Sharq al-Ándalus en una escaramuza por ganado? Entonces, la mancha roja en medio del prado llamó de nuevo la atención de Hilal. El pastor muerto. ¿Debía resignarse?

—Basta de medias tintas —decidió—. Quedaos aquí. Me acercaré a parlamentar.

—Pero, mi señor...

—Si me sucede algo, atacad. Matadlos a todos si podéis. Y luego volved para avisar a nuestra gente en Albarracín.

Hilal espoleó a su caballo para avanzar al paso. Guardó el arco y comprobó que el escudo estaba bien sujeto a su espalda. Se aseguró de que su trenza rubia fuera visible cayendo desde su yelmo normando con cortinilla de malla. Luego extendió ambos brazos a los lados conforme se acercaba a los cristianos. Tras él, los jóvenes valencianos guardaban silencio. Sentían el corazón bombear con fuerza y se disponían para cualquier cosa.

Los caballeros del norte hablaron entre sí. Uno de ellos gritó algo a sus compañeros, que esperaban detrás después de su frustrado robo de reses. Al acortar la distancia, Hilal confirmó sus sospechas. Simples algareros, rapiñadores de frontera. Ladrones de ganado, secuestradores de doncellas, tratantes de esclavos. Gentuza. Armados con ballestas y rudas espadas de un solo filo. Diferentes eran los dos caballeros más adelantados. Con lorigas, escudos coloridos y lanzas con pendón enarbolado. Hilal detuvo a su caballo y esperó con los brazos aún tendidos a ambos flancos, pero presto a desenfundar la espada si era necesario. Uno de los caballeros avanzó un poco y paró. Tanteando. Un poco más. Hilal sonrió. Desconfiados cristianos.

—¡Puedes acercarte! —gritó el muchacho en romance—. ¡Te garantizo tregua mientras hablamos!

El cristiano vaciló. Pareció sorprendido más por el descaro de Hilal que por su soltura con la lengua cristiana que usaban navarros y aragoneses. Venció su aprensión y adelantó varios pasos la montura. Era un hombre entrado en edad. Su barba entrecana colgaba sobre el almófar ceñido al cuello, y las arrugas de la cara creaban sombras profundas que endurecían su gesto. Hilal se fijó en el escudo rojo cruzado por una barra dorada que se quebraba en ángulo. Los mismos colores que se adivinaban en el pendón enrollado en la punta de su lanza. Luego miró de nuevo al rostro del cristiano. Le pareció ver algo familiar. Habría jurado que conocía a aquel caballero.

—¿Quién eres? —preguntó este con autoridad.

—¿Quién eres tú, que violas la frontera, entras en tierras ajenas y matas a pobres pastores?

El cristiano ladeó la cabeza y apretó los talones contra los costados del caballo. Ahora ambos guerreros quedaron muy cerca, frente a frente. El más viejo se fijó en el rostro juvenil del musulmán, en sus ojos claros y en la barba rubia, en la trenza que asomaba sobre su hombro.

—Estas tierras pertenecen por derecho ancestral al rey de Aragón, y con su licencia estoy en ellas —repuso el cristiano. Después sonrió. Le faltaban varias piezas dentales—. Me llamo Pedro. Pedro de Arazuri. Y tú debes mostrarme respeto, moro.

Hilal se envaró en la montura y el caballo piafó un par de veces. Los demás guerreros andalusíes y cristianos observaban el diálogo en la distancia, sin oír qué se hablaba allí.

—Pedro de Arazuri —repitió el heredero del Sharq—. Claro... Sí, había oído que te desnaturaste de tu verdadero señor, el rey Sancho de Navarra. Curiosa forma la vuestra, nazarenos, de entender la lealtad.

El cristiano borró la sonrisa desdentada y torció la boca en un gesto de incredulidad.

—¿Qué dices, infame? ¿Cómo te atreves? ¿Quién te ha hablado de mí?

—Tu yerno —respondió Hilal—. Pedro Ruiz de Azagra. El mismo que abrió las puertas de la casa de mi padre para que tu verdadero rey, Sancho, entrara en ella como en la suya propia. Y tú entraste con él. Y otros como tú. Y nos prometisteis ayuda. Una ayuda que jamás llegó. No es de extrañar, pues supongo que en su día también prometerías lealtad al rey de Navarra. Y aquí estás, algareando como un vulgar ladronzuelo a sueldo de Alfonso de Aragón.

Pedro de Arazuri golpeó la contera de la lanza contra el suelo, logrando que el pendón se desplegase. Como respuesta a la señal, los demás cristianos aprestaron sus armas. Enfrente, los andalusíes hicieron lo propio. Entonces el navarro entornó los ojos.

—Ah... Ahora te reconozco... No eras más que un crío, pero... Sí, los cabellos rubios. Y esa mirada insolente. Eres el príncipe moro. El hijo del rey Lope.

—Me llamo Hilal ibn Mardánish, navarro. Nosotros también tenemos nombres.

—Hilal ibn Mardánish... —Pedro de Arazuri resopló. Dirigió la vista atrás, a los hombres que lo acompañaban. Durante unos instantes comparó y calculó las posibilidades. Después volvió sus ojos de nuevo a Hilal, y este, adivinando por dónde iban los desvelos del cristiano, intentó disuadirle de la escaramuza que todos temían.

—Somos más y mejores, navarro. No tenéis oportunidad alguna.

Arazuri soltó un amago de carcajada. Era lo único que podía oponer.

—Hoy sí. Tal vez. Pero mañana no será así. Lo sabes, ¿verdad? Y tu padre también.

Hilal trocó el gesto desafiante ahora que sabía que los cristianos no ofrecerían combate. Se mordió el labio inferior y miró a tierra. Ese mohín le devolvía el aspecto juvenil que las anillas de hierro le arrebataban.

—¿De verdad no te aflige nada haber incumplido tu promesa? ¿No os aflige a ninguno?

El navarro también relajó la expresión.

—Hay cosas que no entiendes. Tal vez en el futuro... No es tan fácil, muchacho..., Hilal. Batallar a vuestro lado suponía descuidar otros frentes. Y es mucho lo que se puede perder.

—Sí, eso lo sé. Desde que me acuerdo, mi padre ha estado perdiendo. Ofreciendo en sacrificio lo mejor de su reino. Ha sido vuestro escudo, y aún lo es. Y vosotros, cristianos... Vosotros solo habéis mirado sin hacer nada. Seguros en vuestras torres y en vuestras ciudades. Esperando, como ahora, a que mi padre fuera suficientemente débil. Pues bien, ya podéis lanzaros como buitres sobre la carroña en que se va a convertir el Sharq al-Ándalus.

Pedro de Arazuri aguantó el reproche hasta su límite. Después gruñó algo en voz baja y tiró de las riendas a la derecha. Mientras lo hacía, rumiaba las palabras que no se atrevía a decir ante un infiel. Al fin, dando ya la espalda a Hilal, habló en alto.

—En Zaragoza se sabe que el rey Lope no cuenta ya con mi yerno, Pedro de Azagra. Del mismo modo que no cuenta con Armengol de Urgel. Del mismo modo que dejó de contar con ese tal Álvar Rodríguez. Se sabe también del gran descalabro que sufristeis en Murcia hace un año. Se sabe que nada podéis hacer para oponeros a esos sectarios africanos. Di a tu padre que Alfonso, rey de Aragón, rompe las treguas que guardaba con él. Estáis sobre aviso. Nada de algaras. Nada de robo de ganado. Lope reina sobre una tierra que no le pertenece.

Arreó a su montura y se alejó hacia el otro caballero. Cambió un par de rápidas frases con él, y ambos se retiraron. Todos los cristianos terminaron marchando de vuelta al norte, tal vez hacia Mequinenza o a cualquier campamento erigido en las orillas del Ebro. Hilal sintió una náusea y escupió al suelo. Cristianos. Traidores. Cobardes. Carroñeros. En un ramalazo que cegó su razón, imaginó a los ejércitos almohades barriendo las ciudades aragonesas. Y las de Castilla, las de Navarra, las de León...

63

La maestra de Marrakech

Dos meses después. Jaén

Marjanna aplicó la mano sobre su *litam* para evitar que el viento lo separara de su rostro. Pegó la espalda a la pared de una casa encalada cuando un carruaje tirado por una mula pasó al ritmo de los rebotes de los cántaros que transportaba. Iba camino del zoco y llegaba tarde. Cientos de hombres y mujeres recorrían las estrechas callejuelas de la medina o se detenían a charlar en los cruces. Muchos regresaban a sus hogares cargados con las compras del día. Chiquillas lozanas caminaban sin recato con vasijas apoyadas en la cadera y recibían los requiebros de los jóvenes. Numerosos y sanos. Qué diferente parecía aquello de Murcia, donde la tristeza invadía las callejas del mismo modo que la guerra las había vaciado.

Marjanna continuó su camino sin dejar de lanzar miradas a su espalda en cada cruce. Era el momento en el que el sol se disponía a alcanzar su cenit y caldeaba aquellos primeros días de invierno. De repente, varios guardias armados con lanzas aparecieron por una esquina y subieron a toda prisa calle arriba. Algunos curiosos se asomaron a los portales de las tabernas y viviendas. El último soldado, que arrastraba los pies y jadeaba por el esfuerzo de la carrera, se detuvo junto a Marjanna y apoyó una mano en la pared. Se sostuvo sobre la lanza como si fuera un anciano y arrugó la nariz mientras recuperaba el resuello. La esclava se fijó en la envergadura de su abdomen y en sus rollizos mofletes.

—¿Qué ha pasado, buen hombre?

El guardia reparó entonces en la presencia de Marjanna. Abrió la boca en busca de aire y tosió un par de veces. Luego habló con voz entrecortada.

—Otro de esos fanáticos... acaba de entrar a degüello en el zoco y ha matado a algunas personas... —El soldado abandonó el apoyo en la pared y se puso la mano sobre el pecho, como si dudara de que su corazón siguiera latiendo—. Se ha atrincherado en un puesto y nadie puede sacarlo... Eso nos han dicho. Déjame ahora, mujer. Tengo trabajo.

El guardia reanudó la marcha y comenzó una segunda serie de toses antes de desaparecer por el recodo siguiente. Las alegres conversaciones que animaban la calle hacía apenas un momento se transformaron en cuchicheos. Los portales empezaron a vaciarse y los murmullos se llenaron de referencias a los almohades, al Tawhid y a los locos que cada vez atemorizaban más a los jienenses. Marjanna continuó su descenso hacia las murallas de la medina y se cruzó con otros dos destacamentos de guardias armados antes de salir de la ciudad. Lo hizo en compañía de una multitud de gente que parecía huir de Jaén. Era lo normal tras otro de aquellos crímenes sangrientos que cada poco se cometían en nombre del nobilísimo príncipe almohade o de la doctrina africana. Los fanáticos crecían en número y brío, y se atrevían a atacar a plena luz del día y en medio de la calle. Casi todos eran abatidos por la guardia, unos pocos resultaban capturados; estos últimos reconocían sin necesidad de tormento que eran enviados de Dios, mensajeros del Tawhid que exigían la sumisión de los buenos musulmanes a la doctrina almohade. Ya no había ciudad en el Sharq al-Ándalus que se librara de semejantes exaltados. De nada servían las órdenes de Hamusk, que obligaban a atormentar salvajemente a todo fanático apresado con vida en las ciudades de sus señoríos. Las torturas eran públicas, y su objeto era disuadir a otros locos. Pero los perturbados del credo africano aceptaban el martirio con una sonrisa en la boca, convencidos de que ganaban el paraíso prometido por el Único y las bendiciones del príncipe nobilísimo Yusuf. La población asistía aterrada a las ejecuciones y luego se dividía en dos grupos: los que corrían a encerrarse en sus hogares y preparaban la emigración, y los que decidían aprovechar lo que les quedara de prosperidad. Estos solían atestar las tabernas, requerir a las meretrices y trasnochar en los patios.

Marjanna anduvo junto a las murallas por la parte exterior de la ciudad. Tras los últimos asedios, varios en pocos años, los arrabales de extramuros estaban arruinados. Nadie se atrevía a seguir viviendo en los aledaños de Jaén. Lo que sí continuaba en pie, demasiado sagrado para todos, tibios o rígidos, eran los cementerios. Lugares de reposo. De añoranza. De llanto. Pero también de reunión furtiva de los amantes. Marjanna entró en uno de ellos y recorrió con la vista las filas de árboles que marcaban los senderos entre sepulcros. Luego caminó hacia la tapia que cerraba el camposanto por el lado opuesto. A cada trecho, sobre todo junto a las tumbas más recientes, se reunían grupos de personas que acudían a visitar a sus muertos. Viudas, huérfanos, hermanos entristecidos, madres desconsoladas. Al llegar a los enterramientos más antiguos, olvidados casi todos o desaparecidos ya los allegados que pudieran llorarlos, la vegetación se hacía más tupida. Los arbustos, cipreses y olivos creaban auténticos laberintos. Marjanna vio de reojo la sombra clara de unas sayas que asomaban tras un murete, y oyó los inconfundibles y apagados jadeos del amor furtivo. Siguió su camino y por fin, medio oculto por el tronco de un ciprés, la esclava descubrió al hombre con quien se había citado. Avanzó deprisa, con pasos cortos, y se acogió al resguardo de la vegetación.

El hombre sonrió son suficiencia bajo su mostacho negro. Era un tipo alto y de anchas espaldas, con la piel tostada por el sol de innumerables campañas. Al cinto llevaba colgadas espada y daga. Un veterano de guerra.

—Bienvenida, mujer.

—Bienhallado, noble señor.

El guerrero volvió a sonreír y retiró el velo del rostro de Marjanna. Ella bajó la vista con fingida inocencia. Se habían conocido de noche, a la salida de una de las tabernas que solían frecuentar los veteranos de las guerras contra los almohades. Muchas de las mujeres que esperaban en semejantes sitios eran prostitutas de baja estofa, pero aquel veterano había tenido suerte: una extranjera distinta, luminosa, refinada. De increíble belleza y busto de diosa. Ah, el descanso del guerrero. El hombre la abordó enseguida y consiguió en pocos instantes una cita en el cementerio. Él lo achacó a su porte viril y a su aspecto de soldado curtido en la batalla.

—Todavía no me explico qué hacías en la puerta de la taberna.

Marjanna siguió con la vista baja, sumisa. Un dedo tímido acarició el pecho del guerrero sobre sus ropas, tocándolo apenas.

—Mi señor, soy una mujer desvalida. Tengo miedo por todo lo que ocurre, y nada me haría sentir más feliz que disfrutar de la protección de un hombre fuerte y valiente.

El guerrero hinchó el torso con orgullo y posó las manos en los pomos de la espada y la daga.

—Pues has dado con la persona adecuada. Nada tienes que temer. Descuida. Ninguno de esos fanáticos te hará daño mientras estés conmigo.

—Ah, eres tan gallardo... —Marjanna retiró el dedo y se lo llevó a los labios. Por fin subió la mirada y el gesto inocente se convirtió en una sonrisa ingenua que, no obstante, insinuaba picardía. Aferró los brazos del hombre y apretó con suavidad, comprobando la dureza de sus músculos—. Y a mí me agrada tanto oír sobre la guerra. Es algo que... me excita.

El soldado titubeó mientas sus pupilas se dilataban. Miró por encima de su hombro un instante y comprobó que aquel rincón del cementerio estaba libre de intrusos. Bueno, siempre podía haber cerca uno de esos pervertidos a los que les gustaba mirar. Pues que se dispusiera para el disfrute, se dijo el guerrero.

—¿Quieres que te cuente cosas de la guerra?

Marjanna paseó la lengua por el labio superior mientras seguía recorriendo la musculatura del hombre.

—Háblame, sí. Dime: ¿estuviste en la gran batalla junto a Murcia?

El guerrero dio también rienda suelta a sus manos y las llevó al abultado busto de Marjanna. Cerró los ojos extasiado al comprobar el tamaño y la turgencia de los senos. Eso sí era material de primera, y no las meretrices mantecosas de costumbre.

—Claro que estuve, amor mío. Serví en la caballería del noble Hamusk.

La mujer puso sus manos sobre las del guerrero, invitándole a apretar con más fuerza.

—Oh, qué dichosa soy. Un valiente caballero andalusí... Si sigues diciendo cosas como esa, me convertiré en tu esclava. Dime qué deseas de mí, mi señor. Pídeme cuanto quieras... Pero sigue. Sigue hablando.

Zobeyda abrió la puerta de repente, y los dos hombres que bebían vino detuvieron las copas a medio camino entre la mesa y sus labios. Al-Asad observó con su único ojo a la favorita del rey Lobo y apretó los dientes en un gesto de depredador. Recordó la misiva clandestina de la *umm walad* Tarub, y durante un instante se puso en el lugar del conde de Urgel. ¿Cómo sería gozar de una beldad como Zobeyda? Frente a él, Hamusk enarcó las cejas. De pie en el otro extremo de la estancia, un solitario escanciador sostenía una jarra de vino con ambas manos.

—Hija mía, ¿qué te pasa?

—Padre, tenemos que hablar.

Zobeyda lo había dicho mientras lanzaba una ojeada significativa hacia el León de Guadix. Este hizo como si no se enterara y bebió por fin, pero su ojo no se apartó de las curvas que el vestido de la mujer no lograba disimular.

—Ya sabes que al-Asad es mi hombre de mayor confianza. Como si fuera mi propio hijo —añadió el señor de Jaén, y soltó una carcajada sonora, aunque corta—. De hecho podrías llamarlo hermano. ¿Verdad, mi fiel amigo?

Al-Asad asintió. Parecía evidente que no era ese el parentesco que le habría gustado tener con Zobeyda. Ella reflexionó unos instantes, consciente de la lasciva mirada del guerrero de Guadix pero más interesada ahora en lo que quería discutir con Hamusk. Finalmente hizo un gesto de aquiescencia.

—Bien, supongo que no tenéis secretos, así que... tu fiel León sabrá que llegaste a un acuerdo con los almohades durante la batalla de Fahs al-Yallab.

La copa salpicó el vino hacia fuera cuando Hamusk la dejó de golpe en la mesa. El señor de Jaén volvió la vista hacia el escanciador, y este palideció. Cruzó la sala, pasó al lado de Zobeyda y la abandonó allí junto a los dos hombres. El caudillo andalusí esperó hasta que la puerta se hubo cerrado para responder a su hija.

—¿Quién te ha dicho semejante estupidez?

—Eso es lo de menos —respondió ella sin ocultar la rabia y la decepción—. Además, no te preocupaste mucho de evitarte incómodos testigos. Mil quinientos jinetes, en total. Todos los que lograron sobrevivir, sin un rasguño, a la batalla en la que los almohades exterminaron a nuestro ejército. Mal, padre. Muy mal. No es tu estilo dejar tantos cabos sueltos.

Hamusk empujó hacia atrás su silla, que resbaló y cayó al suelo con estrépito. Se había levantado con insólita rapidez para un hombre de su edad y su grosor. Apoyó los puños cerrados sobre la mesa manchada de vino.

—¿Quién te ha contado esas mentiras? —Esta vez Hamusk masticó las palabras y las dijo despacio, arrastrando las sílabas. Al-Asad alternaba la vista entre el señor de Jaén y la mujer.

—Basta de disimulos, padre. Te lo ruego. Esta ciudad está llena de tus soldados. Vivos. Nada que ver con esa carta lacrimosa que enviaste a mi esposo. ¿Dónde están los cientos de plañideras que deberían llenar las calles? ¿Dónde, las viudas? ¿Y los pobres huérfanos hambrientos? Jaén rebosa. Las tabernas se enriquecen. Tus murallas están llenas de lanzas, mientras que las de Murcia son guardadas por niños con bozo en lugar de barba. Esta de aquí no parece una ciudad derrotada, padre. Y estoy segura de que en Guadix pasa otro tanto. —Miró apenas un instante a al-Asad—. Y en Úbeda, y en Baeza, y en Segura... Y aun así, te juro que me he negado a ver la verdad. No he querido reconocerla, porque hacerlo sería admitir que tú eres un... —Zobeyda se mordió los labios y sus ojos se tornaron brillantes, húmedos—. Pero no puedo negar por más tiempo lo evidente. Hay testimonios, padre. Tus soldados no saben mantener la boca cerrada. Ni sus familias. No me explico cómo esperabas que esto pasara desapercibido. ¿Por qué, padre? ¿Por qué has hecho esto a los seres que más te aman?

Hamusk escupió un gruñido y dio la espalda a su hija. Anduvo hasta el ventanuco horadado en una de las paredes del palacio y miró afuera. Hasta la sala llegaban, apagados, los sonidos de la medina en movimiento. Los anuncios de los vendedores que divulgaban las bondades de sus mercancías, las voces de las madres que llamaban a sus hijos, las discusiones en el cuerpo de guardia de la alcazaba, las risas sofocadas de las sirvientas, las órdenes a los esclavos. Fue al-Asad quien habló:

—Tal vez te gustaría que todos estuviésemos muertos.

Zobeyda lo miró con rabia y observó la expresión descarada del León de Guadix. El guerrero estaba tranquilo. Mucho más que Hamusk. Todavía sostenía la copa en la mano, y ahora bebió de ella, lentamente.

—Estar muertos sería más honorable que vivir como traidores, ¿no crees?

Un nuevo gruñido de Hamusk, pero el señor de Jaén siguió mirando por el ventanuco, incapaz de desdecir a su hija.

—No es traición. Se llama necesidad —corrigió al-Asad.

—No he venido aquí a escuchar tus sandeces. Parece que olvidas quién te perdonó la vida en Guadix. Y también quién te sacó ese ojo. Puerco.

Al-Asad no pareció ofenderse. Le encantaba aquella mujer. Hermosa, experimentada, desafiante... Retiró la copa de su boca, volvió a apretar los dientes y recobró su mueca lujuriosa.

—Sandeces son las que escuchas cada día en la corte de tu rey Lobo. No digo que tu padre no hiciera buen negocio casándote con él, no digo eso...

—Al-Asad... —gruñó una vez más Hamusk, aunque siguió de espaldas.

—No, mi señor. Permíteme continuar.

—Yo no te lo permito. —La voz de Zobeyda tembló y sus ojos despidieron un brillo peligroso. Metió la mano entre sus vestiduras y extrajo una daga de hoja larga y estrecha. Al-Asad, por fin, reaccionó y soltó la mandíbula inferior, entre sorprendido y divertido. El León de Guadix se levantó y abrió los brazos.

—Vamos, mi señora. No es necesario. No pretendo ofenderte, tan solo hacerte ver que lo más conveniente...

—He dicho que no te permito hablarme, asqueroso.

—¡Basta! —tronó Hamusk. Se había girado y tenía la vista puesta en su hija. Ella le devolvió la mirada—. ¡Esto es absurdo! ¡Al-Asad! ¡Vete!

El León de Guadix fue a replicar, pero lo pensó mejor e inclinó brevemente la cabeza. Lo hizo sin perder de vista la daga de Zobeyda. Luego rodeó a la mujer, alerta, despacio. Abrió y cerró la puerta en silencio. Padre e hija sostenían sus miradas. La de ella colérica, pero también triste. Las lágrimas brotaban al fin y arruinaban el cuidado maquillaje de la favorita del rey Lobo. Hamusk entornó los párpados. La voz de ella se quebraba por momentos.

—¿Cómo fuiste capaz, padre?

—Guarda eso, hija mía —pidió el señor de Jaén mientras apuntaba con un dedo a la daga. Zobeyda reparó entonces en que aún mantenía empuñada el arma, como si estuviera amenazando a Hamusk. Abrió la mano y el arma rebotó contra el suelo. Se tapó los ojos mientras el temblor de su cuerpo se hacía más palpable. El llanto estalló y la mujer se dejó caer de rodillas.

—Tantos muertos —balbució—. Tantas pobres mujeres llorando. Yo he recorrido los cementerios... Y las he consolado... ¿Quién me consolará a mí ahora?

Hamusk seguía allí, caviloso. Observaba a su hija, desesperada en el centro de la sala. Sola. Decepcionada. Temblorosa por el llanto. Se acercó y recogió la daga del suelo. La guardó y, con lentitud, fue hasta la mesa. Comprobó que aún quedaba vino en su copa. Lo bebió y se pasó el dorso de la mano por la barba. ¿Qué debía hacer ahora? Miró atrás, a su adorada hija. La más bella de al-Ándalus. A pesar de su amor de padre, la había entregado a Mardánish para asegurar sus alianzas, para emparentarse con el andalusí más poderoso de la Península, para afianzar su propia posición. Para él había sido un gran alivio que Zobeyda se enamorara perdidamente del rey Lobo. Le alegraba que ella fuera feliz. Eso fortalecía el matrimonio, además. Y él, Mardánish, acabó por convertirla en favorita. En la reina indiscutible del Sharq. El amor, a quien nadie había invitado a aquella fiesta, se presentó; y lo hizo para bien en aquel momento. Pero ahora era una desventaja. Hamusk dejó la copa vacía sobre la madera y asintió para sí. Zobeyda jamás abandonaría a Mardánish. Había hecho suya la vida del rey Lobo, sus anhelos, sus ambiciones y sus desvelos. Darse cuenta de ello arrancó un estremecimiento al señor de Jaén. No le cabía la menor duda: los días de Mardánish estaban contados. Y si Zobeyda continuaba a su lado...

Caminó hacia ella y le acarició la cabeza. Ella, todavía arrodillada, lo miró. La cara desdibujada por el kohl. Los ojos anegados. La barbilla temblorosa. Hamusk no pudo evitar conmoverse. Ella era su hija amada. Le ofreció las manos y Zobeyda las aceptó; se levantó y rodeó el cuello de su padre con los brazos. El señor de Jaén sintió un nudo en la garganta. Él, capaz de degollar sin miramientos, de ordenar el tormento más cruel, o de mandar cargar los almajaneques con los cuerpos torturados de sus enemigos. Él, que jamás dudó entre lo que le convenía y lo que no. Ajeno a las pasiones de los demás. Incluso a las suyas propias. Él, que nunca vaciló en mentir sin reparar en el daño que hacía a otros. Ahora decidió mentir para no dañar a su hija.

—No lo volveré a hacer. Te lo juro. No se trata de tu esposo, sino de ti. Tienes mi palabra de que no negociaré más con los almohades.

—Entonces... ¿es cierto? ¿Lo hiciste? Quiero oírlo de tus labios...

Así que pese a los claros indicios, ella se había negado a creerlo. Durante toda aquella escena había estado disfrazando una esperanza. Eso lo hacía todavía más amargo.

—Sí, lo hice —reconoció sin dejar de abrazar a Zobeyda. Sentía el temblor de ella, apretándose como cuando era niña y se lastimaba jugando, y corría a sus brazos, donde se sentía segura—. Llegué a un acuerdo con los almohades. Era lo único que podía hacer para salvar a mis hombres. De no haber sido así, todos yaceríamos muertos allí. Para nada. Aquella batalla estaba perdida desde el principio. No pude hacer otra cosa, hija mía.

—Pero él... Mi esposo —Hamusk notó que las uñas de ella se aferraban fuerte a su ropa— estuvo a punto de morir.

—De hecho debería estar muerto. Jamás pensé que sobreviviría a aquella matanza, y por eso no tomé las debidas precauciones. Sí, no me mires así. Eras tú quien me importaba. Nosotros. No tu esposo. Hemos de prevalecer, hija mía. No puedo consentir que te ocurra nada malo. No me lo perdonaría. Jamás. Lo hice por ti. Perdóname. Debes perdonarme. Soy tu padre. Y Mardánish solo es... un extraño.

Zobeyda se separó de Hamusk. Se restregó ambos ojos con los puños, y eso terminó de emborronarlos.

—Yo estaré a su lado, pase lo que pase —sentenció.

El señor de Jaén asintió. Casi no tuvo que esforzarse para concederle todo lo que quería oír. Ella no era ahora la mujer letal que dominaba las tramas de la corte, capaz de degollar a fanáticos rebeldes en pleno rezo del viernes. Ni la intrigante que maquinaba alianzas matrimoniales con los reyes cristianos. En verdad, Hamusk solo veía a la pequeña niña herida que lloraba en sus brazos. El señor de Jaén no renunciaría a sus planes. No lo haría, pues eso sería estúpido. Pero tampoco podía perder a su hija. Jamás se resignaría a sacrificar lo único que, aun sin saberlo, le recordaba que él era también capaz de dar vida a algo bello.

—Vuelve con él. Ve tranquila. Te he dado mi palabra. No le cuentes nada de esto. No es necesario, ¿comprendes? Eso me apartaría de él, y con ello tú deberías escoger bando. Yo le seré leal... Te seré leal a ti.

Invierno de 1167. Murcia

Zobeyda tardó muy poco en regresar a Murcia. Acompañada de Marjanna y Adelagia y escoltada por un pequeño destacamento, se presentó en el alcázar un jueves y ordenó que la anunciaran al rey.

Mardánish tardó cuatro días en recibirla, y no se dignó visitarla en su cámara ni la invitó a reunirse con él en el lecho. Las sirvientas del harén le explicaron que ahora él, el rey, visitaba con preferencia a Tarub, la *umm walad*, y que pasaba casi todo el resto del día encerrado en sus aposentos. Que dedicaba apenas media mañana a despachar con los visires los asuntos de gobierno, y luego se dejaba caer en una ensoñación que le mantenía atrapado hasta la llegada de la noche. Entonces, siempre borracho y tambaleante, acudía a acostarse con Tarub, y ocasionalmente con sus otras esposas Lama y Layla o con el resto de las concubinas. Pero Zobeyda no podía creer que aquella espera impuesta se debiera al descuido o a la embriaguez. ¿Era que el rey Lobo intentaba despreciarla? ¿Hacerle ver cuál era el lugar real que ocupaba en la corte?

Por fin, aquel lunes, Zobeyda pasó al *maylís* de banquetes, el lugar donde meses antes se despidiera de su esposo. Un par de visires y algunos sirvientes asistían a la recepción. Todos se inclinaron ante la favorita, aunque Zobeyda advirtió que luego intercambiaban misteriosas miradas de complicidad. Mardánish la observó cuando entraba, pero no hizo ademán de levantarse para recibirla. Ni siquiera parecía alegrarse. Ella caminó hasta los pies de la tarima, se arrodilló y apoyó ambas manos juntas en el suelo para prosternarse. Al hacerlo, de reojo, vislumbró algo extraño a su izquierda. Era el tapiz de Diana. Estaba recogido a un lado y atado con un cordel rojo. El hueco desde el que tantas veces observara las orgías y escuchara a los cortesanos estaba abierto. Impidiendo que nadie ajeno pudiera asistir a esa conversación. Por un momento le pasó por la cabeza la posibilidad de que ella misma hubiera sido espiada desde detrás de aquel adorno pagano. Aquello la desconcertó. Habló con vacilación. Titubeante.

—Soy feliz de poder regresar, mi amado esposo. Soy feliz... Y bien... Yo... Aquí me tienes, tras cumplir la misión que me encomendaste.

Mardánish alargó la mano hacia ella, pero la retuvo a medio movimiento. Era como si se obligara a contenerse, y Zobeyda lo notó. No supo si tomárselo bien o mal, pero ella continuó a pesar de todo con su doloroso cometido. Se puso en pie sin esperar licencia.

—Dejad todos la sala —ordenó Mardánish. Obedecieron en silencio, atropellándose los últimos sirvientes. Zobeyda clavó los ojos en los de él, pero el rey Lobo fingió no inmutarse.

—¿Me has echado de menos? —preguntó ella.

Mardánish hizo un gesto de desgana.

—Por supuesto. Aunque me las he arreglado para endulzar tu ausencia.

Zobeyda encajó la pulla y se tragó el dolor, pero supo que él mentía. Lo supo por su mirada, incapaz de fingir la apatía que el resto de su cuerpo se empeñaba en mostrar. Sin embargo, ella no pudo decidir si era peor una cosa o la otra. Para calmar un ápice su tristeza, la favorita levantó la barbilla:

—Pues bien, debes saber que mi padre, el señor de Jaén, te es totalmente leal. Te lo ha sido siempre. A pesar de no hallar prueba de lo contrario, me he empeñado durante meses en continuar con la búsqueda. Nada. Hamusk sigue siendo la espada del Sharq al-Ándalus. Tu servidor. Como yo. —Y se inclinó nuevamente, ahora de forma más acusada.

Mardánish no pareció sorprendido. Tamborileó con los dedos de la mano derecha sobre el brazo de su sitial.

—Qué fantásticas noticias. Aunque eso no explica que no encontráramos los cadáveres de sus hombres en el llano. Cientos de ellos. Ni sus caballos.

Los ojos de ella brillaron. Vaciló, aunque se esforzó en que él no lo notara.

—¿Dudas de mí, como dudaste de él?

Mardánish mantuvo el desafío silencioso. Intentó penetrar la negrura de la mirada de Zobeyda, pero un ramalazo de dolor le hizo sacudirse. Se agarró el costado derecho. Ella se alarmó y puso un pie sobre el escabel, pero el rey Lobo la detuvo con un gesto. La favorita apretó los labios hasta casi hacerlos desaparecer. Volvió atrás.

—Tu informe me place —dijo él entre dientes—. Puedes retirarte.

—Sí, esposo mío. ¿Tengo tu permiso para viajar a Valencia? Quisiera visitar a mis hijas.

El rey denegó la petición con un ademán despectivo.

—Es posible que vaya a Castilla. Cuando regrese, yo mismo te acompañaré a Valencia.

Ella se dio la vuelta y anduvo unos pasos, pero se detuvo en el centro de la sala de banquetes. Giró a medias el cuerpo.

—Me pediste que volviera. Me lo repetiste. Y dijiste que yo era el amor de tu vida. ¿Ha cambiado algo?

Mardánish suavizó la mueca de dolor y se soltó el costado. El achaque remitía. Inspiró antes de contestar a Zobeyda con el mismo tono en que habría dictado un decreto a sus visires.

—Nada ha cambiado entre nosotros. Ni mi amor ni tu sinceridad. ¿Me equivoco?

Ella asintió una sola vez e hizo un último esfuerzo por contener las lágrimas en la frontera de sus párpados. Luego se marchó, dispuesta a inundar de llanto las sábanas de su lecho. El rey Lobo suspiró al quedarse solo y su espalda se relajó sobre el respaldo del solio. Un sirviente asomó la cabeza desde la puerta.

—Mi señor, ¿hago pasar ya al consejero Abú Amir?

—Sí.

Mardánish se frotó el foco de aquellos dolores. Los accesos eran cada vez más frecuentes, y el pecho también le atormentaba, lo mismo que el brazo izquierdo; sobre todo los días de lluvia. Cada una de sus cicatrices parecía gritar, y todas juntas se unían en ocasiones en un coro de alaridos que no le permitía dormir. A veces se despertaba en plena noche retorciéndose de sufrimiento. Otras veces, mientras despachaba con sus visires y secretarios, los ataques le obligaban a maldecir y acababa por expulsar a todo el mundo de su presencia. Se irritaba, y recorría los pasillos del alcázar viendo cómo los sirvientes y funcionarios se escondían a su paso. Hasta en el lecho, mientras cumplía con su deber de esposo y amo, sufría los dolores de las viejas heridas, y también de las recientes. Había gente en Murcia que aseguraba que el Lobo aullaba a la luna en el alcázar. Que aullaba por el sufrimiento de su cuerpo y el de su alma.

Abú Amir se presentó con el gesto preocupado. Saludó a su rey con una inclinación y se acercó al escabel. Su vista experta detectó enseguida que Mardánish acababa de sufrir uno de sus achaques. El rey Lobo conservaba el rictus crispado y el tono amarillento, la boca levemente torcida y el ojo izquierdo medio cerrado. Poco a poco volvería a la normalidad. Hasta el siguiente ataque.

—Zobeyda acaba de retirarse —informó Mardánish—. Está en Murcia desde hace cuatro días, pero la he obligado a esperar antes de recibirla en audiencia. Lo he hecho porque te aguardaba, Abú Amir, y quería oír tu informe justo a continuación del de ella. Bueno, por eso y porque no está de más que paladee la indiferencia. ¿No crees?

En lugar de responder a la pregunta, Abú Amir empezó a contar lo que había averiguado.

—Esta misma mañana ha llegado de Jaén el último de mis agentes, y por fin he podido comparar todos los testimonios. Me habría gustado hacer esto por mí mismo, pero tú tenías razón: sería imposible pasar desapercibido en Jaén estando allí tu suegro, Zobeyda y sus doncellas.

—Ya. Supongo que el hecho de tener que espiar a tu aprendiza habrá pesado menos en la balanza de tus prioridades. ¿Habrías podido? ¿Espiar a tu alumna? ¿A tu reina? ¿A tu amiga?

Abú Amir soltó el aire por la nariz. Se sentía como un traidor hacia Zobeyda, aunque sabía que, hiciera lo que hiciese, su condición sería siempre considerada por unos u otros como desleal. Intentó recomponerse. Lo tenía todo pensado para hacer el menor daño posible a la favorita.

—Tu esposa ha indagado sin descanso durante estos meses. Mis agentes me informan de que ha recorrido Jaén por sí misma. Ha visto cómo la ciudad sigue gozando de un aceptable bienestar y de cierta abundancia. Sus doncellas Adelagia y Marjanna también se han movido, curioseando en aquellos lugares y entre esas personas a los que tu favorita, por su condición, no tenía acceso. Puedes estar seguro de la entrega de Zobeyda...

—Abú Amir —interrumpió Mardánish—, esto está muy bien. He oído el informe de mi esposa. Ella me ha asegurado que Hamusk me ha sido siempre leal. Que sus tropas, como las del resto de mi ejército, fueron masacradas el día de Fahs al-Yallab. Que nuestras dudas, nuestras sospechas, eran infundadas. Que puedo confiar en mi lugarteniente, el señor de Jaén.

El consejero recibió cada frase como un mazazo que derruía el edificio que estaba construyendo. Ahora debería decir la verdad y contradecir a su querida Zobeyda. O bien mentir y traicionar a su rey. Cruce de lealtades. El mismo al que Mardánish había obligado a someterse a la favorita del Sharq. Y el propio rey Lobo, tiempo atrás, había sido claro: Abú Amir no podía mentirse a sí mismo. No podía cerrar los ojos y jugarse la libertad como quien apuesta ante un tablero y echa los dados.

—No es cierto.

Por un momento, todos los sonidos que rodeaban la sala de banquetes se diluyeron en un silencio espeso. Dejó de oírse el lejano chapoteo de la fuente en el jardín, y el rumor de parloteo en el harén. Nada de ecos de pasos y charla en los corredores del alcázar, ni bulla traída por el viento desde el corazón de Murcia. Era como si el mundo se hubiera detenido. Mardánish olvidó el dolor sordo que poco a poco se desvanecía tras el último achaque. Otro dolor, mucho más agudo y despiadado, acababa de atravesarle el corazón. Abú Amir bajó la mirada. Le zumbaban los oídos, y un nudo en la garganta le oprimía y dificultaba su respiración. Se llevó una mano a la cara y se tapó los ojos.

Estaba hecho. Cuando el rey habló, el consejero oyó, por primera vez en su vida, a alguien realmente derrotado. Ni siquiera tras la pérdida de Almería, el desastre de Granada o la derrota de Fahs al-Yallab, había percibido en el rey Lobo la certeza de haberlo perdido todo.

—Habla. Sigue contando, Abú Amir.

El consejero se retiró la mano de la cara y entonces se dio cuenta del detalle del tapiz de Diana. Miró a su rey. ¿Hasta qué punto había subestimado su desconfianza hacia todo el mundo, inadvertida entre las de Zobeyda y Hamusk? ¿O era quizá que ahora, perdido su empuje guerrero, desarrollaba otras destrezas y le aquejaban otras debilidades? ¿Dónde acababa la cautela y comenzaba la obsesión?

—Mientras tú te batías entre los ríos Segura y Guadalentín con la infantería almohade, tu suegro envió al norte a al-Asad con la caballería tagrí. Tus guerreros de la Marca. Se enfrentaron allí, entre las montañas, a los árabes sometidos al Tawhid. Y fueron masacrados. Solo el León de Guadix logró salvarse.

—Qué raro —ironizó Mardánish con voz turbada.

—Entonces tu suegro se entrevistó con el jefe del resto de la caballería árabe. El visir omnipotente Abú Hafs, hijastro del difunto califa Abd al-Mumín. Nadie sabe de qué hablaron. Solo los vieron desde lejos, ambos montados en sus caballos. Charlaron durante un rato, mientras desde el sur llegaba el ruido de la batalla. Los hombres de tu suegro estaban aterrados. Los árabes los superaban. En mucho.

Mardánish apretaba los brazos de su trono con furia. Los dedos se hincaban en la madera noble y enrojecían. Los nudillos tornaron al blanco. Habló con voz enronquecida por la derrota:

—Solo debía entretenerlos. Aguantar hasta que yo derribara la muralla almohade...

—Hamusk regresó a sus filas y ordenó a los hombres alejarse hacia poniente. Se fueron tranquilos, sin ser hostigados. Sin entrar en combate. Vieron cómo los árabes se quedaban allí. Seguros. Alejados de la lucha. Esperando el momento propicio para atacar.

El rey Lobo hizo chirriar el ébano al clavar en él sus uñas. Así había sido. Los malditos árabes llegaron en el momento justo, cuando el ejército del Sharq estaba a punto de batir a los almohades. Pero fueron ellos los batidos.

—Traición —musitó en voz tan baja que Abú Amir casi no lo oyó—. Traición. Lo sabía. Lo sabía.

—Mi señor, Hamusk ha roto su costumbre de algarear en los territorios almohades. Seguramente suponía que Abú Hafs volvería al ataque para rematar su victoria en Fahs al-Yallab. Tú también lo habrías hecho. Hasta yo. Era lo lógico. Ahora mismo, un ejército la mitad de grande que el que te derrotó sería capaz de terminar su obra y acabar con nosotros. Eso además explica que el señor de Jaén haya sido tan poco cuidadoso con los detalles. Nada le importaba que tú descubrieras su traición. Era cuestión de tiempo. Claro que, sometido ya todo al-Ándalus a los almohades, él dejaría de ser un traidor para ser considerado un héroe.

»Sin embargo, tengo otras noticias: en las montañas africanas, cerca de Ceuta, los distintos clanes de la tribu gumara se han rebelado contra los almohades. Son muchos hombres, y por lo visto están bien organizados. Todos los prebostes del imperio han viajado allí a aplastar la insurrección. Abú Hafs, Utmán, el gran jeque Umar Intí... Los informes dicen que el propio Yusuf acudirá a acaudillar sus tropas. Por lo visto se lo han tomado como algo de máxima prioridad. El dominio de al-Ándalus queda suspendido. Hasta más ver. Adiós a las supuestas esperanzas de Hamusk. Ahora él está en una posición delicada.

—Bien. Al menos, no todo ha salido como el traidor de mi suegro deseaba. Buen trabajo, Abú Amir.

El médico suspiró. Se sintió culpable por notar el alivio. Alivio por soltar aquello que le oprimía el alma. Y con ello delataba a Hamusk y a Zobeyda, que ahora encubría a su padre. Zobeyda. Ella le dolía mucho más. Por eso también necesitaba disculparla. Intentar convertir su traición en algo comprensible. Perdonable.

—En cuanto a tu favorita... Hamusk la utiliza, mi rey. La usa para evitar tu... justa ira. La pobre no puede hacer otra cosa. Decirte la verdad la habría obligado a elegir. En lugar de eso, te miente con la esperanza de que todo se arregle.

—¿La estás disculpando, Abú Amir?

El consejero tragó saliva antes de seguir forzando su argumento.

—Tú la obligaste a ir a Jaén. La pusiste en disposición de traicionar el amor a su padre o el amor a ti. Ella intenta conservar ambos. Es más de lo que podías esperar después de lo que hiciste.

Mardánish separó las manos del trono, las elevó y golpeó con fuerza la madera. Se hizo daño, pero apenas lo notó un instante. Se levantó, y Abú Amir dio dos pasos hacia atrás.

—¡Yo espero lealtad! ¡La exijo! ¡Soy yo quien os dio este mundo de placer y felicidad! ¿Recuerdas? ¿Crees que es fácil para mí enviar a miles de hombres a la muerte? ¿Crees que mis heridas no duelen? ¡Todos debemos sacrificarnos! ¡Tú también! ¡Y Zobeyda! —Descendió de la tarima y quedó a la misma altura que Abú Amir. Este retrocedió otros dos pasos. El rey Lobo, con la tez enrojecida, bajó el volumen de su voz—. Qué pocos reproches me hacías cuando te embriagabas a placer en las tabernas o te acostabas con las mujeres más bellas. Qué hermosa era la vida. Qué felices, todos. ¿Piensas que eso no cuesta nada? ¿Que puedes mantener limpias tus manos? Las reservas para acariciar los pechos de las muchachas o escribir tus versos, ¿eh?

—Solo intento vivir mi vida sin hacer daño a los demás. No creas que...

—Eso no puede ser, Abú Amir, despierta. —El consejero chocó con la mesa de banquetes, y Mardánish siguió avanzando hasta colocarse a unas pulgadas de él—. La vida nos obliga a veces a escoger. ¿Desconocías esa enseñanza? ¿O tu filosofía solo vale para cuando todo es vino, gozo y aroma a jazmín? ¿No ves que nuestros enemigos nos rodean? Ellos quieren derramar tu vino, prohibir tu gozo y aplastar tu jazmín. Yo te he oído advertírselo a los ulemas en las puertas de la aljama. Justificar así que nos opusiéramos a los almohades y fuésemos amigos de los cristianos. Pero por lo visto toda tu pasión andalusí sirve para que sean otros quienes vistan loriga y empuñen espada. Y que ellos se batan por la libertad. Por tu libertad. Y esos adalides a quienes desconoces no beben ya vino, ni gozan del amor, ni huelen a jazmín. Huelen a cadáver, Abú Amir, y destilan podredumbre de la que se alimentan los gusanos. Es el sacrificio que exige la libertad. El sacrificio que exigí a Zobeyda no es nada..., ¡nada!, comparado con las heridas que me atormentan. El que te exijo a ti tampoco es nada. ¡Nada!, comparado con el de miles de valientes que se pudren bajo tierra. ¡Mi buen amigo Álvar! ¡Mi arráez Óbayd! ¡Guillem Despujol!

—Basta, por favor, mi señor. Te lo ruego.

Mardánish respiraba entrecortadamente. Arrugó el gesto y volvió a agarrarse el costado derecho con la misma mano. Incluso se inclinó un poco hacia ese lado. Dio la vuelta y caminó con desgana hasta subir a la tarima y dejarse caer en el trono. Habló con tono de hastío, como si hubiera rebasado la cantidad de decepción que podía soportar.

—Pedro de Azagra me reclama en Toledo. Me pide que vaya allí y conozca al joven rey Alfonso. Asegura que las cosas se están arreglando en Castilla, y que pronto podrán ayudarnos. Sobre todo para detener a los aragoneses. En cada carta que manda, Hilal me cuenta de una cabalgada de esos buitres. Algarean sin tapujos por la Marca y no contamos con suficientes hombres para hacerles frente. El momento es bueno, si es que es verdad eso de la rebelión en África. Voy a ir a Toledo.

Abú Amir, incapaz de sacudirse la impresión de las palabras de su rey, asintió con timidez.

—Si lo deseas, iré contigo...

—No. Pese a todo... Pese a tus vacilaciones, sé que eres mi mejor baza. Sobre todo con Zobeyda. Ella no debe saber que yo conozco la verdad. ¿Está claro?

—Sí, mi señor.

—Te quedarás aquí y la vigilarás, pues ella tampoco vendrá conmigo a Toledo. Me llevaré a Tarub.

—Sí, mi señor —repitió Abú Amir—. Aunque eso enojará a tu favorita.

—Es posible que deje de ser mi favorita. Pero prefiero que ella esté aquí, a mi alcance y bajo tu mirada. Eso me permitirá controlar mejor a Hamusk. Su enojo la seguirá poniendo a prueba.

—Sí, mi señor. Comprendo.

—Claro que comprendes. Me informarás de cualquier cosa, Abú Amir. Si Zobeyda y su padre se escriben, quiero saber qué dicen sus cartas. Si ella se ve con alguien en privado, te enterarás de lo que tratan. Usa a su doncella italiana, cuyo lecho frecuentas, o hazlo como te plazca. Sobre todo no consientas que se manden tropas a Hamusk, como él quería. Sin amenaza almohade, ya no son necesarias; y yo puedo necesitarlas aquí. Tienes pleno poder, como siempre. Úsalo. Y úsalo bien.

Finales de 1167. Marrakech

Utmán caminaba por los pasillos del Dar al-Majzén. Vestía aderezo de guerra y hacía resonar la loriga por los largos corredores de austera decoración. Sus ojos ni siquiera se entretenían en observar los tapices con suras o invocaciones a Dios. Añoraba la belleza de los palacios andalusíes. Las filigranas de sus aposentos granadinos. Y los malagueños. Incluso aquellos más impíos. Echaba también de menos la alegría de los andalusíes, a la que poco a poco se había ido acostumbrando. El bullicio en los zocos, la animación en las calles, la belleza de las mujeres que no se resignaban a ocultarse tras velos y celosías. Una sensación de euforia le embargaba, e inundaba sus recuerdos de aquellas imágenes tan impropias de un *sayyid* almohade. Y sabía por qué era. Allí, a pocas estancias, se hallaba Hafsa. Su gran amor.

Al doblar una esquina se cruzó con un anciano de digna presencia. Manto sobre la cabeza y los hombros, larga barba blanca que colgaba sobre el pecho. El hombre lo reconoció de inmediato y se apresuró a poner rodilla en tierra. Cogió la mano de Utmán y posó los labios sobre ella.

—Mi señor, doy gracias a Dios, alabado sea. Qué honor tenerte entre nosotros.

—Ibn Tufayl —saludó el *sayyid*. Notó el beso del anciano y sintió algo parecido al desprecio. Aquel andalusí era quien le había presentado a Abú Yafar. Y también a Hafsa. Pero eran otros tiempos. Utmán era apenas un niño, y su mente estaba demasiado confundida. Ahora, cuando recordaba a Abú Yafar, saboreaba la gran punzada de la culpa de haber ejecutado a un hombre fiel a sus principios. De algún modo, lo mismo que Hafsa. Y ese Ibn Tufayl, a pesar de ser andalusí, los había escogido a ellos, los almohades. «Nosotros», acababa de decir el viejo. «Nosotros.» Qué extraño. Él, Utmán, se veía ajeno a ese «nosotros». Como si Ibn Tufayl y el *sayyid* hubieran cambiado sus fidelidades. Era curioso. El andalusí convertido en africano, y el africano convertido en...

—Te hacía en las montañas, aplastando a los gumaras. —Ibn Tufayl se incorporó con esfuerzo.

—Allí he estado estos últimos meses, pero Abú Hafs me ha enviado aquí para escoltar al príncipe nobilísimo hasta la batalla. Partiré de vuelta en breve.

Ibn Tufayl cerró un puño y lo alzó en gesto de triunfo.

—Bien. Ahora sabrán esos traidores que no se juega con la lealtad a Dios, el Único. Toda su furia caerá sobre ellos.

Utmán reanudó su camino. Se despidió con una sonrisa forzada del viejo Ibn Tufayl y lo dejó atrás, mientras el anciano hablaba todavía de la justicia divina que Yusuf llevaría hasta los rebeldes gumaras. Su voz, llena de alabanzas a Dios y de maldiciones a los infieles, se perdió pronto en los corredores del palacio califal. El *sayyid* llegó por fin a su meta. Varios guardias negros marcaban el aposento con su presencia intimidante. Uno de ellos, plantado ante la puerta, se retiró al ver venir a Utmán. Todos se inclinaron en presencia del hermano del príncipe nobilísimo.

Al abrir la puerta, el *sayyid* vio a los niños. Casi una decena de ellos. Estaban sentados en cojines, y tenían ante ellos tablillas de madera sobre las que escribían con cálamos de caña y tinta de lana quemada. En una sola fila, todos menos uno. El primogénito de Yusuf, Yaqub, gozaba de un lugar privilegiado, adelantado a los demás. Se trataba de un crío de siete años algo rechoncho y con la cabeza más grande de lo normal. Su pelo abundante y rizado y sus ojos oscuros enmarcaban la tez casi negra y la nariz aguileña. Un auténtico descendiente de Abd al-Mumín, desde luego. Yusuf lo había engendrado en una esclava del Garb, concubina de cabellos rubios, por supuesto. El regalo de uno de esos reyezuelos andalusíes sumisos. Si nada se torcía, ese niño iba a dominar algún día todos los territorios almohades, un imperio que quizá se extendiese por todo al-Ándalus y tuviera bajo su obediencia a los viejos reinos cristianos, reconvertidos al fin a la verdadera fe. ¿Quién sabía lo que deparaba el destino? Tal vez el niño, en el futuro, llegara a tomar como concubina a la reina de Castilla. O a la de Aragón.

Los críos volvieron los rostros hacia la puerta. Los más pequeños, de no más de tres o cuatro años, ignoraron enseguida al *sayyid*. Los demás observaron con curiosidad los familiares rasgos de Utmán. Delante de todos ellos, una cortina corrida escondía a la maestra que les enseñaba los fundamentos de las letras. No podían ver el rostro de la mujer. Ni ellos ni nadie, según la ley.

—Soy vuestro tío Utmán y necesito hablar con la maestra. La clase ha acabado.

Los niños hicieron lo que cualquier otro crío, fuera del credo que fuese. Se levantaron contentos y corrieron, pasando junto al *sayyid* y sorprendiendo a los Ábid al-Majzén que montaban guardia fuera. Los silenciosos pasillos del palacio califal se llenaron de risas y pasos rápidos que se apagaron poco a poco. Solo Yaqub permaneció sentado un instante más que sus hermanos; como si fuera él quien decidiera acabar la clase, y no aquel extraño vestido de guerrero. Por fin se levantó despacio y miró a los ojos a su tío. Utmán supo en ese instante que quizás el niño había heredado los rasgos oscuros de Yusuf, pero no se parecía en nada a él en temperamento. Yaqub anduvo lentamente, con la barbilla erguida, y abandonó la estancia sin mirar atrás. Esperó a que dos de los guardias del Majzén lo flanquearan y se perdió por el corredor.

Utmán esquivó las tablillas con garabatos y los cálamos tirados en el suelo. Paró junto al cojín que Yaqub acababa de desocupar y observó la cortina. Tras ella se adivinaba una silueta. Un estremecimiento sacudió todo el cuerpo del *sayyid*.

—¿Hafsa?

—Sí, mi señor Utmán. Alabanzas al Único por tu presencia.

Al oír esa voz, el *sayyid* sintió quebrarse todas sus certezas, por pocas que fueran. Incluso aunque el tono de Hafsa hubiera sido indiferente, frío como la nieve del Yábal Shulayr. Luchó por contener el impulso de descorrer la cortina. Ya no estaba en aquel palacio granadino, ni en las puertas de Málaga. Su antigua prohibición de que nadie pudiera ver el rostro de la poetisa se tornaba ahora irónicamente amarga. Qué lejos quedaba todo, y con qué presteza volvía para reírse de él. En su cara.

—¿Estás bien aquí?

La mujer tardó en contestar, como si buscara las palabras adecuadas. Pero Hafsa no requería tiempo para eso y Utmán lo sabía. Por lo tanto, achacó la demora a la sorpresa. Era eso o el desprecio.

—Tu hermano, al que Dios guarde siempre, me proporciona hogar y seguridad. ¿Podría estar mejor?

Utmán se apretujó las manos. Había algo que le desazonaba, aunque casi no se atrevía a pensar en ello.

—Yusuf... ¿Él te...? ¿Ha hecho de ti su...?

—Hace tiempo que no veo al príncipe nobilísimo, mi señor. Es el visir omnipotente Abú Hafs quien trata conmigo. Y siempre se porta bien. Además, dicen que el príncipe nobilísimo... ha cambiado.

Por un momento, el tono de Hafsa, neutro, desprovisto de pasión, se había tornado humano. Como si en realidad le extrañara que Yusuf no hubiera aprovechado la ocasión.

—Claro. Ahora es un hombre preocupado por la ciencia y por las artes. Por eso se ha rodeado de todos esos tipos... Esos filósofos. Y por eso vive aquí, pensando en los astros y en los libros. —Utmán se dio cuenta, solo durante un instante, de que hablaba con Hafsa como habría hablado con ella si hubiera sido lo que siempre había deseado: una esposa que lo escuchara atenta y enamorada, quizás en la oscuridad del aposento conyugal. Ignoró que la herida de su corazón se abría de par en par y siguió hablando; fingió disfrutar de esa ficción. Imaginó que, tras la cortina, ella sonreía, contenta de tenerlo consigo tras la campaña militar. Soñó que estaban en otro lugar. Tal vez en una *munya* a orillas del Genil o del Guadalquivir. Solos. Alejados de imperios y de guerras. Habló y habló. De la rebelión en las serranías. De la dureza de las campañas. De cómo Córdoba recuperaba su esplendor, y de Granada, que florecía y veía crecer sus arrabales. Cuando se puso a contarle que había mandado construir una puerta nueva en Málaga, calló de repente. Málaga. Al pie de cuyas murallas él mismo mandara crucificar a Abú Yafar. Un hijo de Yusuf pasó corriendo ante la puerta, y a su risa infantil siguieron los pasos firmes de uno de los guardias negros en su persecución.

—¿Por qué has venido? —preguntó por fin Hafsa, en voz baja y amortiguada por la cortina. Utmán terminó de regresar a la realidad. Ah. Por qué había ido. ¿Por qué? Quizá porque jamás había perdido la esperanza. Esa misma esperanza que lo desnudaba poco a poco de su costra almohade y lo revestía de una nueva piel. Una piel andalusí. Granadina. De noches llenas de vino, poesía y danza. Todo lo que añoraba era en realidad lo que jamás había logrado poseer. Lo que nunca poseería. ¿Esperanza? Qué iluso. La crucificó a las puertas de Málaga.

—No sé por qué he venido. Tal vez porque eres la única. Tú. No Dios.

Nuevo silencio. Ya no se oían risas apagadas. Quizá los Ábid al-Majzén habían logrado dar caza a los hijos de Yusuf, y el palacio regresaba a la habitual quietud.

—Eso es una blasfemia —observó Hafsa.

Utmán sonrió con desgana. No era una blasfemia. No para él, que había visto desmoronarse sus creencias bajo el peso de una pasión mucho más fuerte que la que despertaba un Dios al que no veía. Un Dios que le obligaba a masacrar ejércitos enemigos y a crucificar a súbditos infieles. Un Dios que retenía a su gran amor tras una cortina para ocultar su rostro, y que hacía pender sobre ella una espada. Un Dios que lo tenía atado, impelido a cumplir los mandatos de Abú Hafs so pena de ver muerta a aquella mujer. Tarde comprendía Utmán hasta qué punto su corazón se había vuelto andalusí; cuánto más sería capaz de blasfemar y arrastrarse por Hafsa. Ahora cobraban sentido para él aquellos versos despreciados en el pasado:

La ley de los amantes es única:
cuando tú amas, humíllate.

—Marcho de nuevo a las montañas, junto a mi encumbrado hermano Yusuf —explicó, aunque no sabía muy bien por qué seguía hablando a aquella sombra tras la cortina como si a ella realmente le interesara su vida—. Aplastaremos a los rebeldes gumaras. Supongo que sus cadáveres crucificados marcarán el camino hasta aquí. O quizá sean decapitados públicamente para escarmiento de otras tribus. Sus cabezas engalanarán entonces las puertas de Marrakech, y se unirán a los miles de cráneos descarnados que adornan desde hace decenios nuestras murallas. Y cuando todo eso acabe, volveré a al-Ándalus y terminaremos el trabajo que fuimos a hacer allí. Acabaremos con la resistencia...

—Como acabaste con Abú Yafar.

—No. No es lo mismo. Aunque no rehúyo mi culpa. Pero entonces yo estaba ciego. O casi, porque la única luz que veía eras tú. Demasiado brillo en la oscuridad. Tanto que me deslumbró y no supe lo que hacía. Ahora sí sé lo que hago, y a veces me repugna. Pero no puedo evitarlo.

—Mientes. Siempre puedes evitarlo.

Utmán miró al suelo, a los cojines desordenados y a los pergaminos garabateados por los hijos de Yusuf. No se lo diría. No le descubriría que ella era la baza de Abú Hafs. El gran visir que manejaba los hilos del imperio. El que hacía y deshacía mientras el príncipe nobilísimo polemizaba con sus filósofos, ulemas y científicos en interminables y tediosas reuniones en la seguridad del Dar al-Majzén. ¿Cómo podría ella seguir viviendo si lo supiera? Tal vez algún día, en el futuro, Yusuf y su apocamiento triunfaran, y Abú Hafs y sus sueños sangrientos quedaran en nada. Entonces Utmán volvería a Marrakech y reclamaría a Hafsa. Y juntos volverían a Granada. Y serían felices. El *sayyid* empezó a hablar, cautivado por su propia fantasía

—Quizá con el tiempo...

—Con el tiempo —atajó ella con voz hastiada— te odiaré, mi señor. Más aún que ahora, pues el canto del muecín cada atardecer me recuerda que mandaste crucificar a mi amor cuando el sol se ponía sobre Málaga. Hace casi cinco años de eso. Entonces me alejé de al-Ándalus huyendo de ti, oh, gran *sayyid* almohade, elegido por el Único, hacedor de su voluntad. Porque aborrezco tu sola presencia. Oír tu voz me sume en el sufrimiento. Saber que estás aquí, al otro lado de esta cortina, me asquea. Ahora, si es cierto que algún día sentiste algo por mí, te ruego que no vuelvas a visitarme. Vive tu vida, pero que tu vida transcurra lejos de mí. Y que sea una vida larga. Larguísima, sí; eso ruego a Dios, alabado sea. Y que cada día que vivas seas consciente del dolor que has sembrado en el mundo. Y del desprecio que te guardo. Para siempre.

Utmán retrocedió, aplastando con sus pisadas los cojines de los niños. Los anillos de la loriga tintinearon mientras su corazón acusaba el golpe. Casi notó cómo se le quebraba y los pedazos salpicaban de sangre el suelo del palacio califal. Quiso odiarla. Con todo su ser. Pero se dio cuenta de que no podía. ¿O acaso no merecía él todo el veneno que ahora escapaba de la boca de Hafsa? Sí, claro que lo merecía. Merecía pagar con el dolor de su corazón y con la desesperación. Porque él siempre la amaría. Siempre, hasta su muerte. Y seguiría deseando su bien, y por ello, a pesar de todo, se sometería al mandato de Abú Hafs. Por ella. Y también cumpliría el ruego de su amada. Todo por complacerla, aunque le costase la locura.

—No volverás a verme. Jamás —aseguró con la voz rota.

64

La fortuna favorece a los audaces

Primavera de 1168. Inmediaciones de Ronda

Al-Asad subió la mano para protegerse del sol, aún bajo en el horizonte, y miró hacia el norte. Se hallaba en lo alto de un cerro escarpado, a pocas millas de Ronda, en pleno corazón del territorio almohade en al-Ándalus. El panorama, tachonado de alturas que azuleaban en la distancia, no le mostró nada. Todavía.

Desde el camino, más abajo, llegaron los balidos de las ovejas. El León de Guadix escupió al suelo y su vista se dirigió al valle. Allí estaban. Un centenar de aventureros cristianos. Morralla llegada de Castilla. Gente empobrecida por la guerra civil; bellacos que quizás habían robado hasta los caballos en los que montaban. Habían llegado a Jaén apenas un mes antes, reclamando paga por ser incluidos en el ejército de Hamusk. Y Hamusk los había recibido con los brazos abiertos, como un padre recibiría a su hijo pródigo. Aunque los planes que había concebido para sus nuevos amigos cristianos no tenían mucho de paternal.

Al-Asad volvió a otear el norte, dispuesto a cumplir con esos planes. De momento, todo iba según lo fraguado por Hamusk: el centenar de jinetes, comandados por el León de Guadix y guiados por media docena de exploradores andalusíes, habían salido de Jaén con la intención de penetrar hasta lo más profundo del territorio almohade y algarear a placer. Y todo se cumplía por el momento. Cabalgada larga, directa, sin contratiempos, hasta el llano de Ronda. Saqueo brutal de aldeas y arrabales e incluso hostigamiento de la propia ciudad. Ahora regresaban con varios cientos de cabezas de ganado y las alforjas llenas de la poca riqueza que conservaban los andalusíes sometidos al Tawhid.

Claro que con lo que no contaban los cristianos era con los movimientos ocultos de Hamusk, que mientras mandaba a sus nuevos mercenarios a algarear al sur, enviaba un aviso al nuevo gobernador de Córdoba, uno de los hermanos más jóvenes de Yusuf, llamado Abú Ishaq Ibrahim. El señor de Jaén avisaba al *sayyid* de lo que pretendía, y le ofrecía la posibilidad de presentar a su hermano una llamativa victoria: interceptar y derrotar a un destacamento cristiano a sueldo del rey Lobo.

Al-Asad sonrió cuando vio la lejana columna de humo levantarse desde las montañas del norte, un poco hacia poniente. Allí estaban los almohades. Llegaban justo a tiempo, antes de que los algareadores consiguieran dejar atrás las fragosidades y llegar a la llanura. Desde su posición elevada, miró con su único ojo a la ratonera en la que había hecho acampar a los cristianos. El valle tenía dos entradas: la del sur, por la que habían llegado, estrecha y encajonada. Y la del norte, que se abría entre las colinas y ofrecía un terreno apenas arbolado. El León de Guadix había rematado la faena aconsejando a los cristianos que cercaran el ganado robado en el extremo sur del embudo, que terminaba de cerrar el camino angosto. Y en un último toque de genialidad, al-Asad repartió los turnos de vigilancia de esa madrugada entre sus andalusíes.

La columna de polvo se hizo más grande al tiempo que los hombres leales al León de Guadix se reunían con él en lo alto del cerro. Solo faltaba uno, que ahora trepaba desde el campamento cristiano. Cuando llegó arriba, jadeante por el esfuerzo, divisó de inmediato el rastro que se acercaba al lugar desde el norte.

—Mi señor, he informado a los cristianos de que pueden desayunar tranquilos. Les he aconsejado, tal como me dijiste, que mataran algunos cabritos para andar sobrados de fuerza.

El León de Guadix asintió satisfecho.

—Acomodaos, amigos míos. Vamos a ver el espectáculo.

Los andalusíes ataron sus caballos a los arbustos y tomaron asiento en los roquedales que dominaban el valle. Sacaron pedazos de carne seca y los mordisquearon tras ofrecer parte a al-Asad. Este compartió la comida de campaña y se aposentó junto a sus hombres. Abajo, los balidos de cabras y ovejas rebotaban en las rocas y viajaban por entre los riscos. El sol subió y empezó a iluminar los pinares del otro lado del valle, y las hogueras se encendieron abajo, y el olor a la carne asada se elevó hasta el cerro. Y los almohades llegaron.

Los gritos de alarma de los cristianos ascendieron por el roquedal casi al mismo tiempo que se veía aparecer a los primeros jinetes masmudas. Los castellanos corrieron entre las tiendas y algunos consiguieron oponer sus armas. Los más se apretaron contra el embudo que formaba el valle, e intentaron superar al ganado. Pero las ovejas se pusieron nerviosas y echaron a correr de un lado a otro de la cerca.

Uno de los andalusíes de al-Asad se removió nervioso arriba. El León de Guadix lo advirtió, y anotó mentalmente que debía vigilar a aquel tipo. No le convenía la gente que no tuviera claras sus prioridades. Y menos en la delicada situación que estaban viviendo en al-Ándalus. Aun así, intentó tranquilizarle.

—No te preocupes. No corremos peligro.

—¿Y si nos ven?

Al-Asad quitó importancia a ese riesgo con un gesto de desdén, y observó la carga cerrada de los masmudas. Los caballos barrieron a los cristianos más próximos, y los jinetes lanzaron una salva de jabalinas. Los primeros cadáveres alfombraron el valle mientras el destacamento almohade, que no terminaba todavía de entrar en la ratonera, evolucionaba con disciplina, avanzando por tandas para arrojar sus azagayas, volver grupas y dejar espacio para la siguiente acometida. Aquello era una masacre a placer. Sin opción alguna para los castellanos, que no podían organizar la defensa. En muy poco tiempo, varios cristianos atrapados entre las ovejas del cercado pidieron cuartel.

El León de Guadix se levantó e hizo tintinear su inseparable loriga desgarrada. Frotó el parche negro que cubría el hueco donde un día estuviera su ojo derecho y hurgó con la lengua entre los dientes hasta que escupió un pequeño trozo de carne seca. Ahora los almohades debían un favor a Hamusk. El trabajo en el sur estaba hecho, pero aún quedaban muchos cabos que atar. El norte esperaba a al-Asad. Los gritos de los adalides almohades que detenían la carga llegaron en forma de eco. Abajo terminaba la matanza. Por ahora.

—Nos vamos.

Verano de 1168. Murcia

Zobeyda y sus doncellas seguían cerrando de cuando en cuando los baños del Rumí para su propio solaz. Sin embargo, las salas habían perdido su antiguo toque de discreción elegante y habían cobrado un aire de tristeza que se aferraba a las paredes tanto como la humedad. Adelagia pulsaba la cítara con desgana, sin unir los sonidos para crear una melodía. Las cuerdas vibraban perezosas, desafinadas, y el sonido se perdía entre las nubes de vapor. La italiana dejó el instrumento sobre el banco alicatado, se tendió y observó a su compañera Marjanna. La persa amasaba con delicadeza los hombros de Zobeyda mientras canturreaba en voz baja.

—¿Qué te pasa, Adelagia?

La cristiana vio que su señora había abierto los ojos y la observaba. Se incorporó y cogió de nuevo la cítara.

—Hoy no estoy inspirada.

—Pues no toques. Pero cuéntame tus desvelos —pidió Zobeyda—. Hace días que te noto triste.

Marjanna dejó de canturrear y también miró a la italiana.

—Mis padres son muy ancianos —dijo al fin esta—. Y se les ha metido en la cabeza que quieren regresar a su tierra a morir. Además, mi padre ha perdido negocio en los últimos tiempos. Quieren que vuelva a Italia con ellos.

Zobeyda interrumpió el masaje de Marjanna y tomó asiento junto a su doncella pelirroja. Suavemente, la obligó a apoyar la cabeza en su hombro.

—¿Tú quieres irte?

Adelagia no contestó, pero Marjanna lo hizo por ella.

—No quiere. Por nosotras, pero sobre todo por Abú Amir.

—Pero no puedo dejar que mis padres marchen solos. No tienen a nadie más que a mí, y además mi madre enferma muy a menudo últimamente.

Zobeyda comprendió y acarició el cabello de la italiana. Así era como todo se venía abajo. Con sus seres queridos desesperándose. El Sharq al-Ándalus dejaba de ser un lugar donde todos cabían y eran capaces de cumplir sus deseos. Esa era la forma en la que el sueño se mostraba como utopía. Las voces de la guardia fuera llamaron la atención de las mujeres. Marjanna, que seguía en pie con las manos impregnadas de aceite, se acercó a la entrada de la sala. Cubrió su cuerpo desnudo con un paño grande que colgaba de una alcándara y desapareció. Zobeyda siguió consolando a Adelagia. Primero había perdido a Sauda y a Zeynab, y ahora perdería a su más cercana confidente. Leyó la inscripción de la pared, difuminada entre el vapor de la sala. *Al-yumn wa-l-iqbal.* Solo que ya no había felicidad. Ni prosperidad.

—Al-Asad acaba de presentarse en el alcázar —anunció la esclava persa en cuanto regresó.

Zobeyda miró extrañada a Marjanna. Esta se encogió de hombros.

Las mujeres concluyeron con su aseo y se hicieron escoltar de vuelta al palacio murciano. Como en los últimos tiempos, el paseo desde el *hammam* del Rumí hasta el alcázar estuvo menos concurrido que de costumbre. Los soldados ya no tenían que abrir paso a la comitiva, mucho más menguada que en los años de bonanza. En cuanto a las limosnas, ahora eran auténticos mendigos los que se arrodillaban al paso de la litera de Zobeyda, y su número era mayor de lo habitual. Cada vez más.

Cuando llegaron al alcázar, los mozos de cuadras atendían a los caballos manchados de polvo. La favorita, con paso decidido, fue preguntando a los sirvientes por el recién llegado, y todos le señalaron el camino del salón de banquetes. Abú Amir se hallaba en la puerta, montando guardia junto a un par de jovencísimos soldados que recibieron a Zobeyda con expresión asustada.

—Al-Asad insiste en hablar contigo. A solas —informó el consejero—. Pero si tú lo deseas, ordenaré a la guardia que lo eche de aquí.

Ella se detuvo un instante y observó los rostros de los soldados. Era casi gracioso. Aquellos chiquillos intentando expulsar por la fuerza al León de Guadix. No. Zobeyda no les encargaría aquel trabajo. Empujó con ambas manos las puertas de madera labrada y penetró en el *maylís*, dejando atrás a sus doncellas, a Abú Amir y a los azorados guardias.

Al-Asad estaba sentado en un lateral de la mesa alargada y bebía de su propio odre, puesto que nadie le había servido nada como bienvenida. El guerrero llevaba su viejo almófar echado hacia atrás, y el pelo encrespado y negro se desparramaba rebelde sobre sus hombros. Se volvió y clavó su único ojo en Zobeyda. La favorita se estremeció, como siempre que estaba ante el León de Guadix. Si antes de su mutilación daba miedo solo contemplarlo, ahora, con ese parche negro hundido en la cuenca vacía, atemorizaba como si se estuviera ante un genio maligno del desierto. Al-Asad se levantó con lentitud, dejando claro que el protocolo era para él una obligación que aceptaba con desgana.

—¿Qué quieres? ¿Con qué permiso te presentas aquí? ¿Y a qué viene esa insolencia? Abú Amir es primer consejero y, en ausencia del rey, visir con plenos poderes...

Al-Asad alzó la mano izquierda para detener los reproches de ella.

—Solo estoy de paso. Voy hacia Valencia. Pero quería hablar contigo y no puedo hacerlo en presencia de esos afeminados.

La puerta había quedado abierta tras la entrada de Zobeyda, y Abú Amir oyó perfectamente la respuesta del guerrero. Su resoplido de indignación también se escuchó desde dentro. La favorita giró medio cuerpo y reflexionó un instante. ¿Era conveniente que el poeta escuchara lo que al-Asad tenía que decir? Hamusk había dado su palabra de permanecer fiel a Mardánish, y ella quería creerlo. Suspiró confusa. Su esposo, que seguía desconfiando de ella, sabría de esa conversación privada cuando regresara de Castilla. Y eso no la beneficiaría. Aun así hizo un gesto hacia el poeta y miró de reojo el tapiz de Diana; Abú Amir comprendió de inmediato y cerró las puertas para dejarla sola con al-Asad. Zobeyda anduvo despacio y pasó por detrás del guerrero. Él la siguió con la mirada. Una mirada mutilada, pero también desvergonzada, que se detenía en cada recodo creado por la túnica. La favorita no había tenido tiempo de maquillarse tras el baño en el *hammam*, y ahora se mostraba natural, sin afeites, con la melena negra libre para resbalar por la espalda hasta la cintura. Aquello parecía agradar más al guerrero, que se pasó la lengua por los labios con clara impudicia. Ella se dirigió al sitial de su esposo y lo ocupó con la barbilla alta, lo que arrancó una sonrisa de burla a al-Asad.

—Toda una reina...

—Insolente.

—Sí, lo soy. Insolente. Pero creo que a ti te gusta, ¿eh?

Zobeyda cerró los ojos durante unos momentos. Calculó mentalmente y se dijo que Abú Amir debía de estar llegando al hueco oculto. Enseguida se hallaría tras el tapiz de Diana y sería testigo de todo lo que se dijera. No obstante, decidió dar tiempo al consejero.

—He observado cómo me miras —dijo sin ocultar su desprecio por el guerrero tuerto—. Me parece que debería hablar sobre ello con mi padre. Y también con mi esposo. Tal vez a ellos no les guste tanto tu insolencia.

Al-Asad bebió otro trago de su odre, y el agua resbaló por su barba negra y manchada de polvo.

—Pues a propósito de eso, dime una cosa, Zobeyda. —El guerrero se pasó el dorso de la mano por la boca—: ¿Dónde está tu esposo, mi reverenciado rey Lobo?

—En tierra de cristianos. Tratando de nuestro futuro con el rey de Castilla.

Al-Asad sacó su puñal, la única de sus armas que mantenía limpia, afilada y brillante. La que usaba para degollar a los enemigos caídos. Esbozó una sonrisa y, con estudiado descuido, se aplicó a limpiar sus uñas con la punta del arma.

—¿Y cómo es, mi señora, que tu esposo no te ha llevado con él a Castilla?

Zobeyda entendió qué camino pretendía seguir el guerrero, pero no pudo evitar una punzada de frustración por no tener una respuesta que escupir a su cara.

—El rey hace y deshace en su reino. Tú eres vasallo suyo. Y también... —se interrumpió.

—Y también ¿qué? —Giró la muñeca con indolencia y apuntó el puñal hacia ella—. ¿Vasallo tuyo? Ah, sí. Claro. Mi reina. La soberana del Sharq. Eso es lo que te gusta sentirte. Pero no eres una reina cristiana, mi señora. Eres una de las esposas de Mardánish. Una más. Y ni siquiera te ha escogido para presentarte ante la nobleza castellana. Los rumores vuelan, Zobeyda, y más cuando sirven al escarnio. ¿Debo llamar también mi reina a Tarub, la concubina de Mardánish que lo ha acompañado a la corte de Alfonso de Castilla?

—¿Has venido para humillarme, entonces?

Al-Asad regresó la punta del puñal a la tarea de entresacar la suciedad de sus uñas.

—Todo lo contrario. Quisiera que dejases de ser humillada. —Y dirigió su ojo a los de Zobeyda—. Pero me temo que eso no parará mientras sigas aquí, con ese perdedor que se disfraza de lobo.

—Hay un límite para todo, al-Asad. También para tu desvergüenza. Si sigues insultándonos, haré que te prendan.

—Oh. Bien. Llama a esos críos que ahora montan guardia en tu palacio. Que vengan a prenderme. Convoca a todo tu ejército. —El guerrero retiró el puñal de las uñas y lo miró con cara de extrañeza, como si acabara de reparar en algo nuevo—. Ah, no. Que ya no tienes ejército. Tu esposo lo sacrificó a pocas millas de aquí. Y ahora, sin soldados, sin el favor de tu rey, los aragoneses aprietan desde el norte. Y los almohades, desde el sur. Dentro de poco te darás cuenta de que escogiste mal, Zobeyda. Cuando él, el gran Lobo, no pueda protegerte.

Ella mantenía el gesto de dignidad con bastante aplomo, pero temblaba de rabia. Rabia por no poder castigar a aquel insolente allí mismo. Fijó su vista en el puñal de al-Asad y se imaginó a sí misma hundiéndoselo en el pecho. Despacio, disfrutando de ello. Viendo el único ojo del guerrero desencajarse. Ese ojo la observaba ahora, descarado y despidiendo lujuria. Zobeyda levantó la mirada al techo, a las finas capas de alabastro en forma de estrellas de ocho puntas. Se resistía a examinar la certeza que escondían las palabras de al-Asad. Pero lo cierto era que allí estaba ella. Sola, habiendo perdido de facto la condición de favorita. Despreciada por su rey. Por su esposo, que siempre la colmó de dones. Aquel por quien fue capaz de todo, lo más audaz y lo más repugnante. Pero ¿no era eso lo que al-Asad pretendía que ella creyera? Y, verdadero o falso, ¿desde cuándo ella, Zobeyda, se limitaba a aceptar la manipulación ajena? Manipular. Dirigir la voluntad. Engañar la vanidad de los hombres. Su gesto reflexivo e iracundo se suavizó y curvó los labios en una sonrisa leve. El ojo de al-Asad seguía allí, fijo. Desnudándola. Quizás algo más.

—Tu rudeza, León de Guadix, no te permite usar las palabras con finura. —El tono cambiaba de forma casi imperceptible—. Es uno de tus defectos, aunque reconozco que lo compensan algunas virtudes. Virtudes que, me temo, no servirán a mi provecho cuando el cerco de aragoneses y almohades se cierre sobre el Sharq.

El guerrero movió la cabeza hacia atrás. Una sola pulgada. Pero ella lo notó. Al-Asad quedó en silencio un instante, con el puñal en la mano. Por ese cortísimo lapso, su pose de adalid se vio sustituida por la del fantoche a quien se sorprende con la guardia cambiada.

—¿Cómo que no te servirán? No me conoces... Yo —hinchó el pecho— jamás te dejaría aquí para escoger a otra. Ni habría abandonado tu vida a merced de los enemigos. Conmigo estarías segura siempre.

—¿Contigo? —Ella pareció pensárselo. Incluso hizo un gesto de aceptación que luego desdijo con sus palabras—. Pero... ¿de verdad piensas que cambiaría a un rey por un vasallo?

Él se levantó y, con un movimiento hábil, hizo girar el puñal en la mano y lo clavó sobre la mesa. El arma quedó allí, vibrando antes de detenerse, como un estandarte enarbolado en el campo enemigo. Había sido un alarde no de cólera, sino de bizarra decisión.

—Mardánish era vasallo antes de ser rey. La fortuna es tornadiza, pero acaba siempre favoreciendo a los más audaces. No me subestimes, Zobeyda. Sería un error.

Ella asintió y se humedeció los labios con la lengua.

—El león que duerme a la sombra del árbol se levanta para tomar el mando de la manada...

—Despedazando al lobo, si se tercia —completó él.

Zobeyda apoyó un codo en el brazo del trono y dejó reposar la cabeza, ladeada, sobre su mano. Miró de arriba abajo al guerrero.

—Has dicho que estás de paso hacia Valencia.

—Allí aguardaré el momento oportuno para seguir camino al norte. Tu padre me encomienda la misión de entrevistarme con los aragoneses y establecer un pacto de amistad.

Ella estuvo a punto de dejar que la sorpresa arruinara su estudiada pose.

—¿Mi padre? ¿Y qué hay de la promesa que hizo? Me juró ser fiel a Mardánish.

—Esto no rompe el compromiso. Tal vez tu esposo guste de empecinarse contra enemigos más poderosos que él. Hamusk no rehúye el combate, pero sabe reconocer en qué momento es más útil la paz que la guerra. No se puede decir lo mismo de Mardánish, que sigue soñando con esa ayuda castellana que jamás hemos tenido y que jamás llegará. ¿Sabías que el califa Yusuf está en tratos con los leoneses? No, no lo sabías, claro. Tampoco sabrás que Fernando Rodríguez de Castro, soliviantado por cómo ha ido la guerra civil en Castilla, ha viajado hasta Marrakech para ofrecerse a los almohades. ¿Te extraña? ¿Ves cómo el mundo se mueve a nuestro alrededor, ajeno a utopías y a sueños de reyes y reinas? En cierto modo, tu padre no hace sino cumplir con esa fidelidad hacia tu esposo: maniobra para asegurar el reino. A pesar de Mardánish.

Ella encajó lo que le descubría al-Asad como si la despertaran de un largo sueño con un baño de agua fría. A pesar de todo, ¿cristianos y almohades, en tratos? ¿Mientras ambos planeaban la destrucción del Sharq o el expolio de sus despojos? Asintió. Simuló ver la lógica de todo, y miró de reojo al tapiz de Diana. ¿Había hecho bien en permitir que Abú Amir fuera testigo de aquello? De algo que no dejaba de ser traición, tanto para quien lo planeaba como para quien lo encubriera. Por un momento la asaltó el temor. El consejero no sería capaz de ocultarle esa conversación a Mardánish cuando este regresara de Castilla. Así se precipitarían las cosas, y ella no se hallaba en la mejor posición para esquivar la ira del rey Lobo. ¿Qué hacer? ¿Apartarse de su padre y denunciar la traición? ¿Intentar frenar la obcecada e inútil política de su esposo? ¿Amor? ¿Necesidad? Los nervios dificultaban su reflexión. Qué sencillo habría sido ignorarlo todo. Dejarse llevar por la tempestad, llegara del norte o del sur...

—¿Por qué mi padre me hace saber vuestras intenciones? —preguntó ella en un impulso—. Más fácil habría sido que las desconociera. Esto me obliga a escoger.

Al-Asad se encogió de hombros, desclavó el puñal de la mesa y lo devolvió a su vaina.

—Escoger. Es algo que todos tenemos que hacer tarde o temprano. Pero no se lo reproches a tu padre. Él quería mantenerte al margen. Esto es cosa mía.

Otro respingo de sorpresa que Zobeyda casi no pudo disimular. ¿Hasta dónde llegaba realmente la audacia de aquel tipo?

—Tú... —Aquello lo hacía más fácil. Tal vez pudiera conseguir que solo al-Asad fuera culpado de la felonía—. Eres más estúpido de lo que pensaba. Vienes a mí, la esposa del hombre al que pretendes vender, la hija del hombre a quien desobedeces..., y me haces saber tus planes. Te denunciaré enseguida a Mardánish y a mi padre. Antes de que abandones Murcia, las palomas mensajeras volarán hacia Castilla y Jaén. Pronto, todo el Sharq sabrá que eres un traidor...

—Yo también tengo mensajes que podría llevar al rey Lobo. —Al-Asad apretó los dientes con fiereza—. Pero no necesito palomas. Lo que sé está aquí. —Se dio un toque con el índice en la sien—. Hablaré a tu esposo de adulterio. ¿Dices que soy un traidor? ¿Y cómo deberíamos llamarte a ti si te acostaras con un conde cristiano en la misma cara de Mardánish? Lo sabremos pronto. En lugar de viajar a Valencia, cabalgaré a marchas forzadas hasta Toledo. Y allí le contaré a tu rey que fornicaste una y otra vez con Armengol de Urgel. Aquí mismo, en vuestro palacio.

Zobeyda estaba tan blanca que podría haberse confundido en las nieves del Yábal Shulayr. Supo que todas sus opciones volaban. ¿Todas?

—Tarub —escupió, casi sin voz—. Esa perra rabiosa te lo contó... Pero nadie la creería a ella. Y nadie te creerá a ti. Ambos tenéis razones para mentir. —Se levantó del trono y apuntó con un dedo tembloroso al León de Guadix—. Soy Zobeyda, la reina. Mi palabra está por encima de la tuya.

Al-Asad no varió su expresión.

—Sea pues. Salgo para Castilla. Viajaré sin descanso, y cuando esté ante tu esposo, le diré que lo engañaste. Sabrá que tu cuerpo se desnudó para otro. Que el conde de Urgel tuvo entrada franca a tus secretos más sagrados; aquellos que Mardánish creía solo suyos. Contaré al rey Lobo que esa estrella de ocho puntas que llevas grabada en la espalda no existe para su único disfrute.

Fue como una puñalada en el pecho. Zobeyda se dejó caer de nuevo sobre el sitial. Ahora sí estaba totalmente desarmada. Maldijo el momento en el que se dejó lacerar la piel. Aquel secreto símbolo de amor se convertía en la prueba que la destruía. El León de Guadix supo, al ver la faz desencajada de la favorita, que había triunfado. Cuando Zobeyda volvió a hablar, apenas se oyó su voz.

—¿Qué debo hacer?

—Debes escoger. Como yo. —El ojo del León de Guadix volvió a mirarla como si pudiera traspasar su ropa—. También tengo mis opciones, y he escogido un camino. ¿Ves? Escoger es necesario, y no obligatoriamente malo. Tú sabrás escoger lo que más te conviene, espero. Estaré en Valencia, aguardando el momento oportuno. No quedarás al margen... —dio la vuelta y caminó junto a la mesa de banquetes, sobre la que él mismo, en otro tiempo, había bebido y fornicado a la salud del rey Lobo. Antes de abandonar la sala se volvió, y su ojo relumbró a la luz tamizada por los tragaluces en forma de estrella—, si sabes escoger, claro.

Abú Amir abandonó su escondrijo en cuanto las puertas del salón se cerraron con un golpe que lanzó ecos por todo el alcázar. El consejero estaba pálido y se pasaba la mano por la boca. Tomó asiento y apoyó los codos en la mesa para hundir la cabeza entre los brazos. Zobeyda tragó saliva desde el trono. Sus ojos se humedecían poco a poco.

—Estoy atrapada.

Abú Amir movía la cabeza, como si pudiera negarse a reconocer las implicaciones de todo aquello. Pero no podía. Al final levantó la cara y carraspeó.

—Todavía no. No hasta que Mardánish lo sepa. ¿Qué quería decir con lo de esa estrella?

—La estrella de los Banú Mardánish... Sauda me la grabó en la piel hace tiempo. Solo Mardánish sabe que estoy marcada.

El consejero entrecerró los ojos. Ahora entendía.

—Mardánish y Armengol de Urgel, supongo.

Zobeyda asintió despacio.

—Y Tarub, que vio mi cuerpo desnudo junto al del conde. La muy zorra ha guardado el secreto hasta que ha podido usarlo. Y ha hecho bien. Te juro que, de saber esto, habría mandado matarla... —Se detuvo un instante, a punto ya de ser desbordada por el llanto—. Pero no es tan fácil matar al León de Guadix. Al-Asad me tiene en sus manos. Hará conmigo lo que quiera. —La favorita se restregó el pómulo para limpiar su primera lágrima.

Abú Amir se masajeó las sienes. Tenía que pensar algo. Asentar las prioridades. Asegurar cada cabo. La felicidad de Mardánish y Zobeyda peligraba, pero también peligraban otras cosas mucho más importantes. En esos momentos, el mundo entero conspiraba contra el Sharq.

—No tendría sentido que ese cerdo hubiera mentido... —El consejero dio voz a sus elucubraciones—. Los almohades negocian con León. Sí, podría ser. Aunque eso rompe todo lo que imaginaba sobre ellos. —Su mente volvió por un instante al pasado, a las mazmorras de Valencia y a su entrevista con el rebelde Ibn Silbán. Fanatismo. Conveniencias—. No creo que tardemos en confirmarlo. En cuanto a al-Asad, se está dejando llevar por la ambición. —Miró a Zobeyda, que lloraba a mares pero en silencio—. Antes o después les pasa a todos. Pretende sustituir a tu esposo... Y no solo en el lecho.

—Mi padre no lo permitirá. —La favorita volvió a restregarse la cara—. Si alguien tuviera que sustituir a Mardánish como señor del Sharq, sería el propio Hamusk. Pero yo sé que él no lo quiere, Abú Amir. Es fiel al rey. Debes creerme. Me crees, ¿verdad?

El consejero miró a Zobeyda. No podía confesarle que había espiado sus movimientos en Jaén. Que sabía que Hamusk sí era un traidor, después de todo. Que el propio Mardánish prefería mantenerlo todo en secreto para seguir controlando la farsa. Pero ella... ¿en verdad había recobrado la confianza en su padre? ¿O era una mentirosa más? El gesto de Abú Amir se crispó. Red de mentiras y traiciones. Él mismo la estaba traicionando a ella. Pero Mardánish se lo había dicho con una sinceridad lacerante: o eso o traicionarse a sí mismo. Traición, traición, traición. Salpicándolos a todos. Y su corazón se rompía al ver el sufrimiento de Zobeyda. ¿No habría una forma de dejarla a ella fuera de la felonía?

—Hamusk no puede llegar a acuerdos con nuestros enemigos y pretender que tu esposo no lo sepa. Además, llevo muy adelantados los tratos con un embajador en la corte de Alfonso de Aragón, Giraldo de Jorba. Mardánish me dio plenos poderes para asumir la negociación y conseguir treguas, y la cosa va aceptablemente bien, aunque nos costará dinero. No tardaremos mucho en llegar a un concierto. Por el momento, el joven rey aragonés ha tenido que viajar al norte, a sus tierras del otro lado de las montañas. Tiene asuntos que lo ocupan allí. Pero regresará. Y me temo que ese será el momento que elija al-Asad para buscar su propia negociación. ¿Un pacto que favorezca al Sharq? ¿O que favorezca a Hamusk, sin más? ¿Y si al-Asad se decide finalmente por su único provecho? Que te pretenda con tanto descaro lo evidencia. Él ha mostrado su baza: ambición. Cuidado con el León de Guadix, Zobeyda. Cuidado.

»Hay otra cosa que me preocupa: al-Asad no ha escogido Valencia al azar. Allí está tu cuñado, Abú-l-Hachach. Medroso, manipulable. Incluso pusilánime. Tú lo conoces.

—Lo conozco. —La voz de Zobeyda se empezaba a quebrar.

—Debemos actuar, niña. Es el reino lo que está en juego. ¿Te vas a rendir?

Zobeyda casi sonrió. Abú Amir la acababa de llamar *niña*. ¿Cuánto hacía de la última vez? Se mordió el labio inferior. Qué oscuro se había vuelto todo si ese simple detalle se convertía en un consuelo.

—¿Si me voy a rendir, dices? —La pregunta era lógica, y la única respuesta posible también; pero ¿había una segunda intención? ¿Confiaba Abú Amir en ella? ¿Seguía siendo en verdad su niña? Hizo un último esfuerzo para dominar el llanto. Inspiró antes de hablar con toda la seguridad que pudo reunir—. Al-Asad ha hecho su jugada. Ambición, como tú has dicho. Tanta como para apostarlo todo. Ahora esperará en Valencia. Se ha asegurado de que iré junto a él. Pero si a pesar de todo lo delato, tiene a donde huir. Nada impedirá que cumpla sus planes.

—Tal vez sea mejor que Mardánish no esté aquí —rezongó él.

Zobeyda abandonó el trono. Le preocupaba que Abú Amir, siempre ingenioso, no encontrara una solución. Tomó asiento frente a él, en la mesa de banquetes.

—Mardánish no está, pero nosotros sí. Algo podremos hacer.

El consejero negó con la cabeza. Ambos se miraron. Ella, temiendo que Abú Amir la considerara traidora. Él, calculando hasta dónde callaba Zobeyda.

—Yo no pasaré por entregar el reino a nadie. A nadie —remarcó él—. Hace tiempo que decidí que la única vida concebible es esta. La que tengo ahora. Fuera de ella no hay nada. Ni sometido a Aragón, ni esclavizado por el Tawhid.

—Te comprendo. Y sin embargo, los dos sabemos que el sueño se acaba.

—Lloraré, niña. Lloraré cuando sepa que estás en brazos de al-Asad. No solo por lo mucho que te amo desde siempre. Tú eres el Sharq al-Ándalus, y no podré aguantar que el sueño se acabe. Y con él acabaré yo. No despertaré a una vida de sumisión. Prefiero morir libre.

Zobeyda supo que Abú Amir también mostraba su baza. Con una decisión insólita. Intentó imaginar esa otra vida a la que el consejero se negaba a despertar. Bajo el poder del califa. Con la tristeza recorriendo las calles. Sin su esposo. Algo contra lo que merecía la pena luchar... si no fuera porque toda lucha era inútil. Ella no era como Abú Amir. Zobeyda tampoco quería despertar, pero lo haría. Y seguiría viviendo. Todo cuanto podía hacer era retrasar lo inevitable. Estirar el sueño.

—Abú Amir, tú tienes una buena amiga en Valencia. Te he oído hablar de ella alguna vez. Esa danzarina...

—Kawhala. Ya no danza. El dueño del local donde lo hacía, El Charrán, murió. Pero antes la tomó por esposa y ahora ella regenta la taberna.

—Hummm. La supongo bella todavía.

—No lo dudes.

—Y leal a ti.

—Haría todo lo que le pidiera. A pesar de su matrimonio, nosotros..., bueno, ya sabes.

Zobeyda hizo un gesto de triste complacencia.

—Así que haría cualquier cosa. ¿Incluso seducir a al-Asad, servirle de distracción e informarnos de sus movimientos?

Abú Amir sonrió.

—Eso no le gustará..., pero puedo escribirle ahora mismo. Aunque ¿qué pasará cuando ese traidor viaje al norte y se entreviste con los aragoneses?

—Todos los hombres tienen su debilidad. Solo hay que encontrarla. Encontré la debilidad de Armengol de Urgel, y hoy he encontrado la de al-Asad. Cuando él se disponga a dar su paso a Aragón, me hallará en el camino.

Un mes después. Toledo

Alfonso de Castilla había quedado huérfano de madre a los nueve meses de edad. Dos años más tarde, su padre también había dejado este mundo. Semejante desgracia habría sido suficiente para marcar la vida del pequeño, de no ser porque con ello Alfonso quedaba como soberano del reino más poderoso de la Península. Pero el destino, no contento con las desgracias del niño, remató su condición de huérfano y rey y lo convirtió en la causa de una feroz guerra civil. Alfonso fue colocado, como un pelele, entre dos poderosas familias que ambicionaban el poder y que, tirando cada una hacia su partido, zarandearon al pequeño rey. Los Lara y los Castro no repararon en dobleces, falsos acuerdos y traiciones. Volvieron la espalda a la amenaza africana, arrojaron a los castellanos a una lucha fratricida y se sirvieron de la ambición de Fernando de León. Pero sin duda lo más cruel que hicieron fue trazar una trinchera en la cordura de Alfonso de Castilla. Un surco fino y muy peligroso, a cuyos lados se situaron un demonio y un ángel dispuestos a pugnar entre sí para ganar la partida: uno, el demonio, tiró de Alfonso con intención de arrastrarlo hacia el desamparo perpetuo; otro, el ángel, resistió a aquel y, a golpe de martillo, trató de forjar un espíritu bravo.

Ahora, al final de esa lucha sin cuartel, el ángel se alzaba con el triunfo.

Alfonso todavía no había cumplido los trece años, pero sus vivos ojos despedían un brillo de inteligencia y madurez únicas. Sentado con elegancia sobre su sitial de honor, presidiendo la mesa de banquetes en uno de los salones del alcázar de Toledo, el joven rey consumía poco a poco los últimos meses que le quedaban antes de alcanzar la mayoría de edad. Según el testamento de su padre, Alfonso dejaría de estar bajo tutela al llegar a los catorce: en ese momento, se alzaría con la potestad total sobre su reino y sus súbditos.

Mardánish, recostado en su asiento a la izquierda del joven rey, observaba indiferente los malabares de dos titiriteros que se turnaban en sus piruetas y lanzaban al aire bastones que recogían y volvían a lanzar, cada vez más deprisa. Los volatineros ocupaban el centro de una sala de elevado techo y ventanales altos y angostos por los que apenas pasaba la luz; para luchar contra la penumbra se usaban multitud de hachones que despedían un fuerte olor a brea. Mardánish, junto al rey y a los comensales de mayor rango, se sentaba a la mesa que encabezaba el banquete. A ambos lados de la estancia, otras dos mesas alargadas eran ocupadas por nobles de bajo rango, clérigos y algún que otro afortunado comerciante de Toledo. Las paredes estaban totalmente cubiertas de tapices, como si se pretendiera esconder lo que había bajo ellas. Y en el suelo, las alfombras de pieles de animal se montaban unas sobre otras, y a veces creaban arrugas con las que tropezaban los sirvientes y escanciadores. Ante su plato intacto, el rey Lobo miraba con ojos biliosos. Aburrido. Impaciente. Soportando el malestar sordo que le pinchaba en el costado y que se turnaba con los ramalazos de dolor en el brazo izquierdo y en el pecho. Llevaba meses en Toledo asistiendo a banquetes como aquel, con inacabables muestras de adulación por parte de los barones del reino. Todos, incluidos los altos clérigos, mostraban curiosidad por aquel rey musulmán al que llamaban Lope, y el mismo arzobispo Cerebruno, máximo exponente de la cruz en la Trasierra, le dedicaba cada poco sonrisas amistosas. Pero hasta los nobles de más alto linaje le saludaban con un respeto no exento de cierta desvergüenza infantil, como la de quien ve por primera vez a alguien del que solo ha oído hablar a los bardos. Y todos observaban sorprendidos el cabello rubio de Mardánish, sus ropas y sus modales cristianos. Se maravillaban de que bebiera vino en gran cantidad, y de que hubiera incluso pedido carne de cerdo en un par de ocasiones. Con todo, pese a los muchos esfuerzos del rey Lope por atraerse a los castellanos, estos seguían con sus cuchicheos mientras lo miraban de reojo. Y Mardánish lo notaba.

—¿Te parecen aburridos los titiriteros, mi señor don Lope?

Nuño Pérez de Lara, regente de Castilla y ayo real, se inclinaba sobre la mesa desde la derecha del joven rey Alfonso.

—No, amigo mío: no son aburridos —respondió Mardánish—. Es que no quiero perder detalle.

—¿Y la comida? ¿No es de tu gusto?

El rey Lobo mostró una sonrisa forzada. Apoyó una mano sobre su estómago y enarcó las cejas.

—Ya sabes que últimamente no tengo apetito. Nos vamos haciendo viejos, don Nuño.

—Tampoco has bebido vino, por lo que veo.

Alfonso lanzó un sonoro resoplido y giró una pulgada la cabeza hacia la derecha, aunque sin mirar directamente al de Lara.

—Nuño, deja de importunar a nuestro huésped. Que el buen rey Lope coma y beba si gusta, y si no, que no lo haga. En cuanto a los titiriteros, a qué engañarnos: son aburridísimos.

El noble castellano reaccionó poniéndose en pie y dio un par de sonoras palmadas. Los malabaristas se frenaron en seco y los bastoncillos que lanzaban al aire rebotaron sobre las losas de piedra recubiertas de piel de oso.

—¡Fuera! ¡Dejadnos!

Los cómicos hicieron exageradas inclinaciones mientras recogían a toda prisa sus bastones, y luego retrocedieron hacia las inmensas puertas de la sala sin dar la espalda al rey. Varios de los comensales, que animaban con palmas a los titiriteros hasta un instante antes, les arrojaron pedazos de verdura y pan. Se oyeron risas y algún que otro insulto jocoso. Alfonso bufó de nuevo.

—Seguro que en Murcia lo pasáis mejor —dijo el regente, hombre entrado en edad. Tanta, que entre sus servicios se contaba el haber sido alférez del emperador Alfonso—. Alguna vez me han contado cosas de vuestros banquetes.

—Y a mí —apuntó el joven monarca.

Mardánish observó al rey. Alfonso esperaba la respuesta con el mismo gesto del zagal que acaba de cometer una travesura graciosa. El rey Lobo sonrió y giró el rostro hacia su izquierda, al lugar que ocupaba Pedro de Azagra. El navarro se encogió de hombros.

—Yo no he dicho nada.

—Pues verás, mi señor Alfonso —Mardánish dio la cara de nuevo al rey de Castilla—, allí tenemos otras... costumbres. Contamos con malabaristas, como vosotros, pero preferimos a los juglares que representan farsas. Y no hay banquete que se precie que no se vea deleitado por un buen coro de cantoras. La música y la danza son fundamentales...

—Por cierto, mi rey —interrumpió Nuño Pérez de Lara—, que nosotros hoy también disfrutaremos de la música. ¿Te place?

El muchacho hizo un gesto con la mano derecha para asentir, pero siguió mirando a Mardánish. Lo hacía con los ojos entornados; tal vez imaginaba aquellas fiestas andalusíes con danzarinas. Mientras, el regente dio otro par de palmadas y una orden en alto. Un juglar se presentó con una teatral reverencia. Recibió los aplausos de los comensales y algunos solicitaron a gritos sus canciones favoritas, pero el tipo, que llevaba en la mano un laúd, avanzó hacia el sitial del joven rey y, llegado a su frente, se inclinó al tiempo que abría los brazos.

—Es de Aquitania, mi señor —murmuró el de Lara.

Aquello pareció despertar la atención de Alfonso. El rey dejó de imaginar banquetes andalusíes y se retrepó en la silla. El juglar retrocedió y se dispuso a empezar su recital. La ruidosa concurrencia calló por fin, de modo que solo se oía el crepitar de los hachones. Luego comenzó la música. Azagra se inclinó hacia Mardánish.

—Hoy ha llegado un comerciante de esencias de Andújar. Estaba en el zoco y la gente hacía corro a su alrededor. Traía noticias.

Mardánish también se inclinó a un lado. El rey y el resto de los invitados escuchaban las notas que el juglar arrancaba a su laúd mientras desgranaba su propia presentación en verso.

—¿Y bien?

—Hace unos meses, tu suegro dio sueldo a varios mercenarios cristianos que se presentaron en Jaén buscando contrato.

El rey Lobo arrugó la nariz.

—No sabía nada. A Hamusk nunca le ha gustado tener cristianos en sus tropas. Siempre me los ha dejado a mí.

—A estos los mandó a Guadix y salieron enseguida a algarear hacia el sur. Se dice que fueron hasta Ronda —continuó Azagra.

—Hasta Ronda... —repitió Mardánish con admiración—. Yo nunca he llegado tan lejos.

—Para tu fortuna. Los cristianos fueron derrotados por un destacamento almohade. Mataron a la mitad de ellos en las montañas, y al resto los llevaron cautivos a Granada. Todos fueron decapitados como castigo.

El rey Lobo se pellizcó la barbilla y torció la boca en una mueca. La molestia del costado le atormentaba de nuevo. Ignoró el dolor, leve y pasajero, mientras el juglar se dejaba llevar por su canto en un dulce acento occitano.

Rey, por los cristianos me entristezco,
pues los mazmutes nos superan.
No ciñe cintura conde ni duque
que mejor que tú hiera de lanza.

Mardánish miró instintivamente al joven Alfonso. Al muchacho le brillaban los ojos, atento a los versos del aquitano. Al otro lado, el regente Lara se dio cuenta de la reacción del rey Lobo y curvó apenas los labios.

—Como respuesta por la ejecución de los cristianos en Granada —siguió Pedro de Azagra—, o tal vez por casualidad, los de Ávila salieron en expedición hasta Sevilla, y volvieron con miles de cabezas de ganado y algunos cautivos. Si esto sigue así, a los almohades no les quedará más remedio que presentar batalla.

Tu coraje se enardece,
que habemos buena esperanza;
sobre paganos, gente villana,
cabalga sin temor;
toma primero la lanza
y marcha con derechura
hasta África, bien les harás llorar.

—Algún día —Mardánish se dirigió al joven rey—, compondrán esos poemas para ti, mi señor. Algún día... ¿no te gustaría dirigir tus tropas contra nuestros enemigos?

Alfonso, con la misma expresión soñadora que mantenía al escuchar al juglar, asintió despacio a las palabras del rey Lobo.

—Hay otros asuntos que requieren la atención de Castilla, don Lope —intervino el regente Lara, siempre atento—. Lo de cabalgar a África quedará, de momento, para los versos.

Mardánish ignoró al noble y siguió aguijando al joven rey:

—Tu abuelo, Dios lo guarde, soñaba con ello. Siempre recordaré lo que me dijo hace años, en Lorca. «Imagina las lanzas empuñadas de occidente a oriente: portugueses, leoneses, castellanos y andalusíes unidos bajo un mismo estandarte y dispuestos a derrotar a esos almohades.» Era su gran sueño. Reunirnos a todos. Eso sí sería una gran hazaña. Merecedora de miles de versos. ¿No es cierto?

—Es cierto —convino el joven—. Es de todos conocido cuáles fueron las últimas palabras de mi abuelo. Solo unidos. Eso dijo. —Miró durante un instante fugaz a Nuño de Lara—. Y concedió un significado... especial al lugar en el que se oyeron estas palabras. La Fresneda.

—En la Sierra Morena —añadió Mardánish con un punto de entusiasmo—. Frontera entre nuestras tierras. Un lugar que no nos separa, sino que nos reúne. Quizás allí, solo unidos, venceremos a los almohades. Tal como reclaman las trovas.

El juglar dio término a su canción y los comensales aplaudieron con entusiasmo. Entonces el músico empezó a recorrer las mesas improvisando estrofas cortas para cada invitado, alabando sus vestiduras o su aspecto gallardo. A veces entremetía algún pícaro comentario que arrancaba las risas de los que escuchaban de cerca.

—Templanza, mi rey —aconsejó el de Lara—. Los trovadores no gobiernan reinos. Es más fácil matar escuadrones de enemigos pulsando cítaras que ciñendo espada. Y más cómodo.

—Es más cómodo aún no hacerlo en absoluto —replicó Mardánish desde el otro lado del joven rey.

—No es nuestro caso, desde luego —rebatió de inmediato el castellano, que mantenía la compostura a la perfección—. Nuestra pugna con los Castro todavía no ha acabado. Debemos asegurar el reino para que nuestro joven rey tenga algo que gobernar, ¿no es cierto? No debes impacientarte, mi buen don Lope. Sabemos que Fernando Rodríguez de Castro rinde pleitesía al califa de los mazmutes. Pagará por esa felonía a su tiempo.

—Tiempo es lo que no tenemos.

—Pues nosotros lo precisamos —replicó de nuevo el regente—. Para recuperar lo que los reyes de León y Navarra nos han arrebatado arteramente...

—Me gustaría empuñar mi lanza hacia África —interrumpió entonces el joven rey de Castilla, y miró a Mardánish como si se disculpara—. Pero todavía no puedo. —Deslizó hacia la derecha una rápida mirada de reojo que el señor de Lara no pudo ver, pero que el rey Lobo comprendió enseguida—. Aun así, animaré a las valientes milicias de mis ciudades a hostigar a esos infieles. Y rezaré por ti, buen rey Lope. Algún día me presentaré en tu reino y juntos iremos a aplastar a ese califa de los mazmutes.

Mardánish sonrió. Aquel muchacho decía la verdad. Veía en sus ojos que sí, que deseaba dejar atrás la corte castellana, con sus conspiraciones, sus aduladores, sus farsas... Azagra habló a la izquierda del rey Lobo.

—Al menos, mi señor don Alfonso, sí podrás guarnecer Almería. Nuestro amigo Lope te la ha ofrecido como regalo...

—Eso no puede ser —se apresuró a intervenir de nuevo el regente—. Agradecemos el detalle del buen rey Lope. Lo valoramos en su justa medida. Qué feliz habría hecho, sin duda, al emperador Alfonso. O a su hijo, el difunto Sancho. Pero Almería está lejos y aislada. Enviar allí tropas ¿para qué? Todo hombre es preciso aquí, en Castilla. Los Castro aprovecharán cualquier debilidad. Cualquier oportunidad. Y aún quedan plazas en poder de esa maldita familia. Zorita, por ejemplo. Ese es el objetivo. Arreglar lo nuestro antes de solventar los problemas ajenos. Eres muy generoso, noble rey Lope, pero debemos rechazar Almería.

—¿Problemas ajenos? —Mardánish insistió sin apartar los ojos del joven monarca—. Los almohades son problema de todos.

Alfonso se encogió de hombros y bajó la vista hasta su plato vacío. Mardánish sintió de nuevo que el peso del destino le aplastaba los hombros, y como si todas sus desgracias se aliaran, un nuevo trallazo de dolor le cruzó el costado y crispó su gesto. Se dejó caer sobre el respaldo de la silla y vio la mirada de impotencia de Azagra, a su lado. El navarro parecía desesperarse. Como si quisiera luchar aun cuando el rey Lobo se rendía. Se inclinó sobre la mesa y entornó los ojos hacia Alfonso de Castilla.

—Haz al menos la merced, mi señor, de mandar correos a tu hermano en Cristo, el rey de Aragón. Pídele por nosotros que restablezca las treguas con don Lope. Que no ataque las tierras del Sharq al-Ándalus para que tus amigos puedan defenderse de los almohades. ¿No harás eso, mi rey?

El monarca levantó la mirada.

—Alfonso de Aragón es aún más joven que yo. Estoy seguro de que sus allegados le aconsejan de igual forma y con tanta buena fe como los míos me aconsejan a mí. —Calló un momento, y dejó que todas las implicaciones de aquello se aposentaran en las mentes de Mardánish y Azagra. Al otro lado, el regente asentía despacio, exagerando su aprobación a las palabras del rey—. Pero sí, escribiré a mi hermano en Cristo, Alfonso de Aragón. Le rogaré que te conceda treguas, buen Lope. Accede tú también a sus peticiones, y así tendrás paz para poder dirigir tus huestes contra ese califa africano.

El rey Lobo suspiró y se removió en la silla, buscando la forma de sentarse sin que le atormentara aquella maldita molestia de las entrañas. Se dirigió a Azagra, cuya expresión mostraba la misma decepción.

—No hay mucho más que se pueda hacer. Y llevo demasiado tiempo aquí. Tal vez debería volver a mi reino.

El navarro levantó la mano discretamente. A pocos asientos, el juglar la tomaba con uno de los escuderos del regente y arrancaba risas a los comensales.

—A finales de verano varios nobles castellanos viajarán a Pamplona para negociar la paz con el rey Sancho. —Azagra señaló al joven monarca, que ahora se unía a las risas por los versos jocosos del juglar—. Queda poco para que asuma el gobierno real, y entonces todo cambiará. Los señores navarros quedarán ociosos, y muchos de los castellanos también. Aguarda solo hasta el otoño. Déjate ver por aquí. Ofrécete a acompañar al rey, confirma documentos. Que esta gente se acostumbre a ti...

—Mi buen Pedro de Azagra dice bien, noble Lope —intervino Alfonso, que aunque parecía pendiente del juglar, no perdía palabra del navarro—. Quédate en Toledo, hazme esa merced. Además, tienes que hablarme de tus esposas y concubinas.

Mardánish se vio obligado a sonreír.

—¿De mis esposas y concubinas? Bueno, ya conoces a Tarub.

—Sí. Y es bella. Pero se dice que en tu corte de Murcia guardas a las damas más hermosas de la Península.

—Ah, estos infieles —metió baza el regente Lara, animado por el cercano descaro del juglar—. Por muy impía costumbre que sea, cuánto gustaría a muchos disfrutar de todo un harén de esposas y concubinas. Se dice que a todas se debe complacer, y a todas amar por igual.

El joven Alfonso observó intrigado a Nuño Pérez de Lara, y luego buscó confirmación en el rey Lobo. Este tornó el gesto de forzada simpatía a la nostalgia. Sus ojos se perdieron en los adornos del techo del salón, aún revestidos de la antigua gracia taifal.

—Impía costumbre, sí. A fe mía —susurró—. Aunque, a pesar de todos los acuerdos matrimoniales, yo tengo una sola esposa. La única a la que amo sin reservas. La única capaz de destrozarme el corazón...

El rey niño entornó los ojos y se apoyó en los brazos del sitial para acercar el oído al gesto ensimismado de Mardánish.

—¿Cómo se llama tu dama, buen Lope?

—Zobeyda.

Finales de 1168. Valencia

Zobeyda caminaba velada por las calles de Valencia. Y como ella, muchas otras mujeres ocultaban también rostro y cabello. Se habían convertido en habituales los ataques de bandas de fanáticos partidarios de los almohades, que recorrían la ciudad y apedreaban a quienes consideraban que incumplían con el Tawhid. El hermano del rey, Abú-l-Hachach, no parecía poner mucho empeño en reprimir estos ataques, aunque también era cierto que Valencia, al igual que Murcia, había quedado muy mermada de hueste, por lo que los soldados tenían que limitarse a guardar el alcázar y poco más.

Zobeyda andaba sola para no llamar la atención. Prescindía de ropajes lujosos, y vestía túnica larga y cruda con manto oscuro y botas de fieltro. Había salido de Murcia en compañía de Marjanna, Adelagia y un par de sirvientas. Abandonar la capital del Sharq al-Ándalus sin escolta era fácil en aquel tiempo en que los guardias reales eran críos de bozo rebelde. Incluso había resultado sencillo convencer a Abú Amir de que regresaría antes de que Mardánish volviera de Murcia. Mucho más sencillo que persuadir a Adelagia para que la acompañara. Zobeyda había tenido que jurar a la italiana que sería su último servicio. Así, la favorita y sus dos doncellas se movieron con discreción por el Sharq, y atravesaron aldeas empobrecidas por la guerra y atemorizadas por los fanáticos. Los campos eran labrados por mujeres, y los niños pastoreaban los rebaños. Las sirvientas fueron devueltas a casa en Alcira, y Zobeyda y sus doncellas continuaron viaje como mujeres de la plebe, en un carro tirado por una mula. Así llegaron al arrabal de la Ruzafa, donde Marjanna y Adelagia se quedarían esperando a su señora mientras esta se adentraba en la Joya del Turia.

Valencia olía a tristeza. Aquel día las nubes ocultaban el sol, y los habituales aromas a cuero, especias y pan se dejaban vencer por el hedor de las aguas fecales que discurrían por el centro de cada calleja. Zobeyda esquivaba los charcos pardos, mirando de reojo a la gente con la que se cruzaba y atenta a los grupos de jóvenes. La sobresaltó ver a más de un hombre con turbante, costumbre que, por bereber, casi todos los andalusíes libres detestaban. Y por si fuera poco, le consumía la pena por no poder alargarse hasta la *munya* Zaydía para visitar a sus hijas. No era aconsejable. Nadie debía saber que la favorita del Sharq se hallaba allí, en Valencia. Por fin, a la vuelta de una esquina, el cartel de madera con el charrán pintado en tonos blancos y negros anunció a Zobeyda que llegaba a su destino. Ella jamás había estado en la taberna, pero Abú Amir se la había descrito perfectamente. Abrió la puerta y asomó la cabeza con precaución. Dentro, dos cristianos, seguramente comerciantes genoveses, charlaban en voz baja en una mesa apartada. El resto de la cantina estaba vacío, salvo por una mujer que, de espaldas a la entrada, batía el contenido de un perol con una cuchara de madera. El frescor repentino que acompañó a la entrada de Zobeyda al local hizo girarse a la mujer. A Kawhala, cubierta por una *miqná*, no le hizo falta nada más que interpretar la mirada de su visitante; con un gesto le indicó las escaleras que subían a los aposentos del piso superior. Los genoveses apenas se extrañaron por la presencia de la dama en la taberna. Tras un rápido y poco curioso examen a la recién llegada, prosiguieron con su charla. Mientras tanto, las dos mujeres se perdieron escalones arriba.

Las habitaciones de la posada estaban vacías. Valencia, al igual que las demás ciudades del Sharq, ya no era destino apetecible para los mercaderes extranjeros, ni para buscadores de fortuna. Hasta las meretrices, carentes de clientela masculina a causa de la guerra, se veían abocadas a pedir limosna en las puertas de las mezquitas. En cuanto se supieron a salvo de las miradas, reina y plebeya se develaron.

—Mi señora. —Kawhala alargó su reverencia. Zobeyda la observó. Ambas tendrían la misma edad, y aunque el tiempo había tratado peor a la tabernera, esta conservaba la belleza esbelta de las danzarinas. La favorita esperaba algo así, dado el gusto de Abú Amir. La ubetense también observó a la reina, de la que solamente había oído hablar. Los ojos de Kawhala estaban enrojecidos, con sendas bolsas bajo los párpados, y su cara se crispaba como si todo aquello fuera una insufrible obligación para ella. La favorita decidió abreviar el trámite.

—Mi buena amiga, hemos recibido tus noticias. Así pues, al-Asad marcha hacia el norte.

La ubetense asintió.

—Saldrá pronto. En un día o dos a lo sumo. Su intención era irse antes, pero conseguí retenerlo aquí, aunque... —el gesto de Kawhala se tornó aún más agrio— me costó lo mío.

—Te has ganado una compensación. —Zobeyda metió la mano entre los pliegues de su túnica y sacó un saquete tintineante, pero la tabernera frenó la acción de la favorita alzando una mano. Luego aflojó sus sayas, dio media vuelta y dejó caer la ropa para mostrar su espalda desnuda. Zobeyda se llevó una mano a la boca. La piel de Kawhala, desde los hombros hasta la cintura, estaba marcada de cintarazos. Algunos eran rojizos y tumefactos, otros, de un color azulado, y un par de ellos habían conseguido abrir la piel y trazaban heridas alargadas.

—A ese puerco le gusta... Bueno, no sé cómo contarte... —Las lágrimas asomaron a los ojos de Kawhala mientras cubría de nuevo su espalda. Zobeyda halló entonces la explicación a sus ojeras y a su gesto amargo.

—No debes contarme nada, amiga mía. —Zobeyda dejó la bolsita sobre la cama—. Has hecho un gran servicio al rey.

—Encontrarás a al-Asad en el alcázar, junto al gobernador Abú-l-Hachach. —Kawhala tomó el saquete de monedas y lo sopesó—. ¿Vas a ver a Abú Amir?

—Dentro de un tiempo. Tal vez.

—Entonces dile que he cumplido su ruego. Pero que jamás vuelva a buscarme. Nunca le perdonaré lo que he tenido que pasar.

Zobeyda asintió. Quedó pensativa, fija en la mueca amarga y en los ojos enrojecidos por el sufrimiento de aquellas semanas. Sintió una náusea de repulsión al imaginar a al-Asad azotando a la tabernera para su placer. Depravado. Volvió a rebuscar entre sus ropajes y extrajo una segunda bolsita, del mismo tamaño que la anterior. Kawhala la miró con curiosidad.

—Sin embargo, yo sí tengo algo más que pedirte.

Un instante de silencio. La tabernera notó que el escozor de sus latigazos se avivaba en la espalda. Pero el peso de aquellos saquitos de dinero parecía aliviar el dolor. Sobre todo en aquellos duros tiempos. Kawhala vaciló. Alternó sus miradas de la bolsa a los ojos de Zobeyda. Suspiró y se sentó sobre el lecho.

—¿Y bien?

—Irás a ver una vez más, la última, a al-Asad. Al alcázar. Habla solamente con él. Dile que estoy aquí y que ya he escogido mi opción. Con eso será suficiente. Que se reúna conmigo mañana en el camino del norte, en la torre pequeña que hay pasado el arrabal de al-Yadida.

Día siguiente. Inmediaciones de Valencia

Solo los ojos de Marjanna asomaban al sol nublado. Apenas una rendija en el velo pardo que rodeaba sus facciones para ocultarlas al mundo. Conducía el carromato con torpeza, haciendo que la mula avanzara demasiado deprisa ahora y se retardara después. Detrás, entre los fardos con almojábanas, galletas y queso, Zobeyda y Adelagia rebotaban cada vez que las ruedas tropezaban con un guijarro o se hundían en un socavón. Ambas llevaban también los rostros ocultos.

Que tres mujeres hermosas viajaran solas por aquellos caminos, atestados de partidas de ladrones, habría supuesto poco menos que un suicidio. Pero Zobeyda y sus doncellas no estaban desamparadas. Junto al carro, conduciendo al paso a su caballo, el León de Guadix mostraba un gesto de satisfacción. Atrás quedaba Valencia, cuyas murallas se perdían en el horizonte. La senda discurría entre viñedos y huertas irrigadas por acequias, con los naranjos salpicando la llanura que se perdía hacia poniente en montañas azuladas. A levante, el mar picado dibujaba líneas de espuma antes de rendirse sobre la arena de la playa. Vencida su inicial aprensión, y cuando consiguió quitar de su mente los cintarazos que marcaban la espalda de Kawhala, Zobeyda decidió hablar.

—¿Cómo sabes que es el momento adecuado?

Al-Asad miró de reojo a la favorita, tan velada como sus doncellas. Lástima tener que ocultar aquellos tres bellos rostros. Pero ya habría tiempo de descubrirlos de nuevo. Para él. El de Guadix sonrió antes de contestar.

—El joven rey de Aragón volvió de sus territorios del otro lado de las montañas, y sus nobles le urgen ahora a arreglar todos sus asuntos aquí. Hace un mes, el embajador de tu querido Abú Amir consiguió por fin cerrar un acuerdo con los aragoneses. ¿Lo sabías?

Ella negó con la cabeza.

—He estado más pendiente de ti.

Al-Asad ensanchó su sonrisa por el agasajo de Zobeyda. Toda una reina a sus pies, pensó. ¿Y qué más daba que fuera por un sucio chantaje? Ah, cómo iba a disfrutar de ella. Cómo le iba a enseñar a considerarlo su señor, y no como hasta ahora.

—Pues bien, tu esposo tendrá que pagar veinticinco mil maravedíes para comprar la paz. Cinco mil de ellos ya deben de estar en las arcas aragonesas, si tu Abú Amir ha sido diligente. Alfonso de Aragón se ha comprometido a no atacar el Sharq en dos años.

Zobeyda apretó los dientes bajo el velo. Por suerte, al-Asad no podía ver el gesto de rabia de la favorita. Otra vez pagando parias a Aragón. Otra vez dejándose someter por el chantaje de aquellos cristianos carroñeros. Ahora, cuando más débil estaba el reino. ¿Era ese un buen negocio?

—Veinticinco mil... —repitió Marjanna mientras intentaba dar con el punto justo de las riendas.

—Por lo visto, la influencia del rey de Castilla ha sido decisiva para llegar al acuerdo. Tu rey, Zobeyda, debe de estar trabajando bien en Toledo. Supongo que lo habrá celebrado largamente. Con su concubina Tarub... Ah, perdona. Quizá no te agrade oír su nombre. —El guerrero rio por lo bajo.

—No me importa. Que haga lo que quiera.

Al-Asad miró de nuevo a su derecha, al carro, que avanzaba trabajosamente por entre las huertas. Al fondo, el mar se encrespaba aún más y las nubes oscurecían el horizonte.

—Has escogido bien, mi señora —dijo él—. Siempre por el bando ganador, como yo suelo hacer. Bien. Muy bien. Te prometo que no te arrepentirás. Tu esposo, pobre iluso, está acabado. Hasta el rey de León trata con los almohades. ¿Sabes por qué el conde Armengol de Urgel no volvió jamás al lado de Mardánish?

Zobeyda atravesó al León de Guadix con la mirada, pero sus ojos negros y rodeados de kohl eran una mancha oscura entre los paños que la ocultaban al mundo.

—¿Por qué?

—Fernando de León lo nombró su mayordomo real y lo convirtió en señor de una de sus villas. Alcántara. Y lo hizo solo para evitar que volviera a servir a tu esposo. Hábil jugada. Aunque yo creo que Armengol hizo un mal negocio. Por ganar gloria y honor, te perdió a ti. Yo jamás lo haría, como sabes. No te cambiaría por nada. Pero en fin, así estamos ahora. Con el Calvo muerto y el conde de Urgel fuera del Sharq, lo único que falta es atraer a Aragón, ¿no crees?

Atraer a Aragón. Atraerlo... ¿hacia dónde? ¿Hasta qué punto iba a llegar al-Asad? Zobeyda sintió un mareo repentino. El ruido del oleaje a su derecha trajo a su imaginación un remolino en medio del mar. Y a ella siendo arrastrada por el agua, dando vueltas y vueltas, vencida por una corriente imparable. Le esperaba la profundidad negra del océano. La nada. El olvido. Tenía que seguir con al-Asad. Llegar hasta donde él fuera. Porque allí estaría escrito el destino del Sharq al-Ándalus. Cogió la punta de su velo, tiró de él y lo desenrolló despacio. Captó con ello la atención del León de Guadix, que tiró de las riendas para acercar su caballo al carro. La favorita dejó su rostro al descubierto y dedicó al guerrero su sonrisa más seductora.

—Yo también te prometo que no te arrepentirás. Te prometo más: goces sin fin. Me tendrás a mí, y a ellas. —Señaló a Marjanna y a Adelagia con una mirada resuelta. A su lado, la italiana dio un respingo—. Tendrás todo cuanto desees. Pero deberás aguardar. Yo no soy una mujer fácil, al-Asad. No me entrego sin más, por mucho que conozcas mis secretos. Deberás mostrarme que mi elección ha sido acertada. Allí, en el norte. Si cumples tú, yo también lo haré.

Las aletas de la nariz del guerrero se dilataron para permitir que el aire salado y frío llenara sus pulmones. Su único ojo se abrió y las manos apretaron con fuerza las riendas. El león degustaba la presa antes de cazarla. Se regodeaba en el placer que sentiría al hacer suya a la mujer más inaccesible de su mundo. Zobeyda bint Hamusk, nada menos. Favorita del Sharq. Para él. Humillada ante su valor y su astucia. Y junto a ella, sus célebres doncellas. Las fauces de al-Asad se humedecieron y le embargó el impulso de apresurar la marcha. Quería llegar al norte ya. Cumplir, como ella demandaba. Y entonces la mujer más bella de al-Ándalus sería suya. De su mente se borraban momentos pasados. Lo que él consideraba el goce del guerrero quedaría atrás. Las adolescentes violadas en los saqueos. Las meretrices azotadas en los arrabales de Guadix o Jaén. O aquella tabernera de Valencia, dócil como una oveja. Zobeyda era un nuevo mundo que ahora se abría ante él. Y solo tenía que esperar.

65

Pacto en Vadoluengo

Unos días después. San Adrián de Vadoluengo, frontera entre Navarra y Aragón

—Será mañana. Negociarán el tratado dentro de la iglesia. Tú no podrás estar presente —informó al-Asad.

Zobeyda asintió, aunque se quedó con las ganas de gritar maldiciones a los cuatro vientos. Aquellos cristianos eran desesperantemente lentos y se entretenían en vistas previas, misas, donaciones oficiales y una larga retahíla de actos grandilocuentes y vacíos antes de concretar nada. El tiempo se alargaba, y su ausencia de Murcia resultaba cada vez más peligrosa. Estaba allí, en tierras cristianas, sin licencia de su esposo y rey, y aquello no solo la ponía a ella en un grave aprieto: colocaba en el filo de la espada a Abú Amir, que estaba al corriente de todo y —Zobeyda no lo dudaba— tenía orden de Mardánish de controlarla en su ausencia.

El carruaje, al que habían añadido varios fustes curvados sobre los que se sostenía la cubierta de tela, estaba varado junto al río. Marjanna, Adelagia y ella llevaban dos días allí, apretujadas entre sí y recubiertas por una capa de mantas y pieles para combatir el intenso frío del lugar, que arreciaba por la noche y que convertía la humedad del río en un tormento. Pero no tenían otra opción. Les resultaba muy difícil —sobre todo a Marjanna— ocultar su condición de infieles, y nadie les habría dado alojamiento cerca de allí. En cuanto a Adelagia, tendría muy difícil explicar qué pintaba ella en compañía de aquellos mahometanos. No era precisamente el ambiente adecuado: lo más próximo a la iglesia de Vadoluengo eran las casuchas de los sirvientes, controladas por el prior benedictino, y algo más lejos, el monasterio de Leire. Aquel era lugar de frailes. Hombres de piel pálida y tonsura que miraban con aprensión hacia el carruaje plantado junto al río. Solo la proximidad de los soldados navarros y aragoneses, que protegían la estancia de sus respectivos reyes, conseguía distraer a la chusma de la presencia de tres mujeres extranjeras y su guardián tuerto.

Al-Asad había solicitado audiencia al llegar, y acababa de ser recibido por el mayordomo del rey de Aragón, don Blasco Romeo. El guerrero andalusí, que por fin prescindía de su vieja loriga y sus armas, mostró las credenciales que portaba, firmadas por Hamusk como señor de Jaén y Segura, y pidió permiso para negociar con los reyes acerca del futuro del Sharq. Al principio, el León de Guadix pensó que rechazarían sus peticiones, pero una entrevista en privado con Pedro de Arazuri consiguió incluirlo en una conversación con Sancho de Navarra y Alfonso de Aragón que se celebraría tras el concilio, fuera de la iglesia, durante el banquete de celebración de la amistad entre ambos monarcas. El suegro de Azagra, desnaturado del rey pamplonés, había logrado escalar posiciones en la corte aragonesa, y ahora ostentaba los señoríos de Huesca y Daroca y formaba parte de la curia real.

—En el banquete que se celebrará tras la negociación se seguirán tratando otros asuntos. He logrado que nos inviten, aunque me he visto obligado a ofrecerles algo...

Zobeyda observó con severidad a al-Asad. Le causaba repugnancia el tono avergonzado del guerrero. Qué distinto era allí, rodeado de caballeros aragoneses y navarros forrados de metal, lejos de su hogar, mal mirado por todos.

—¿Qué has ofrecido?

—Diversión. Tú y tus doncellas tendréis que danzar para los reyes.

Marjanna miró al de Guadix con gesto de incredulidad.

—Ya no somos muchachas. Y además, tu reina no danza para nadie, salvo para su...

—Haremos lo que sea preciso —cortó Zobeyda—. Quiero estar en esa reunión. Marjanna y yo bailaremos al ritmo que nos marque Adelagia.

—Bien. —Al-Asad se frotó las manos para entrar en calor y se dirigió a su caballo—. Ahora intentaré cazar algo. Esos asquerosos frailes comedores de cerdo no se dignan siquiera darnos sus sobras.

Las tres mujeres quedaron a solas dentro del carro. La persa se lamentaba por lo bajo.

—Huelo mal —gimoteaba—. Necesito un baño. Y este frío que se mete en los huesos... Por favor, mi señora, esto es una locura. ¿Danzar para esos cristianos? Hace años que no bailo. Y Adelagia no ha traído su cítara. Oh, qué desgracia...

—Deja de lloriquear, Marjanna. —Zobeyda rebuscaba entre los hatos de ropa—. Nos daremos un buen baño en el río. Sí, no me mires así. Ya sé que el agua está helada. Pero debemos presentarnos hermosas. Seductoras. ¿Te preocupas por la música y el baile? Nada de eso importará a los reyes y a sus nobles. Y menos cuando estén medio borrachos. No se fijarán en nuestros pasos, ni los preocupará gran cosa que nuestros cuerpos no sean los de dos jovencitas. En cuanto a la cítara, seguro que estos reyes han traído cantores y músicos para entretenerse. El problema es otro... —La favorita sacó una de las túnicas, la levantó y calculó por dónde cortar y cuánto coser—. El problema es Sancho de Navarra. Ese tipo me conoce. Me vio cuando vino a visitarnos a Murcia, hace años. Y seguro que con él han venido sus barones, que lo acompañaron entonces. Vosotras dos también estabais allí.

—Ay, entonces sí que no podemos darles ese espectáculo —apuntó con cierto alivio Adelagia—. Ese rey nos reconocería y...

—No si no nos ve las caras. Iremos veladas. Y les ofreceremos otras cosas que mirar. Cortaremos esto por aquí... y por aquí. Ya sabéis qué quiero decir: convertiremos estas túnicas en *mushmalas* de bailarina. Vuelven locos a los hombres, sean cristianos o mahometanos. ¿Qué podríamos coser en los faldones? —Removió los trapos y maldijo por no ser más previsora. De haberlo sabido, el cofre habría estado lleno de pequeños caballos de madera. Los habrían cosido a los bordes de las túnicas, como hacían las bailarinas poco recatadas. Y cuando sus cuerpos girasen, los caballitos habrían trotado alrededor de ellas—. Es igual, nos arreglaremos con esto. —Fue pasando ropajes a Marjanna y Adelagia. Zobeyda suspiró. Quedaba trabajo por delante, sobre todo para tres mujeres acostumbradas al lujo y al placer. Ninguna de ellas habría pensado, apenas unas semanas antes, verse así, azotadas por el frío y el hambre, sometidas al desprecio, ejerciendo de bordadoras para luego hacer de danzarinas. Aunque nada era demasiado por el Sharq.

Día siguiente

Ignoraban si aquel gigantesco pabellón pertenecía al rey de Aragón o al de Navarra. Era imposible saberlo si nadie les desvelaba el secreto. Pero a fin de cuentas, ¿qué más daba? Los estandartes barrados se alternaban con las águilas negras, y el mástil central estaba rematado por una cruz de madera. Soldados de ambos monarcas montaban guardia alrededor, y controlaban el paso de los sirvientes que acarreaban viandas y barriles de vino. Al-Asad, vestido con una túnica blanca con ribetes de seda y envuelto en un manto rojo, llegó cuando el sol se ocultaba y dentro se oían las primeras risas. Tras él, las tres mujeres fueron observadas con recelo por el guardia que vigilaba la entrada a la tienda.

—¿Llevas armas? —preguntó a al-Asad.

—Mi cuchillo. Para cortar la carne.

El guerrero cristiano negó con la cabeza.

—Entrégamelo. Te lo devolveré a la salida.

El León de Guadix miró al guardia como si fuera a degollarle allí mismo. Era posible que incluso se lo estuviera pensando. El cristiano desvió la vista, pero insistió, esta vez en tono algo más amable.

—Te lo ruego. Nadie puede entrar con armas.

Al-Asad terminó de fulminar al guardián con la mirada, rebuscó bajo el manto y entregó su afilado puñal. Luego se hizo a un lado para que Zobeyda, Adelagia y Marjanna se introdujeran en la enorme tienda. Las tres iban envueltas en sus mantos y con las cabezas cubiertas, pero el cristiano no quiso tentar a la suerte y prefirió dejarlas pasar sin más.

Por dentro, el pabellón parecía mucho mayor. Los sirvientes sudaban a pesar del frío y corrían de un lado a otro con bandejas de carne trinchada. Los escanciadores tampoco daban abasto, pues los invitados eran muchos, hambrientos y ruidosos. La mesa real era una larga sucesión de tablas puestas sobre caballetes, aunque el gentío impedía ver aún dónde se sentaban los dos monarcas. Un tipo con túnica colorida se acercó a al-Asad y miró de arriba abajo a las tres mujeres.

—Los infieles, por lo que veo. Bien. —Giró medio cuerpo y se llevó el dedo a los labios mientras buscaba el lugar que el protocolo reservaba a al-Asad—. Allí, junto a aquel fraile de los mofletes colorados. Tus esclavas pueden ir tras el biombo. —El chambelán señaló un par de paneles de madera y tela basta apartados de la mesa real—. Recuerda: vuestro turno llegará después de los titiriteros. Anuncia a las bailarinas y retírate. Los reyes te llamarán a su presencia luego... si les place.

Al-Asad asintió y miró a Zobeyda. El velo de la favorita no impidió que el guerrero se percatase de su enfado.

—¿Tus esclavas? —susurró ella.

Al-Asad, divertido, se encogió de hombros mientras recolocaba el parche sobre la cuenca vacía de su ojo derecho. Casi estaba ridículo con aquella vestimenta tan impropia de él.

—Es una pequeña farsa —se excusó, aunque pensó en silencio que sí, que cuando aquella retorcida aventura concluyera, las tres serían poco menos que sus esclavas. Eso le arrancó una sonrisa rapaz que causó un escalofrío a Zobeyda.

—Vamos —pidió a las otras, y ella y Marjanna caminaron con pasos cortos para acomodarse en almohadones sobre el suelo, a salvo de las miradas gracias a los paneles. Adelagia se quedó atrás y rebuscó con la vista. Cuando localizó lo que le interesaba, se movió por entre el gentío de baja cuna que aguardaba para servir y deleitar al concilio de nobles. Cambió unas palabras con un bardo que aguardaba de pie. El muchacho la miró con extrañeza al principio, pero después ella retiró el velo de su cara y le regaló una sonrisa que terminó por convencerle. La italiana regresó con sus compañeras a la carrera.

—Me han prometido un laúd. Haré lo que pueda, el resto será cosa vuestra.

Zobeyda asintió y sacó de entre las ropas dos panderetas de piel rodeadas de sonajas de las que colgaban largas cintas de colores. La misma favorita, ayudada por sus doncellas, las había fabricado con aros y pendientes y con retazos de cuero pardo. Se oyeron palmadas, y el chambelán anunció a voces que los reyes daban su permiso para iniciar el banquete. Por un instante la algarabía disminuyó y creció el tintineo de copas. Clérigos, nobles y ricohombres se daban al ágape con fruición. Poco a poco, el murmullo creció de nuevo, y el pabellón se llenó de los olores del cabrito y el lechón asados. Marjanna acercó la cara a la unión entre los paneles para espiar el banquete.

—Engullen como cerdos.

—¿Ves a los reyes? —preguntó Zobeyda.

—Pues... sí. Ahí están. Juntos, en el centro de la mesa. Sí, ese es Sancho de Navarra. Me acuerdo de él. No ha cambiado mucho. Está más viejo, y es de los que más tragan. Oh. ¿Ese es Alfonso de Aragón? Pero si no es más que un niño...

—Déjame ver. —Adelagia empujó a su compañera y aproximó un ojo a la rendija—. Es joven, pero guapo. Me gusta.

—¿Te gusta? —rezongó Zobeyda mientras retocaba su vestidura bajo el manto. Luego se miró los dedos, enrojecidos de coser como una plebeya—. Ese niño es el que quiere acabar con nuestro reino.

—¿Él? No lo creo. Deben de ser esos otros. Los que le rodean. No dejan de hablarle al oído.

Zobeyda apartó con suavidad a Adelagia y se aplicó a la rendija. Allí estaba. Alfonso de Aragón. Guapo muchacho, ciertamente. No más de doce años, aunque parecía alto para su edad. Con un aire melancólico en la mirada. Y sí, levantándose continuamente para acercarse al joven rey y murmurarle, varios nobles de lujosas vestiduras. La favorita vio cómo uno de ellos, de avanzada edad, decía algo desde su sitio, a tres o cuatro varas de Alfonso. El rey de Navarra se volvió hacia el noble y le lanzó una mirada de enojo. Zobeyda sonrió.

—Ese es Pedro de Arazuri, el suegro de Azagra... Vino a Murcia con Sancho de Navarra, cuando todos ellos nos juraban amistad y se mostraban dispuestos a defendernos. Y ahora parece que no se pueden ni ver. —La favorita del Sharq rio por lo bajo—. Gentuza. Nadie es de fiar. Nadie. Aquí tampoco.

Conforme el festín transcurría, las voces se elevaban y se tornaban roncas. Las blasfemias sonaban cada vez con mayor frecuencia, y los suaves tintineos de copas y bandejas se convirtieron en golpes que parecían tañidos de campanas. Por el resquicio que había entre los paneles, Zobeyda observó que los ágapes cristianos no se diferenciaban mucho de los andalusíes. Para cuando los titiriteros salieron, anunciados con grandes gritos y promesas de diversión sin límites, los comensales estaban tan ebrios que no les prestaron atención. El grupo de muchachos vestidos con ropas multicolores pasó al centro del pabellón esquivando las copas vertidas en el suelo, alfombrado con alternancia de los colores de ambos monarcas.

—¿Seguro que esto servirá para algo? —preguntó entonces Marjanna. Adelagia miró a su señora, insegura de la respuesta.

—No lo sé. Pero es lo único que podemos hacer.

—Yo no me fío. No me fío de al-Asad —siguió quejándose la persa.

Zobeyda calló. Ella no se fiaba de nadie, y eran pocos quienes se fiaban de ella. Y lo peor era que comprendía el recelo de Marjanna y Adelagia. Allí estaban, a cientos de millas de su hogar, en una tierra hostil, rodeadas de guerreros borrachos que pretendían erigirse en sus conquistadores. Y pasando por esclavas, nada menos. El miedo empezó a atenazar el corazón de Zobeyda.

Los volatineros se retiraron cuando uno de ellos fue alcanzado en la cara por un muslo de capón aceitoso. El golpe le hizo desplomarse encima de su compañero, que lo sostenía en el aire con las manos mientras ejecutaban un número de malabares. La caída despertó las risas estruendosas de navarros y aragoneses, y el chambelán se apresuró a despedir a palmadas a los malabaristas. Se llevaron al muchacho accidentado en volandas y tres músicos ocuparon su lugar. Se trataba del joven que tañía el laúd, un flautista y un orondo rapsoda: los dos primeros comenzaron una melodía repetitiva mientras el tercero desgranaba sus primeros versos. Zobeyda vio cómo al joven rey de Aragón se le iluminaban los ojos, y varios de sus nobles pidieron silencio alrededor para que el niño pudiera escuchar a los juglares.

—Se acerca nuestro turno. Atentas.

Marjanna deshizo el lazo que mantenía su manto puesto y desenvolvió el velo que cubría su cabello negro y rizado. Sacudió la cabeza y aseguró el *litam*. Zobeyda ayudó a su doncella a darse los últimos toques. El corazón le martilleaba tanto que casi no oía la música de los juglares. Cuando consideró que la persa estaba lista para cautivar a los cristianos, la favorita se dejó retocar por sus doncellas.

—Estáis preciosas las dos. Demasiado, me temo —se lamentó Adelagia.

Marjanna cerró los ojos y trató de abstraerse del miedo. Zobeyda, por su parte, dio los últimos consejos.

—Cuidado con descubrirnos el rostro. Nada de eso. No te acerques a los navarros, Marjanna. Pueden reconocernos. Si ves que alguno sospecha, ya sabes lo que tienes que hacer. —Se volvió hacia la italiana—. Adelagia, haz lo que puedas. Intentaremos acompañarte con las panderetas.

Vítores y palmas saludaron el final de la actuación de los juglares. Los músicos hicieron una larga reverencia ante los reyes de Aragón y Navarra y se retiraron sin darles la espalda. El muchacho del laúd corrió hacia el biombo mientras los gritos y risas volvían a inundar el pabellón. Se asomó con timidez, y Adelagia lo recibió con el velo alzado y una sonrisa cautivadora en los labios.

—Gracias, noble joven. ¿Cómo podré agradecértelo? —La italiana agarró el laúd que le alargaba el juglar. Al otro lado de los paneles, la voz del chambelán pidiendo atención fue sustituida por la de al-Asad. Los comensales, curiosos ante la irrupción de aquel tipo tuerto con trazas andalusíes, acallaron sus voces. Zobeyda y Marjanna se pusieron en pie.

—¡Nobles reyes cristianos, y vosotros, mis señores! ¡Aceptad mi presente: esta danza que os ofrezco como muestra de buena voluntad!

El León de Guadix fue respondido con gruñidos y algún que otro insulto. Parecía evidente cuál era la actitud con la que aquellas improvisadas emisarias de al-Ándalus iban a ser recibidas.

—Adelante —susurró Zobeyda.

La música brotó tras el biombo a la vez que las dos mujeres aparecían, una por cada lado. El impacto logró que los hombres, hasta los más borrachos, callaran durante el tiempo necesario. Ambas caminaron con pasos largos y gráciles, al ritmo del lento pulsar de las cuerdas del laúd. Se fueron separando, a buena distancia aún de la mesa repleta de cristianos. Zobeyda y Marjanna vestían sus *mushmalas* rojas y ligeras, largas hasta los tobillos, con muchos y pequeños huesecitos cosidos a los faldones. Los brazos desnudos, adornados con pulseras y brazaletes y decorados con alheña, se balanceaban despacio, como movidos por el oleaje del mar, al lánguido compás de la música de Adelagia. Llevaban el rostro cubierto por un *litam*, rojo también, opaco, que ocultaba nariz y boca y colgaba ante las gargantas rodeadas de collares. Descubiertas las cabelleras, sueltas, negras y ondulantes. Los ojos de ambas, oscurecidos por una gruesa capa de kohl, las envolvían de profundidad y misterio. El mutismo continuó dentro de la tienda, aunque un par de borrachos sisearon obscenidades en algún lugar a la derecha del rey de Navarra.

Zobeyda y Marjanna sostenían las panderetas con la diestra, y hacían que las largas cintas de colores volaran tras ellas. Terminaron el paseo de presentación y recorrieron la mesa con sus miradas hechizantes. El joven Alfonso de Aragón se enderezó en su sitial, atento a las dos danzarinas, mientras que Sancho de Navarra, risueño y con los ojos brillantes por el vino, se recostaba para encontrar una posición cómoda. Dio un codazo cómplice al rey niño.

—Fíjate en esas túnicas. No llevan nada debajo.

Alfonso de Aragón entornó la mirada. Las *mushmalas* estaban cortadas a ambos lados, desde los brazos hasta abajo, y se mantenían cerradas por un lazo de brocado ceñido a la cintura. Las piernas y los costados aparecían desnudos por entre los cortes, insinuando sombras que atraían las miradas. El joven rey se inclinó sobre la mesa para ver más, lo que provocó una risa apagada al monarca navarro.

—Esto es vergonzoso —protestó uno de los clérigos sentados en un extremo, cerca de donde ahora se balanceaba, lenta y seductora, la persa Marjanna. Algunos nobles cristianos chistaron y obligaron a callar al preste.

Las notas débiles y solitarias del laúd se redoblaron, alargaron su vibración y dejaron largos silencios entre una y otra. La voz de Adelagia, dulce como la miel, brotó tras los paneles para cantar en romance.

—*Amigos, en mi alma vive una moza esbelta; cuando me inclino, el embrujo emana de mis costados.*

—¡Inclínate ante mí, moza esbelta! —rugió una voz zafia—. ¡Tengo aquí algo para ti!

Varias risas corearon la grosería. Alfonso de Aragón se volvió con gesto iracundo hacia el lugar de donde había salido la inconveniencia. Adelagia no se arredró y terminó el verso:

—*Mis senos son redondos como uvas, derechos como lanzas, y no se erigen sino para impedir su vendimia.*

Alguien aulló y hubo más risas. Alfonso de Aragón se levantó esta vez de su sitial. El muchacho era alto a pesar de su edad. Incluso tanto como muchos de sus guerreros. Y todos, aragoneses y navarros, comprendieron que el joven monarca no iba a tolerar más interrupciones ni impertinencias. Las siguientes notas del laúd sonaron contra el silencio del pabellón y cobraron velocidad para construir una melodía que se revolvía sobre sí misma, como un bucle de la melena de Marjanna. Cada vez más ligera, cada vez más sonora. Las dos danzarinas se movieron hacia delante, contoneando las caderas en armonía con los toques de Adelagia. Sus miradas negras se aproximaron a los hombres y se cebaron con ellos hasta hipnotizarlos. Las copas se detenían ante los labios y la sangre batía las sienes. Las panderetas golpearon las grupas, unido su sonido metálico a la melodía del laúd. Y con cada toque, la mirada de las bailarinas escogía una nueva víctima. Nadie podía huir de la sugestión. Ni siquiera los frailes benedictinos, ni los presbíteros que acompañaban a los reyes. Los hombres dejaban caer sus mandíbulas, sentían burbujear la sangre y encabritarse su deseo. Las cintas de las panderetas volaban, acariciaban las caras de los guerreros, y las melenas negras se balanceaban ligeras, como impulsadas por la brisa. Bien parecía que la música surgía de aquellas cintas, y de las cabelleras, de los golpes de cadera, de las miradas oscuras, de los lazos que ceñían las *mushmalas*...

Las danzarinas se cruzaron, y los invitados quedaron confusos. ¿A quién seguir? Los ojos de los comensales volaban del brillo de la melena rizada de Marjanna a la estrecha cintura de Zobeyda, de la blanca piel de esta al generoso busto de aquella... La música se aceleró un poco más. Se avivaron los toques de pandero. Los vientres se sobresaltaban con cada compás, y la ondulación parecía viajar hasta los hombros para bajar de nuevo. Las mujeres se plegaban hacia atrás, se cimbreaban como ramas de sauce agitadas por el vendaval. Igual que arrebatados por una sacudida amorosa, los pechos se remarcaban bajo las *mushmalas*, y los muslos revelaban su desnudez para luego volver a ocultarla. Varios nobles gruñían de excitación, y la mirada de Alfonso de

Aragón se arrebataba con algo desconocido para él. Algunos comenzaron a dar palmas al ritmo de las panderetas, y con ello obligaron a Adelagia a imprimir mayor ritmo a su melodía. Zobeyda y Marjanna intercambiaron una mirada rápida y se acercaron a los reyes. Las venas de Sancho de Navarra se marcaron bajo la piel de su cuello. Marjanna y Zobeyda se cruzaron de nuevo, y al hacerlo, esta susurró:

—Ahora.

La favorita del Sharq se dirigió a Alfonso de Aragón y subyugó al niño con su mirada. La persa hizo lo propio con el rey de Navarra. Era el momento más delicado; cuando, a pocas pulgadas de los monarcas, las dos mujeres podían ser reconocidas. Los hombres jaleaban ya cada movimiento, y hasta algún fraile había empezado a palmear el ritmo de las panderetas. Tímidamente al principio, con gritos de júbilo después. Cada relámpago procedente de las caderas de Zobeyda levantaba un vítor entre los aragoneses, y los senos de Marjanna despertaban chillidos en el lado navarro. Ojos que sonreían un momento, desaparecían tras la cortina negra del cabello y regresaban después, crueles, enamorando a los guerreros para luego someterlos al abandono. Deprisa. Sin dar tiempo a la mente. La música se volvía frenética, el baile, más rápido, las caderas volaban. Entonces, con un movimiento fulminante, ambas desataron los lazos de brocado y las *mushmalas* quedaron libres. Las miradas de todos bajaron desde los ojos de las danzarinas a sus cuerpos, ahora visibles por las aberturas. Las dos se arrancaron a la vez con molinetes, y las *mushmalas* volaron tras ellas; se abrieron, se elevaron, dejaron al descubierto la piel. Los gritos de los hombres arreciaron. Ellas giraban y se movían en sentido opuesto. Se separaban y obligaban a los hombres a escoger. Revoloteaban como libélulas, cerca de la mesa, y dejaban al pasar un aroma de almizcle y agua de rosas, creando nubes de seducción que despertaban los sentidos abotargados por el vino. Vueltas vertiginosas. Cuerpos desnudos girando bajo las *mushmalas*, que flotaban alrededor de las cabelleras negras. Avidez taladrada por el toque de los panderos. Ojos encendidos. Carcajadas de pura excitación. Golpes sobre la mesa. Clérigos escandalizados que prometían el infierno, abandonando la tienda algunos, otros extasiados y babosos ante los cuerpos diabólicos de aquellas dos mujeres. Piernas largas, muslos firmes, caderas amplias, vientres suaves, pechos erguidos, demencia sin fin. Y en medio de todo, en la acusada curva que ceñía la cintura de Zobeyda, una estrella grabada a cuchillo. De ocho puntas. Un símbolo de amor, reservado para el único disfrute de un hombre, era ahora propiedad de una legión. Muchos fueron los que en ese momento desearon alargar la mano y tocar la estrella de los Banú Mardánish. El joven Alfonso de Aragón no pudo evitarlo tampoco. Sus ojos, enfebrecidos por un deseo que le venía grande, se quedaron prendados de aquella marca andalusí que pasaba fugaz ante él.

La música cesó de repente, las dos danzarinas se dejaron caer al suelo de rodillas y se doblaron sobre sí mismas. Con ello, las *mushmalas* descendieron mansas y cubrieron todo lo que antes estaba a la vista. Se hizo de nuevo el silencio, aromatizado de almizcle, sudor y deseo.

Entonces, los cristianos prorrumpieron en aplausos. Hubo empujones, las copas cayeron al suelo y el vino se derramó. El joven rey de Aragón subió sobre la mesa para hacerse oír y prohibió que se tocara a las bailarinas. El de Navarra reía extasiado, fuera de sí. Los sirvientes, apartados, no se atrevían a acercarse. La jaima estaba sumida en el paroxismo. Zobeyda levantó apenas la cabeza, pero se obligó a mantenerse allí, encogida, cubierta por su propio cabello y por la *mushmala*, que se extendía como una alfombra roja a su alrededor. Jadeaba, aterrorizada por lo que pudiera pasar ahora. ¿Y si los cristianos se abalanzaban sobre ellas? ¿Y si Sancho de Navarra o alguno de sus nobles la reconocían? Cerró los ojos, acongojada por el griterío, por las órdenes de aquella voz infantil y regia, por las condenas de los clérigos... Entonces alguien la agarró de un brazo y tiró hacia arriba. Intentó resistirse, pero quienquiera que fuese, tenía mucha fuerza.

—Vuelve tras el biombo. —Reconoció la voz apremiante de al-Asad—. Ya, o no respondo.

La favorita corrió mientras apretaba la *mushmala* en torno sí. Marjanna también fue despertada de su letargo de miedo por el León de Guadix y huyó del mismo modo. Tras los paneles, Adelagia aguardaba pálida. La mano que sujetaba el plectro temblaba, y tenía la cara pegada a la rendija.

—Los reyes felicitan a al-Asad —habló con voz trémula mientras Zobeyda y Marjanna se cubrían con sus mantos a pesar de que ambas sudaban por el esfuerzo—. Y los demás también... Todos quieren hablar con él. Vaya. Realmente habéis causado una honda impresión. Ah... ¿Qué hace ahora?

—¿Qué pasa?

—Al-Asad se sienta... ¡junto a los reyes! —Adelagia retiró el ojo de la rendija del biombo y miró sorprendida a su señora—. Lo han invitado a acompañarlos. Lo ha conseguido. Ese malnacido lo ha conseguido.

La italiana volvió a observar por la abertura entre los paneles. Zobeyda quiso sonreír, pero no podía. Ahora, con la calma tensa, llegaban el alivio y los temblores. Miró a Marjanna, que estaba derrengada al otro lado de Adelagia. Lo habían hecho muy bien, a pesar de no ser dos jovencitas. Demasiado bien. Tanto, que la vergüenza se abatió sobre Zobeyda como una bandada de cuervos sobre la carroña. Ella, toda una reina..., ofreciendo el tesoro de su cuerpo a gente zafia, ahogada en licor y rebosante de lujuria. Ella, que jamás había bailado en su vida salvo para su esposo. Se frotó la piel de la frente con el *litam* y lo retiró húmedo. ¿Qué más le quedaba por hacer? Había matado, había vendido su cuerpo, había mentido, se había humillado... por Mardánish. Y por extraño que pareciera, lo que más la avergonzaba no era haber regalado su desnudez aquella noche, sino la exhibición obscena de la estrella de los Banú Mardánish. Era como si hubiese dejado desamparado a todo el Sharq ante los nobles cristianos...

—Al-Asad parlotea con los dos reyes. —La voz de Adelagia la sacó de su triste ensoñación—. Jamás había visto hablar tanto a ese asqueroso. Creo que estará contento. Ya tiene lo que quería.

Aquello devolvió a la favorita a una brutal realidad. Si al-Asad conseguía lo que había ido a buscar a aquel frío rincón entre los reinos de Aragón y Navarra, ella tendría que pagar lo prometido. Tendría que entregarse a él. Arrastrando consigo a las dos doncellas. Era lo único que le quedaba por vivir: humillarse ante aquel hombre al que despreciaba. Cuando alzó la mirada, Marjanna y Adelagia tenían sus ojos puestos en ella. Ambas comprendían qué era lo que se arrastraba por la mente de Zobeyda. La favorita se venció hacia delante y, entre los gritos, las risas y los ruidos de metal y madera, ella y sus doncellas se abrazaron, temerosas de su destino.

Día siguiente. Tierra Nueva de Aragón

Viajaban hacia el sur, y dejaban atrás las alturas que desde el principio de los tiempos habían anunciado los macizos nevados del Yábal al-Burtat. Regresaban a al-Ándalus cruzando territorios que pertenecían a aquel joven imberbe que llevaba corona y que, acuciado por sus nobles, pretendía tomar como suyas las tierras que los habían visto nacer.

Habían salido de amanecida, antes de que los séquitos de los dos reyes se dispusieran a desmontar el gran pabellón real y las demás tiendas para regresar a sus respectivas cortes. Marjanna guiaba el carruaje, ya con mejor tiento. El caballo de al-Asad marchaba detrás, atadas las riendas a los bastidores de madera desnudos de tela. Adelagia y Zobeyda se dejaban llevar en la parte trasera, sobre los ropajes arrugados que les habían servido como disfraces y que la favorita había prometido quemar en cuanto llegaran a la Marca. Las tres mostraban en su cara, ahora descubierta, la angustia de la noche anterior y los rastros del maquillaje. El recuerdo todavía las estremecía: ocultas tras el biombo, temerosas de que alguien las acosara, habían visto pasar gran parte de la noche. Por fortuna, el juglar que prestara su laúd a Adelagia se las había arreglado para sacarlas de allí, seguramente con idea de yacer con la italiana a cambio de su favor. Aunque el pobre no lo consiguió, y además regresaría hacia su hogar, dondequiera que estuviese, con el corazón prendado de la doncella. Ahora, mientras recorrían las tierras meridionales del reino aragonés, un grupo de hombres se cruzaron con el carro y lanzaron a las mujeres miradas en las que se mezclaban la curiosidad y la sorpresa. Eran simples campesinos y llevaban sus aperos al hombro, pero en aquellos tiempos cualquier oveja podía convertirse en león.

—Despierta ya. —Zobeyda zarandeó a al-Asad, que dormitaba junto a ella, ajeno a los socavones del camino. El andalusí abrió su ojo vivo durante un instante, pero lo cerró al sentirlo herido por el sol. Se incorporó a medias, gruñó y se apretó las sienes con ambas manos.

—Uf... Qué dolor de cabeza.

—No me importa si te duele —recriminó la favorita—. Despierta y monta tu caballo. Que la gente vea que llevamos compañía, aunque sea resacosa, o alguna partida de salteadores nos atacará. Esta es tierra de ladrones. ¡Vamos!

El León de Guadix volvió a abrir su ojo y miró con aspereza a Zobeyda. Ella reconoció de inmediato la expresión. La del amo para con su siervo.

—Comida —exigió.

Adelagia le tendió una manzana y cruzó una mirada preocupada con su señora. Al-Asad hincó el diente a la fruta y masticó despacio, como si hasta las mandíbulas tuviera cansadas. Mientras lo hacía observó a su alrededor, a los campos de labranza, los árboles desnudos de hojas y las lejanas columnas de humo gris que brotaban de las aldeas.

—¿Y bien? —preguntó ansiosa la favorita.

Al-Asad volvió a mirarla. Sonrió, y al hacerlo mostró sus dientes manchados y, de paso, varios pequeños pedazos de manzana atrapados entre ellos. La favorita reprimió una mueca de asco.

—Fue perfecto —respondió él—. Mucho más de lo que esperaba. Tengo que felicitaros. Estoy muy, muy contento, y seréis compensadas. Las tres.

Lo último lo dijo mientras estiraba la mano hacia Zobeyda y acariciaba su mejilla. La favorita estuvo a punto de retirar la cara, pero se contuvo.

—Estoy impaciente —sonrió ella con esfuerzo—. Tanto por recibir tu compensación como por saber de qué hablaste con los reyes cristianos.

Al-Asad mordió lo que quedaba de manzana y arrojó el corazón al borde de la senda. Luego, mientras masticaba, echó la cabeza hacia atrás. Al hablar despidió trocitos de fruta que salpicaron a Adelagia.

—Hablamos de muchas cosas. En primer lugar, me agasajaron los dos. El pequeño rey aragonés es un iluso. Bueno, como corresponde a su edad. Se quedó prendado de una de vosotras, creo que de ti. —Señaló a Zobeyda—. No sé si cuando crezca cambiará, pero ahora hace y dice lo que le aconsejan sus nobles. Entre ellos, el suegro de ese bobo de Azagra. En cuanto al rey de Navarra, es zorro viejo. Me cayó bien. —Apuntó de nuevo con su dedo a la favorita—. Me recuerda a tu padre, que pronto será el mío.

Marjanna se volvió y observó a Zobeyda. Adelagia, por su parte, bajó la cabeza con los labios apretados. La favorita suavizó el gesto antes de hablar.

—Hicimos un trato. Mi elección ha de ser la buena, debo estar segura. No abandonaré a mi esposo por una opción peor, por eso he de saberlo todo. Todo.

Al-Asad tragó y clavó su solitario ojo en los de ella. Mantuvo la mirada un rato, ante la incomodidad de las tres mujeres.

—Tu destino está sellado. Te tengo en mis manos... Y aun así no sé si he hecho bien al fiarme de ti. ¿Cómo sé que no me engañas?

Zobeyda suspiró y acarició uno de los retales rojos sobre los que estaban sentados.

—Lo que hice anoche aún me avergüenza. Y me seguirá avergonzando toda la vida. Yo, la reina del Sharq al-Ándalus... ¿No es bastante prueba para ti?

El León de Guadix meditó su respuesta otro largo instante. Sonrió como una hiena. Aquel pedazo de la *mushmala* le había recordado lo que había visto en el pabellón real la noche anterior. Recreó en su mente la piel blanca de Zobeyda girando bajo la tela roja. Un remolino de belleza. Un torbellino de tentación. Evocó los muslos largos y torneados, guardando entre ellos aquel oscuro secreto que él deseaba poseer. Sus nalgas, que había visto deslizarse justo ante su cara. Su cintura marcada por la estrella del rey Lobo. Y su vientre ligeramente curvo, adornado por aquel ombligo pequeño y pintado de alheña. Sus senos, redondos y rematados por...

—¿Por qué te lo piensas tanto? ¿No me respondes?

Al-Asad acercó el rostro al de la favorita. Sus recuerdos se abrían paso por entre las brumas de la resaca y rescataban su virilidad. Zobeyda no impidió que él pegara sus labios a la boca de ella, y dejó que el León de Guadix violentara con su lengua, torpe y bárbara, la intimidad que ella ya no podía reservar para Mardánish. Vio el ojo de al-Asad abierto mientras el andalusí se regodeaba en mordisquearle los labios, y saboreó a su pesar la mezcla de licor rancio y manzana verde. Zobeyda solo cerró los párpados, asqueada, cuando el León de Guadix lamió su cuello y sorbió su piel. Al-Asad se retiró con la misma sonrisa de carroñero pintada en la cara.

—Tendrás que ser más complaciente si quieres que te crea, mujer. Porque hasta que no confíe en ti, no te contaré nada más.

Zobeyda asintió y posó su mano en el pecho de él. La deslizó despacio hacia abajo, y la sonrisa de al-Asad se ensanchó.

—Seré complaciente. Las tres lo seremos, como te prometí. Pero quiero saber. *Necesito* saber si estoy con alguien que merece sustituir a mi esposo en el reino y en el lecho. —Y retiró la mano antes justo de traspasar su cinturón.

—Ah, mujeres —rezongó él, divertido—. Siempre jugando con nosotros... Está bien, te lo contaré. Y luego te tomaré. Sí, como lo oyes. No soy estúpido. No esperaré a llegar al Sharq para reclamar lo que me pertenece.

Marjanna se volvió otra vez, y ahora recibió la mirada de Zobeyda. Después, la favorita llevó la vista hacia Adelagia. Las tres mujeres se entendieron sin necesidad de decir nada, y al-Asad se regocijó al observar la sonrisa pícara que se dedicaban entre ellas.

—Cuéntanos —dijo la favorita—. Y luego gozarás como jamás has gozado.

Se habían detenido junto a una sabina enorme de tronco ancho y retorcido que presidía en solitario una suave loma junto al camino. El carruaje estaba apartado, el caballo y la mula pacían tranquilos a poca distancia. La hoguera preparada por al-Asad ardía alegre, la leña crepitaba y calentaba sus cuerpos. Estaba próximo el mediodía, el cielo aragonés mostraba un azul limpio de nubes, aunque las hojas de la sabina los cubrían del sol.

—Los dos reyes alcanzaron el acuerdo que ya casi estaba pactado por sus nobles. Y es curioso lo muy hipócritas que son. Hace apenas un mes, el joven Alfonso de Aragón firmó treguas con nuestro embajador a cambio de las parias de tu esposo, como te dije.

Zobeyda, que se sentaba con la espalda apoyada contra el tronco de la sabina, asintió. Al-Asad ocupaba el otro lado de la hoguera; Adelagia y Marjanna estaban tendidas sobre las *mushmalas* y mantos, a ambos lados del León de Guadix.

—Se vieron para eso —afirmó la favorita—. Para aprobar sus propias treguas. Entre Aragón y Navarra, digo. Eso no tiene que ver nada con el acuerdo entre Alfonso y nuestro embajador.

—Mi querida Zobeyda, tan astuta como tu padre a veces, tan ilusa como Mardánish otras. Alfonso de Aragón y Sancho de Navarra se han visto en Vadoluengo para repartirse el Sharq al-Ándalus.

Las tres mujeres se sobresaltaron. Marjanna se tapó la boca con ambas manos, Zobeyda sintió subir la ira por la garganta.

—No... —murmuró Adelagia.

—Sí, preciosa. Entre copa y copa de vino, mientras los cristianos palmeaban mi espalda y ofrecían fortunas por vosotras, me contaron todos los detalles: los dos reyes dejan atrás sus diferencias y se convierten en aliados. Juntos atacarán a nuestro queridísimo rey Lobo. Alfonso de Aragón, incluso, ha prometido entregar Albarracín a uno de sus nobles, y reserva para sí las demás tierras de la Marca; el resto del reino de Mardánish se repartirá a partes iguales entre los dos reyes. Está firmado y jurado ante Dios.

La favorita hizo rechinar sus dientes. Al-Asad sonreía.

—¿Cómo puede alegrarte eso? —preguntó Adelagia, esta vez sin ocultar su aprensión.

—Porque yo no soy ese inútil de Mardánish, empeñado en estrellarse contra muros que ningún ingenio puede atravesar. Por mí mismo he aprendido que nada es seguro: ni las promesas de los hombres ni el amor de las mujeres. Solo el metal es fiel. Cuando atraviesa la carne y se humedece de sangre. —Mostró a Zobeyda su afilado puñal, aferrado con la mano derecha, a través de las llamas—. Tú, *amor mío*, también lo sabes.

—Entonces te enfrentarás a los dos reyes —afirmó Adelagia.

—Por supuesto que no. He puesto mi espada a su servicio.

Zobeyda siguió callada. Lo esperaba. Lo llevaba esperando desde el principio de aquel viaje. Pero aún le faltaban detalles por conocer.

—Sigue.

—Anoche, mientras bebíamos, ultimamos las cláusulas... ocultas de este otro tratado. Mientras Navarra y Aragón avanzan desde el norte, los almohades apretarán el cerco desde el sur. Mardánish no podrá hacer frente a los ataques simultáneos. Y ni Jaén ni Guadix presentarán resistencia. Lo que venga después será un paseo para unos y otros. Y entonces llegará el momento de que agradezcan a los amigos la ayuda que les vamos a prestar.

—Estás hablando como si los almohades hubieran intervenido en ese acuerdo —indicó Adelagia, cada vez más asqueada.

—Lo han hecho en cierto modo. —Al-Asad hizo saltar el puñal en su mano—. Llevamos mucho tiempo negociando con ellos. Bueno, tú, mi amor, también sabías eso.

Zobeyda intentó disimular el temblor de sus labios al sonreír.

—No, eso no. Mi padre me prometió...

—Recuerda, amor mío —atajó el guerrero—, recuerda: ni las promesas de los hombres, ni el amor de las mujeres.

—Así que esa será vuestra ayuda: os apartaréis y dejaréis que todos nuestros enemigos nos aplasten —habló de nuevo la italiana.

—No exactamente. Nosotros, y me refiero a *nosotros* —y señaló con la punta de su cuchillo a las tres mujeres—, tenemos otra misión. En el corazón del Sharq. En Murcia.

Ahora Zobeyda sí cerró los ojos. El nudo de la garganta apenas la dejaba respirar. Su voz salió ronca, como si le doliera decir aquellas palabras.

—Mataremos al rey Lobo.

Al-Asad asintió exageradamente con la cabeza y arrojó el puñal con fuerza contra el suelo, junto a la hoguera. La hoja se hundió casi hasta la empuñadura.

—Sí, mataremos al rey Lobo. Y entonces todo estará hecho. El pequeño Alfonso de Aragón verá crecer sus tierras, y el taimado Sancho de Navarra conseguirá por fin librarse de esa ratonera en la que está atrapado. Y tu padre, amor mío —dirigió una mirada cómplice a Zobeyda—, gobernará lo que quede del Sharq para Yusuf. Si jugamos bien nuestras bazas, conservaremos buena parte del reino y el califa nos premiará con posesiones con las que hasta ahora no podíamos soñar. Tal vez incluso Granada pueda por fin ser nuestra. Y luego encabezaremos las fuerzas del imperio para aplastar a los cristianos. Nada parará al califa. Con nuestros estandartes al frente del ejército almohade, todos esos engreídos del norte caerán. Imagina cuando entremos en Toledo. Y todo eso bajo el gobierno de tu padre... Creo que también puedo llamarlo padre mío. Y un día, amor mío, tú serás mi reina para confirmar la unión entre todos. Ambos reinaremos sobre el Sharq al-Ándalus. Y nuestros hijos después de nosotros. La sangre de nuestra sangre, siempre bajo la sombra protectora del califa. Andalusíes y almohades; los dos lados del Estrecho al fin unidos. Gracias a esa unión, los cristianos serán aplastados.

—La sangre... Los dos lados... unidos —repitió Zobeyda. Las imágenes pasaron rápidas por su memoria. Aquella cueva en medio de la noche. Los vapores de los brebajes de Maricasca y su voz de vieja bruja flotando entre reflejos confusos. La sangre de tu sangre. Eso será lo que una este lado con el otro. ¿Era así como se iba a cumplir la profecía?

Tantas noches de pasión y de ilusiones. La piel del lobo negro. El amor. Valencia. El engaño. La guerra. Su esposo. Murcia. La muerte. Armengol de Urgel. El miedo. Álvar el Calvo. La decepción. Pedro de Azagra. La traición. Al-Asad. La sangre. *Eso será lo que una este lado con el otro.*

El León de Guadix rio y extravió la mirada en las llamas. Su único ojo refulgió al reflejar el fuego, como si en él pudiera ver ese futuro con el que soñaba. Zobeyda también observó las brasas, que ondulaban del negro al rojo en el seno de la fogata. Tal vez ella no pudiera evitar que todo ardiera. Que el reino se perdiese. Siempre, desde que oyó la profecía de Maricasca, había sabido que aquello llegaría. Aunque a veces se negara a aceptarlo, subyugada por su propia ilusión. Felicidad. Prosperidad.

—Es la hora. Te lo has ganado.

El ojo de al-Asad brilló de nuevo, aunque no eran las llamas lo que reflejaban ahora. Fue Zobeyda la primera en rodear la hoguera y sentarse frente al guerrero. No le hizo falta esta vez pugnar contra su propia voluntad. Actuaba movida por la ira y la desesperación. Besó al León de Guadix con el mismo ímpetu con el que besaría a su propio esposo, arrebatándole el aliento. Él la abrazó con fuerza y clavó los dedos en la espalda de la favorita. Buscó a través de sus ropas el relieve de la marca en su piel. La estrella de ocho puntas que le había servido de llave para llegar hasta ella. El calor los envolvía, los protegía del frío de la llanura. Marjanna se aproximó por la izquierda y empezó a desvestir a al-Asad. Este abrió su ojo y sonrió mientras seguía jugando con la lengua de su nuevo y entregado amor. Sus anhelos se hacían realidad allí, en aquellas frías tierras extranjeras. Las manos de Adelagia por la derecha lo sumieron en el placer completo. Se supo rodeado de una fragancia embriagadora, como si las tres mujeres se hubieran convertido en humo que ahora se deslizaba a su alrededor. Dedos que lo acariciaban, que recorrían su piel bajo las ropas. Labios que depositaban dulces besos por doquier. Los sintió en su pecho desnudo, y también cuando su miembro, enhiesto por aquel sueño hecho realidad, quedó al descubierto. Gimió de placer y se retorció al sentir cada pulgada de su ser confundida por besos de tres bocas distintas. Era la pelirroja Adelagia quien ahora cabalgaba sobre él, y la persa Marjanna atraía la cabeza del guerrero para hundirla entre sus pechos de deidad antigua. ¿No era acaso la propia Zobeyda quien mordisqueaba su cuello?

—No es bueno confiar en las promesas de los hombres —susurró una de sus amantes.

Al-Asad no podía saber de quién era la voz. El éxtasis lo turbaba, o tal vez, en verdad, las tres mujeres se hubieran convertido en una sola. No era capaz de notar el frío. Pero sí su sangre, que cabalgaba a espuela picada por las arterias. Todo era suave, caliente y húmedo. Se sintió estallar. ¿Dentro de quién? No importaba. Las caricias continuaban, lo arrebataban del mundo. Flotaba en una nube de almizcle. Ojos negros, labios de rubí, senos de nieve y rosas. Quiso tocar a sus amantes. Acariciarlas. Encontrar con las yemas de sus dedos los secretos que reservaban para la intimidad del harén. Pero ellas no lo permitieron. Lo mantuvieron inmóvil, tumbado en el suelo y con los miembros aprisionados. Podía resistirse, pero era más delirante así. Eso lo sumía aún más en la profundidad de aquella excitación salvaje. Una mano se posó con lentitud sobre su ojo sano y le cerró el párpado. Gruñó de placer, aceptando el juego. Notaba uñas que lo arañaban despacio y le hacían sisear. Sentía la saliva resbalar por entre sus muslos, y los mordiscos suaves en su pecho, en sus hombros, en su cuello. Volvieron a cabalgar sobre él. El coro de gemidos apagados lo rodeó y le faltó el aliento. Se vació de nuevo, y sin tiempo para recobrar el resuello, se vio sumido en un tercer asalto. Aquello era incluso más de lo que podía soñar. Cuánto gozo iban a darle esas tres mujeres, a cuál más fogosa. Abrió su único ojo y vio a Zobeyda sobre él. Más arriba, enmarcando aquel rostro que volvía locos a los hombres, las hojas de la sabina se mezclaban con el azul del cielo. La favorita sonreía.

—Tampoco es bueno confiar en el amor de las mujeres.

Al-Asad comprendió demasiado tarde. Cuando quiso quitársela de encima, su propio puñal se le hundía en el pecho. Desencajó la boca, pero el aire se negó a entrar. Giró la cabeza a la diestra y vio el cabello rojo de Adelagia. La italiana también sonreía, con sus ropas a medio quitar y un seno descubierto. Era ella quien apretaba fuerte el mango del puñal y retorcía con encono la hoja afiladísima. Un estertor salió de la garganta del guerrero, y Marjanna arrebató el arma a su compañera. Desclavó deprisa, e hizo que el León de Guadix curvara su torso y se arqueara de dolor. El manantial de sangre salpicó la cara de Zobeyda.

La persa se hizo ver por el tuerto y, despacio, mientras la luz arrancaba destellos a la hoja manchada de rojo, la acercó al ojo sano de al-Asad. Él intentó moverse, pero seguía inmovilizado. Derrengado por la desigual batalla amorosa que acababa de librar. Extenuado. Vacío. Sintió que la hoja se hundía justo cuando dejó de verla, y ahora sí que el andalusí encontró fuerzas para gritar. Y gritó. Gritó tanto que su voz cruzó la llanura y se perdió entre los campos. Manoteó a los lados, buscando dónde asirse. Sus dedos se hundieron en la tierra, y Marjanna entregó el puñal a su señora.

—Por mi reino, al-Asad. Y por mi único amor.

Lo degolló con firmeza, disfrutando del momento. Como si con ello degollara a todos los perjuros que traicionaban a sus amigos y a sus compatriotas, y que vendían la libertad de sus hijos, de sus padres, de su tierra.

66

Al-Ándalus dividido

Principios de 1169. Murcia

Los guardianes se sobresaltaron cuando reconocieron a Zobeyda. Uno de ellos, el más joven, se quedó allí, plantado ante la puerta y con la lanza apoyada en tierra. El otro, no mucho mayor, le dio un codazo para hacerle salir de su asombro. Los dos se apartaron e hicieron una larga reverencia.

La favorita sonrió. Había hecho lo posible por adecentarse, pero no era gran cosa lo que quedaba después de aquel viaje interminable. Marjanna y Adelagia suspiraron aliviadas. Por fin estaban en casa. Por fin.

Habían pasado jornadas y jornadas viajando por las tierras aragonesas, temerosas de ser asaltadas por alguna partida de ladrones o descubiertas tras su delito. Matar a un heraldo con salvoconducto era un crimen en cualquier reino, y ellas habían sido presentadas como las esclavas de al-Asad. Cualquiera podría capturarlas y venderlas. O algo peor. Cuando finalmente alcanzaron la Marca, no tardaron mucho en hacer llegar la noticia a Hilal. El hijo de Zobeyda, que recorría el extremo norte del Sharq a lo largo de la endeble frontera con Aragón, se presentó con sus hombres para escoltarlas hasta Albarracín. Allí recibieron la noticia de que el rey Lobo, después de pasar una larga temporada en Toledo, estaba por fin de vuelta en Murcia. Aquello fue como un hachazo para Zobeyda. Mientras ella y sus dos doncellas disfrutaban de un baño y de ropas nuevas en Albarracín, Mardánish estaría recibiendo los informes de Abú Amir acerca de lo sucedido. Y ella había salido del Sharq por su cuenta y riesgo... ¿Qué pensaría el rey de semejante decisión?

Por eso habían hecho el resto del viaje sin descanso. Hilal solo pudo prescindir de media docena de guerreros para escoltar a su madre, pues todo hombre en edad de luchar era un tesoro en el norte, donde las incursiones de los aragoneses no cesaban. La tregua firmada con el embajador de Mardánish entraba en vigor en poco tiempo, pero mientras tanto, los cristianos seguían traspasando la frontera para rapiñar ganado y apresar mujeres y niños a los que luego venderían como esclavos en los mercados de Zaragoza, Tortosa o Barcelona.

Y ahora estaban por fin en Murcia. La comitiva, con la exigua escolta de jóvenes jinetes andalusíes, recorrió las calles de la ciudad. La melancolía asaltó a Zobeyda cuando recordó cómo eran los recibimientos de antaño. Con la multitud que se agolpaba por todas partes. La guardia real engalanada. Sus doncellas cautivando los corazones. Los vítores. Los pétalos de rosa. La música de chirimías... Ahora, las mujeres, como en Valencia, se movían pegadas a las paredes y cuidadosamente veladas. Los hombres caminaban en grupos, unos, para sentirse más protegidos, y otros, como medio de intimidación. Algunos de esos grupos se detuvieron al ver pasar al séquito de la favorita y observaron con descaro. Ahí está, parecían decir sus gestos de desprecio. La libertina. La adúltera. La asesina. Era como si lo supieran. Como si pudieran leer en ella todas las humillaciones a las que se había entregado...

—¿Qué te pasa, mi señora?

Zobeyda salió de su estupor ante la pregunta de Adelagia. Fijó sus ojos en los de la doncella italiana y acarició su mejilla.

—Ahora podrás irte con tus padres. Al otro lado del mar.

La pelirroja recostó la cara en la mano de la favorita.

—Siempre te tendré en mi corazón. Ya lo sabes.

El guardia andalusí que se había hecho cargo de las riendas detuvo el carro con suavidad.

—Hemos llegado —anunció Marjanna, que parecía haber caído en una extraña apatía.

Zobeyda bajó del carro y alisó sus ropas nerviosamente. Los guardianes del alcázar se envararon al reconocerla y uno de ellos corrió adentro mientras anunciaba a gritos que la favorita había llegado.

—La favorita. Lo ha dicho —susurró Adelagia.

Zobeyda sonrió. Todavía la consideraban así. O tal vez no, y los jóvenes guardianes simplemente se dejaban llevar por la fuerza de la costumbre. Daba igual. Casi no le importaba que la concubina Tarub hubiera podido ocupar su sitio. Ahora su esperanza se dejaba ahogar por otro miedo. El que le daba su propio esposo.

Caminaron por los pasillos del alcázar al tiempo que los sirvientes se asomaban para saludar a Zobeyda. Algunos de ellos, sin embargo, solo curioseaban desde los pórticos y cuchicheaban mientras la observaban de reojo o sonreían con media boca. El palacio también parecía más triste. Más oscuro. Una densa y agobiante atmósfera flotaba entre las arquerías de yeso y los tapices colgados en las paredes. Era como si la felicidad hubiera volado de la capital del Sharq. Abú Amir apareció justo ante la puerta del salón de consejos. El consejero estaba pálido, aunque sus ojos brillaron de alegría al comprobar por sí mismo que era verdad: Zobeyda estaba de vuelta. Se inclinó con devoción, aunque lo que quería era abrazar a la favorita. Luego se hizo a un lado y señaló los portones que un esclavo mantenía entreabiertos. Labradas sobre las lamas metálicas, lucían orgullosas, como burla del destino, las estrellas de ocho puntas de los Banú Mardánish. Abú Amir posó una mano sobre el brazo de Adelagia, que, como Marjanna, seguía de cerca a su señora.

—Tu madre está enferma. Vamos, acompáñame —dijo el consejero a la italiana. Esta se alarmó y le obedeció. Marjanna marchó con ellos.

Zobeyda dejó a todos atrás y entró cuando el criado le franqueó el paso. Al menos el salón estaba iluminado. Los rayos de luz entraban oblicuamente y dibujaban aquellas mismas estrellas de ocho puntas sobre el suelo y la mesa. Suspiró. Mardánish estaba allí, sentado en su trono, algo doblado hacia la derecha y con el rostro crispado. La favorita avanzó despacio, consciente de que se presentaba sucia, sin maquillar, y con las ropas arrugadas y cubiertas de polvo del camino. Mardánish reparó enseguida en ello y pareció mirarla de otro modo. ¿Era así? ¿Se fijaba él en las casi imperceptibles marcas que orlaban los ojos de Zobeyda? ¿Le desagradaba su cabello encrespado?

—Mi rey —musitó ella mientras caía de rodillas ante el trono. Pegó la frente al suelo y aguardó una palabra de él. Y a cada instante que pasaba en silencio, el temor se redoblaba.

—Llegué hace unas semanas de Toledo. —La voz de Mardánish sonó envejecida. Como si le costara hablar—. Y tú no estabas aquí.

Zobeyda irguió el cuerpo, aunque permaneció de rodillas. Miró a su esposo a los ojos y lo que descubrió fue fatiga. Tanta que casi cubría a la ira. Y la crispación de su rostro era... Era dolor. Temió por sí misma. Tal vez Tarub, por fin, se hubiera ido de la lengua. Tal vez el rey ya supiera que Zobeyda era una adúltera... Se obligó a serenarse.

—¿Te encuentras bien? —preguntó ella.

—No. No estoy bien. Pero eso ahora no importa. Importa lo que tú fuiste a hacer a Valencia. Y más allá, según creo.

La favorita apretó los labios. Había pensado en esa reunión durante todo el viaje. Había ideado cien maneras distintas de contárselo. Sin duda, Abú Amir ya habría puesto al rey al corriente de todo. Pobre Abú Amir. Él había tenido su momento. El de demostrar hasta dónde llegaba su lealtad. Al-Asad también lo había tenido. Fue lo último que tuvo, de hecho. Y ahora le tocaba a ella, y con ella, a Hamusk...

—No me quedó más remedio que marcharme. No podía dejar que ese perro escapara de nuestro control. Abú Amir no pudo impedirlo. Ya me conoces.

Mardánish ladeó aún más la cabeza. Calculaba. Hasta dónde podía confiar en su favorita. Aquello traspasaba de pena a Zobeyda. Él, que había compartido con ella lo más íntimo... Pero ¿acaso no hacía bien el rey? ¿Acaso no lo había engañado antes?

—¿Qué ha sido de al-Asad? —preguntó al fin.

—Ha muerto. Lo matamos en tierras de Aragón. Su cuerpo se pudre bajo una sabina.

Mardánish asintió despacio. Cada cierto tiempo, su boca se curvaba un ápice, como si el rey sufriera cortos espasmos de dolor.

—Lo matasteis... Tú y tus doncellas, supongo. Matasteis al León de Guadix. ¿Quién os ayudó?

Ella alzó la barbilla, y se mostró en el contradictorio trance de permanecer arrodillada mientras hacía gala de su orgullo.

—Nadie. Yo misma le di el golpe de gracia con su propio puñal.

—Ya veo. —Mardánish dibujó una sonrisa en la que se mezclaba la angustia y la ironía—. En toda mi vida solo he conocido a un hombre capaz de vencer a al-Asad. Un caballero de fuerza portentosa: Álvar el Calvo. E incluso a él le costó un gran trabajo. Pero tres mujeres desvalidas consiguieron matar al León de Guadix. Curioso.

Zobeyda vaciló. No esperaba esa duda por parte de él. Y no podía decirle la verdad. No podía explicarle cómo habían reducido a al-Asad al estado en el que un hombre resulta más indefenso...

—Lo hicimos mientras dormía.

Aquello fue peor. Aparte del titubeo de la favorita, Mardánish sabía que un guerrero como al-Asad jamás se dejaría sorprender en pleno sueño. Y menos en tierra hostil. La sonrisa cáustica se vio deshecha por una nueva mueca de dolor.

—De acuerdo. Lo matasteis durante la noche. Y decidiste que así fuera para... ¿Cómo lo has dicho? ¿Para que no escapara de nuestro control?

—Así fue. Lo engañé. Y las tres fuimos con él hasta el cónclave de Navarra y Aragón en un lugar llamado Vadoluengo. Allí, ambos reyes acordaron atacar nuestro reino y repartírselo. —Zobeyda tragó saliva y cerró los ojos antes de continuar. Habló con un nudo en la garganta, procurando que la voz no se le quebrara antes de salir—. Y al-Asad también se concertó con ellos... en nombre de mi padre. Acordó... matarte para facilitar la labor de los cristianos. Mientras tanto, los almohades también nos atacarían sin que Jaén ni Guadix se opusieran. El Sharq al-Ándalus desaparecería aplastado por los africanos al sur y los cristianos al norte.

El silencio invadió de nuevo el salón. La favorita no abrió los ojos. Ni siquiera cuando sus lágrimas se desbordaron. La barbilla le temblaba y bajó la cabeza. Un sonoro golpe la sobresaltó entonces. Mardánish acababa de descargar su puño contra el brazo del trono. Ella se levantó instintivamente y retrocedió. El rey mostraba una expresión fiera, como la de un verdadero lobo antes de lanzarse a rematar al cabritillo herido. Su rostro se encendía por momentos, y las aletas de la nariz se movían al ritmo al que su corazón latía.

—Tú... —La señaló—. Tú, que me desobedeciste. Tú fuiste con al-Asad... ¿y él te reveló todo eso? ¿Te hizo partícipe de su traición? ¿Para qué? ¿Qué ganaba con ello? ¿No esperaba que tú, mi esposa fiel, vinieras a toda prisa a contármelo?

Zobeyda empezó a temer de verdad. Mardánish avanzaba con la mano apoyada en su costado derecho, allí por donde se doblaba. El dolor parecía atormentarle incluso entonces. Estaba casi fuera de sí. ¿Hasta dónde podría llegar?

—Al-Asad pensó que podría tomarme como esposa después de...

—¡Después de matarme! ¡Y te lo dijo! ¡Eso solo es posible si tú también participaste en la conspiración!

—¡No! ¡Jamás! ¡Él estaba cegado! ¡Confiaba en mí! ¡Debes creerme! ¡Yo lo maté!

—¡No puedo creerte! ¡Me mientes! —Se arqueó y perdió el aliento. Sus dedos aferraron los ropajes en el lugar en el que sufría aquellos espasmos—. Al-Asad no era estúpido. Él solo te habría confiado su plan... Solo... si tú y él...

Zobeyda callaba. Lloraba y callaba. Quería acercarse a su esposo y sostenerlo mientras era vencido por el dolor, pero al mismo tiempo temía su cólera. Vio que él lo sospechaba. Sabía que ella se había ofrecido. Quizás incluso pensara que había llegado a yacer con el traidor. Y en realidad era cierto. Y jamás lo aceptaría, ni aunque pudiera convencerle de que solo así había podido salvar su vida y el reino entero. La desesperación llegaba. Desde esos rincones oscuros en los que la había presentido al acecho, dispuesta a enturbiarlo todo. A devorar la felicidad y la prosperidad. La desesperación también mordía a Zobeyda.

—Jamás —mintió la favorita—. Jamás me entregué a otro que no fueras tú. Pero al-Asad creyó que podría tenerme. Su vanidad y su ambición le pudieron, y lo llevaron a la muerte. Y yo lo he arriesgado todo por ti. Mientras tú estabas lejos, en la corte de un rey extranjero que, como los demás, te lo prometerá todo para luego no darte nada.

»He intentado salvar nuestro reino. He luchado contra todo y contra todos por ti, y ahora tú también te pones en mi contra.

—Quizá, mujer, deberías haberte limitado a cumplir tu deber. Eres mi esposa.

—¡Y soy tu reina! ¡Así me llamabas antes!

—Así te gustaba que te llamara, sí. La reina. Tú también eres vanidosa, Zobeyda. Y ambiciosa. Los pecados que perdieron a al-Asad ¿no son los que de igual forma te pierden a ti? Sé que todo lo que me dijiste al volver de Jaén fue falso. ¿Lo niegas?

—¡No! ¡No lo niego! ¡Temía que descargaras tu ira contra mi padre! ¡Mi padre! ¿No tenía derecho a intentarlo? Él me engañó a mí...

El dedo de Mardánish volvió a apuntar a la favorita.

—No puedo confiar en ti, *mi reina*. Me engañaste una vez. Y tal vez muchas otras antes de esa... ¿Cómo sé que ahora no me mientes también? ¿Cómo sé que esto no sigue siendo una farsa? ¿Cómo sé que Hamusk no está detrás de todo? —Se acercó un poco más con el brazo extendido hacia delante. Ella retrocedió otra vez, pero ahora su espalda golpeó con la mesa de consejos. Mardánish la alcanzó y rodeó su cuello con la mano. La mantuvo allí, sin apretar, con los ojos hundidos en los de su favorita. Ella rezumaba miedo, aunque no intentaba apartar la presa de Mardánish—. Dime, *mi reina:* ¿cuáles son los auténticos planes de tu padre? ¿Dónde está al-Asad?

—Te lo he dicho. Muerto.

—Sí. Muerto. Mientras dormía. Después de llegar a un acuerdo con los reyes de Navarra y Aragón. —Aquello parecía hacer mucha gracia a Mardánish. Incluso ella pensó que él arrancaría a reír, pero un nuevo ramalazo de dolor le hizo temblar. Zobeyda lo notó en el tacto de la mano sobre su garganta—. Aragón y Navarra se alían contra mí. Y Fernando de León pacta con los almohades. Tu padre me abandona, y al-Asad planea matarme. Castilla mira hacia otro lado, y ni siquiera mi primer consejero es capaz de cumplir mis órdenes... y tú ¿serás la única en mantenerte fiel?

—Siempre te he sido fiel —aseguró, aun sabiendo que para ello, por muy paradójico que pareciera, se había visto obligada a serle infiel—, y siempre lo seré.

Mardánish retiró la mano del cuello de su esposa, pero mantuvo la mirada fija en la de ella. Sus ojos decían la verdad, pero en su negrura también flotaba el engaño. ¿Podía el rey permitirse vivir así, con una fiera cuya astucia solamente era superada por su avidez? Dio un paso atrás, como si quisiera buscar una perspectiva más amplia. Luego bajó la vista. Atrajo hacia sí una de las sillas reservadas a los visires en el consejo y se dejó caer sobre ella. El dolor regresaba. Las treguas eran cada vez más cortas.

—A veces pienso que me estoy volviendo loco. —Su tono era distinto ahora. La mirada se perdió al otro lado de la mesa, en las filigranas de cerámica—. Y esta locura me empuja a separarme de todos. A olvidar a los que de verdad estuvieron siempre a mi lado. Y eso no es justo. No es cierto que todos me den la espalda.

Zobeyda se restregó los ojos y puso la mano sobre uno de los hombros de su esposo.

—Siempre me tendrás a tu lado. Yo nunca te daré la espalda.

Él la miró de nuevo, y el gesto pensativo se trocó en uno de desprecio; se liberó de la mano de Zobeyda con un brusco movimiento del hombro y a continuación, de repente, se levantó de la silla.

—No me refiero a ti. Hablo de mi buen amigo Pedro. Pedro de Azagra. Él es el único en quien puedo confiar.

Ella sintió que las piernas le fallaban y tuvo que apoyarse en el respaldo de otra de las sillas. Se notó cansada. Por todo. ¿Qué hacía allí, dejándose la piel en luchar por algo que llevaba años perdido? ¿En verdad se había deshonrado a sí misma por amor a ese hombre que la despreciaba? No pudo evitar que las palabras de al-Asad regresaran a su recuerdo. Zobeyda escogía la opción equivocada. ¿Era cierto? Se sorprendió pensando que casi no le importaba. A fin de cuentas, en algo tenía toda la razón el León de Guadix: el reino de Mardánish tenía los días contados. La favorita dejó caer la cabeza, y entonces se dio cuenta de que había dejado de llorar.

Un mes después. Jaén

Nadie lo esperaba, y por eso la llegada del rey Lobo sorprendió a todos. La guarnición regular de la ciudad había sido reducida al mínimo, pues los guerreros estaban en sus hogares. En Úbeda, Baeza, Andújar, Segura, Guadix, Baza... Hamusk no desconfiaba. Todo lo contrario: gozaba de días de suma calma que aprovechaba para reunirse con sus visires, juzgar los casos más retorcidos, administrar las ganancias que la paz reportaba a sus señoríos. Lo hacía con una sonrisa en la boca, y hasta sus allegados veían escamados cómo el señor de Jaén parecía incluso más bondadoso. Más alegre.

Por eso Hamusk dio un pequeño brinco sobre su silla cuando le anunciaron que un ejército se aproximaba a Jaén. Se levantó con esfuerzo, acusando el sobrepeso que se había acrecentado en aquellos días de sosiego.

—¿Los almohades?

—No. Estos llegan desde el norte, mi señor. Y llevan el estandarte de tu yerno.

Hamusk tardó mucho en abandonar la alcazaba, cruzar la ciudad, pasar junto a la aljama y presentarse en la muralla. Se hizo escoltar por un pequeño séquito de visires y varios guardias que le ayudaron a trepar hasta las almenas. Y a pesar de toda esa compañía, se supo solo. Supo cuánto había llegado a depender de la presencia de su fiel León de Guadix. Cuando, jadeante y sudoroso a pesar del frío, se plantó en el adarve, pudo ver a las tropas esparcidas ante él. Una hueste caótica, compuesta por peones cristianos y andalusíes, y algunos jinetes que recorrían el lugar en el que por lo visto pretendían plantar su campamento, junto al camino de Baeza. Allí, en lo alto de una suave loma, el estandarte negro con la estrella de ocho puntas ondeaba al viento. Hamusk agarró por la loriga a uno de los centinelas, que observaba con curiosidad las evoluciones de los caballeros a lo largo de los campos sembrados de olivos.

—¿Se ha acercado alguien?

—No, mi señor.

Los visires del caudillo andalusí, casi todos tan bien alimentados como él, llegaron al adarve. Uno de ellos, apoyado en un merlón, se encogió de hombros.

—Es nuestro rey. Pero no se ha hecho anunciar. Qué raro.

—No tanto —murmuró Hamusk—. Hacía tiempo que esperaba esto. Dad la alarma. Que todo el que esté en edad de combatir acuda a la alcazaba y que les entreguen armas. Distribuidlos por la muralla y reforzad las puertas. ¡Vamos!

Los visires se atropellaron al intentar obedecer al señor de Jaén. ¿Por qué convocaba una movilización contra el rey? ¿Qué pretendía Hamusk?

Las órdenes se cumplieron con rapidez. Todos sabían que su señor no admitía dilaciones y que sus enojos solían acabar mal para los que le rodeaban. En muy poco tiempo, gritos de alerta sonaban desde los minaretes y se trasladaban las instrucciones para armar a la población. Entonces, desde el antepecho, Hamusk observó cómo se acercaba al galope un jinete andalusí que enarbolaba el estandarte negro de Mardánish. Conforme se fue aproximando, Hamusk descubrió que el caballero era un mozo casi lampiño. Un muchacho que cogía las riendas sin seguridad. El señor de Jaén no pudo evitar una sonrisa: su yerno se presentaba en Jaén con un ejército de críos.

—¡Llamad a Hamusk! —gritó el jinete cuando se detuvo frente a Jaén—. ¡Llamad al señor de la ciudad!

—¡Yo soy el señor de Jaén! —La barriga del caudillo andalusí se aplastó contra la piedra de las almenas. Allá abajo, el muchacho tembló sobre su caballo—. ¿Quién me reclama?

El jinete apoyó el asta del estandarte en la silla, y la estrella plateada flameó a la vista de los jienenses.

—¡Tu rey te reclama! ¡Te ordena que te presentes ante él en su real! —El muchacho señaló a la colina donde ya se alzaban las primeras jaimas—. ¡Manda que acudas a rendirle sumisión, como es tu deber!

Hamusk gruñó algo por lo bajo. Sus centinelas, nerviosos, alternaban las miradas al señor de Jaén con las que recorrían las líneas del ejército visitante. Empezaron a cuchichear.

—¡No sé a qué viene esto! —Hamusk abrió los brazos teatralmente para que el heraldo pudiera verlo desde el pie de las murallas—. ¿Por qué mi yerno se presenta así en lugar de venir a darme un abrazo? ¿Por qué planta su hueste ante Jaén?

—¿Qué respuesta debo llevar a mi rey? —insistió el muchacho—. ¿Obedeces su mandato?

Hamusk bajó los brazos. Era inútil dialogar con aquel heraldo. Seguro que había recibido pocas y precisas instrucciones, y no se le veía empaque para mucho más que trasladar mensajes. Suspiró y vio de reojo cómo sus hombres aguardaban inquietos. Pensó con rapidez. Al-Asad. Esto tendría que ver con su viaje al norte. Hacía mucho tiempo que no tenía noticias de él, y ahora, sin más, Mardánish llegaba con su ejército hasta las mismísimas puertas de Jaén. Y él, Hamusk, no había recibido órdenes de movilización. No. Aquello no podía ser bueno.

—¡No saldré de la ciudad! —anunció al heraldo—. ¡Di a mi yerno que tiene las puertas de Jaén abiertas, pero no aceptaré a ese ejército en mi señorío!

Y se retiró de las almenas, sin comprobar siquiera si el jinete había escuchado con claridad su decisión. Ya estaba hecho. Y no habría vuelta atrás. Al-Asad... ¿Dónde estaría su fiel León?

El sol recorrió su camino en el firmamento. Mientras los pabellones del ejército visitante se extendían a la vista de las murallas, Hamusk se mantuvo junto a las almenas, cubierto por palio y atendido por sus sirvientes. Cuando se cansó de esperar, hizo subir un escaño al adarve para reposar sus larderas carnes. Bebió vino y se preguntó qué haría su yerno ahora. Y a su alrededor, los centinelas murmuraron inseguros. Desde los minaretes se seguían repartiendo instrucciones, y abajo, por las callejas de la villa, los hombres corrían y se avisaban unos a otros para luego confluir en las puertas de la alcazaba. Hamusk se rascó la barba. Tendría que mandar correos para pedir ayuda antes de que se completara el cerco. Sacudió la cabeza e hizo que su papada se bamboleara. ¿Acaso estaba siendo realmente cercado por su yerno?

—Mi señor, vuelven.

Hamusk se levantó con un gruñido de esfuerzo. La loma estaba ya repleta de tiendas con estandartes, algunos de ellos cristianos. El señor de Jaén blasfemó por lo bajo. Se había enterado de que Mardánish acababa de pasar una larga temporada en Castilla. Así que aquello no le había ido mal... Aunque, ahora que se fijaba, solo había conseguido contratar a mercenarios de baja estofa. Observó la comitiva a caballo que ahora se aproximaba al paso. Reconoció al joven heraldo a la cabeza, que llevaba de nuevo la bandera de Mardánish. Tras él llegaba, inconfundible, el rey Lobo, rodeado de varios caballeros cristianos. Y junto a su yerno... Hamusk sintió el vino subirle a la garganta.

—¡Zobeyda!

La favorita montaba a la amazona, con ambas piernas a un lado de la silla. Iba engalanada como en los mejores tiempos, cuando sus paseos por Murcia despertaban expectación. Los murmullos en el adarve de Jaén arreciaron.

—¡Ibrahim ibn Hamusk! —gritó de nuevo el heraldo, ahora con voz mucho más segura—. ¡Tu rey y señor te reclama!

—¡Aquí estoy!

Mardánish hizo avanzar a su caballo bajo la atenta mirada de los jinetes de su séquito. El rey detuvo a su destrero de lado, y la piel del lobo negro quedó a la vista de los centinelas de Jaén.

—¡Hamusk, no has obedecido mi orden! —reprochó Mardánish.

—¡No sé qué pretendes, yerno mío! ¿A qué viene este alarde?

—¡Marcho con mi ejército! —El rey Lobo se inclinó un momento hacia un lado, pero se recompuso enseguida—. ¡Y te reclamo a mi presencia! ¿Qué temes? ¿Tienes algo que ocultar o de lo que arrepentirte?

Hamusk gruñía y sus puños golpeaban la piedra de las almenas fuera de la vista del rey. Rumiaba cada respuesta antes de gritarla. Sus hombres seguían inquietos, sin explicarse a qué venía todo aquello.

—¿Por qué traes a mi hija?

Mardánish se volvió a medias en el caballo, como si no hubiera reparado antes en la presencia de Zobeyda. Ella asistía en silencio al diálogo. Sus ojos no se separaban de la tierra que se extendía entre su yegua y las murallas. Todavía se abstenía de mirar a su padre.

—¿Recuerdas cuando me diste a tu hija, Hamusk? ¿Recuerdas que sellamos un pacto de alianza y que juraste servirme? A cambio de ello te otorgué dones. Señoríos. Ciudades enteras. Has sido el hombre más poderoso del Sharq, solo superado por mí. Yo hice de tu hija mi favorita. Mi reina. La alcé en un pedestal que jamás conoció mujer alguna en al-Ándalus. En ella engendré a mi heredero, y convertí a Zobeyda en el símbolo de mi reino. ¿Consideras que no cumplí mi parte del trato?

Hamusk rezongó un nuevo murmullo. Blasfemó en lugar de responder.

—Mi señor —uno de sus visires llamó la atención del señor de Jaén desde el adarve, fuera de la vista de Mardánish—. He mandado aprestar correos para abandonar la ciudad. Llevan órdenes de movilización para Baeza y Úbeda. Y también mensajes para Guadix. ¿Tengo tu permiso para que partan?

Hamusk miró a su alrededor. En verdad, el ejército que su yerno traía hasta Jaén no parecía el apropiado para un cerco. Ocupaban la loma que había ante él y poco más. ¿Qué era todo aquello? ¿Quizá simple teatro?

—Espera a que resuelva esto —mandó a su visir—. ¡Yerno mío! ¡Ambos hemos cumplido como buenos parientes! ¡Me reprochas que me otorgaste dignidades! ¡Bien! ¿Acaso no las gané todas con el sudor de mi frente y la sangre de mis heridas? ¡Yo luché en todo momento mientras tú te desvivías en adular a tus amigos cristianos! ¡Yo sitiaba ciudades que tú no te atrevías a mirar! ¡Eres lo que eres gracias a mí! ¿No te parece, pues, que no se me puede reprochar nada?

—¡Bien dicho, suegro mío! —Mardánish tiró de las riendas e hizo moverse a su destrero hasta que lo situó junto a la yegua de Zobeyda. Luego lo obligó a girar de nuevo para encarar las murallas—. ¡Así pues, nada tienes que temer! ¡Ni yo tampoco! ¡Ea, sal de Jaén y preséntate ante mí aquí! ¡Besa mi mano como señor tuyo que soy! ¡Hablemos de nuestro pacto! ¡Hablemos de tu heroica lucha en el llano, junto a Murcia! ¡Hablaremos también de tu fiel al-Asad! ¡Y de los acuerdos con Navarra y Aragón! ¡Y con los almohades! —Mardánish señaló un punto ante él, en tierra, para indicarle a Hamusk dónde debía colocarse para rendirle pleitesía—. ¡Baja ahora para que no me queden dudas!

Hamusk arañaba las piedras en lo alto del adarve. Sus soldados, asustados, se habían alejado de él, y ahora estaba solo en las almenas. Al-Asad. Los acuerdos con Navarra y Aragón, y con los almohades... El señor de Jaén buscó la mirada de su hija, pero ella seguía con la cabeza baja. Había calculado mal. No debió dejarla ir tras su última visita, cuando ella lo descubrió todo. A saber qué había pasado desde entonces.

—¡No bajaré!

No se le ocurrió nada más que decir. Mardánish, abajo, sonrió. Por fin alguien le desafiaba cara a cara, y no por la espalda. Giró el cuerpo sobre la silla de montar y observó a Zobeyda. La sonrisa desapareció. Notó cómo el dolor del corazón se imponía a los demás trallazos de sufrimiento que encogían su cuerpo cruzado de cicatrices. Quiso decir algo a su favorita. Tal vez buscar su mirada. Pero no podía. En su mente, la nube de desconfianza devoraba cualquier otro sentimiento. La compasión, la pena... Incluso el amor. Enfrentó las murallas de Jaén y tomó aire; avanzó con su destrero para destacarse de nuevo de la comitiva.

—¡Entonces, Hamusk, nuestro pacto queda roto! ¡Abre las puertas de Jaén y recibe a tu hija Zobeyda, pues yo la repudio! ¡No quiero volver a verla! ¡No quiero saber más de ella! ¡Y en cuanto a ti, considérame tu enemigo!

Aquello sorprendió a todos. Incluso a los cristianos que escoltaban al rey Lobo. Zobeyda fue la única que no se alteró. Como si lo estuviera esperando. Ya no era la favorita. Ya no era la reina. Ya no era más que la hija de un traidor, expulsada de su hogar y repudiada por su esposo. Sin esperar orden alguna, espoleó con suavidad a la yegua y, con la mirada fija en el suelo, tiró de las riendas y avanzó hacia la puerta más cercana. Todos callaron, y hasta las voces desde los minaretes parecieron respetar el momento. Las miradas de los hombres la siguieron desde las almenas de Jaén y desde la comitiva de Mardánish. El rey Lobo sintió desgarrarse sus entrañas y sufrió una nueva convulsión. El heraldo lo vio y soltó el estandarte para evitar que Mardánish cayera del caballo, pero al hacerlo fue el pendón negro con la estrella plateada el que acabó en tierra. Uno de los cristianos se santiguó e hizo una señal contra el mal de ojo.

Zobeyda solo levantó la cabeza una vez, antes de perderse dentro de la ciudad. Junto a los portones que ahora se abrían con fuerte chirrido. Miró atrás, a Mardánish. Y lo vio doblado por el dolor. O tal vez fuera la desolación. La misma que ella sentía.

67

Salvar Albarracín

Primavera de 1169. Marrakech

El califa Yusuf estaba eufórico.

Acababa de tener una agradable charla filosófica con su fiel Ibn Tufayl, y aquello siempre le sumía en un sugestivo estado de bienestar. Mucho mejor que la angustiosa sensación de empuñar las armas al frente de su ejército, algo que le repugnaba. No. Eran mucho más satisfactorias las tranquilas charlas en el palacio del Majzén. Con Ibn Tufayl o con cualquier otro de los doctos consejeros de los que se había hecho rodear. Y no había sensación comparable a hojear los libros traídos desde todos los rincones del al-Ándalus sometido. Tratados de medicina, teología, astronomía, matemáticas... Apartados, los *talaba* observaban sorprendidos cómo el califa se dejaba llevar por banalidades que en realidad deberían estar relegadas por la única filosofía posible: el Tawhid. Y por el único libro posible: el Corán.

Pero no todo era placer en la vida. Aparte de los debates con los doctos, la lectura de los manuales y los retozos con las bellezas rubias que llenaban el harén califal, Yusuf debía atender los asuntos de su imperio. Bostezó con desgana cuando Abú Hafs y Utmán se presentaron ante él y se postraron en símbolo de reconocimiento y sumisión a su poder omnímodo. Ibn Tufayl se retiró a un lado y aguardó de pie, con las manos metidas en las mangas de su *burnús*.

—Príncipe de los creyentes —saludaron ambos a un tiempo. Yusuf estiró su boca en una sonrisa de satisfacción. Había pasado más de cinco años haciéndose llamar *príncipe nobilísimo*, en renuncia a su título de califa y de príncipe de los creyentes, pero ahora, con toda la élite almohade convencida, no tenía sentido ser hipócrita con los títulos.

—Levantaos, hermanos míos. Y habladme de esa aburrida rebelión en las montañas.

Abú Hafs se adelantó un paso para asumir, como siempre, el protagonismo. Mostró sus amarillentos dientes al sonreír.

—Los rebeldes han sido totalmente devueltos a tu fidelidad. Sus cabecillas se pudren en mazmorras a la espera de ser decapitados, aunque muchos de ellos son ya pasto de los buitres.

Yusuf asintió sin ocultar su alivio. Él mismo se había visto obligado a vestir las armas para ir a las tierras de los gumaras, a ponerse al frente de las tropas de Dios. Ah, qué duro era ser califa.

—Bien, seréis recompensados según la costumbre. Y me daréis una lista de todos aquellos que se destacaron en su sacrificio por el Único. Recibirán mi agradecimiento. Abú Hafs, por favor, acuérdate también de señalarme a los que se quedaron atrás en el combate. O mejor, ocúpate tú de eso. Ya sabes qué hacer.

Abú Hafs exageró una nueva reverencia.

—Por supuesto, príncipe de los creyentes.

—Utmán, ¿por qué estás tan callado?

El *sayyid* se adelantó hasta ponerse a la altura de su hermanastro Abú Hafs.

—No me has dado licencia para hablar, mi señor.

—Ah, pues no solo te doy licencia. Te mando que hables, hermano mío. —Yusuf, sentado sobre sus cojines, observó de reojo a Ibn Tufayl—. Sé que antes de partir hacia las montañas estuviste aquí, en palacio, visitando a una vieja amiga. Cuéntame.

Utmán frunció el ceño. También miró a Ibn Tufayl, y recibió de este una sonrisa de circunstancias. Abú Hafs, inmóvil, enarcó las cejas.

—Así es... Quería ver qué tal se encontraba Hafsa... Solo...

—Hafsa consintió en su día en dedicarse por entero a la instrucción de mi prole. Y con ello renunció a la vida fuera de su oficio. Eso la eleva por encima de la suciedad en que nadaba antes. Ya no es la perra lasciva que fue, Utmán. No pretenderías poseerla, ¿verdad?

—No, mi señor. Además —el *sayyid* bajó la mirada—, ella no quiere ni verme.

—Por supuesto que no. Y si quisiera, yo lo prohibiría. Jamás consentiría que mi heredero Yaqub fuera educado por una zorra. Y tú tampoco, ¿verdad, Utmán? Tú tienes esposas. Y algunas te han dado hijos. ¿No te basta con eso?

—Sí. Me basta.

Yusuf volvió a observar de reojo a Ibn Tufayl. Luego se fijó en el rostro imperturbable de Abú Hafs, que seguía la conversación en silencio. Le pareció detectar una mueca de burla. Ah, qué interesantes sorpresas daba el destino. Hafsa, la única mujer que se había atrevido a rechazarlo por más que hubiera pasado su vida retozando en el lecho, estaba desterrada ahora de la lujuria. Y por propia voluntad. Sin duda aquello era obra de Dios.

—De todas formas, Utmán —continuó el califa—, vas a volver a tu querida tierra de al-Ándalus enseguida. Y allí podrás atiborrarte con esas putas insaciables que tanto te gustan.

Los ojos del *sayyid* se iluminaron a pesar de los insultos. Volver a al-Ándalus. Por fin. En ese momento, Abú Hafs consideró que había callado de más.

—¿Qué ordenas, príncipe de los creyentes?

—Ordeno mirar al otro lado del Estrecho. Una vez apaciguados mis territorios aquí, es mi deseo movilizar de inmediato nuevas tropas que se unirán a vuestros ejércitos, así que no licenciéis a nadie. Vosotros, los dos, volveréis a comandar las fuerzas que cruzarán a la Península. Ese perro cristiano, el portugués Sempavor, no deja de acosar nuestras plazas en el Garb. Ahora que contamos con la ayuda de Fernando de León, acabaremos con esa amenaza.

—Espero que esta vez no dejemos las cosas a medias —rezongó Abú Hafs. Si hubiera sido Utmán, tal vez Yusuf se habría sentido ofendido, pero ser el califa no le libraba de estremecerse cada vez que su hermanastro clavaba en él su mirada enrojecida. El príncipe de los creyentes sonrió con una pizca de nerviosismo.

—¿A medias?

—Ese Gerardo Sempavor no me preocupa tanto como nuestro otro problema. El demonio Lobo sigue al frente de su ridículo reino. La última vez que lo tuvimos a nuestra merced, debimos retirarnos para luchar aquí, a este lado del Estrecho. Deberíamos aplastarlo ahora, antes de que los infieles del norte vengan a alimentarse de su carroña.

Yusuf miró a Ibn Tufayl durante un instante y compartió con él un relámpago de complicidad. Luego habló a sus hermanos con toda la seguridad que pudo reunir:

—Mardánish caerá a su tiempo. He decidido escribirle antes. Darle la oportunidad de reconocer mi soberanía. Tengo la esperanza de que se avenga y me preste fidelidad.

Abú Hafs estiró la bocaza en una mueca socarrona. A su lado, Utmán también observaba al califa con gesto suspicaz.

—Mardánish jamás se rendirá. Luchará hasta el fin —aseguró Abú Hafs.

—Estoy de acuerdo —apuntaló Utmán—. Por todo al-Ándalus se conoce su lema: guerra perpetua a los almohades.

—El rey Lobo no es el que era —intervino Ibn Tufayl—. No tiene apenas ejército. Y los cristianos ya no le apoyan.

—Este palacio tampoco es lo que era. —Abú Hafs se dirigió al califa, ignorando a propósito al filósofo—. Ahora, cuando tres miembros de la ilustre familia del Tawhid hablan, los andalusíes entrometidos pretenden hacer valer su opinión.

Ibn Tufayl palideció y su figura pareció encogerse. La sonrisa nerviosa volvió a asaltar al califa.

—Mi consejero es andalusí, sí —reconoció Yusuf—. Pero a pesar de ese lastre, toda su lealtad es para conmigo. Como ves, incluso estos ladinos pueden acabar rindiéndose a nuestra superioridad. Mardánish también lo hará. Ya he empezado la carta que le pienso mandar. Le prometeré dignidades y le ofreceré cargos en mi propio consejo para él y su familia. Tiene que darse cuenta de que si acepta el Tawhid y me toma como su señor, será mucho más poderoso que los politeístas que le rodean.

—No aceptará —repitió Utmán.

—No. No lo hará. —Abú Hafs sí miró ahora a Ibn Tufayl—. Pero reconozco que se puede sacar partido de estos perros andalusíes. Ya lo hemos hecho antes. Son traidores, y aprovechan la menor ocasión para asestarse entre ellos tremendas puñaladas por la espalda. Escribe al demonio Lobo si te place, hermano mío, pero préstame oídos y escribe una segunda carta. A Hamusk, el suegro de Mardánish. Créeme. Sé lo que me digo. Con él sí se puede negociar.

Murcia

Los hombres de Mardánish se habían quedado en aquella loma frente a Jaén. Desde allí algarearon por todas las tierras de Hamusk. Arrasaron cultivos, incendiaron aldeas, reclutaron a la fuerza a sirvientes y esclavos, cortaron las líneas de abastecimiento, saquearon caravanas y capturaron a los correos que pretendían pedir ayuda a Úbeda y Baeza. En las demás ciudades de Hamusk, sus visires se vieron en la tesitura de elegir: o seguían siendo fieles a su sitiado señor, o renegaban de él y renovaban sus lazos de vasallaje con Mardánish. Dadas las circunstancias, todos optaron por lo segundo. El rey Lobo sabía que aquel compromiso valía poco más que nada, pero al menos se aseguraba de que Hamusk se viera solo. No soñaba con derrotarle, aunque tal vez sí pudiera forzar su salida de Jaén. Mejor fuera de su reino que encastillado allí, contaminando todo lo que le rodeaba.

Mardánish, por su parte y tras encargar a sus nuevos mercenarios que hostigaran a Hamusk sin descanso, regresó a Murcia. Lo hizo con el corazón traspasado de dolor, pues dejaba atrás al ser al que más había amado y amaría en su vida. Pero la ira —y los restos de aquel orgullo que se plegaba con cada vez más ante su enfermedad— era más fuerte que cualquier otro sentimiento.

Al llegar a su capital, encargó a Abú Amir que organizara un gran banquete. Como los de antaño. Pretendía olvidar, y para ello, de ser preciso, se dejaría ahogar por el licor. El consejero, taciturno, ni siquiera se molestó en advertirle de que no debía seguir con sus excesos, que era el licor lo que le mataba poco a poco, lo que le pudría las entrañas y agriaba su alma. Abú Amir no hizo nada de eso, porque sabía que habría sido inútil; así pues, obedeció. Concitó a las danzarinas a las que pudo hallar, contrató a algunas rameras y encontró un coro de músicos para amenizar la fiesta. Sin embargo, la mayor parte de los visires alegó tener mucho trabajo. Otros confirmaron su asistencia solo por no desairar al rey Lobo y porque temían su reacción.

El propio Abú Amir pidió licencia para no acompañar a su rey: la madre de Adelagia había fallecido mientras Mardánish repudiaba a Zobeyda ante las murallas de Jaén. Unas fiebres habían terminado por llevársela. Fustigados por aquel último latigazo de tristeza, la pelirroja doncella y su padre partirían hacia Italia desde Denia sin tardanza; así pues, Abú Amir se excusó diciendo que quería ir a despedirla. En cuanto a Marjanna, y a pesar de que solo Zobeyda tenía derecho a manumitirla, el rey Lobo proclamó su libertad y le dio a elegir dónde establecerse, incluidos los aposentos palatinos. La persa, tan deshecha de dolor como Adelagia, solicitó permiso para instalarse en Valencia y trabajar como doncella de la princesa Zayda en su *munya*. Mardánish le concedió este deseo, y Marjanna le hizo saber que marcharía a Denia al día siguiente para despedir a Adelagia y, a continuación, seguiría viaje hasta Valencia.

La gran fiesta empezó con danzas y las meretrices repartieron sus caricias entre los comensales. Pero todos ellos observaban al rey de reojo y se abstenían de abusar del vino. Dos o tres incluso desaparecieron con excusas de indisposición. Mardánish bebía solo, postrado en su trono mientras se obligaba a ignorar el dolor que le desgarraba las entrañas. Bajo su túnica se marcaban las anillas de la loriga, que ahora llevaba puesta casi todo el día por temor a las puñaladas traicioneras de los partidarios del Tawhid. ¿Quién sabía dónde podían ocultarse los felones? Por lo demás, los golpes de las panderetas le irritaban y la música que salía de los rabeles se le antojaba insulsa. Le faltaba su principal hálito. No dejaba de pensar en ella. Tras los muros de Jaén. Con su padre, el traidor. Traidores todos. Todos menos su buen Azagra.

Como si invocar el recuerdo del navarro fuera suficiente, las puertas del *maylís* se abrieron y Pedro Ruiz de Azagra, con vestiduras de guerra, hizo su entrada. El dolor abandonó a Mardánish como una bandada de palomas alzaría el vuelo ante el paso de un niño ruidoso. El rey se levantó de su sitial y extendió la copa hacia el navarro. Sonrió después de semanas de rictus de dolorosa cólera.

—Mi buen Pedro. Mi único amigo. Siempre a mi lado cuando te necesito.

Abrazó al cristiano, lo que provocó alguna que otra mueca de insatisfacción entre los invitados a aquella aburrida fiesta. Cuando el rey se separó de Azagra, dejó sus manos sobre los brazos del navarro y lo miró con sincero aprecio. Luego dio un par de fuertes palmadas.

—¡Fuera! ¡Se terminó esta farsa! ¡Dejadme solo con mi amigo!

Los visires, danzarinas, escanciadores y músicos se apresuraron a escapar de la sala. Las rameras, ociosas, permanecieron hasta que los demás se hubieron ido, con la esperanza de que al menos Mardánish quisiera organizar un festejo privado para su amigo; pero una mirada del rey las convenció enseguida de que era mejor largarse de allí. Pedro de Azagra desanudó su talabarte, del que pendían espada y daga, y lo dejó sobre la mesa. Luego tomó la copa que tenía más a mano y acabó con su contenido. Mardánish no podía dejar de sonreír.

—He traído soldados —anunció el navarro—. No son de gran calidad, pero es lo más que he podido hacer. Castellanos y navarros. Y desgraciadamente su precio no ha bajado. Al contrario. Esos perros aprovechan la escasez.

—Está bien, amigo mío. Está bien.

—Alfonso de Castilla se ha lanzado al sitio de Zorita —siguió con sus disculpas Azagra—. Por eso no hay muchas tropas disponibles. De todas formas, ese asedio es una buena noticia. Podemos estar seguros de que cuando caiga la ciudad, las fuerzas de los Castro en Castilla estarán vencidas y la guerra civil habrá terminado. Además, no queda mucho para que el joven rey alcance la mayoría de edad.

—Perfecto —asintió Mardánish, que pese a todo parecía más concentrado en agradar al cristiano que en la información que este le traía.

—Ya lo creo. Conozco al joven rey, y ahora actúa bajo la guía del regente Lara porque así lo quiso el difunto Sancho. Pero cuando Alfonso asuma la corona de verdad... Te aseguro que ese muchacho cree que Dios le ha investido de una misión. La de derrotar a los almohades y ensanchar Castilla.

—Es estupendo. Estupendo.

Azagra se sentó a la mesa y apuró otra de las copas mediadas de licor. Además pidió permiso al rey con un gesto y tomó un muslo de pollo que empezó a devorar con fruición. Mardánish parecía extasiado únicamente con ver cómo comía su amigo.

—¿Qué tal las cosas por aquí? —preguntó el navarro con la boca llena.

—Oh... Bien. Conseguí reunir lo poco que quedaba de mi ejército. Dejé las guarniciones casi vacías, y los envié a todos a asediar Jaén.

El muslo de pollo cayó de las manos de Azagra y rebotó en la mesa. El navarro miró a Mardánish con expresión de sorpresa.

—¿Estás asediando... Jaén? ¿Y Hamusk?

La expresión alegre del rey se agrió.

—Hamusk... Ese traidor. Llegó a acuerdos con los almohades. Y con los cristianos del norte.

—¿Cómo?

El rey Lobo le explicó todo lo sucedido. El paso de al-Asad en su ausencia, la marcha de Zobeyda, su regreso, el pacto que, según ella, aliaba a Navarra y Aragón contra el Sharq, las maquinaciones de Hamusk, la supuesta muerte del León de Guadix... y, por último, el repudio a su esposa en las mismas puertas de Jaén y la declaración de guerra a su suegro. El cristiano escuchaba con la boca abierta, incapaz de dar crédito a lo que oía. Cuando Mardánish acabó de hablar, Azagra tamborileó con los dedos sobre la mesa mientras asentía en silencio.

—Lo cierto es que, hace muy poco, ese Gerardo Sempavor sitió Badajoz y consiguió encerrar a la guarnición almohade en la alcazaba... —El navarro entornó los ojos—. El rey de Portugal acudió a ayudarle para derrotar a esos africanos, pero entonces apareció Fernando de León. Los leoneses lucharon contra Sempavor y su rey. Los vencieron y los hicieron prisioneros... Incluso se dice que el rey de Portugal fue malherido en el combate. Al final, León ha devuelto Badajoz a los almohades.

Ahora fue Mardánish quien dejó caer la mandíbula. Así que era cierto. Fernando de León... Aquel crío que un día, hacía mucho tiempo, prometiera ayudar al Sharq en su lucha contra los almohades andaba en tratos con el propio califa y se atrevía incluso a atacar a otros cristianos. El rey Lobo soltó una carcajada corta y amarga. Y él, iluso, ¿todavía soñaba con que le ayudaran? ¿A un musulmán? Aquello le abrió los ojos. Y entonces, con un repentino latigazo de lucidez, todo lo que le había contado Zobeyda apareció como lógico. Lo único lógico entre todas las posibilidades que infestaban aquel laberinto de ambiciones, envidias y oportunismo. Apretó los puños y sus dientes rechinaron. Y la había repudiado. A ella, que no había hecho otra cosa que cuidar de él. Cristianos y musulmanes. Todos iguales al final. Todos capaces de dar lo peor de sí mismos.

—Ella tenía razón —murmuró.

Azagra no respondió. Había dejado el muslo a medio terminar, con el apetito repentinamente derrotado sobre aquella mesa. Intentó comprender qué tormenta se había desatado en el corazón y en la mente del rey Lobo. Aferrado a un sueño imposible, obstinado en hacerlo realidad. Condenado al fracaso.

Marjanna estaba sentada sobre un escabel en la cámara de Zobeyda. En los mismos aposentos que durante años había compartido con su señora, la reina del Sharq, y también con sus tres amigas, Adelagia, Sauda y Zeynab.

Había dejado de llorar hacía tiempo. Antes de que la música se esparciera por el alcázar y llegara a su fin, y sus ecos se perdiesen entre las columnas, las higueras y los arrayanes. Una fiesta más. Otro de aquellos banquetes desenfrenados que acabaría en borrachera y lujuria. Chascó la lengua, indiferente a los cantos de las primeras aves, que atravesaban los muros del alcázar y se deslizaban por los corredores hasta llegar al harén. ¿Acaso no había participado ella misma de aquella lujuria? ¿De aquel desenfreno feliz?

No tenía sentido arrepentirse ahora. Todo había seguido un camino demasiado tortuoso, marcado por traiciones que se seguían una a otra. La ambición, el orgullo y el fanatismo eran malos compañeros de viaje. Y ahora, al fin y al cabo, ella era libre. No es que cambiara gran cosa con respecto a lo vivido hasta ese momento, pues de nada tenía queja. Había sido esclava, sí, pero también había gozado del lujo y de la belleza del reino más espléndido de la tierra. Había sido amada, y sin duda aún lo era. Por eso se sentía en deuda.

La claridad se colaba por la celosía. Suspiró y se levantó del escabel. Frente a ella se dibujaban en la oscuridad los enseres de Zobeyda. Las arquetas de marfil, y los frascos de ungüentos y esencias. Los betilos y las velas aromáticas. Las pequeñas figuritas de dioses extraños a los que jamás adoró ni comprendió. Todo eso se cubría ahora de polvo, al igual que el lecho de la favorita.

Se despidió con un beso silencioso lanzado al aire. Aquella misma mañana viajaría a Denia para despedirse de Adelagia, y desde allí seguiría al norte, hacia Valencia: al palacio de la Zaydía, para vivir al servicio de las princesas del Sharq.

Pero antes debía hacer algo.

Salió del aposento principal y caminó por el pasillo en penumbras. Giró a la derecha antes de llegar al patio y rodeó los lechos de Sauda y Zeynab. Había cestas amontonadas, fardos de ropa y arcones abiertos. Todo lo que habían dejado atrás al marcharse para no regresar nunca. Sabía dónde y qué buscar, así que no tardó mucho en remover y elegir lo que necesitaba. Recordaba bien las historias y las recetas de su negra compañera. No debía de ser muy difícil hacerlo.

Cruzó el patio ajardinado. Un par de verderones, sorprendidos en un último y perezoso sueño, saltaron desde las ramas y volaron para alejarse del alcázar. Marjanna llevaba en una mano una de las pequeñas cañitas que Sauda usaba para labrar la piel, un diminuto cilindro hueco y acabado en punta. En la otra mano, el frasquito no contenía el tinte vegetal de color añil que rellenaba heridas y pintaba el cuerpo. Bien distinta era la naturaleza del bálsamo que ahora discurriría por el hueco del junquillo.

La cámara de las concubinas, en un rincón del patio, era la más oscura. Sus celosías daban al norte, y muy cerca se alzaba la muralla que separaba el alcázar de la medina murciana. Marjanna dejó que sus ojos se acostumbraran a la negrura y localizó a Tarub. Dormía separada de las demás, segregada por su amargura. La persa manipuló con dedos hábiles el frasquito mientras se arrodillaba cerca de la cama. La *umm walad* roncaba débilmente, con la mejilla izquierda apoyada sobre un almohadón y la boca entreabierta. La cañita entró con suavidad, rozando apenas los labios de Tarub. Fuera, la madrugada cedía a la claridad del alba; en muy poco tiempo, el muecín cantaría su llamada a la oración.

El líquido, transparente y con un ligero olor ácido, escapó del frasquito y discurrió por el interior del junquillo. Gota a gota, se depositó en la boca de

Tarub. Esta se removió y plegó los labios, pero Marjanna fue rápida y retiró la caña. Los ronquidos se cortaron y Tarub se relamió en sueños. Arrugó la nariz un instante y luego resopló. Su respiración continuó regular, y el muecín lanzó al aire su convocatoria.

Marjanna se irguió, echó un último vistazo y abandonó la cámara de las concubinas.

Río Guadalope, frontera entre Aragón y el Sharq al-Ándalus

El joven rey Alfonso de Aragón soportaba con gran dignidad el peso de la loriga. Cuando resoplaba por el calor y el esfuerzo, lo hacía con discreción para que sus nobles no lo notaran. Había detenido a su destrero ante la chopera que marcaba el curso del río, y algunos de los peones de su mesnada se metían entre los árboles para espiar la orilla de enfrente. Pedro de Arazuri aproximó su caballo al del rey adolescente y señaló al otro lado con su diestra, temblorosa por la edad. El anciano mostraba al niño el mundo que debía conquistar.

—El río del Lobo, mi señor.

El joven Alfonso asintió. Aquel era el nombre que los sarracenos habían dado a la corriente de agua que separaba las tierras de la casa de Aragón de las que todavía seguían en poder de Mardánish. Tal vez los infieles hubieran bautizado con ese nombre al río en honor a su señor, o tal vez no fuera más que una coincidencia. Alfonso curvó los labios. Sabía que la chusma daba mucha importancia a todas aquellas casualidades. Guadalope. El río del Lobo. El río de Lope.

Se volvió hacia sus hombres, esforzándose para que el estorbo de sus vestiduras de guerra no lo hiciera parecer ridículo. Tras él, los barones aragoneses mostraban orgullosos los colores de sus pendones y escudos y, a ambos lados, los frailes guerreros ardían en deseos de cumplir con la misión para la que se consideraban nacidos. Mezclados con ellos, peones armados, ballesteros y sirvientes aguardaban las órdenes de un niño.

—¡Dios ha puesto ante nosotros este río para que nos avergoncemos! —gritó Alfonso de Aragón—. ¡Ha permitido que el nombre de un infiel cierre nuestras justas aspiraciones! ¡Pero también lo ha hecho para espolear nuestro ánimo, mis señores!

El viento arreció, y se levantó un siseo entre las hojas de los chopos. Los caballeros adelantaron sus monturas hasta asomar entre los juncos y los troncos de los árboles. Ante ellos la corriente discurría tranquila, ensanchada en un vado que les permitiría salvar aquella frontera trazada por Dios en las tierras de la Península. Algunos asintieron en silencio y tomaron como suyas las palabras del monarca al que habían jurado lealtad. O quizá simplemente aceptaban por buena la analogía del rey: el Guadalope era una muralla, y al mismo tiempo, una puerta abierta. Al fin y al cabo, cruzar ese río les garantizaría honores, tenencias y botín al otro lado. Todos ellos, e incluso la morralla de a pie que los acompañaba, habían viajado desde Fraga hasta aquella frontera por eso. Por su ambición. El mayordomo real, Blasco Romeo, fue el primero en avanzar sobre el agua, haciendo que los cascos de su destrero se hundieran en el lodo del lecho. Alfonso de Aragón extendió la mano hacia uno de sus escuderos.

—¡Mi lanza!

El joven monarca aferró con decisión el asta y la hizo vibrar. Las barras color sangre, heredadas de sus antepasados aragoneses, se extendieron a la brisa que acariciaba la superficie del Guadalope. El río del Lobo. Hasta ese día. Pedro de Arazuri sonrió ante lo gallardo del rey adolescente. Al otro lado del Guadalope no hallarían más que aldeas abandonadas, y apenas los restos de las guarniciones de un par de fortalezas que rendirían sus armas en cuanto divisaran a la hueste invasora. Pronto, toda la tierra que se extendía hacia el sur por la cuenca del río sería aragonesa. Y después tomarían los montes y las llanuras regadas por el Alfambra. Y enseguida tendrían Albarracín a su alcance.

—Dios te asistirá en esta sagrada tarea, mi señor —animó el viejo navarro—. La historia te reserva un sitio de honor.

El joven rey asintió, levantó el brazo derecho y mostró a sus hombres el pendón con las armas de su casa. La señal real bajo la que resultara herido su pariente, el Batallador. Vencido, entre otros, por el padre de aquel rey Lobo que ahora interponía ese río entre unos y otros.

—¡Por san Jorge!

Como uno solo, caballeros, hospitalarios, mesnaderos y calatravos alzaron la voz para corear al monarca.

—¡Aragón! ¡Aragón! ¡Aragón!

Un mes después. Jaén

A pesar de estar enriscada en la loma que dominaba la ciudad, desde la alcazaba de Jaén no se apreciaba con claridad el campamento enemigo. Y Zobeyda no podía abandonar sus aposentos. No ahora, cuando en toda la ciudad se actuaba igual que podría hacerse en Granada, Sevilla, Marrakech o Fez. La hija de Hamusk solo salía a la luz del día para ir a orar a la aljama los viernes. Durante el recorrido, decenas de fanáticos vigilaban con celo que no se rompiera ni una sola de las normas que imponía la ortodoxia. El Tawhid regía de hecho en Jaén, y faltaba poco para que también lo hiciera por derecho.

Zobeyda fijaba sus ojos en las lejanas hileras de olivos, recortadas contra las azules ondulaciones del horizonte. Algunas columnas de humo se curvaban con pereza hacia poniente, marcando las hogueras en las que el ejército sitiador preparaba la comida. Pero la mirada de Zobeyda no se detenía en el campamento enemigo, ni en el humo de sus fogatas, ni en los olivos ni en el cielo. Volaba más allá, al norte. A todo lo que la habían obligado a dejar atrás. Se recreaba en aquella inmensidad día y noche, como si fuera el único vínculo que quedaba de todo lo perdido:

> *Sin cesar recorro con mis ojos los cielos*
> *por si viese la estrella que tú estás contemplando.*
> *Cuando los vientos soplan, hago que me den en el rostro,*
> *por si la brisa me trajese tus nuevas.*

Se volvió cuando una de las sirvientas anunció la visita de Hamusk. Zobeyda se ajustó el velo y remetió un par de mechones rebeldes que pretendían escapar a su encierro. Oyó los pasos de su padre, lentos y pesados, y lo imaginó bamboleante al tiempo que se acercaba al aposento. Hamusk abrió la puerta sin llamar y se asomó con una mezcla de prevención y esperanza. Torció la boca en un gesto de decepción al ver a Zobeyda sentada en su banquillo, con las manos sobre las rodillas y las labores sobre el lecho. De nuevo leía en los ojos de su hija la añoranza y la derrota.

—He recibido carta del califa Yusuf —anunció Hamusk—. Me ofrece la oportunidad de aceptarlo como señor. A cambio, me perdona todo lo ocurrido hasta ahora. Me sugiere que intente convencer a tu esposo...

—Ya no es mi esposo —cortó ella. Hamusk apretó los labios antes de continuar.

—... y que, en caso de que Mardánish se niegue, rompa con él.

Zobeyda alargó una mueca sardónica bajo el *litam*.

—Todavía no se han enterado de lo sucedido.

—Eso parece —convino el señor de Jaén—. Pero se enterarán pronto. Acabo de dar la orden de que varios emisarios salgan a todo galope hacia el sur. Ese ridículo cerco que nos ha impuesto tu esposo...

—Ya no es mi esposo —repitió ella.

—... no podrá detener más a mis hombres. Pronto recibiremos ayuda de los almohades, y todo se arreglará.

Zobeyda volvió a burlarse de las palabras de su padre. Esta vez el gesto de desprecio se remarcó bajo el velo con claridad.

—¿Todo se arreglará? Todo lo que tú estropeaste, quieres decir.

Hamusk suspiró y se acercó al estrecho ventanal. Oteó con desdén las columnas de humo que ascendían desde el campamento enemigo.

—No tengo más hijos que tú, Zobeyda. En ti puse todo mi amor. Y toda mi esperanza. Es duro para un padre saber que no tendrá un primogénito al que legar sus bienes. Aunque tú eras mucho más dura que cualquier hombre. Mucho más altiva. Más fuerte...

—Pero... —le animó a continuar.

—Pero no eres un hombre. Al-Asad sí. El hijo que debí tener.

Zobeyda negó con la cabeza. A pesar de todo el amor que su padre siempre le había demostrado, sospechaba de aquel reproche silencioso que ahora tomaba voz. Nada más presentarse ante él, cuatro meses atrás, había contado a Hamusk lo sucedido con al-Asad. Todo. Incluido lo que pasó bajo aquella sabina en tierras de Aragón. Y vio el dolor refulgir en las pupilas del señor de Jaén. No hubo reprensión alguna. ¿Quién sabía qué truenos se entrechocaban dentro de la cabeza de Hamusk? Zobeyda quiso sacar a su padre del error, aunque solo fuera por la rabia que todavía le despertaba el recuerdo del guerrero tuerto:

—Al-Asad lo ambicionaba todo para sí, no para ti. Tú y yo éramos sus herramientas. O eso planeaba él.

—Herramientas —repitió Hamusk, y asintió sin quitar la vista de las columnas de humo—. Pues claro. Yo también lo usé a él; y a ti. Y tú usaste a tu esposo. Y él te usó a ti. Está en la naturaleza de las personas. Pero no quiero culparte más por eso. Al-Asad murió y ahora quedamos tú y yo. Tu... Mardánish se ha convertido en nuestro enemigo, y el califa nos ofrece su amistad. Dejaremos que Yusuf nos use, y lo usaremos nosotros a él.

Zobeyda se encogió de hombros.

—Haz lo que te plazca. No soy más que una mujer.

Hamusk asintió y se retiró del ventanal. Miró a su hija. Tal vez algún día recobraría su amor. Tal vez.

Murcia

Tarub había muerto hacía un mes.

Había ocurrido una mañana. La *umm walad* despertó con normalidad, rezó su oración del alba y dijo encontrarse mal. Volvió a acostarse y ya no se levantó. Las demás concubinas y varios sirvientes del alcázar lo atribuyeron a sus malos humores, causados por la amargura que dominaba su corazón. O tal vez fuera normal, después de todo. Tarub debía de rondar los cuarenta años, una edad en la que no resultaba extraño verse aquejado por alguno de los muchos males para los que no había remedio. Y eso que la *umm walad* había llevado una buena vida. Nada de fríos mañaneros, ni de tareas agotadoras, ni de pan de cebada con castañas asadas o semillas de dátil. Había parido una sola vez y no se le conocían dolencias. Gánim llegó a Murcia para despedirse del cadáver de su madre y recibir el consuelo de su padre. Después regresó a Denia, donde gobernaba la exigua flota mardanisí.

Abú Amir leía con los ojos entornados. Con dificultad, pues la edad le restaba vista. Lo notaba desde hacía un tiempo. Nada alarmante, sobre todo para un médico. De cualquier forma, no podía quejarse de cómo le había tratado la vida. Bajó la carta un instante y se fijó de forma fugaz en Mardánish. Él sí había sido castigado por sus excesos, pensó con un punto de burla. Luego regresó a la misiva.

—¿Qué te parece?

El poeta gruñó. Enfrente de él, sentado al otro lado de la mesa de consejos, Pedro de Azagra unía las manos sobre el ceñidor y hacía girar los pulgares.

—¿Este es el mismo Yusuf que crucificaba judíos a las puertas de Sevilla? Mardánish señaló el sello roto.

—El príncipe de los creyentes. Califa de los almohades. El mismo al que una vez derroté e hice huir. El mismo, sí. El mismo que envió su ejército hasta las puertas de Murcia.

Abú Amir asintió con las cejas arqueadas.

—Diríase que es la carta de un hombre muy ilustrado. O eso, o tiene estupendos escribanos.

Azagra se removió en su silla.

—¿Y bien? —apremió el navarro.

—En resumen, el califa nos invita... —El consejero corrigió sobre la marcha—. Invita a nuestro rey a someterse. Dice que está aprestando un gran ejército para cruzar de nuevo el Estrecho. Un ejército que dirigirá contra todos los infieles sin distinción —Abú Amir se puso la mano izquierda sobre el pecho—, y eso incluye a los musulmanes que todavía no hayamos reconocido el Tawhid. —Retiró la mano de su corazón y se tocó con suavidad la barba, siempre bien recortada—. Pero es extraño. Incluso cuando nos amenaza, lo hace con mucha... prudencia. Es como si realmente prefiriera que nos sometiésemos de grado. Es más, repite durante toda la carta la gran cantidad de bienes que esperan a nuestro espíritu, nos promete dádivas y puestos de primer orden en el imperio. —Alargó la carta hacia Mardánish para devolvérsela—. Dice que el gran jeque Umar Intí aguarda en Córdoba. Allí se dispone para aplastar a los infieles, pero también tiene orden de venir a recibir nuestra amistad si nos atenemos a los deseos del califa.

Mardánish miró a Azagra, y este señaló la misiva que el rey Lobo sostenía ahora entre las manos.

—Es una buena oportunidad, sin duda. Sé lo que significaría que aceptaras, pero lo cierto es que ningún rey cristiano te ofrecerá jamás mejores condiciones. Y créeme, nada me rompería más el corazón que ver tu estandarte unido a la bandera de esos africanos. Pero... nadie podría reprochártelo.

Mardánish asentía despacio.

—Dime, amigo: cuando Alfonso de Castilla dirija sus tropas contra los almohades y tú lo acompañes... Cuando veas ante ti mi estrella y me adivines escoltando al califa... ¿Me acometerás?

Los músculos de la cara de Azagra se tensaron. Cerró los ojos antes de contestar.

—Sí. Lo haré. Y tal vez te mate. O tal vez me mates tú. Pero, pase lo que pase, cuando luche contra ti sabré que eres mucho mejor que los guerreros que combaten a mi lado. ¿Hay mejor destino para un caballero?

El navarro abrió los ojos y Mardánish y él cruzaron una larga mirada. El rey Lobo sonrió.

—Has contestado tal como esperaba. —Se volvió al consejero—. ¿Y tú, Abú Amir? ¿Opinas que he de aceptar? ¿Y qué piensas que dirían mis visires? ¿Y mi hermano? ¿Y mi pueblo?

—Sabes lo que pienso. Yo no soy un guerrero, como nuestro amigo Azagra. No pretendo glorificar a Dios mientras me bato contra el mejor paladín del mundo y muero atravesado por su espada. —Abú Amir hizo un gesto de disculpa hacia el navarro—. Tampoco soy rey. No tengo un reino que ensanchar, ni una dinastía que perpetuar. Todas las riquezas que poseo desaparecerán cuando yo no esté. Te dije que mi destino está unido a un Sharq libre. No aceptaré a Yusuf como dueño. En cuanto a tus visires, harán lo que sea por mantener sus puestos y sus privilegios. ¿Tu hermano? Mientras tenga Valencia, se someterá a quien sea, africano o andalusí. Y tu pueblo... te será leal siempre que eso no lo lleve a la muerte o la esclavitud.

Mardánish asintió y sus ojos se posaron sobre el rollo con el sello quebrado. Hacía años, muy cerca de allí, Zobeyda le había animado a resistir cuando recibió una carta muy parecida a esa, escrita por Abd al-Mumín. Pero ahora Zobeyda no estaba. Y no necesitaba preguntarse qué habría opinado ella. Ella, que sí se comportó como una loba; ella, que mató para defender a la manada. Mardánish ignoró el dolor que adivinaba dispuesto a atravesar su costado y llevó la mano derecha atrás. Acarició la negra piel del lobo. Era lícito dudar. Tal vez ese mismo animal al que cazó en la Marca dudó. Pero lo importante no fueron las dudas, sino que al final se enfrentó al hombre. Al cazador. Y que se dejó la vida luchando. Clavando sus colmillos en la piel de Mardánish. Como había dicho Azagra, ¿hay mejor destino para un caballero?

El griterío del pasillo sacó al rey de sus cavilaciones. Los tres hombres se levantaron y dirigieron las miradas a la entrada del salón. Las puertas se abrieron empujadas por dos jóvenes guardias de gesto preocupado, y bajo el dintel apareció un guerrero con la loriga manchada de polvo. Un muchacho rubio cuya trenza colgaba por encima del hombro derecho. Bajo la cota de malla se adivinaba el cuerpo fibroso y encallecido del tagrí. Mardánish olvidó el sordo dolor, instalado sin tregua en sus entrañas.

—¡Hilal! ¡Hijo mío!

El muchacho avanzó hasta que pudo dejar su yelmo normando sobre la mesa. Debería haber corrido para abrazar a su padre, pero en lugar de ello se plantó allí, con las piernas ligeramente separadas, como cualquier soldado presto a dar novedades a su superior.

—No hay tiempo que perder. El rey de Aragón ha cruzado la frontera e invade nuestras tierras. Ha tomado varias plazas y sigue su avance. El objetivo es Albarracín.

Mardánish se dobló a un lado y tuvo que apoyar una mano sobre el brazo del trono. Azagra se dirigió a su antiguo escudero.

—¿Cuándo? ¿Con qué fuerzas?

—Lleva semanas conquistando, fortificando, arrasando. Solo hemos podido escoltar a los aldeanos que huían en busca de refugio y frenar las avanzadillas cristianas. Pero es imposible enfrentarse a ellos en campo abierto. Son demasiados, y han barrido a los pocos lugareños que se atrevieron a plantar cara. Perdóname, padre. Tus hombres entregarían la vida con honor, pero el rey de Aragón se hace acompañar de sus mesnadas y de esos frailes guerreros. Dicen que les ha prometido tierras a todos, sobre todo a los nobles de su reino, que también traen sus propias huestes. —Desvió la mirada hacia Azagra y la sazonó con un punto acusador—. Incluso tu suegro, Pedro de Arazuri, sigue al aragonés en su felonía.

Mardánish se dejó caer en el asiento, y Azagra observó con temor el gesto del rey Lobo. Este sostenía todavía en su mano izquierda la carta del califa almohade.

—Ella tenía razón. Esto lo vuelve a probar —murmuró.

—¿Quién, padre?

Mardánish miró a su hijo. Tendría que decirle que había repudiado a Zobeyda. Que la madre de aquel muchacho estaba fuera del reino. Aislada en una ciudad a la que él mismo mantenía bajo asedio. El ramalazo de dolor pareció castigar al rey Lobo por todos sus errores, y él lo aceptó resignado.

—Volveré a Castilla —propuso Azagra—. Me llegaré hasta el sitio de Zorita y rogaré al joven rey que medie entre el aragonés y tú...

—No —le cortó Mardánish—. Eso es lo de siempre. Es retrasar lo que no puede detenerse. No.

—He visto a los mercenarios acampados en las afueras de Murcia. —Hilal seguía plantado en pose marcial—. Deja que me los lleve a Albarracín. Los aragoneses no pasarán de allí.

Mardánish se fijó en su hijo. Gallardo. Decidido. Iracundo, incluso. Pretendía resistir en Albarracín al mando de un ejército de mercenarios cristianos. Sonrió. Sería cuestión de tiempo que sus hombres le traicionaran y se pasaran al enemigo. Con toda seguridad, Alfonso de Aragón los premiaría con mayor larga, y su ganancia sería mucho mejor que la soldada que pudieran recibir de Hilal. No. No podía enviar a su hijo a aquella encerrona. No podía entregarlo al enemigo, tal como había hecho con Zobeyda. Zobeyda.

—Tu abuelo Hamusk está ahora en guerra con nosotros —dijo el rey. Hilal chascó la lengua, pero no pareció sorprendido.

—Entonces es cierto... Había oído rumores al pasar por Valencia, pero no me detuve a...

—Tu madre está con él en Jaén.

Esta vez el muchacho calló, y hasta su pose bizarra se conmovió un ápice.

—¿Cómo es eso?

—La repudié —confesó Mardánish—. Sé que no lo entenderás. Yo tampoco lo entiendo, en realidad... Hijo mío, ahora es momento de actuar...

—La repudiaste. —La mirada de Hilal se afiló como un sable indio. Luego, sus pupilas, reducidas a diminutos puntos negros, se dirigieron a Pedro de Azagra. El navarro observaba en silencio a su alumno, calibrando si la lealtad al padre y el amor a la madre se medían en su alma en igualdad de condiciones.

—Lo más importante que debes saber, hijo mío —continuó Mardánish—, es que tu abuelo nos ha traicionado. Está en tratos con los almohades, y ahora mismo él es la puerta por la que los africanos entrarán en el Sharq al-Ándalus. Debemos mantener esa puerta cerrada, y para eso necesitamos a los mercenarios cristianos.

Hilal asintió sin ganas. De pronto parecía que todo su ardor guerrero se hubiera esfumado. El rey Lobo consultó con la mirada a Azagra, pero este seguía a un lado, en pie mientras examinaba al muchacho. La vista del navarro regresó entonces al rey, y en ella Mardánish adivinó la misma desesperanza que él sentía. Azagra. Una vez más mostraba su corazón abierto, sincero. El único en quien se podía confiar. Y sentado a la mesa de consejos, Abú Amir. Silencioso. Derrotado igualmente; como un símbolo del reino feliz que se hundía en el lodo. Mardánish acusó el dolor que pellizcaba su costado de nuevo. Era como si aquel sufrimiento, del que no podía librarse, hubiera decidido acompañar su fin, crecer conforme su sueño de felicidad y prosperidad se desmoronaba. Reparó en que volvía a acariciar la piel del lobo negro que colgaba de su trono. El noble animal muerto entre los roquedales de la Marca. Su pellejo, mancillado por el orgullo humano, era ahora un recuerdo que servía para recordar al rey el honor del sacrificio. ¿Sería capaz él de llegar a eso? Mardánish cerró los ojos y casi pudo aspirar el aire cortante de la sierra. Y oyó el aullido del lobo en aquella noche antigua, entreverado con el ulular del viento. Tal vez habría sido mejor morir allí, junto al animal, desangrados ambos por las cuchilladas y mordiscos de uno y otro. Pero Azagra lo salvó, también entonces.

—Hilal, he tomado una decisión. Regresa a Albarracín. —Se volvió a Pedro de Azagra y posó ambas manos en los brazos del trono, enderezando el castigado cuerpo para revestir de solemnidad sus palabras—. Tú, amigo mío, acompañarás a mi hijo. Una vez allí, Hilal tomará a la guarnición de la ciudad y de los destacamentos cercanos, y los traerá de vuelta a Murcia. Pedro Ruiz de Azagra, a ti te encomiendo Albarracín como señor; y te pido, ya que eres mi compañero leal, que la tengas como tuya y la defiendas de todo aquel que la pretenda, sea cristiano o mahometano. Júrame, amigo. Júrame que no te postrarás como vasallo del rey de Aragón, ni del de Navarra ni del de Castilla. Y si un día yo faltara, quédese Albarracín en tu posesión, libre para ti y tus descendientes hasta que uno de ellos quebrare ese juramento.

El navarro no daba crédito a lo que oía. Vio que Abú Amir, enfrente de él, asentía con una sonrisa. Luego miró a Hilal y vio en este un gesto apenas disimulado de decepción.

—Albarracín —murmuró Azagra. Albarracín, casi inaccesibles las rocas sobre las que se alzaba. La atalaya de un águila que dominaba el territorio de los cuervos.

—Jura, Pedro —reclamó Mardánish de nuevo—. Albarracín no caerá en las manos de mis enemigos. No será simple carroña, los restos putrefactos del Sharq, alimento de quienes me acometen a traición.

El navarro dio dos pasos y puso una rodilla en el suelo. Se santiguó mientras clavaba la mirada en los pies del trono del rey Lobo.

—Por nuestro Padre que está en los cielos y por Cristo, su hijo; y por la santa Virgen María, yo te juro que tendré Albarracín por ti, y el día en el que tú faltares la tendré por tu recuerdo, y que jamás rendiré vasallaje a soberano alguno a no ser la propia Madre de Dios.

—Levántate.

Azagra obedeció. En sus ojos reposaba ahora un brillo insólito y su voz temblaba por la emoción:

—Haré llamar a los leales de mis señoríos en Navarra. Aunque el rey Sancho me haya desposeído de algunos de ellos, sé que la gente acudirá a mi reclamo. Les ofreceré un nuevo horizonte y no se negarán. Alfonso de Aragón no se atreverá a atacar Albarracín. No mientras mi suegro esté con él. —Subió un pie sobre la tarima y posó la mano derecha sobre la de Mardánish—. Luego volveré y juntos defenderemos el Sharq. Resistiremos hasta que el rey de Castilla pueda venir a ayudarnos...

—No harás tal cosa, Pedro —le interrumpió el rey Lobo—. Te quedarás en tu nuevo señorío.

—Pero...

—Mientras yo viva lo tienes por mí, Pedro. Jura eso también. El Sharq sobrevivirá en Albarracín. Contigo. Júralo.

Azagra resopló. En el fondo sabía que, por mucho que se esforzara Mardánish en el sur, la caída era inevitable. Entonces el rey retiró su mano con suavidad y el navarro vio que la llevaba a la piel de lobo que decoraba su trono. El cristiano comprendió entonces. El lobo defendía la manada aun a costa de su propia vida. Dejaría en el norte a un lobezno correoso, clavado como un aguijón entre los reinos cristianos, a salvo de la amenaza africana que se cernía sobre el Sharq como una nube negra e inmensa.

—Lo juro.

Verano de 1169. Córdoba

Abú Hafs oyó gruñir su estómago mientras caminaba por el corredor del palacio cordobés. Tras él, Utmán aspiraba con avidez los olores que penetraban por los ventanales. Estaban otra vez en al-Ándalus, y sus sentidos se abrían como flores a la luz del sol. Que Dios lo perdonara, pero no había peor ramadán que el que se vivía en aquella tierra de sabores, colores y olores sin igual.

—Casi puedo escuchar a tu alma inclinándose hacia el pecado, hermano mío —dijo socarronamente Abú Hafs. Ni siquiera se había vuelto para hablar con Utmán—. Cuidado. No hemos vuelto para dejarnos vencer por esta tierra de perdición, como hicieron los almorávides. Esta vez acabaremos nuestro trabajo.

—Que Dios lo cumpla, Abú Hafs.

El visir omnipotente asintió. En aquellos mismos instantes, las tropas que habían traído desde África se instalaban en Córdoba, dispuestas para partir en expedición hacia el Garb o el Sharq, según decidieran los líderes almohades.

—Dios lo cumplirá, pues está de nuestro lado. Él, en su sabiduría, nos ha otorgado el ramadán para que lo adoremos convenientemente y sepamos apreciar todo cuanto nos da. ¿Acaso no es mayor tu hambre cuando tienes a tu disposición los manjares de al-Ándalus?

—Así es —convino Utmán, aunque mantenía en la cara una mueca de odiosa burla a la espalda de su hermanastro.

—También Dios, en el camino que lleva hasta su grandeza, nos pone a prueba. El demonio Lobo ha regalado al rey de Castilla algunos castillos cerca de la frontera común, y desde allí los cristianos algarean por las tierras sometidas al Tawhid. Los perros infieles.

—¿Eso es obra de Dios, mi buen hermano?

Abú Hafs se detuvo y giró medio cuerpo. Utmán también frenó la marcha. Los dos hermanastros se miraban ahora desafiantes. A ambos lados del corredor, algunos Ábid al-Majzén montaban guardia, rozando el techo labrado con las puntas de sus lanzas.

—Todo es obra de Dios, bendito y ensalzado sea por siempre. Él pone a prueba nuestra fe. Y a veces sus decisiones son difíciles de comprender para nosotros, sucios pecadores. Ahora mismo vas a ver la demostración.

Abú Hafs reanudó su marcha, y llegó al final del recorrido. Dos guardias negros abrieron para él las puertas que remataban el corredor. El visir omnipotente entró con decisión y avanzó hasta el centro de una estancia cuadrada y austeramente decorada, sin ventanas y con una puerta en cada lado. Un triste pebetero quemaba madera aromática en un rincón, y un enorme tapiz blanco presidía la sala en la pared opuesta a la entrada con un versículo del Corán bordado en él: *Los que vuelven a mí, se corrigen y hacen conocer la verdad a los demás, a esos volveré yo también, pues gusto de regresar hacia el pecador arrepentido, y soy misericordioso.* Abú Hafs señaló el tapiz y sonrió hacia su hermanastro con aquella mirada sanguinolenta más rutilante que nunca.

—He ordenado que lo borden en honor a este momento.

Utmán seguía sin entender. En la sala, frente al versículo coránico, una alfombra marcaba un cuadrado rodeado de cojines. Abú Hafs invitó a su hermanastro a tomar asiento bajo el tapiz, y él mismo se sentó a su lado. Luego palmeó un par de veces y una de las puertas laterales se abrió. Dos esclavos de la guardia negra pasaron a la sala y, tras ellos, entró un hombre vestido con *burnús*. Se trataba de un tipo de unos sesenta años con la barba canosa y crecida. Estaba muy grueso. Demasiado para un creyente, pensó Utmán. Sobre todo en ramadán. El *sayyid* entornó los párpados conforme el anciano era conducido por los Ábid al-Majzén hasta el centro del salón. Entonces lo reconoció. Le había costado porque solo lo había visto antes vestido con loriga y yelmo, y empuñando escudo y lanza.

—Mochico... —El *sayyid* susurró el apodo más humillante de Hamusk. Este no se ofendió por ello. En su lugar, se postró pesadamente de rodillas e inclinó el cuerpo. Su frente habría tocado el suelo de no ser por la prominente barriga. Utmán vio que su hermanastro sonreía satisfecho.

—Hermano mío, te presento al noble Ibrahim ibn Hamusk, que por fin ha visto la luz de la verdad.

Utmán se levantó despacio y anduvo hasta el otro lado de la alfombra. El señor de Jaén seguía postrado fuera del cuadrado, evitando pisar los cojines. Lo rodeó y lo miró como un cazador miraría a un oso recién abatido. El *sayyid* habló a Abú Hafs.

—Este hombre ha matado con sus propias manos a auténticos creyentes. Y ha mandado ejecutar a muchísimos más. Te recuerdo que en Granada estrellaba los cuerpos vivos de nuestros hombres contra los muros de la Qadima. ¿Dónde está el gran jeque Umar Intí? Él te dirá que debemos castigar a este perro...

—El gran jeque Umar Intí es muy anciano. Durante el ramadán pasa todo el día postrado. No debemos importunarle con esa clase de decisiones. Yo... Nosotros nos ocuparemos de Hamusk y le sacaremos provecho. Y para eso lo necesitamos vivo —repuso Abú Hafs, cuya sonrisa feroz no se borraba de la cara.

—Hermano mío, está bien aprovechar las debilidades de nuestros enemigos. Usarlos, como usamos a ese tuerto de Guadix para esquivar al demonio Lobo. O comprar su lealtad, como hiciste con este perro a las puertas de Murcia. Pero traerlo aquí, a nuestra presencia, y dejar que se postre ante nosotros... Deberíamos decapitarlo y llevar su cabeza a Marrakech para que los huérfanos y viudas de los hombres a los que él torturó puedan escupirle a la cara.

Hamusk había empezado a temblar. Entendía bien la jerga bereber que usaban los dos hermanastros y comprendía que su vida pendía en ese momento de un hilo muy fino. Abú Hafs habló de nuevo:

—¿Acaso te crees mejor que nuestro hermano, el príncipe de los creyentes? Él ha decretado su perdón.

—Yusuf está embobado por esos filósofos que lo rodean y por las rubias con las que fornica —respondió con aspereza Utmán. Abú Hafs negó despacio, como si estuviera acostumbrado a las travesuras de aquel niño ingenuo e imprudente que era su hermanastro.

—Bien, entonces te pondré el ejemplo de Dios, el Único, alabado sea. Él perdona *a los que vuelven a Él por su arrepentimiento y hacen el bien, pues es indulgente y misericordioso*. ¿Te atreves a cuestionar a Dios?

Utmán se sentía burlado. El Mochico era tan enemigo de los almohades como el propio Mardánish, con la diferencia de que el señor de Jaén se había comportado con muchísima mayor crueldad. Entonces recordó la conversación en Marrakech con el califa. Aquella en la que Abú Hafs le recomendaba escribir a Hamusk.

—No es de fiar. Traiciona a los suyos. A nosotros también nos traicionará.

La sonrisa se borró de la boca de Abú Hafs y este se levantó para encarar de cerca a Utmán.

—¿Te atreves a cuestionar a Dios? —repitió, y esta vez lo hizo en voz baja y escupiendo todo su poder amenazador. Utmán mantuvo la mirada un momento, y en los ojos surcados de venas de su hermanastro vio la furia del mayor fanático del imperio. Lástima que aquel fanatismo estuviera acompañado de tanta astucia. El *sayyid* terminó por asentir mansamente.

—Tu decisión es la decisión de Dios.

Abú Hafs dio un segundo par de palmadas, y otra de las puertas del salón se abrió. Dos nuevos esclavos de la guardia negra pasaron ahora a la sala, y tras ellos entró una mujer. Utmán la observó extrañado, y luego su vista se dirigió a su hermanastro. La recién llegada venía cubierta por una túnica ancha y larga hasta los pies, con el cabello escondido bajo un amplio *mizar* y la cara revestida por un *niqab*. Se había detenido nada más entrar, al reparar en la figura rechoncha de Hamusk, postrado en actitud de máxima humillación ante los dos *sayyides*.

—Y ahora te presento, hermano mío —Abú Hafs paladeó las palabras, como si aquello le otorgara un placer prohibido—, a la hija de nuestro nuevo aliado, Zobeyda bint Hamusk, llamada la Loba, llamada también la reina del Sharq al-Ándalus, esposa favorita de Mardánish y madre de su heredero.

Utmán abrió la boca. Los Ábid al-Majzén se retiraron y Zobeyda quedó allí, erguida, con la cabeza alta y recubierta de tela, como una estatua desafiante. Y aquel desafío era más evidente al ver junto a ella el fardo ovalado de Hamusk, todavía rendido.

—¿Qué hace aquí? —preguntó Utmán.

—Ha sido repudiada por el demonio Lobo. Expulsada de su reino de libertinaje y podredumbre.

Utmán la estudió con detenimiento. No podía ver sus ojos, pero sabía que ella sí lo observaba a través de la tela entretejida del *niqab*. Aquella mujer altiva y oculta a las miradas de los hombres le recordó de inmediato a Hafsa. Otra andalusí de recio orgullo. Otra serpiente de mordedura suave y dulce veneno que se colaba en el nido del Tawhid. El *sayyid* suspiró y tomó asiento en los almohadones. Desde allí siguió con la vista fija en la figura inmóvil de Zobeyda. Obstinada. Renuente a mostrar respeto.

—Nos quejamos de que el califa acepte a estos andalusíes junto a él, y ahora somos nosotros quienes...

—Eres tú el primero que debería callar, hermano —atajó Abú Hafs—. Tú, que fornicaste con una de estas zorras y te dejaste ofuscar por ella. Los habitantes de esta península son despreciables, sí, pero debes aprender a dominarlos y evitar que te dominen. En el alma de estos andalusíes vive el afán de apuñalarse unos a otros, hermanos contra hermanos. Estos dos, sin ir más lejos —Abú Hafs apuntó con la barbilla a la extraña pareja del viejo humillado y la mujer altiva—, son perros muladíes. Descendientes de infieles que mudaron de fe. Lo hacen una y otra vez. Se prometen fidelidad para a continuación acuchillarse por la espalda. Como tu Hafsa, ¿recuerdas?

Un sutil estremecimiento sacudió a Zobeyda al oír el nombre de la poetisa, pero ninguno de los *sayyides* se dio cuenta. Entonces, poco a poco, Hamusk levantó la frente del suelo, dejando sobre él una mancha de sudor. Se incorporó con precaución, atento a cualquier orden de alguno de los dos guías almohades para volver a postrarse. Cuando hubo adquirido una apariencia de mínima dignidad, aún de rodillas, sonrió y habló en voz baja, sin mirar fijamente a los ojos de los dos africanos.

—Dejadme deciros que tenéis razón, ilustres señores. —Aguardó un instante, y como vio que no le mandaban callar, continuó—: Los andalusíes somos tornadizos. Nos falta la firmeza de fe y el coraje de los bereberes. Pero ved también que el mayor traidor hacia su propia gente ha sido Mardánish.

—Zobeyda volvió la cara hacia Hamusk, y esta vez el súbito movimiento dentro del *niqab* sí fue advertido por los hermanastros—. Aprieta a sus súbditos con impuestos ilegales, los reduce a la pobreza para mantener a sus mercenarios cristianos. Y a esos comedores de cerdo los trata como a sus hijos. Celebra con ellos fiestas en las que se dan al pecado y escupen sobre Dios, beben vino hasta caer ebrios y copulan con toda clase de furcias. Mardánish ha edificado iglesias y tabernas para los politeístas, y les da los mejores puestos en su corte... ¿No creéis que hasta nosotros, perros andalusíes, tenemos derecho a estar hartos de semejante oprobio?

—Tú has bebido con él y has fornicado con sus furcias —le reprochó Zobeyda.

—¡Silencio, mujer! —reclamó Abú Hafs. Ella se sobresaltó y se fijó en el visir omnipotente a través de las diminutas rendijas que creaba la red de hilo de su velo. Incluso así, con la prenda interpuesta, pudo darse cuenta de que la mirada de aquel hombre contenía un odio irracional—. ¡Se te respeta por quien eres, pero ahora no estás en tu reino de pecado y maldad!

Zobeyda acalló sus labios y dirigió los ojos a Utmán. Él pareció darse cuenta y retiró la mirada.

—Mardánish está solo, ilustres señores —continuó Hamusk—. Poco a poco, sus amigos cristianos lo han abandonado, y él mismo se ha ocupado de despacharnos a los demás. He aquí mi hija, a la que repudió en las mismísimas puertas de Jaén. Es un asqueroso. Ejecuta a sus visires si no cumplen lo que ordena, o simplemente si le parece que no son fieles. Está loco y ve enemigos en todas partes. Empareda a sus leales a la vista de sus hijos. Cree que todos quieren arrebatarle el poder, y se venga en sus familiares. Ha llegado a ahogar a mujeres y niños en la Albufera solo por tomar revancha de aquellos a quienes creyó traidores.

—Eso es mentira —intervino otra vez Zobeyda.

Abú Hafs se levantó como un relámpago.

—¡¡Mujer!! ¡¡Te he ordenado silencio!!

La reacción a los gritos fue inmediata: las puertas laterales se abrieron y los guardias negros asomaron las cabezas, prestos para intervenir. Utmán les hizo un gesto para tranquilizarlos. Hamusk seguía sonriente, ajeno a las reconvenciones de Abú Hafs hacia Zobeyda. Se puso una mano sobre el pecho.

—Yo os guiaré, ilustres señores. Os mostraré los lugares por los que penetrar en el reino de Mardánish. Os diré a quién conviene decapitar y a quién se puede comprar. Os llevaré a las puertas de Murcia y os las abriré. Os serviré el Sharq al-Ándalus en bandeja.

68

El toro y la estrella

El joven rey, Alfonso de Castilla, había dado una muestra de su carácter justo al final de aquella guerra civil que mantenía su reino alejado de Mardánish y de la verdadera amenaza para todos. Había sido durante el asedio de Zorita, defendida por los partidarios de los Castro: en un hábil golpe de mano, estos consiguieron prender al regente Nuño Pérez de Lara, y dejaron así al rey sin tutor y al ejército sin guía. Pero Alfonso, con sus trece años puestos por loriga, no se arredró. Asumió el mando del cerco y lo apretó tanto que, en poco tiempo, Zorita se rendía y el regente era liberado.

Unos meses después, en cumplimiento de lo testado por el difunto rey Sancho, Alfonso tomó por sí mismo la espada del altar del monasterio de San Zoilo, en Carrión. A continuación, el rey ordenó reunirse a la curia y revisó por sí mismo todo lo sucedido durante su minoría de edad: revocó donaciones, acotó prerrogativas cedidas a su tío Fernando de León y se dispuso para la misión de la que se suponía investido: liderar los reinos hispanos en la lucha contra el invasor bereber.

Lo primero que hizo fue agradecer a Mardánish los castillos de Vilches y Alcaraz, regalados unos meses antes, y pidió a los freires guerreros de Calatrava que iniciaran por él el ataque al Tawhid. Los calatravos eran los herederos de aquellos que, bajo el abad de Fitero, habían asumido años atrás la defensa de la fortaleza que les daba nombre. De allí surgía una orden que se extendía ya por otros lugares y que esperaba su momento para batirse con los enemigos de Dios. A la súplica de Alfonso de Castilla no se hicieron esperar: parecía que la furia que llevaban años guardando hubiera decidido explotar de repente. Salieron de su fortaleza de Calatrava y algarearon sin descanso hasta que los almohades fueron expulsados al otro lado de la Sierra Morena. Mientras tanto, el joven y decidido rey de Castilla se dirigió a Alfonso de Aragón para pedirle que pactara nuevas treguas con el rey Lobo. A la vista del empuje del joven monarca castellano, los nobles aragoneses recomendaron a su propio rey que aceptara, y que prometiese detener su ofensiva a cambio de un nuevo y elevado pago por parte de Mardánish. El acuerdo se redactó en Sahagún, y en el documento, firmando como testigo, apareció un renovado Armengol de Urgel que por lo visto veía ahora más posibilidades en Castilla que en León. En cuanto a Mardánish, el eco de sus carcajadas rebotó por todo el alcázar de Murcia cuando supo que tendría que pagar cuarenta mil maravedíes al año durante todo un lustro. Pagar a Aragón. Desangrarse aún más para que el rey cristiano detuviera su campaña carroñera al norte; para que dejara de conquistar aldeas indefensas; para que mantuviera a sus ávidos nobles lejos de las tierras que les regalaba por cada paseo militar. Mardánish aceptó, aun a sabiendas de que ni un solo maravedí saldría de sus arcas hacia Aragón. ¿Para qué? Tenía la convicción de que los compromisos de los cristianos se escribían sobre papel mojado.

Con la primavera, el rey Lobo recibió la noticia de que Gerardo Sempavor había sido liberado tras el desastre de Badajoz, y de que el bravo portugués, en la lucha de nuevo, hostigaba a los almohades en el Garb y cortaba sus líneas de suministros. De nuevo maldijo su suerte por no tener a aquel guerrero más cerca de sí mismo. Cuántas cosas podrían haber hecho juntos... Luego, cuando terminó de maldecir, se enteró de que había un brote de peste en el corazón del imperio almohade, y que el propio califa estaba enfermo, sumido en la postración, rodeado de sus médicos... y dejando de lado la inminente campaña.

Las tropas de Mardánish, con todos aquellos mercenarios que Azagra trajera de Castilla y Navarra, se dirigieron a Jaén a apretar el cerco a Hamusk. En cuanto el rey Lobo llegó, descubrió que su hueste era poco menos que un campamento de mendigos que se dedicaban a rapiñar a pastores y labriegos. Jaén estaba pletórica y reforzada, y el propio Hamusk se había permitido salir de ella para viajar a Córdoba. Después, tan tranquilo como marchara, regresó, y ahora se reía de los hombres de Mardánish desde sus murallas. El rey Lobo montó en cólera, destituyó a los adalides de la tropa y ordenó arreciar los ataques. Quería Jaén. Quería a Hamusk cargado de cadenas. Y quería a Zobeyda. Sobre todo, a Zobeyda. Sana y salva, para que volviera a ocupar su lugar como favorita.

Primavera de 1170. Cerco de Jaén

Los almajaneques crujían cada vez que las vigas de madera pivotaban, y un zumbido rasgaba el aire cuando un nuevo bolaño abandonaba las líneas de Mardánish. Las murallas de Jaén mostraban ya los estragos del castigo, y tras las nubes de polvo arrancadas por los impactos, se desprendían trozos de tapial y piedras que se iban amontonando a un lado y otro del muro. El rey seguía las operaciones desde el cerro plagado de olivos, montado sobre su destrero y con la piel del lobo negro a guisa de capa. Más abajo, Hilal gritaba, empujaba a los peones y recorría los puestos para animar a los sirvientes de las máquinas. Y al otro lado de las murallas, de las casas y minaretes, la bandera blanca del califa Yusuf ondeaba sobre la torre más alta de la alcazaba.

Mardánish tosió y encogió el cuerpo. A su lado, algunos caballeros navarros y castellanos se miraban sin hablar. Los muros de Jaén eran gruesos y altos, y la población disfrutaba de buen acopio de víveres. Lo sabían. Y también sabían que era cuestión de tiempo que el sitio cesara. Si no era porque los almohades venían a auxiliar a Hamusk, sería porque... Mardánish volvió a toser. El blanco de sus ojos ya no era tal, pues últimamente estaban siempre biliosos. Había adelgazado y los pómulos se le marcaban bajo la piel. Hasta la loriga parecía quedarle grande. A él, que tiempo atrás atemorizaba con su sola presencia.

—Mi señor —intervino al fin uno de los caballeros, un noble de bajo pelaje que había desertado del bando de los Castro cuando supo que su señor andaba en tratos con los almohades—. Probar acuerdos entre sitiador y sitiado es costumbre arraigada en Castilla. Tal vez consigas de grado lo que te está costando mucho tener por la fuerza.

El rey Lobo apenas miró al cristiano. Tratos. El rictus de dolor se transformó en media mueca de burla. Hamusk ya había hecho sus propios tratos. Oyó un cuchicheo burlón tras él y reconoció la misma voz del castellano que acababa de sugerirle el parlamento. No se volvió, pero habló en alto para que todos los jinetes pudieran oírle.

—¿Acaso no te pago bien por tus servicios, cristiano?

Se hizo un breve silencio, solo roto por un nuevo rasguño en el cielo jiennense. El bolaño rebotó en un merlón de la muralla y voló un trecho hasta caer dentro de la ciudad. Una pequeña nube de humo blanco se elevó desde el lugar del impacto, y algunas figuras negras, empequeñecidas por la distancia, corrieron por el adarve para comprobar los daños.

—Me pagas con generosidad, mi señor.

—¿Y por qué te pago?

Los cristianos se miraron entre sí. El aludido se encogió de hombros.

—Por luchar para ti, desde luego.

El rey Lobo se volvió por fin. Lo hizo mientras seguía encajado entre los arzones de la silla de montar. Sus ojos ardían de ira.

—Hagamos algo. Me dirigiré con bandera de parlamento a Jaén sin tardanza, y tú al mismo tiempo aprestarás tu hueste. Que te ayuden esos, si así lo desean. Intentaré llegar a un acuerdo, y si lo consigo, te recompensaré con el triple de tu paga, ¿de acuerdo?

El castellano abrió mucho los ojos y estuvo a punto de sonreír, pero el instinto le decía que aquello encerraba más riesgo que ganancia.

—¿Y si no consigues el acuerdo?

Mardánish señaló a Jaén.

—Entrarás al asalto y rendirás la ciudad. Hoy mismo.

Los andalusíes de Jaén observaban a Mardánish por entre los merlones. Había brechas en algunas partes de la muralla, pero eran pequeñas cicatrices en la piel de una bestia enorme. Las hostilidades se habían detenido. Los almajaneques del rey Lobo descansaban ahora, y los sirvientes aprovechaban para reparar las máquinas más deterioradas y apilar bolaños junto a ellas. Mardánish aguardaba con el rictus marcado por el dolor. Delante de él, en previsión de una trampa, varios jinetes andalusíes, los mismos jóvenes que habían servido con Hilal en la Marca, lo protegían con los escudos prestos. El propio heredero flanqueaba a su padre y lo miraba con curiosidad, no muy seguro de lo que pretendía. Detrás, sobre la loma, varios caballeros cristianos preparaban su armamento y repartían órdenes entre algunos peones.

Hamusk apareció en lo alto de la línea almenada. Su inconfundible barriga apenas cabía en el espacio entre merlón y merlón cuando se inclinó para ver quién era el que pretendía hablar con él. Su tez estaba acalorada y respiraba con fuerza.

—¡Ah, pero si es el mismísimo rey de los lobos! —se burló el señor de Jaén.

—¡Vengo a parlamentar! ¡Por consejo de mis auxiliares cristianos!

Mardánish lo dijo mientras señalaba atrás, a la loma recubierta de olivos. Hamusk se cubrió con la mano de un sol que no le molestaba y atisbó los estandartes que se movían entre los árboles.

—¡Cristianos! ¿Cuántas veces te dije que no debías fiar en ellos?

El rey Lobo se mordió el labio. Oír la voz de Hamusk le provocaba náuseas. De tener la oportunidad, lo mataría con sus propias manos; hundiría sus dedos en los ojos del señor de Jaén, o apretaría su grasiento cuello hasta que dejara de respirar..., pero tenía razón. Álvar el Calvo y Pedro de Azagra habían sido solo raras excepciones a una regla que se cumplía una y otra vez. Algo vino a la cabeza de Mardánish.

—¡También fie de andalusíes, y mira el resultado!

Hamusk soltó una de sus estruendosas carcajadas.

—¡Bien! —La risa se cortó de pronto. Hamusk apoyó una mano en la almena, y sus dedos gordezuelos y cubiertos de anillos asomaron por el borde pétreo—. ¡Ya que vienes a parlamentar, expón tus peticiones!

Peticiones. El rey Lobo sonrió con amargura. Él no había llegado hasta allí para pedir, sino para exigir. Miró a quien hasta hacía poco consideraba un pariente, encaramado allá arriba. El muy estúpido llevaba un turbante puesto.

Al modo africano, claro. Como sus nuevos amos almohades. Peticiones. ¿Qué respondería Hamusk si Mardánish le pedía que se lanzara al vacío allí mismo? Suspiró y tiró de las riendas, haciendo que su caballo caracoleara. Hilal aguardaba la respuesta de su padre y lanzaba miradas de reojo a su abuelo. El rey Lobo observó de nuevo la loma. Aquel cristiano, dado a las banderías, le había irritado realmente con su consejo de pactar; pero ¿desde cuándo pactaban los lobos con las ovejas? Hizo que el destrero completara el giro y devolvió la vista al señor de Jaén. Peticiones. Si le pedía que entregara la ciudad, ¿lo aceptaría? No. Jamás. Aquello era una idiotez. El dolor dobló de nuevo a Mardánish, y eso acentuó su ira. Contra su mercenario castellano y contra Hamusk. Sintió la mano de Hilal posada sobre su hombro.

—Padre, ¿qué significa esto?

El rey vio el gesto de incomprensión en la cara de su hijo. Pobre Hilal, educado como un príncipe que veía desaparecer el reino. Y preguntaba qué significaba aquello. Pero ¿se refería a aquella absurda negociación a los pies de Jaén, o a toda la obstinada cólera de Mardánish? Aunque ¿qué más daba? Nada tenía sentido. Nada. Salvo una cosa. El rey Lobo luchó contra la garra invisible que le desgarraba las entrañas y se dirigió una vez más a Hamusk.

—¡Me retiraré de aquí! ¡No volveré a molestarte! ¡Allá tú con tus amistades africanas y con las migajas que ellos te arrojen! ¡Solo tengo una petición!

Hamusk se inclinó un poco más. Su papada se meció bajo la barbilla y aguardó.

—Padre... —susurró Hilal—. Padre, piensa lo que vas a...

—¡Quiero que me devuelvas a Zóbeyda! ¡Que regrese conmigo a Murcia!

Aquello sorprendió a todos. Hilal detuvo sus murmullos, y hasta los defensores de las almenas observaron extrañados a Mardánish. Hamusk apretó los labios hasta convertirlos en una marca apenas perceptible entre sus carrillos arrebolados.

—¿Solo eso? —preguntó el señor de Jaén—. ¿Estás aquí solo por una mujer? Nada tenía sentido. Nada, salvo eso.

—¡Sí!

Hamusk se retiró un momento. Mardánish incluso pensó que su enemigo reflexionaba. Quizá Zóbeyda saliera por una de las puertas de la ciudad, y tal vez todos pudieran irse de allí ese mismo día. Viajar a Murcia y hacer que todo volviera a ser como antes.

—¡Zóbeyda no está aquí! —Hamusk se acababa de asomar de nuevo, y en su rostro se leía que realmente sentía tener que dar aquella respuesta—. ¡Está con ellos! ¡Con los almohades! ¡En Sevilla! —Negó con la cabeza, y por un breve instante pareció que compartía el dolor de Mardánish—. La has perdido, rey de los lobos. Ahora Zóbeyda es una de ellos.

Verano de 1170. Cercanías de Badajoz

Utmán pidió que le desenlazaran el almófar y se lo quitó. Sudaba a mares. Más incluso que cuando estaba en Marrakech o durante aquella insufrible campaña contra los rebeldes gumaras. El sol cocía la tierra y nubes de vapor difuminaban los árboles. El *sayyid* pidió agua, y uno de sus masmudas le tendió un odre de piel de antílope. Utmán bebió, dejó que el líquido chorreara por su larga barba negra y volvió a beber. Cuando se restregaba los labios con el dorso de la mano, vio acercarse a la comitiva cristiana.

Los masmudas apretaron los puños en torno a sus lanzas. Las adargas de cuero temblaron en los costados. Tras ellos, sujetos por los sirvientes, un par de caballos piafaron con impaciencia.

Fernando de León detuvo a su destrero. El segundón del difunto emperador observó al tipo de piel casi negra al que tenía delante. Los rasgos del *sayyid* eran agradables y hacían de él un hombre apuesto, pero era inevitable sentir cierto temor en su presencia. El rey leonés azuzó al animal un par de pasos más, adelantándose a su escolta de caballeros; luego desmontó y caminó despacio para acercarse al séquito africano. Utmán hizo lo mismo, y ambos hombres quedaron frente a frente.

—*As-salamu alaykum.*

—Que la paz de Dios sea contigo —respondió Fernando.

Un hombre de avanzada edad, vestido con *burnús* y cubierto por un turbante, pasó por entre los caballos de los masmudas y anduvo hasta ponerse a un lado de Utmán. Se inclinó ante el rey de León.

—El ilustre *sayyid* te saluda, sultán de los leoneses, y te agradece que hayas venido a estas tierras para cumplir tus acuerdos con el príncipe de los creyentes. Yo seré vuestro trujamán.

Fernando de León asintió. Acababa de llegar con su hueste para ahuyentar a una expedición portuguesa que pretendía poner un nuevo cerco a la ciudad almohade de Badajoz. Y justo allí coincidía con Utmán, que estaba patrullando la zona para evitar los ataques de Gerardo Sempavor.

—Di al *sayyid* que es un placer para mí que podamos entendernos a pesar de todo.

El intérprete tradujo en voz baja. Mientras tanto, los caballeros leoneses observaban fijamente a los masmudas del otro lado, y se fijaban en las puntas de sus lanzas y la solidez de sus escudos. Era como si dos fieras salvajes estuvieran comiendo del mismo plato sin quitarse ojo. Atentos al menor atisbo de traición para comenzar la carnicería.

Utmán respondió con un gesto de interés al oír en su jerigonza bereber las palabras del rey leonés. El almohade no podía evitar asquearse ante aquel hombre, su enemigo en la fe. Alguien a quien el Único condenaba, y cuya destrucción como infiel se exigía a todo creyente. Y allí estaba, charlando amistosamente con él. Tras desearle la paz y fingir alegría por que se entendieran. Quiso escupir a un lado como muestra de desprecio, pero su misión estaba por encima de las pasiones. Habló con tono neutro y esperó a que sus palabras fueran traducidas.

—Nuestro aliado y amigo Fernando de Castro gobierna el señorío de Trujillo, frontero con Castilla. Se ha comprometido a permitirnos pasar por sus tierras sin molestar a nuestras tropas. El príncipe de los creyentes, que te considera un hermano, te ruega a ti lo mismo. A cambio hacemos voto de auxiliarte en caso de que los perros portugueses o los castellanos te ataquen.

Cuando el intérprete terminó su traducción, Utmán sonrió con la misma falsedad que su interlocutor. El rey leonés asintió. No era que aquello le agradara, pero consideraba que a los almohades no les interesaría traicionar al único amigo con el que podían contar por allí cerca. Sabía que sus objetivos eran detener a Sempavor y a Castilla para poder atacar con todo al rey Lobo. Mardánish. Recordaba a aquel andalusí. Sus tierras quedaban lejos de León, y de todos modos no era más que otro mahometano ambicioso, pero aún se acordaba de una conversación espiada tras la pérdida de Almería. Una en la que Mardánish se lamentaba porque Sancho no era el único heredero del imperio. No estaría mal dar su merecido a ese ridículo reyezuelo andalusí. Y para doblegar al rey Lobo, los almohades necesitaban dar dos o tres estocadas a su sobrino Alfonso... ¿Se podía pedir más?

— Fernando de Castro es el esposo de mi hermana. Y me ha valido como mayordomo, igual que hoy me vale Armengol de Urgel. Será un placer... No, será un honor para mí servir de ayuda a tu hermano, el califa. Daré órdenes a mis vasallos para que nadie os moleste cuando entréis en las tierras de León. Todos os ayudarán, si es necesario, para que podáis dirigir vuestra justa ira contra Castilla.

Utmán simuló recibir con alegría el compromiso. Su gesto se relajó y volvió las palmas de sus manos hacia arriba.

—Ah, el destino crea extraños aliados.

Extraños aliados. Fernando de León afirmó despacio con un movimiento de cabeza. Extraños, sí. Y muy, muy provisionales. Él cumpliría, desde luego. Permitiría que los almohades penetraran por las tierras de León para poder atacar a Castilla por donde menos se los esperaba. Y también ayudaría a los africanos a defender sus ciudades en el Garb. Le interesaba que aquellos infieles se hicieran con el mayor número de plazas. Plazas que, de ser castellanas o portuguesas, el rey de León no podría atacar sin ganarse la enemistad de los demás reinos cristianos, de sus propios vasallos e incluso del papa. Sin embargo, nadie le reprocharía que un día, quizá dentro de no mucho tiempo, dirigiera su esfuerzo a conquistar ciudades en poder del Tawhid. Para ello acababa de crear una nueva orden de freires. El germen de un grupo de soldados de Cristo que, por deseo expreso del rey, quedarían bajo la advocación del apóstol Santiago.

—Extraños aliados —repitió el rey Fernando.

Los dos hombres se despidieron con una inclinación y retrocedieron. Ambos se dieron la vuelta sabedores de que aquel pacto era únicamente la antesala de la traición. Esta vez sí, oculto a la vista de los cristianos, Utmán escupió con asco.

Unas semanas después. Marca Superior

Alfonso de Aragón se protegió del sol con una mano mientras observaba la delgada columna de polvo a poniente. El viejo Pedro de Arazuri, sentado a una mesa de campaña a un par de codos, consultaba los mapas garabateados en pergaminos en compañía de varios caballeros de fortuna, navarros como él, que servían al rey aragonés.

—Regresan los emisarios a los que envié a Albarracín —anunció el joven monarca. Arazuri se levantó con esfuerzo y miró en la misma dirección que el rey.

Habían plantado el campamento sobre una loma que dominaba la llanura circundante. Un lugar desde el que podrían seguir su viaje de conquista hacia el sur, a suficiente distancia como para no temer ataques sorpresa desde Albarracín, la única plaza de aquellas tierras que podía presentarles problemas. No era un gran contingente el aragonés. Apenas unas decenas de caballeros y peones, aparte de la mesnada real. El niño sonrió sin ocultar su vanidad juvenil. La conquista de la Marca andalusí había resultado un paseo. Ciudades vacías, campos de labor abandonados, fortalezas y torres desmanteladas. Apenas algunos resistentes que se rendían en cuanto la fuerza expedicionaria aragonesa formaba en línea de combate. Paradójicamente, el éxito de Alfonso de Aragón había sido tan rápido como el ritmo al que disminuía su ejército de conquista. Cada plaza debía ser guarnecida, y eso requería que parte de su hueste fuera quedando atrás. El rey, asesorado por sus fieles consejeros, sabía que estaba llegando al límite de su capacidad. Por eso había pasado todo el día en oración, pidiendo a Dios que Albarracín se entregara de grado. Los emisarios enviados para negociar la rendición llevaban promesas de respetar los derechos de los musulmanes rendidos. No podrían negarse. No era lógico que lo hicieran. Eso los dejaría aislados, rodeados de cristiandad por todas partes, alejados de las grandes ciudades del rey Lobo, como Valencia o Murcia. Alfonso de Aragón inspiró el aire fresco y cerró los ojos. Se arrodilló y oró por última vez, cuando los emisarios estaban ya a punto de llegar.

—Padre mío, Señor Jesucristo y Santa Madre de Dios, permitid que Albarracín sea mía hoy. Y yo os hago promesa de que la poblaré y reforzaré, y desde allí partirán las huestes de la cristiandad para recuperar Valencia. Cumplidme este ruego, y yo edificaré en vuestro honor y para mayor gloria de Dios un monasterio en este mismo lugar.

Pedro de Arazuri se persignó al mismo tiempo que el joven rey, y justo en ese instante los emisarios, dos jinetes de la hueste del navarro, refrenaron a sus monturas. Saltaron a tierra y se inclinaron ante Alfonso de Aragón.

—Hablad, amigos míos —pidió el rey.

Uno de los hombres, un caballero de fortuna llamado Blasco de Marcilla, alzó la cabeza para responder:

—Mi señor, las nuevas que traemos no son halagüeñas. Perdona a los mensajeros, que cumplieron de buena fe.

Alfonso de Aragón apretó los dientes. Miró a su alrededor y la frustración se apoderó de él. La hueste que comandaba no sería suficiente para expugnar la villa mejor fortificada de aquella parte de la Península.

—No te apures, mi señor —le consoló Arazuri—. Cerraremos un asedio y los de Albarracín se someterán por hambre. Se tardará, pero la ciudad acabará siendo cristiana. Si te place, déjame a mí al frente de las operaciones y...

—Disculpa que te interrumpamos, noble señor —habló de nuevo Blasco de Marcilla—. Albarracín ya es cristiana.

El rey Alfonso y Pedro de Arazuri enarcaron a un tiempo las cejas e intercambiaron una mirada de asombro. El otro emisario, un tal Munio Sancho, se adelantó al de Marcilla para seguir explicando el resultado de la misión, y miró al viejo navarro antes de hablar.

—El nuevo señor de Albarracín es tu yerno, noble señor. Pedro de Azagra hace ondear sus estandartes en las murallas de la ciudad y declara que la posee por el rey Lobo. Y que no acepta someterse a nadie más, salvo a Nuestra Santa Madre, la Virgen María.

Arazuri murmuró un juramento y pidió a Munio Sancho que repitiera su informe. Blasco de Marcilla confirmó lo dicho y juró que conocidos vasallos de Pedro de Azagra se habían dejado ver desde los muros de Albarracín para informarlos de la nueva situación.

—¿Seguro que se trata de Azagra? Mirad que no os hayan engañado esos infieles —advirtió el rey.

—Se trata de él, mi señor —repuso el de Marcilla—. Somos navarros y conocemos a muchos de sus caballeros y hombres de armas. Albarracín es de Azagra. No hay duda.

El joven monarca dio la vuelta y se alejó con los puños apretados. Pedro de Arazuri despidió con un gesto a los dos emisarios.

—Déjame ir a hablar con él, mi señor —pidió mientras caminaba con esfuerzo y trataba de alcanzar al rey—. Pedro de Azagra es mi yerno. Deberá escucharme.

—Pedro de Azagra. —Alfonso masticó aquel nombre—. Claro... Él ha valido a Mardánish durante años. Ha luchado junto a él. Y ahora es recompensado. E invoca a santa María como su señora.

—No te dejes engañar por las palabras, mi señor...

Una repentina risotada del joven Alfonso interrumpió a Pedro de Arazuri. El navarro observó extrañado al rey y guardó silencio. La risotada se convirtió en carcajada, y luego se fue apagando mientras la noticia se extendía por el campamento. Algunos se fijaron en la escena que protagonizaban el rey de Aragón y su hombre de confianza.

—Engañado por las palabras —repitió Alfonso—. Eso hicimos con Mardánish, ¿verdad? Engañarle una y otra vez. Darle palabras. Promesas y juramentos que jamás cumplimos. Aquí estamos, mi buen Pedro. Saqueando sus tierras. Soy aún muy joven, pero sé reconocer cuándo me ganan una partida. Y el rey Lope ha ganado esta, amigo. Ha preferido dar Albarracín a Azagra antes que dejarla caer en mis manos. ¿No es genial? Ese infiel se burla así de Sancho de Navarra —Alfonso apretó los puños de nuevo—, y se burla también de mí.

El viejo Arazuri asintió despacio. Una sonrisa de oculta admiración asomó a su rostro arrugado.

—¿Qué haremos ahora, mi señor?

—Qué haremos... —El niño dejó que su mirada recorriera el paisaje yermo durante unos instantes—. Qué haremos... La campaña se termina, y el tiempo también. Debería haber partido de vuelta al norte. En pocos días, el rey de Castilla se desposará con su prometida inglesa. Les ofrecí Aragón para sus esponsales, y yo tengo que estar presente... —Alfonso se restregó la nariz en un gesto infantil—. Pero quiero dejar acabado este asunto. Quiero cerrar la campaña plantando un baluarte contra esos malditos sarracenos. Un lugar que sustituya a Albarracín en mis planes...

Alfonso de Aragón miró un instante a su vasallo navarro, pero Pedro de Arazuri era incapaz de adivinar qué pasaba por la mente de aquel niño coronado; el rey volvió sus pasos hacia la mesa sobre la que se extendían los mapas de la región. Posó un dedo sobre la marca que representaba Albarracín y lo deslizó con suavidad alrededor. Llegó hasta el burdo dibujo de un cerro que se elevaba sobre la corriente del Guadalaviar.

El collado rojizo dominaba la orilla del río, a menos de una milla desde la unión del Alfambra y el Guadalaviar. A sus pies, el camino que llevaba de Córdoba a Zaragoza estaba flanqueado por la línea arbolada del cauce y por varios chamizos de pastores.

Los navarros Munio Sancho y Blasco de Marcilla abrían la marcha. Hacían avanzar a sus destreros despacio mientras subían por la empinada senda que conducía a lo alto del cerro. Junto a ellos caminaban sus peones. Empuñaban las armas con una mezcla de precaución y curiosidad, y miraban constantemente hacia arriba. Tras ellos, la mesnada real rodeaba al rey Alfonso.

—Es una mísera aldea de labriegos la que hay arriba, mi señor. No vale la pena ni preocuparnos en tomarla. A estas alturas, todos los pobladores habrán huido. ¿Por qué no seguimos río abajo?

—No. —El rey de Aragón vestía su atuendo guerrero, como había hecho durante toda aquella campaña, y enarbolaba bien altas las barras rojas y doradas de su estirpe—. No hay tiempo para seguir yendo hacia el sur, y lo que menos deseo es volver a casa sin dejar tras de mí una frontera segura. Este es un buen lugar. Nuestra Santa Madre, la Virgen, me ha negado Albarracín, pero no por ello dejaré de cumplir la misión que como rey cristiano tengo encomendada.

Pedro de Arazuri negó despacio y en silencio. Chiquillerías, pensó antes de concentrarse en guiar a su montura por la empinada senda. El camino que rodeaba el cerro se volvió más áspero antes del último repecho. Los ballesteros navarros aprestaron sus armas y los caballeros ciñeron los brazales de los escudos. El sol se ocultó en ese instante, despidiéndose del mundo con un solitario rayo que cruzó el cielo anaranjado a espaldas de la hueste. Llegó un grito desde la vanguardia, y los hombres se encogieron instintivamente.

—¿Resistencia? —Uno de los caballeros elevó la voz hacia los hombres que abrían la marcha. Como respuesta, los gritos se repitieron, más claros ahora.

—¡Apartad del camino!

Un par de sombras oscuras aparecieron tras el recodo, bajando a toda velocidad. Se oyeron algunas risas, y los hombres se apresuraron a apretarse contra la ladera del cerro. Eran dos vacas que corrían despavoridas, tomaban el centro de la senda a trompicones y mugían de miedo. Pasaron junto a los guerreros sin hacer ademán de embestirlos. Las ubres hinchadas de los animales se mecían a los lados.

—¡Esta maniobra la ignoraba! —se burló uno de los mesnaderos. Los demás corearon la broma con sus carcajadas. El rey también sonrió y dio orden de continuar la marcha.

—Los de la villa han debido de abandonar el ganado —conjeturó Pedro de Arazuri.

—Ya. Manda a algunos hombres a por esas vacas. Nos vendrá bien su leche.

El navarro obedeció al joven rey, y la comitiva llegó por fin a la cúspide plana de la muela. La vanguardia estaba detenida a poca distancia de la empalizada de madera que rodeaba la villa. Algunas estrellas titilaban ya a levante sobre un cielo grisáceo. Munio Sancho tiró de las riendas de su destrero y lo hizo girar. Se desenlazó el yelmo con un movimiento rápido y lo encajó en el arzón.

—La aldea parece vacía, mi señor —informó a Alfonso de Aragón—. Voy a mandar a mis peones que entren y la registren a fondo, pero tal vez sea mejor trasnochar fuera de la empalizada, no haya quedado algún infiel apretado y quiera darnos una sorpresa. Mañana, con luz, lo veremos todo mejor.

El rey asintió y espoleó con suavidad a su caballo. Pasó junto a Munio Sancho con los ojos entornados y llegó a la altura de Blasco de Marcilla.

—Así que este villorrio es Teruel.

—Así es, mi señor —respondió el mesnadero navarro—. Tirwal, lo llaman los moros. La puerta de la empalizada está abierta y hay enseres tirados. He visto varios puercos que campan libres, y las vacas que han corrido cerro abajo estaban pastando justo donde nos encontramos ahora. La aldea está vacía, apostaría mi parte del botín. Hasta los cristianos que pastoreaban a los cerdos han debido de huir. O andarán escondidos.

El rey asintió y observó a su alrededor. La oscuridad se cernía sobre el cerro, pero todavía se adivinaba el paisaje circundante. Alfonso de Aragón, quizá para calmar la amargura de no haber podido hacerse con Albarracín, se alegró de su elección. Fortificaría aquella aldeúcha y la convertiría en un baluarte magnífico. Sus ojos de adolescente fueron capaces de ver la muralla que construiría para rodear Teruel. Haría de ella una ciudad inexpugnable. Y la poblaría con lo más aguerrido que pudiera encontrar. De momento, con aquellos hombres que lo acompañaban. Sonrió a Blasco de Marcilla y este le devolvió el gesto. Algo más atrás, Pedro de Arazuri suspiró con desgana, y delante del rey se oyó un mugido lastimero.

—¿Qué es eso? —preguntó Munio Sancho—. ¿Más vacas?

El rey avanzó despacio, y los tres navarros lo hicieron tras él. Los demás guerreros llegaban ya a lo alto de la muela y se esparcían para acercarse a la empalizada por distintos puntos.

—Es un toro —anunció Blasco de Marcilla.

Alfonso de Aragón asintió. Allí estaba, sí. Un animal magnífico. Negro todo él, con la testa coronada por impresionantes y afilados pitones. Mordisqueaba tranquilo la hierba junto a la puerta abierta de la ciudad. Se volvió un instante hacia los guerreros y los miró, pero luego decidió que no valía la pena desatender su comida por ellos y siguió pastando. Algo se movió sobre el animal y llamó la atención de los hombres. Era un estandarte negro, que apenas podía verse recortado contra la oscuridad del anochecer. Una racha de viento lo agitaba ahora. Despacio al principio, algo más fuerte después. El toro alzó la cabeza, ancha y poderosa, y olisqueó el aire que llegaba desde la sierra. El estandarte negro se desplegó del todo y flameó con vano orgullo. La estrella plateada de ocho puntas, abandonada a su suerte por los villanos de Teruel, se mostró a los conquistadores por encima del toro negro.

69

Todos contra Murcia

Primeros días del verano de 1171. Córdoba

La élite del imperio almohade se había dado cita en la antigua capital omeya, una ciudad desde la que, muchos años antes, se había regido el destino de toda la Península. Nada que ver con las aldeas abandonadas que el joven rey aragonés ocupaba sin combate.

A cientos de millas de Córdoba, Alfonso de Aragón, medio satisfecho, medio frustrado, había retornado a Tarazona; y allí presenció los esponsales del rey de Castilla con la princesa inglesa Leonor Plantagenet. Se establecía así un vínculo que reforzaba la posición castellana como reino más poderoso de la Península. El joven monarca aragonés tuvo que ver, no sin un deje de irritación, cómo el mismísimo Pedro de Azagra, fiel amigo de Alfonso de Castilla, asistía a las celebraciones en calidad de señor de Albarracín y guardián de la novia.

Este repentino despunte del de Azagra influyó también en el rey de Navarra, quien se apresuró a congraciarse con él y le devolvió el señorío de Estella. De pronto, Pedro Ruiz de Azagra se convertía en pieza clave de la política cristiana, y todo merced a la decisión de Mardánish.

Mientras tanto, los portugueses tuvieron que rendirse a la evidencia: les resultaba imposible oponerse a un tiempo a los almohades, a León y a Fernando Rodríguez de Castro. Por eso firmaron una tregua con Utmán y le dejaron las manos libres. El *sayyid* aprovechó la circunstancia de inmediato y abandonó el apaciguado Garb, dispuesto a rogar a su hermanastro que se dirigieran de una vez por todas a Murcia para acabar con Mardánish.

El momento pareció acercarse por fin cuando se anunció que el mismísimo califa Yusuf había cruzado el Estrecho al mando de un poderoso ejército, y que tras recalar en Sevilla para recibir la adhesión de los andalusíes sumisos, se disponía a reunirse en Córdoba con Utmán y Abú Hafs y a visitar en su retiro al anciano Umar Intí, al que presentaría sus respetos como último superviviente de la Primera Hora. Toda una reliquia del Tawhid.

Yusuf se hizo preceder por una impresionante comitiva de guardias negros que escoltaban las banderas aún atadas. Córdoba entera, repoblada a la fuerza tras los últimos y duros tiempos, se echó a la calle para recibir al príncipe de los creyentes. Tambores, chirimías y loas al Único corearon el paso del segundo califa almohade. Yusuf, siempre acompañado por su fiel Ibn Tufayl, inspiró con fruición el aroma que brotaba de los jardines cordobeses. Estaba de vuelta por fin. Y demostraba su alegría. Repartía sonrisas condescendientes mientras caminaba por las calles rumbo al alcázar, y no dejaba de observar a los renovados cordobeses, buscando cabellos rubios que escaparan de los velos de las mujeres. Ah, al-Ándalus. Y sus placeres, tan pecaminosos, pero también tan irresistibles...

Utmán y Abú Hafs se postraron a ambos lados del sitial de cojines reservado para el califa. El salón del trono del alcázar se había llenado para la ocasión con los más ilustres almocríes y alfaquíes, y varios cadíes de la región pegaban su frente al suelo del palacio para rendir pleitesía al príncipe de los creyentes. Yusuf tomó asiento y dio licencia para que sus siervos se alzaran. Al hacerlo, todos pudieron ver que la enfermedad anidaba aún en el califa. Sus ojos aparecían casi tan enrojecidos como los de su hermanastro Abú Hafs, y la piel de su rostro se pegaba a los huesos mientras que los ojos se le hundían en las cuencas. Todos sabían que el mal que aquejaba al califa era contagioso, pero nadie se atrevió a vacilar siquiera ante las toses de Yusuf. Ibn Tufayl, con gesto complaciente, permaneció de pie a un lado y tras el sitial, y Utmán y Abú Hafs tomaron asiento a ambos flancos del príncipe de los creyentes. El desfile de aduladores comenzó, y uno tras otro, todos fueron dejando sus alabanzas y promesas de fidelidad ante Yusuf. Sin dejar de sonreír a cada nuevo siervo, el califa pidió novedades a sus hermanos.

—El Garb ha quedado entero bajo pacífica sumisión —informó Utmán—. Ese Sempavor no nos molestará de momento, y su rey no tendrá más remedio que respetar las tierras cubiertas por el Tawhid. Además llegué a un acuerdo con Fernando de León. Tenemos paso franco por sus tierras y por las de ese castellano renegado, Castro, para hostigar al perro cristiano Alfonso.

Yusuf asintió complacido y tosió un par de veces. Abú Hafs completó el informe desde el otro lado.

—Hamusk, el suegro de Mardánish, lleva tiempo pidiéndonos ayuda para rechazar a su yerno. Y se ha vuelto a ofrecer a guiarnos por el Sharq para someter al demonio Lobo. Mardánish está solo. Los cristianos andan muy ocupados cerrando acuerdos entre ellos, repartiéndose las migajas que pronto quedarán del reino del Lobo. Es el momento, príncipe de los creyentes. Dios, alabado y ensalzado sea, nos llama a las armas.

Un par de toses más y un suave carraspeo de Ibn Tufayl. Yusuf miró de reojo a su consejero andalusí, siempre opuesto a la guerra, y alzó una mano para detener el desfile de aduladores.

—¿Dices, Utmán, que el Garb es seguro? —preguntó el califa.

—Lo es. Acabo de regresar de allí y he dejado atrás guarniciones y acuerdos. Creo que podemos confiar en el rey de León. Al menos de momento. Está tan interesado en que sus vecinos cristianos no prosperen, que se ha convertido en un buen aliado.

—Tengo curiosidad. —Yusuf se volvió un ápice hacia Abú Hafs—. Sé que el demonio Lobo repudió a su favorita, la hija de Hamusk. ¿Está ella en Jaén?

—No, oh, espada del islam. Zobeyda bint Hamusk se halla aquí, en Córdoba.

Yusuf apuntó un mohín de satisfacción y tosió débilmente antes de continuar.

—También sé que tiene una hija... Una hija rubia.

Utmán frunció el entrecejo, pero Abú Hafs ensanchó su sonrisa de hiena.

—Zobeyda no tiene una, sino dos hijas, príncipe de los creyentes. Ambas rubias, según dicen. Y también dicen que la belleza de las dos es legendaria. Se cuenta que ese demonio de Mardánish, enamorado de una de ellas, le ha construido un palacio en Valencia que no tiene nada que envidiar al que posee en Murcia.

—¿De verdad crees todas esas falacias que se cuentan de Mardánish? —intervino Ibn Tufayl. La sonrisa se borró de la cara de Abú Hafs.

—Algo de verdad tiene que haber —apuntó Yusuf—. Dicen que cuando se emborracha, copula ciegamente con toda mujer, hombre y animal que se pone a su alcance... Pero eso ahora es lo de menos. Dios, en su sabiduría, sabrá castigar los excesos de Mardánish. Son sus hijas las que me interesan. Háblame de ellas. ¿Están aquí, con su madre?

—No, hermano mío. —Abú Hafs entornó los ojos y pensó durante unos instantes—. Zobeyda, que también conserva una belleza antinatural, está aquí sola, como rehén por la alianza de su padre. Me permití tomar esa decisión en tu nombre. Su aborrecible esposo la llevó a Jaén sin las hijas, a las que de seguro conserva con él para poder tomarlas incestuosamente. Pobres princesas rubias; que además son caras a Dios, según me aseguran. Alguien debería rescatarlas de las garras de su padre. Pero haz venir a la andalusí Zobeyda. Así podrás hacerte una idea de cuánta belleza encierran sus hijas, que la superan en mucho.

Las palabras de Abú Hafs consiguieron la hazaña de detener la débil tos del califa. Los ojos enfermizos de Yusuf brillaron, y dio tres palmadas.

—¡La recepción ha terminado! —gritó, e hizo un gesto a los Ábid al-Majzén apostados en las puertas del salón—. ¡Deseo estar solo ahora! —Se inclinó hacia Abú Hafs—: Vosotros no os vayáis, pero haz que venga esa Zobeyda.

El salón se despejó en cuestión de instantes. Los cadíes, ulemas y alfaquíes abandonaron la estancia a pasos rápidos cuando los guardias negros terciaron las gruesas lanzas y fueron ocupando el centro alfombrado para empujarlos hacia las salidas. Abú Hafs, al mismo tiempo, despachó a un par de sirvientes para cumplir la orden del califa. Mientras esperaban, Yusuf siguió hablando a sus hermanos.

—Por desgracia, Dios no ha considerado apropiado curarme todavía, así que me veo aquejado de esta debilidad que no me permite cumplir con mis obligaciones. Por ello confiaré en la palabra de Utmán y, con una pequeña parte de mi ejército, me dirigiré al Garb.

Abú Hafs se sobresaltó, pero fue Utmán quien protestó:

—¿Al Garb? Es Mardánish quien resiste, y está en el Sharq. ¿Por qué no ir contra él? ¿Por qué...?

—Ah, Utmán —le atajó el califa con un gesto brusco—. Me irritas con tus quejas igual que irritabas a nuestro padre, al que Dios tenga a su diestra. En pos de nuestra sagrada misión, sacrificaré la gloria que la voluntad del Único reserva para sus más amados, y partiré hacia el Garb. Atravesaré las tierras sometidas a mi guía y entraré por las de los leoneses y las de Fernando de Castro. Hostigaré las fronteras con Castilla, y así los mantendré ocupados. Mientras tanto, tú y Abú Hafs tomaréis al grueso de las fuerzas y partiréis al Sharq. Incluso os prestaré a parte de mis Ábid al-Majzén. Os dejaréis guiar por Hamusk y someteréis a Mardánish. Intentaréis hacerlo de grado, pero si no se allana, acabaréis con él. Tomaréis a esas beldades rubias que tiene por hijas y las traeréis ante mí. Os cedo la gloria, ya veis.

—Tu humildad es digna de alabanza, príncipe de los creyentes —opinó Ibn Tufayl.

—Pero, hermano mío, sabio entre los sabios —Utmán no lograba desvestir de sorna sus palabras—, tu guía es la que el ejército necesita. Dios no permita que ocurra como hace unos años, cuando nuestro buen Abú Hafs se retiró de Murcia sin cumplir tu misión. Dirige tú a las tropas en el Sharq conmigo, Yusuf. Y para contener a los infieles castellanos, envía por el Garb a Abú Hafs.

El aludido visir omnipotente se levantó como accionado por un resorte. Su mirada rapaz se clavó en el *sayyid* Utmán, y hasta Ibn Tufayl retrocedió contra la pared del salón.

—¿Quién eres tú para contravenir los dictados del príncipe de los creyentes? ¿Quién eres para contravenir a Dios? —Alzó la mano y su dedo índice apuntó al artesonado—. Pues es dictado divino que *los enfermos no estarán obligados a ir a la guerra*. Y en lugar de agradecer al califa su humildad y su sacrificio, te atreves a destapar lo que el pasado enterró bajo la arena. Si Murcia no cayó cuanto tú quisiste, fue porque Dios, bendito sea, no lo dispuso. Y de entre ambas voluntades, queda claro cuál debe prevalecer. —Se volvió a Yusuf—. No prestes oídos a Utmán, pues dice el Único que *sus servidores son los que caminan con modestia por esta tierra.*

El califa retiró la mirada. A pesar de su posición y del paso de los años, seguían intimidándole los ojos sanguinolentos de su hermanastro. Y aún le aterraba la guerra. Sin embargo, sus remordimientos y temores se disiparon cuando los sirvientes enviados por Abú Hafs se presentaron y anunciaron la llegada de Zobeyda. Yusuf se irguió sobre los cojines y hasta Ibn Tufayl recobró la compostura. Abú Hafs caminó hacia la entrada por la que había de llegar la mujer.

—No te dejes turbar, oh, hermano mío. Lo que vas a ver es diabólico y ha quebrantado las almas de miles de fieles.

—Trataré de ser digno de la carga que Dios me ha impuesto.

Zobeyda entró despacio, pisando con pies descalzos las alfombras que cubrían el suelo del salón. Arrastró los bordes del larguísimo *yilbab* y se detuvo frente a Abú Hafs. El visir omnipotente la miró sin ocultar su desprecio.

—Descúbrete, mujer —ordenó.

La andalusí vaciló. Observó a través del *niqab* a cada uno de aquellos cuatro hombres, y su vista se detuvo en Ibn Tufayl, el único que, como ella, no era bereber. El anciano se encogió imperceptiblemente de hombros.

—La loba es orgullosa —murmuró Yusuf. Utmán sonrió apenas.

Abú Hafs alargó la mano, tiró del *niqab* y lo arrancó del rostro. Al hacerlo, descubrió la mirada altiva de Zobeyda. Y lo que el califa vio fue a una mujer de cuarenta años, limpia de afeites, con la tez blanquísima y tenues arrugas en torno a los ojos y las comisuras de los labios. Yusuf inspiró con fuerza y ahogó un nuevo ataque de tos.

—Sin duda es hermosa. Todavía. Pero la juventud huyó de ella. —Levantó la mano derecha en gesto de desdén—. Dime, mujer, ¿es cierto que tienes hijas?

Zobeyda apretó los labios un momento y sus pupilas se dilataron.

—Contesta al príncipe de los creyentes —mandó Abú Hafs.

—Tengo... dos hijas. Zayda y Safiyya.

El califa se levantó, siendo de inmediato ayudado por su hermano Utmán. Caminó despacio hacia Zobeyda y acercó la cara a la de ella. Examinó cada rasgo, igual que hacía en el mercado de Agmat cuando buscaba concubinas entre las esclavas llegadas de Europa.

—¿Te gustaría volver a ver a Zayda y Safiyya?

Aquella pregunta conmovió el ánimo de la mujer. Sostuvo la mirada del califa y su gesto altivo se trocó por otro de súplica, pero no dijo nada. Yusuf sonrió, tomó de manos de su hermanastro el *niqab* y se lo tendió a Zobeyda. Ella lo aceptó y cubrió su cara despacio.

—He oído —dijo Abú Hafs— que Mardánish se arrepintió de repudiarla. Se cuenta que está enfermo, y que ha empeorado desde que esta mujer falta de su corte. Dicen también que pasa las noches sin dormir, retorcido de dolor impío, y que tortura y mata a sus allegados para desahogar la pena.

—¿Y el demonio Lobo sabe que ella está aquí, con nosotros?

—Las noticias viajan deprisa en esta tierra de alcahuetas. Seguro que lo sabe —siguió murmurando Abú Hafs—, aunque no estará de más cerciorarnos. Lo cierto es que tener a esta andalusí a nuestro lado puede allanarnos el camino.

Yusuf asintió. Se estremeció al adivinar las intenciones de su hermanastro. Usarla como señuelo, claro. Prometiendo tal vez a Mardánish hacer sufrir a Zobeyda lo insufrible. El rey Lobo, que no había cedido ni una pulgada a pesar de ver morir ante sí a miles de sus guerreros, podría rendirse ante la perspectiva de que la mujer a la que amaba fuera torturada hasta la muerte. Eso sería muy propio de Abú Hafs. El califa se volvió, incapaz de soportar la mirada enfermiza del fanático visir omnipotente. Se encontró con la de Ibn Tufayl, su más fiel consejero. Ah, tal vez en otro tiempo, años atrás, el recurso del tormento y la muerte habría sido una buena baza. Ibn Tufayl sonrió, y Yusuf le devolvió el gesto.

—Las rubias hijas de Zobeyda —habló el de Guadix— te estarían muy agradecidas, príncipe de los creyentes, si mostraras tu misericordia y la grandeza de tu corazón. Y no solo ellas. Todas las ciudades rebeldes de al-Ándalus te rendirán pleitesía cuando les muestres cuán grande es tu corazón. Haz que esta mujer se plante sana y salva ante las puertas de Murcia, y se abrirán solas para ti.

Unos días después. Murcia

El rey Lobo bebió lentamente de la copa que le acababa de tender Abú Amir. Uno de los sirvientes la retiró cuando Mardánish apuró el contenido, y se marchó del aposento en silencio. El consejero examinó con gesto serio a su paciente y levantó con el pulgar cada uno de los párpados del rey. Torció la boca ante el color amarillento de los ojos.

—Al menos podrías disimular —reprochó Mardánish.

Abú Amir asintió y se dejó caer sobre el escabel que había junto al lecho. El rey sufrió uno de sus accesos de dolor y se aferró el costado a través de las sábanas. El latigazo duró un largo instante, y luego la cara de Mardánish se relajó. Aquellos ataques eran cada vez más frecuentes, y tras ellos el rey quedaba exánime, sin fuerzas apenas para hablar. Abú Amir miró al otro lado de la cama. Allí estaba Hilal, de pie y con el rostro compungido.

—Tú tampoco eres muy bueno disimulando, hijo mío —se quejó el rey cuando pudo recuperar el aliento—. ¿Qué ocurre? ¿Hay noticias de Jaén?

Hilal carraspeó y se dispuso a hablar, pero negó con la cabeza y se mantuvo en silencio. Luego empezó a caminar de un lado a otro de la habitación, como un animal cautivo dentro de una jaula.

—Hay noticias... —dijo por fin Abú Amir—, pero no de Jaén. Es el califa.

Yusuf ha cruzado el Estrecho al frente de un ejército tan grande como el de hace seis años.

Mardánish cerró los ojos mientras digería la noticia. Hilal, por su parte, llegó hasta una de las celosías y miró afuera al tiempo que seguía moviendo la cabeza con pesar.

—Entonces es verdad —murmuró por fin el rey.

—Es verdad. Son rumores, pero insistentes —siguió Abú Amir—. Por todo el Sharq ha volado la noticia. La han traído los marineros desde Almería y los mercaderes desde Guadix. La gente se pone nerviosa...

—Despacharéis emisarios. —El rey se incorporó y, tras vencer la tímida resistencia de Abú Amir, se sentó en el borde del lecho—. Hay que actuar rápido, antes de que nuestros enemigos siembren el desánimo...

—Díselo ya, Abú Amir —reclamó Hilal sin darse la vuelta. Mardánish miró a su hijo y luego al consejero.

—¿Qué tiene que decirme?

—Nuestros enemigos ya han extendido el desánimo —contestó el muchacho, y por fin encaró a su padre—. Alcira se ha rebelado. Hemos interceptado correos que viajaban hacia Córdoba con mensajes para el califa: el caíd de la plaza, un tal al-Makzumí, se queja de que eres un mal musulmán y de que favoreces a los infieles sobre tu pueblo. Dice que se acoge al Tawhid si los almohades lo amparan.

—Al-Makzumí... Sí —susurró el rey—. Yo mismo lo nombré. Y me juró obediencia, lo recuerdo. Traidor.

—Si llegan a Alcira, los africanos habrán conseguido meterse en pleno corazón del Sharq —masticó con rabia Hilal—. Tendremos al enemigo entre Murcia y Valencia —golpeó con el canto de una mano sobre la palma de la otra—, cortando por la mitad el reino.

—Y lo cierto es que no hay manera de evitarlo —sentenció Abú Amir.

Se hizo un nuevo silencio. Mardánish se llevó la mano de forma inconsciente al costado, a pesar de que el dolor no lo visitaba ahora. Dejó caer la cabeza y reposó los ojos fatigados en los arabescos que se entrecruzaban en el suelo. Estaba rendido. Tanto, que casi no le importaba que Alcira completase su rebelión. Pero si eso ocurría, Valencia, separada de Murcia por los rebeldes, también caería. Abú-l-Hachach no resistiría mucho. Nada, en realidad, vistas las esperanzas. Levantó la mirada y descubrió en Abú Amir y Hilal el mismo gesto de impaciencia culpable.

—¿Qué? ¿Todavía hay algo peor?

El muchacho se aproximó al lecho, pero esta vez no pudo decir nada. Sus ojos brillaban como cuando era un crío de pecho y reclamaba la presencia de su nodriza. Rogó en silencio a Abú Amir que fuera él quien hablara esta vez. El poeta carraspeó indeciso.

—¡Decid ya! ¿Son los aragoneses de nuevo? ¿Se aproximan a Valencia acaso? ¡Hablad!

—Es Zobeyda —respondió por fin Abú Amir—. Está con el ejército almohade. Abú Hafs ha hecho proclamar que no se separará de ella hasta que el Sharq caiga.

Un débil gemido brotó de la garganta de Mardánish, que se derrumbó a un lado. Hilal se lanzó a sujetar a su padre para evitar que cayera, y lo sostuvo entre sus brazos. El muchacho, que había intentado mantener las lágrimas a buen recaudo, no pudo evitar que sus ojos se humedecieran al comprobar que el rey Lobo no pesaba ya mucho más que la piel negra que adornaba su trono. Con aquella fragilidad, el príncipe del Sharq al-Ándalus tomó conciencia de que el sueño terminaba. Esta vez sí. Sin remisión.

—Con Abú Hafs... —hipó Mardánish—. Ese fanático cruel... Por favor, decidme que ella está bien. Sana. Entera.

—No sabemos nada, mi señor —dijo Abú Amir.

—Padre, no te dejes vencer —rogó Hilal—. Recuerda. Recuerda lo que me enseñaste. Debes estar sereno, padre. Y has de ser constante... Constante en la adversidad.

—La adversidad... —repitió el rey. Abú Amir se mordió el labio y suspiró. Mardánish hablaba mecánicamente, y alternaba las palabras y los hipidos mientras Hilal lo apretaba contra su regazo—. Mis armas... prestas. Y debo... Debo ser valiente...

—Valiente, padre. Siempre lo has sido. Vamos. Danos tus órdenes. Hemos de reaccionar. Resistir, como siempre.

Mardánish inspiró con fuerza y, poco a poco, recuperó la pose arrogante. Resistir, como siempre. Hasta el final. Como aquel lobo negro. Miró a Hilal con cariño.

—Se acerca la última hora del lobo. El cazador lo tiene acorralado y no hay salida.

—El lobo. —El joven reflexionó un instante—. Sí, desde luego. Acorralado y sin salida. —Agarró al rey por los hombros—. Pero tu lobo, padre, no se rindió jamás. Y hasta la última cuchillada te la hizo pagar con sangre.

Mardánish asintió y separó con suavidad a su hijo. Se levantó y, tras un primer tambaleo, se dirigió a los dos hombres con la barbilla alta.

—Abú Amir, saldrás para Valencia hoy mismo. Llevarás un mensaje a mi hermano: deberá ponerse al mando de sus tropas y sitiar Alcira hasta que la devuelva a mi sumisión. Tú quedarás al frente de Valencia, y allí resistirás. Confío en ti más que en Abú-l-Hachach para ello. Morirás antes que entregarla a nuestros enemigos. Júralo.

El poeta se levantó del escabel y sonrió. Ni siquiera él necesitaba reunir firmeza para comprometerse a aquello.

—Lo juro.

El rey volvió la cara hacia su hijo. Hilal era ahora su último baluarte. Él tendría que enfrentarse a los almohades. Pero si lo hacía, sería barrido. Suspiró. El lobo negro había dado su vida, pero jamás sacrificó a ninguno de sus compañeros de manada. ¿Y él iba a enviar a su hijo a una muerte segura?

—Manda correos a Jaén. Que los mercenarios cristianos abandonen el cerco y se encastillen en Lorca. Allí deberán esperar el primer ataque almohade.

—Bien —respondió Hilal con seguridad—. Saldré ahora mismo. ¿Puedo llevar a mis andalusíes de la Marca? Necesitaremos a todos los hombres posibles para enfrentarnos a...

—No, hijo mío. Tú no irás a Lorca.

Hilal dejó la boca abierta, a media frase, y la decepción asomó a sus todavía húmedos ojos.

—Pero, padre...

—Querías órdenes y las tienes. Tú permanecerás aquí, a la espera. Lo último que deseo es que Abú Hafs te muestre a tu madre encadenada mientras aguardas el embate enemigo en primera línea. —Anduvo despacio, evitando mirar a la cara a Hilal. Esta vez fue él quien se dirigió al enrejado y dejó que su vista se perdiera lejos. Llegaba la hora de ajustar cuentas, sí. Sonrió. Le pareció ver de nuevo los ojos refulgentes del lobo en la oscuridad de la sierra, justo antes de recibirlo a mordiscos. Resistiendo hasta el fin por la manada.

Unas semanas después. Quesada

Siguiendo su plan, el califa tomó a una parte de su ejército, aunque no ciertamente pequeña. Con ellos y con la certidumbre de caminar sobre seguro, se dirigió al Garb para evitar el corredor de Calatrava, que era la vía directa hacia Castilla y por eso estaba repleta de freires guerreros y de caballeros cristianos. Avanzó por las cercanías de Badajoz y viajó por las tierras de su aliado cristiano, Fernando Rodríguez de Castro. Después cruzó el Tajo y se presentó en la frontera castellana por donde menos se le esperaba. Los vasallos del joven y recién casado rey Alfonso fueron sorprendidos y el pánico se extendió por los campos y aldeas toledanos. Ignorantes de que se trataba de un simple movimiento de distracción, los cristianos creyeron verse invadidos por una cruel morisma salida de la nada. La noticia voló y toda Castilla desvió su atención hacia poniente.

Mientras tanto, Abú Hafs, Utmán y el grueso de las huestes almohades se reunieron con Hamusk en Jaén, casi a tiempo de ver la polvareda levantada por las tropas mercenarias de asedio, que huyeron a toda espuela hacia Lorca. Hamusk, pletórico de felicidad, guio a sus nuevos amos rumbo a Murcia, y al llegar a Quesada, que todavía se mantenía en la obediencia al Sharq, recomendó sitiarla. El asedio se alargó unos pocos días, y pronto, a la vista de que no había auxilio posible, el caíd de la ciudad se rindió. El hombre se presentó ante Abú Hafs desarmado y cubierto solamente con su camisa en símbolo de humildad y acatamiento, y pidió que los pobladores de Quesada fueran respetados.

—Haced venir a Hamusk —ordenó el visir omnipotente mientras el caíd seguía postrado ante él. Uno de los Ábid al-Majzén se alejó para cumplir la orden, y los demás siguieron apuntando al enemigo rendido con sus lanzas—. Ah, y que venga también su hija.

El señor de Jaén no se hizo esperar. Nunca lo hacía, a pesar de su sobrepeso, cuando lo requería un almohade, y mucho menos si quien reclamaba su presencia era el visir más cruel y poderoso de todo el imperio africano. Hamusk llegó sudoroso, a medio vestir pero con la sonrisa de sumisión pintada en la cara. Tras él, altiva y velada, caminaba Zobeyda. Todo el campamento permanecía en silencio, con las jaimas montadas en perfecto orden, como reclamaba la tradición, y los estandartes blancos del califa Yusuf ondeando frente a la rendida Quesada. Sobre las almenas asediadas, los pocos pobladores aguardaban expectantes el destino de su caíd y el suyo propio.

—Manda a tu siervo, ilustre visir omnipotente —se presentó Hamusk mientras Zobeyda se tragaba la vergüenza.

—Mira, Mochico. —Abú Hafs señalaba al hombre semidesnudo que se postraba de rodillas ante él y mantenía la frente pegada al suelo polvoriento—. El caíd de Quesada, que hasta hace poco te tenía por señor, me rinde pleitesía.

Hamusk resopló, fatigado por la rápida caminata desde su tienda, plantada como signo de desprecio en la periferia del campamento almohade. Apoyó ambas manos en los costados y pugnó por recuperar el resuello. Luego reunió la poca saliva que le quedaba y escupió al caíd.

—No se avino a abrazar el Tawhid cuando pudo hacerlo —explicó—. Ahora se somete por salvar la vida. Es un perro.

Abú Hafs sonrió al ver de reojo cómo se aproximaba su hermanastro Utmán. Muchos guerreros se arremolinaban para asistir al espectáculo.

—Cierto: antes no se sometió. —El visir de mirada sangrienta alargó las sílabas burlonamente—. Ahora sí. Me recuerda a alguien.

Hamusk enrojeció, pero evitó responder. Rebuscó en su boca para volver a escupir al caíd de Quesada, aunque esta vez no fue capaz de hacerse con suficiente saliva.

—Perdónale la vida —intervino entonces Zobeyda. Un murmullo de sorpresa se extendió por entre los guerreros almohades. Utmán, tan pasmado como los demás, se acercó a Abú Hafs. Este borró su sonrisa antes de preguntar:

—¿Qué le perdone la vida? ¿Por qué, mujer?

—Para que vean tu grandeza, mi señor. —La voz, que salía amortiguada por el *niqab*, no estaba desprovista de una ironía que el visir percibió.

Abú Hafs apuntó al cielo. Aquel gesto tenía la particularidad de asquear a Zobeyda.

—Dios es grande. Es su grandeza, pues, la que todos deben ver. Yo, como tú, mujer, soy un siervo del Único. Él puede permitirse ser misericordioso —desenfundó su espada con un gesto teatralmente lento—, pero nosotros, los hombres, debemos glorificarle aun cuando la misericordia no es posible.

—Si matas a ese hombre —advirtió ella—, todos sabrán que es la muerte lo que deben esperar de ti. Y resistirán hasta el final. Créeme. Recuerda las palabras de Ibn Tufayl en presencia del califa. ¿Acaso no estoy yo aquí para que cada ciudad vea en mí la esperanza y tu misericordia?

Utmán sonrió satisfecho, pero Abú Hafs no lo vio. Él prefirió levantar la espada y apuntó a Hamusk.

—¿Has oído, Mochico? Misericordia. ¿Sabes tú lo que es eso? Tu hija parece saberlo. Y me pregunto si no lo sabría mientras tú aplastabas a los verdaderos creyentes contra las murallas de la Qadima en Granada.

El señor de Jaén intentó tragar saliva sin acordarse de que tenía la boca seca, y eso le provocó una tos repentina. Hasta los guardias negros, que tenían fama de impertérritos, se sonrieron por el trato burlón de Abú Hafs hacia Hamusk. Este se recuperó por fin y observó al visir omnipotente, que aún sostenía la espada en alto. Luego miró a su alrededor y pudo ver las muecas sarcásticas de los almohades. Finalmente se volvió hacia su hija, que permanecía altiva, como siempre. Ni una sola pulgada de piel tenía a la vista, pero su padre percibía cómo los ojos de Zobeyda se clavaban en él, en espera de su reacción. ¿Podría acaso Hamusk sobrevivir sin hacerse respetar por aquellos hombres que seguían considerándolo un impío, un ser sucio e inferior, hecho a la lujuria, la gula y la avaricia? Se armó de decisión. Él era Ibrahim ibn Hamusk, señor de Jaén, de Úbeda, de Baeza, de Segura. Había matado a más hombres de los que podía contar, y por su lecho había pasado un número similar de mujeres. Agarró con fuerza el puño de su espada, y los guardias negros bajaron las lanzas hacia él simultáneamente. La hoja resbaló por el borde de la vaina y las risitas burlonas se vieron interrumpidas por el chirrido del hierro contra el cuero. Hamusk anduvo despacio, sintiendo todas las miradas sobre él. Con las puntas de las lanzas señalándole. La hoja azulada subió y despidió un reflejo que pudo verse desde las almenas de Quesada. El chillido de terror del caíd se quebró por un gorgoteo cuando el hierro chocó contra el hueso, y ese mismo gorgoteo agónico desapareció con el segundo tajo. Un sonido seco se levantó del suelo al tiempo que la pequeña nube de polvo y, por fin, el tercer tajo separó la cabeza del cuerpo.

El visir omnipotente estiró los labios en una sonrisa cruel y satisfecha. Al volverse, Hamusk supo que su hija lloraba tras el *niqab*. Zobeyda levantó el brazo derecho con lentitud y le señaló con el índice. Clavó aquel dedo acusador a través del aire, del silencio del campamento y del eco del último grito del caíd ejecutado.

—*Cuando el tiempo te rebaje* —sentenció—, *encontrarás cómo has sido siempre.*

Día siguiente. Tierras de Segura

Al otro lado del arreñal, donde el río, no brillaban los fuegos de las hogueras. Los campesinos habían abandonado sus chamizos, y algunos incluso habían dejado atrás enseres y animales. Ya no habría cánticos de mujeres que lavaban la ropa en el remanso, ni críos mocosos que zahirieran a la bruja con sus pedradas. Nadie vendría a pedirle sus ensalmos, ni a llorarle por mal de amores o cosechas pobres.

Maricasca removió el potingue, y los pétalos de lirio, tozudos, salieron a flote de nuevo. La vieja rio sin emitir sonido alguno. Su boca se abría, sin más, para mostrar a la nada las encías desnudas. Bonito auspicio acababa de soltarse a sí misma. El de siempre, al cabo. El que conocía desde años atrás. Maricasca dejó el guiso a medio hacer, con las hojas de enebro enredadas en las cáscaras de huevo. ¿Qué más daba ya? Se asomó a la boca de la cueva y vio las siluetas que se recortaban contra el gris del anochecer en lo alto de una loma.

—Ya venís, malos bichos.

Escogió con la mirada una piedra grande y plana y, al mismo ritmo al que crujían todos sus huesos, tomó asiento. Se pasó la lengua por los labios marchitos y estriados. No había estado mal después de todo. Maricasca era tan vieja que hacía muchos años que no quedaba nadie de su edad. Ni en la aldeúcha próxima, ni en ningún otro lugar en millas a la redonda. Seguro que era imposible encontrar a alguien tan anciano en todo el mundo. Había vivido, sí. Mucho. Y había visto pasar a los hombres y a las mujeres por delante de esa cueva; venir y marchar, aparecer y desaparecer. Desde reyes a esclavos. Todos con el mismo destino. Rio de nuevo en silencio. Los cascos de los caballos se oían ya más cercanos. Levantó la mano y estiró un dedo retorcido hacia los jinetes que llegaban.

—A vosotros, malos bichos, os ha de pasar otro tanto.

No le cabía duda. Lo había visto todo en el fondo de sus potes. Como había visto el destino de la morita, Zobeyda, que tan mala vida le dio. Y el destino de su señor esposo, el rey. Y el de todos los otros reyes, cristianos y mahometanos. Todos pasaban por el fondo de la olla como por la boca de la cueva. Y acumulaban oro y plata, y música y poemas, y espadas y coronas. Y luego los perdían. No iban a ser en eso mejores que los demás, por más que otros solo guardasen bajo el jergón una arqueta con cuatro morabetinos. O como ella, que después de todo tenía sus hierbas y sus brebajes y sus tres patas de araña y sus siete ojos de sapo, y nada más.

La voz en la algarabía africana avisó a los demás jinetes cuando el más avanzado divisó a Maricasca a la débil luz que todavía retenía el cielo. La vieja lo señaló guasona con ese dedo arqueado y rematado por media uña negra, y le guiñó los dos ojos, uno detrás de otro. El destacamento masmuda se detuvo y un par de guerreros de oscura tez desmontaron. Gritaron algo a la vieja, pero ella no entendía jergas bereberes. Y aunque las hubiera entendido, lo mismo daba. Así que volvieron a gritar y, desde el arreñal, que era donde habían refrenado a los caballos, le hicieron gestos de amenaza con puños cerrados y puntas de azagaya. Uno encabritó al animal que montaba por ver si así acongojaba a la vieja. Pero la vieja se retorcía de risa, se hacía signos con los dedos en la frente y en las axilas, se tocaba donde nunca debe tocarse dama ni doncella pulcra, ya sea cría, moza o anciana, y luego se volvía a reír mucho. Mucho, pero en silencio.

Y porque los ensalmos de Maricasca no fallaban nunca, que así lo atestiguaban todos los que habían recurrido a sus servicios, del pote requemado se escapó una voluta de humo amarillo, el barro se resquebrajó y el brebaje se salió espumando, y hubo chisporroteo y burbujas que salpicaban; se apagó el fuego, y un hedor azufrado voló por el techo de la gruta y se deslizó hacia fuera; y una jabalina voló desde el arreñal y se empotró en el pecho de Maricasca, y sonaron más voces de algarabía africana; la vieja se sintió rasgar por dentro como un pergamino demasiado usado, y se cayó de la piedra en la que estaba sentada; quedó mirando al cielo, que ya estaba casi negro, y poco a poco fue cerrando los ojos.

«Porque hasta mi propio destino conozco sin siquiera haberlo pedido y a pesar de que intenté evitar ese conocimiento. Todo se morirá y se pudrirá, y mi ciencia y mis dones serán mi perdición cuando ellos lleguen. Ha tiempo que lo sé, y no pretendo huir de ello.» Y no se arrepintió de haberse quedado cuando pudo irse, como los demás, huyendo lejos, hacia el norte. Y así, tranquila y con la sonrisa desdentada en los labios, Maricasca se durmió.

Unas semanas después. Inmediaciones de Murcia

Zobeyda se había retirado del campamento con la excusa de la oración del atardecer. Los Ábid al-Majzén encargados de su vigilancia la observaban ahora desde lejos.

Lloraba. Porque al otro lado del río, perfilada por las luces de antorchas en las posiciones de los centinelas, estaba Murcia. Y en Murcia, su esposo.

Terminó la oración, pero ella permaneció arrodillada sobre la almozala. Y mirando a la ciudad. Casi no podía creer que todo hubiera acabado, aunque en el fondo siempre había sabido que ese era el único fin posible. Y ante la aplastante evidencia, nada importaban los sueños de prosperidad, ni las noches de felicidad. Ni los versos, ni la música del laúd. Ni las caricias de sus doncellas, ni los besos de sus hijos. Ni los auspicios, ni los planes. Ni las lágrimas vertidas, ni la sangre derramada.

—¿Es tanto lo que pierdes?

Zobeyda se sobresaltó y miró atrás sin darse cuenta de que llevaba el rostro descubierto. El *sayyid* Utmán la observaba a unos codos, con la espada enfundada bajo un brazo y la estera de oraciones bajo el otro. Tal vez se había retirado, como ella, para rezar en solitario a la puesta del sol. La mujer se restregó las lágrimas, pero no se preocupó por tapar su cara. Aquel tipo no era como su hermano, podía notarlo. A pesar de todo lo que ella sabía y que jamás le iba a contar. Lo que Hafsa le había escrito.

—Lo pierdo todo —respondió ella. Entonces se dio cuenta de que seguía arrodillada y, acuciada por el orgullo, se irguió y dio la espalda al río y a Murcia.

El *sayyid* asintió.

—Creo que te entiendo, mujer. Un poco.

—No puedes entenderme. Vienes de un desierto pedregoso y te has criado como un guerrero de Dios. Para saber cuánto pierdo, primero deberías haberlo poseído tú.

Utmán sonrió con cansancio. No podía evitarlo. No podía evitar pensar en Hafsa cada vez que veía a Zobeyda. Por eso era incapaz de odiar a aquella andalusí. O de despreciarla.

—Los que nada tenemos nada perdemos. Eso lo hace todo más fácil, mujer. ¿No crees?

—Pues si nada tenéis para nada perder, ¿por qué ansiáis lo que otros tienen?

Utmán guardó silencio y acentuó su sonrisa.

—Nos juzgas mal. No ansiamos eso. —Señaló a Murcia—. No queremos vuestro vino, ni vuestro desenfreno. Tú misma verás cómo podamos las viñas y quemamos las bodegas. Rascaremos vuestros relieves y cubriremos de yeso vuestras pinturas. Las estatuas serán descabezadas, y las rameras, enclaustradas. No oirás más música, ni decorarás tus ojos con azafrán. Pronto no echarás de menos nada de eso, entonces tu felicidad será completa.

Zobeyda fijó su vista en la del *sayyid*. La oscuridad se cernía sobre el lugar, pero en los ojos negros de él pudo ver que mentía. No creía nada de lo que estaba diciendo. Él había amado todo aquello tan pecaminoso y maligno que al-Ándalus ofrecía.

—Yo sé que tu hermano, ilustre Utmán, desea que todas esas cosas desaparezcan. Lo hace porque Dios se lo ordena, o eso cree él. No. No me mandes callar, porque sabes que seguiré hablando. Y lo haré porque veo que tú, *sayyid*, destruirás mi mundo por otro motivo. Un motivo que tal vez sea peor que el que esgrime Abú Hafs. Tú me destruyes porque no puedes tenerme, Utmán. ¿No es cierto?

—Solo tengo que acercarme y aferrarte...

—Así no me tendrás. No tendrás mi mundo. Como no la tuviste a ella.

El *sayyid* borró la sonrisa de sus labios y los apretó tan fuerte que se tornaron blancos. Su recuerdo voló hasta Marrakech, al Dar al-Majzén. A la voz que brotaba tras una cortina. Hafsa. Y todo lo que le había hecho recordar y sentir. Lo que le hizo darse cuenta de que era cierto: él añoraba lo que en realidad jamás había logrado poseer. Lo que jamás poseería. Y ahora Zobeyda se lo confirmaba de nuevo.

Utmán retrocedió, igual que aquel día en el palacio califal, cuando, rechazado, condenado por Hafsa, aceptó pagar con desesperación y sufrimiento por todo el daño que él le había hecho. Ahora se alejaba de aquella otra mujer y del veneno que escupía, pero detuvo la marcha. Hizo un gesto a los Ábid al-Majzén para que se aproximaran a ella, y los guardias negros obedecieron de inmediato y estrecharon su cerco.

—Mañana, en cuanto despunte el sol, serás escoltada hasta las puertas de Murcia. Tu Lobo no tendrá más remedio que entregar la ciudad y su reino si quiere recuperarte.

—Tú no lo conoces. No hará tal cosa. Resistirá hasta el fin, te lo aseguro.

La voz de Abú Hafs salió de la oscuridad cercana.

—Ella tiene razón, Utmán.

Los guardias negros se apresuraron a acercarse a Zobeyda, y esta reaccionó cubriéndose el rostro a toda prisa.

—Entonces, ¿para qué la hemos traído aquí?

—Para complacer a nuestro hermano, el califa. —Abú Hafs salió de las sombras y se plantó delante de Utmán—. Él, como tú, ha sucumbido a la blandura de esta gente. Si por mí fuera, todas estas ciudades, con sus jardines, sus palacios y sus tabernas, serían reducidas a cenizas. Porque no hacen sino derretir el alma que todo fiel al Tawhid debe conservar endurecida. Y estas mujeres, con su belleza diabólica y su lujuria exasperante... Yo sabría muy bien cómo hacer para que ese demonio Lobo se rindiera de inmediato. Esta zorra andalusí, flagelada ante las puertas de Murcia y a los pies de una cruz preparada para ella, obraría el milagro, hermano.

Zobeyda entrelazó los dedos para ocultar el temblor que la asaltó al oír las palabras del fanático Abú Hafs. Utmán se volvió para mirarla, y ella se arrepintió de las últimas palabras que le había escupido. En ese instante, quizás aquel *sayyid* era su única esperanza.

—No podemos hacer eso. —Utmán recordó cómo Abú Yafar agonizaba en su cruz, a las puertas de Málaga, y la figura de Hafsa alejándose mientras el dolor quebraba su corazón. Las recientes palabras de Zobeyda, que aún resonaban en su mente, salieron balbuceantes de su boca—. Así jamás los tendremos.

Abú Hafs hizo un gesto cortante con la diestra.

—Estupideces. Tú te dejaste vencer por estos andalusíes mucho antes que nuestro hermano Yusuf. Y aun con todo tienes razón: no podemos atormentar a esa perra delante de su esposo, como a mí me gustaría. No es del gusto del califa. No desde que se rodea de esos insulsos filósofos de piel clara. Nada de crucificar en esta campaña. Nada de degollar infieles para saciar la tristeza de Dios. Vergüenza para nosotros, pues el único que ha sabido administrar la justicia del Único ha sido el Mochico, cuando decapitó a ese traidor de Quesada. Así pues, actuaremos según los deseos del príncipe de los creyentes. Ofreceremos el amán, por más que inmerecido. Nos ganaremos los corazones de estas gentes, ya que no podemos arrancárselos... Sin embargo, yo tengo el mando de esta expedición y tomo las decisiones.

»Acaban de llegar correos desde el sur: Los buenos musulmanes de Lorca se han rebelado, y la guarnición de mercenarios infieles no ha tenido más remedio que encerrarse en la alcazaba. En Almería, el traidor Ibn Miqdam ha sido muerto mientras dormía y los villanos reclaman nuestra presencia para someterse. Dividiremos nuestras fuerzas y yo iré a sitiar a los cristianos en Lorca. A continuación tomaré posesión de Almería.

—¿Dividirnos? Aquí está la llave del Sharq. Si Murcia cae, todo lo demás lo hará a continuación —repuso Utmán ante la expectativa de Zobeyda y los guardias negros—. ¿Vamos a hacer como en el pasado? ¿Abandonar el cerco al Lobo?

—El Lobo se muere. La información llega a raudales desde dentro de la ciudad, pues son muchos los que anhelan abrazar el Tawhid. Sí, ramera: tu esposo agoniza.

Zobeyda ahogó un quejido y Utmán, instintivamente, se interpuso entre ella y Abú Hafs.

—Has dicho que dividiremos nuestras fuerzas. Entonces yo permaneceré aquí. Dame licencia para negociar la rendición de Murcia. Todo esto puede acabar muy pronto, y el Sharq entero será almohade sin derramamiento de sangre.

—No. —Abú Hafs miró por sobre el hombro de Utmán y sus ojos inyectados en sangre horadaron la oscuridad para clavarse en el *niqab* de Zobeyda—. No será así de fácil y de dulce. No después de tanto tiempo de obstinada insumisión. —Estiró el brazo hacia Murcia y señaló la ciudad con el mismo dedo con el que solía apuntar a lo alto—. Quiero que el demonio Lobo vea cómo le arrebatamos todo.

Utmán suspiró hastiado y dejó caer los hombros.

—¿Qué debo hacer?

—Mañana mismo tomarás a tu parte de la hueste y arrasarás todo cuanto rodea a Murcia. Debes dejarlos envueltos en miseria y destrucción. Sin negociar. Ese tiempo no ha llegado aún. Después, junto con esta perra y su mezquino padre, viajarás al norte. A Alcira.

—¿Alcira? Hay fuerzas andalusíes allí. Rodeando la ciudad para devolverla a la obediencia de Murcia. Tendremos que luchar.

—No. Es el hermano del Lobo quien está allí, y el Mochico me asegura que Abú-l-Hachach ibn Mardánish es un pusilánime que rendirá las armas en cuanto vea aparecer nuestros estandartes. Cuando tengas Alcira y a Abú-l-Hachach, sigue tu marcha hacia el norte y reduce Valencia a la obediencia del Único. Usa a esta mujer, tal como aconsejó ese charlatán andalusí de Ibn Tufayl. Que vean en su presencia la misericordia del califa. —La mirada de Abú Hafs se dirigió una última vez a Zobeyda antes de dar la vuelta y desaparecer de nuevo en la oscuridad—. Vuestro sueño toca a su fin, perra. Bienvenida al sueño de Dios.

70

El defensor de Valencia

Dos semanas después. Sitio de Alcira

Las malas noticias volaron por todo el Sharq como bandada de cuervos. Visitaron cada rincón y doblegaron las últimas esperanzas de quienes aún pretendían resistirse al yugo que se cernía desde África. Incluso en los reinos católicos, fueron muchos los aldeanos que dirigieron su atención a los dominios de Mardánish. Parecía que justo durante aquel último suspiro del reino andalusí, los cristianos cobraran conciencia de que aquel muro que alguien había erigido entre ellos y los almohades caía. Se desmoronaba sin remedio, y dejaba paso franco a la oscura superstición que llegaba desde montañas y desiertos lejanos, situados mucho más allá de la imaginación de los confiados católicos.

La nueva política condescendiente de Abú Hafs, impuesta por el califa, obtuvo renta inmediata: los cuatrocientos mercenarios cristianos de Lorca, mandados por el caíd Ibn Isa, llegaron a un acuerdo y pudieron abandonar la alcazaba sin sufrir daño alguno. Abú Hafs, en un asomo de engañosa clemencia, dejó que el contingente enemigo pudiera llegar a refugiarse en Murcia. Quizás aquel refuerzo impulsara a Mardánish a presentar una resistencia aún más tenaz.

A continuación, el visir omnipotente tomó posesión de Lorca para el Tawhid, y después partió hacia Almería para hacer otro tanto. Un destacamento masmuda fue suficiente para, en una cabalgada sin incidentes, sumar Baza a las tierras que los almohades sustraían al Sharq. En muy pocos días, el sur del reino de Mardánish fue absorbido por la imparable marea africana. Y por el resto se extendió la nueva: los almohades perdonaban la vida y garantizaban la libertad de todo el que se sumase a la conversión. Sumisión en masa a cambio de misericordia. Sin represalias. Los ancianos de cada aldea, ansiosos por aprovechar el momento, se apostaban en las sendas para esperar la llegada de los hombres de piel oscura.

Por eso a Utmán, que encabezaba la columna en viaje hacia el norte junto a Zobeyda, dejó de sorprenderle bien pronto que los andalusíes le salieran al paso con presentes para los nuevos amos. Los habitantes de las alquerías, a la vista de aquella mujer velada, se postraban en medio del camino, elevaban alabanzas al Único y se rasgaban los ropajes como penitencia por haber aceptado el señorío de Mardánish. Elche se entregó al *sayyid* con una fiesta que este no tuvo tiempo de compartir, y Játiva entera se postró también a sus pies. Eran tantos quienes se sometían todos los días, que Utmán decidió dejar atrás cada aldea y cada ciudad, y llevar consigo a los hijos de los notables como garantía. Y eso a fin de no apostar guarnición, pues ello habría acabado con sus huestes antes siquiera de acercarse a Valencia.

Abú-l-Hachach, enterado de que uno de los hermanos del califa llegaba hasta él con intención de combatirle en Alcira, mantuvo la discreción y decidió correr al encuentro del *sayyid* acompañado por media docena de jinetes armados con arcos. Salió del campamento plantado junto al Júcar con estandarte negro y estrella plateada, pero lo cambió por una bandera blanca, el emblema de Yusuf, en cuanto dejó de estar a la vista de sus hombres. A continuación mandó por delante un heraldo para concertar una cita.

El encuentro tuvo lugar en una de aquellas alquerías, un sitio al que llamaban Carcagente, rodeado de algorfas, acequias y huertas, lo suficientemente feraz como para dar reserva a la asamblea. Utmán, flanqueado por dos guardias negros, aguardaba con pose altiva la llegada del gobernador de Valencia. Tras él, un par de jeques almohades, junto con Hamusk y Zobeyda, completaban la delegación africana. El resto de la hueste había quedado atrás, en el camino de Játiva a Alcira. Abú-l-Hachach detuvo su caballo, y uno de los arqueros se apresuró a desmontar para ayudar al gobernador de Valencia. Hamusk lo observó entre el alivio y la vergüenza. El solo hecho de que el hermano del rey Lobo se presentara allí con aquella bandera en lugar de aceptar batalla era muy revelador.

—Saludos, ilustre *sayyid* —dijo Abú-l-Hachach en cuanto hubo descendido de su montura. Utmán no ocultó la mirada burlona al hacer una breve inclinación de cabeza. El gobernador de Valencia se movía con torpeza, y sus pómulos surcados de venitas delataban su querencia por el vino de aquella tierra.

—Te saludo, Abú-l-Hachach. Saluda también a tu pariente, el señor de Jaén, y a su hija. —Utmán se hizo a un lado y señaló a Hamusk. Este sonrió al hermano del rey Lobo. Zobeyda, velada por el *niqab*, permanecía inmóvil.

—Ya no somos parientes, según tengo entendido. Pero saludo igualmente a ambos. —El gobernador de Valencia hablaba con voz temblorosa, y sus ojos pasaban con rapidez de Utmán a sus guardias negros. Se había quedado junto al caballo y su arquero, no muy alejado del resto de la escolta armada. El miedo se le veía caer a goterones por las sienes y perlaba su cuello—. Está en mi ánimo que esta reunión acabe con bien, ilustre *sayyid*.

—En el mío también. Por eso acepto tu sumisión y te recibo como a buen creyente en el seno del Tawhid.

Abú-l-Hachach miró a ambos lados, como si esperara encontrar a alguien escuchando entre los árboles frutales o escondido en las acequias. Se metió dos dedos entre las anillas del almófar y la piel y buscó holgura para su sofocado aliento.

—Es asunto delicado ese que comentas, ilustre *sayyid*. Soy el gobernador de Valencia por mandato de mi hermano y rey, Muhammad ibn Mardánish... No quisiera verme comprometido. Todo es tan... cambiante.

Utmán rio muy por lo bajo y miró a Hamusk. El gesto de este era el mismo que unos instantes antes de decapitar a sablazos al desgraciado caíd de Quesada. Luego volvió de nuevo la vista a Abú-l-Hachach. Aunque en sus rasgos se adivinaba el estrecho parentesco con el rey Lobo, estaba claro en cuál de los dos hermanos había vertido Dios el valor y la dignidad.

—Por orden expresa del príncipe de los creyentes —el *sayyid* habló con tono neutro—, debo concederte el amán. Y ahí —apuntó atrás, a Zobeyda— tienes la prueba de que respetamos el compromiso. La paz es tuya. Y la libertad, Abú-l-Hachach. Pero debes pedirlas, como es ley. Para otro caso, traigo conmigo a las huestes del islam, y muy a mi pesar las usaré.

El gobernador de Valencia tragó saliva e intentó otra vez desembarazarse del almófar. Sus labios trémulos dibujaron una sonrisa torpe.

—No, no, ilustre —reflexionó un momento antes de seguir, como si no estuviera seguro de lo que iba a decir a continuación—. No vengo a desafiarte, aunque bien sabe Dios, alabado sea, que... Bueno..., que estas acequias y estas arboledas... son nuestro terreno. En fin, que os costaría mucho... —Abú-l-Hachach luchó por revestirse de algo de valor, pero como no lo consiguió, lanzó un suspiro a modo de queja—. Ilustre *sayyid*, soy el hermano del rey. Temo que haya represalias. Ilustre *sayyid*...

—Ilustre *sayyid*, ilustre *sayyid*. —Utmán imitó el tono trágico del andalusí—. No seas estúpido. Si hubiera algo que debieras temer, por estas acequias no correría agua, sino sangre. Y tu cabeza colgaría de uno de esos árboles. Pero sigue haciéndome perder el tiempo, Abú-l-Hachach, y entonces sí tendrás algo que temer.

Hamusk rio tras Utmán, y el gobernador de Valencia ladeó la cabeza y observó al almohade con gesto sumiso.

—¿Puedo contar con inmunidad para mí y los míos?

—Ya te lo he dicho. Tu rodilla en tierra y tu sometimiento al Tawhid.

—Sí, sí, claro. —Abú-l-Hachach siguió de pie, con la mirada de súplica convirtiéndose en un mohín de adulación cómica—. ¿Y no puedo contar además con alguna prebenda? No estoy hecho a las estrecheces, ilustre *sayyid*...

Utmán entornó los ojos. Su experiencia con los andalusíes le había enseñado que la gente que habitaba aquella península era voluble y codiciosa, pero no necia. Lo que Abú-l-Hachach pretendía no podía ser otra cosa que...

—¿Negociar? ¿Es eso lo que quieres?

El andalusí asintió repetidamente. Luego se movió a un lado para buscar la sombra de una morera, e invitó al *sayyid* a apartarse con él. Utmán hizo un gesto a los dos recios Ábid al-Majzén para que no lo acompañaran y caminó despacio hacia donde estaba Abú-l-Hachach.

Dos días después. Valencia

Abú Amir recorría los pasillos del alcázar con rapidez. Como cada mañana, se acababa de levantar antes aún de que el sol se colara por los ventanales de levante, y al hacerlo pudo oír las órdenes a gritos que se daban los jóvenes guardias. Algo ocurría, y no podía ser bueno. Se topó con Marjanna, que ejercía como doncella principal de Zayda, y le señaló el lugar del que venía.

—Lleva a las princesas a mis aposentos. Son más seguros. Y deprisa.

La persa asintió y se perdió por uno de los corredores laterales. Por delante, las órdenes arreciaban y se oían pasos con resonar metálico. Al doblar una de las esquinas entre dos pasillos, Abú Amir vio a varios guerreros armados con espadas y tarjas. Venían hacia él a paso marcial, y escoltaban a una figura ancha a la que el consejero reconoció de inmediato.

—Abú-l-Hachach... ¿Qué haces aquí? ¿Qué pasa con Alcira?

El hermano de Mardánish ordenó detenerse a su escolta, apartó de un empujón a los guerreros que abrían la marcha y se enfrentó a Abú Amir con gesto hosco.

—Recobro mi puesto. Estás relevado, amigo mío. Gracias por tus servicios. Y ahora déjanos pasar.

Abú-l-Hachach hizo ademán de continuar, pero Abú Amir se deslizó medio paso a un lado para cruzarse en su camino.

—Fue tu hermano quien me ordenó hacerme cargo de Valencia, y será él quien me ordene retirarme.

—Por favor, Abú Amir, no te atrevas a desafiarme.

Al oír aquello, varios guerreros desenfundaron sus espadas, pero el mismo Abú-l-Hachach levantó la mano izquierda abierta para detenerlos. En su mirada se mezclaba el enfado con la súplica. El consejero del rey señaló una de las espadas desnudas de los guerreros.

—Más bien parece que eres tú quien desafía. Y no a mí, sino a tu hermano.

El gobernador de Valencia suavizó su gesto mientras sopesaba las palabras de Abú Amir. Cuando volvió a hablar, lo hizo con suavidad.

—No es momento de desunión, amigo mío. Mi hermano está en Murcia, y nosotros debemos solucionar aquí nuestros propios problemas. Para empezar, me pregunto qué ha sido de mis dos sobrinas. He pasado por la Zaydía antes de entrar en Valencia, y cuál ha sido mi sorpresa al encontrar el palacio vacío. ¿Dónde están las hijas del rey?

—Zayda y Safiyya están aquí. Conmigo. No consideré juicioso que permanecieran en la Zaydía, sin la protección de las murallas. No tal como están las cosas.

Abú-l-Hachach dejó escapar una fugaz mueca de disgusto que no pasó inadvertida a Abú Amir.

—Ah... Ya. Por supuesto... Muy bien hecho, amigo mío. Muy prudente. Qué gran desgracia sería que esas dos beldades cayeran en manos de... nuestros enemigos, ¿verdad?

—Alcira, Abú-l-Hachach. ¿Qué ha pasado con Alcira?

—Alcira, sí. Alcira está perdida, amigo. Los almohades se presentaron allí hace dos días con un ejército inmenso. No teníamos oportunidad alguna y ordené levantar el asedio. Ese traidor de al-Makzumí ya habrá rendido sumisión a algún *sayyid* africano.

Abú Amir cerró los puños. Alcira perdida. El Sharq cortado por la mitad, tal como había anunciado Hilal. Valencia aislada. ¿O era Murcia? Abú-l-Hachach remató la noticia fingiendo pesar:

—Hay algo más: Zobeyda acompaña a los almohades. Está sana y salva, Abú Amir. Han respetado su vida. A pesar de lo que hizo aquí hace veinte años... Las princesas deben saberlo.

—Sí. Deben saberlo.

—Játiva y Elche también han caído. Y Alicante, Denia, Orihuela... Sin lucha, por cierto. Todo el Sharq abraza el Tawhid, Abú Amir.

El consejero se venció a un lado y apoyó un hombro en la pared. Era de esperar. Jinetes valencianos habían interceptado a varios correos procedentes de Segorbe y Murbíter que cabalgaban hacia el sur para ofrecer también la sumisión a los almohades. En muy poco tiempo los africanos empezarían a instalar sus guarniciones en cada castillo y en cada ciudad. Todo se venía abajo por fin. Tal como tantos profetizaron. Tal como él mismo temió siempre.

—Yo no me someteré...

—Claro que no, Abú Amir. Por eso hay que organizar la defensa. Tienes licencia para permanecer aquí, en el alcázar, pero no debes estorbarme.

El consejero asintió, y Abú-l-Hachach dio a su escolta la orden de seguir camino. El hierro volvió a resonar al ritmo de los pasos y la comitiva marcial se dirigió al salón del trono. Abú Amir descansó la cabeza en la pared. Para él, todo se presentaba con suficiente claridad. Cerró los ojos, embargado por la pena. Pobres Zayda y Safiyya. La línea de sus destinos se quebraba ahora y tomaba una senda incierta. Y nada podía hacer por ellas. Ni por nadie más. Se lamentó por no poder contar con Adelagia. Ah, ella al menos estaba a salvo. Y qué lejos quedaban ahora los vanos presagios de aquella vieja bruja. Nuevas órdenes resonaban en los pasillos del alcázar y entraban por las ventanas. En muy poco tiempo, toda Valencia entraría en un estado de estupor al que seguiría el pánico. Cientos de hombres y mujeres querrían abandonar la ciudad con todo lo que pudieran acarrear, y los fanáticos aprovecharían para asegurar su influencia. Valencia se convertiría en un lugar muy peligroso. Sobre todo para la gente como él. Quiso sonreír, aunque la amargura no le dejó más que esbozar una mueca de resignación. Se acababa de sorprender deseando que los almohades llegaran ya a las puertas de Valencia. Así no debería desesperarse por su destino. Se irguió y pasó las manos sobre sus vestiduras para alisarlas, y caminó con paso digno hacia la armería del alcázar. Se burló de sí mismo. Necesitaba un arma; él, que siempre deseó que la muerte le sorprendiera en el lecho, en brazos de alguna muchacha y con el sabor del vino en la boca.

Día siguiente. Sitio de Valencia

Zobeyda no se esforzaba por reprimir las lágrimas. Y por primera vez en su vida, se alegraba de llevar el rostro cubierto, porque lo último que quería era dar a los almohades el placer de verla sufrir.

Había sido idea de Utmán llevarla hasta la cabeza de la comitiva. De seguro el *sayyid* pretendía que todos vieran lo misericordioso que podía llegar a ser el califa Yusuf. A su alrededor, los abanderados y los Ábid al-Majzén formaban la primera línea mientras los guerreros de las cabilas y los *rumat* se extendían por toda la llanura que circundaba la ciudad. Al igual que durante el viaje hasta allí, cientos de personas se apresuraban a rendir sumisión, y entregaban de buen grado las provisiones que el ejército almohade exigía a su paso. Eran los arrabales de Valencia los que rendían pleitesía ahora. Los trabajadores de la tierra alzaban sus aperos desde las puertas de sus chamizos y en los bordes de las huertas. Y pasada la Ruzafa, en la lejana playa y más allá, las velas desplegadas de los botes de pesca anunciaban a modo de banderas almohades la adhesión de los hombres del mar.

Hamusk flanqueaba a Zobeyda junto a los jeques de las cabilas. La observaba de reojo, sin poder evitar que pese a todo le inundara la vergüenza. Él conocía muy bien a su hija, y sabía lo que pasaba por su mente en aquel momento. Valencia era su joya. La favorita de la favorita. El lugar que siempre había despertado en ella las pasiones más encendidas. Era también la ciudad en la que vivían sus dos hijas.

—¿Estás seguro de que las respetarán?

La pregunta, susurrada, tampoco ocultaba el gran dolor que traspasaba a Zobeyda.

—Lo harán. —Hamusk sonreía a pesar de todo. No había que dar lugar a la desconfianza de los nuevos amos—. Utmán es hombre de palabra. Y además tú misma viste el interés que Zayda y Safiyya despiertan en el califa.

Ella se mordió el labio bajo el *niqab*. No quería pensar en el futuro de ellas. Dos princesas andalusíes en poder de los almohades... ¿Qué pretendían hacer con ellas? ¿Usarlas para forzar la rendición de Mardánish?

Un grupo de jinetes masmudas llegó desde poniente. Cabalgaban por la línea de asedio alrededor de la ciudad. El líder de la escuadra hizo serpentear a su caballo, lo detuvo frente al jefe de la guardia del Majzén y cambió algunas palabras con él. Zobeyda asistió a la escena, cuadriculada por la urdimbre de hilo del velo. El gigantesco guerrero negro se dirigió a Utmán y este asintió.

Los atabales sonaron a retaguardia y sobresaltaron a Zobeyda. Más guerreros de las tribus africanas los adelantaban para tomar posiciones, pero no se los veía tensos. Se sonreían y charlaban con buen ánimo, y los jinetes dejaban pastar a sus caballos. Aquello no parecía el preludio de un ataque, sino un simple paseo. Igual que había ocurrido en Alcira, cuando se abrieron las puertas de la ciudad y todo fueron saludos, parabienes y piadosa alegría. La voz de Utmán sacó a la mujer de sus pensamientos.

—Hamusk —el *sayyid* había dejado de llamar Mochico al señor de Jaén después de lo de Quesada—, mis fieles masmudas me avisan de que los palacetes junto al río han sido abandonados. No quedan ni los esclavos.

—Es lógico —murmuró el andalusí, aunque no en voz tan baja como para que Zobeyda no lo escuchara—. Mis nietas se habrán refugiado tras las murallas. Seguramente están en el alcázar.

Utmán frunció el ceño.

—En el alcázar...

—Protegidas por Abú-l-Hachach, por supuesto —completó Hamusk.

El *sayyid* cambió el gesto de desconfianza por otro de complacencia. Después dirigió la vista a la cara velada de Zobeyda.

—Sé que no me crees, pero no deseo que tus hijas sufran daño alguno.

Ella bajó la cabeza, y Utmán se volvió para seguir figurando en la vanguardia de la parada militar. Caminó orgulloso, sin quitar la vista de los torreones que salpicaban aquella formidable muralla. Sobre ellos ondeaban todavía estandartes negros, cada uno adornado con una estrella de plata de ocho puntas. Con la caída de Valencia, el cerco al demonio Lobo estaría completado. Levantó la barbilla y recibió los vítores de sus hombres. Luego desenfundó la espada y la levantó hacia el cielo. Había llegado el momento.

Valencia

Zayda y Safiyya lloraban, y junto a ellas, la doncella Marjanna. Las tres se abrazaban, y las hebras de sus cabellos se enredaban hasta confundirse, rubias unas y negras otras. Abú Amir pasó sus brazos sobre los hombros de las dos muchachas y sonrió. La persa le devolvió la sonrisa con resignación y se apartó de las jóvenes.

—No debéis temer nada. No creo que os hagan daño. Además, seguro que pronto podréis ver a vuestra madre. Es el momento de ser fuertes, vamos... Sois princesas de al-Ándalus.

Aquello hizo redoblar el llanto de Zayda. Abú Amir deshizo su abrazo y miró a un lado. Estaban en el patio de entrada al alcázar, separados aún del resto de la ciudad por las murallas interiores. Alrededor del consejero, la doncella y las dos muchachas, los hombres de la guardia y los mercenarios cristianos se mezclaban con los sirvientes, los esclavos y los funcionarios. Abú-l-Hachach y los soldados que le habían acompañado a Alcira estaban dentro, tal vez en el salón del trono. Fuera, las voces de los valencianos más exaltados recorrían la ciudad y saltaban los muros del alcázar. Se oían insultos al demonio Lobo y se pedía la cabeza de los cristianos que hubiera en Valencia. La población de la ciudad apenas alcanzaba la mitad de una semana atrás. Eran muchos los que, a la vista de las noticias, se habían marchado. Algunos al campo, con los parientes que se dedicaban a trabajar la tierra. Otros hacia poniente, a las apartadas ciudades de las tierras más enriscadas del reino, como Cuenca. Unos pocos incluso prefirieron, junto con los judíos de Valencia, huir al norte para acercarse a la nueva frontera con los territorios del rey de Aragón. Abú Amir resopló, fatigado por las últimas emociones. Aquel era el momento de los resentidos y los fanáticos. Pero en pocos días, Valencia se convertiría en un yermo triste por el que solo transitarían los favorecidos por el régimen africano. Eso le recordó la sublevación de veinte años atrás, cuando el traidor Ibn Silbán se hizo con la ciudad. Observó a las dos princesas sollozantes y las comparó con su madre, que en la época de la rebelión tenía más o menos la misma edad que ellas ahora. Zobeyda, audaz como una pantera, entrando en la ciudad de noche y dispuesta para el degüello... Cómo había cambiado todo. Cómo se había perdido la esperanza.

Abú-l-Hachach salió del edificio principal del alcázar con la tez rojiza y un notorio temblor en los labios. Sus guerreros de confianza lo escoltaban y prestaban especial atención a los mercenarios cristianos. Abú Amir se fijó en los hombres del gobernador: cada uno de ellos, junto con su lanza, empuñaba varias banderas blancas atadas. El palacio vomitó más y más de aquellos soldados, y fueron formando pasillo hacia la puerta principal del alcázar. El silencio del patio contrastaba con los rugidos entusiastas de fuera. En los adarves del muro interior, jóvenes guardias alternaban las miradas al exterior con otras al gobernador de Valencia. Abú-l-Hachach repartió órdenes en voz baja, y avanzó hasta llegar a la altura de Abú Amir y las dos princesas.

—No tiene sentido seguir con esta farsa —dijo el hermano del rey Lobo en voz baja—. Lo que está en juego ahora es nuestra vida. Y sobre todo, la de ellas. —Señaló a las dos muchachas. Abú Amir torció el gesto.

—Si las farsas no tienen sentido, no pretendas que crea que ellas son la razón de lo que vas a hacer.

Abú-l-Hachach miró al suelo. Inspiró despacio e intentó armarse del valor que necesitaba para dar a aquello una mínima apariencia de dignidad. Pero no pudo. Cuando volvió a levantar la vista, su rostro seguía inflamado de vergüenza.

—Está bien... Supongo que ya sabes que...

—Que negociaste todo esto antes, en Alcira. Pues claro.

El gobernador volvió la cabeza incómodo. Era evidente que allí, dentro del alcázar, no se sentía seguro.

—No me juzgues mal. —Su voz sonaba conciliadora—. Es cierto que está en juego nuestra vida, y tú sabes que enfrentarnos a ellos no serviría de nada. No he hecho esto solo por mí. También por los demás...

—Cuando llegaste ayer —cortó Abú Amir—, lo primero que hiciste fue buscar a las princesas. Se las habrías entregado, ¿verdad?

Abú-l-Hachach aferró al consejero por los hombros y lo apartó de las dos muchachas. Marjanna se apresuró a acogerlas en su regazo, pues las princesas seguían llorando, abrazadas y ajenas a cuanto sucedía a su alrededor. Abú Amir se dejó llevar por el gobernador de Valencia, y al separarse de las rubias hijas del rey se dio cuenta de la inmensa soledad que se cernía sobre ellas. Permanecían en el centro del patio, bajo las miradas de todos y con el único palio de la doncella persa. Ni los esclavos se atrevían a acercarse a Zayda y Safiyya. Parecían apestadas. Las hijas del Lobo, apretadas en su guarida y rodeadas de mastines que babeaban por hincar sus colmillos en los cuellos blancos y perfumados de aquellas delicadas mujeres.

—Utmán, el hermano del califa. —Abú-l-Hachach siguió con su tono confidencial—. Él fue quien me exigió su entrega. A cambio me garantizó que no habría represalias. Debe ser así, Abú Amir. Mis hombres ocuparán ahora los torreones, quitarán los estandartes de mi hermano e izarán las banderas blancas de los almohades, y luego yo saldré para entregar a las princesas. Nadie sufrirá daño, aunque, por supuesto, mañana empezarán las inquisiciones.

Pero no debes temer nada. Utmán sabe que, aun con las pocas huestes que tenemos, Valencia tardaría meses en caer. Por eso le pedí que permitiera salir a todo el que quisiera abandonar la ciudad. Eso incluye a los mercenarios cristianos. Y a ti, si lo deseas. No sufrirás daño. Ellos lo prometieron...

Abú Amir asentía con lentitud. Era posible que Abú-l-Hachach estuviera diciendo la verdad. Aunque, en caso contrario, las cosas no cambiaban mucho. Tomó aire, lo soltó con fuerza y miró al cielo. Siempre había imaginado que ese día se vería envuelto en nubes negras y tormentosas, pero no era así. Se acercó a las desamparadas princesas y, con la misma suavidad que si fueran sus hijas, las separó de Marjanna, acarició sus cabellos dorados y depositó sendos besos en sus frentes. Se volvió al gobernador. La voz le tembló.

—Lo único que te pido es que me permitas salir a mí el primero.

Abú-l-Hachach arrugó la nariz. No lo comprendía. Pero los gritos arreciaban fuera, y sus soldados se impacientaban. Varios se acercaban ya a las puertas del alcázar. Se empezaron a oír tambores distantes. Su sonido se ahogaba por los gritos desmedidos de quienes exigían ya la rendición al Tawhid, pero luego regresaban a oleadas desde todas partes. El gobernador de Valencia movió la cabeza una sola vez para dar su permiso a Abú Amir, y este lo agradeció con un gesto. Luego caminó con paso inseguro hacia las caballerizas. Mientras lo hacía, intentaba retener cada matiz del aire que aspiraba. Miró a las personas que abarrotaban el patio. Sonrió a las mujeres y saludó a los hombres con inclinaciones de cabeza. Pasó la mano por los cabellos castaños de una esclava, y ella respondió con un mohín de desconsuelo. Admiró la sencilla belleza del rostro femenino. La suave curva del mentón, los pómulos altos y los ojos color miel, que pronto serían cubiertos para no convertirse en fuente de pecado.

—*¿De qué es culpable el sol resplandeciente en la mañana, si quienes tienen floja la vista no aciertan a apreciarlo?*

La esclava forzó una sonrisa amarga sin llegar a comprender a qué venía aquel verso. Abú Amir tomó su mano y la besó con ternura. Lamentó no tener allí una copa de buen vino para brindar.

Sitio de Valencia

Estaban frente a la Bab Baytala, y ante ellos la muralla se curvaba sobre sí misma, como si la ironía le hiciera abrir sus brazos para acoger a los invasores. Las casas que formaban el arrabal, el pequeño cementerio y una solitaria torre albarrana flanqueaban el camino que llegaba desde el sur. Desde las ciudades ya sometidas. Los arqueros *rumat* ocupaban ahora la vanguardia, a un par de tiros de flecha de las construcciones más cercanas. Tras ellos, los jinetes masmudas aguardaban, subidos en sus caballos y con las azagayas apuntadas al cielo. Los atabales rugían, y cada tribu entonaba un canto ritual distinto. Una masa de campesinos indecisos se iba aproximando a la línea de asedio desde las alquerías. Con la excusa de llevar víveres al ejército invasor, se acercaban para asistir al espectáculo que tenía lugar allí.

Zobeyda seguía llorando. Era como si sus lágrimas no tuvieran fin. Permanecía junto a su padre, y ambos ocupaban un lugar de honor tras Utmán y los jeques de las cabilas, con las banderas desplegadas y ondeando al viento marino. Fue ese mismo viento el que removió el *niqab* y, por un instante, descubrió a sus ojos todo el esplendor de Valencia. Quiso gozar de aquellos últimos instantes de libertad para la ciudad. Como si en ellos pudiera concentrar todo su anhelo para luego poder beberlo a sorbos. Arrancó la prenda que tapaba su rostro y dejó que sus negros ojos se encontraran con las piedras viejas de la muralla. Nadie pareció reparar en su sacrilegio. Todos los almohades miraban al mismo lugar que ella, sobrecogidos por la hermosa estampa de Valencia, por el salvaje vergel que se extendía a su alrededor, por los aromas de jazmín y limón. Tal vez cada uno de aquellos bárbaros africanos se veía embargado por el mismo y extraño mal que, una generación tras otra, acababa por rendir el corazón de quien se atrevía a posar sus pies en al-Ándalus. No importaba el lugar del que se viniera: de una cordillera áspera, de un desierto inclemente o de un páramo helado. Valencia reunía todo aquello que solo Dios podía ofrecer al fiel. Aunque, también, todo lo que el diablo usaba para tentarlo.

Entonces alguien señaló a una sombra que se movía en el adarve, junto a uno de los estandartes negros en los que todavía flameaba la estrella de ocho puntas de los Banú Mardánish. La sombra se detuvo y los atabales redoblaron su toque. A lo largo de toda la muralla, más sombras ocuparon los torreones. En ese momento, uno de los pendones estrellados voló. Se separó de su mástil, y el viento lo arrastró hasta que, vencido por su peso, descendió y se perdió en el interior de la ciudad. Y en su lugar serpenteó una larga bandera blanca. Un sonoro vítor se alzó desde las filas masmudas, y las demás cabilas lo corearon. Uno a uno, los estandartes negros fueron desapareciendo, y más manchas blancas y ondulantes los sustituyeron. Toda la línea de cerco era ya un clamor. Las lanzas y las espadas se alzaban al aire y los gritos luchaban por acallar los tambores. Utmán se volvió y reparó en el rostro desenmascarado de Zobeyda. No le sorprendió verla así, despojada del *niqab*. El *sayyid* sonrió, y a ella no le pareció que aquella sonrisa guardara un ápice de burla. Era como si intentara transmitirle su alegría o consolarla por el llanto que anegaba sus ojos.

La Bab Baytala se abrió en ese momento. Sus hojas se movieron despacio, el silencio inundó poco a poco las filas africanas. Utmán dejó de mirar a Zobeyda. Aguardó unos instantes, volvió a levantar la espada y gritó algo en su lengua. La orden se repitió de escuadrón en escuadrón, los atabales dejaron de tocar. Se oyeron algunos relinchos, y el sonido de las olas viajó junto al mismo viento que movía las banderas almohades sobre las torres y las murallas de Valencia.

Un jinete solitario salió por la puerta abierta. Pasó junto a la torre albarrana, salvó la rambla y rebasó el pequeño arrabal, dejando atrás el murete del cementerio. Se detuvo un momento y, desde la distancia, observó las filas interminables de las cabilas. Zobeyda se alzó sobre las puntas de sus pies. El caballo que montaba aquel hombre solitario era un estupendo animal negro cuyas crines se mecían a la brisa. El hombre también vestía de negro, aunque no relucía hierro alguno sobre él. Entonces el jinete desenfundó una espada y apuntó con ella hacia la formación de banderas en la que se encontraban los líderes del ejército almohade. Utmán murmuró algo, y Hamusk miró con gesto de pasmo a su hija.

Con un grito seco, el jinete azuzó a su montura. El caballo negro se encabritó, corveteó unas varas y saltó hacia delante. En cuanto sus pezuñas tocaron el suelo, empezó una carrera rabiosa. El caballero apartaba los talones de los ijares del animal y luego los clavaba con fuerza, mientras su espada seguía apuntando a la línea almohade. Hubo gritos entre los africanos, y varios masmudas se adelantaron para proteger al *sayyid*. Sin embargo, el silencio seguía dominando las filas. En vanguardia, decenas de *rumat* descendieron al posar la rodilla en tierra, y las flechas abandonaron las aljabas.

—Es un loco... —Hamusk negaba con la cabeza—. Un suicida.

El caballo llegaba lanzado a toda velocidad. Zobeyda, ajena a cualquier tabú, se metió por entre dos jeques y apoyó la mano izquierda en el hombro de Utmán. El *sayyid* no se inmutó por el gesto. Sonaron varios chasquidos, y a continuación las astas de las flechas atravesaron el aire y dibujaron trazos oscuros que se alargaron hacia el jinete. El hombre sufrió una conmoción repentina. Y luego otra, y otra más. De pronto los proyectiles, que un momento antes estaban calados en los arcos de los *rumat*, sobresalían ahora del cuerpo del caballo negro. Alguien gritó una orden y media docena de masmudas espoleó a sus animales. Las adargas cayeron delante de los pechos y los guerreros se inclinaron, dispuestos para la carga. Frente a ellos, los arqueros saltaron a los lados.

El jinete suicida dejó caer la espada. El caballo negro resopló, y el aire salió de sus ollares mezclado con la sangre. Sus patas delanteras se doblaron y el hombre voló por encima de la cabeza del animal. Rebotó contra el suelo justo delante de los masmudas, y estos lo clavaron a la tierra con sus jabalinas. El solitario caballero no soltó ni un solo grito. Quedó inmóvil, con el cuerpo acribillado y tendido a pocas varas del caballo. El animal lanzó un último bufido y también murió.

Utmán se adelantó con la espada empuñada. Los masmudas hacían retroceder a sus caballos para apartarse del caballero muerto. Zobeyda vaciló un momento, pero luego siguió los pasos del *sayyid*. Antes de llegar, ella reconoció el cadáver. Sus rodillas flojearon y el llanto se le cortó, atravesándose en su garganta. Aquel aire húmedo de jazmín se negó a entrar en sus pulmones, y luego el dolor y la tristeza estallaron en un grito.

—¡Abú Amir!

Utmán miró atrás e interrogó con la mirada a Hamusk. Este ladeó la cabeza y encogió los hombros. Zobeyda cayó de rodillas y puso ambas manos en las mejillas de su viejo amigo. Se inclinó para que las frentes se tocaran, y recordó cuántas veces había advertido él que no, que jamás renunciaría a su libertad. Abú Amir, que nunca había empuñado las armas. Hamusk llegó junto al muerto y apoyó una mano en el cabello cubierto de su hija.

—Debes levantarte —ordenó en un susurro—. No es conveniente que llores así por él.

Zobeyda se tapó la boca. Abú Amir había muerto acribillado, y las astas de las flechas y las jabalinas sobresalían ensangrentadas de su cuerpo. Pero pese a todo, el rostro del poeta mostraba una serena sonrisa.

—Solo llevaba una espada... —balbuceó ella. Hamusk tiraba de uno de sus brazos para obligarla a levantarse, pero ella se negaba a dejarlo allí—, y ni siquiera sabía cómo usarla.

El señor de Jaén apretó los dientes. Él también observó el cuerpo atravesado de Abú Amir. Sin cota ni escudo, con aquel ligero ropaje negro, el andalusí se había lanzado directo a la muerte. Tal vez alguno de los exaltados almohades pensara que aquello era una muestra de martirio por Mardánish, pero él conocía bien al poeta. Por fin consiguió atraer a Zobeyda hacia sí y la abrazó para consolarla. Ella se venció, incapaz de soportar más sufrimiento. Entonces se produjo una nueva conmoción en el ejército, y los *rumat* recuperaron sus posiciones defensivas. Las órdenes volvieron a volar entre las filas, y los escudos se aprestaron, se empuñaron las lanzas y se ordenaron las cabilas. El soplo del viento y el crujir de las banderas se desvanecieron, sofocados por el chocar metálico y el traqueteo de las armas. Hamusk se preguntó si alguien más se arrojaría al suicidio tal como había hecho Abú Amir, pero la orden ronca de Utmán despejó sus dudas: el *sayyid* mandaba detenerse a las tropas.

Hamusk apartó a su hija de la marea humana y encontró su *niqab* junto a las banderas. Cubrió el rostro con ternura y miró a la Bab Baytala por entre las hileras de hargas y haskuras. Los valencianos abandonaban la ciudad en silencio, a pie y agitando los estandartes blancos del califa Yusuf. Cuando las primeras figuras surgieron de entre las casuchas del arrabal, el señor de Jaén vio que el cortejo de sumisión estaba encabezado por dos muchachas de cabello rubio.

71

El despertar

Finales del invierno de 1172. Murcia

El rey Lobo sonreía.

Porque su mente viajaba lejos de su cuerpo, salía del aposento de Zobeyda y trepaba a la torre más alta del alcázar. Y desde allí aspiraba el aire templado de Murcia y se sentía feliz por todo lo que poseía. Orgulloso, porque él, un tagrí curtido en las tierras del norte, veía ante sí el tesoro de que su propia audacia lo había provisto.

Y dejaba que la luz rojiza del atardecer le cegase, y que lo asaltaran los reflejos dorados de las cúpulas. Desde cada uno de los minaretes de Murcia, la felicidad y la prosperidad llegaban al vuelo para posarse sobre él. Torres esbeltas, estandartes altaneros, estrellas de plata. La blancura de las casas, mansiones y palacetes de los murcianos se extendía ante él. Y el aroma de cientos de limoneros escapaba de los patios junto con los pájaros que, en bandadas, sobrevolaban la ciudad para saciarse en los estanques y en las fuentes. El arrullo del río acompañaba al siseo de los cipreses al cimbrearse, y el olor del almizcle subía desde el harén. Belleza sin límite. Tañidos de laúd. Canto susurrante de una esclava en el rincón de una cámara. Y más allá, un vergel sin fin. Huertas cruzadas por serpientes de agua que reverberaban con aquella luz naranja filtrada por las nubes. Mil y una aldeas donde reinaban la felicidad y la prosperidad. *Al-yumn wa-l-iqbal.*

—Padre. Padre, despierta.

Mardánish abrió los ojos, amarillentos al igual que su piel. Sonrió a su hijo, y al hacerlo las venillas que surcaban su rostro se remarcaron bajo las arrugas. Hilal no devolvió la sonrisa al rey. Su gesto era preocupado. Ni siquiera se molestaba en disimular. Hacía semanas que Mardánish era poco más que un despojo, tendido en el lecho e incapaz de moverse. Sus pies, hinchados y amoratados, ya no le permitían andar. Tan solo se incorporaba para que los sirvientes limpiaran las pequeñas hemorragias, o para que cambiaran las sábanas, manchadas por los restos negros que destilaba el rey. Varios pebeteros humeaban en los rincones, y las celosías permanecían develadas para que el aire circulara libre y el hedor no se estancase.

—¿Qué ocurre?

—Los esclavos te lavarán, te perfumarán y te vestirán. ¿Te ves con fuerzas?

Mardánish asintió. No era capaz de comprender lo que Hilal le decía, pero aquel día no sentía dolor ni náuseas. Solo un agradable vértigo que lo sumía en un baño de sopor.

El muchacho salió del aposento e hizo un gesto a los esclavos para que pasaran. Caminó por los pasillos del harén y desembocó al patio. De la fuente ya no manaba agua, y los canalillos estaban llenos de un líquido pardo en el que flotaban las hojas muertas desde el principio del otoño. Hilal se apoyó en una de las columnas y observó a sus hermanos varones, reunidos en lo que antaño fuera hermoso jardín. En silencio, todos esperaban que el heredero los informara del motivo de la reunión.

—Os he mandado llamar porque el momento se acerca. Ha venido una persona a visitar a nuestro padre. Una persona que trae una propuesta.

Gánim se adelantó un paso.

—¿Quién es?

—Mi madre.

Los Banú Mardánish se miraron entre sí y guardaron silencio. Todos menos Gánim; él asintió con lentitud.

—Zobeyda trae una propuesta, entonces.

—De parte del califa Yusuf —completó Hilal.

Se oyó un chirrido apagado que venía de fuera. A veces ocurría, cuando los destartalados molinos que flotaban sobre el Segura encallaban cerca del alcázar. Podían estar toda la noche girando y rechinando, como una burla sobre la ciudad que había acumulado todo el poder del Sharq al-Ándalus durante más de veinte años.

Porque todo ese poder era un recuerdo. Aquellos molinos desvencijados habían dejado de funcionar cuando, el año anterior, el ejército almohade arrasó cada huerta, cada alquería, cada pequeña aldea. Y taló cada árbol e incendió cada cosecha. No había nada que regar, las norias yacían destrozadas y las acequias solo llevaban ahora agua sucia. Murcia era una yerma extensión que nada tenía que ver con los ensueños del rey Lobo. Una ciudad triste y casi vacía, rodeada de soledad y desesperanza.

Los almohades se habían retirado después de reducir todo a cenizas. Durante el verano y parte del otoño, se dedicaron a completar las guarniciones de las ciudades conquistadas. Habían cumplido su palabra, las vidas de los que se sometieron fueron respetadas. Luego, eso sí, llegaron las inquisiciones. Los pocos judíos que quedaban en el Sharq fueron obligados a convertirse o a marcharse. En cuanto a los cristianos, todos huyeron hacia Castilla o Navarra, acompañando a los mercenarios rendidos. O viajaron a Aragón, donde el joven rey Alfonso necesitaba pobladores para sus nuevas villas de frontera. Varios escogieron Albarracín como hogar y a Pedro de Azagra como señor; bajo su amistosa presencia, decían, se sentirían como en casa.

Nadie sabía por qué el *sayyid* Abú Hafs, después de conquistar todo el Sharq con ayuda de su hermanastro Utmán, había abandonado la campaña sin tomar Murcia. Algunos decían que pretendía convencer al califa de que la capital del reino rebelde debía ser tratada de forma diferente a Lorca, Elche o Valencia, y ser reducida a escombros. Otros opinaban que, simplemente, los almohades daban ya por derrotado al rey Lobo y no consideraban que valiera la pena malgastar esfuerzos en combatirlo. Había incluso quien afirmaba que aquello era el desprecio final: una forma de decir a Mardánish que, tras conquistar todo su reino, lo dejaban solo para que se pudriese en la desesperación. Todos, pensaran lo que pensasen, sabían que el rey Lobo agonizaba.

Gánim se volvió hacia sus hermanos y, después de examinar sus rostros, habló de nuevo al heredero.

—Sabemos qué mensaje traerá Zobeyda. Pero no sabemos cómo reaccionará nuestro padre. ¿Y si pretende seguir con su resistencia?

Hilal torció la boca cuando el molino volvió a chirriar en la orilla del Segura. Miró al resto de la progenie de Mardánish. La manada por la que el Lobo había resistido en su guarida.

—Ninguno de vosotros visita al rey. No os he visto aparecer por aquí en semanas.

Los príncipes guardaron silencio. Todos, menos Gánim, bajaron las miradas. Era cierto: ninguno asomaba por el alcázar. Cada uno de ellos, incluso los que aún eran niños, poseía palacetes en Murcia, y allí aguardaban el desenlace de aquella historia, rodeados del poco lujo que aún se podía acaparar. Acabando con las provisiones que los huidos habían dejado en sus hogares. Saboreando los últimos bocados del sueño que estuvo a punto de cumplirse.

—No es hora de reproches —dijo Gánim—. Sabemos que nuestro padre está postrado y no es capaz de empuñar la espada. Casi no quedan soldados, y los pocos que hay tienen suficiente con proteger al rey. Un grupo de pastores sería capaz de tomar Murcia si se lo propusiera.

—Entonces no sé a qué vienen vuestras dudas —le cortó Hilal—. Todo el Sharq es almohade, y Murcia lo será también dentro de poco.

El heredero vio gestos de alivio y también de pesar entre sus hermanos. Nada de eso era una sorpresa.

—¿Qué será de nosotros? —Gánim movió una mano en círculo para abarcar el patio, las yeserías policromas, las fajas epigrafiadas, las balconadas...—. ¿Qué será de todo esto?

—No temas. Sé que nuestras hermanas viven bien en Sevilla, junto con Zobeyda. Y nuestro abuelo también ha sido respetado. Abú-l-Hachach mantiene privilegios en Valencia... Casi no tengo dudas: no se tomarán represalias.

—¿Casi? —Gánim entornó un ojo.

—Por eso os he llamado. Quiero que permanezcáis aquí, en el alcázar. Por lo que pueda pasar; y para que, hagamos lo que hagamos, lo hagamos juntos.

Los hermanos se miraron entre sí. Gánim asintió, y su conformidad arrastró la de los demás. Se dispersaron en silencio y dejaron a Hilal en el patio. El muchacho observó que el cielo pasaba del gris al negro. Era hora de que Zobeyda volviera a reunirse con Mardánish.

Hilal hacía avanzar a su caballo por las calles desiertas y, por delante, cuatro jinetes de su confianza se aseguraban de que el trayecto hasta el alcázar estuviera vacío, como era habitual en aquellos días. Los murcianos vivían encerrados en sus hogares, ajenos a cuanto ocurría fuera. A la espera, como desde hacía meses, de que se cumpliese lo que debía cumplirse. Muchas casas tenían sus puertas atrancadas, o bien los batientes se movían despacio al soplo de la brisa. Dentro, habitaciones abandonadas servían como refugio a las ratas y a los perros vagabundos que ahora paseaban a sus anchas por la ciudad. El sol se había puesto hacía rato, y con él y con las llamadas a la oración, Murcia parecía enterrarse en vida.

Zobeyda montaba en una yegua que un sirviente, a pie, guiaba por las riendas. La mujer había cambiado el agobiante *niqab* por un *litam* casi transparente desde que, con su exigua comitiva, se aproximó a la ciudad desde el cercano campamento almohade en Orihuela. Se restregó la cara para limpiarse las lágrimas. En otro tiempo, aquellas calles habrían estado repletas de gente. El eco de los gritos y aplausos habría inundado las plazas, y los pétalos de rosa habrían volado desde ventanas y celosías. En otro tiempo, los hombres se reunían para charlar y reír en las muchas tabernas, y los palanquines se apretujaban a la puerta de cada *hammam*. En otro tiempo se habría escuchado la música saliendo de los jardines, y los regateos brotando desde alfares, tiendas de seda, cuchillerías y fraguas. En otro tiempo.

Hilal no se volvió al oír llorar a su madre. Siguió avanzando, sabedor de lo que pasaba por la mente de quien, en realidad, había sido la artífice del sueño que ahora yacía muerto en aquellas mismas calles. Antes de llegar a las inmediaciones del alcázar, la escolta aconsejó al príncipe desviarse. Tomaron así por una calleja para evitar la puerta de la mezquita aljama, donde, como siempre, estarían reunidos los levantiscos partidarios del Tawhid. No era prudente toparse con ellos, pues nadie sabía cómo reaccionarían a la vista de Zobeyda.

Dos silenciosos y jovencísimos guardias abrieron las puertas del alcázar. Zobeyda redobló su llanto al ver el descuidado aspecto del patio. Las caballerizas, ocupadas por unos pocos animales, despedían un olor rancio, y el estiércol se acumulaba donde otrora hubo bien cortados arrayanes y los rosales y la hiedra se disputaron la posesión de cada muro. Hilal desmontó y ayudó a su madre. Ella no era capaz de hablar. Miraba a su alrededor y trataba de encontrar el lugar que su recuerdo mantenía vivo. Se adentró en el palacio y el eco de las pisadas de Hilal terminó de sumirla en aquella agobiante sensación de soledad. Años atrás, esos corredores eran hervideros de criados, esclavos y funcionarios; y en las salas que flanqueaban cada pasillo se decidía antaño el futuro de un reino que hacía palidecer por su riqueza a los orgullosos estados cristianos del norte. Ahora las estancias estaban vacías y nadie se ocupaba de mantener las cuentas del tesoro. No se presentaban los recaudadores con los cofres de los impuestos, ni los jefes de las guarniciones esperaban, con sus lorigas relucientes, para informar de las novedades en las fronteras. No había embajadores, ni correos, ni cónsules, ni mercaderes. Un solo esclavo cruzó al fondo de un pasillo, encogido sobre sí mismo y acarreando un fardo de ropa sucia.

—¿Cómo fue lo de Abú Amir?

Zobeyda se sobresaltó al oír la voz de su hijo. El heredero se detuvo mientras aguardaba la respuesta, justo en la salida al jardín del harén. Ella observó decepcionada la fuente vacía y volvió a pasarse una mano por la cara para limpiarse las lágrimas.

—Cargó en solitario contra todo el ejército almohade. Lo acribillaron a flechazos.

Hilal sonrió.

—Irónico —murmuró. El hombre que más odiaba la guerra y que más amaba los placeres de la vida, caído como un héroe en la batalla. Y mientras, él o su padre, educados como tagríes, seguían vivos. Aguardando la humillante rendición.

—Nunca se habría sometido —explicó ella—. Y tampoco habría podido vivir en ninguna otra parte.

Hilal asintió y anduvo por el pasillo que, bajo la arcada de herradura, flanqueaba el patio. Zobeyda también reanudó el camino tras él.

—El rey de Castilla ha reforzado las fronteras. —El joven pasó los dedos con descuido por una de las yeserías—. Los freires de Calatrava y los de Santiago se acuartelan para esperar. Saben que ahora les toca a ellos.

—Ahora se dan cuenta. —Zobeyda no disimuló el odio que revestía sus palabras—. No existe la justicia. De existir, no quedaría ni un solo reino cristiano en pie. Todos caerían bajo la espada del califa Yusuf.

Hilal se volvió.

—El tiempo que has pasado junto a los almohades ha sido de provecho, por lo que veo.

Ella curvó la boca en un gesto de aflicción. Miró a los ojos a su hijo y luego continuó sola, dejando a Hilal atrás. Antes de entrar a los que en el pasado fueran sus aposentos, se detuvo.

—Yo no soy como Abú Amir, hijo mío. Ni tú, me temo. Seguiremos viviendo, sea como reyes o como siervos. Y no tengo razones para sentirme culpable.

—Perdóname, madre, no quería decir...

Zobeyda levantó una mano para frenar la disculpa de Hilal.

—Sé lo que querías decir. Desde que eras un niño hemos estado en guerra contra los almohades. Guerra perpetua, decía tu padre. Y durante todo ese tiempo, nuestros queridos amigos cristianos se limitaron a mirar. Mientras el Sharq se desangraba en primera fila, siempre en el combate. Todos nos cerraron sus puertas. Incluso se permitieron insultarnos. Y despreciarnos. Unos nos daban largas y otros nos cobraban parias. Tu padre se volvió loco de rabia, y no fue por los escuadrones de africanos que una y otra vez cargaban contra nosotros. Fue por la indiferencia y la mezquindad de los cristianos. Merecen que el Tawhid los arrase. Que los borre para siempre.

Hilal escuchaba con los ojos brillantes. Movió la cabeza despacio para dar la razón a su madre. Luego apuntó con la barbilla al corredor que penetraba en los aposentos privados de la favorita.

—Él está ahí. Quizá no te reconozca. A veces no reconoce a nadie. Pero aún es el rey.

Zobeyda asintió y se perdió en la penumbra del que tiempo atrás fuera su hogar. A la izquierda, los aposentos vacíos de sus doncellas avivaron el desgarro de su corazón. Anduvo despacio, anhelante por apurar cada momento, porque sabía que aquella era la última vez. Muy pronto llegarían los almohades y borrarían todo rastro. Todo recuerdo. No quedarían los ecos de la música de Adelagia, ni de las conversaciones apagadas entre Marjanna y Zeynab. Nada de los rezos ancestrales ni de los siseos de las serpientes de Sauda. Los tapices serían arrancados, y las paredes, cubiertas de yeso para esconder las impías tallas policromas. Los artesonados serían rascados, las estatuas, trituradas, y se prohibiría la música. Ni la memoria quedaría de los suspiros que recorrieron aquel pasadizo. Todo sería enterrado por el tiempo.

Llegó ante la puerta abierta de la cámara principal del harén. La de la favorita. Dentro, dos esclavos se inclinaron y extendieron la mano hacia el extremo más oscuro. Zobeyda arrugó la nariz por el fuerte olor del almizcle que aún humeaba en los cuatro pebeteros recién apagados. El humo flotaba en jirones azules que, iluminados por el resplandor débil que llegaba desde fuera, se deslizaban por el techo. Mientras acostumbraba la vista a la oscuridad, oyó la respiración pausada.

—Mi señor. —La voz se le quebró, así que tomó aire y cerró los ojos con fuerza. Intentó dejar aparte todas las emociones que contenía aquella habitación y que serpenteaban, como antaño, por entre sus cabellos y bajo su ropa.

—¿Quién eres?

Zobeyda se tragó la pena y la sombra delante de ella se removió con un soplo chirriante.

—Mi señor, soy yo. Tu esposa. Tu favorita.

Mardánish guardó silencio. Detrás de Zobeyda, los dos esclavos se retiraron y dejaron la puerta abierta. Las últimas volutas azules se deslizaban hacia fuera, y un olor se abría paso por entre las rendijas del aroma almizclado. Algo insano, supurante y corrupto. Ella decidió insistir.

—Me han permitido venir tras suplicar al califa Yusuf una y otra vez. Estoy aquí para rogarte que todo esto acabe, mi señor.

—Zobeyda... —susurró él con tono apagado.

—Cede, mi amor. Entrega lo que queda de tu reino. Salva las vidas de tus hijos. El califa se compromete a tratarlos como a parientes. Les dispensará los mayores honores, y no habrá castigo para nadie.

Notó un breve cambio en el aire. Apenas el resto de un jirón de almizcle que se removía de pronto, como agitado por una corriente oculta. En la casi completa oscuridad, supo que Mardánish se hallaba más cerca de lo que indicaba su voz rota. Obedeció a su instinto y alargó la mano hasta encontrar la del rey Lobo, entrelazó sus dedos despacio. Las lágrimas rodaban ahora furiosas. Le pareció ver brillar los ojos claros de su amor en la oscuridad. O tal vez fue solo la imaginación.

—¿Han florecido ya los gladiolos? Desde aquí no veo los arriates del jardín. Es la época, ¿no?

Ella redobló su llanto y apretó la mano del rey.

—Sí. Están muy hermosos, amor mío.

—Bien... Sabes que me gusta que te adornes con ellos. ¿Lo harás?

—Lo haré. ¿Qué respuesta...? ¿Qué debo decirle al califa?

Él intentó carraspear, pero lo que le salió fue una tos burbujeante. Retiró sus dedos de entre los de Zobeyda mientras aquel hedor oculto iba haciéndose más notorio. Ella dio un paso atrás, y cuando el nudo en la garganta apenas la dejaba respirar, retrocedió un segundo paso.

—Di al califa que yo jamás me someteré. Pero pídele que respete su palabra. Que mis faltas no las paguen mis hijos —pidió Mardánish con aquella voz rota—. Y no olvides los gladiolos.

Zobeyda gimió al romper la barrera de angustia. Quería quedarse. Pedir a gritos que alguien alumbrase a su esposo para poder mirar a sus ojos. Pero tenía miedo. A perder la imagen que subsistía en su recuerdo, y que la llevaba a un tiempo en el que todo en al-Ándalus era hermoso, y la música era alegre y el vino, fresco. Y aunque el resto de su existencia debiera pasarla oculta tras un velo y encerrada en un cuartucho de paredes desnudas, en su mente conservaría viva la memoria de su reino. Por eso corrió, y sus pies descalzos pisaron por última vez el suelo de su palacio y la hierba húmeda del jardín. Y dejó atrás el reguero de lágrimas cuando pasó junto a su hijo y atravesó los pasillos vacíos. No quiso mirar atrás, ni despedirse de nadie, ni recoger esos gladiolos que florecían, ni detenerse hasta que, montada de nuevo en su yegua, abandonó las calles vacías de Murcia.

72

Este lado y el otro lado

Primavera de 1172. Murcia

Mardánish abrió los ojos y todo apareció claro. Reconoció el techo de la estancia en la que tantas veces había disfrutado de su amor. No recordaba cuándo había sido la última vez que había mirado así, con los ojos de su cuerpo. O sí. La recordaba a ella, venida desde las sombras. Zobeyda había acudido a visitarle una última vez. Eso era. Quizás había vuelto desde sus pesadillas para arreglar ese pequeño asunto.

Giró la cabeza y vio a Hilal. Su heredero dormitaba sobre un escabel y con la espalda apoyada en la pared. No había nadie más. ¿Solo el príncipe velaba la postración del rey?

—Estaba soñando.

El príncipe andalusí se sobresaltó y escapó del duermevela. Entornó los ojos y se levantó del escabel.

—¿Cómo dices, padre?

—Soñaba que vivíamos en un lugar maravilloso. —La voz de Mardánish sonaba serena, como si hasta la misma enfermedad hubiera sido una simple pesadilla—. Un país lleno de riquezas, donde todo el mundo era feliz. No había preocupaciones, y dedicábamos el tiempo a disfrutar de la vida.

—Ah, ya. —Hilal pareció decepcionado. Se dejó caer de nuevo en el escabel y se desperezó.

—Pero todo se estropeó. Estábamos tan contentos con nuestro propio bienestar, que no vimos llegar la oscuridad. ¿Te lo imaginas?

—Me hago una idea.

Mardánish asintió, aunque Hilal ni siquiera le atendía. Giró la cabeza al otro lado y vio los pebeteros apagados. Un mareo súbito le obligó a cerrar los ojos. Otra vez esa oscuridad. Pero entonces ¿era o no era un sueño? Una pesadilla, tal vez.

—Llama a tus hermanos.

El príncipe del Sharq al-Ándalus se volvió a levantar. Era la primera vez en días que su padre no deliraba. Le acababa de dar una orden clara. Hilal corrió por los pasillos mientras Mardánish se esforzaba por detener su mente en aquella laguna de cordura. Sentía que si se dejaba arrastrar, jamás regresaría de la oscuridad que se acercaba desde el sur.

Varios criados se presentaron en la estancia. Seguramente Hilal los había obligado a acudir. Venían con paños húmedos que aplicaron a la frente y las manos del rey, y con odres de agua fresca que inclinaron cuidadosamente sobre sus labios. Mardánish, aplastado sobre las sábanas, se dejó hacer mientras clavaba las uñas en el lecho, temeroso de que en cualquier momento la tierra se abriera y él mismo se precipitara en un abismo de olvido. Gánim fue el primero en llegar, después lo hicieron Azzobair, Beder, Azcam y los demás. Todos, según las órdenes del primogénito, residían esos días en el alcázar a la espera de lo inevitable. El rey Lobo observó a cada uno de ellos y frunció el ceño. Alguien faltaba. Hilal entró a toda prisa y sus hermanos abrieron el círculo formado alrededor del lecho. El príncipe depositó sobre su padre la piel negra del lobo muerto hacía años. Ya estaban todos, y sin embargo, Mardánish continuaba con su expresión extrañada.

—¿Dónde está Alfonso?

Los hijos del rey se miraron. Gánim se encogió de hombros.

—¿Qué Alfonso, padre? —preguntó Hilal.

—Alfonso de Castilla. ¿No ha venido?

Hubo un unánime suspiro de desconsuelo. Por un momento había parecido que Mardánish hubiera asomado desde la demencia, pero había sido un espejismo.

—Alfonso de Castilla no vino jamás, padre. —Hilal amagó un ademán para indicar a sus hermanos que podían retirarse.

—Exacto. Jamás vino. Ni él, ni ningún otro rey cristiano. Y eso debe serviros de enseñanza.

Gánim, que ya emprendía el camino para salir de la cámara, se detuvo. La expresión de Hilal había cambiado. Un nuevo aviso silencioso sirvió a los demás para mantenerse a la espera.

—¿Qué quieres decir, padre?

—Ni el rey de Castilla, ni el de Navarra. Tal vez el joven rey de Aragón venga. Él sí. A rapiñar los despojos del Sharq. Esos son los que se dijeron amigos, aliados y protectores nuestros.

Gánim resopló antes de hablar:

—Ya sabemos esa historia. Desde que éramos niños...

—Deja que nuestro padre continúe —pidió Hilal.

—No sé... —murmuró Mardánish— si Zobeyda estuvo aquí o no. ¿Vino a visitarme?

—Vino. Hace apenas una semana.

—Bien. —El rey acarició la piel negra que cubría las sábanas. Su voz perdía fuerza por instantes—. Entonces no fue un sueño. Y entonces, también, podréis acogeros a la misericordia del califa.

Los hermanos intercambiaron una nueva mirada. Hilal se inclinó sobre Mardánish.

—¿Qué ordenas, padre?

El rey Lobo cerró los ojos con fuerza y sus labios temblaron. De haber tenido fuerzas, se habría encogido de dolor. Siseó antes de volver a hablar:

—Él no os podrá culpar... de nada. Fui yo, solo yo, quien se negó a someterse. Quemaréis esta piel negra... ¿Lo haréis?

—Sí, padre. —Hilal tomó la mano del rey, huesuda y aferrada al pellejo del viejo lobo.

—Iréis hasta el califa y le ofreceréis vuestra obediencia. Juradlo.

Un nuevo silencio. Las palabras de Mardánish no eran ya ni un susurro. Su mano apretó la de Hilal.

—Lo juro —respondió el príncipe.

Un gemido de sufrimiento. Gánim alargó los dedos hasta rozar el dorso de la mano del rey. Una mirada de Hilal le animó a unirse al agarre. Uno a uno, los lobeznos se sumaron a la ceremonia.

—Lo juro.

—Yo también. Lo juro.

Las voces apagadas se turnaron, y solo cuando la última hubo asentado su juramento, la mano del rey Lobo se relajó. Poco a poco. El rictus también se volvió suave, y las comisuras de los labios se curvaron levemente hacia arriba. Fuera, un solitario muecín llamó a la oración del atardecer. Hilal se separó del lecho. No lloró. No podía permitírselo.

Un mes después. Sevilla

Con la primavera bien entrada en Sevilla, Hilal ibn Mardánish, a la cabeza de su casa y de sus hermanos, se presentó para rendir su estandarte ante el poder almohade.

Se recibió a los Banú Mardánish como nobles del más alto rango. Fueron dos los hermanos del califa los que hicieron los honores, y se los alojó en el alcázar del antiguo rey al-Mutamid. Al día siguiente, en ese mismo palacio, se hizo su presentación oficial ante el califa Yusuf. Hilal, con la espada enfundada en su mano derecha, posó la rodilla en el suelo del salón principal y humilló la cabeza ante el príncipe de los creyentes. Este se levantó de su sitial elevado y, como si el heredero del Sharq fuera uno de sus hermanos, descendió los dos escalones que separaban el estrado califal del nivel de los demás mortales. Y allí abrazó al sucesor del Lobo.

—En verdad puedo decir —Yusuf miró a su alrededor y fijó la vista en cada uno de los hijos de Mardánish— que este es el día más feliz de los que he vivido en esta tierra, sagrada para el islam, que es al-Ándalus. Ahora, el poder de los siervos de Dios es tan grande que los infieles tiemblan desde sus oscuros reinos. —Con las manos posadas en los hombros de Hilal, mantuvo la mirada clara de este—. Tú y tus hermanos formaréis parte de mi más alto consejo, y de inmediato sellaremos esta amistad eterna.

Ibn Tufayl dio un par de palmadas y se produjo un pequeño revuelo en uno de los lados del salón. Los familiares del califa, entre los que estaban Abú Hafs y Utmán, asistían curiosos al espectáculo preparado por Yusuf. Aunque más bien, ellos lo sabían, habría que decir que había sido el andalusí Ibn Tufayl el artífice de aquella farsa. El hermanamiento final entre bereberes y andalusíes para celebrar el triunfo de Dios.

El heredero del califa, Yaqub, hizo entonces su aparición escoltado por dos Ábid al-Majzén. Yaqub tenía doce años, y su porte era el de un joven guerrero del Atlas. A todos extrañaba que alguien como Yusuf hubiera podido engendrar a un hijo así. En los chismes de mentidero, alguno que otro se atrevía a asegurar que era la sangre andalusí de su madre la que dominaba en el carácter del futuro califa almohade. Tras Yaqub y sus guardias negros llegaba Zobeyda, cubierta de pies a cabeza. Y a ambos lados de ella, Zayda y Safiyya, las dos con los cabellos velados pero con los rostros al desnudo, seguidas de cerca por Marjanna. Yusuf esperó a Yaqub junto a Hilal, y padre e hijo subieron al estrado. Zobeyda caminó hacia un rincón, dispuesta a sumirse en la sombra del anonimato, y sus hijas tomaron posición tras los varones de la familia. Ibn Tufayl se separó disimuladamente del círculo de consejeros y se aproximó a Zobeyda, mientras las dos rubias hijas de Mardánish se tragaban las ganas de abrazar a Hilal y al resto de sus hermanos. Ambas se apretujaban contra la persa Marjanna como si fueran niñas que buscaran el abrigo de su aya.

—Cuánto dolor nos podríamos haber ahorrado si esto hubiera ocurrido hace años —susurró el filósofo. Zobeyda movió la cabeza para poder mirarlo desde el encierro de sus ojos.

—Cuánto dolor, sí. Y cuánta libertad.

Ibn Tufayl apenas estiró los extremos de sus labios. Sobre el estrado, el califa ocupaba de nuevo su sitial y el heredero Yaqub permanecía en pie, con sus ojos negros clavados en Hilal.

—Es mi deseo —el califa abrió las manos a ambos lados— que la feliz sumisión del Sharq sea consagrada. Esta unión perdurará, y será el camino que nos llevará a recuperar lo que jamás debió salir del seno del islam. Debéis saber todos que me propongo empezar de inmediato una campaña contra los infieles de Castilla. Y nuestros nuevos amigos andalusíes nos acompañarán en la senda de la fe y de la entrega al Único. No solo eso. —Estiró una mano, a modo de ofrecimiento, hacia el sucesor de Mardánish—. Yo cedo a nuestro invitado el honor de escoger el lugar. Dinos, Hilal: ¿hacia dónde debemos dirigir los escuadrones de Dios? ¿Marcharemos contra Calatrava? ¿Alcaraz? ¿Toledo, quizás?

Hilal miró a su alrededor. Altos funcionarios del Majzén, alfaquíes de largas barbas, ulemas con velos en la cabeza, jeques de piel oscura y ojos feroces, funcionarios que anotaban cada palabra, guardias negros que aferraban lanzas enormes... Todos guardaban silencio a la espera de su respuesta. El último con cuya vista se cruzó fue Utmán. Entornó los ojos. Y lo recordó, luchando a muerte contra su padre en Fahs al-Yallab. Utmán sonrió, y una oleada de vergüenza asaltó a Hilal. Su mirada se clavó en el suelo ante él, y durante unos instantes masticó la amargura. Cuando pudo engullirla, el joven carraspeó y después habló con timidez.

—La fiel Cuenca ha quedado aislada, príncipe de los creyentes... Tus fuerzas no han llegado allá, según creo.

—Así es, Hilal.

—El rey... Mi padre dio tierras a muchos cristianos en sus alrededores, y cerca tienen también Huete, desde donde podrían atacar Cuenca. Y si Cuenca cae, el camino hacia el Sharq estará servido para el rey de Castilla. Huete es plaza fácil. Apenas defendida por unos cuantos hombres y una triste muralla.

Yusuf asintió y reclamó con un gesto a sus consejeros de guerra. Varios de los jeques se aproximaron y hablaron al oído del califa. Abú Hafs también se acercó y rodeó al grupo que debatía en voz baja la propuesta de Hilal. Cuando todos hubieron acabado, el visir de ojos sanguinolentos se inclinó despacio, acercando su boca al oído de Yusuf. Habló sin apartar la mirada del joven andalusí, mientras el príncipe de los creyentes se limitaba a asentir. Todos sabían que la decisión de Abú Hafs pesaría más que la del resto de los consejeros juntos.

—Marcharemos contra Huete —confirmó el califa—. Después del ramadán. Es mi decreto. Y como también decidí antes, sellaremos este compromiso. Los Banú Mardánish ya jamás serán otra cosa que nuestros fieles siervos; y los amaré, tanto yo como quienes me sucedan. Y ellos nos amarán a nosotros. Eso agradará a Dios. Y me agradará a mí. —El califa se incorporó y miró a la diestra de Hilal, al lugar que ocupaba su hermana gemela—. Zayda bint Mardánish, hora es de que todos lo sepan. Que conozcan que te desposaré, y así la sangre de nuestras dinastías se mezclará y nuestras casas se unirán. —Imitó a Abú Hafs al señalar con el dedo índice de su mano derecha hacia el cielo—. Es la voluntad de Dios, alabado sea. Y también es su voluntad que Safiyya bint Mardánish, hija del que se hizo llamar rey Lobo, se despose con Yaqub ibn

Yusuf ibn Abd al-Mumín, mi hijo y sucesor. Doblemente nos unimos hoy a ti, Hilal. Y doble es nuestra felicidad. Porque estaba escrito que solo unidos podremos vencer a los cristianos. Solo unidos.

Zobeyda sintió que la sangre se le congelaba en las venas. Hubo un aplauso entusiasta, y la joven Zayda se inclinó. Safiyya pareció consultar con la mirada a su hermano. Una mirada triste que después recayó en Yaqub. El joven heredero almohade la observaba con media sonrisa en la boca. Al no recibir consejo de Hilal, la muchacha volvió la cabeza atrás, a la doncella Marjanna y al resto de sus hermanos. Las muecas de estos, que la apremiaban a mostrar una aceptación por la que nadie le había preguntado, la decidieron a doblarse en larga reverencia. Los vítores arreciaron e Ibn Tufayl también se inclinó para hablar a Zobeyda al oído.

—Siéntete feliz, mujer. Tus dos hijas desposarán a los sucesores del Mahdi. ¿Podrías pedir algo más? ¿Tú, que te llamaste a ti misma reina? Ahí tienes a dos reinas. Ambas con tu sangre. Y con la sangre del Lobo. Una sangre que perdurará y que, ¿quién lo sabe?, tal vez en el futuro nos dé toda una saga de piadosos califas que devolverán su esplendor al islam. Sangre de tu sangre, Zobeyda. Para unir este lado con el otro.

Zobeyda se clavó los dientes en los labios y degustó el sabor de su propio dolor. Las lágrimas empaparon el *niqab*, y habló en voz baja. Pero no para contestar a Ibn Tufayl. Habló para repetir las palabras de una vieja bruja en una gruta perdida en lo que antaño fue su reino. Una profecía que ella luchó por ver cumplida, y que ahora se burlaba de ella.

NOTA HISTÓRICA

Lo que fue y lo que no fue

Este relato cubre una parte oscura de nuestra historia. Las crónicas cristianas apenas se hacen eco de la existencia del rey Lobo y, cuando lo recuerdan, están llenas de contradicciones. En cuanto a la versión musulmana, los cronistas son más locuaces, pero también muy tendenciosos. Así pues, el reino de Mardánish fue un nido de infieles para unos y otros, y por tanto no resulta fácil describir la vida en el Sharq en aquel periodo extraño. El rey Lobo, seguramente por obstinada oposición al Tawhid, mantuvo su adhesión a la corriente malikí, tradicionalmente andalusí, y por ello es improbable que el ambiente de desenfreno narrado en esta novela llegara hasta el extremo que me ha dictado la imaginación, aunque es cierto que al-Ándalus vivió, en el paréntesis entre las dominaciones de almorávides y almohades, una época de libertad recuperada que bien pudo poner a funcionar el péndulo que tan usualmente marca nuestro devenir. Si en algo coinciden las crónicas, es en el libertinaje y el hedonismo que se respiraba en el reino del Lobo, y si algún resto ha quedado, nos muestra un chispazo de verdadera prosperidad cuyos vestigios fueron machacados con saña por la rigidez almohade, como si realmente fuera necesario borrar de la historia aquel periodo tan indignante para el islam.

Estas huellas de otra frustrada Arcadia feliz, esta impronta de estado quimérico enclavado en medio de la nada me han llevado a abocetar una sociedad, la del Sharq al-Ándalus bajo el cetro del rey Lobo, que con toda seguridad se aleja de lo que debió de ser. Soy consciente de que algunas situaciones parecerán extemporáneas, sobre todo en lo relativo a la esfera femenina de la corte andalusí. Por fortuna, el novelista goza de prebendas de las que el historiador carece, y así puedo permitirme jugar con el paralelismo —a veces escandalosamente innegable— que se da entre el Sharq al-Ándalus del rey Lobo y nuestro amado estado actual del bienestar. Qué frágil resultó ser uno y qué frágil demuestra ser el otro. Con qué facilidad se resquebrajan ambos desde dentro, y qué parecidas resultan las amenazas que llegan desde fuera.

Aparte de estas consideraciones generales, hay otras más particulares que merecen ser expuestas:

Vaya por delante la total historicidad de los personajes de mayor renombre, como los reyes cristianos y sus nobles más importantes, así como la del propio rey Lobo o la de su aliado y suegro Hamusk, y la de los principales califas y prebostes almohades.

No tengo constancia de que la favorita del rey Lobo se llamara Zobeyda, ni de cuál fue su carácter ni si su importancia tuvo efecto alguno fuera del harén. Sí es cierto que la enemistad entre Hamusk y Mardánish estalló cuando este repudió a su esposa, hija de aquel. Tampoco hay certeza acerca de las hijas de Zobeyda. El palacio de la Zaydía existió y su recuerdo permanece vivo en el urbanismo valenciano actual, pero la memoria de la princesa Zayda navega entre las aguas de la historia que se pierde y la leyenda que pervive. Sí parece cierto que las hijas del rey Lobo fueron desposadas por el califa Yusuf y su heredero, Yaqub, como muestra de alianza con la familia de los Banú Mardánish. Hay rumores que dicen que el califa Yusuf, a partir de ese matrimonio, se dejó dominar por su esposa, la princesa levantina de ojos azules. Hilal y Gánim, por otra parte, han dejado su impronta en las crónicas: tras su sumisión al poder almohade, ambos se batieron contra los cristianos con la furia de quien fue traicionado y abandonado a su suerte. Porque así fue, tal como temieron muchos y otros no supieron ver: una vez sometido el Sharq, el recrecido imperio africano tuvo las manos libres para dirigirse contra los reinos cristianos y se convirtió en el mayor peligro que estos tuvieron que afrontar en el periodo que conocemos como Reconquista.

La inclusión del conde de Urgel, Armengol VII, y de su hermano Galcerán de Sales llegan insinuadas por las crónicas musulmanas, que los sitúan junto al rey Lobo en su empresa por conquistar Granada. La figura de Armengol de Urgel mantuvo su importancia tras la muerte de Mardánish, sobre todo en la esfera leonesa.

Con Álvar Rodríguez, el Calvo me he permitido ciertas licencias. Para empezar, la historia no nos deja claro si es este el calvo nieto de Álvar Fáñez que, según las crónicas, acompañó al rey Lobo. Sí parece el candidato más probable de acuerdo con lo que se conoce de aquella época. No obstante, y si bien algún historiador musulmán nos narra su muerte en la Sabica, durante el desastre de Granada, lo cierto es que el auténtico conde de Sarria murió —y no violentamente, por lo que parece— en 1167. Su hijo, Rodrigo Álvarez, heredó el condado y llegó a fundar la orden militar y religiosa de Montegaudio, que luchó en Tierra Santa.

Pedro Ruiz (o Rodríguez) de Azagra es un personaje importantísimo de la historia medieval española. Su señorío sobre Albarracín, sin reconocerse vasallo de rey alguno y rindiendo sumisión solamente a la Virgen María, dio inicio a una influyente estirpe que terminó por ceder su enriscada capital a Aragón a finales del siglo XIII. Es un misterio el modo en que Albarracín salió de la soberanía del rey Lobo y acabó en la de Pedro de Azagra, pero todo indica que se hizo de forma pacífica.

Abú Amir es un personaje ficticio, aunque basado en alguien de existencia real: Abú Amir at-Turtusí, un tradicionalista, historiador y médico que residió en Murcia pero que no tuvo el fin épico de esta narración, sino que murió antes, en 1164. Ibn Tufayl, uno de los filósofos más importantes de la historia musulmana de España, es un personaje real y bien documentado. No así al-Asad, el León de Guadix, que es totalmente inventado. En cuanto a Óbayd, he retratado en él a un cercano familiar de Mardánish que cayó en el desastre de Granada según alguna que otra crónica musulmana.

Tanto Hafsa como Abú Yafar existieron. Su triángulo amoroso con el *sayyid* almohade Utmán está de sobra documentado. Abú Yafar ibn Saíd fue efectivamente ejecutado en Málaga tras la rebelión de Granada. Hafsa partió al norte de África, aunque la fecha del viaje se sitúa más bien hacia 1184. Allí, en Marrakech, se dedicó a instruir a las hijas del califa Yaqub. De ella nos han quedado sus versos y la memoria de una mujer de belleza extraordinaria que enamoró a la Granada de su época. En cuanto al *sayyid* almohade, Abú Saíd Utmán, siguió luchando contra los cristianos a las órdenes de su hermano.

Abú-l-Hachach ibn Saad, el hermano del rey Lobo, fue confirmado como gobernador de Valencia, donde siguió viviendo sometido a los almohades. Uno de sus nietos, Zayyán, se rebelaría en el siglo XIII contra el último gobernador almohade para convertirse en rey de Valencia justo antes de la conquista por Jaime I.

El primogénito de Abd al-Mumín, Muhammad, llegó a reinar durante cuarenta y cinco días antes de ser derrocado por Abú Hafs y Yusuf. Por lo que parece, fue relegado a un segundo plano y desapareció de la historia. Todo lo relativo a este golpe de Estado encubierto es real: otros dos de los hijos de Abd al-Mumín, Abú-l-Hassán y Abd Allah (gobernadores de Bugía y Fez respectivamente) murieron en extrañas circunstancias mientras, casualmente, se mostraban remisos a reconocer a su hermano Yusuf como califa. El segundo fue asesinado, por cierto, con un paño menstrual envenenado, lo que nos da idea de las sibilinas formas de matar de la época. Yusuf fue un califa marcado por su querencia hacia la filosofía, y atrajo a su lado a no pocos intelectuales andalusíes aparte del propio Ibn Tufayl. Su caracterización en esta novela no deja de ser una licencia narrativa. La historia de este almohade quizá merezca ser contada de forma más extensa...

El gran jeque Umar Intí y su legado perduraron también. Con el tiempo, sus sucesores se independizaron de los almohades y fundaron el reino de los hafsíes en el norte de África. En cuanto a Abú Hafs, sus descendientes ocupa-

ron puestos importantes en el imperio, y de hecho un nieto suyo, Abú Dab-
bús, se erigió en último baluarte almohade en África hasta su muerte y el
triunfo definitivo de los benimerines, en 1269.

Es una licencia colocar al rey Alfonso II al frente de la toma de Teruel.
Muy probablemente, el joven monarca se hallaba en ese momento ocupado
con las gestiones de la boda entre el rey de Castilla y Leonor Plantagenet.
Otra licencia es llamar Marca Superior a la franja norte del Sharq, en frontera
con los territorios cristianos. Esta Marca, territorio fronterizo y altamente
militarizado en las tierras del Ebro, existió antaño, pero en la época de la novela ya había sido fagocitada por Aragón.

La muerte de Abd al-Mumín también está plagada de ajustes literarios,
aunque es cierto que cayó a las frías aguas del río Nafis mientras viajaba hacia
la tumba del Mahdi. Hay algunas otras licencias en la medición temporal, que
en el paso del calendario musulmán al calendario gregoriano deja márgenes
de, en ocasiones, un año entero. En la novela, dicho sea de paso, se ha usado el
calendario occidental para facilitar la lectura. No hay referencias al año musulmán, ni a la era hispánica ni al distinto comienzo del año en el calendario
cristiano de la época.

Las licencias se extienden a los nombres. Muchos de los personajes histó-
ricos tienen nombres coincidentes, por lo que me he visto obligado a usar los
distintos elementos del nombre musulmán de forma libre para establecer diferencias. Nadie se habría dirigido como Mardánish al rey Lobo en aquella
época: lo correcto habría sido usar su *kunya* (Abú Abd Allah). Es un ejemplo
que puede extenderse a otros personajes, como Hamusk, Umar Intí, Utmán...
También he simplificado el número de personajes. A veces hago confluir en
uno solo las acciones históricas de varios, o he obviado a otros que han debido salir del relato. Esto lo he hecho puntualmente y sin sacrificar el resultado,
y solo por ahorrar al lector la confusión y el esfuerzo de vérselas con un exce-
sivo elenco de personajes: los numerosos jeques, *sayyides*, visires y señores
cuyas vidas se cruzaron en este periodo.

Y la historia sigue. Siguió tras la muerte de Mardánish, para demostrar
que el rey Lobo fue el auténtico escudo de los reinos cristianos ante los almohades. A partir de 1172, los califas africanos expandieron su empuje y
arrinconaron a los cristianos, divididos y cegados por sus propias ambiciones,
hasta ponerlos al borde de la derrota ante el fanatismo. La historia, sí, continuó, y conformó una aventura que merece ser contada para que jamás la olvi-
demos.

APÉNDICE

Referencias a las citas, versos y fragmentos

Capítulo 1
No des crédito a las palabras de los profetas... Versos del sirio Abú-l-Allah al-Maarí.

Capítulo 2
En Dios cree, a Dios ama, a Dios adora... Fragmento de *El libro de Perceval*, de Chrétien de Troyes.

Capítulo 3
¡Oh, habitantes de al-Ándalus, qué suerte tenéis...! Versos del alcireño Ibn Jafaya.
Los verdaderos creyentes son aquellos... Corán, sura VIII, 2.
Poned pues en pie a todas las fuerzas... Corán, sura VIII, 62.

Capítulo 4
Los placeres de la vida son efímeros... Cita del imán cordobés Ibn Abd al-Barr.

Capítulo 5
A menudo se tiene en poco al león... Verso del cordobés Abú Muhammad Ibn Hazm.

Capítulo 6
Cuántas veces, a través de páramos desnudos... Versos de Ibn Jafaya.

Capítulo 7
¡Olvidaréis los horrores del tormento...! Poema de Abú Umar ibn Darrach.

Capítulo 8
¡Bajo el reino...! Versos de Abú-l-Fadl ibn Sharaf.

Capítulo 9
Lloramos por lo que ha desaparecido... Versos de Ibn Hazm.

Capítulo 10
¿Qué habrán de sentir quienes tenían...? Poema de Abú-l-Hassán ibn al-Yadd.

Capítulo 11
Los ojos de los hombres se vuelven hacia Granada... Versos de Ibn Sara as-Santariní.

Capítulo 12
Deja que entre tus pechos circule este licor... Verso del iraquí Abú Nuwás.
La vida no está más que en el trago de esta noche... Verso de Ibn az-Zaqqaq al-Balansí.
Quiero recordar esta noche en el futuro (...) Saboreo el vino que me verterá... Verso del caíd y poeta Ibn Labbún.

Capítulo 13
Levantarse o acostarse tiene poco valor... Fragmento de una trova de Peire d'Alvernha.

Capítulo 14
Si le estás vedada, redobla su amor por ti... Poema anónimo.

Capítulo 15
¿Cuántas veces una muchacha como esta...? Versos del antiguo rey sevillano al-Mutamid.
Veo un vergel adonde ya ha llegado... Versos de la poetisa granadina Qasmuna bint Ismaíl al-Yabudí.

Capítulo 16
Contempla, para recreo de tus ojos... Poema de Abú-l-Qasim al-Balnú.

Capítulo 17
Bebe a traguitos el vino... Verso de Ibn Jafaya.
Arrójate en la vida como sobre una presa... Poema de al-Mutamid.

Capítulo 18
Porque tú, oh Señor, eres mi antorcha... Segundo libro de los Reyes,
22:29-30.

Capítulo 19
Por la pasión por ti olvido el tiempo... Poema del cordobés Ibn Zaydún.
Mejor se humille el valiente para acabar glorificado... Verso de Ibn Hazm.
He aquí cuál será la recompensa... Corán, sura v, 37.

Capítulo 20
He aquí que traeré sobre vosotros una nación... Jeremías, 5:15-17.

Capítulo 21
¡Maldita sea la fortuna!... Verso de al-Mutamid.

Capítulo 22
Desearán los caballos que los montes... Poema de la cordobesa Aisha bint
Ahmad.

Capítulo 23
*Una carta de mi amor ha llegado (...) La alegría me ha invadido de tal
modo...* Versos de la poetisa Umm al-Hanná.

Capítulo 24
Cuando honras al generoso, lo conquistas... Poema del iraquí Abú-l-Tayyib
al-Mutanabbí.

Capítulo 25
Todo gozo debe humillarse... Fragmento de una trova de Guillermo de
Aquitania.

Capítulo 27
No seas, hijo mío, la esposa de tu esposa... Cita del judío cordobés Samuel
ibn Naghrela.

Capítulo 28
En el momento en que el cielo se cubre de polvo... Poema de Ibn Hazm.

Capítulo 29
Tengo todo lo que un hombre puede desear... Verso del granadino Abú
Yafar ibn Saíd.

Un visitante ha llegado a tu casa... Poema de la granadina Hafsa bint al-Hach ar-Rakuniyya.

Capítulo 30
¡Te contará el que acuda a las batallas...! Verso de Antara ibn Shaddad al-Absí.

Capítulo 31
Os ponemos a prueba a los unos por los otros... Corán, sura xxv, 22.
¡Oh, Sevilla, te pareces...! Poema de Alí ibn Hisn al-Ishbilí.

Capítulo 32
Mis dulces serán las margaritas de mi boca... Verso de Ibn Jafaya.

Capítulo 34
¡Oh, tú, ejecutor de la ira de Dios!... Verso de Yaqub at-Tirwalí al-Balansí.
Oh, señor de los hombres... Poema de Hafsa bint al-Hach.

Capítulo 35
He aquí el jardín que recibiréis en herencia... Corán, sura XLIII, 72.

Capítulo 36
Las mujeres virtuosas son obedientes y sumisas... Corán, sura IV, 38.
El temor del Señor aborrece el mal... Proverbios, 8:13.

Capítulo 37
Hermosa señora, nada te pido... Trova de Bernat de Ventadorn.

Capítulo 39
Quien no duda no reflexiona... Cita del teólogo persa al-Ghazalí.

Capítulo 41
Granada... Bajo sus nubes... Versos de Ibn Sara.

Capítulo 42
Todos aquellos a quienes amas... Poema de Ibn al-Hach al-Lurqí.

Capítulo 44
Valencia; si meditáis sobre ella... Versos de Ibn az-Zaqqaq.

Capítulo 45
Dejo a la que amo y parto... Poema del guadijeño Ibn al-Haddad.

Capítulo 46

¿Vienes tú a mí o voy yo a tu lado?... Verso de Hafsa bint al-Hach.

Preguntad al palpitante relámpago... Verso de Hafsa bint al-Hach; como el anterior, dedicado a su amante Abú Yafar ibn Saíd.

Capítulo 47

Y aquel día del Señor Dios de los ejércitos... Jeremías, 46:10.

Capítulo 48

Ah, ese Utmán. Utmán, Utmán... Adaptación de un verso de Abú Yafar ibn Saíd.

Envío un saludo, que abre los cálices... Poema de Hafsa bint al-Hach.

Capítulo 49

Y yo digo, mientras mi oscuridad se hace eterna... Verso del persa Bassar ibn Burd.

¿Esas lágrimas se derraman por mí...? Poema de Abú Yafar ibn Saíd.

Dispersa con el espectáculo de su suplicio... Corán, sura VIII, 59.

Capítulo 50

Llegó la medianoche, y la oscuridad... Poema de Ibn az-Zaqqaq.

Capítulo 52

¡Ah, amigos míos, ardo por tener la copa...! Versos de Tarafa ibn al-Abd al-Bakrí.

Capítulo 53

Por vestirme de luto me amenazan... Poema de Hafsa bint al-Hach.

Capítulo 54

Al contemplarla, no podrás detener tus ojos... Versos de Ibn Hazm.

Capítulo 55

A menudo, de noche (...) Mimándote, yo jugueteaba (...) Tus manos se paseaban... Poema de Ibn Jafaya.

Quítate el washy de seda y oro... Verso de Abú-l-Hassán ibn Suayb.

Capítulo 57

Vírgenes de modesta mirada... Corán, sura LV, 56.

Rogad al Señor para que cesen los truenos... Éxodo, 9:28.

Capítulo 58
 Y los ejércitos de las negras nubes... Poema del cordobés Ibn Suhayd.

Capítulo 59
 Combatid en la senda de Dios... Corán, sura II, 186.
 ¡Oh, creyentes, si asistís a Dios...! Corán, sura XLVII, 8.
 ¡Si morís luchando en la senda de Dios...! Corán, sura III, 151.
 Sobre ellos la maldición de Dios... Corán, sura II, 156.

Capítulo 60
 Los pensamientos deben ser más denodados... Poema de la batalla de Maldon, versos 312 y 313.
 Todo el que vuelva la espalda... Corán, sura VIII, 16.

Capítulo 63
 La ley de los amantes es única... Versos de Abú Nuwás.

Capítulo 64
 Rey, por los cristianos me entristezco (...) Tu coraje se enardece... Fragmentos de una trova de Peire d'Alvernha.

Capítulo 65
 Amigos, en mi alma vive una moza... Adaptación de un verso del cordobés Abd al-Aziz ibn Habra al-Munfatil.

Capítulo 67
 Sin cesar recorro con mis ojos (...) Cuando los vientos soplan... Versos de Abú Bakr at-Turtusí.
 Los que vuelven a mí... Corán, sura II, 155.
 A los que vuelven a Él por su arrepentimiento... Corán, sura III, 83.

Capítulo 69
 Los enfermos no estarán obligados... Corán, sura de la inmunidad, 92.
 Sus servidores son los que caminan... Corán, sura XXV, 64.
 Cuando el tiempo te rebaje... Verso del granadino as-Sumaysir.

Capítulo 70
 ¿De qué es culpable el sol...? Verso de Ibn Hazm.

GLOSARIO

Abadí. Perteneciente a los Banú Abad, dinastía real que gobernó la taifa de Sevilla durante gran parte del siglo XI. Su último rey, al-Mutamid, fue quien reclamó la presencia almorávide para enfrentarse a los cristianos.

Ábid al-Majzén. Esclavos del gobierno almohade. Los hay de varias procedencias, pero en la novela el término alude a los negros «sudaneses» (en realidad senegaleses, guineanos y mauritanos), la élite militar del ejército, destinada preferentemente como guardia personal del califa.

Adarga. Escudo que usan algunos guerreros musulmanes. En la época de la novela tiene forma redonda y es de menor tamaño que los escudos cristianos.

Adarve. Conjunto de construcciones superiores de una muralla (parapeto o antepecho, camino de ronda, etcétera) desde el que se lleva a cabo la defensa y que sirve para desplazarse.

Adhán. Llamada a la oración desde el alminar.

Al-Ándalus. Nombre árabe con el que se conoce a la Península Ibérica. En esta novela se refiere a la parte de la Península bajo dominio musulmán.

Albacara. Recinto murado en el exterior de una fortaleza, usado normalmente para encerrar ganado.

Albarrada. Conjunto de las defensas de campaña que levanta un ejército sitiador frente a la ciudad asediada.

Al-Basit. Así se conoce a una extensa llanura del Sharq cercana a la frontera con Castilla. Con el tiempo dará lugar a Albacete.

Al-Bayyasín. Arrabal poco poblado de extramuros, pero inmediato a la Alcazaba Vieja de Granada y sobre la misma elevación. Con el tiempo será conocido como el Albaicín.

Alcazaba. Recinto fortificado dentro de una población amurallada. Reúne el centro de control militar y administrativo en varios edificios, y normalmente ocupa un lugar prominente.

Alcázar. Palacio fortificado dentro de una población amurallada.

Alcorques. Zapatos con suela de corcho.

Alfaquí. Musulmán docto en la ley.

Alférez. Cargo de gran importancia en los reinos cristianos, con competencias militares y el deber de portar el estandarte real.

Al-Fundún. Valle del Guadalentín, formado una vez que este río sobrepasa Lorca.

Algorfa. Granero.

Al-Hamra (al-Qasbá al-Hamra). Alcazaba o fortaleza roja. Pequeña construcción erigida en el extremo de la colina Sabica, en Granada. Llamada así por el color rojo que domina la tierra de la elevación. Con el tiempo se convertirá en un complejo conocido como Alhambra y será admirada por todo el mundo.

Alhanía. Pequeño aposento adosado a una sala mayor. En los palacios mardanisíes se ha comprobado la abundancia de salones rectangulares con alhanías de pequeño tamaño en sus extremos, a modo de alacenas.

Al-Hawáratt. Aldea entre los ríos Algás y Matarraña, a la derecha del Ebro; con el tiempo será conocida como Fabara.

Alherze. Pedazo de papel escrito que actúa como talismán.

Al-Ilat. También conocida como Alilat, diosa árabe preislámica, asimilada a veces a Lilith.

Aljaba. Carcaj. Recipiente para las flechas. Se lleva colgada de la silla de montar o, si el arquero va a pie, del cinturón, normalmente al lado derecho.

Aljama. Así se llama a la mezquita mayor de cada ciudad. Suele estar situada en lugar preferente, junto al alcázar si lo hay.

Al-karr wa-l-farr. Torna-fuye. Táctica de ciertas caballerías orientales consistente en amagar el ataque y retirarse, o bien lanzar armas arrojadizas tanto en la carga como durante la retirada.

Almadreña. Calzado de madera.

Almajaneque. Máquina de guerra que sirve para arrojar proyectiles, normalmente contra las defensas de una construcción enemiga.

Almena. Espacio entre dos merlones en el parapeto de un adarve o de una torre.

Almenara. Fuego de alarma que se hace en una torre en lugar elevado. La señal se encadena entre atalayas para abarcar grandes distancias.

Almocrí. El que lee el Corán en la mezquita.

Almófar. Capuchón de cota de malla que cubre cuello y cabeza en el combate. Puede estar unido a la loriga o bien ser pieza independiente.

Almohade. Seguidor de la doctrina unitaria de Ibn Tumart, líder musulmán que en el siglo XII fanatiza a las tribus occidentales de África y da ocasión a que se funde un nuevo imperio con ruina del de los almorávides.

Almorávide. Individuo de una tribu guerrera del Atlas que funda un vasto imperio en el occidente de África y llega a dominar al-Ándalus desde 1093 hasta mediados del siglo XII. Uno de los rasgos distintivos de los guerreros almorávides es que se velan el rostro, por lo que son conocidos como «velados».

Almozala. También almozalla. Alfombrilla para la oración.

Al-Mubárak. Nombre del mayor alcázar de Sevilla.

Al-Qántara Asqaba. Aldea con puente en la orilla derecha del río Segura, a unas cuatro millas aguas arriba de Murcia. Con el tiempo será conocida como Alcantarilla.

Al-Uzzá. Diosa árabe preislámica, asimilada a veces a Afrodita.

Al-Yadida. Arrabal de Valencia al norte del río. Los cristianos lo conocen como Vilanova.

Al-Yanná. El paraíso islámico.

Amán. Paz musulmana a la que se pueden acoger los vencidos en batalla o los amenazados por ella. El vencedor decide si otorga el amán, aunque es dueño del destino de los derrotados y rendidos.

Ambladura. Paso lento en dos tiempos. El caballo mueve a la vez la mano y el pie de un mismo lado.

Andalusí. Persona originaria de al-Ándalus. Por extensión, hispanomusulmán.

Antepecho. Parapeto. Contiene las defensas (almenas, merlones, etcétera) contra ataques exteriores en el adarve o en la parte superior de una torre.

Arráez. Comandante militar.

Arreñal. Finca inculta, solar cercado.

Arriaz. Cruz. Conjunto formado por la empuñadura y los brazos de la espada.

Arrixaca. Arrabal de Murcia. Aunque fuera de la ciudad, está amurallado.

Arzón. Cada una de las piezas de madera integradas en la estructura de la silla de montar. Ayudan a encajar al jinete y asegurarlo en el momento del choque, por lo que son elevados, tanto por delante de aquel como por detrás. El arzón delantero puede lucir un pomo.

Asmodeo. Uno de los demonios lascivos de la tradición judeocristiana.

Ataurique. Decoración arquitectónica árabe de tipo vegetal.

Bab al-Qántara. Puerta del Puente. Así suele llamarse en las ciudades a la puerta *(bab)* abierta en la muralla justo tras cruzar un puente *(qántara)*.

Bab ar-Ramla. Puerta del Arenal. Una de las puertas de la medina de Granada. Con el tiempo será conocida como Bibarrambla.

Bahr al-Anklisin. Mar Cantábrico.

Bahr az-Zaqqaq. Estrecho de Gibraltar. También llamado Puerta Estrecha o Bab az-Zaqqaq.

Bálish. Ciudad en el camino de Baza a Lorca. Con el tiempo será conocida como Vélez.

Banú Gadí. Tribu árabe hilalí establecida en Ifriqiyya.

Banú Riyah. Poderosa tribu árabe hilalí. Emigrada a Ifriqiyya a mediados del siglo XI.

Banú Yusham. Otra tribu árabe hilalí establecida en Ifriqiyya.

Banú Zugba. Otra tribu árabe hilalí de Ifriqiyya.

Baraka. Bendición o don divino. Entre los almohades, un donativo que el califa reparte a sus guerreros antes de marchar al combate.

Barboquejo. Correa que sujeta una prenda de cabeza, como el yelmo, por debajo de la barbilla.

Baytala. Bab Baytala. Una de las puertas de Valencia, situada al sur. Da al arrabal del mismo nombre, que con el tiempo será conocido como Boatella.

Behemot. Uno de los demonios de las profundidades marinas en la mitología hebrea.

Bereber. Persona originaria de la región del norte de África que llega hasta el Sahara por el sur, el Atlántico por el oeste y Egipto por el este. En esta novela, también los individuos de algún linaje bereber nacidos en al-Ándalus.

Betilo. Piedra sagrada, normalmente un aerolito.

Bloca. Pieza central metálica de algunos escudos, con forma de punta, piramidal o semiesférica.

Bolaño. Cada una de las piedras, normalmente trabajadas para darles forma, que se usan como proyectiles de las máquinas de guerra.

Brial. Prenda larga y lujosa con mangas amplias, en principio para hombres y mujeres. Con el tiempo servirá solo para vestir a las damas.

Burd. Manto.

Burnús. Prenda larga, a modo de capa con capucha, de uso extendido entre los bereberes. Con el tiempo dará lugar al albornoz.

Cabila. Cada una de las tribus bereberes.

Cadí. Juez musulmán.

Caíd. Gobernador de una ciudad musulmana.

Carrascol. Sierra montañosa que con el tiempo será conocida como Carrascoy, cerca de Murcia.

Casal de Aragón. Casa de Aragón. Dinastía de los reyes de Aragón desde Ramiro I. A partir de Alfonso II, también gobernante sobre los condados catalanes.

Challah. Pan dulce que se consume en ciertas festividades judías.

Codo. Medida de longitud. El usado en al-Ándalus equivale más o menos a medio metro.

Consejo de los Diez. Al-Yamaa o Yamaa ilustre. Círculo del máximo poder almohade, compuesto por los más sobresalientes entre los masmudas, escogidos directamente por el Mahdi Ibn Tumart.

Corvetear. Movimiento que se enseña al caballo, consistente en hacer que se encabrite y avance con los brazos en el aire.

Costanera. Flanco. Ala de una formación militar.

Crespina. Pieza de tela que cubre la parte superior de la cabeza, normalmente atado mediante cintas bajo la barbilla. En su versión militar puede estar acolchado, y sirve para aislar el cuero cabelludo del roce del almófar o del yelmo.

Cúfica. Antigua forma de caligrafía árabe más elaborada que la cursiva, de tendencia vertical y líneas rectas.

Curia regia *(curia regis).* Consejo de gobierno de los reyes cristianos, con miembros permanentes en caso ordinario y compuesto por los más principales de cada reino en caso extraordinario.

Cursiva. Antigua modalidad de caligrafía árabe, más sencilla y suave que la cúfica.

Dar al-Majzén. Textualmente, casa del gobierno. Palacio califal, en particular el de Marrakech.

Dar as-Sugrá. Casa menor. Palacio de extramuros al norte de Murcia, aunque protegido por el murete de la Arrixaca. Con el tiempo, sobre ella se construirá el Alcázar Menor.

Desnaturar. Por parte de un vasallo, romper los vínculos que le ligaban a su señor o rey.

Destrero. Del francés, *destrier,* caballo de batalla, de gran alzada y potencia.

Extremaduras. Comarcas de los reinos cristianos fronterizas con el islam. En Castilla, las comprendidas entre el Duero y el Sistema Central, es decir, entre el reino de Castilla propiamente dicho y el conocido como reino de Toledo. En el caso de Aragón, las tierras llamadas «de frontera», entre el antiguo reino de Zaragoza y los territorios musulmanes. En León, la zona de influencia de Salamanca hacia el sur. Y en Portugal, el entorno de la sierra de la Estrella.

Furusiyya. En un principio, el arte de la equitación, enriquecido más tarde como código de comportamiento caballeresco musulmán, comparable al de la caballería cristiana. La evolución de *faris,* palabra que designa al caballero musulmán e integra su condición de jinete con el cultivo del ideal de la Furusiyya, nos lleva de *alfáris* a alférez.

Garb. Oeste. Se conoce como Garb al-Ándalus a la parte musulmana que linda con los reinos cristianos de Portugal y León. Como derivación de esa palabra, se llamará Algarve a una parte del Garb al-Ándalus.

Gazzula. Cuchillo que usan los miembros de la tribu del mismo nombre, del grupo de los sanhayas.

Gentes del Libro. Así llaman los musulmanes a judíos y cristianos. Aunque infieles, el islam considera que se puede tolerar su fe bajo determinadas condiciones, salvo en el Hiyaz o tierra sagrada, donde solo se admiten musulmanes.

Ghuzat (en singular, *ghazi*). Defensores de la fe. Voluntarios que se alistan en los ejércitos musulmanes con el afán de caer como mártires. Por lo general, mal armados e indisciplinados, son especialmente numerosos en caso de guerra santa.

Gilala. Túnica o camisa femenina sobre la que usualmente se viste otra prenda.

Gualdrapa. Prenda que cubre las ancas del caballo. Puede lucir los colores del caballero.

Gul (en plural, *agwal*). Ser semihumano y maligno de la mitología preislámica.

Gumara. Tribu bereber que habita las montañas del Rif a lo largo del Atlántico hasta Ceuta.

Hafiz. El que conoce el Corán. Los hafices almohades están especialmente educados en la doctrina del Tawhid y adiestrados física e intelectualmente para el liderazgo militar.

Hammam. Baño árabe, de estructura parecida al romano. Cada ciudad cuenta con varios baños públicos y los palacios suelen tener su propio *hammam*.

Harén. Grupo de mujeres de un musulmán. También la dependencia del hogar donde viven dichas mujeres.

Harga. Una de las tribus masmudas. A ella pertenecía el Mahdi, Ibn Tumart.

Haskura. Tribu del Atlas del grupo de los masmudas. No acogió el Tawhid desde el primer momento, por lo que los haskuras eran despreciados por los demás masmudas.

Haz. Unidad táctica de caballería, normalmente dispuesta en línea.

Hégira. Momento en que Mahoma huyó de La Meca a Medina. Año 1 del calendario musulmán y 622 del gregoriano.

Henna. También alheña o jena, tinte vegetal para el pelo y la piel, de amplio uso entre las andalusíes. Alcanza tonalidades desde el amarillo rojizo hasta el marrón oscuro. Es habitual el tatuaje temporal hecho con henna en cualquier parte del cuerpo.

Hintata. Una de las tribus masmudas. La más fuerte y de mayor fe.

Hipocausto. Sala del baño bajo la cual se encuentra el horno.

Hisn Banískula. Castillo costero que con el tiempo dará lugar a la ciudad de Peñíscola.

Hiyaz. Parte de Arabia que linda con el Mar Rojo. También se conoce así a la tierra sagrada del islam, donde solo se puede practicar la religión musulmana y ni siquiera se permite vivir a las gentes del Libro.

Hurí. Cada una de las bellísimas vírgenes que acompañan a los buenos musulmanes en el paraíso.

Iblís. Nombre con el que los musulmanes denominan a Satanás.

Idúbeda. Nombre antiguo de una cadena montañosa que probablemente corresponde al Sistema Ibérico.

Ifriqiyya. Territorio del norte de África que con el tiempo coincidirá, más o menos, con Túnez y el este de Argelia.

Imama. Turbante. Prenda usual entre árabes y bereberes. No así entre los andalusíes, que prefieren el bonete o llevan la cabeza descubierta.

Isaf y Nayla. Protagonistas de un mito preislámico: amantes que, sorprendidos mientras yacían en el templo, fueron convertidos en piedra.

Jeque. Líder. Normalmente de una facción tribal.

Jubón. Camisa ceñida.

Jutbá. Sermón del viernes.

Kohl. Polvo de antimonio usado como afeite por las mujeres para ennegrecerse los bordes de los párpados, las pestañas o las cejas.

Lamtuna. Tribu del grupo sanhaya. Constituyeron el núcleo almorávide y estuvieron sometidos a los almohades.

Litam. Velo que cubre la parte inferior del rostro, es decir, boca y nariz

Loriga. Equipamiento militar defensivo, normalmente hecho con pequeñas anillas metálicas entrelazadas. También llamada cota de malla. Cubre el torso y los brazos y puede bajar hasta medio muslo.

Madínat Ilbira. Elvira. Antigua ciudad cercana a Granada; fue abandonada cuando esta adquirió la capitalidad del contorno.

Madrasa. Madraza. Escuela islámica.

Mahdi. Mesías. Según las profecías apocalípticas musulmanas, el que habrá de venir para frustrar los planes del anticristo. Ibn Tumart, fundador del credo almohade, fue llamado así: al-Mahdi.

Manawat. También conocida como al-Manat. Diosa árabe preislámica del destino. Asimilada a veces a Némesis.

Mantelete. Tablero de buen tamaño que, a guisa de gran escudo estático, sirve como resguardo para una fuerza de asedio contra los proyectiles y la vista del enemigo.

Maqarana. Bab Maqarana, nombre de una de las puertas septentrionales de Sevilla. Con el tiempo será conocida como Puerta de la Macarena.

Marca Superior. Territorio fronterizo al norte de al-Ándalus que se corresponde con las tierras del Ebro. La Marca tradicional queda incorporada a Aragón con Alfonso el Batallador. En esta novela, como licencia, se llama así a las tierras inmediatas a la frontera con el reino de Aragón y el condado de Barcelona.

Masmuda. Uno de los grupos tribales bereberes, procedente del Atlas; la base de la que surge el núcleo de los almohades.

Matraniyya. Río que desemboca en el Ebro por su derecha. Los cristianos lo llaman Matarraña.

Maylís. Salón.

Mayordomo. En las cortes cristianas, noble que tiene a su cargo la dirección de la casa real. Es uno de los más cercanos colaboradores del monarca. En el condado de Barcelona, las funciones del mayordomo las cumple, con salvedades, el senescal o *dapifer*.

Mazmute. También mazamute, en las crónicas cristianas, almohade.

Medina. Ciudad. Para ser más concreto, la parte de ella que queda fuera de la alcazaba (si la hay).

Merlón. Tramo macizo entre dos almenas. Protege al defensor cuando está en el adarve.

Mesnada. Grupo de guerreros a las órdenes de un señor. El mesnadero recibe, a cambio de su servicio, soldada y armas. Además participa de las ganancias por el combate.

Mezuzah. En los hogares judíos, cajita alojada en la jamba derecha de la puerta. En su interior hay un rollo de pergamino con versículos de la Tora.

Mihrayán. Fiesta musulmana del solsticio de verano. Coincide con el San Juan cristiano. Es costumbre intercambiar regalos y encender hogueras.

Mimbar. Púlpito de la mezquita desde el que se da el sermón.

Miqná. Velo para la cabeza de la mujer. Sus extremos pueden usarse para envolver y cubrir el rostro.

Mizar. Manto. Tela que envuelve la parte inferior del cuerpo a modo de falda o la cabeza y hombros a modo de velo.

Mozárabe. Cristiano que permanece en territorio musulmán. Bajo determinadas condiciones, puede seguir practicando su fe.

Muladí. Cristiano que durante la dominación musulmana de la Península Ibérica se convierte al islam.

Munya. Almunia. Palacete o finca de recreo.

Murbíter. Sagunto. Los cristianos la llamarán Murviedro.

Musalá. Explanada extramuros en la que ocasionalmente se celebran alardes, actos lúdicos o religiosos. Suele estar emplazada en la parte oriental de cada ciudad.

Mushmala. Manto que envuelve todo el cuerpo de la mujer.

Nabid. Aguardiente de dátiles al que en al-Ándalus se añaden uvas pasas o frescas y miel.

Nasal. Pieza del yelmo que baja desde su borde delantero y cubre la nariz.

Niqab. Velo femenino que cubre todo el rostro, aunque deja ver a través de su transparencia, de la urdimbre de hilo o de una pequeña abertura.

Olifante. Cuerno. Por su potente sonido, se usa entre otras cosas para transmitir órdenes en el campo de batalla.

Parias. Tributo que los reinos cristianos recaudan en territorio andalusí como pago «por protección», es decir, para evitar ataques de aquellos.

Pellizón. Prenda de abrigo larga, holgada y forrada de piel.

Pendón. Banderola triangular que adorna la lanza del caballero y luce sus colores o blasones. Cumple una función primordial de identificación en medio del combate.

Postigo. Poterna. Puerta menor en una fortificación.

Príncipe de los creyentes. Título que se da al califa almohade y que le acredita como cabeza del islam. La cristianización de la expresión árabe *amir al-muminín* dará como resultado la palabra «miramamolín».

Qadima (al Qasbá al-Qadima). Alcazaba Vieja. Fortaleza de Granada situada enfrente de al-Hamra, al otro lado del Darro, sobre parte de la colina del Albaicín.

Qarmuna. Bab Qarmuna o Puerta de Carmona, nombre de una de las puertas orientales de Sevilla.

Qasr ibn Saad. Palacio fortificado al norte de Murcia. Con el tiempo, será conocido como Castillejo de Monteagudo.

Qasr Masmuda. Nombre que los almohades dan a Alcazarseguir, en la costa norte de África. Principal puerto almohade para cruzar el Estrecho.

Ribat. Rábida. Fortaleza militar y religiosa, normalmente situada en la frontera con los infieles como base para la yihad.

Ribat al-Fath. Asentamiento creado por los almohades sobre un *ribat* de la costa atlántica de África para servir de base militar. Con el tiempo, será conocido como Rabat.

Ricohombre. Cristiano de la alta nobleza situado por encima del infanzón o hidalgo, que pertenece a la baja nobleza.

Rumat (en singular, *rami*). Exploradores arqueros del ejército almohade. De origen mayoritariamente almorávide.

Rumí. Término con el que los musulmanes de al-Ándalus se refieren a veces al cristiano, identificándolo con el antiguo romano.

Ruzafa. Arrabal al sur de Valencia.

Sabica. Colina sobre la que se halla al-Hamra, en Granada. También llamada la Colina Roja.

Sahla. Llanura. Nombre del territorio del que Albarracín es cabeza.

Salim. Dios preislámico.

Sanhaya. En castellano, cenhegí. Grupo tribal del desierto africano cuyos miembros formaron el núcleo del imperio almorávide.

Saya. Túnica corta de mangas ajustadas que se ciñe con cinturón.

Sayyid. Señor o jefe de una tribu. En el contexto almohade, especialmente los familiares del califa, a los que este nombra para posiciones de poder político y militar.

Sayyidat al-qubrá. Gran señora. La más noble entre las esposas de un señor.

Secunda. Antiguo arrabal de Córdoba situado al otro lado del Guadalquivir. En ruinas en la época de la novela.

Shams. Diosa solar preislámica.

Sharq. Oriente. El Sharq al-Ándalus comprende las tierras costeras mediterráneas.

Sheya. Aldea cercana a Albarracín. Con el tiempo será conocida como Gea.

Sidar. Blusa.

Sierra Despuña. Cadena montañosa entre Lorca y Murcia. Con el tiempo, será conocida como sierra de Espuña.

Sura. Capítulo del Corán.

Sus. Territorio del norte de África situado entre la región de Marrakech y el Sahara.

Tagrí. Tagarino. Procedente de la frontera con los cristianos. En esta novela, la frontera es la del norte o Marca Superior (al-Tagr al-Ala).

Tahalí. Correa que se cruza en bandolera desde el hombro a la cintura, y que sostiene la vaina de la espada.

Takbir. Fórmula musulmana que garantiza el estado sacro antes de la oración. Consiste en decir «Dios es grande».

Talaba. Estudiantes. Tiene el mismo origen etimológico que la palabra «talibán». Entre los almohades, los *talaba* forman parte de la élite dirigente, con un gran poder político, propagandístico y jurídico.

Talabarte. Cinturón del que penden las vainas para la espada, dagas u otras armas.

Tálib. Singular de *talaba*.

Tarja. Escudo de gran tamaño.

Tawhid. Concepto islámico esencial alrededor del cual gira la doctrina que siguen los almohades, y que está referido a la unicidad de Dios. Por su naturaleza se contrapone a la doctrina imperante entre los musulmanes andalusíes y los almorávides, que siguen la corriente malikí.

Tayarat. Comarca que los cristianos conocerán como Tajara, cerca de una villa a la que llamarán Huétor-Tájar.

Tenencia. Concesión de un territorio, ciudad o castillo por parte del rey a un señor junto a ciertos poderes sobre ella.

Tierra Nueva de Aragón. La que va desde la Tierra Vieja (Prepirineo) al Ebro.

Tinmallal. Una de las tribus masmudas. La huida de Ibn Tumart hacia sus tierras se compara con la hégira. Allí, en la villa de Tinmal, está su tumba, lugar de peregrinación.

Tiracol. Correa del escudo con la que se cuelga del cuello.

Tiraz. Tejido con una inscripción de elogio a Dios o a alguna persona principal. También el taller donde se fabrica dicho tejido.

Tirwal. Aldea cercana a Albarracín. Los cristianos la llamarán Teruel.

Trasierra. Tierras al sur del Sistema Central por las que se extendía el llamado reino de Toledo.

Ulema. Conocedor de la doctrina islámica. En árabe es el plural de *alim* (sabio).

Umm walad. Concubina que da un hijo a su amo. Su estatus legal está por encima del de una vulgar esclava, aunque por debajo de la esposa libre.

Vara. Medida de longitud antigua. La castellana no alcanza por poco el metro.

Vellón. Aleación de plata y cobre que se usa para labrar monedas.

Ventalle. Pieza del almófar, y de su mismo material, que se cierra ante boca y nariz; sirve para proteger la parte inferior de la cara.

Visir. Ministro.

Wadi-l-Madina. Guadalmedina. Río *(wadi)* que pasa a poniente de la medina de Málaga.

Walí. Gobernador de un territorio, asentado en la ciudad principal de dicho territorio.

Washy. Tela bordada, a veces listada o entretejida con oro. Por extensión, la túnica fabricada con este material.

Yábal al-Burtat. Pirineos.

Yábal al-Fath. Montaña de la Victoria. Nombre que los almohades dan a Gibraltar.

Yábal Shulayr. Sierra Nevada.

Yábal Táriq. Montaña de Táriq, conocida por los cristianos como Gibraltar.

Yábal Toubqal. Montaña más alta del norte de África, en la cordillera del Atlas.

Yadmiwa. Una de las tribus masmudas.

Yamaa. Junta o consejo. Para los almohades, el Consejo de los Diez.

Yanfisa. Una de las tribus masmudas.

Yawgán. Juego del polo, habitual entre la nobleza andalusí.

Yilbab. Vestido femenino, usualmente largo y holgado, que se conjuga con un pañuelo para el cabello.

Yinn. Singular de *yunnún.*

Yunnún. Espíritus que despiertan temor a los árabes, normalmente asociados a lugares desérticos y ruinosos.

Zanata. En castellano, cenete. Grupo tribal de las llanuras del Magreb, sometido en su día por los almorávides.

Zaragüelles. Calzones.

Zihara. Túnica ligera que se ponen los hombres.

Zindiq. El que reniega del islam aunque mantenga apariencia de musulmán.

BIBLIOGRAFÍA

ABU-SHAMS PAGÉS, L., «Descripción de las especias más utilizadas en Alandalus y su uso actual en la cocina marroquí», en *Aragón en la Edad Media* [en línea], n.º 14-15, 1999.

—, «*L-hammam*, punto de reunión social: estudio lingüístico, cultural y religioso», en *Al-Andalus Magreb* [en línea], 10, 2002-2003.

ACIÉN ALMANSA, M., «La fortificación en al-Ándalus», en *Archeologia Medievale*, n.º XXII, Siena, 1985.

ALEDRIS, X., *Descripción de España* (trad. Josef Antonio Conde) [en línea], 1799.

ALESÓN, F. de, *Annales del Reyno de Navarra, tomo II*, recurso digital, 1766.

ALEXANDER, D., «Swords and sabers during the early islamic period», en *Gladius* [en línea], XXI, 2001.

—, «Jihād and islamic arms and armour», en *Gladius* [en línea], XXII, 2002.

AL-HIMYARI, M., *Kitab ar-Rawd al-Mitar* (trad. Pilar Maestro González), Valencia, 1963.

ALMAGRO BASCH, M., *Historia de Albarracín y su sierra, tomo III: El señorío soberano de Albarracín bajo los Azagra*, Teruel, 1959.

ALMONACID CLAVERÍA, J. A., «De Huete a Cuenca con los almohades en 1172. Antecedentes para la conquista de Cuenca», en *Cuenca*, n.º 28, Cuenca, 1986.

ÁLVAREZ DE MORALES, C., «Elementos mágicos y religiosos en la medicina andalusí», en *'Ilu. Revista de ciencias de las religiones* [en línea]. Anejos, XVI, 2006.

ANÓNIMO: *Al-Hulal al-Mawsiyya* (trad. Ambrosio Huici Miranda), Tetuán, 1951.

ARAGONÉS ESTELLA, E., «La moda medieval Navarra: siglos XII, XIII y XIV», en *Cuadernos de etnología y etnografía de Navarra* [en línea], n.º 74, 1999.

ARIAS, J. P., *Gramáticos en al-Ándalus (siglo VI H./XII C.)*, Málaga, 1995.

ÁVILA, M. L., «Tres familias ansāríes de época almohade», en *Al-Qantara*, xxx, Madrid, 2009.

BARTON, S., «A Forgotten Crusade: Alfonso VII of León-Castile and the Campaign for Jaén (1148)», en *Historical Research 73*, n.º 182, Oxford, 2000.

BASHIR HASAN RADHI, M., «Un manuscrito de origen andalusí sobre tema bélico», en *Anaquel de estudios árabes*, n.º 2, Madrid, 1991.

BENAVIDES-BARAJAS, L., *Al-Ándalus. La cocina y su historia (reinos de taifas, norte de África, judíos, mudéjares y moriscos)*, Motril, 1996.

BISSO, J., *Crónica de la provincia de Murcia*, Madrid, 1870.

BOSCH VILÁ, J., *Historia de Albarracín y su sierra, tomo II: Albarracín musulmán*, Teruel, 1959.

BRUHN DE HOFFMEYER, A., «Las armas en la historia de la Reconquista», en *Gladius* [en línea], vol. especial, 1988.

CAÑADA JUSTE, A., «El nombre de Cella. Su posible origen y el reino de as-Sahla», en *Xiloca* [en línea], n.º 23, 1999.

CARNICERO CÁCERES, A.; ALVIRA CABRER, M., *Guía de indumentaria medieval masculina. Reyes y nobles en los reinos hispanos (1170-1230)* [en línea], 2010.

CASTÁN ESTEBAN, J. L., «Historia del señorío de Albarracín», en *Rehalda* [en línea], n.º 1, 2005.

CASTAÑO BLÁZQUEZ, T.; JIMÉNEZ CASTILLO, P., «Los baños árabes de San Lorenzo (Murcia)», en *Memorias de Arqueología* [en línea], 12, 2004.

CERVERA FRAS, M. J., «El nombre árabe medieval. Sus elementos, forma y significado», en *Aragón en la Edad Media* [en línea], n.º 9, 1991.

CIRIA SANTOS, C., «Chrétien de Troyes y la literatura caballeresca. Códigos estéticos y elementos estructurales del *roman courtois*», en *Anuario de las actividades celebradas en el curso 2000/2001*, Asociación Andaluza de Profesores de Español Elio Antonio de Nebrija, Sevilla, 2008.

CODERA Y ZAIDÍN, F., *Decadencia y desaparición de los almorávides en España*, Zaragoza, 1899.

CONDE, J. A., *Historia de la dominación de los árabes en España* [en línea], tomo III, 1844.

COSCOLLÁ SANZ, V., *La Valencia musulmana*, Valencia, 2003.

CRUZ AGUILAR, E. de la, «El reino taifa de Segura», en *Boletín del Instituto de Estudios Giennenses*, n.º 153, 2, Jaén, 1994.

CRUZ HERNÁNDEZ, M., «La demonología en la teología alcoránica», en *Al-Andalus Magreb* [en línea], 4, 1996.

DIAGO, F., *Anales del Reyno de Valencia: que corre desde su población después del diluuio hasta la muerte del Rey don Iayme el Conquistador* [en línea], 1613.

DOZY, R. P. A., *Recherches sur l'histoire et la littérature de l'Espagne pendant le moyen âge* [en línea], 1881.

EL HOUR, R., «El levante de al-Ándalus en época almorávide: jueces y élites locales», en *Al-Andalus Magreb* [en línea], 10, 2002-2003.

—, «El cadiazgo en Granada bajo los almorávides: enfrentamiento y negociación», en *Al-Qantara*, XXVII, Madrid, 2006.

ESLAVA GALÁN, J., «El castillo de Linares», en *Boletín del Instituto de Estudios Giennenses*, n.º 117, Jaén, 1984.

—, «Las defensas almorávides de Jaén», en *Boletín del Instituto de Estudios Giennenses*, n.º 133, Jaén, 1988.

—, «Los castillos de la sierra de Segura», en *Boletín del Instituto de Estudios Giennenses*, n.º 137, Jaén, 1989.

—, «Fortines bereberes en Jaén», en *Boletín del Instituto de Estudios Giennenses*, n.º 153, 1, Jaén, 1994.

—: *Califas, guerreros, esclavas y eunucos. Los moros en España*, Madrid, 2008.

ESLAVA GALÁN, J.; VICENTE CÓRCOLES, J., «Las fortificaciones medievales de Andújar», en *Boletín del Instituto de Estudios Giennenses*, n.º 102, Jaén, 1980.

FALCÓN PÉREZ, M. I., «Las ciudades medievales aragonesas», en *La ciudad hispánica durante los siglos XIII al XIV*, Madrid, 1985.

FIERRO BELLO, M. I., «Doctrinas y movimientos de tipo mesiánico en al-Ándalus», en *Milenarismo y milenaristas en la Europa medieval: IX Semana de Estudios Medievales*, Nájera, 1998.

—, «Revolución y tradición: algunos aspectos del mundo del saber en época almohade», en *Estudios onomástico-biográficos de al-Ándalus*, X, Madrid, 2000.

—, «Las genealogías de 'Abd al-Mu'min, primer califa almohade», en *Al-Qantara*, XXIV, Madrid, 2003.

—, «Sobre monedas de época almohade: I. El dinar del cadí 'Iyāḍ que nunca existió. II. Cuándo se acuñaron las primeras monedas almohades y la cuestión de la licitud de acuñar moneda», en *Al-Qantara*, XXVII, Madrid, 2006.

—, «El castigo de los herejes y su relación con las formas del poder político y religioso en al-Ándalus (ss. II/VIII-VII/XIII)», en *El cuerpo derrotado: cómo trataban musulmanes y cristianos a los enemigos vencidos: Península Ibérica, siglos VIII-XIII*, Estudios Árabes e Islámicos, monografías, n.º 15, Madrid, 2008.

—, «Algunas reflexiones sobre el poder itinerante almohade», en *e-Spania* [en línea], 8, 2009.

FONTENLA BALLESTA, S., «Numismática y propaganda almohade», en *Al-Qantara*, XVIII, Madrid, 1997.

—, «Dos expediciones almohades contra Ibn Mardanîx», en *Alberca*, vol. 1, Lorca, 2002.

GALMÉS DE FUENTES, A., *El amor cortés en la lírica árabe y en la lírica provenzal*, Madrid, 1996.

GARCÍA FITZ, F., *Castilla y León frente al islam*, Sevilla, 1998.

—, *Relaciones políticas y guerra. La experiencia castellano-leonesa frente al islam, siglos XI-XIII*, Sevilla, 2002.

GARCÍA GÓMEZ, E., *Poemas arabigoandaluces*, Madrid, 1940.

GARULO, T., *Dīwān de las poetisas de al-Ándalus*, Madrid, 1998.

GARULO, T.; HAGERTY, M. J.; AL-RAMLI, M., *Poesía andalusí*, Madrid, 2007.

GASPAR REMIRO, M., *Historia de Murcia musulmana*, Zaragoza, 1905.

GONZÁLEZ CAVERO, I., «Una revisión de la figura de ibn Mardánish. Su alianza con el reino de Castilla y la oposición frente a los almohades», en *Miscelánea Medieval Murciana*, XXXI, Murcia, 2007.

GORDO MOLINA, A. G., *Alfonso VII, sucesión e imperium. El príncipe cristiano en la* Chronica Adefonsi Imperatoris *y el diplomatario regio como modelo de virtud. Fuentes cronísticas e imagen del soberano de León* [en línea], Chillán, 2007.

GOZALBES BUSTO, G.; GOZALBES CRAVIOTO, E., «Al-Magrib al-Aqsà en los primeros geógrafos árabes orientales», en *Al-Andalus Magreb* [en línea], 4, 1996.

GRANDA GALLEGO, C., «Otra imagen del guerrero cristiano (su valoración positiva en testimonios del islam)», en *En la España Medieval*, tomo V, Madrid, 1986.

GRAVETT, C., *Medieval siege warfare*, Osprey P., Elite, 28, Oxford, 1990.

GUAL CAMARENA, M., «Peaje fluvial del Ebro (siglo XII)», en *Estudios de Edad Media de la Corona de Aragón*, vol. VIII, Zaragoza, 1967.

HINOJOSA MONTALVO, J., *Diccionario de Historia Medieval del Reino de Valencia*, Valencia, 2000.

HUICI MIRANDA, A., *Historia musulmana de Valencia y su región, novedades y rectificaciones*, vol. 3, Valencia, 1969.

—, *Historia política del imperio almohade*, Granada, 2000.

IBN ABI ZAR AL-FASI, A., *Rawd al-Qirtas*, volumen 2 (trad. Ambrosio Huici Miranda), Valencia, 1964.

IBN HAZM, A., *El collar de la paloma* (trad. Jaime Sánchez Ratia), Madrid, 2009.

IBN IDARI AL-MARRAKUSI, M., *Al-Bayan al-Mugrib* (trad. Ambrosio Huici Miranda), Tetuán, 1953.

—, *Al-Bayan al-Mugrib, nuevos fragmentos almorávides y almohades* (trad. Ambrosio Huici Miranda), Valencia, 1963.

IBN MOHAMMED AL-MAKKARI, A., *The history of the mohammedan dynasties in Spain* (trad. Pascual de Gayangos), Nueva York, 2002.

IBN SAHIB AL-SALA, A., *Al-Mann bil-Imama* (trad. Ambrosio Huici Miranda), Valencia, 1969.

JIMÉNEZ CASTILLO, P.; SÁNCHEZ GONZÁLEZ, M. J., «Un tramo de la muralla medieval de Murcia y el área urbana adyacente. El solar de calle Sagasta, esquina con calle Brujera», en *Memorias de Arqueología* [en línea], 12, 2004.

JIMÉNEZ MAQUEDA, D., «Algunas precisiones cronológicas acerca de las murallas de Sevilla», en *Laboratorio de Arte*, n.º 9, Sevilla, 1996.

JONES, L. G., «"The christian companion": a rhetorical trope in the narration of intra-muslim conflict during the almohad epoch», en *Anuario de Estudios Medievales* [en línea], 38/2, 2008.

JUEZ JUARROS, F., «La cetrería en la iconografía andalusí», en *Anales de la Historia del Arte*, n.º 7, Madrid, 1997.

LACARRA DE MIGUEL, J. M., «Alfonso II el Casto, rey de Aragón y conde de Barcelona» y «El rey Lobo de Murcia y la formación del señorío de Albarracín», en *Estudios dedicados a Aragón*, Zaragoza, 1987.

LALIENA CORBERA, C.; CANUT LEDO, P., «Linajes feudales y estructuras señoriales en Aragón: el señorío de Valderrobres durante los siglos XII-XIII», en *Revista de historia Jerónimo Zurita*, n.º 59-60, Zaragoza, 1989.

LINAGE CONDE, A., «El fuero de Sepúlveda en la gestación del derecho de Teruel», en *Revista de historia Jerónimo Zurita* [en línea], n.º 49-50, 1984.

MALPICA CUELLO, A., «La expansión de la ciudad de Granada en época almohade, ensayo de reconstrucción y configuración», en *Miscelánea Medieval Murciana*, XXV-XXVI, Murcia, 2001-2002.

MANZANO MARTÍNEZ, J. A., «Fortificaciones islámicas en la huerta de Murcia: sector septentrional». Memoria de las actuaciones realizadas, en *Memorias de Arqueología* [en línea], 6, 1997.

MARÍN, M., «Signos visuales de la identidad andalusí», en *Tejer y vestir: de la antigüedad al islam*, Estudios árabes e islámicos: monografías, n.º 1 [en línea], 2001.

MARISCAL LINARES, F. J., «El erotismo en la poesía hispanoárabe», en *La palabra y el deseo. Estudios de literatura erótica*, Las Palmas de Gran Canaria, 2002.

MARTÍN DUQUE, A. J., «Sancho VI y el Fuero de Vitoria», en *Vitoria en la Edad Media*, Vitoria, 1982.

MARTÍNEZ DÍEZ, G., *Alfonso VIII, rey de Castilla y Toledo*, Gijón, 1995.

MARTÍNEZ LORCA, A., «La reforma almohade: del impulso religioso a la política ilustrada», en *Espacio, Tiempo y Forma*, serie III, H.ª Medieval, t. 17, Madrid, 2004.

MOLINA MARTÍNEZ, L., «Los Banū Jattāb y los Banū Abī Ŷamra (siglos II-VIII/VIII-XIV)», en *Estudios onomástico-biográficos de al-Ándalus* [en línea], V, 1992.

MOLINA MOLINA, A. L., «Lorca y su término (siglos XIII-XIX)», en *Estudios sobre Lorca y su comarca* [en línea], 2006.

MORA FIGUEROA, L. de, *Glosario de arquitectura defensiva medieval*, Cádiz, 1994.

MOTIS DOLADER, M. A., «El señorío cristiano de Albarracín. De los Azagra hasta su incorporación a la Corona de Aragón», en *Comarca de la sierra de Albarracín*, Zaragoza, 2008.

MUÑOZ GARRIDO, V., *Teruel, de sus orígenes medievales a la pérdida del fuero en 1598*, Zaragoza, 2007.

MUÑOZ LÓPEZ, F.; JIMÉNEZ CASTILLO, P., «Casas, hornos y muralla de la Murcia medieval, en un solar de la calle Sagasta esquina con Aistor», en *Memorias de Arqueología* [en línea], 12, 2004.

—, «Expansión y regresión urbana en el arrabal de la Arrixaca de Murcia. Excavación en calle Serrano, n.º 4», en *Memorias de Arqueología* [en línea], 13, 2005.

NAVAREÑO MATEOS, A., «El castillo bajomedieval: arquitectura y táctica militar», en *Gladius* [en línea], vol. especial, 1988.

NAVARRO LLORENTE, C., *Aza, mirador de Castilla*, Burgos, 2004.

NAVARRO PALAZÓN, J., «La Dâr as-Suġrà de Murcia. Un palacio andalusí del siglo XII», en *Colloque International d'Archéologie Islamique*, El Cairo, 1998.

NAVARRO PALAZÓN, J.; JIMÉNEZ CASTILLO, P., «El alcázar (al-Qasr al-Kabir) de Murcia», en *Anales de Prehistoria y Arqueología*, 7-8, Murcia, 1991-1992.

—, *Sharq al-Ándalus. Resistencia frente a los almohades*, Murcia, 1994.

—, «Arquitectura mardanisí», en *La arquitectura del islam occidental*, Barcelona, 1995.

—, «El castillejo de Monteagudo: Qasr ibn Sa'd», en *Casas y palacios de al-Ándalus, siglos XII y XIII*, Granada, 1995.

—, «Murcia musulmana: arquitectura de los siglos XII-XIII», en *Cira*, n.º 7, Vila Franca de Xira, 1997.— «Génesis y evolución urbana de Murcia en la Edad Media», en *Murcia, ayer y hoy: ciclo de conferencias*, Murcia, 2000.

—, *Las ciudades de Alandalús, nuevas perspectivas*, Zaragoza, 2007.

—, «Casas y tiendas en la Murcia andalusí. Excavación en el solar municipal de Plaza de Belluga, en *Arqueología de la Arquitectura* [en línea], n.º 8, 2011.

NICHOLSON, H.; NICOLLE, D., *God's warriors. Crusaders, Saracens and the battle for Jerusalem*, Oxford, 2005.

NICOLLE, D., *The Moors: The Islamic West 7th-15th Centuries AD*, Osprey P., Men-at-arms, 348, Oxford, 2001.

—, *Medieval Siege Weapons (1): Western Europe AD 585-1385*, Osprey P., New Vanguard, 58, Oxford, 2002.

—, «Two swords from the foundation of Gibraltar», en *Gladius* [en línea], XXII, 2002.

—, *Medieval siege weapons (2): Byzantium, the islamic world & India AD 476-1526*, Osprey P., New Vanguard, 69, Oxford, 2003.

ORCASTEGUI GROS, C., *Crónica de San Juan de la Peña (versión aragonesa)* [en línea], edición crítica, 1985.

ORIHUELA, A.; GARCÍA-PULIDO, L. J., «Estudio preliminar», en *Plano árabe de Granada, de Luis Seco de Lucena*, Granada, 2002.

—, «El suministro de agua en la Granada islámica», en *Ars Mechanicae, ingeniería medieval en España*, Madrid, 2008.

ORTEGA ORTEGA, J., «Poblamiento, espacios agrarios y sociedad en la sierra de Albarracín (1170-1350)», en *Comarca de la sierra de Albarracín*, colección Territorio, n.º 28, Zaragoza, 2008.

PASCUAL ECHEGARAY, E., «De reyes, señores y tratados en la Península Ibérica del siglo XII», en *Studia historica. Historia medieval*, n.º 20-21, Salamanca, 2002-2003.

PAVÓN MALDONADO, B., *Ciudades hispanomusulmanas*, Madrid, 1992.

—, «Tres villas fortalezas islámicas en la provincia de Jaén. Segura de la Sierra, Iznatoraz y Santisteban del Puerto», en *Al-Qantara*, XIX, Madrid, 1998.

PÉRÈS, H.: *Esplendor de al-Ándalus* (trad. Mercedes García-Arenal), Madrid, 1983

PILES IBARS, R., *Valencia árabe*, edición electrónica de la Biblioteca Valenciana Digital, Valencia, 1901.

PIPES, D., *Slave soldiers and islam. The genesis of a military system*, Londres, 1981.

POLITE CAVERO, C. M., *Guía de indumentaria medieval masculina. Peones ricos o acomodados (1168-1220)* [en línea], 2010.

PORRAS ARBOLEDAS, P. A., «El derecho de la guerra y de la paz en la España medieval», en *Boletín del Instituto de Estudios Giennenses*, n.º 153, 1, Jaén, 1994.

PUENTE, C. de la, «Límites legales del concubinato: normas y tabúes en la esclavitud sexual según la Bidāya de ibn Rušd», en *Al-Qantara*, XXVIII, Madrid, 2007.

—, «Mujeres cautivas en "la tierra del islam"», en *Al-Andalus Magreb* [en línea], 14, 2007.

RAMOS HIDALGO, A., «Alicante: una ciudad de la cora de Tudmir», en *Anales de la Universidad de Alicante. Historia Medieval* [en línea], n.º 2, 1983.

RECUERO ASTRAY, M., *Alfonso VII, emperador. El imperio hispánico en el siglo XII*, León, 1979.

RIQUELME IBÁÑEZ, J. A., «Sabiduría y ciencia en la Murcia andalusí», en *Autodidacta*, Badajoz, 2010.

RODRÍGUEZ MOLINA, J., «Úbeda y Baeza. Cimientos medievales de su monumentalidad», en *Boletín del Instituto de Estudios Giennenses*, n.º 186, Jaén, 2003.

ROLDÁN CASTRO, F., «El oriente de Al-Ándalus en el Āṯār bilād de al-Qazwīnī», en *Sharq Al-Ándalus* [en línea], n.º 9, 1992.

ROSADO LLAMAS, M. D.; LÓPEZ PAYER, M. G., «Sobre el topónimo de Vilches en algunas fuentes árabes», en *Boletín del Instituto de Estudios Giennenses*, n.º 162, 1, Jaén, 1996.

ROVIRA I PORT, J.; CASANOVAS I ROMEU, A., «Armas y equipos en la Marca Superior de al-Ándalus. El reductor rural islámico de Solibernat (Lleida) y su panoplia militar en la primera mitad del siglo XII», en *Gladius* [en línea], XXVI, 2006.

RUBIERA MATA, M. J., *Literatura hispanoárabe*, Alicante, 2004.

SANCHO CASABÓN, A. I., «Los cargos de mayordomo, senescal y *dapifer* en el reinado de Alfonso II de Aragón», en *Aragón en la Edad Media* [en línea], n.º 8, 1989.

SEDRA, M. I., «La ville de Rabat au VI/XII siècles: le project d'une nouvelle capitale de l'empire almohade?», en *Al-Andalus Magreb* [en línea], 15, 2008.

SERRANO, D., «Dos fetuas sobre la expulsión de mozárabes al Magreb en 1126», en *Anaquel de Estudios Árabes*, n.º 2, Madrid, 1991.

SERRANO-PIEDECASAS FERNÁNDEZ, L., «Elementos para una historia de la manufactura textil andalusí (siglos IX-XII)», en *Studia historica. Historia medieval*, n.º 4, Salamanca, 1986.

SOLIVÉREZ, C. E., «Álvar Fáñez, su familia y sus hechos», en *Revista electrónica de la Academia Costarricense de Ciencias Genealógicas* [en línea], n.º 11, 2008.

TENA TENA, P., «Mujer y cuerpo en al-Ándalus», en *Studia historica. Historia medieval*, n.º 26, Salamanca, 2008.

TORRES FONTES, J., *La delimitación del Sudeste peninsular (tratados de partición de la Reconquista)*, Murcia, 1950.

TORRÓ, J., «La exterioridad de poder legal y los estados andalusíes. Elementos para una discusión», en *Revista d'historia medieval*, n.º 12, Valencia, 2001-2002.

TRIKI, H., *Itinerario cultural de almorávides y almohades: Magreb y Península Ibérica*, Granada, 1999.

TRILLO, C., «Aljibes y mezquitas en Madina Garnata (siglos XI-XV): significado social y espacial», en *Espacios de poder y formas sociales en la Edad Media*, Salamanca, 2007.

TROYES, C. de, *El libro de Perceval*, Madrid, 2000.

VALOR GISBERT, D., *Los Azagra de Tudela*, Pamplona, 1963.

VALOR PIECHOTTA, M., «El mercado en la Sevilla islámica», en *Miscelánea Medieval Murciana*, XVIII, Murcia, 1993-1994.

VEGLISON ELÍAS DE MOLINS, J., *La poesía árabe clásica*, Madrid, 1997.

VELÁZQUEZ BASANTA, F. N., «Diálogo poético-amoroso en la Granada almohade: Abū Ŷaʻfar ibn Saʻīd y Hafsa la Rakūniyya», en *Anales de la Universidad de Cádiz*, III-IV, Cádiz, 1986-1987.

VIGUERA MOLINS, M. J., «Reflejos cronísticos de mujeres andalusíes y magrebíes», en *Anaquel de Estudios Árabes*, n.º 12, Madrid, 2001.

—, «Las reacciones de los andalusíes ante los almohades», en *Los almohades: problemas y perspectivas* [en línea], 2005.

VILAR RAMÍREZ, J. B., «El altiplano albaceteño en las crónicas musulmanas medievales», en *Al-Basit: Revista de estudios albacetenses*, n.º 4, Albacete, 1977.

VON SCHACK, A. F., *Poesía y arte de los árabes en España y Sicilia* [en línea], 2003.

VV. AA., «Ciudades de al-Ándalus», en *Atlas de Historia del territorio de Andalucía*, Sevilla, 2009.

VV. AA., *Malaqa, entre Malaca y Málaga*, Málaga, 2009.

YARNOZ ORCOYEN, J. M., «San Adrián de Vadoluengo», en *Príncipe de Viana* [en línea], 51, 1990.

ZURITA, J., *Anales de la Corona de Aragón* [en línea], 2003.

ÍNDICE

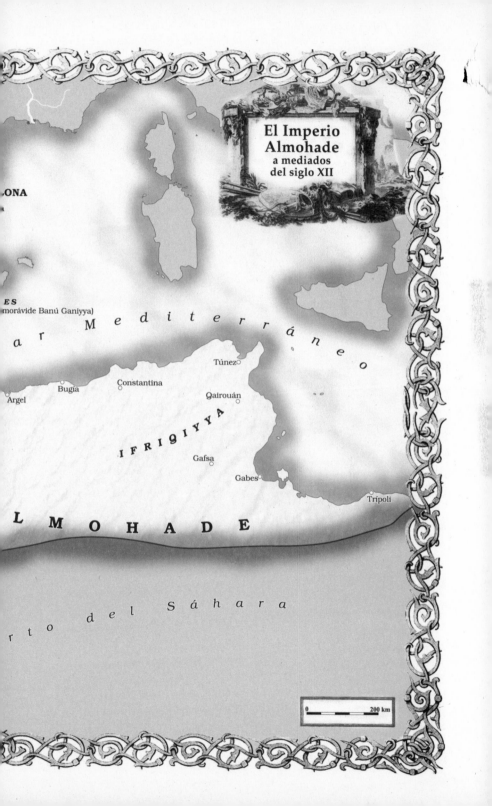

ONA

ES
(morávide Banú Ganiyya)

El Imperio
Almohade
a mediados
del siglo XII

ar M e d i t e r r á n e o

Túnez

Constantina

Bugía

Argel

Qairouán

I F R I G I Y Y A

Gafsa

Gabes

Trípoli

L M O H A D E

r t o   d e l   S á h a r a

0   200 km